440

11005 i4834

les usuels
du **Robert**

Collection dirigée par
Henri MITTERAND et Alain REY

DICTIONNAIRE DES SYNONYMES

par

HENRI BERTAUD DU CHAZAUD

Docteur de l'Université de Paris
Chargé d'enseignement de Linguistique à la Faculté des Lettres
et Sciences Humaines de Besançon
Chargé de mission au Centre National de la Recherche Scientifique

les usuels
du Robert
PARIS

AVANT-PROPOS

Je me suis attaché, dans cet ouvrage, à concilier deux exigences fondamentales :
— la richesse de l'information que doit apporter un dictionnaire spécialisé ;
— la commodité de consultation d'un manuel s'insérant dans une collection d'usuels qu'il doit compléter et non pas répéter.

Ce parti a permis de rassembler, en 488 pages, environ 20 000 articles dans l'ordre alphabétique et plus de 200 000 mots ou locutions, la plus forte densité de synonymes français publiée à ce jour.

Les dictionnaires de synonymes, peu nombreux et d'apparition relativement récente au regard des autres dictionnaires, comportent habituellement des définitions, des exemples, des références étymologiques qui réduisent la place laissée à l'énumération des synonymes, si l'on veut conserver à l'ouvrage sa maniabilité.

Tous ces renseignements sont utiles pour l'emploi correct d'un mot. Cependant, ce n'est pas le sens ou l'origine étymologique d'un mot qui fait le plus souvent défaut, mais bien le mot lui-même.

L'écolier ou le rédacteur de textes officiels, l'écrivain, le publiciste, le traducteur, tous ceux qui écrivent par plaisir ou par nécessité rencontrent deux exigences particulières à la langue française :
— employer le mot exact ;
— éviter les répétitions.

Ils se trouvent alors dans la situation inverse de celui qui consulte un dictionnaire de définitions. Dans ce dernier cas, on possède le mot, mais le sens de ce mot demeure imprécis ou inconnu ; une définition est nécessaire, appuyée au besoin sur un exemple et une explication étymologique.

Au contraire, il arrive qu'on ait à rendre un sens bien précis, et que le mot correspondant soit rebelle à la mémoire. Il faut alors du temps et un gros effort pour voir, dans le défilé des possibles, se profiler le terme désiré.

Supposons qu'on ait à désigner une étendue d'herbe, mais que PRAIRIE ne convienne pas. A l'article PRAIRIE on trouvera une suite de mots qui fournira la variante désirée, et parfois même une idée nouvelle.

Enrichissement, élégance, précision, gain de temps, voilà ce que doit apporter un dictionnaire de synonymes. Rappelons à ce propos la critique sévère de Baudelaire à l'égard du texte qu'il venait d'écrire :
« Était-il bien exact, ce mot ? Et rendait-il rigoureusement la nuance voulue ? Attention ! ne pas confondre AGRÉABLE avec ADMIRABLE, ACCORT avec CHARMANT, AVENANT avec GENTIL, SÉDUISANT avec PROVOCANT, GRACIEUX avec AMÈNE (...). Ces divers termes (...) ont chacun une acception toute particulière ; ils disent plus ou moins la même chose ! Il ne faut jamais, au grand jamais, employer l'un pour l'autre. » Il faut que chaque expression ou mot « s'adapte à l'idée ainsi que les gants à la peau ».

Le synonyme prend dans la phrase la place d'un autre terme et remplit la même fonction grammaticale et lexicale. C'est ainsi qu'on peut le définir et le distinguer du terme analogique.

Dans chaque article de ce *Dictionnaire*, les synonymes sont ordonnés selon un triple classement :
— grammatical,
— sémantique,
— alphabétique.

Les critères grammaticaux.

Je n'ai retenu du principe de classement selon des *critères grammaticaux* que les oppositions paraissant pertinentes pour l'objet précis de l'ouvrage :
— Verbe transitif/Verbe intransitif (ex. : INTRIGUER quelqu'un et INTRIGUER, « se livrer à l'intrigue »).
— Singulier/Pluriel (ex. : GAGE/GAGES).
— Masculin/Féminin (ex. : une PÉRIODE, un PÉRIODE).
— Nom/Adjectif (ex. : BÊTE).
— Conjonction/Préposition/Adverbe ou autre (ex. : PENDANT).

Les critères sémantiques.

Le classement selon des *critères sémantiques* a été limité à quelques catégories très générales. J'indique dans la *table des abréviations* (ci-dessous, p. VII), la liste des concepts discriminateurs qui ont été retenus.

Les plus employés sont les suivants :
Au propre **(Au pr.).** Cette caractérisation ne fait pas systématiquement référence à l'étymologie, mais plutôt à la fréquence ou à l'usage.
Par extension **(Par ext.).** Sous cette rubrique, sont groupés les mots pris dans un emploi généralement imagé, parfois même littéralement impropre (COLLIER pour HARNAIS), mais gardant un rapport avec le sens propre.
Figuré **(Fig.).** Les mots présentés ici n'ont plus de rapport direct avec le sens propre.

Voici un exemple, pour illustrer ce que notre propos aurait de trop abstrait :
GERME I. Au pr. : embryon, fœtus, grain, graine, kyste, œuf, semence, sperme, spore. **II. Par ext. :** cause, commencement, départ, fondement, origine, principe, racine, rudiment, source. **III. Fig.** *Germe de discorde :* brandon, élément, ferment, levain, motif, prétexte.

L'opposition *Favorable/Neutre/Non favorable* a été utilisée chaque fois qu'elle a paru pertinente, sans prétendre pour autant imposer au lecteur une classification qui pourrait apparaître arbitraire dans certains cas.

Par exemple, à GALANTERIE, le synonyme COMPLAISANCE est proposé comme étant d'un emploi généralement favorable, tandis que COQUETTERIE ou DOUCEURS sont classés comme non favorables.

Lorsque le premier mot d'une suite de synonymes est suffisamment explicite, les classes sémantiques sont signalées seulement par un chiffre, sans indication de notion. J'utilise les chiffres romains au niveau le plus général, et les chiffres arabes pour les sous-classes.

TOHU-BOHU I. Activité, affairement, affolement, agitation, alarme, animation, ... **II.** Bacchanal, barouf, baroufle, bastringue, boucan, ... vacarme.

TOUCHER I. Au pr. *1.* Affleurer, attoucher, ... tâtonner. ***2.*** Atteindre ... porter. ***3.*** Aborder, ... relâcher. ***4.*** Avoisiner, ... voisiner. **II. Par ext. *1.*** Émarger, ... retirer. ***2.*** S'adresser, ... regarder. ***3.*** Affecter, ... porter.

J'ai systématiquement ouvert une classe pour les locutions :

COMBLER I. Emplir, ... **II.** Abreuver, ... **III.** Aplanir, ... **IV. Loc. *Combler la mesure :*** attiger, dépasser la mesure, exagérer, faire déborder le vase (fam.), forcer la dose, y aller fort (fam.).

Mon souci a été d'aider le lecteur, sans pour autant introduire de complications inutiles.

Les niveaux de langue.

D'autres caractéristiques apparaissent à l'intérieur des suites de synonymes, pour signaler des emplois particuliers. C'est ainsi que j'ai retenu certains mots *archaïques* lorsqu'ils sont encore susceptibles d'un emploi recherché ou ironisant. Ils sont suivis ou précédés de la mention (vx) : voir par exemple le synonyme HEUR de CHANCE.

J'ai fait entrer des mots ou des locutions argotiques soit lorsque leur emploi m'a paru assez connu, soit en raison de leur saveur, sans pour autant le faire systématiquement, comme ce serait le cas dans un dictionnaire de langue verte.

Il n'a pas toujours été aisé de décider si un mot était grossier, familier, vulgaire ou populaire. J'ai largement employé l'indicateur (fam.), correspondant à familier. C'est à chacun de prendre parti, selon le contexte ou la situation. Un mot n'a pas de sens en soi et tel mot peut être familier ou vulgaire, voire grossier, selon la circonstance.

Le choix des mots. Les renvois.

Je me suis efforcé de retenir les mots les plus fréquents du français contemporain, laissant de côté :

— les termes techniques, spécifiques ou autres, qui ne comportent pas de synonymes, mais engendrent plutôt des analogies ;

— les formes pronominales ou passives des verbes, ainsi que les participes et les adverbes, lorsque les suites de synonymes n'auraient été que la transformation des suites d'un verbe à la forme active ou d'un adjectif déjà retenu comme tête d'article. Par exemple, HABILLER n'est pas accompagné de HABILLER (S'), POURVOIR de POURVU, GAI de GAIEMENT.

Beaucoup d'articles renvoient à un ou plusieurs autres, pour éviter la répétition de suites identiques d'un article à l'autre. Exemple : DAMOISEAU **I.** → *jeune homme.* **II.** → *galant.*

D'autre part, à la fin de certaines suites je renvoie à un autre article. Par exemple :

COMPENDIUM Abrégé, condensé, digest, somme. → *résumé.*

Le lecteur peut aussi se reporter de lui-même à l'endroit où tel synonyme d'une suite est traité comme entrée d'article. Par exemple, dans la suite de GAI, nous trouvons CONTENT. Ce terme ne fait pas l'objet d'un renvoi explicite, mais le lecteur pourra, en se reportant à l'entrée CONTENT, trouver des mots qui ne figurent pas à GAI, parce qu'ils n'en sont pas les synonymes. Il faudra faire un choix : AISE et BÉAT, synonymes de CONTENT, ne le sont pas de GAI, tandis que RAVI peut l'être dans certains contextes.

La consultation d'un dictionnaire de synonymes, par ces sortes de rebondissements successifs, est ainsi indéfiniment enrichissante. Le problème de la synonymie fait apparaître à quel point le mot univoque, en dehors des mots scientifiques, est rare et comme un même mot peut avoir d'acceptions. Mais il faut prendre garde, par ce passage du synonyme au synonyme du synonyme, à ne pas s'éloigner dangereusement du sens qu'on cherchait tout d'abord à exprimer.

Enfin, par souci d'éviter les redondances, je n'ai pas répété systématiquement un même mot dans deux suites successives, sous deux rubriques différentes, au propre et au figuré, par exemple. En principe, à moins que la fréquence d'emploi du mot ne soit égale dans les deux acceptions, on ne le trouvera que sous une seule rubrique. Ainsi, dans l'article CHARMER, figure, *au propre*, ENSORCELER, qui n'apparaît pas sous la rubrique *au figuré*. Là aussi, c'est au lecteur de juger s'il peut se servir de tel mot dans tel ou tel emploi. On touche ici à cet aspect vivant du langage qui semble échapper indéfiniment à toute grille de classement : la créativité.

J'exprime ma gratitude à tous ceux qui m'ont encouragé et aidé dans cette gageure — véritable tapisserie de Pénélope — qu'est un dictionnaire des synonymes : amis, parents, étudiants, et à tous les inconnus auprès de qui j'ai parfois glané ce qu'on ne trouve pas habituellement dans les livres.

Je tiens à rendre un hommage particulier à ma mère qui a bien voulu se charger de la partie la plus ingrate de ce travail : la lecture et la mise au net du manuscrit ainsi qu'à ma femme et à ma petite-fille Marjolaine de Rauglaudre, qui m'ont aidé à vérifier la concordance des renvois.

Que MM. A. Noël, J.-Y. Dournon, Y. Gentilhomme veuillent bien aussi accepter mes remerciements pour leurs encouragements et pour les suggestions dont j'ai tenu le plus grand compte.

HENRI BERTAUD DU CHAZAUD.

Il n'est pas possible d'indiquer ici tous les articles parus sur la lexicologie ou la lexicographie, même en se limitant au seul problème de la synonymie. Nous prions ceux que les questions de lexicographie ou d'historique des dictionnaires de langue française peuvent intéresser de se reporter à la thèse de B. QUÉMADA qui joint aux qualités propres d'un travail scientifique le mérite d'une lecture agréable :

> Les Dictionnaires du Français Moderne 1539-1863. Didier, 1968.
> Tome I : Étude sur leur histoire, leurs types et leurs méthodes.
> Tome II : Bibliographie générale des répertoires lexicographiques.

Signalons aussi que la revue Langages (Didier/Larousse) a consacré son numéro 19 de septembre 1970 à certains problèmes de lexicographie et contient une bibliographie sur ce sujet.

Voici la liste des principaux dictionnaires de synonymes de langue française :

G. DE VIVRE : Synonimes, c'est à dire plusieurs propos propres tant en escrivant qu'en parlant, tirez quasi tous à un mesme sens, pour monstrer la richesse de la langue françoise, Cologne, 1569. Cet ouvrage bilingue, français-allemand, est le premier dictionnaire de synonymes de langue française.

A. DE MONTMEDAN : Synonymes et Épithètes françoises, Paris, 1645.

G. GIRARD : La justesse de la langue française ou les différentes significations des mots qui passent pour être synonymes, Paris, 1718.

TH. HUREAU DE LIVOY : Dictionnaire des synonymes françois, Paris, 1767.

N. BAUZÉE : Réédite le GIRARD, Paris, 1769-1780.

H. ROUBAUD : Nouveaux synonymes français, Paris, 1785.

B. MORIN : Dictionnaire universel des synonymes, Paris, 1801.

F. GUIZOT : Nouveau Dictionnaire des synonymes, Paris, 1809.

LE ROY DE FLAGIS : Nouveau choix des synonymes français Paris, 1812.

J.-E. BOINVILLIERS : Dictionnaire universel des synonymes, Paris, 1826.

J.-CH. LAVLAUX : Dictionnaire synonymique de la langue française, Paris, 1826.

M. LEPAN : Remaniement du LIVOY, Paris, 1828.

P.-B. LAFAYE : Dictionnaire des synonymes de la langue française, Paris, 1858.

Les préfaces de ces dictionnaires sont autant de traités de la synonymie. Il faut faire une mention spéciale pour la préface du LAFAYE qui, non seulement a peu vieilli, mais comporte une utilisation toute moderne de graphes qui ne sont autres que des diagrammes de VENN avant la lettre.

TABLE DES ABRÉVIATIONS

Nous avons le plus possible évité d'utiliser des abréviations. Cependant un certain nombre d'indications revenant très fréquemment, nous avons pensé qu'il n'y aurait pas d'inconvénient à les faire figurer en abrégé.

adj.	: adjectif	loc. adv.	: locution adverbiale
agr.	: agriculture		
all.	: allemand	loc. conj.	: locution conjonctive
anat.	: anatomie		
angl.	: anglais	loc. prép.	: locution prépositionnelle
arch.	: architecture		
arg. scol.	: argot scolaire	mar.	: marine
au phys.	: au physique	masc.	: masculin
au pl.	: au pluriel	méc.	: mécanique
au pr.	: au propre	méd.	: médecine
au sing.	: au singulier	mérid.	: méridional
autom.	: automobile	milit.	: militaire
chir.	: chirurgie	mus.	: musique
compl. circ.	: complément circonstanciel	par anal.	: par analogie
		p. ex.	: par exemple
conj.	: conjonction	part.	: participe
dial.	: dialectal	partic.	: particulier
enf.	: enfantin	péj.	: péjoratif
esp.	: espagnol	philos.	: philosophie
ex.	: exemple	phys.	: physique
fam.	: familier	pol.	: politique
fém.	: féminin	pop.	: populaire
fig.	: figuré	prép.	: préposition
génér.	: généralement	pron.	: pronominal
géogr.	: géographie	prot.	: protocole
géol.	: géologie	rég.	: régional
gram.	: grammaire	relig.	: religieux
impers.	: impersonnel	scient.	: scientifique
ind.	: indirect ; indirectement	subst.	: substantif
		syn.	: synonyme
inf.	: infinitif	techn.	: technique
interj.	: interjection	théol.	: théologie
ital.	: italien	typo.	: typographie
jurid.	: juridique	vén.	: vénerie
lég. péj.	: légèrement péjoratif	vétér.	: vétérinaire
		v. intr.	: verbe intransitif
litt.	: littérature	v. tr.	: verbe transitif
loc.	: locution	vx	: vieux
		vulg.	: vulgaire

Dictionnaire
des synonymes

ABAISSEMENT I. De quelque chose. 1. Au pr. : descente, fermeture. **2. Par ext. :** affaiblissement, affaissement, amenuisement, amoindrissement, baisse, chute, dégénération, dégradation, dépréciation, détérioration, dévaluation, fléchissement, → *diminution*. **II. De quelqu'un :** abjection, aplatissement, avilissement, bassesse, décadence, déchéance, déclin, dégénérescence, humiliation, humilité, pourriture. **III. Par ext.** → *dégénération*.

ABAISSER I. On abaisse quelque chose : amenuiser, amoindrir, baisser, déprécier, descendre, dévaluer, diminuer, faire tomber, fermer, rabaisser, rabattre, rapetisser, ravaler, réduire, ternir. **II. On abaisse quelqu'un :** avilir, amoindrir, dégrader, vilipender, → *humilier*.

ABAISSER (S') I. Quelque chose s'abaisse : s'affaisser, descendre, diminuer. **II. Quelqu'un s'abaisse :** s'avilir, se commettre, déchoir, se déclasser, se dégrader, déroger, descendre, s'humilier, se prêter à, se ravaler à.

ABALOURDIR → *abêtir*.

ABANDON I. De quelque chose. 1. Au pr. *Favorable ou neutre :* cessation, cession, démission, désistement, don, donation, passation, renoncement, renonciation. **2.** Forfait, lâchage, retrait. **3.** *Non favorable :* abdication, abjuration, apostasie, capitulation, démission, désertion, incurie, lâchage, laisser-aller, négligence, placage (fam.), reniement. **4. Loc.** *A l'abandon :* à vau-l'eau. **II. De quelqu'un. 1.**

Favorable ou neutre : confiance, détachement, insouciance, naturel. **2.** *Non favorable :* abdication, démission, incurie, insouciance, lâchage, laisser-aller, négligence, placage (fam.).

ABANDONNER I. Quelque chose. 1. Au pr. : céder, cesser, se démettre/se départir/se déposséder/se dessaisir de, démissionner, se désister, dételer (fam.), donner, faire donation, lâcher, laisser, passer la main, quitter, renoncer à. **2.** S'en aller, déménager, évacuer, laisser, quitter. **3.** Abjurer. **4.** Battre en retraite. **5.** Déclarer forfait, se retirer. **II. Non favorable. 1.** Abdiquer, délaisser, démissionner, se désintéresser de, se détacher de, lâcher, laisser aller/courir/tomber, se laisser déposséder de, planter là, plaquer, renoncer à. **2.** Déguerpir, déloger, évacuer, plier bagages (fam.), vider la place/les lieux. **3.** Apostasier, renier sa foi. **4.** Capituler, céder, déserter, évacuer, fuir. **5.** S'incliner. **6.** Baisser pavillon, caler, caner (fam.), céder, s'incliner, lâcher pied, mettre les pouces (fam.), passer la main, rabattre, se rendre, se soumettre. **7.** Couper là, rompre. **8.** *Quelqu'un :* balancer (fam.), délaisser, se désintéresser de, se détacher de, fausser compagnie à, lâcher, laisser, laisser aller/péricliter/tomber/aller à vau-l'eau, négliger, planter là (fam.), plaquer (fam.), quitter, renoncer à, rompre, semer, se séparer de.

ABANDONNER (S') I. Neutre ou favorable : se laisser aller à, se livrer à, se jeter/se plonger dans. **II. Non favorable. 1. Au pr. :** se laisser aller, s'en foutre (fam.), s'en ficher, se négliger. **2. Par ext.** : se dérégler, se dévoyer, être en proie à, se jeter dans, se laisser aller à, se plonger dans, succomber à, se vautrer dans.

ABASOURDI, E I. → *ébahi*. **II.** → *consterné.*

ABASOURDIR I. Neutre : accabler, étourdir, surprendre. **Au passif :** en rester baba (fam.)/comme deux ronds de flan (fam.). **II. Favorable :** ébahir, ébaubir, éberluer, estomaquer (fam.), étonner, interloquer, méduser, sidérer. **III. Non favorable :** abrutir, accabler, choquer, consterner, étourdir, hébéter, interloquer, pétrifier, stupéfier, traumatiser.

ABASOURDIR (S') I. Neutre : s'étourdir. **II. Favorable :** s'ébahir, s'ébaubir, s'éberluer. **III. Non favorable :** s'abrutir, devenir dingue (fam.).

ABÂTARDIR I. Quelqu'un ou un animal : abaisser, affaiblir, altérer, avilir, baisser, dégénérer, dégrader. **II. Quelque chose** → *altérer.*

ABÂTARDISSEMENT I. → *dégénération.* **II.** → *abaissement.*

ABATTAGE I. Bagou, brillant, brio, chic, dynamisme, personnalité. **II.** Sacrifice, tuerie. **De roches :** havage. **D'arbres :** coupe. **Maison d'abattage** → *lupanar.*

ABATTEMENT I. De quelque chose. 1. Sur une somme : déduction, escompte, réfaction, ristourne. **2. Techn.** : finition, parement. **II. De quelqu'un :** accablement, anéantissement, consternation, découragement, démoralisation, effondrement, épuisement, harassement, lassitude, prostration.

ABATTIS I. Fam. De quelqu'un : bras, jambes, membres. **II. Loc. Numérote tes abattis :** prends garde à toi, fais gaffe (fam.).

ABATTOIR I. Au pr. : assommoir, échaudoir, tuerie. **II. Par ext. :** carnage, champ de bataille, danger public.

ABATTRE I. Quelque chose. 1. Au pr. : démanteler, démolir, détruire, faire tomber, raser, renverser. **2. Par ext.** : couper, désoucher, donner un coup de tronçonneuse, faire tomber, scier. **3.** Étaler/montrer son jeu. **4. Loc. Abattre du travail :** bosser (fam.), boulonner (fam.), en foutre (fam.)/en mettre un coup, trimer, turbiner. **5. Non favorable :** anéantir, annihiler, briser, décourager, démolir, démonter, démoraliser, détruire, faucher, ruiner, vaincre, vider (fam.). **II. Quelqu'un. 1. Au pr. :** descendre, exécuter, liquider, mettre à mort, régler son compte à, supplicier, tirer, tuer. **2. Fig.** : démolir, descendre, disqualifier, écraser, éliminer, liquider, régler son compte à, vaincre. **III.**

Un animal. 1. Tirer, tuer, servir (vén.). **2.** Assommer, égorger, saigner, tuer. **IV. Loc. Être abattu :** être prostré, *et les formes passives des syn. de* ABATTRE.

ABATTRE (S') I. Quelque chose ou quelqu'un : s'affaisser, dégringoler (fam.), s'écraser, s'écrouler, s'effondrer, s'étaler (fam.), se renverser, tomber. **II. Sur quelque chose ou quelqu'un :** fondre/se précipiter/pleuvoir/tomber à bras raccourcis sur.

ABBAYE Béguinage, cloître, couvent, monastère, moutier, prieuré.

ABBÉ I. Au pr. : dignitaire, prélat, pontife. **II. Par ext. 1. Neutre ou favorable :** aumônier, curé, ecclésiastique, pasteur, prêtre, vicaire. **2. Non favorable :** capelou, corbeau, curaillon, prédicant, prestolet, ratichon.

ABCÈS Adénite, anthrax, apostème, apostume, bubon, chancre, clou, écrouelles, fluxion, furoncle, grosseur, humeurs froides, hypocrâne, kyste, panaris, phlegmon, pustule, scrofule, tourniole, tumeur.

ABDICATION → *abandon.*

ABDIQUER Se démettre, démissionner, se désister, quitter. → *abandonner.*

ABDOMEN I. De quelqu'un. 1. Au pr. : bas-ventre, hypogastre, ventre. **2. Fam.** : avant-scène, ballon, barrique, bedaine, bedon, bide, bonbonne, brioche, buffet, fanal, gaster, œuf d'autruche/de Pâques, paillasse, panse. **II. D'un animal :** hypogastre, panse.

ABÉCÉDAIRE A,b,c., alphabet.

ABEILLE Apis, avette (vx), mouche à miel.

ABERRANT, ANTE I. Neutre : anormal, déraisonnable, insensé. **II. Non favorable :** absurde, con (fam.), extravagant, faux, fou, grotesque, idiot, imbécile, loufoque, ridicule, saugrenu. → *bête.*

ABERRATION I. Neutre : errement, erreur, fourvoiement, méprise. **II. Non favorable :** absurdité, aliénation, bévue, extravagance, folie, idiotie, imbécillité, non-sens, stupidité. → *bêtise.*

ABERRER → *tromper (se).*

ABÊTIR Abalourdir, abasourdir, abrutir, affaiblir, bêtifier, crétiniser, dégrader, diminuer, encroûter, engourdir, faire tourner en bourrique (fam.), fossiliser, hébéter, rabêtir, ramollir, rendre bête, *et les syn. de* BÊTE.

ABÊTIR (S') S'abrutir, devenir bête, *et les syn. de* BÊTE, déconner (fam.), s'encroûter, se fossiliser.

ABÊTISSEMENT Abrutissement, ahurissement, bêtification, connerie (fam.), crétinisme, encroûtement, gâtisme, hébétude, idiotie, imbécillité, stupidité.

ABHORRER Abominer, avoir en aversion/en horreur, détester, éprouver de l'antipathie/de l'aversion/du dégoût/de l'horreur/de la répugnance, exécrer, haïr, honnir, maudire, vomir.

ABÎME I. Au pr. : abysse, aven, cloup, fosse, gouffre, igue, précipice. **II. Fig. Non favorable. 1.** Catastrophe, chaos, néant, ruine. **2.** Différence, distance, divorce, fossé, immensité, incompréhension, intervalle.

ABÎMER I. Quelque chose. 1. Au pr. : amocher (fam.), bousiller (fam.), casser, cochonner (fam.), déglinguer (fam.), dégrader, démolir, détériorer, détraquer, ébrécher, endommager, esquinter, fusiller (fam.), gâter, massacrer (fam.), mettre hors de service/d'usage, saboter, saccager, salir, saloper (fam.), user. **2. Sa santé :** compromettre, détraquer, esquinter, ruiner. **II. Quelqu'un. 1. Physique :** amocher, bousiller, démolir, esquinter, massacrer. **2. Moral :** calomnier, démolir, salir, ternir.

ABÎMER (S') I. Un navire : aller par le fond, chavirer, couler, disparaître, s'enfoncer, s'engloutir, se perdre, sombrer. **II. Quelqu'un :** s'abandonner à, s'absorber dans, s'adonner à, s'enfoncer dans, être enseveli, s'ensevelir/se plonger/sombrer/tomber/se vautrer dans (péj.). **III.** Les formes pronom. possibles des syn. de ABÎMER.

ABJECT, E Avili, bas, dégoûtant, dégueulasse (vulg.), écœurant, grossier, honteux, ignoble, ignominieux, indigne, infâme, infect, laid, méprisable, misérable, obscène, odieux, plat, rampant, repoussant, répugnant, sale, salaud (vulg.), sordide, vil, vilain, visqueux.

ABJECTION Avilissement, bassesse, boue, crasse, dégoûtation, dégueulasserie (vulg.), fange, grossièreté, honte, ignominie, ilotisme, indignité, infamie, laideur, obscénité, platitude, saleté, saloperie (vulg.), vilenie. → abaissement.

ABJURATION → abandon.

ABJURER Faire son autocritique/sa confession publique, renier, se rétracter. → abandonner.

ABLATION Chir. : abscission, amputation, autotomie, castration, coupe, excision, exérèse, mutilation, opération, rescision, résection, sectionnement, tomie.

ABLUTION I. Au pr. 1. Au sing. : lavage, nettoyage, rinçage. **2. Au pl. :** bain, douche, lavage, nettoyage, toilette. **II.** Purification (relig.).

ABNÉGATION Abandon, désintéressement, détachement, dévouement, holocauste, oubli de soi, renoncement, sacrifice.

ABOI I. D'un chien. 1. Sing. et pl. : aboiement, glapissement, hurlement, jappement. **2. Vén. :** chant, cri, voix. **II. Loc. Être aux abois :** à quia, en déconfiture, en difficulté, en faillite, réduit à la dernière extrémité.

ABOLIR I. Au pr. : abandonner, abroger, anéantir, annuler, casser, démanteler, détruire, effacer, éteindre, faire cesser/disparaître/table rase, infirmer, invalider, prescrire, rapporter, rescinder, résoudre, révoquer, ruiner, supprimer. **II. Par ext. :** absoudre, amnistier, gracier, pardonner, remettre.

ABOLISSEMENT, ABOLITION I. → abrogation. **II.** → absolution. **III.** → amnistie.

ABOMINABLE → affreux.

ABOMINATION I. → honte. **II.** → horreur.

ABOMINER → haïr.

ABONDAMMENT → beaucoup.

ABONDANCE I. → affluence. **II. Loc. 1. Parler d'abondance :** avec volubilité, avoir du bagou, être intarissable. **2. En abondance :** à foison, en pagaille, en veux-tu en voilà.

ABONDANT, E I. Au pr. 1. Commun (péj.), considérable, copieux, courant (péj.), exubérant, fécond, fertile, fructueux, généreux, inépuisable, intarissable, luxuriant, opulent, plantureux, pléthorique, prolifique, riche, somptueux. **2.** Considérable, foisonnant, fourmillant, grouillant, innombrable, incommensurable, nombreux, pullulant. **II. Par ext. :** Ample, charnu, copieux, énorme, épais, étoffé, exubérant, fort, fourni, garni, généreux, gros, long, luxuriant, opulent, plantureux, rempli, replet, riche, somptueux. **2.** Diffus, intarissable, long, prolixe, touffu, verbeux.

ABONDER I. Au pr. : foisonner, fourmiller, grouiller, proliférer, pulluler, il y a des tas de. **II. Par ext. :** être fertile en/plein de/riche en, regorger de. **III. Fig. 1.** Être plein de/prodigue en, regorger de, se répandre en. **2. Loc. :** Il abonde dans mon sens : approuver, se rallier à, se ranger à un avis.

ABONNEMENT Carte, forfait, souscription.

ABONNIR → améliorer.

ABORD I. Nom. 1. Au sing. : accueil, approche, caractère, comportement, réception. **2. Au pl. :** accès, alentours, approches, arrivées, entrées, environs. **II. Loc. adv. 1. D'abord :** au commencement, auparavant, au préalable, avant tout, en premier lieu, premièrement, primo. **2. Dès l'abord :** dès le commencement, sur le coup, dès le début, immédiatement, incontinent, à première vue, tout de suite. **3. Tout d'abord :** aussitôt, sur-le-champ, dès le premier instant. *4. Au premier/de prime abord :* dès le commencement, à la première rencontre, à première vue.

ABORDABLE I. Quelqu'un : accessible, accueillant, bienveillant, facile, pas fier (pop.). **II. Quelque chose. 1.** Bon marché, pas cher, possible, réalisable. *2.* Accostable, d'accès facile.

ABORDAGE Accostage, arraisonnement, assaut, collision, débarquement.

ABORDER I. Quelque chose. 1. Au pr. : accéder à, accoster, approcher de, arriver à, atteindre, avoir accès à, mettre pied à terre. → *toucher. 2. Une difficulté* → *affronter. 3. Un virage :* négocier. **II. Quelqu'un** → *accoster.*

ABORIGÈNE Autochtone, indigène, natif, naturel.

ABOUCHEMENT I. Aboutement, accouplement, ajoutement, jonction, jumelage, raccordement, rapport, reboutement, union. **II.** Conférence, entrevue, rencontre.

ABOUCHER I. Quelque chose : abouter, accoupler, ajointer, joindre, jumeler, mettre bout à bout/en rapport, raccorder, réunir. **II. Par ext. :** ménager/procurer une entrevue/un rendez-vous, mettre en rapport/en relation, rapprocher, réunir.

ABOUCHER (S') Communiquer, entrer/se mettre en conférence/pourparlers/rapport/relation, s'entretenir, négocier, prendre date/langue/rendez-vous.

ABOULER Fam. : apporter, donner.

ABOULER (S') Fam. : s'amener, arriver, se pointer, se propulser, rappliquer, se rappliquer, venir.

ABOULIQUE Amorphe, apathique, crevé (fam.), faible, impuissant, lavette (fam.), mou, sans volonté, velléitaire, vidé (fam.) → *paresseux.*

ABOUTIR I. Au pr. : arriver à, atteindre, se diriger vers, finir à/dans/en/par, se jeter/tomber dans. → *terminer (se)*. **II. Par ext. :** avoir du succès, être couronné de succès, mener à sa fin/son issue/son terme, parvenir à → *réussir.*

ABOUTISSANT Loc. *Les tenants et les aboutissants :* les causes et les conséquences, les données.

ABOUTISSEMENT But, couronnement, fin, issue, point final, réalisation, résultat, terme.

ABOYER I. Au pr. : chanter (vén.), crier, japper, hurler. **II. Par ext. :** braire, clabauder, crier, glapir, gueuler (vulg.), japper, hurler.

ABOYEUR Crieur, commissaire-priseur → *huissier.*

ABRACADABRANT, E Ahurissant, baroque, biscornu, bizarre, délirant, démentiel, déraisonnable, époustou-flant, étrange, extraordinaire, extravagant, fantasmagorique, fantasque, fantastique, farfelu, fou, incohérent, incompréhensible, incroyable, insolite, sans queue ni tête, saugrenu, singulier, stupéfiant, surprenant, unique.

ABRÉGÉ I. Adj. 1. Neutre ou favorable : amoindri, bref, concis, court, cursif, diminué, écourté, lapidaire, limité, raccourci, rapetissé, réduit, resserré, restreint, résumé, simplifié, sommaire, succinct *2. Non favorable :* compendieux, laconique, tronqué. **II. Nom :** abréviation, aide-mémoire, analyse, aperçu, argument, bréviaire (relig.), compendium, digest, diminutif, éléments, épitomé, esquisse, extrait, manuel, notice, plan, précis, promptuaire, raccourci, récapitulation, réduction, résumé, rudiment, schéma, sommaire, somme, topo (fam.).

ABRÉGEMENT Diminution, raccourcissement, réduction.

ABRÉGER Accourcir, alléger, amoindrir, diminuer, écourter, limiter, raccourcir, rapetisser, réduire, resserrer, restreindre, résumer, simplifier, tronquer.

ABREUVER I. Au pr. : apporter de l'eau, désaltérer, faire boire, verser à boire. **II. Par ext. 1. Neutre ou favorable :** accabler/arroser/combler/couvrir/imprégner/inonder de. *2. Non favorable :* accabler de, agonir, couvrir/inonder de. *3.* → *humecter. 4.* → *remplir.*

ABREUVER (S') I. Quelque chose : absorber, s'arroser, s'humecter, s'imbiber, s'imprégner, s'inonder, se mouiller, se pénétrer. **II. Quelqu'un** (fam.) : absorber, arroser, s'aviner, biberonner, buvoter, chopiner, se cocarder, écluser, s'enivrer, entonner, éponger/étancher sa soif, s'humecter le gosier, s'imbiber, s'imprégner, lamper, se lester, lever le coude, licher, picoler, pinter, pomper, se rafraîchir, se remplir, riboter, se rincer la dalle/le gosier, siroter, sucer, se taper/vider un verre, téter. **III. Un animal :** boire, se désaltérer, étancher sa soif, laper.

ABREUVOIR Auge, baquet, bassin.

ABRÉVIATION Initiales, raccourci, sigle. → *abrégé.*

ABRI I. Au pr. 1. Neutre ou favorable : asile, cache, cachette, lieu sûr, refuge, retraite. *2. Non favorable :* repaire. *3. D'un animal :* bauge, gîte, refuge, repaire, soue, tanière, trou. **II. Milit. :** cagna, casemate, fortin, guitoune. **III. Par ext. :** assurance, défense, garantie, protection, refuge, sécurité, sûreté. **IV. Loc. *Être à l'abri :*** à couvert, à l'écart, à l'ombre (fam.), hors d'atteinte/de portée, en lieu sûr, en sécurité, en sûreté, planqué (fam.).

ABRICOT Alberge.

ABRITER → *couvrir.*

ABROGATION I. Au pr. : abolition, annulation, cassation, cessation, invalidation, prescription, révocation, suppression. **II. Par ext. 1.** Anéantissement, destruction, disparition, effacement. **2.** → *absolution.*

ABROGER → *abolir.*

ABROGER (S') S'abolir, s'annuler, cesser son effet, s'effacer, s'éteindre, se prescrire.

ABRUPT, E I. Au pr. : à pic, escarpé, montant, raide, roide, rude. **II. Par ext.** : acariâtre, acerbe, acrimonieux, aigre, bourru, brusque, brutal, direct, dur, haché, hargneux, heurté, inculte, rébarbatif, revêche, rogue, sauvage, tout de go (fam.).

ABRUTI, E → *bête.*

ABRUTIR → *abêtir.*

ABRUTISSEMENT Abêtissement, ahurissement, animalité, avilissement, bestialité, connerie (fam.), crétinisme, engourdissement, gâtisme, hébétude, idiotie, imbécillité, stupeur, stupidité. → *bêtise.*

ABSENCE I. Au pr. 1. Carence, défaut, défection, éclipse, manque. **2.** Départ, disparition, échappée, école buissonnière, éloignement, escapade, fugue. **II. Par ext.** : omission, privation. **III. Loc. *Avoir des absences*** : amnésie, distractions, oublis, trous.

ABSENT, E I. Jurid. : contumace, défaillant. **II. Par ext.** : dans la lune (fam.), inattentif, lointain, rêveur. → *distrait.*

ABSENTER (S') I. Neutre ou favorable : s'éloigner, partir, quitter, se retirer, sortir. **II. Non favorable** : disparaître, s'éclipser, faire défaut, faire l'école buissonnière, jouer la fille de l'air (fam.), manquer, pratiquer l'absentéisme, tirer au flanc/au cul (fam.).

ABSOLU, E I. Adj. 1. Au pr. : catégorique, complet, discrétionnaire, dogmatique, entier, exclusif, foncier, formel, impératif, impérieux, indispensable, infini, parfait, plein, radical, total. **2. Quelqu'un** : autocratique, autoritaire, arbitraire, cassant, césarien, despotique, dictatorial, dogmatique, exclusif, impérieux, intransigeant, jupitérien, omnipotent, souverain, totalitaire, tout-puissant, tyrannique. **II. Nom** : idéal, infini, intégrité, intransigeance, perfection, plénitude.

ABSOLUMENT A fond, diamétralement, tout à fait, à toute force, nécessairement, *et les adv. en -ment formés avec les syn. de* ABSOLU.

ABSOLUTION Abolition, abrogation, acquittement, amnistie, annulation, cassation, extinction, grâce, pardon,

pénitence, prescription, rémission, remise/suppression de peine.

ABSOLUTISME Autocratie, autoritarisme, caporalisme, césarisme, despotisme, dictature, pouvoir personnel, totalitarisme, tyrannie.

ABSORBÉ, E I. Neutre : absent, méditatif, occupé, préoccupé. **II. Non favorable** : abruti, ahuri. → *distrait.*

ABSORBER I. Une chose absorbe une chose. 1. Au pr. : avaler, boire, s'imbiber de, s'imprégner de, se pénétrer de, pomper. **2. Par ext.** : dévorer, engloutir, épuiser, faire disparaître/fondre, liquider, nettoyer, pomper. **II. On absorbe quelque chose. 1. Un liquide** → *boire.* **2. Un aliment** : avaler, assimiler, consommer, déglutir, dévorer, engouffrer, faire disparaître, ingérer, ingurgiter, manger. **III. Par ext. Quelque chose absorbe quelqu'un** : accaparer, dévorer, retenir.

ABSORBER (S') Dans un travail : s'abîmer, s'abstraire, s'attacher à, s'enfoncer dans, s'engloutir, s'ensevelir, se plonger, sombrer *et les formes passives des syn. de* ABSORBER.

ABSORPTION I. Au pr. : consommation, ingestion, ingurgitation, manducation. **II. Fig.** : disparition, effacement, liquidation, suppression.

ABSOUDRE I. Quelqu'un → *acquitter.* **II. Une faute** : effacer, excuser, pardonner, remettre.

ABSTENIR (S') Se dispenser, éviter, s'exempter de, se garder de, s'interdire de, négliger de, ne pas participer à, ne pas prendre part à, se passer de, se priver de, se refuser à/de, se récuser, renoncer à, rester neutre, se retenir de.

ABSTENTION I. Neutralité, non-belligérance, non-intervention. **II.** Privation, récusation, refus, renonciation, renoncement, restriction.

ABSTINENCE I. → *jeûne.* **II.** → *continence.*

ABSTINENT, E I. Au pr. : frugal, modéré, sobre, tempérant. **II. Par ext. 1.** Chaste, continent. **2. D'alcool** : abstème.

ABSTRACTION I. Au pr. : axiome, catégorie, concept, notion. **II. Non favorable** : chimère, irréalité, fiction, utopie. **III. Loc. 1. Faire abstraction de** : écarter, éliminer, exclure, laisser de côté, mettre à part, omettre, ôter, retirer, retrancher, supprimer, sortir. **2. Abstraction faite de** : en dehors de, excepté, à l'exception de, hormis, à part. **3. Avoir une faculté d'abstraction** : absence, indifférence, méditation, réflexion, repli sur soi.

ABSTRAIRE → *éliminer.*

ABSTRAIRE (S') S'absenter, se défiler (fam.), s'écarter de, se détacher de, s'éliminer, s'exclure, se mettre à part, prendre ses distances, se replier sur soi.

ABSTRAIT, E I. Quelque chose. 1. Neutre : axiomatique, irréel, profond, subtil, théorique. **2. Non favorable :** abscons, abstrus, chimérique, difficile, fumeux (fam.), obscur, utopique, vague. **II. Quelqu'un, 1. Favorable :** profond, subtil. **2. Neutre ou non favorable.** *Ses idées :* abscons, chimérique, difficile, irréel, obscur, utopique, vague. *Son comportement :* absent, absorbé, distrait, indifférent, méditatif, paumé (fam.), rêveur.

ABSURDE I. Adj. 1. Quelque chose : déraisonnable, extravagant, fou, illogique, incohérent, incongru, inconséquent, inepte, irrationnel, insensé, loufoque. → *bête.* **2. Quelqu'un :** déraisonnable, dingo (fam.), dingue (fam.), extravagant, fou, illogique, incohérent, inconséquent, loufoque. → *bête.* **II. Nom. 1. Neutre :** illogisme, irrationnel. **2. Non favorable** → *absurdité.*

ABSURDITÉ Déraison, extravagance, folie, illogisme, incohérence, incongruité, inconséquence, insanité, loufoquerie → *bêtise.*

ABUS I. Au pr. : exagération, excès. **II. Non favorable :** débordements, dérèglement, désordre, errements, exagération, excès, inconduite, intempérance. **III. Jurid.** *Abus de pouvoir :* excès, illégalité, injustice.

ABUSER I. V. intr. 1. Au pr. : attiger (fam.), charrier (fam.), dépasser/passer les bornes/la mesure, exagérer, exploiter, mésuser, outrepasser. **2. D'une femme :** déshonorer, faire violence, posséder, violer, violenter. **II. V. tr.** *Abuser quelqu'un :* amuser, attraper, berner, blouser (fam.), bourrer le crâne/le mou (fam.), carotter, couillonner (mérid.), décevoir, donner le change à, duper, embabouiner (fam.), embobiner (fam.), empapaouter (fam.), empaumer (fam.), égarer, enjôler, entuber (fam.), escroquer, induire en erreur, jouer, leurrer, mener en/monter un bateau à, monter le coup à, mystifier, pigeonner (fam.), piper, refaire (fam.), rouler, surprendre la bonne foi de, trahir, tromper.

ABUSER (S') Aberrer, se blouser (fam.), cafouiller (fam.), se couillonner (mérid.), déconner (vulg.), s'égarer, s'entuber (fam.), errer, faillir, faire erreur, se faire illusion, se ficher dedans (fam.), se foutre dedans (vulg.), se gourer (fam.), s'illusionner, se leurrer, méjuger, se méprendre, se mettre le doigt dans l'œil (fam.), prendre le change, sous-estimer, se tromper.

ABUSIF, IVE I. Neutre : envahissant, excessif, immodéré. **II. Non favorable. 1.** Injuste, léonin, trop dur/sévère. **2.** Impropre, incorrect.

ABUSIVEMENT I. Excessivement, immodérément. **II.** Improprement, indûment, injustement. **III.** Incorrectement.

ACABIT I. Catégorie, espèce, genre, manière, nature, qualité, sorte, type. **II. Loc.** *De même acabit :* de même farine/tabac.

ACACIA Cachou, casse, cassier, robinier.

ACADÉMIE I. Au pr. 1. Académie française : Institut, palais Mazarin, quai Conti. **2. Universitaire :** institut, rectorat, université. **II. Par ext. :** collège, conservatoire, école, faculté, gymnase, institut, lycée. **III. Beaux-arts :** modèle, nu.

ACADÉMIQUE I. Neutre : conformiste, conventionnel. **II. Non favorable :** ampoulé, compassé, constipé (fam.), démodé, emmerdant (grossier), empesé, emphatique, ennuyeux, fossilisé, froid, guindé, prétentieux, sans originalité/relief, ridicule, vieux jeu.

ACADÉMISME Conformisme, convention.

ACAJOU Anacardier, teck.

ACARIÂTRE I. Acerbe, acide, acrimonieux, aigre, atrabilaire, bâton merdeux (vulg.), bilieux, bougon, criard, grande gueule (fam.), grincheux, grognon, gueulard, hargneux, hypocondriaque, incommode, insociable, intraitable, maussade, merdeux (grossier), morose, querelleur, quinteux, rébarbatif, revêche, rogue. **II. Loc.** *Une femme acariâtre* (fam.) : carne, carogne, catin, chameau, charogne, chienne, chipie, commère, dame de la halle, diablesse, dragon, fourneau, furie, garce, gaupe, gendarme, grenadier, grognasse, harengère, harpie, hérisson, junon, maquerelle, maritorne, ménade, pie-grièche, pisse-vinaigre, poison, poissarde, pouffiasse, rébecca, rombière, sibylle, sorcière, souillon, toupie, tricoteuse, trumeau, virago.

ACCABLANT, E I. Un argument : écrasant, impitoyable, irréfutable, lourd. **II. La chaleur :** brûlant, écrasant, étouffant, fatigant, impitoyable, inexorable, intolérable, lourd, orageux, suffocant, tropical. **III. Une charge :** écrasant, lourd, intolérable. **IV. Quelqu'un. 1. Au pr. :** fatigant, insupportable, intolérable. **2. Fig. :** décourageant, déroutant, désarmant.

ACCABLEMENT → *abattement.*

ACCABLER I. → *charger.* **II.** → *abattre.* **III.** → *surcharger.*

ACCALMIE → *bonace.*

ACCAPAREMENT Monopolisation, spéculation, stockage, thésaurisation.

ACCAPARER I. → *accumuler.* **II.** → *absorber.* **III.** → *envahir.*

ACCAPAREUR → *spéculateur.*

ACCÉDER I. V. intr. 1. → *aboutir.* **2.** → *accoster.* **II. V. tr. ind. 1.** → *accepter.* **2.** → *consentir.*

ACCÉLÉRATION Activation, augmentation de cadence/rythme/vitesse, célérité, hâte, précipitation.

ACCÉLÉRER I. Au pr. : accroître, activer, augmenter, dépêcher, hâter, pousser, précipiter, presser, stimuler. **II. Auto :** appuyer sur/écraser le champignon, mettre la gomme, pousser, presser,

S'ACCÉLÉRER Se dégrouiller (fam.), faire diligence/ficelle/fissa (fam.), se grouiller (fam.), se manier (fam.), se remuer, *et les formes pronom. possibles des syn. de* ACCÉLÉRER.

ACCENT I. Accentuation, marque, signe. **II.** Emphase, intensité, modulation, prononciation, ton, tonalité.

ACCENTUER I. Accroître, accuser, appuyer sur, augmenter, donner de l'intensité/du relief à, faire ressortir, insister sur, intensifier, montrer, peser sur, ponctuer, renforcer, souligner. **II.** → *prononcer.*

ACCENTUER (S') Devenir plus apparent/évident/fort/net, se mettre en évidence/relief, ressortir, *et les formes pronom. possibles des syn. de* ACCENTUER.

ACCEPTABLE Admissible, bon, convenable, correct, passable, possible, potable, présentable, recevable, satisfaisant, suffisant, valable.

ACCEPTATION → *accord.*

ACCEPTER I. Neutre ou favorable. 1. *Quelque chose* → *agréer.* **2.** *Quelqu'un* → *accueillir.* **3.** → *endosser.* **4.** Acquiescer à, adhérer à, admettre, agréer, se conformer à, condescendre à, consentir à, dire oui, donner son accord/consentement, se joindre à, opiner, permettre, se prêter à, se rallier à, ratifier, recevoir, se rendre à, se soumettre à, souscrire à, toper (fam.), trouver bon. **5.** Agréer, recevoir. **II. Non favorable :** admettre, endurer, pâtir, se résigner à, souffrir, subir, supporter, tolérer.

ACCEPTION I. Sens, signification. **II.** → *préférence.*

ACCÈS I. Au pr. : abord, entrée, introduction. **II. Fig. 1.** → *accueil.* **2. Méd. :** attaque, atteinte, crise, poussée. **3.** Bouffée, corrida (fam), scène. **III. Loc.** *Par accès :* par intermittence, récurrent.

ACCESSIBLE I. Au pr. : abordable, accort, accueillant, affable, aimable, amène, facile, ouvert à, sensible, simple. **II. Par ext. :** approchable, compréhensible, intelligible, à portée, possible, simple.

ACCESSION Admission, arrivée, avancement, avènement, promotion, venue.

ACCESSIT Distinction, nomination, prix, récompense.

ACCESSOIRE I. Adj. 1. *N'est pas le principal :* auxiliaire, concomitant, inutile, secondaire, subsidiaire, superfétatoire, superflu. **2.** *En supplément :* additionnel, annexe, auxiliaire, complémentaire, dépendant, incident, supplémentaire. **II. Nom :** instrument, outil, pièce, ustensile.

ACCESSOIREMENT Éventuellement, incidemment, secondairement, subsidiairement.

ACCIDENT I. Au pr. 1. *Neutre :* affaire, aventure, épisode, événement, incident, péripétie. **2.** *Non favorable :* accroc, accrochage, aléa, anicroche, avatar (par ext.), aventure, bûche (fam.), calamité, catastrophe, contretemps, coup dur, coup du sort, les hauts et les bas (fam.), malheur, manque de pot (fam.), mésaventure, pépin (fam.), revers, tuile (fam.), vicissitudes. **II. Par ext. 1.** *De terrain :* aspérité, creux et bosses, dénivellation, mouvement de terrain, pli, plissement, relief. **2.** *Loc.* *Par accident :* par extraordinaire, fortuitement, par hasard/inadvertance/occasion, rarement.

ACCIDENTÉ, E I. Au pr. 1. *Quelqu'un :* abîmé, amoché (fam.), atteint, blessé, esquinté (fam.), touché, traumatisé. **2.** *Quelque chose :* accroché, bousillé (fam.), cabossé (fam.), carambolé (fam.), cassé, démoli, détérioré, détraqué, détruit, endommagé, esquinté (fam.). **II. Par ext. :** agité, dangereux, imprévu, inégal, irrégulier, montagneux, montueux, mouvementé, pittoresque, varié.

ACCIDENTEL, ELLE Accessoire, brutal, contingent, épisodique, extraordinaire, fortuit, imprévu, inattendu, incident, inhabituel, occasionnel, violent.

ACCIDENTEL, ACCIDENTELLEMENT D'aventure, fortuitement, inopinément, malencontreusement, par accident, par hasard, sans cause, *et les adv. en -ment formés sur les syn. de* ACCIDENTEL.

ACCIDENTER Abîmer, accrocher (fam.), amocher (fam.), bousiller (fam.), cabosser (fam.), caramboler (fam.), casser, démolir, détériorer, détraquer (fam.), détruire, endommager, esquinter (fam.).

ACCLAMATION Applaudissement, approbation, bis, bravo, éloge, hourra, louange, ovation, rappel, triomphe, vivat.

ACCLAMER Applaudir, bisser, faire une ovation, ovationner, rappeler.

ACCLIMATATION I. Apprivoisement, naturalisation. **II. Jardin d'acclimatation :** jardin zoologique, zoo.

ACCLIMATEMENT Accommodation, accoutumance, adaptation, apprivoisement, habitude.

ACCLIMATER Accoutumer, adapter, apprivoiser, entraîner, familiariser, habituer, importer, initier, introduire, naturaliser, transplanter.

ACCLIMATER (S') I. Quelqu'un : s'accoutumer, s'adapter, s'y faire, s'habituer. **II. Quelque chose :** s'établir, s'implanter, s'introduire, prendre place, *et les formes pronom. possibles des syn. de* ACCLIMATER.

ACCOINTANCE Amitié, attache, camaraderie, connaissance, fréquentation, intelligence, intimité, liaison, lien, parenté, piston (fam.), rapport, relation, tenants et aboutissants.

ACCOISEMENT (vx) → *adoucissement.*

ACCOLADE Fam. : bise, embrassade.

ACCOLER I. Au pr. → *baiser.* **II. Par ext. 1.** → *adjoindre.* **2.** → *serrer.*

ACCOMMODANT, E Arrangeant, aisé à vivre, bienveillant, bon prince, complaisant, conciliant, condescendant, coulant, débonnaire, de bonne composition, du bois dont on fait les flûtes (fam.), facile à contenter/à satisfaire/à vivre, sociable, souple.

ACCOMMODEMENT Accord, ajustement, amodiation, arrangement, capitulation (fam.), composition, compromis, conciliation, entente, expédient, raccommodement, rapprochement.

ACCOMMODER I. Quelque chose → *adapter.* **II. Cuisine** → *apprêter.* **III. Quelqu'un. 1. Au pr.** → *accorder.* **2. Habillement** → *accoutrer.*

ACCOMMODER (S') Accepter, admettre, s'arranger de (fam.), se contenter de, se faire à, faire son affaire de, s'habituer à, prendre son parti de, se satisfaire de, se soumettre à, tirer parti de, *et les formes pronom. possibles des syn. de* ACCOMMODER.

ACCOMPAGNATEUR, TRICE I. Chaperon. **II.** Convoyeur.

ACCOMPAGNEMENT I. Convoi, cortège, escorte, équipage, suite. **II.** Accessoire, appareil, attirail, complément, pompe. **III.** Accord.

ACCOMPAGNER I. Au pr. : aller avec/de conserve, assister, chaperonner, conduire, convoyer, escorter, flanquer, guider, protéger, reconduire, suivre, surveiller. **II. Par ext. :** assortir, joindre, marier.

ACCOMPAGNER (S') S'adjoindre, s'assortir de, avoir pour conséquence/ suite, se marier avec, être suivi de *et les formes pronom. possibles des syn. de* ACCOMPAGNER.

ACCOMPLI, E I. Quelque chose. 1. Neutre : achevé, complet, effectué, fait, fini, réalisé, terminé. **2. Favorable :** consommé, idéal, incomparable, irréprochable, magistral. → *parfait.* **II. Quelqu'un :** bien élevé, complet, consommé, distingué, idéal, modèle, mûr. → *parfait.* **III. Loc. 1. Le fait accompli :** définitif, irréparable, irréversible, irrévocable. **2. Devant le fait accompli :** la carte forcée, l'évidence.

ACCOMPLIR I. Au pr. : aboutir, achever, effectuer, faire, finir, parachever, réaliser, terminer. **II. Non favorable :** commettre, perpétrer. **III. Par ext. :** s'acquitter de, mener à bien/bon terme, se plier à, réaliser, remplir. → *observer.*

ACCOMPLIR (S') Arriver, avoir lieu, se passer, se produire, *et les formes pronom. possibles des syn. de* ACCOMPLIR.

ACCOMPLISSEMENT Achèvement, exécution, performance, réalisation.

ACCORD I. Au pr. 1. Amitié, bonne intelligence, concorde, connivence, paix, sympathie, union. **2.** Alliance, contrat, convention, entente, marché, pacte, traité, transaction. **II. Par ext. 1.** Concert, concordance, convenance, harmonie, proportion, rapport. **2.** Acceptation, agrément, approbation, caution, consentement, engagement, le feu vert (fam.). **3.** Obligation, volontariat. **III. Loc. 1. D'accord :** assurément, certainement, c'est convenu, c'est entendu, oui bien sûr. **2. D'un commun accord :** à l'unanimité, à l'unisson, du même avis, par accord mutuel, tous ensemble, unanimement. **3. Mettre d'accord** → *accorder.* **4. Être/tomber d'accord** → *consentir.*

ACCORDANT, E → *conciliant.*

ACCORDER I. Au pr. 1. Accommoder, adapter, agencer, ajuster, allier, aménager, apparier, appliquer, apprêter, approprier, arranger, assembler, associer, assortir, combiner, conformer, disposer, équilibrer, faire aller/coïncider, goupiller (fam.), harmoniser, installer, joindre, mettre en accord/état/ harmonie/proportion/rapport, proportionner, rattacher, régler sur, réunir. **2.** Allouer, attribuer, avancer, céder, concéder, décerner, donner, doter, faire don, gratifier, octroyer, offrir. **II. Par ext. 1.** → *convenir.* **2.** → *réconcilier.*

ACCORDER (S') I. → *correspondre.*
II. → *entendre (s').*

ACCORDEUR Entremetteur, intermédiaire, truchement.

ACCORER → *soutenir.*

ACCORTE Agréable, aimable, avenante, bien roulée (fam.), complaisante, douce, engageante, enjouée, gracieuse, vive.

ACCOSTABLE Abordable, accessible.

ACCOSTER I. Au pr. : aborder, aboutir, arriver, entrer, jeter l'ancre, se ranger contre, toucher terre. **II. Par ext. :** aller à la rencontre de, approcher, atteindre, joindre, parvenir à, se porter à la rencontre de, racoler (péj.), se rapprocher de, rencontrer.

ACCOTEMENT → *bord.*

ACCOTER → *appuyer.*

ACCOTOIR Accoudoir, bras.

ACCOUCHEMENT I. Au pr. : → *enfantement.* **II. Fig. :** réalisation.

ACCOUCHER I. Au pr. : avoir/faire ses couches, donner naissance/la vie, enfanter, être en mal d'enfant, mettre au monde, pondre (fam.). *Pour les animaux :* mettre bas. **II. Fig. :** composer, écrire, peindre, produire, publier, réaliser. **III. Par ext.** → *engendrer.*

ACCOUCHEUR, EUSE → *gynécologue, sage-femme.*

ACCOUDER (S') ou **ÊTRE ACCOUDÉ** S'appuyer.

ACCOUDOIR Accotoir, balcon, balustrade, bras (de fauteuil).

ACCOUPLEMENT I. De choses : assemblage, conjonction, liaison, mise en couple, transmission. **II. D'animaux :** appareillement, appariade, appariage, appariement, baudouinage, bélinage, bouquinage, monte, remonte, saillie. **III. D'humains :** coït, congrès, copulation, rapports.

ACCOUPLER Appareiller, apparier, assembler, assortir, joindre, lier, mettre en couple/ensemble, réunir, unir.

ACCOUPLER (S') I. Animaux : s'apparier, s'assortir, baudouiner, béliner, bouquiner, chevaucher, cocher, couvrir, demander/faire la monte/la saillie, frayer, hurtebiller, jargauder, monter, réclamer le veau, se reproduire, retourner à son espèce, saillir, sauter, servir. **II. Humains :** accomplir l'acte de chair/ses devoirs conjugaux, s'accorder, coïter, connaître au sens biblique, consommer, copuler, faire l'amour/la chose, honorer, se prendre, s'unir. → *culbuter.*

ACCOURCIR → *diminuer.*

ACCOURIR Arriver en hâte, courir, se hâter, se précipiter, se rapprocher, venir en courant.

ACCOUTRÉ, E → *vêtu.*

ACCOUTREMENT I. Neutre ou favorable : affiquet, affublement, affutiaux, ajustement, atours, attirail, défroque, déguisement, équipage, mise, tenue, travesti. **II. Non favorable :** harnachement, harnois, nippes (fam.). **III.** → *vêtement.*

ACCOUTRER Affubler, ajuster, arranger, déguiser, équiper, fagoter (fam.), fringuer (fam.), habiller, harnacher (fam.), nipper (fam.). → *vêtir.*

ACCOUTUMANCE Acclimatement, accommodation, adaptation, aguerrissement, endurcissement, habitude, immunité, insensibilité, mithridatisation.

ACCOUTUMÉ, E Courant, coutumier, habituel, ordinaire.

ACCOUTUMER I. Au pr. : aguerrir, façonner, préparer à, rompre à. → *acclimater.* **II. Au poison :** habituer, mithridatiser. **III. Méd. :** immuniser, prémunir, vacciner.

ACCRÉDITER I. Quelque chose : affirmer, autoriser, confirmer, propager, répandre, rendre crédible. **II. Quelqu'un :** installer, introduire, mettre en place, présenter.

ACCROC I. Au pr. : déchirure. **II. Fig. 1.** Contretemps, incident malheureux, obstacle. **2.** Entorse, infraction. **3.** Faute, souillure, tache.

ACCROCHAGE I. Accident, incident, dispute, engueulade (fam.), heurt, querelle. **II. Milit. :** affaire, combat, embuscade, engagement.

ACCROCHE-CŒUR Frisette, guiche.

ACCROCHER I. Au pr. : appendre, attacher, pendre, suspendre. **II. Fig. 1. Favorable ou neutre :** attraper, enlever, obtenir, saisir. **2. Non favorable :** bousculer, déchirer, déplacer, heurter. **3. Milit. :** fixer, immobiliser, retarder, trouver le contact. **4. Quelqu'un :** arrêter, casser les pieds (péj.), importuner, retenir l'attention.

ACCROCHER (S') I. Au pr. : s'agripper, s'attacher, se cramponner, se retenir à, se suspendre à, se tenir à. **II. Fig. 1. S'accrocher avec quelqu'un :** se disputer, se quereller. **2. S'accrocher à quelqu'un :** coller (fam.), se cramponner à (fam.), importuner. **3. Se l'accrocher (pop.) :** s'en passer, s'en priver, repasser.

ACCROCHEUR, EUSE I. Adj. (fam.) : collant, combatif, emmerdant (vulg.), tenace. **II. Nom :** casse-pied (fam.), emmerdeur (vulg.), pot de colle (fam.). → *fâcheux.*

ACCROIRE (FAIRE) Faire avaler, la bailler belle, mentir, monter le coup.

ACCROISSEMENT I. Favorable. *1.* Accroît, accrue. → *accélération.* *2.* → *agrandissement.* **II.** Non favorable → *aggravation.*

ACCROÎTRE I. Favorable ou neutre. *1.* → *accélérer.* *2.* → *agrandir.* **II.** Non favorable → *aggraver.*

ACCROÎTRE (S') Croître, grandir, grossir, monter *et les formes pronom. possibles des syn. de* ACCROITRE.

ACCROUPIR (S') Se baisser, se blottir, se pelotonner, se ramasser, se tasser.

ACCUEIL I. A quelqu'un : abord, bienvenue, réception. **II.** A quelque chose : réaction.

ACCUEILLANT, E Abordable, accessible, attirant, avenant, bienveillant, cordial, gracieux, hospitalier, liant, ouvert, serviable, sociable, sympathique. → *aimable.*

ACCUEILLIR I. Quelqu'un : accepter, admettre, agréer, faire fête, recevoir. **II.** Quelque chose : abonder dans le sens, admettre, apprendre, écouter, recevoir. **III.** Loc. *Accueillir par des huées :* chahuter, conspuer, faire la fête à (fam.).

ACCULER Buter, réduire, pousser dans ses derniers retranchements.

ACCUMULATEUR Batterie, pile.

ACCUMULATION I. De choses. *1. Favorable ou neutre :* abondance, agglomération, amas, amoncellement, assemblage, échafaudage, empilement, entassement, faisceau, monceau, montagne, quantité, tas. *2. Non favorable :* accaparement, amoncellement, fatras, fouillis, thésaurisation. **II.** De personnes : attroupement, foule, rassemblement.

ACCUMULER I. Favorable ou neutre : amasser, amonceler, assembler, collectionner, empiler, entasser, grouper, rassembler, réunir, superposer. **II.** Non favorable : accaparer, s'approprier, bloquer, s'emparer de, empiler, enlever, entasser, mettre l'embargo/le grappin/la main sur, monopoliser, rafler, spéculer, superposer, thésauriser, truster.

ACCUSATEUR, TRICE I. Quelqu'un : calomniateur, délateur, dénonciateur, détracteur, indicateur. **II.** Accusateur public : procureur, substitut. **III.** Quelque chose : révélateur.

ACCUSATION I. Au pr. : imputation, incrimination, inculpation, poursuite, prise à partie, réquisitoire. **II.** Par ext. *1.* Attaque, calomnie, dénigrement, diffamation, médisance, ragots, rumeur. *2.* → *reproche.*

ACCUSÉ, E Inculpé, prévenu.

ACCUSER I. Au pr. : incriminer, inculper, impliquer, imputer à, poursuivre, prendre à partie, requérir contre. **II.** Loc. *1. Accuser le coup* (fam.) : encaisser, marquer, souligner. *2. Accuser réception de :* délivrer/donner quittance.

ACERBE → *aigre.*

ACÉRÉ, E I. → *aigu.* **II.** → *aigre.*

ACHALANDÉ, E Bien approvisionné/assorti/pourvu/tenu.

ACHARNÉ, E I. Favorable : courageux, obstiné, vaillant. **II.** Non favorable : cruel, dur, endiablé, enragé, entêté, furieux, obstiné, opiniâtre, tenace, têtu.

ACHARNEMENT I. Neutre ou favorable : ardeur, effort, énergie, lutte, persévérance, ténacité. **II.** Non favorable : cruauté, entêtement, furie, obstination, opiniâtreté, rage.

ACHARNER Animer, exciter, irriter à l'encontre de/contre.

ACHARNER (S') I. Sur quelqu'un : persécuter, poursuivre. **II.** A quelque chose : s'attacher à, continuer, s'entêter, lutter, persévérer, poursuivre, s'obstiner, s'occuper de, s'opiniâtrer. → *vouloir.*

ACHAT I. Au pr. *1. Par quelqu'un :* acquisition, emplette. *2. Par une communauté d'époux :* acquêt, conquêt. *3. Par une administration :* adjudication. **II.** Non favorable, de quelqu'un : corruption, soudoiement.

ACHEMINEMENT Convoi, envoi, marche, progression, transport.

ACHEMINER Adresser, conduire, convoyer, diriger, envoyer, faire parvenir, transporter.

ACHEMINER (S') I. Quelqu'un : aller, avancer, se diriger/marcher vers. **II.** Quelque chose : aboutir, aller vers, tendre à/vers. **III.** *Les formes pronom. possibles des syn. de* ACHEMINER.

ACHETER I. Au pr. : acquérir, faire l'acquisition/l'emplette de. **II.** Non favorable : corrompre, soudoyer.

ACHETEUR Acquéreur, adjudicataire, cessionnaire, client, preneur.

ACHEVÉ, E I. Quelque chose : accompli, complet, cousu main (fam.), entier, fin, fignolé, parfait. **II.** Quelqu'un : accompli, complet, consommé, extrême. **III.** Loc. *Être achevé. 1.* Accablé, anéanti, épuisé, fatigué. *2. Fam. :* cané, claqué, crevé, cuit, mort, ratatiné, rétamé, vidé.

ACHÈVEMENT I. Au pr. : aboutissement, accomplissement, apothéose, chute, conclusion, couronnement, dénouement, fin, finition, réception, terme. **II.** Péj. : coup de grâce.

ACHEVER I. Au pr. *1.* → *aboutir. 2.* → *accomplir.* **II.** Par ext.

1. → *conclure. 2. Non favorable* →
abattre.

ACHEVER (S') I. **Neutre ou favorable :** arriver/être conduit/mené à
bien/à sa fin/à son terme, être mis
au net/au point, se terminer *et les
formes pronom. possibles des syn.
de* ACHEVER. II. **Non favorable :**
se consommer, s'éteindre.

ACHOPPEMENT I. Difficulté, obstacle. II. **Fam. :** hic, os, pépin.
III. **Loc.** *Pierre d'achoppement :*
écueil, obstacle.

ACHOPPER S'arrêter, broncher, buter
contre, échouer, faire un faux pas,
heurter, trébucher.

ACIDE → *aigre.*

ACIDITÉ → *aigreur.*

ACNÉ → *bouton.*

ACOLYTE Adjoint, aide, ami, associé,
camarade, collègue, compagnon, comparse, compère, complice (péj.),
confrère, connaissance, copain (fam.),
labadens (fam.), partenaire.

ACOMPTE Arrhes, avance, provision.

**ACOQUINER (S'), ÊTRE ACO-
QUINÉ AVEC** S'accointer, s'associer,
se commettre, fréquenter, se mêler.

À-CÔTÉ Accessoire, détail, digression,
parenthèse, superflu. → *supplément.*

À-COUP I. Cahot, raté, saccade,
secousse, soubresaut. II. **Loc.** *1.
Par à-coups :* par intermittence/
saccades. *2. Sans à-coups :* sans
imprévu/incident/heurt.

ACQUÉREUR I. **A titre onéreux :**
acheteur, adjudicataire, cessionnaire,
client, preneur. II. **A titre gratuit :**
bénéficiaire, donataire, héritier, légataire.

ACQUÉRIR I. **Au pr. :** acheter,
devenir propriétaire. II. **Par ext.**
1. Hériter, rcecevoir, recueillir. *2.* Arriver à, découvrir, parvenir à, prendre.
3. Capter (péj.), conquérir, gagner,
obtenir. *4.* S'améliorer, se bonifier, se
perfectionner. III. **Loc.** *1. Acquérir
les faveurs de quelqu'un :* s'attirer
les bonnes grâces/les sympathies de,
se concilier. *2. Être acquis à quelqu'un :* être attaché/dévoué à.
3. Être acquis à une opinion : être
convaincu/du même avis.

ACQUÊT Achat en communauté,
acquisition, gain, profit.

ACQUIESCEMENT I. **Sans réserve :** acceptation, accord, adhésion,
agrément, approbation, assentiment,
autorisation, consentement, permission. II. **Avec réserve :** tolérance.

ACQUIESCER I. Dire oui, être d'accord, opiner. II. → *accepter.*

ACQUISITION → *acquêt.*

ACQUIT Quitus, récépissé, reçu.

ACQUITTEMENT I. **D'une dette :**

libération, paiement, règlement, remboursement. II. **Quelqu'un.** → *amnistie.*

ACQUITTER I. **Quelqu'un :** absoudre, amnistier, déclarer non coupable, disculper, gracier, libérer, pardonner. II. **Quelque chose.** *1. Un
compte :* apurer, éteindre, liquider,
payer, régler. *2. Une promesse :* accomplir, remplir.

ACQUITTER (S') I. **D'un devoir :**
accomplir, remplir. II. **De ses dettes :**
se libérer de, rembourser. III. **D'une
commission :** exécuter, faire. IV.
De ses engagements : faire honneur à, satisfaire à.

ÂCRE, ACRIMONIEUX → *aigre.*

ÂCRETÉ, ACRIMONIE → *aigreur.*

ACROBATE Antipodiste, équilibriste,
funambule, gymnaste, trapéziste.

ACROBATIE I. **Au pr. :** agrès, équi-
librisme, saut périlleux, trapèze volant,
voltige. II. **Fig. :** expédient, tour de
passe-passe, truc.

ACTE I. **Au pr. :** action, choix, comportement, décision, démarche, geste,
intervention, manifestation, réalisation.
II. **Favorable :** exploit, geste, trait.
III. **Jur.** *1. Privé :* certificat, cession,
contrat, convention, document, expédition, grosse, minute, testament,
titre. *2. Public :* arrêté, charte, constitution, décret, décret-loi, habeas
corpus, loi, réquisitoire. IV. **Loc.**
Prendre acte de quelque chose :
constater, enregistrer.

ACTEUR, TRICE Artiste, comédien.

ACTIF, IVE I. **Quelqu'un :** agissant,
allant, diligent, en activité, efficace,
énergique, increvable (fam.), infatigable, laborieux, remuant, vif, vivant,
zélé. II. **Quelque chose, un
remède :** agissant, efficace, énergique, fort, manifeste, opérant, prompt,
rapide, violent. III. → *bénéfice.*

ACTION I. **De quelque chose.** *1.
D'un remède :* effet, efficacité. *2.
D'une force :* énergie, force, intervention, rapport, réaction. *3. D'un
mouvement :* jeu. II. **De quelqu'un.**
1. Favorable ou neutre : acte,
conduite, décision, démarche, entreprise, initiative, œuvre. *2. Non favorable :* agissement, comportement,
manœuvre. III. **Par ext.** *1.* Bataille,
choc, combat, engagement. *2.* Exploit,
prouesse, trait de courage. *3.* Animation, ardeur, chaleur, enthousiasme,
mouvement, véhémence, vie. *4. Jurid.:*
assignation, demande, plainte, poursuite, procès, recours, référé, requête.
5. Théâtre : intrigue, péripétie, scénario, vie.

ACTIONNER I. **Quelque chose :**
entraîner, faire fonctionner, mettre en
marche/en route, produire/transmettre
le mouvement. II. **Quelqu'un.** *Ju-*

rid. : déposer une plainte, engager une procédure, introduire une instance/requête.

ACTIVITÉ I. Au pr. : ardeur, célérité, diligence, efficacité, efforts, énergie, entrain, promptitude, rapidité, vivacité, vigueur, zèle. **II. Par ext.** : animation, circulation, mouvement. **III. Loc. En activité. 1. Quelqu'un** : en fonctions. **2. Quelque chose** : essor, fonctionnement, marche, mouvement, prospérité.

ACTIVER Accélérer, aviver, exciter, hâter, presser, stimuler.

ACTIVER (S') S'affairer, se hâter, s'occuper, se presser *et les formes pronom. possibles des syn. de* ACTIVER.

ACTUALITÉ I. Au sing. : mode, nouveauté, pertinence. **II. Au sing. et au pl.** : événements, journal parlé, nouvelles.

ACTUEL, ELLE Contemporain, courant, d'aujourd'hui, moderne, nouveau, présent.

ACTUELLEMENT Aujourd'hui, de nos jours, maintenant, pour l'instant/le moment, présentement.

ACUITÉ I. Qualité de l'esprit : finesse, lucidité, intelligence, intensité, pénétration, perspicacité, vivacité. **II. D'une situation** : crise, instabilité, précarité, urgence.

ADAPTATION I. De quelqu'un : accommodation, acclimatement, accoutumance, intégration, mise à jour/au courant. **II. D'un animal** : accommodation, apprivoisement, domestication, dressage. **III. D'une plante** : acclimatation. **IV. D'un objet** : ajustement, application. **V. Par ext.** : traduction.

ADAPTER Accommoder, accorder, agencer, ajuster, allier, aménager, apparier, appliquer, apprêter, approprier, arranger, assembler, associer, assortir, combiner, conformer, disposer, équilibrer, faire aller/coïncider, harmoniser, installer, joindre, mettre en accord/état/harmonie/proportion/rapport, proportionner, rattacher, régler sur, réunir.

ADAPTER (S') I. Quelqu'un. 1. Favorable ou neutre : s'acclimater à, s'accommoder de, s'accorder à, s'accoutumer à, s'habituer à, se mettre en accord avec. **2. Non favorable** : se contenter de, se faire une raison de, se plier à, se soumettre à. **II. Quelque chose** : convenir, s'harmoniser.

ADDITION I. Au pr. : accroissement, addenda, additif, adjonction, ajout, ajoutage, ajouture (fam.), annexe, appendice, augmentation, complément, rallonge, supplément. **II. Fig.** : compte, décompte, douloureuse (fam.), dû, facture, frais, note, quart

d'heure de Rabelais (fam.), relevé.

ADDITIONNEL, ELLE Adjoint, ajouté, complémentaire, en supplément, joint, supplémentaire.

ADDITIONNER I. Au pr. : ajouter, augmenter, compléter, rallonger, totaliser. **II. Additionner d'eau** : allonger, baptiser (fam.), couper de, diluer, étendre de.

ADEPTE Adhérent, allié, ami, défenseur, disciple, militant, partisan, recrue, soutien, sympathisant, tenant.

ADÉQUAT, E I. A quelque chose : approprié, coïncident, concordant, congruent, convenable, étudié pour (fam.), juste. **II. Loc.** : ça va comme un gant (fam.), au poil (arg.).

ADHÉRENCE Accolement, agglutination, assemblage, collage, contiguïté, encollage, jonction, liaison, réunion, soudure, union.

ADHÉRENT, ENTE I. Adj. : accolé à, adhésif, agglutiné à, assemblé à, collé à, contigu à, joint à, lié à, réuni à, soudé à, tenace, uni à. **II. Nom** : adepte, cotisant, membre, participant, partisan, recrue, souscripteur, soutien, sympathisant. → *camarade*.

ADHÉRER I. Quelqu'un : accéder à, accorder/apporter sa sympathie/son consentement/son soutien à, acquiescer, approuver, cotiser à, s'enrôler dans, entrer dans, faire partie de, joindre, opiner en faveur de, payer sa cotisation, se rallier à, rejoindre, souscrire à, tomber d'accord. **II. Quelque chose adhère à** : s'appliquer, coller, se coller, entrer/être en contact, faire corps, se joindre, se réunir, se souder, s'unir.

ADIEU I. A quelqu'un : dire au revoir, prendre congé, présenter ses devoirs, quitter, saluer. **II. A quelque chose** : abandonner, quitter, renoncer à.

ADIPEUX, EUSE Arrondi, bedonnant, bouffi, gidouillard, gras, grassouillet, gros, obèse, pansu, rondouillard, ventru.

ADJACENT, E Attenant, contigu, côte à côte, joignant, jouxtant, juxtaposé, mis à côté de, placé à côté de, proche, voisin.

ADJECTIF Déterminant, déterminatif, épithète.

ADJOINDRE I. Quelqu'un : affecter, ajouter, associer, attacher, détacher, mettre à la disposition de, prêter. **II. Quelque chose** : accoler, ajouter, annexer, apposer, joindre, juxtaposer, lier, rapprocher, rattacher, réunir, unir.

ADJOINDRE (S') I. On s'adjoint quelqu'un : s'associer, s'attacher. **II. Une chose s'adjoint à une autre chose** : s'ajouter à, s'annexer à, s'attacher à, se mettre à côté de, se

placer à côté de, se réunir à, s'unir à.
ADJOINT, E Aide, alter ego (fam.),
associé, autre moi-même (fam.),
auxiliaire, bras droit (fam.), coadjuteur, codirecteur, cogérant, collaborateur, collègue, confrère, fondé de
pouvoir, partenaire.
ADJONCTION I. L'action d'ajou-
ter : aboutement, addition, ajoutage,
annexion, association, jonction, rajou-
tage, rattachement, réunion. **II. Ce**
qu'on ajoute : about, ajout, ajoutement, allonge, annexe, raccord, rajout,
rajoutement, rallonge.
ADJUDICATAIRE Acheteur, acquéreur, le plus offrant et dernier enchérisseur, concessionnaire, soumission-
naire.
ADJUDICATEUR, TRICE Aboyeur
(fam. ou péj.), commissaire-priseur,
greffier-adjudicateur, huissier, notaire,
vendeur.
ADJUDICATION I. Au pr. : attribution. **II. Vente :** vente à l'encan/aux
chandelles/enchères/au plus offrant
et dernier enchérisseur.
ADJUGER I. Au pr. : accorder,
attribuer, concéder, décréter/dire par
jugement, juger. **II. Un prix :** accorder, attribuer, décerner, donner, gratifier de, remettre.
ADJUGER (S') S'annexer, s'appro-
prier, s'emparer de, faire main basse
sur, rafler.
ADJURATION I. Au pr. : exorcisme,
invocation, obsécration. **II. Par ext. :**
imploration, prière instante, supplication.
ADJURER I. Quelqu'un : conjurer,
implorer, prier, supplier. **II. Dieu :**
invoquer.
ADMETTRE I. On admet quel-
qu'un : accepter, accueillir, affilier,
agréer, faire participer/venir, introduire,
introniser, recevoir, voir. **II. On**
admet quelque chose. 1. Des
raisons : reconnaître, tenir compte de,
tenir pour ·acceptable/recevable/va-
lable. **2. Une hypothèse :** adopter,
approuver, croire, imaginer, penser,
souscrire à, supposer, tenir pour possible. **3. Un raisonnement :** avouer,
concéder, consentir à croire. **4. Des**
excuses : excuser, pardonner, passer
l'éponge (fam.). **5. Une contrariété :**
permettre, souffrir, supporter, tolérer.
III. Par ext. → comporter.
ADMINISTRATEUR I. D'un ser-
vice : agent, dirigeant, fonctionnaire,
gestionnaire, grand commis (vx), manager. **II. De biens :** directeur,
fondé de pouvoir, gérant, intendant,
régisseur, séquestre.
ADMINISTRATIF, VE I. Au pr. :
officiel, public, réglementaire. **II.**

Péj. : bureaucratique, étatique, formaliste, paperassier, tatillon.
ADMINISTRATION I. L'acte d'ad-
ministrer : conduite, direction,
gérance, gestion, management. **II.**
Services publics : affaires/grands
corps de l'État, bureaux, ministères,
organismes, services.
ADMINISTRER I. Une affaire :
commander, conduire, contrôler, coordonner, diriger, faire marcher, gérer,
gouverner, mener, organiser, planifier,
prévoir, régir, réglementer. **II. Un**
remède : appliquer, donner, faire
prendre, prescrire. **III. Une correc-**
tion : appliquer, distribuer, donner,
flanquer (fam.), foutre (vulg.), frapper,
infliger. **IV. Les sacrements :**
conférer, donner, munir de. **V. Une**
preuve : apporter, fournir, produire.
ADMIRABLE → étonnant.
ADMIRABLEMENT A croquer, à
merveille, à ravir et les adv. en -ment
dérivés des syn. de ADMIRABLE.
ADMIRATION I. → attachement.
II. → enthousiasme. **III. →** adoration.
ADMIRER I. Au pr. : apprécier, être
ébloui/émerveillé, s'émerveiller de,
être enthousiasmé par, s'enthousiasmer de, s'extasier de, faire compliment/
grand cas de, louanger, louer, porter
aux nues, trouver admirable et les
syn. de ADMIRABLE. **II. Péj. :** constater que, s'étonner que, trouver
bizarre/étrange/singulier que, voir
avec étonnement que.
ADMONESTATION Admonition,
avertissement, blâme, correction, engueulade (fam.), exhortation, gron-
derie, remontrance, réprimande, reproche, semonce, sermon (fam.).
ADMONESTER Avertir, chapitrer,
donner un avertissement, engueuler
(fam.), faire la morale/des répri-
mandes/des reproches à, gronder,
moraliser, morigéner, passer une
engueulade à (fam.), prévenir, réprimander, secouer (fam.), semoncer,
sonner les cloches à, tancer.
ADOLESCENCE Jeunes, jeunes gens,
jeunesse, J.3, nouvelle vague, puberté,
teenagers.
ADOLESCENT, E I. Neutre ou fa-
vorable : jeune, jeune fille/homme,
jouvenceau, jouvencelle, teenager.
II. Non favorable : adonis, éphèbe,
minet (fam.), minette (fam.), puceau,
pucelle.
ADONNER (S') S'abandonner à,
s'appliquer à, s'attacher à, se consacrer à, se livrer à, s'occuper à/de,
tourner toutes ses pensées vers.
ADOPTER I. Quelqu'un : admettre,
s'attacher, choisir, coopter, prendre.
II. Quelque chose. 1. Une opinion :
acquiescer à, admettre, s'aligner sur,

approuver, consentir à, donner son approbation/son consentement à, épouser, être d'accord avec, faire sienne l'opinion de, se rallier à, se ranger à, souscrire à. **2. Une attitude :** employer, emprunter, imiter, prendre, singer (péj.). **3. Une religion :** se convertir à, embrasser, suivre. **4. Une loi :** approuver, faire passer, voter.

ADOPTION I. De quelqu'un : admission, choix, cooptation. **II. De quelque chose :** accord, acquiescement, alignement, approbation, choix, consentement, conversion, emploi, emprunt, imitation, ralliement, singerie (péj.), vote.

ADORABLE Admirable, gentil, joli, mignon, parfait, pimpant, ravissant. → *aimable.*

ADORATEUR, TRICE Admirateur, adulateur, amoureux, courtisan, dévot, fanatique, fervent, idolâtre, sectateur, soupirant, suivant. → *amant.*

ADORATION Admiration, adulation, attachement, amour, culte, dévotion, emballement, engouement, fanatisme, ferveur, flagornerie (péj.), iconolâtrie, idolâtrie, latrie, passion, respect, vénération.

ADORER I. Dieu : aimer, glorifier, rendre un culte à, servir. **II. Les idoles :** idolâtrer. **III. Quelqu'un. 1. Favorable ou neutre :** admirer, aimer, honorer, respecter, révérer, vénérer. **2. Avec excès :** idolâtrer. **3. Non favorable :** aduler, courtiser, être/se mettre à plat ventre devant, flagorner, flatter, se prosterner devant.

ADOSSER Arc-bouter, aligner/appuyer/mettre/placer/plaquer contre.

ADOSSER (S') S'appuyer, s'arc-bouter, se mettre dos à, se placer contre.

ADOUCIR I. Quelqu'un : amollir, apprivoiser, attendrir, fléchir, humaniser, toucher. **II. La peine :** alléger, atténuer, rendre plus supportable, tempérer. **III. Quelque chose. 1. L'amertume :** atténuer, diminuer, édulcorer, modérer, réduire, sucrer. **2. La lumière :** abaisser, baisser, filtrer, réduire, tamiser. **3. Le ton :** amortir, baisser, mettre une sourdine. **4. La température :** attiédir, climatiser, tempérer. **5. Une douleur, un mal :** alléger, amortir, anesthésier, calmer, cicatriser, consoler, émousser, endormir, estomper, lénifier, panser, soulager. **6. Un courroux :** amadouer, apaiser, apprivoiser, défâcher (fam.), désarmer, humaniser, lénifier, modérer, pacifier, policer, radoucir, rasséréner, tempérer. **7. Ses expressions :** châtier, corriger, estomper, tempérer. **8. Les coloris** → *affadir.* **9. Les mœurs :** améliorer, civiliser, humaniser, policer. **IV. Techn. 1. Une**

glace : polir. **2. L'eau :** filtrer, purifier, traiter.

ADOUCIR (S') Se laisser amollir/attendrir/fléchir/toucher, *et les formes pron. possibles des syn. de* ADOUCIR.

ADOUCISSEMENT I. Au pr. : accoisement (vx), allégement, amélioration, assouplissement, atténuation, civilisation, consolation, humanisation, progrès, secours, soulagement. **II. De la température :** amélioration, attiédissement, radoucissement, réchauffement.

ADOUCISSEUR Amortisseur, filtre.

ADRESSE I. Au pr. 1. Domicile, habitation, résidence, villégiature. **2. Du corps :** agilité, dextérité, habileté, précision, prestesse, souplesse. **II. Par ext. :** aptitude, don, finesse, habileté, ingéniosité, intelligence, science, souplesse, subtilité, talent, vivacité. **III. Loc. Tour d'adresse :** jonglerie, prestidigitation. → *acrobatie.*

ADRESSER I. Une lettre : envoyer, expédier, faire parvenir, mettre à la poste, poster. **II. Une œuvre :** dédier, faire hommage. **III. Un conseil :** donner, prodiguer. **IV. Un coup :** coller (fam.), envoyer, ficher (fam.), flanquer (fam.), foutre (grossier). **V. Un regard :** jeter. **VI. La parole :** interpeller, parler. **VII. Des questions :** poser, questionner, soumettre. **VIII. Des menaces :** faire, prodiguer, proférer. **IX. Des compliments :** faire agréer, présenter, transmettre.

ADRESSER (S') I. On s'adresse à quelqu'un : avoir recours à/demander à, faire appel à, parler à, solliciter, se tourner vers. **II.** Concerner, être destiné à, être de la compétence/du ressort de, être les oignons de (fam.), regarder, *et les formes pronom. possibles des syn. de* ADRESSER.

ADROIT, E I. Au pr. 1. Apte, bon à, expérimenté, habile, précis, rompu à. **2.** Agile, en forme, exercé, preste, rompu, souple. **II. Par ext. :** dégourdi, délié, diplomate, entendu, expérimenté, fin, habile, industrieux, ingénieux, insinuant (péj.), intelligent, intrigant (péj.), machiavélique (péj.), politique, retors (péj.), rusé, subtil.

ADULATEUR, TRICE Péj. : caudataire, courtisan, dévot, encenseur (fam.), fan (arg.), flagorneur, flatteur, lèche-bottes (fam.), lèche-cul (grossier), louangeur, obséquieux. → *adorateur.*

ADULATION Coups d'encensoir (fam.), cour, courtisanerie, culte, dévotion, encensement, flagornerie, flatterie, lèche (fam.), servilité. → *adoration.*

ADULER Caresser, courtiser, encenser, faire de la lèche (fam.), flagorner, flatter, lécher (fam.), lécher les bottes (fam.)/le cul (grossier), louanger. → *adorer.*

ADULTE I. Nom : homme fait. **II. Adj. :** accompli, grand, grandi, majeur, mûr, raisonnable, responsable, sérieux.

ADULTÈRE I. Adj. : infidèle. **II. Nom :** cocuage, fornication, infidélité, trahison, tromperie.

ADULTÉRIN, E Bâtard, naturel.

ADVENIR Arriver, arriver par surprise, se passer, se produire, survenir.

ADVENTICE Accessoire, marginal, parasite, secondaire, superfétatoire, supplémentaire.

ADVERSAIRE I. Au pr. : antagoniste, challenger, compétiteur, concurrent, rival. **II. Par ext. 1.** Contestataire, contradicteur, débateur, opposant. **2.** Ennemi.

ADVERSE Contraire, défavorable, hostile, opposé.

ADVERSITÉ Avaro (fam.), avatar (par ext.), cerise (arg.), circonstances, contrariété, débine (fam.), destin, détresse, difficulté, disgrâce, événements contraires, fatalité, fortune contraire, hostilité, infortune, inimitié, malchance, malheur, misère, opposition, poisse (fam.), sort.

AÉRER I. Au pr. 1. Une chambre : assainir, changer d'air, purifier, ventiler. **2. Le sol :** assainir, cultiver, façonner. **II. Par ext. Un texte :** alléger, éclaircir, ventiler. **III. Fig. Quelqu'un :** dégourdir, distraire, sortir. **IV. Loc. Une maison bien aérée :** bien conçue/exposée/située, saine.

AÉRER (S') **I. Au pr. :** s'oxygéner, prendre l'air, sortir. **II. Fig. :** se changer les idées, se dégourdir, se distraire, sortir, s'ouvrir.

AÉRIEN, ENNE I. Au pr. 1. Au-dessus du sol, au ciel, élevé, en l'air, supérieur. **2.** Poste aérienne, aéronautique, par air, par avion, voie aérienne. **II. Fig. :** céleste, élancé, élevé, éthéré, immatériel, léger, poétique, pur, svelte, vaporeux.

AFFABLE → *aimable.*

AFFABILITÉ → *amabilité.*

AFFABULATION → *fable.*

AFFADIR I. Une saveur : adoucir, affaiblir, amoindrir, atténuer, dénaturer, édulcorer, émousser, réduire, rendre fade/insignifiant/insipide, ôter la saveur. **II. Une couleur :** adoucir, affaiblir, atténuer, décolorer, délaver, détremper, éclaircir, effacer, estomper, faire pâlir/passer, modérer, pâlir, tempérer.

AFFADIR (S') **I. Au pr. et fig. :** devenir fade, passer, *et les formes pronom. possibles des syn. de*

AFFADIR. II. Fig. Non favorable : devenir affecté/amolli/banal/conformiste/décoloré/doucereux/ennuyeux/ faible / froid / incolore, / incolore, inodore et sans saveur (loc. fam.)/lâche/ monotone / mou / neutre / ordinaire / pâle/quelconque/sans originalité/sans saveur/tiède/trivial.

AFFAIBLIR I. Au pr. : abattre, abrutir, altérer, amoindrir, amollir, anémier, briser, casser (fam.), débiliter, déprimer, ébranler, épuiser, éreinter (fam.), faire dépérir, fatiguer, miner, rabaisser, ruiner. **II. Par ext. 1. La sensibilité :** altérer, amoindrir, amortir, blaser, émousser, éteindre, user. **2. Les qualités :** abâtardir, abattre, amoindrir, amollir, appauvrir, avachir, aveulir, briser, décourager, laisser dégénérer, efféminer, émasculer, étioler, faire déchoir, rabaisser, ruiner. **3. L'autorité :** abattre, amoindrir, atteindre, atténuer, briser, ébranler, émousser, fléchir, rabattre, relâcher, ruiner, saper. **4. Une saveur (au pr. et fig.)** → *affadir.* **5. Une couleur** → *affadir.* **6. Une valeur** → *abaisser.* **7. Un son :** assourdir, étouffer, réduire.

AFFAIBLIR (S') Être abattu, s'alanguir, s'amoindrir, s'amollir, s'anémier, baisser, se débiliter, décliner, décroître, défaillir, dépérir, se déprimer, diminuer, faiblir, être fatigué, se miner, perdre des forces/des moyens, vaciller, vieillir, *et les formes pronom. possibles des syn.* de AFFAIBLIR.

AFFAIBLISSEMENT I. Neutre → *abaissement.* **II. Non favorable :** abâtardissement, affadissement, altération, avachissement, aveulissement, décadence, déchéance, découragement, défaillance, dégénérescence, dépérissement, épuisement, laxisme, rabaissement, relâchement, sape, usure.

AFFAIRE I. *Au sing. et au pl. sert de substitut à un grand nombre de substantifs au même titre que :* bazar, bidule, chose, machin, truc. **II. Au pr. 1. Quelque chose à faire :** besogne (vx), besoin, devoir, obligation, occupation, tâche, travail. **2. Une activité, ou le lieu de cette activité :** agence, atelier, boutique, bureau, cabinet, chantier, commerce, entreprise, firme, holding, industrie, magasin, société, trust, usine. **III. Loc. 1. C'est une affaire de goût :** problème, question. **2. D'amour :** anecdote (fam.), chronique (fam.), histoire, intrigue. **3. D'intérêt :** arbitrage, contestation, débat, démêlé, discussion, différend, dispute, expertise, négociation, querelle, règlement, spéculation, tractation. **4. D'honneur :** duel, jury d'honneur, rencontre, réparation. **5. De conscience :** cas, problème, question. **6. En toute affaire :**

aventure, chose, circonstance, conjoncture, événement, fait, occasion, occurrence. **7.** *C'est l'affaire de :* but, objet, rôle. **8.** *Jurid.* ⁖ accusation, différend, enquête, litige, procès, querelle, scandale. **9.** *S'attirer une sale affaire :* complication, difficulté, embarras, ennui, souci. **10.** *Se tirer d'affaire :* danger, difficulté, embarras, péril. **11.** *Son affaire est claire :* son compte est bon. **12.** *Il a son affaire :* il a son compte (fam.). **13.** *C'est mon affaire :* cela *ou* ça me regarde. **14.** *Ce n'est pas une petite affaire :* ce n'est pas facile. **15.** *C'est une autre affaire :* c'est une autre paire de manches (fam.). **16.** *Faire l'affaire :* aller, convenir à, être adéquat. **17.** *Faire son affaire à quelqu'un :* attaquer, corriger, donner/flanquer une correction/ dérouillée (fam.)/leçon/volée à (fam.), régler son compte à. **18.** *Être à son affaire :* bicher (fam.), être heureux de/très occupé par, se plaire à. **19.** *Faire affaire avec quelqu'un :* conclure un marché, enlever un marché, se mettre d'accord, mener à bien une négociation, signer un contrat, soumissionner, taper là (fam.), toper (fam.). **20.** *En faire toute une affaire :* histoire, monde, plat (fam.). **IV. Pl. 1.** *Au pr. :* activités commerciales, bourse, business, commerce, industrie, négoce. **2.** *Par ext. :* conjoncture, événements, échanges, politique, situation, transactions, ventes. **3.** *Affaires de l'État :* politique, problèmes. **4.** *Ce qui vous appartient* (fam.) : barda, bataclan, bazar, bidule, bordel (grossier), falbala, choses, frusques, livres, machin, meubles, trucs, vêtements. **5.** *Loc.* *Avoir ses affaires* (fam. pour une femme) : avoir ses anglais (vulg.)/ses menstrues (méd.)/ses ours (vulg.)/ses règles, être indisposée. **6.** *Faire ses affaires :* son beurre (arg.), réussir, spéculer heureusement.

AFFAIRÉ, E Actif, occupé, surchargé, surmené.

AFFAIREMENT Activité, agitation, bougeotte (fam.), branle-bas de combat (fam.), remue-ménage, surmenage.

AFFAIRER (S') S'activer, s'agiter, se manier (fam.), s'occuper de, se préoccuper de.

AFFAIRISME Non favorable : agiotage, combine (fam.), intrigue, spéculation.

AFFAIRISTE Non favorable : agent/agioteur, bricoleur (fam.), chevalier d'industrie, combinard (fam.), intermédiaire, intermédiaire marron, intrigant, spéculateur.

AFFAISSEMENT → *abaissement.*

AFFAISSER Faire plier *et les syn. de* plier.

AFFAISSER (S') I. Au pr. 1. *Quelqu'un ou quelque chose :* s'affaler, s'avachir (fam.), se courber, crouler, descendre, s'écrouler, s'effondrer, fléchir, glisser, plier, ployer, tomber. **2.** *Quelque chose :* s'ébouler. **II. Fig. :** s'affaiblir, baisser, crouler, décliner, se laisser abattre/aller, glisser, succomber.

AFFALER (S'), ÊTRE AFFALÉ S'abattre, s'avachir (fam.), s'écrouler, s'effondrer, s'étaler (fam.), s'étendre, se laisser aller/glisser/tomber, se répandre (fam.).

AFFAMÉ, E I. Au pr. : boyau vide (arg.), claque-dent, claque-faim, crevard (arg.), crève-la-faim (fam.), famélique, misérable, meurt-de-faim, vorace. **II. Fig. :** altéré, ardent, assoiffé, avide, exigeant, inassouvi, insatiable, insatisfait, passionné, soucieux de.

AFFAMER Accaparer, agioter, faire crever/mourir de faim, gruger, monopoliser, prêter à gages, raréfier, spéculer, trafiquer, tripoter.

AFFAMEUR Accapareur, agioteur, grugeur, monopoleur, prêteur sur gages, spéculateur, trafiquant, tripoteur, usurier.

AFFECTATION I. **On affecte quelque chose :** assignation, attribution, consécration, destination, imputation. **II. On affecte quelqu'un. 1.** Déplacement, désignation, destination, installation, mise en place, mouvement, mutation, nomination. **2.** Emploi, poste. **III. On affecte quelque chose d'un signe :** adjonction, désignation, marque, qualification, quantification, spécification. **IV. On affecte une attitude. 1.** *Neutre ou légèrement péj. :* afféterie, air, apparence, apprêt, attitude, bluff, cérémonie, chiqué (fam.), comédie, embarras, emphase, façon, faste, feinte, genre, imitation, jeu, manières, manque de naturel, marivaudage, mignardise, minauderie, mine, originalité, préciosité, purisme, raffinement, recherche, sensiblerie, sentimentalisme, singularité. **2.** *Non favorable :* bégueulerie, cabotinage, charlatanerie, chattemite, chichi (fam.), contorsion, cucuterie, façon, fanfaronnade, faste, fausseté, forfanterie, grimace, girie (pop.), grandiloquence, hypocrisie, maniérisme, mièvrerie, momerie, montre, morgue, ostentation, parade, pédanterie, pédantisme, pharisaïsme, pose, prétention, provocation, pruderie, pudibonderie, puritanisme, raideur, simagrée, simulation, singerie, snobisme, tartuferie.

AFFECTÉ, E I. Quelqu'un est affecté à un poste : déplacé (péj.), désigné, installé, mis en place, muté, nommé. **II. Quelque chose est affecté :** assigné, attribué, consacré, destiné, imputé, réservé. **III. Quelque chose est affecté d'un signe :** désigné, marqué, qualifié, quantifié, spécifié. **IV. Loc.** *Un comportement affecté.* *1. Au pr.*, neutre ou *légèrement péj.* : apprêté, artificiel, cérémonieux, comédien, de commande, conventionnel, emphatique, emprunté, étudié, à façons, factice, fastueux, feint, forcé, à manières, mignard, minaudier, peu naturel, poseur, précieux, puriste, raffiné, recherché, singulier. *2. Non favorable :* bégueule, cabotin, charlatan, chattemite, à chichis, compassé, contorsionné, contrefait, cuistre, fabriqué, à façons, fanfaron, fastueux, faux, grimacier, gourmé, glorieux (pop.), grandiloquent, guindé, hypocrite, insincère, maniéré, mièvre, pédant, pharisien, plein de morgue/d'ostentation, poseur, pour la montre/la parade, prétentieux, provocant, prude, pudibond, puritain, raide, simulé, snob, tarabiscoté (fam.), tartufe.

AFFECTER I. On affecte. *1. Une chose :* assigner, attribuer, consacrer, destiner, imputer. *2.* *Quelqu'un :* déplacer (péj.), désigner, destiner, installer, mettre en place, muter, nommer. *3. D'un signe :* adjoindre, désigner, marquer, qualifier, quantifier, spécifier. **II. On affecte un comportement.** *Non favorable :* afficher, avoir l'air de, bluffer, crâner, emprunter, être poseur/snob, faire des manières/semblant de, faire le, feindre, jouer les, poser, prétendre, rechercher, se piquer de, simuler. **III. Quelque chose affecte quelqu'un →** *affliger.*

AFFECTION I. Pour quelqu'un : amitié, amour, attachement, béguin (fam.), bonté, complaisance, coup de cœur (fam.)/de foudre (fam.), dévotion, dévouement, dilection, douceur, inclination, intérêt, lien, penchant, piété, respect, sollicitude, sympathie, tendresse, union, vénération. **II. Pour quelque chose :** amour, attachement, dévouement, goût, inclination, intérêt, penchant, prédilection, tendresse, vocation. **III. Méd. :** altération, indisposition, mal, malaise, maladie.

AFFECTIONNER → *aimer.*

AFFECTIF, IVE Émotionnel, passionnel, sentimental.

AFFECTIVITÉ Émotivité, sensibilité.

AFFECTUEUX, EUSE → *amoureux.*

AFFÉRENT, E Adm. : annexe, connexe, rattaché à, relatif à.

AFFERMIR Affirmer, améliorer, ancrer, asseoir, assurer, cimenter,

confirmer, conforter, consolider, durcir, endurcir, encourager, étayer, fixer, fonder, fortifier, garantir, garnir, protéger, raffermir, raidir, réconforter, renforcer, revigorer, sceller, stabiliser, tremper.

AFFERMIR (S') Devenir plus ferme/ fort/stable *et les formes pronom. possibles des syn. de* AFFERMIR.

AFFERMISSEMENT Affirmation, amélioration, ancrage, assurance, consolidation, durcissement, fixation, garantie, protection, raffermissement, raidissement, réconfort, renforcement, scellement, stabilisation.

AFFÉTERIE → *affectation.*

AFFICHAGE Annonce, panneau, publication, publicité.

AFFICHE Affichette, annonce, avis, écriteau, pancarte, panneau, placard, poster, proclamation, programme, publicité, réclame.

AFFICHER I. Au pr. : coller/poser des affiches, placarder, publier, rendre public. **II. Fig. :** accentuer, accuser, affecter, affirmer, annoncer, arborer, attester, déballer (fam.), déclarer, découvrir, décrire, démontrer, dénuder, déployer, développer, dévoiler, étaler, évoquer, exhiber, exposer, extérioriser, faire étalage de/montre de/parade de, manifester, marquer, mettre, montrer, offrir, porter, présenter, prodiguer, produire, prouver, représenter, respirer, révéler, signifier, témoigner.

AFFICHER (S') I. Apparaître, attirer l'attention/l'œil/le regard/la vue, faire étalage, faire le glorieux (fam.)/le malin (fam.), faire montre/parade de, se faire admirer/valoir/voir, se mettre à l'étalage/en vitrine (fam.), montrer son nez (fam.), parader, paraître, pavaner, se pavaner, se peindre, se répandre (fam.), *et les formes pronom. possibles des syn. de* AFFICHER. **II. Loc.** *S'afficher avec quelqu'un :* se compromettre (péj.), fréquenter, hanter.

AFFICHEUR Colleur/poseur d'affiches.

AFFIDÉ I. Neutre : confident. **II. Non favorable :** agent secret, complice, espion, indicateur.

AFFILAGE Affûtage, aiguisage, aiguisement, émorfilage, émoulage, repassage.

AFFILÉ, E I. Au pr. : acéré, affûté, aiguisé, coupant, émorfilé, émoulu, repassé, taillant, tranchant. **II. Fig. Loc.** *La langue bien affilée :* bien pendue.

AFFILÉE (D') A la file, de suite, sans discontinuer, sans interruption.

AFFILER Affûter, aiguiser, donner

du fil/du tranchant, émorfiler, émoudre, repasser.

AFFILIATION Adhésion, adjonction, admission, adoption, agrégation, association, enrôlement, incorporation, initiation, inscription, intégration, mobilisation (péj.), réception.

AFFILIÉ, E Adhérent, adjoint, admis, adopté, agrégé, associé, coopté, cotisant, enrôlé, incorporé, initié, inscrit, intégré, mobilisé (péj.), reçu. → *camarade.*

AFFILIER Admettre, adopter, agréger, associer, coopter, enrôler, incorporer, initier, inscrire, intégrer, mobiliser, recevoir.

AFFILIER (S') Adhérer, cotiser, entrer à, entrer dans, rejoindre, se faire admettre, *et les formes pronom. possibles des syn. de* AFFILIER.

AFFINAGE Assainissement, décarburation, dépuration, épuration, nettoyage, puddlage, purification, raffinage.

AFFINEMENT Dressage (péj.), éducation, perfectionnement.

AFFINER I. Au pr. : assainir, décarburer, épurer, nettoyer, puddler, purifier, raffiner. **II. Fig.** → *façonner.*

AFFINER (S') S'apprivoiser, se civiliser, se dégourdir, se dégrossir, s'éduquer, se faire, se perfectionner, se polir.

AFFINITÉ I. → *alliance.* **II.** → *analogie.* **III.** → *affection.* **IV. Loc. Avoir des affinités avec :** des atomes crochus (fam.).

AFFIRMATIF, IVE I. Quelque chose : assertif, catégorique, positif. **II. Quelqu'un :** catégorique, décisif, ferme, positif, tranchant.

AFFIRMATION I. Assurance, attestation, prise de position, théorème, thèse. → *allégation.* **II.** Confirmation, démonstration, expression, extériorisation, jugement, manifestation, preuve, témoignage.

AFFIRMER I. Au pr. : argumenter, articuler, assurer, attester, certifier, déclarer, dire, garantir, jurer, maintenir, parier, proclamer, proférer, promettre, prononcer, protester, en répondre, soutenir. → *alléguer.* **II. Par ext. :** avancer, confirmer, démontrer, exprimer, extérioriser, manifester, montrer, produire, prouver, témoigner. **III. Loc. Donner sa tête à couper :** foutre son billet (pop.), mettre sa main au feu (fam.).

AFFIRMER (S') S'affermir, se déclarer, se confirmer, s'exprimer, s'extérioriser, se manifester, se montrer, se produire, se renforcer.

AFFLEUREMENT Émergence, saillie, surgissement.

AFFLEURER → *apparaître.*

AFFLICTION I. Au sing. : abattement, amertume, angoisse, chagrin, crève-cœur, débine (fam.), déchirement, désespoir, désolation, détresse, déveine (fam.), douleur, épreuve, mouscaille (fam.), peine, souffrance, torture, tourment, tristesse. **II. Au pl. On est dans les afflictions :** calamité, calice, calvaire, catastrophe, chemin de croix, couronne d'épines, croix, deuil, mal, malheur, peine, plaie, tribulation.

AFFLIGÉ, E Déshérité, gueux (péj.), infortuné, malchanceux, malheureux, miséreux, miteux (péj.), paria, paumé (arg.), pauvre, réprouvé.

AFFLIGEANT, E Accablant, attristant, cruel, désolant, douloureux, dur, embarrassant, embêtant, emmerdant (grossier), ennuyeux, fâcheux, funeste, injuste, malchanceux, mauvais, navrant, pénible, sot, triste.

AFFLIGER I. Au pr. : abattre, accabler, affecter, arracher des larmes, assombrir, atterrer, attrister, chagriner, contrarier, contrister, déchirer, désespérer, désoler, émouvoir, endeuiller, endolorir, éprouver, fâcher, faire souffrir, fendre le cœur, frapper, mettre à l'épreuve/au supplice/à la torture, navrer, peiner, percer le cœur, torturer, toucher, tourmenter, troubler. **II. Iron. :** doter, nantir. **III. Relig. :** appliquer la discipline, macérer.

AFFLIGER (S') Éprouver de l'affliction/de la douleur/du chagrin, *et les formes pronom. possibles des syn. de* AFFLIGER.

AFFLUENCE I. Au pr. : afflux, arrivée, circulation, écoulement, flot, flux, issue. **II. Fig. 1. De choses :** abondance, avalanche, débordement, déferlement, déluge, exubérance, foison, foisonnement, inondation, opulence, pagaille (fam.), pléthore, pluie, profusion, quantité, richesse, surabondance, tas. **2. De gens :** amas, armée, concours, encombrement, essaim, flopée (fam.), flot, forêt, foule, foultitude (fam.), fourmilière, fourmillement, grouillement, mascaret, masse, monde, multitude, peuple, presse, pullulement, potée (fam.), rassemblement, régiment, réunion, ruée, rush, tapée (fam.), tas, tripotée (fam.).

AFFLUER I. Un liquide. 1. Le sang : arriver, circuler, monter. **2. Un cours d'eau :** aboutir à, couler vers, se déverser dans. **II. Un grand nombre de personnes ou de choses :** abonder, accourir, aboutir à, aller vers, arriver, courir vers, se porter vers, se presser vers, survenir, venir en foule.

AFFLUX I. Au pr. → *affluence.* **II. Fig. :** boom (fam.), bouchon, débordement, déferlement, embouteillage encombrement, flopée (fam.), flot foule, foultitude (fam.), masse, rassemblement, rush.

AFFOLANT, E I. Non favorable → *alarmant.* **II. Favorable** → *affriolant.*

AFFOLER I. V. tr. *Quelque chose ou quelqu'un affole quelqu'un.* 1. *Au pr.* → agiter. 2. *Fig.* → affrioler. **II. V. intr.** : se dégrouiller (fam.), se démerder (grossier), se dépêcher, se hâter.

AFFOLER (S') S'agiter, s'alarmer, s'angoisser, être bouleversé, s'effrayer, s'émouvoir, s'épouvanter, se faire du souci, se frapper, s'inquiéter, perdre la tête, prendre peur, être pris de panique/paniqué (fam.)/terrifié/tracassé/troublé.

AFFRANCHI, E Pop. : Affidé, complice, confident, dur (arg.), initié, souteneur, voyou.

AFFRANCHIR I. Quelqu'un, un pays. *1. Au pr.* : briser les chaînes/le joug, débarrasser, délier, délivrer, émanciper, libérer, rendre la liberté. *2. Pop.* : initier, mettre dans le coup (fam.)/au courant/au parfum (arg.), renseigner. **II. Quelque chose** : composter, payer le port, surtaxer, taxer, timbrer. **III. Affranchir de quelque chose** : détaxer, libérer, exonérer.

AFFRANCHISSEMENT I. Délivrance, émancipation, libération. **II.** Compostage, frais de port, surtaxe, taxe, timbre.

AFFRES Agonie, alarme, angoisse, anxiété, crainte, douleur, doute, émoi, émotion, épouvante, inquiétude, peur, tourment, transe.

AFFRÈTEMENT Agence de fret, chargement, charter, contrat, nolisage.

AFFRÉTER Charger, louer, noliser, pourvoir.

AFFRÉTEUR Charter, organisateur, pourvoyeur, répartiteur.

AFFREUX, EUSE I. Adj. : abominable, atroce, dégoûtant, déplaisant, désagréable, détestable, difforme, disgracieux, effrayant, effroyable, épouvantable, exécrable, hideux, horrible, ignoble, inesthétique, informe, laid, mal fait/fichu (fam.)/foutu (fam.)/tourné, mauvais, moche (fam.), monstrueux, repoussant, répugnant, terrible, vilain. **II. 1. Nom masc. :** mercenaire, spadassin. *2. Loc. Un affreux bonhomme :* abominable, dégoûtant, sale, vicieux, satyre.

AFFRIOLANT, E Affolant, agaçant, aguichant, alléchant, aimable, attirant, charmant, charmeur, désirable, engageant, ensorcelant, envoûtant, plaisant, séduisant, sexy (fam.), troublant.

AFFRIOLER Affoler, agacer, aguicher, allécher, attirer, charmer, engager,

envoûter, faire du charme/perdre la tête, séduire, tenter, troubler.

AFFRONT Attaque, atteinte, avanie, blasphème, camouflet, grossièreté, humiliation, incongruité, injure, insolence, insulte, mortification, offense, outrage, vexation.

AFFRONTEMENT Attaque, choc, combat, compétition, concurrence, confirmation, défi, échange, face à face, heurt, lutte, mise en présence, rencontre.

AFFRONTER I. Quelqu'un : aller au-devant de, attaquer, combattre, défier, faire face à, se heurter à, lutter contre, se mesurer à, rencontrer. **II. Une difficulté :** aller au-devant de, combattre, courir, défier, faire face à, lutter contre, se mesurer à.

AFFRONTER (S') Être en compétition/concurrence/conflit, se faire concurrence/face, se heurter, se livrer un combat, se mesurer à, se rencontrer sur le terrain *et les formes pronom. possibles des syn. de* AFFRONTER.

AFFUBLEMENT Péj. → *accoutrement.*

AFFUBLER I. Au pr. → *accoutrer.* **II. Fig.** : coller, donner, gratifier de, octroyer, qualifier de.

AFFÛT I. Le lieu : cabane, cache, embuscade, poste, réduit. **II. Loc.** *Être à l'affût :* attendre, être à l'arrêt/aux aguets/à l'écoute, guetter, observer, patienter, surveiller.

AFFÛTAGE → *affilage.*

AFFÛTER → *affiler.*

AFIN DE, AFIN QUE Dans le but de (fam.)/le dessein de/l'intention de, en vue de, pour, pour que.

A FORTIORI A plus forte raison, raison de plus.

AGAÇANT, E Asticotant (fam.), casse-pieds (fam.), contrariant, crispant, déplaisant, désagréable, échauffant, embêtant (fam.), emmerdant (grossier), énervant, enquiquinant (fam.), enrageant, exacerbant, exaspérant, excédant, excitant, horripilant, irritant, lancinant, lassant, provocant, rageant, surexcitant, vexant.

AGACEMENT Contrariété, déplaisir, désagrément, embêtement, emmerdement (grossier), énervement, exacerbation, exaspération, impatience, irritation.

AGACER I. Non favorable : asticoter (fam.), casser les pieds (fam.), chercher des crosses à (fam.)/noise (fam.)/querelle (fam.), contrarier, courroucer, crisper, donner sur les nerfs, échauffer, échauffer la bile/les oreilles, embêter, emmerder (grossier), énerver, ennuyer, enquiquiner (fam.), exacerber, exaspérer, excéder, exciter, faire endêver/enrager/sortir de ses gonds, hérisser, horripiler, impatienter, indisposer, irriter, lanciner, lasser, mécontenter, mettre en colère/rogne (fam.), provoquer, piquer, taquiner. **II. Par ext.** → *affrioler.*

AGACERIE Asticotage (fam.), coquetterie, manège, marivaudage, minauderie, pique, provocation, taquinerie.

AGAPES Banquet, bombance (fam.), bombe, festin, fête, grand repas, gueuleton (fam.), ripaille (péj.), réjouissances, → *repas.*

AGATE Bille, camée.

ÂGE I. Ancienneté, époque, génération, période, temps, vieillesse. **II. Loc. 1. Avant l'âge :** avant le temps. **2. Usé par l'âge :** par la vieillesse. **3. Les âges de la vie :** les époques.

ÂGÉ, E I. Quelqu'un : avancé, usé, vieux. **II. Quelque chose :** ancien, déclassé, démodé, hors service, hors d'usage, au rebut. → *vieux.*

AGENCE Affaire, bureau, cabinet, chantier, commerce, comptoir, dépôt, entrepôt, office, succursale.

AGENCEMENT Accommodation, accommodement, ajustement, aménagement, arrangement, combinaison, composition, contexture, coordination, décor, décoration, dispositif, disposition, distribution, enchaînement, liaison, mécanisme, mise en ordre/place, ordonnance, ordre, organisation, structure, texture, tissure.

AGENCER Composer, coordonner, décorer, distribuer, enchaîner, lier, mettre en ordre/place, meubler, monter, ordonner, organiser, structurer, tisser. → *adapter.*

AGENCER (S') I. *Les formes pronom. possibles des syn. de* AGENCER. **II. Loc. Ça s'agence bien :** ça se goupille (fam.)/présente bien.

AGENDA I. Almanach, calendrier, calepin, carnet, éphémérides, registre. **II. Relig. :** ordo.

AGENOUILLEMENT I. Au pr. : inclinaison, prosternation, prosternement. **II. Fig. Non favorable :** abaissement, bigoterie, complaisance, humiliation, lâcheté, tartuferie.

AGENOUILLER (S') I. Au pr. : s'incliner, se prosterner. **II. Par ext. 1. Favorable :** admirer, adorer, faire oraison, prier, vénérer. **2. Non favorable :** s'abaisser, capituler, céder, mettre les pouces (fam.), venir à quia/ à résipiscence.

AGENT I. Au pr. Ce qui agit : action, âme, bras, cause, instrument, ferment, moteur, moyen, objet, organe, origine, principe, source. **II. Quelqu'un :** âme damnée (péj.), auxiliaire, bras droit, commis, commissaire, commissionnaire, consignataire, correspondant, courtier, délégué, émissaire, employé, envoyé, exécutant, facteur, factotum, fonctionnaire, fondé de pouvoir, gérant, homme de confiance, inspecteur, intendant, intermédiaire, mandataire, messager, négociateur, préposé, représentant, serviteur, substitut, suppléant. **III. De police. 1.** Gardien de la paix, policier, sergent de ville. **2. Arg. et péj. :** argousin, bourre, bourrique, cogne, condé, flic, guignol, hirondelle, policier, poulaga, poulaille, poulet, sbire, sergot, vache. **IV. Loc. 1. Agent secret :** affidé, correspondant, espion (péj.), indicateur. **2. Agent de l'ennemi :** espion, traître. **3. Agent d'exécution :** bourreau, exécuteur, homme de loi/de main (péj.)/de paille (péj.), huissier. **4. Agent de liaison :** courrier, estafette. **5. Agent provocateur :** agitateur, brebis galeuse, indicateur. **6. Agent diplomatique :** ambassadeur, chargé d'affaires, consul, légat, ministre, ministre plénipotentiaire, nonce.

AGGLOMÉRAT I. Au pr. : agglomérés, amas, amoncellement, bloc, conglomérat, éboulis, entassement, masse, réunion, sédiment, tas. **II. Fig. :** accumulation, agglutination, agrégat, agrégation, amalgame, amas, assemblage, attroupement, bloc, conglomérat, entassement, réunion, tas.

AGGLOMÉRATION I. Groupe d'habitations : banlieue, bloc, bourg, bourgade, camp, campement, capitale, centre, chef-lieu, cité, colonie, conurbation, douar, ensemble, faubourg, feux, foyers, grand ensemble, habitat, hameau, localité, mégalopolis, métropole, paroisse, station, village, ville, zone urbaine. **II. Un entassement de choses** (au pr. et au fig.) → *agglomérat.*

AGGLOMÉRÉ Brique, briquette, hourdis, parpaing, préfabriqué.

AGGLOMÉRER, AGGLUTINER Accumuler, agréger, amasser, amonceler, assembler, attrouper, coller, conglomérer, empiler, entasser, entremêler, mélanger, mêler, mettre en bloc/ensemble/en tas, rassembler, réunir, unir.

AGGRAVANT, E Accablant, à charge.

AGGRAVATION Accroissement, augmentation, complication, croissance, développement, escalade, exacerbation, exaspération, intensification, progrès, progression, propagation, rechute, recrudescence, redoublement.

AGGRAVER I. Une charge : accroître, alourdir, amplifier, augmenter, charger, compliquer, développer, empirer, envenimer, étendre, exacerber, exagérer, exaspérer, exciter, grever, redoubler, surcharger. **II. Une con-

damnation : ajouter, allonger, augmenter, grandir, grossir, rallonger. **III. Un sentiment** : exacerber, exaspérer, exciter, intensifier, irriter, renforcer.

AGGRAVER (S') Se détériorer, empirer, progresser, *et les formes pron. possibles des syn. de* AGGRAVER.

AGILE Adroit, aisé, à l'aise, alerte, allègre, découplé, délié, élastique, frétillant, fringant, élégant, félin, gracieux, habile, ingambe, léger, leste, mobile, preste, prompt, rapide, sémillant, souple, véloce, vif, vite.

AGILITÉ Adresse, aisance, allégresse, élasticité, élégance, grâce, habileté, légèreté, mobilité, prestesse, promptitude, rapidité, souplesse, vélocité, virtuosité, vitesse, vivacité.

AGIO Charges, crédit, frais, intérêts.

AGIOTAGE Accaparement, coup de bourse, spéculation, trafic, tripotage.

AGIOTER Accaparer, boursicoter (fam.), hasarder une mise, jouer à la bourse, miser, spéculer, traficoter (fam.), trafiquer, tripoter.

AGIOTEUR → *spéculateur.*

AGIR I. On fait quelque chose. **1. Favorable** : s'adresser à, aller de l'avant, animer, collaborer à, se comporter, conduire, se conduire, concourir à, contribuer à, se dépenser, employer, s'employer à, entraîner, s'entremettre, entreprendre, exécuter, exercer une action/une influence sur, faire, faire appel à, intercéder, intervenir, jouer, manifester, manœuvrer, mettre en action/en œuvre, mener, mouvoir, négocier, s'occuper de, œuvrer, opérer, persuader, pousser, procéder à, provoquer, travailler. **2. Non favorable** : abuser, contrarier, contrecarrer, contredire, contrevenir, en faire à sa tête, impressionner, inciter à, influencer, influer sur, lutter, se mettre en travers, s'opposer à, traiter, en user avec. **II. Quelque chose agit sur quelqu'un ou quelque chose** : avoir pour conséquence/effet, concourir à, contribuer à, entraîner, exercer une action/une influence sur, faire effet sur, influer sur, opérer, provoquer, travailler. **III. Loc.** *Agir en justice* : actionner, entamer une procédure, introduire une requête, poursuivre.

AGIR (S') Impers. : il convient, il est nécessaire/question, il faut.

AGISSANT, E I. → *actif.* **II.** Influent, qui a le bras long.

AGISSEMENT Péj. : allées et venues, aventures, cinéma (fam.), combines (fam.), comportement, conduite, démarche, façons, intrigues, machinations, magouilles (arg.), manières, manigances, manœuvres, menées,

micmac, pratiques, procédés, salades (fam.).

AGITATEUR → *factieux.*

AGITATION I. Au pr. 1. De quelque chose : activité, animation, bouillonnement, effervescence, flux et reflux, grouillement, houle, mouvement, ondulation, orage, remous, secousse, tempête, tohu-bohu, tourbillon, tourmente, trouble, tumulte, turbulence, va-et-vient. **2. Du corps.** *Neutre ou favorable* : activité, affairement, animation, hâte, mouvement. *Non favorable* : affolement, alarme, bruit, désordre, effervescence, excitation, incohérence, précipitation, remueménage, tourbillon, tourmente, trouble, tumulte, turbulence, vent. **3. Méd. :** angoisse, délire, excitation, fébrilité, fièvre, hystérie, nervosité. **II. Fig. 1. Des sentiments :** affres, angoisse, anxiété, bouillonnement, bouleversement, colère, convulsion, déchaînement, délire, désarroi, effervescence, effroi, embrasement, émoi, émotion, fièvre, flottement, frayeur, frénésie, hésitation, inquiétude, lutte, mouvement, orage, passion, préoccupation, remous, secousse, souci, terreur, tourment, tracas, trouble, tumulte, violence. **2. D'une foule :** activité, animation, bouillonnement, convulsion, déchaînement, délire, démonstration, effervescence, embrasement, émeute, excitation, faction, fermentation, fièvre, flux et reflux, fourmillement, grouillement, houle, lutte, manifestation, mêlée, micmac (fam.), mouvement, orage, pagaille, panique, pastis (fam.), remous, remue-ménage, révolte, révolution, secousse, sédition, tourmente, trouble, violence.

AGITER I. On agite. 1. Quelque chose : ballotter, battre, brandiller, brandir, brouiller, remuer, secouer. **2. Le corps ou une partie du corps :** balancer, battre, bercer, branler, dodeliner, frétiller, gambiller, gesticuler, gigoter, hocher, remuer, secouer, soulever. **3. Une question :** analyser, avancer, débattre de, discuter de, examiner, mettre à l'ordre du jour, proposer, soulever, soumettre, traiter. **II. Quelque chose agite quelqu'un ou un groupe :** affoler, alarmer, angoisser, animer, bouleverser, ébranler, effrayer, embraser, émouvoir, enfiévrer, enflammer, enthousiasmer, envahir, épouvanter, exciter, inquiéter, mettre en effervescence/en émoi, occuper, paniquer (fam.), faire peur, préoccuper, remuer, rendre soucieux, révolter, révolutionner, soulever, terrifier, torturer, tourmenter, tracasser, transporter, travailler, troubler.

AGITER (S') S'affairer, aller et venir, s'animer, bouger, circuler, courir, se dandiner, se démener, s'empresser, frétiller, gesticuler, gigoter, se précipiter, remuer, se secouer, se tortiller, se trémousser, *et les formes pronom. possibles des syn. de* AGITER.

AGNEAU, ELLE I. Au pr. : antenais, antenaise, bête à laine, mouton, nourrisson, pré-salé. **II. Fig. C'est un agneau :** bon, chaste, doux, gentil, innocent, inoffensif, pur, timide.

AGNELAGE Mise bas, naissance, parturition.

AGONIE I. Au pr. : dernière extrémité, dernière heure, derniers instants/moments, extrémité, fin, à la mort. **II. Fig. 1.** Affres, crainte, détresse. **2.** Chute, crépuscule, décadence, déclin, fin.

AGONIR Accabler, couvrir d'injures, engueuler (fam.), injurier, maudire, passer une engueulade (fam.), verser/déverser un tombereau d'injures, vilipender.

AGONISANT, E Moribond, mourant, à l'article de la mort.

AGONISER S'éteindre, expirer, passer, râler, tirer à sa fin. → *mourir.*

AGRAFE I. Sur un vêtement : attache, boucle, broche, clip, épingle, fermail, fibule. **II. Autres usages :** cavalier, épingle, fermoir, trombone.

AGRAFER Accrocher, adapter, ajuster, assembler, attacher, épingler, fixer, joindre, maintenir, mettre, retenir.

AGRAIRE Agrarien, agricole, foncier, rural.

AGRANDIR I. Au pr. : accroître, ajouter à, allonger, amplifier, annexer, arrondir, augmenter, développer, dilater, donner du champ/de l'expansion/du large, élargir, élever, étendre, évaser, exhausser, gonfler, grossir, grouper, hausser, reculer les bornes/les limites, regrouper, surélever. **II. Fig. 1. Favorable :** détailler, élargir, élever, ennoblir, enrichir, étendre, fortifier, grandir, honorer, porter plus haut, renforcer. **2. Non favorable :** amplifier, enfler, exagérer, gonfler, grossir, paraphraser.

AGRANDIR (S') Accroître son activité, devenir plus grand/fort/important/puissant, étendre ses biens/son domaine, *et les formes pronom. possibles des syn. de* AGRANDIR.

AGRANDISSEMENT Accroissement, amplification, annexion, augmentation, conquête, croissance, développement, dilatation, élargissement, élévation, enflure (péj.), ennoblissement, enrichissement, exagération (péj.), extension, évasement, gain, gonflement, grossissement, groupement, regroupement, surélévation.

AGRARIEN, ENNE I. Adj. → *agraire.* **II. Nom :** propriétaire foncier/rural/terrien.

AGRÉABLE I. Quelqu'un : abordable, accommodant, accompli, accueillant, affable, aimable, amène, attachant, attirant, bath (fam.), beau, bien, bien élevé, bon, bon vivant, charmant, chic, chouette (fam.), doux, exquis, facile, fascinant, gai, galant, gentil, gracieux, joli, joyeux, parfait, piquant, plaisant, prévenant, séduisant, serviable, sociable, sympathique. **II. Quelque chose. 1. Un endroit :** attirant, attrayant, beau, bien conçu/situé, captivant, charmant, commode, confortable, enchanteur, fascinant, joli, plaisant, ravissant, splendide. **2. Un rêve, un moment :** captivant, charmant, doré, doux, enchanteur, enivrant, heureux, riant. **3. Une friandise, un repas :** affriolant, appétissant, délectable, délicieux, engageant, exquis, fameux, ragoûtant, savoureux. **4. Un vin :** qui a du bouquet/du caractère/du corps/de la race/de la sève, coulant, gai, gouleyant, fruité, léger, moelleux. **5. Un son :** aérien, doux, harmonieux, léger, mélodieux, suave. **6. Un parfum :** aromatique, capiteux, embaumant, enivrant, léger, suave, subtil. **7. Un propos :** aimable, doux, flatteur. **8. Un spectacle :** amusant, attrayant, bath (fam.), beau, bien, bon, captivant, chouette (fam.), plaisant, récréatif, réjouissant, splendide.

AGRÉÉ Jurid. : avocat, avoué, chargé d'affaires, comptable, conseiller juridique, fondé de pouvoir.

AGRÉER I. V. intr. : aller à, convenir, faire l'affaire, être au gré de, plaire. **II. V. tr. :** accepter, acquiescer, accueillir, admettre, approuver, donner son accord à, goûter, recevoir, recevoir favorablement, trouver bon/convenable/à sa convenance.

AGRÉGAT Accumulation, agglomérat, amas, assemblage, bloc, conglomérat, masse, sédiment.

AGRÉGATION Agglomération, association, sédimentation.

AGRÉGER Adjoindre, admettre, affilier, agglomérer, assembler, associer, attacher, choisir, coopter, élire, faire entrer, incorporer, recruter, réunir, unir.

AGRÉMENT I. Au pr. : acceptation, accord, acquiescement, adhésion, admission, affiliation, approbation, autorisation, association, choix, consentement, cooptation, élection. **II. Par ext. :** aisance, aménité, attrait, charme, élégance, grâce, mérite, piquant, qualité, séduction. **III. Au plur. 1. De la vie :** amusement, bien-être, bonheur, charmes, commodité, confort, distraction, divertissement, joie, plaisir. **2. Pour orner :** accessoires, enjolivement, fioriture, garniture, ornement, superflu.

AGRÉMENTER Embellir, enjoliver, enrichir, garnir, orner, parer, relever.

AGRÈS I. Mar. : apparaux, armement, gréement, superstructures. **II.** Anneaux, appareils, balançoire, barre, corde lisse/à nœuds, portique, trapèze.

AGRESSEUR Assaillant, attaquant, offenseur, provocateur.

AGRESSIF, IVE Ardent, bagarreur, batailleur, belliqueux, chercheur (fam.), combatif, fonceur (fam.), malveillant, méchant, menaçant, mordant, provocateur, pugnace, querelleur.

AGRESSION I. Contre un pays : action, attaque, déferlement, envahissement, intervention, invasion, viol, violence. **II. Contre un particulier :** attaque, cambriolage, effraction, fricfrac, hold-up, intrusion, viol, violence, vol.

AGRESSIVITÉ Ardeur, brutalité, combativité, esprit querelleur, malveillance, méchanceté, provocation, pugnacité.

AGRESTE I. Au pr. : agraire, agricole, bucolique, campagnard, champêtre, forestier, pastoral, paysan, rural, rustique, terrien. **II. Fig.** *Non favorable :* abrupt, grossier, inculte, rude, rustique, sauvage.

AGRICOLE Agraire → *agreste.*

AGRICULTEUR Agrarien, agronome, colon, cultivateur, cul-terreux (péj.), éleveur, exploitant, fermier, laboureur, métayer, paysan, planteur, producteur, propriétaire foncier/rural/terrien.

AGRICULTURE Agronomie, culture, économie rurale, élevage, paysannerie, production agricole, produits du sol, secteur primaire.

AGRIFFER → *agripper.*

AGRIFFER (S') → *agripper (s').*

AGRIPPER Accrocher, agriffer, attraper, cramponner, harponner, retenir, saisir, tenir.

AGRIPPER (S') S'accrocher, s'agriffer, s'attacher, se cramponner, se retenir, se suspendre, se tenir.

AGUERRIR Accoutumer, affermir, cuirasser, endurcir, entraîner, éprouver, fortifier, préparer, rompre, tremper.

AGUET Loc. *Être aux aguets :* à l'affût, à l'arrêt, à l'écoute, à son poste, au guet, aux écoutes, en embuscade, en éveil, en observation, sur ses gardes, épier, faire attention/gaffe (fam.), le guet/le pet (arg. scol.), guetter, observer, surveiller.

AGUICHANT, E → *affriolant.*

AGUICHER → *affrioler.*

AGUICHEUSE Allumeuse, charmeuse, coquette, flambeuse, flirteuse, séductrice, tentatrice, vamp.

AHANER S'essouffler, faire effort, fatiguer, peiner, souffrir, suer.

AHURI, E → *bête.*

AHURIR Abrutir (péj.), ébahir, ébaubir, ébésiller (fam.), ébouriffer (fam.), effarer, époustoufler (fam.), étonner, faire perdre la tête, jeter dans le trouble, laisser interdit/pantois/stupéfait/stupide, prendre au dépourvu, stupéfier, surprendre, troubler.

AHURISSANT, E → *étonnant.*

AHURISSEMENT → *surprise.*

AICHE, ÊCHE, ESCHE Appât, asticot, boëte, capelan, devon, leurre, manne, mouche, rogue, ver, vif.

AIDE I. Fém. 1. Au pr. : aumône, avance, bienfait, bourse, cadeau, charité, dépannage, don, facilité, faveur, grâce, prêt, prêt d'honneur, secours, soulagement, subside, subvention. **2. Par ext. :** appui, assistance, bienveillance, bons offices, collaboration, complaisance, concours, connivence (péj.), conseil, contribution, coopération, coup de main/d'épaule/de pouce, encouragement, entraide, intervention, main-forte, office, participation, patronage, piston (fam.), protection, réconfort, renfort, repêchage, rescousse, secours, service, soutien. **II. Masc. :** → *adjoint.*

AIDE-MÉMOIRE Croquis, dessin, mémento, pense-bête (fam.). → *abrégé.*

AIDER I. V. tr. *Aider quelqu'un à (et l'inf.) :* agir, appuyer, assister, collaborer, concourir, conforter, contribuer, dépanner, donner un coup de pouce/de main/de piston (fam.), donner la main à, s'entraider, épauler, étayer, faciliter, faire beaucoup pour/la courte échelle (fam.)/le jeu de/quelque chose pour, favoriser, jouer le jeu de, lancer, mettre dans la voie/le pied à l'étrier, obliger, offrir, partager, participer, patronner, pousser, prendre part à, prêter la main/main-forte, protéger, réconforter, rendre service, renforcer, repêcher, seconder, secourir, servir, soulager, soutenir, subventionner, tendre la main, venir à l'aide/à la rescousse/au secours. **II. V. tr. ind.** *Aider à une chose :* contribuer à, faciliter, favoriser, permettre.

AIDER DE (S') S'appuyer sur, faire feu de tout bois (fam.), prendre appui sur, se servir de, tirer parti de.

AÏEUL, AÏEULE, AÏEUX Aîné, ancêtre, ascendant, auteur, devancier, grand-mère, grand-père, grands-parents, parent, prédécesseur.

AIGLE I. Nom. 1. Au pr. : circaète, grégate, gypaète, harpie, rapace, pygargue, spizaète, uraète. **2. Fig. :** as, champion, fort en thème, grosse tête (fam.), phénomène, phénix, prodige, tête d'œuf (arg.). **II. Nom s. et pl. :** armoirie, bannière, drapeau, emblème, empire, enseigne, étendard.

AIGRE I. Au pr. 1. *Au goût :* acerbe, acide, âcre, aigrelet, aigri, ginglet, guinguet, piquant, piqué, raide, reginglard, sur, tourné, vert. **2.** *Un son :* aigu, assourdissant, criard, déplaisant, désagréable, grinçant, perçant, sifflant, strident. **II. Fig. 1.** *Le froid :* coupant, cuisant, désagréable, glacé, glacial, mordant, mortel, pénible, piquant, saisissant, vif. **2.** *Quelqu'un :* acariâtre, acerbe, acide, âcre, acrimonieux, agressif, amer, âpre, atrabilaire, bâton merdeux (vulg.), blessant, cassant, caustique, déplaisant, désagréable, dur, fielleux, hargneux, incisif, malveillant, mordant, pète-sec (fam.), piquant, pissevinaigre (fam.), pointu, râleur (fam.), revêche, rude, sarcastique, sec, sévère, tranchant, venimeux, violent.

AIGREFIN Chevalier d'industrie, coquin, escroc, filou, fourbe, malandrin, malhonnête, voleur, voyou.

AIGRELET, ETTE Acidulé, ginglet, ginguet, piquant, piqué, raide, reginglard, sur, tourné, vert.

AIGRETTE I. Garzette, héron blanc. **II.** Panache, plume, plumet.

AIGREUR I. Au pr. : acidité, amertume, hyperchlorhydrie, verdeur. **II. Fig. :** acariâtreté, acerbité, acidité, âcreté, acrimonie, agressivité, amertume, animosité, âpreté, brouille, causticité, colère, dépit, désagrément, dureté, fiel, haine, hargne, humeur, irritation, malveillance, maussaderie, méchanceté, pique, rancœur, rancune, récrimination, ressentiment, rouspétance (fam.), vindicte.

AIGRI, E Dégoûté, désabusé, désenchanté. → *aigre.*

AIGRIR I. V. tr. 1. *Au pr. :* altérer, corrompre, faire tourner, gâter, piquer, rendre aigre. **2.** *Fig. :* aggraver, altérer, attiser, aviver, brouiller, envenimer, exaspérer, exciter la colère/le dépit/le ressentiment, fâcher, indisposer, irriter, mettre de l'huile sur le feu (fam.)/en colère/la zizanie, rendre amer, piquer, souffler la discorde/la haine/la zizanie. **II. V. intr. :** tourner.

AIGU, UË I. Au pr. : acéré, aciculaire, aculéiforme, acuminé, affûté, affilé, aiguisé, anguleux, coupant, émorfilé, émoulé, fin, lancéolé, perçant, piquant, pointu, saillant, subulé, tranchant. **II. Fig. 1.** *Les sons :* acéré, aigre, clair, criard, déchirant, élevé, haut, flûté, glapissant, grinçant, perçant, pointu, strident, suraigu, voix de clairon/de clarine/de crécelle/de fausset. **2.** *Le regard :* mobile, perçant, scrutateur, vif. **3.** *Une souffrance :* cuisant, déchirant, intolérable, lancinant, piquant, torturant, vif, violent. **4.** *L'esprit. Favorable ou*

neutre : analytique, délié, doué, intelligent, lucide, ouvert, perçant, pénétrant, piquant, profond, subtil, vif. *Non favorable :* incisif, mordant, piquant.

AIGUILLAGE Bifurcation, branchement, changement, orientation.

AIGUILLE I. Au pr. : aiguillette, aiguillon, alêne, broche, épingle, épinglette, piquoir. **II. Par ext. :** aiguillon, arête, bec, dent, éperon, épine, flèche, obélisque, pic, piquant, piton, rostre.

AIGUILLONNER I. Au pr. : percer, piquer, toucher. **II. Fig. :** aiguiser, animer, échauffer, électriser, encourager, enflammer, enhardir, éperonner, éveiller, exalter, exciter, fouetter, inciter, influencer, influer sur, inspirer, piquer, pousser, presser, provoquer, remplir d'ardeur, stimuler, tenir la carotte (fam.), tourmenter.

AIGUISAGE → *affilage.*

AIGUISER I. Au pr. → *affiler.* **II. Fig. :** accroître, achever, aiguillonner, augmenter, aviver, délier, exciter, fignoler, parfaire, polir, stimuler, travailler.

AIGUISEUR Affileur, affûteur, émouleur, rémouleur, repasseur.

AILE I. Au pr. : aileron, élytre, empennage, penne, voilure. **II. Par ext.** *Sous l'aile de :* abri, égide, parrainage, protection, sauvegarde, soutien, surveillance. **III.** Pales. **IV.** Corps de logis, pavillon. **V.** Détachement, flanc. **VI.** Garde-boue.

AILÉ, E I. Au pr. : empenné. **II. Fig. :** aérien, céleste, élancé, éthéré, immatériel, léger, poétique, pur, rapide, rêveur, souple, sublime, svelte, vaporeux.

AILERON I. Au pr. : aile, nageoire. **II. Fig. 1.** *D'un avion :* empennage, volet. **2.** *Arg. :* bras.

AILLEURS I. Autre part, dans un autre endroit/lieu, où l'on n'est pas. **II. D'ailleurs :** d'autre part, d'un autre côté, de plus, au reste, du reste, en outre, par contre, pour le reste. **III. Par ailleurs :** autrement, d'un autre côté, d'une autre façon, pour le reste.

AIMABLE I. Quelqu'un : abordable, accommodant, accort, accueillant, adorable, affable, agréable, amène, attentionné, attirant, avenant, beau, bien, bien élevé, bienveillant, bon, charmant, charmeur, complaisant, courtois, délicat, délicieux, dévoué, doux, exquis, gentil, gracieux, hospitalier, liant, obligeant, ouvert, pas fier (pop.), plaisant (fam.), poli, prévenant, séduisant, serviable, sociable, sympathique. **II. Quelque chose :** accueillant, agréable, attirant, attrayant, beau, bien conçu/situé, charmant, commode, confortable, coquet, délicat, enchanteur, fascinant, hospitalier, joli, plaisant, ravissant, riant, séduisant, sympathique.

AIMANT, E → *amoureux.*

AIMANT I. Au pr. : boussole, électro-aimant. **II. Fig. :** ascendance, attirance, attraction, attrait, envoûtement, fascination, influence, séduction.

AIMANTATION Électromagnétisme, induction, magnétisme.

AIMER I. Quelqu'un : adorer, affectionner, s'amouracher (péj.), s'attacher à, avoir de l'affection/de l'attachement/le béguin (fam.)/dans la peau (pop.)/un coup de cœur/le coup de foudre (fam.)/du sentiment (fam.)/ de la sympathie/de la tendresse, chérir, désirer, s'embéguiner de, s'embraser pour, s'enamourer de, s'enflammer pour, s'enticher de, s'éprendre de, estimer, être amoureux de/coiffé de (fam.)/épris de/fou de/ pris/uni à, brûler pour, idolâtrer, en pincer pour (fam.), raffoler de, tomber amoureux, se toquer de, vénérer. **II. Quelque chose :** adorer, affectionner, avoir envie de, avoir du goût pour, désirer, estimer, être aise/amateur/content/friand de, être porté sur/ravi de, faire cas de, goûter, s'intéresser à, se passionner pour, se plaire à, prendre plaisir à, trouver agréable. **III. Quelque chose aime quelque chose :** avoir besoin de, demander, désirer, falloir à, réclamer. **IV. Loc.** *1. J'aimerais que :* demander, désirer, souhaiter. *2. Aimer mieux :* préférer. *3. Être aimé des dieux :* béni, chéri, favorisé.

AINE Hanche, haut de la cuisse, pli du bas-ventre/inguinal.

AÎNÉ, E Grand, héritier du nom et des armes, premier-né.

AINSI I. Comme cela, de cette façon/manière, de la sorte. **II.** De la même façon/manière, pareillement. **III. Ainsi que :** à l'exemple de, à l'instar de, comme, de même façon/ manière que.

AIR I. Au pr. *1.* Atmosphère, bouffée, brin d'air, brise, ciel, couche atmosphérique/respirable, courant d'air, espace, éther, souffle, température, temps, vent. *2. Loc. Prendre l'air :* se promener, respirer, sortir. *Changer d'air :* s'en aller, déménager, partir. *Donner de l'air :* aérer, éventer, oxygéner, ventiler. *Jouer la fille de l'air :* s'échapper, s'enfuir, s'évader, prendre la fuite/la poudre d'escampette (fam.), mettre les bouts (fam.). **II. Avoir un air :** affectation (péj.), allure, apparence, aspect, attitude, caractère, comportement, composition, contenance, dehors, démarche, embarras, expression, extérieur, façon, figure, forme, grâce, gueule (fam.), impres-

sion, maintien, manière, mine, physionomie, port, ressemblance, ton, visage. **III. De musique :** chanson, chant, couplet, mélodie, refrain, thème.

AIRAIN I. Au pr. : bronze. **II. Fig. :** durée, dureté, caractère, fermeté, force, sécurité, solidité.

AIRE I. Assise, concession, emplacement, espace, massif, place, plancher, sphère, superficie, surface, terrain, territoire, zone. **II.** Nid, repaire.

AIS Charpente, planche, poutre.

AISANCE I. Du corps, de l'esprit : agilité, assurance, désinvolture, distinction, facilité, grâce, habileté, légèreté, naturel, souplesse. **II. De la situation :** abondance, aise, bien-être, confort, opulence, richesse. **III. Lieux d'aisances** → *water-closet.*

AISE Contentement, décontraction, félicité, joie, liberté, relaxation, satisfaction, *et les syn. de* AISANCE.

AISÉ, E I. Au pr. *1.* Content, décontracté, dégagé, désinvolte, naturel, relax (fam.), relaxé, simple. *2.* → *nanti.* **II. Par ext. :** accommodant, coulant, facile, large, naturel, ouvert, souple, spontané.

AISÉMENT Facilement, largement, naturellement, simplement, volontiers.

AISSELLE Dessous de bras, gousset, région axillaire.

AJOURÉ, E Aéré, festonné, ouvert, percé.

AJOURNEMENT Atermoiement, réforme, refus, remise, renvoi, report, retard, temporisation.

AJOURNER I. Quelque chose : atermoyer, remettre, renvoyer, reporter, retarder, temporiser. **II. Quelqu'un :** coller (arg. scol.), réformer, refuser.

AJOUTAGE, AJOUT About, addition, adjonction, ajutage, allonge, annexe, augment, augmentation, joint, raccord, rallonge, supplément.

AJOUTER Abouter, accroître, additionner, adjoindre, agrandir, allonger, améliorer, amplifier, annexer, apporter, augmenter, compléter, corriger, dire, embellir, enchérir, enrichir, étendre, exagérer, greffer, grossir, insérer, intercaler, joindre, orner, parfaire, rajouter, en remettre (fam.), suppléer, surcharger, surenchérir, unir.

AJOUTER (S') Accompagner, compléter, grossir, renforcer, *et les formes pronom. possibles des syn. de* AJOUTER.

AJUSTAGE Alésage, brunissage, débourrage, grattage, limage, marbrage, montage, polissage, rodage, taraudage.

AJUSTEMENT I. Au pr. : accommodation, accord, adaptation, agencement, arrangement, disposition, mise en place, rapport. **II. Par ext. 1.** Accoutrement, déguisement, habillement, mise, parure, tenue, toilette, vêtements, vêture. **2.** Accommodement, arbitrage, compromis, conciliation, entente, protocole.

AJUSTER Accommoder, accorder, accoutrer, adapter, affecter, agencer, appliquer, arranger, assembler, calculer, coller, combiner, composer, concilier, conformer, disposer, égaliser, embellir, emboîter, faire aller/cadrer/coller/marcher, habiller, joindre, jumeler, mettre d'accord/en place, monter, mouler, ordonner, organiser, orner, parer, revêtir, vêtir, viser.

AJUSTER (S') Aller bien, cadrer avec, coïncider, être d'accord, s'entendre avec, *et les formes pronom. possibles des syn. de* AJUSTER.

ALAMBIQUÉ, E Péj. : amphigourique, compliqué, confus, contourné, embarrassé, précieux, quintessencié, raffiné, recherché, subtil, tarabiscoté, torturé.

ALANGUIR Abattre, affaiblir, amollir, assoupir, détendre, fatiguer, ramollir, rendre indolent/languissant/langoureux/ramollo (fam.)/sentimental/somnolent.

ALANGUISSEMENT Abandon, abattement, affaiblissement, amollissement, anémie, assoupissement, détente, fatigue, indolence, langueur, lenteur, mollesse, paresse, ramollissement, relâchement, relaxation, somnolence.

ALARMANT, E Affolant, angoissant, bouleversant, dangereux, dramatique, effrayant, épouvantable, grand, inquiétant, préoccupant, terrible, terrifiant, tragique.

ALARME I. Au pr. : alerte, appel, avertissement, branle-bas, cri, dispositif d'alarme/d'urgence, plan d'urgence, signal, sirène, S.O.S., tocsin. **II. Par ext. :** affolement, appréhension, crainte, effroi, émoi, émotion, épouvante, éveil, les foies (arg.), frayeur, frousse, inquiétude, panique, peur, souci, sur le qui-vive, terreur, transe.

ALARMER Affoler, alerter, donner les foies (arg.), effaroucher, effrayer, émouvoir, éveiller, faire peur, inquiéter, mettre en alerte/en transes, paniquer (fam.), remplir de crainte/de frayeur, remuer, terrifier, troubler.

ALARMISTE Cafardeux, capon, craintif, défaitiste, pessimiste, timoré.

ALBUM Cahier, classeur, livre blanc, recueil, registre.

ALCOOL I. Au pr. : brandevin, eau-de-vie, esprit-de-vin, marc. **II. Fam. :** bibine, bistouille, blanche,

casse-patte, casse-poitrine, cric, gnole, goutte, petit verre, pétrole, pousse-café, rikiki, rincette, rinçonnette, rogomme, schnaps, schnick, tord-boyaux.

ALCOOLIQUE Boit-sans-soif (fam.), dipsomane, dipsomaniaque, éthylique, ivrogne, poivrot (fam.).

ALCOOLISÉ, E Fort, raide, tassé.

ALCOOLISER (S') Boire, s'imbiber, s'imprégner, picoler (fam.), pinter (fam.), prendre une biture (fam.)/une cuite (fam.)/une muflée (fam.)/une ronflée (fam.), se soûler. → *enivrer (s').*

ALCOOLISME Dipsomanie, éthylisme, ivrognerie, soulographie (fam.).

ALCÔVE I. Au pr. : chambre, enfoncement, lit, niche, réduit, ruelle. **II. Fig. :** galanterie.

ALÉA Chance incertaine, danger, hasard, incertitude, péril, risque.

ALÉATOIRE Chanceux (pop.), dangereux, hasardeux, incertain, périlleux, risqué.

ALENTOUR, À L'ENTOUR I. Adv. : à la ronde, à proximité, autour de, aux environs, dans les parages. **II. Nom masc. pl. Les alentours :** abords, entourage, environs, environnement, parages, proximité, voisinage.

ALERTE I. Nom fém. : danger, péril. → *alarme.* **II. Adj. :** agile, éveillé, fringant, ingambe, leste, prompt, rapide, souple, vif.

ALERTER I. Avertir, aviser, donner l'alerte/avis, faire savoir, prévenir, renseigner, signaler. **II.** Inquiéter, mettre en éveil/la puce à l'oreille (fam.).

ALÉSAGE I. Ajustage, calibrage, fraisage, rectification, usinage. **II.** Calibre, cylindrée, volume.

ALÉSER Ajuster, calibrer, cylindrer, évaser, fraiser, rectifier, usiner.

ALÉSEUSE Machine-outil, meule, rectifieuse, tour.

ALEVIN Nourrain. → *poisson.*

ALEXANDRIN Hexamètre, vers de douze pieds.

ALFA Crin végétal, doum, stipa.

ALGARADE Altercation, attaque, dispute, échange de coups/de propos vifs, incident, insulte, querelle, scène.

ALGUE Agar-agar, goémon, laminaire, varech.

ALIAS Autrement, autrement dit/nommé, d'une autre manière.

ALIBORON I. → *baudet.* **II.** → *bête.*

ALIÉNATION I. Au pr. : abandon, cession, dispositions, distribution, donation, échange, fondation, legs, partage, perte, transfert, vente. **II. Par ext. :** démence, folie, maladie men-

tale, névrose, troubles psychiques.
ALIÉNÉ, E I. Nom. 1. Au pr. : dément, déséquilibré, détraqué, fou, furieux, interné, malade, maniaque, névrosé, paranoïaque, schizophrène. **2. Fam. et par ext. :** braque, cinglé, dingo, dingue, fêlé, follet, frappé, jobard (arg.), loufoque, maboul, marteau, piqué, sonné, tapé, timbré, toc-toc, toqué. **II. Adj. :** frustré, privé.

ALIÉNER I. Au pr. : abandonner, céder, disposer, distribuer, donner, échanger, léguer, partager, perdre, transférer, vendre. **II. Par ext. :** déranger, égarer, frustrer, rendre fou *et les syn. de* FOU, troubler.

ALIÉNER (S') Écarter, perdre, se priver de, se séparer de.

ALIGNEMENT Accordement, ajustement, arrangement, disposition, mise en ligne/ordre, nivellement, piquetage, rangement, standardisation, tracé, uniformisation.

ALIGNER I. Accorder, ajuster, arranger, disposer, dresser, mettre en ligne/ordre, niveler, piqueter, ranger, standardiser, tracer, uniformiser. **II. Aligner quelque chose, la monnaie** (fam.) : avancer, donner, dresser, fournir, payer, présenter.

ALIMENT Comestible, denrée, nourriture, pitance, produit, provision, subsistance.

ALIMENTAIRE Comestible, digestible, digestif, nourrissant, nutritif.

ALIMENTATION Allaitement, approvisionnement, cuisine, diététique, fourniture, gastronomie, ingestion, menu, nourrissement, nourriture, régime, repas, sustentation.

ALIMENTER I. Au pr. : approvisionner, composer un menu/un régime/ un repas, donner à manger, entretenir, faire prendre/subsister, nourrir, pourvoir, soutenir, sustenter. **II. Des bestiaux :** affourager, calculer des calories/rations. **III. Des oiseaux :** agrainer.

ALINÉA I. Au pr. : à la ligne, en retrait. **II. Par ext. :** article, paragraphe, passage.

ALITER Allonger/étendre sur un lit, faire prendre le lit, mettre au lit/au repos.

ALITER (S') S'allonger, se coucher, s'étendre, garder la chambre, se mettre au lit.

ALLAITEMENT Alimentation, lactation, nourriture.

ALLAITER Alimenter, donner le sein, nourrir.

ALLANT, E Alerte, allègre, bien conservé, dynamique, ingambe, vigoureux. → *actif.*

ALLANT Alacrité, dynamisme, entrain, initiative. → *activité.*

ALLÉCHANT, E Affriolant, appétissant, attirant, attrayant, engageant, séduisant, tentant.

ALLÈCHEMENT Amorce, appât, attrait, friandise, séduction, tentation.

ALLÉCHER I. Au pr. et fig. : affriander, affrioler, aguicher, amadouer, amorcer, appâter, attirer, engager, séduire, tenter. **II. Fig. :** faire du baratin/du boniment, faire miroiter.

ALLÉE I. Au pr. dans la loc. *Allées et venues :* courses, démarches, déplacements, navettes, navigations, pas, trajets, va-et-vient, visites, voyages. **II. Par ext. :** accès, avenue, charmille, chemin, cours, mail, ouillère, passage, ruelle, sentier, tortille, voie.

ALLÉGATION I. Favorable ou neutre : affirmation, argumentation, assertion, déclaration, dire, position, propos, proposition, raison. **II. Non favorable :** calomnie, fable, imputation, insinuation, méchanceté, médisance, potins, prétexte, propos malveillants, ragots, vilenie.

ALLÉGEANCE I. Fidélité, soumission, subordination, vassalité. **II.** Appartenance, autorité, juridiction, nationalité, statut.

ALLÉGEMENT Adoucissement, aide, amélioration, apaisement, atténuation, consolation, délestage, dégrèvement, diminution, remise, retrait, soulagement, sursis.

ALLÉGER Accorder un sursis, adoucir, aider, améliorer, apaiser, atténuer, consoler, délester, dégrever, diminuer, ôter, remettre, retirer, soulager.

ALLÉGORIE Apologue, conte, convention, emblème, fable, fiction, figure, histoire, image, label, marque, métaphore, mystère, mythe, œuvre, parabole, récit, représentation, signe, statue, symbole, tableau.

ALLÉGORIQUE Conventionnel, emblématique, fabuleux, fictif, hiératique, imaginaire, métaphorique, mythique, symbolique, typique.

ALLÈGRE Actif, agile, alerte, allant, bien-allant, bouillant, brillant, dispos, exultant, gai, gaillard, ingambe, joyeux, léger, leste, plein d'entrain/de vie, vert, vif, vigoureux.

ALLÉGRESSE I. Au pr. : bonheur, enthousiasme, exultation, gaieté, joie, liesse, ravissement, réjouissance, transe, transport. **II. Par ext. :** activité, agilité, alacrité, allant, entrain, forme, gaillardise, légèreté, satisfaction, verdeur, vigueur, vie, vivacité.

ALLÉGUER Apporter, s'appuyer sur, arguer de, avancer, déposer des conclusions, exciper de, fournir, invoquer, objecter, opposer, poser, prétendre, prétexter, se prévaloir de, produire, rapporter. → *affirmer.*

ALLER I. Au pr. : s'acheminer, s'approcher de, avancer, cheminer, cingler vers, circuler, converger, courir, déambuler, se dégrouiller (fam.), se déplacer/se diriger/faire route sur *ou* vers, filer, galoper, gagner, gazer (fam.), marcher, mettre le cap sur, se mettre en route, se mouvoir, parcourir, passer par, pérégriner, piquer sur, se porter/poursuivre/pousser/progresser vers, se promener, se propulser (fam.), remonter, se rendre à, suivre, tendre/tirer/tourner ses pas/se transporter sur/vers, traverser, voyager vers. **II. 1. Un fluide :** affluer, s'écouler dans *ou* vers, se jeter dans. **2. Aller jusqu'à une limite :** aboutir à, atteindre, arriver à, confiner à, finir à, s'étendre jusqu'à. **3. Aller avec quelqu'un :** accompagner, aller devant, devancer, distancer, précéder. **4. Aller en arrière :** marcher à reculons, rebrousser chemin, reculer, refluer, retourner, revenir sur ses pas. **5. Aller en travers :** biaiser, dériver, se détourner, obliquer, prendre un raccourci. **6. Aller en hésitant ou au hasard :** baguenauder (fam.), errer, évoluer, serpenter, vaguer, zigzaguer. **III. Fig. 1. On va à quelqu'un :** s'adresser/commander à, former un recours auprès de, solliciter. **2. On va aux nouvelles :** s'informer, se renseigner. **3. Quelque chose va à quelqu'un :** s'adresser à, agréer, concerner, convenir à, être destiné à, intéresser, plaire, toucher. **4. Quelque chose va :** s'adapter, fonctionner, marcher. **5. Quelque chose va bien avec :** accompagner, s'accorder, s'adapter, cadrer, concorder, s'harmoniser. **6. Aller bien →** *correspondre.*

ALLER (S'EN) I. Quelqu'un. 1. Au pr. → *partir.* **2. →** *baisser, mourir.* **II. Quelque chose. 1. →** *disparaître.* **2. →** *fuir.*

ALLERGIE I. Au pr. : anaphylaxie, sensibilisation. **II. Fig. :** antipathie, dégoût, idée préconçue, méfiance, prévention, répugnance, répulsion.

ALLERGIQUE I. Au pr. : anaphylactique, sensibilisé, sensible. **II. Fig. Loc.** *Etre allergique à quelqu'un ou à quelque chose :* avoir de l'antipathie/un préjugé défavorable/de la répugnance/de la répulsion, se défier de, être dégoûté de/écœuré par, se méfier de, répugner à.

ALLIAGE → *mélange.*

ALLIANCE I. Avec quelqu'un : affinité, amitié, apparentage, assemblage, association, combinaison, contrat, convention, hyménée, mariage, mélange, pacte, parenté, rapproche-

ment, sympathie, union. → *accord.* **II. Polit. :** accord, agrément, apparentement, assistance, association, coalition, confédération, convention, duplice, entente, fédération, ligue, pacte, protocole, triplice, union. **III.** Anneau.

ALLIÉ, E I. Polit. : ami, coalisé, confédéré, fédéré, partenaire, satellite, second. **II. Quelqu'un :** adjoint, aide, ami, associé, auxiliaire, complice (fam. ou péj.), copain (fam.), partenaire, second. → *parent.*

ALLIER Accommoder, accorder, apparenter, assembler, associer, assortir, coaliser, concilier, confédérer, faire aller avec, faire entrer dans, fédérer, harmoniser, joindre, lier, liguer, marier, mélanger, mêler, rapprocher, unir.

ALLIER (S') Aller avec/ensemble, entrer dans, faire cause commune/équipe avec, signer avec *et les formes pronom. possibles des syn. de* ALLIER.

ALLIGATOR Caïman, crocodile, gavial.

ALLITÉRATION Assonance, harmonie imitative, récurrence phonique, répétition.

ALLOCATAIRE Assujetti, attributaire, ayant droit, bénéficiaire, prestataire.

ALLOCATION Arrérages, attribution, indemnité, mensualité, pension, prestation, rente, secours, subside, subvention.

ALLOCHTONE Allogène, étranger.

ALLOCUTION Adresse, discours, harangue, homélie (relig.), laïus, mot, sermon (relig.), speech, toast, topo (fam.).

ALLOGÈNE → *allochtone.*

ALLONGE I. Ajoutage, ajouture. → *allongement.* **II. Par ext. :** attaque, frappe, garde, poing, punch, riposte.

ALLONGÉ, E I. Barlong, comme un fil, effilé, en pointe, fin, long, mince, nématoïde. **II.** A plat dos/ventre, au repos, couché, décontracté, en décubitus (méd. et vétér.), étendu, relaxé, sur le côté.

ALLONGEMENT Accroissement, affinement, allonge, ajout, ajoutage, ajouture, appendice, augmentation, délai, développement, élongation, étirage, excroissance, extension, prolongation, prolongement, prorogation, rallonge, sursis, tension.

ALLONGER I. Au pr. 1. Ajouter, augmenter, développer. **2.** Accroître, affiner, déployer, détirer, étendre, étirer, rallonger, tendre, tirer. **II. Par ext. 1. Allonger un coup :** assener, coller, donner, envoyer, ficher (fam.), flanquer (fam.), fourrer (fam.), foutre (vulg.), lancer, porter. **2. Allonger un délai :** accorder un délai/un sursis, éterniser, faire durer/tirer/traîner en longueur, pousser, prolonger, proroger, repousser, retarder, temporiser. **3. Allonger le pas :** se presser, presser le pas. **4. Les allonger** (fam.) : donner. → *payer.* **5. Allonger quelqu'un** → *coucher, tuer.*

ALLONGER (S') I. *Les formes pronom. possibles des syn. de* ALLONGER. **II.** Se coucher, se décontracter, se détendre, s'étaler (fam.), s'étendre, faire la sieste, se mettre au lit, se relaxer, se reposer.

ALLOUER Accorder, attribuer, avancer, bailler (vx), céder, concéder, décerner, donner, doter, faire don, gratifier, octroyer, offrir.

ALLUMAGE I. Autom. : combustion, contact, démarrage, départ, explosion. **II.** Mise à feu.

ALLUMER I. Au pr. 1. Embraser, enflammer, incendier, mettre le feu. **2.** Donner de la lumière, éclairer, illuminer, mettre de la lumière, tourner le bouton/le commutateur/l'interrupteur. **II. Fig. :** animer, attiser, bouter le feu, commencer, déclencher, embraser, enflammer, exciter, mettre le feu, occasionner, provoquer, susciter.

ALLUMEUSE → *aguicheuse.*

ALLURE I. De quelqu'un : air, apparence, aspect, attitude, caractère, comportement, conduite, dégaine (fam.), démarche, extérieur, façon, ligne, maintien, manière, port, prestance, silhouette, tenue, touche (fam.), tournure. **II. D'un mouvement :** course, marche, mouvement, pas, rythme, train, vitesse. **III. Du cheval :** amble, aubin, canter, entrepas, galop, mésair, pas, trac, train, traquenard, trot.

ALLUSION Allégorie, comparaison, évocation, sous-entendu, rappel.

ALLUVION I. Allaise, apport, boue, dépôt, limon, loess, sédiment. **II. Le résultat :** accroissement, accrue, atterrissement, lais, laisse, relais.

ALMANACH I. Agenda, annuaire, calendrier, calepin, carnet, éphéméride, mémento, répertoire. **II.** Bottin, Gotha, Who's who.

ALOI I. Alliage. **II.** Goût, qualité, réputation, valeur.

ALORS I. A ce moment-là, ainsi, en ce moment-là, à cette heure-là, en ce temps-là, dans ces conditions, donc, eh bien, sur ces entrefaites. **II. Loc. conj. Jusqu'alors :** jusqu'à ce moment-là/ce temps-là. **III. Alors que. 1.** Au moment de, dans le moment où. **2.** Au lieu que, tandis que. **IV. Alors même que :** lors même que, même dans le cas où, quand bien même.

ALOUETTE Alauda, calandre, calandrette, cochevis, lulu, mauviette, otocoris, sirli.

ALOURDIR I. Au pr. : appesantir, charger, lester, surcharger. **II. Par ext. :** accabler, aggraver, augmenter, embarrasser, faire peser, frapper, grever, opprimer, peser, presser. **III. Fig. 1.** Appesantir, endormir, engourdir. **2.** Engraisser, enrichir, épaissir, garnir, renforcer, surcharger.

ALOURDIR (S') Devenir gras/gros/lourd/massif/pesant, s'empâter, enfler, s'enfler, enforcir, engraisser, épaissir, s'épaissir, faire du lard (fam.), forcir, gonfler, grossir, prendre de la bedaine (fam.)/de la brioche (fam.)/de l'embonpoint/de la gidouille (fam.)/du poids/de la rondeur/du ventre, *et les formes pronom. possibles des syn. de* ALOURDIR.

ALOURDISSANT, E Accablant, aggravant, appesantissant, assoupissant, embarrassant, fatigant, indigeste, lourd, opprimant, pesant.

ALOURDISSEMENT I. Au pr. : accroissement de poids, augmentation, surcharge. **II. Fig. :** accablement, accroissement, aggravation, appesantissement, assoupissement, augmentation, embarras, engourdissement, épaississement, fatigue, indigestion, lourdeur, oppression, somnolence, surcharge.

ALPAGE → *pâturage.*

ALPESTRE Alpin, blanc, montagneux, neigeux.

ALPHABET A.b.c., abécédaire.

ALPHABÉTISATION Initiation, instruction élémentaire.

ALPHABÉTISER Apprendre à lire et à écrire, initier, instruire.

ALPIN, E → *alpestre.*

ALTÉRABLE Corruptible, fragile, instable, mobile, variable.

ALTÉRATION I. Au pr. Non favorable : abâtardissement, adultération, affaiblissement, appauvrissement, atteinte, avarie, avilissement, barbouillage, bricolage, contrefaçon, corruption, décomposition, déformation, dégât, dégénération, dégénérescence, dégradation, déguisement, dénaturation, dépravation, désordre, détérioration, diminution, ébranlement, entorse, falsification, fardage, faux, fraude, frelatage, frelatement, frelaterie, maquillage, modification, mutilation, pourriture, putréfaction, sophistication, tache, tare, tromperie, trouble, truquage. **II. Techn. ou neutre :** attaque, changement, décomposition, déformation, dénaturation, désintégration, diminution, métamorphisme, métamorphose, métaplasme, métathèse, mutation, modification, oxydation,

passage, perte, rouille, saut, séparation, transformation.

ALTERCATION Attaque, chicane,
contestation, controverse, débat, démêlé, différend, discussion, dispute,
engueulade (fam.), empoignade, joute
oratoire, passe d'armes, prise de bec
(fam.), querelle.

ALTER EGO I. Au pr. : adjoint, associé, autre moi-même, bras droit,
coadjuteur, codirecteur, cogérant, collaborateur, compagnon, compère,
complice (péj.), confrère, coopérateur,
fondé de pouvoir, jumeau, partenaire.
II. Par ext. : compagne, double,
épouse, femme, gouvernement (fam.),
moitié.

ALTÉRER I. Au pr. : assécher, assoiffer, déshydrater, dessécher, donner la
pépie (fam.)/soif, faire crever de soif
(fam.), pousser à boire, rendre avide
de. **II. Par ext. 1. *Non favorable :***
abâtardir, adultérer, affaiblir, affecter,
aigrir, aliéner, appauvrir, atteindre,
atténuer, avarier, avilir, barbouiller,
bouleverser, bricoler, changer, compromettre, contrefaire, corrompre, décomposer, défigurer, déformer, dégénérer, dégrader, déguiser, dénaturer,
dépraver, détériorer, détraquer, diminuer, ébranler, empoisonner, endommager, estropier, falsifier, farder, fausser,
frauder, frelater, gâter, maquiller,
modifier, mutiler, pourrir, putréfier,
salir, sophistiquer, souiller, tacher,
tarer, ternir, tromper, tronquer, troubler, truquer, vicier. **2. *Une émotion
altère les traits, la voix :*** bouleverser, changer, décomposer, défigurer,
déformer, dénaturer, émouvoir, troubler. **3. *Techn. ou neutre :*** aigrir,
attaquer, changer, décomposer, déformer, dénaturer, déplacer, désintégrer,
diminuer, éventer, influer sur, métamorphoser, modifier, oxyder, ronger,
rouiller, séparer, transformer, transmuer, transmuter.

ALTERNANCE I. Agr. : assolement.
II. Au pr. : allée et venue, balancement, battement, bercement, branle,
branlement, brimbalement, cadence,
cadencement, changement alternatif,
flux et reflux, ondulation, ordre alterné,
oscillation, palpitation, pulsation, période, périodicité, récurrence, récur-
sivité, retour, rythme, sinusoïde, succession, suite, tour, va-et-vient,
variation.

ALTERNANT, E Changeant, périodique, récurrent, récursif, rythmé,
sinusoïdal, successif.

ALTERNATEUR Dynamo, généra-
trice, machine de Gramme.

ALTERNATIF, IVE Balancé, cadencé,
ondulatoire, oscillant, périodique, récurrent, récursif, rythmique, sinusoïdal,
successif.

ALTERNATIVE Changement, choix,
dilemme, haut et bas, intercurrence,
jeu de bascule, option, système d'opposition, vicissitude. → *alternance*.

ALTERNATIVEMENT A tour de rôle,
coup sur coup, l'un après l'autre,
périodiquement, récursivement, rythmiquement, successivement, tour à
tour.

ALTERNER Aller/faire par roulement,
se relayer, se remplacer, se succéder,
tourner.

ALTIER, ÈRE → *arrogant*.

ALTITUDE Hauteur, élévation, niveau
au-dessus de la mer, plafond.

ALTRUISME Abnégation, amour
d'autrui, bienveillance, bonté, charité,
désintéressement, dévouement, don
de soi, générosité, humanité.

AMABILITÉ Accueil, affabilité, agrément, altruisme, aménité, attention,
bienveillance, bonté, charme, civilité,
courtoisie, délicatesse, douceur, gentillesse, grâce, hospitalité, obligeance,
ouverture, politesse, prévenance,
savoir-vivre, sens des autres, serviabilité, urbanité.

**AMADOUER I. Neutre ou favo-
rable :** adoucir, amollir, apaiser,
apprivoiser, attendrir, cajoler, calmer,
caresser, fléchir, persuader, rassurer,
toucher. **II. Non favorable :** chatouiller, embabouiner (fam.), enjôler,
flagorner, mettre dans son jeu, pateliner, peloter (fam.).

AMAIGRI, E → *maigre*.

**AMAIGRISSEMENT I. Neutre ou
favorable :** amincissement, cure.
II. Non favorable : atrophie, cachexie, consomption, dépérissement,
dessèchement, émaciation, étisie, maigreur, marasme, tabescence.

AMALGAME → *mélange*.

AMALGAMER → *mélanger*.

AMALGAMER (S') Fusionner *et
les formes pronom. possibles des syn.
de* MÉLANGER.

AMANT I. Favorable. 1. Au pr. :
ami, amoureux, béguin (fam.), berger
(vx et/ou fam.), bien-aimé, bon ami,
chéri, favori, galant, soupirant. **2. Pop.:**
bonhomme, branque, branquignol,
guignol, homme, jules, mec, type.
II. Non favorable : gigolo, godelureau, maquereau, miché, micheton,
minet, play-boy, vieux, vieux beau.
III. Fig. → *amateur*.

AMANTE I. Favorable. 1. Au pr. :
âme sœur, amie, amoureuse, béguin
(fam.), belle, bergère (fam. ou vx),
bien-aimée, bonne amie, chérie, dame
(vx), favorite (vx), maîtresse, mignonne, muse. **2. Pop. :** connaissance,
gonzesse, minette, nénette, souris.
II. Non favorable. 1. Au pr. :
cocotte, concubine, coquette, cour-

tisane, croqueuse, demi-mondaine, dulcinée, égérie, femme entretenue, fil à la patte, liaison, maritorne, pépée (fam.), poule (pop.), poupée. **2. Arg. :** grognasse, musaraigne, taupe.

AMARRAGE, AMARRE I. Au pr. : attache, câble, chaîne, cordage, corde. **II. Fig. :** attache, chaîne, fil, lien.

AMARRER Attacher, enchaîner, fixer, immobiliser, lier, retenir.

AMAS I. De choses : accumulation, agglomération, agrégat, alluvion, amoncellement, assemblage, attirail, bataclan (fam.), bazar (péj.), bloc, collection, concentration, décombres, dépôt, empilement, encombrement, entassement, fatras, liasse, masse, meule, monceau, montagne, pile, rassemblement, tas, vrac. **II. De personnes :** affluence, attroupement, concours, foule, multitude, presse, ramassis (péj.), rassemblement, réunion, tapée (fam.).

AMASSER → *accumuler.*

AMATEUR I. Qui aime. 1. Favorable ou neutre : amant, friand, gastronome, gourmand, gourmet. **2. Non favorable :** dilettante, fumiste (fam.), sauteur. **II. Qui collectionne** → *collectionneur.*

AMATEURISME Dilettantisme, fumisterie (fam. et péj.).

AMAZONE Cavalière, écuyère, femme de cheval.

AMBAGES (SANS) Bille en tête (arg.), catégoriquement, directement, franchement, sans ambiguïté/circonlocutions / détour / équivoque / obscurité, tout à trac.

AMBASSADE I. → *mission.* **II.** → *politique.*

AMBASSADEUR Agent, attaché, chargé d'affaires, chargé de mission, diplomate, émissaire, envoyé, excellence, légat, ministre, ministre plénipotentiaire, négociateur, nonce, plénipotentiaire, représentant.

AMBIGU, UË Amphibologique, bivalent, double, douteux, énigmatique, équivoque, flottant, incertain, indécis, louche, obscur.

AMBIGUÏTÉ Amphibologie, bivalence, double sens, énigme, équivoque, incertitude, obscurité.

AMBITIEUX, EUSE I. Quelqu'un : arriviste, présomptueux, téméraire. **II. Quelque chose :** affecté, compliqué, pompeux, prétentieux, recherché.

AMBITION I. Le comportement : appétit, ardeur, arrivisme (péj.), aspiration, brigue, convoitise, désir, faim, mégalomanie (péj.), passion, prétention, quête, recherche, soif. **II. L'objet :** but, désir, fin, mobile,

objet, prétention, projet, rêve, visée, vue.

AMBITIONNER Aspirer à, avoir des vues sur, briguer, caresser, convoiter, désirer, poursuivre, prétendre, projeter, quêter, rechercher, rêver, viser.

AMBRE Agatine, bakélite, carbolite, formite, herpès.

AMBRÉ, E Blond, doré, fauve, jaune.

AMBULANCE Antenne, hôpital, infirmerie, poste de secours.

AMBULANCIER, ÈRE Infirmier, secouriste.

AMBULANT, E Auxiliaire, baladeur (fam.), changeant, errant, instable, intérimaire, mobile, navigant, nomade, roulant, variable.

ÂME I. Trancendance ou essence de l'être : cœur, conscience, dedans, esprit, fond, intérieur, mystère, pensée, principe, secret, spiritualité, vie. **II. Force d'âme :** ardeur, audace, bonté, charité, conscience, constance, courage, énergie, fermeté, force, générosité, héroïsme, intrépidité, magnanimité, noblesse, trempe, valeur, vigueur, volonté. **III. Par ext. :** air, ectoplasme, émanation, essence, éther, étincelle, feu, flamme, mystère, souffle, vapeur. **IV. Loc. Ame d'un complot :** animateur, centre, cerveau, chef, instigateur, maître, nœud, organisateur, patron, responsable.

AMÉLIORATION I. Au pr. : amendement, bonification, changement, mieux, perfectionnement, progrès, transformation. **II. Par ext. 1. De la santé :** affermissement, convalescence, guérison, mieux, rémission, répit, rétablissement. **2. D'un produit, d'un sol** → *amendement.* **3. Du temps :** éclaircie, embellie. **4. D'un détail, d'un travail :** achèvement, correction, fignolage (fam.), finition, mise au point, retouche, révision. **5. Des mœurs :** adoucissement, amendement, civilisation, évolution, progrès, promotion, réforme, régénération, rénovation. **6. Dans la situation :** avancement, élévation, promotion. **7. Dans un bâtiment :** apport, arrangement, commodités, confort, décoration, embellissement, modification, plus-value, ravalement, rénovation, réparation, restauration. **8. Dans les rapports :** armistice, compromis, détente, entente, issue, modus vivendi, normalisation, réconciliation.

AMÉLIORER I. Au pr. : bonifier, changer en mieux, faire progresser, perfectionner, transformer. **II. Par ext. 1. La santé :** affermir, guérir, rétablir. **2. Un produit :** abonnir, amender, bonifier. **3. Un détail, un travail :** achever, corriger, fignoler (fam.), finir, lécher, mettre au point, parfaire, retoucher, réviser. **4. Les**

mœurs : adoucir, amender, civiliser, faire évoluer, faire progresser, promouvoir, réformer, régénérer, rénover. **5.** *La situation :* avancer, être élevé, être promu. **6.** *Un bâtiment :* apporter des améliorations, *et les syn. de* AMÉLIORATION, arranger, décorer, donner une plus-value, embellir, modifier, ravaler, rénover, réparer, restaurer. **7.** *Les rapports :* apporter une amélioration *et les syn. de* AMÉLIORATION, détendre, normaliser, réconcilier. **8.** *Un sol :* abonnir, amender, ameublir, bonifier, chauler, cultiver, engraisser, enrichir, ensemencer, façonner, fertiliser, fumer, marner, mettre en valeur, planter, plâtrer, terreauter, travailler.

AMÉLIORER (S') Aller mieux, devenir meilleur, se faire meilleur, prendre de la qualité, *et les formes pronom. possibles des syn. de* AMÉLIORER.

AMEN I. D'accord, ainsi soit-il, comme vous voudrez. **II. Loc.** *Dire amen* → *approuver.*

AMÉNAGEMENT → *agencement.*

AMÉNAGER → *agencer.*

AMENDE I. → *contravention.* **II.** Astreinte, contrainte. **III. Loc.** *Amende honorable :* excuses publiques, pardon public, réparation, résipiscence.

AMENDEMENT I. → *amélioration.* **II. Du sol :** abonnissement, amélioration, ameublissement, bonification, chaulage, culture, engraissement, enrichissement, ensemencement, façons culturales, fertilisation, fumure, marnage, mise en valeur, plâtrage, terreautage, travaux. **III. Polit. :** changement, correction, modification, réforme.

AMENDER → *améliorer.*

AMENDER (S') I. → *améliorer (s').* **II.** → *corriger (se).*

AMÈNE → *aimable.*

AMENER I. → *conduire.* **II. Fig. 1. *Quelqu'un à une opinion :*** attirer, conquérir, convaincre, convertir, déterminer, engager, enrôler, entraîner, faire adopter, retourner, séduire. **2. *Quelque chose :*** attirer, causer, déterminer, entraîner, ménager, occasionner, préparer, présenter, produire, provoquer, susciter, traîner après/avec soi.

AMENER (S') I. *Les formes pronom. possibles des syn. de* AMENER. **II. Pop. :** s'encadrer, se pointer, radiner. → *venir.*

AMÉNITÉ → *amabilité.*

AMENUISÉ, E Affaibli, allégé, amaigri, aminci, amputé, apetissé, coupé, décharné, découpé, diminué, évaporé, maigre, menu, mince, rapetissé, raréfié, réduit, retranché, tari.

AMENUISEMENT Affaiblissement, allégement, amincissement, amputation, découpage, diminution, disparition, évaporation, rapetissement, raréfaction, réduction, rognement (fam.), tarissement, ténuité.

AMENUISER Affaiblir, alléger, amaigrir, amener la disparition de, amincir, amputer, apetisser, couper, découper, diminuer, faire disparaître, provoquer la disparition de *et les syn. de* DISPARITION, rapetisser, raréfier, réduire, retrancher, rogner, tarir, trancher.

AMENUISER (S') S'amoindrir, s'anéantir, cesser d'être visible, diminuer, disparaître, se dissiper, se dissoudre, s'éclipser, s'effacer, s'éloigner, s'estomper, s'évanouir, s'évaporer, finir, mourir, se noyer dans, se perdre, se retirer, se soustraire à la vue, se volatiliser, *et les formes pronom. possibles des syn. de* AMENUISER.

AMER, ÈRE I. Quelque chose. 1. *Au pr. :* âcre, aigre, âpre, désagréable, écœurant, fort, irritant, saumâtre. **2. *Fig. :*** affligeant, âpre, attristant, cruel, cuisant, décevant, décourageant, déplaisant, désagréable, désolant, douloureux, dur, humiliant, mélancolique, morose, pénible, sévère, sombre, triste. **II. Quelqu'un dans son comportement, ses propos :** acariâtre, acerbe, acide, âcre, acrimonieux, agressif, aigre, âpre, blessant, caustique, déplaisant, désagréable, fielleux, hargneux, ironique, maussade, mauvais, méchant, mordant, offensant, piquant, rude, sarcastique, sévère, solitaire, taciturne. **III. Nom masc. 1.** Apéritif, bitter. **2.** Bile, fiel. **3. *Au pl. :*** absinthe, aloès, armoise, camomille, concarille, centaurée, chénopode chicorée, chicotin, colombo, coloquinte, genièvre, gentiane, germandrée, houblon, menthe, noix vomique, pavot, quassia-amara, quinquina, rhubarbe, romarin, sauge, semen-contra, simaruba, tanaisie.

AMERTUME I. Au pr. : âcreté, aigreur, âpreté, goût amer, *et les syn. de* AMER, rudesse. **II. Fig. 1.** Affliction, aigreur, âpreté, chagrin, chose/pensée/souvenir amer *et les syn. de* AMER, cruauté, cuisance, déception, découragement, dégoût, dépit, déplaisir, désagrément, désappointement, désolation, douleur, dureté, écœurement, humiliation, mélancolie, peine, regret, tourment, tristesse. **2.** Acariâtreté, acerbité, acidité, âcreté, acrimonie, agressivité, aigreur, animosité, âpreté, causticité, comportement/propos amer et les syn. de AMER, fiel, hargne, ironie, maussaderie, mauvaise humeur, méchanceté, rudesse.

AMEUBLEMENT → *agencement.*

AMEUBLIR Amender, bêcher, biner,

cultiver, façonner, gratter, herser, labourer, passer le crosskill/rotavator, sarcler, scarifier.

AMEUBLISSEMENT Amendement, bêchage, binage, culture, façons, grattage, hersage, labour, sarclage, scarification.

AMEUTER Appeler, attrouper, battre le rappel, déchaîner, exciter, grouper, liguer, masser, rassembler, regrouper, sonner le ralliement, soulever.

AMI, E I. Nom 1. Au pr. : aminche (arg.), camarade, compagnon, connaissance, copain (fam.), familier, intime, pote (fam.), poteau (arg.). **2. Par ext.** → *amant*, allié, alter ego, coalisé. *Les compositions avec le préfixe ou suffixe phile et un nom (ex. :* cinéphile, philanthrope). **II. Adj. Qui aime. 1.** → *amateur.* **2.** Assorti. → *allié.* **3.** → *amoureux.* **4.** Bienveillant, dévoué, favorable, propice.

AMIABLE (À L') Amiablement, amicalement, de gré à gré, volontaire, volontairement.

AMICAL, E → *bienveillant.*

AMIDON Apprêt, colle, empois.

AMIDONNER Apprêter, empeser.

AMINCIR → *diminuer.*

AMINCISSEMENT → *diminution.*

AMITIÉ I. Un sentiment pour quelqu'un. 1. → *affection.* **2.** → *bienveillance.* **3.** → *bonté.* **II. Relations entre personnes ou nations :** accord, bonne intelligence, cordialité, entente, sympathie. **III. Loc. Faire des amitiés. 1.** *Favorable :* amabilité, bon/meilleur souvenir, compliment, hommages, sympathie. **2.** *Non favorable :* caresse, flagornerie, flatterie, grimace.

AMNÉSIE Oubli, perte de mémoire, trou.

AMNISTIE Absolution, acquittement, grâce, oubli, pardon, relaxe, remise de peine.

AMNISTIER Absoudre, excuser, faire oublier/pardonner, gracier, oublier, pardonner, passer l'éponge (fam.), relaxer, remettre.

AMOINDRIR → *diminuer.*

AMOINDRISSEMENT → *diminution.*

AMOLLIR → *affaiblir.*

AMOLLIR (S') S'acagnarder. → *affaiblir (s').*

AMONCELER → *accumuler.*

AMONCELLEMENT → *accumulation.*

AMORAL, E Indifférent, libertaire, libre, nature (fam.), sans foi ni loi.

AMORCE I. Au pr. 1. → *leurre.* **2.** → *ébauche.* **3.** Détonateur, fulminate. **II. Fig.** → *allèchement.*

AMORCER I. Au pr. : affriander, agrainer, allécher, appâter, attirer. **II.** → *ébaucher.* **III.** → *allécher.*

AMORPHE I. Au pr. : sans forme. **II. Par ext. :** informe. **III. Fig.** → *apathique.*

AMORTI, E I. Au pr. : couvert. **II. Par ext. 1.** Éteint, remboursé. **2.** Hors d'usage, usagé, usé. **3.** Démodé, vieilli. → *vieux.*

AMORTIR I. Finances : couvrir, éponger, éteindre, rembourser. **II. Un objet :** employer, faire rendre/servir/travailler, utiliser. **III.** → *affaiblir.*

AMORTISSEMENT I. Finances : couverture, extinction, remboursement. **II. D'un objet :** plein emploi, rendement, travail, utilisation. **III. Fig. :** adoucissement, affaiblissement, apaisement, attiédissement.

AMOUR I. Au pr. 1. De Dieu : adoration, charité, contemplation, culte, dévotion, dilection, ferveur, mysticisme, piété. **2. Loc.** *Pour l'amour de Dieu :* de grâce, je vous en prie/supplie. *Pour l'amour du prochain :* par affection/bonté/charité, en considération de. **3. Pour quelqu'un** → *affection.* **II. D'un sexe pour l'autre. 1.** → *passion.* **2. Amour conjugal :** hymen, hyménée, mariage. **3. Par ext. :** association (pop.), concubinage, en ménage. **4. Légèrement péj. :** amourette, amusement, aventure, badinage, bagatelle, béguin, bluette, caprice, coquetterie, coup de foudre, engouement, fantaisie, fleurette, flirt, galanterie, intrigue, liaison, marivaudage, passade, passion, passionnette, touche (fam.). **III. Déesse de l'amour :** Aphrodite, Vénus. **IV. Dieu de l'amour :** archer, Cupidon, Éros, petit archer. **V. Amour de quelque chose. 1.** *Suffixe* -philie (*ex. :* cinéphilie). **2.** Admiration, adoration, attachement, dévotion, engouement, enthousiasme, estime, faible, folie, goût, intérêt, passion, penchant, plaisir.

AMOURACHER (S') Avoir le béguin (fam.), s'éprendre. → *aimer.*

AMOURETTE → *amour.*

AMOUREUX, EUSE I. Adj. 1. De quelqu'un : adorateur, affectionné, affectueux, aimable, aimant, amical, ardent, attaché, brûlant, câlin, caressant, chaud, dévoué, doux, fou, galant, langoureux, lascif (phys.), passionné, salace (péj.), sensible, sensuel (phys.), tendre, voluptueux. **2. De quelque chose :** admirateur, amateur, ami, avide, fana (fam.), fanatique, féru, fervent, fou, infatué (péj.), passionné. **II. Nom** → *amant, amante.*

AMOUR-PROPRE I. Au pr. : dignité, émulation, fierté, respect. **II. Péj. :** orgueil, susceptibilité, vanité.

AMOVIBLE I. Quelque chose : déplaçable, mobile, modifiable, momentané, provisoire, transformable, transportable. **II. Quelqu'un :** auxiliaire, contractuel, intérimaire, occasionnel.

AMPHIBIE Par ext. et en général fig. : ambigu, bivalent, double, hybride.

AMPHIBOLOGIE Ambiguïté, anomalie, double sens, équivoque, sens douteux.

AMPHIGOURIQUE Ambigu, confus, douteux, embrouillé, entortillé, équivoque, galimatias, incompréhensible, inintelligible, nébuleux, obscur, peu clair.

AMPHITHÉÂTRE I. Arène, carrière, cirque, gradins, hémicycle, théâtre. **II.** Salle de conférences/cours/dissection.

AMPHITRYON Hôte, maître de maison, mécène.

AMPLE I. Au pr. : développé, élevé, épanoui, fort, grand, gras, gros, immense, large, majestueux, plein, spacieux, vaste, volumineux. **II. Fig. :** abondant, considérable, copieux, étendu, sonore.

AMPLEUR I. Au pr. → *largeur.* **II. Fig.** → *profusion.*

AMPLIATION Copie, duplicata, duplicatum, expédition, grosse.

AMPLIFICATEUR Agrandisseur, haut-parleur, pick-up.

AMPLIFICATION I. Au pr. : développement, paraphrase. **II. Péj. :** ajouture, allongement, alourdissement, boursouflure, broderie, emphase, enflure, enjolivure, exagération, grossissement, outrance, redondance, renchérissement.

AMPLIFIER → *agrandir.*

AMPLITUDE I. Au pr. 1. → *immensité.* **2. Scient. :** écart, inclinaison, oscillation, portée, variation. **II. Fig.** → *intensité.*

AMPOULE I. Burette, fiole, flacon. **II. Méd.** → *boursouflure.*

AMPOULÉ, E Amphigourique, bouffi, boursouflé, creux, déclamateur, déclamatoire, emphatique, enflé, grandiloquent, guindé, pindarique, pompeux, redondant, ronflant, sonore, vide.

AMPUTATION I. Chir. : ablation, opération, sectionnement, *et suffixe* -tomie *ou* -ectomie *joint au nom de l'organe* (*ex. :* appendicectomie). **II. Fig. :** allégement, censure, diminution, retrait, suppression.

AMPUTÉ, E Estropié, handicapé, invalide.

AMPUTER I. Au pr. : enlever, opérer, ôter, procéder à l'ablation de, retrancher, sectionner, supprimer. → *couper.* **II. Fig. :** alléger, censurer,

diminuer, retirer, retrancher, supprimer, tailler, tronquer. → *couper.*

AMULETTE → *fétiche.*

AMUSANT, E I. Quelqu'un ou quelque chose : agréable, badin, bouffon (péj.), boute-en-train, burlesque, clownesque (péj.), cocasse, comique, désopilant, distrayant, divertissant, drôle, folâtre, gai, hilarant, humoriste, joyeux, plaisant, réjouissant, risible, spirituel. **II. Quelque chose :** délassant, drolatique, égayant, humoristique, récréatif. **III. Fam. :** bidonnant, boyautant, cornecul, crevant, du tonnerre, folichon, gondolant impayable, marrant, pilant, pissant, poilant, rigolard, rigolo, roulant, tordant, transpoil. **IV. Loc.** *C'est amusant :* à se taper le cul (grossier)/ le derrière (fam.) par terre/à la suspension, du tonnerre. **V. Par ext.** → *bizarre.*

AMUSEMENT I. Favorable. 1. Au pr. : agrément, délassement, dérivatif, distraction, divertissement, ébaudissement, fête, frairie, jeu, kermesse, passetemps, plaisir, récréation, réjouissance. **2. Futilité ou galanterie** → *bagatelle.* **II. Non favorable. 1. Quelqu'un :** dérision, fable, raillerie, ridicule, rigolade, souffre-douleur, tête de Turc, tourment. **2. Quelque chose :** change, distraction, diversion, duperie, illusion, leurre, retard, tromperie.

AMUSER I. Favorable ou neutre : délasser, distraire, divertir, égayer, faire jouer/rire, intéresser, mettre en gaieté/train, récréer, réjouir. **II. Non favorable :** abuser, duper, endormir, enjôler, flatter, flouer, jouer, leurrer, mener en bateau, tromper.

AMUSER (S') I. Neutre, de quelque chose : jouer *et les formes pronom. possibles des syn. de* AMUSER. **II. Non favorable. 1. De quelqu'un :** abuser de, brocarder, se jouer de, se moquer de, plaisanter, railler, taquiner, tourmenter, tourner en dérision/ridicule. **2.** Baguenauder, batifoler, bricoler, folâtrer, lambiner, muser, passer le temps à, perdre son temps, tourner en rond, vétiller. **3.** Bambocher, faire la fête/la foire/la java/la noce/les quatre cents coups/ ripaille, ripailler, se donner/prendre du bon temps.

AMUSETTE → *bagatelle.*

AMUSEUR, EUSE → *farceur.*

AN I. Année, cycle, période, temps. **II.** Age, hiver, pige (arg.), printemps.

ANACHORÈTE Ermite, religieux, solitaire.

ANACHRONIQUE Erroné, inexact, métachronique, parachronique, prochronique.

ANAGOGIE I. Au pr. : contemplation, élévation, extase, mysticisme, ravissement. **II. Par ext.** : commentaire, leçon, exégèse, explication, herméneutique, symbolisme.

ANAGOGIQUE I. Au pr. : contemplatif, mystique. **II. Par ext.** : symbolique.

ANALECTES → anthologie.

ANALGÉSIE → anesthésie.

ANALOGIE Accord, affinité, association, communauté, comparaison, conformité, connexion, contiguïté, convenance, correspondance, homologie, lien, métaphore, parenté, relation, ressemblance, similitude, voisinage.

ANALOGIQUE Associatif, commun, comparable, connexe, contigu, correspondant, en analogie et les syn. de ANALOGIE, lié, métaphorique, parent, relié, similaire, voisin.

ANALOGUE Approchant, assimilable, comparable, conforme, connexe, contigu, correspondant, homologue, pareil, parent, ressemblant, semblable, similaire, voisin.

ANALPHABÈTE Ignare, ignorant, illettré, inculte.

ANALYSE I. L'acte : décomposition, dissection, dissociation, division, étude, examen, prélèvement. **II. Par ext.** : abrégé, codex, compendium, compte rendu, critique, digest, énumération, exposé, extrait, index, notice, précis, raccourci, rapport, résumé, sommaire.

ANALYSER I. Au pr. : anatomiser, décomposer, dépecer, disséquer, dissocier, distinguer, diviser, énumérer, examiner, extraire, faire apparaître, prélever/réduire/séparer les éléments/ unités. **II. Par ext.** : faire une analyse et les syn. de ANALYSE, chercher, critiquer, énumérer, étudier, examiner, rendre compte, résumer.

ANAPHORE I. Au pr. : répétition, retour. **II. Par ext.** (gram.) : pronom, remplaçant, substitut.

ANAPHYLAXIE Allergie, hypersensibilité, sensibilisation.

ANARCHIE → confusion.

ANARCHISTE Libertaire.

ANATHÉMATISER I. → blâmer. **II.** → maudire.

ANATHÈME I. → blâme. **II.** → malédiction.

ANATOMIE I. Au pr. : autopsie, dissection, vivisection. **II. Par ext.** : académie, corps, format, forme, morphologie, musculature, nu, nudité, plastique, proportions, silhouette.

ANCESTRAL, E → ancien.

ANCÊTRE I. → aïeul. **II. Au pl.** : aïeux, race.

ANCIEN, ENNE I. Quelque chose. 1. Neutre : antérieur, antique, authentique, d'époque, éloigné, reculé, séculaire, vieux. **2. Non favorable :** antédiluvien, archaïque, croulant, démodé, désuet, en ruine, fanné, flétri, passé, périmé, suranné, usagé, usé, vétuste, vieillot, vieux. **II. Quelqu'un :** âgé, briscard, chevronné, doyen, vétéran, vieux.

ANCIENNEMENT → autrefois.

ANCIENNETÉ I. Antiquité, authenticité, origine. **II.** Vétusté. **III.** Années, annuités, brisques, chevrons, points, temps.

ANCRER I. → amarrer. **II.** → fixer.

ANDOUILLE → bête.

ANDOUILLER → bois.

ANDROGYNE Hermaphrodite, monoïque.

ÂNE I. Au pr. : aliboron (fam.), ânesse, ânon, baudet, bourricot, bourrique, bourriquet, grison, hémione, ministre (fam.), monture, onagre, roussin d'Arcadie (fam.), zèbre. **II. Fig.** → bête.

ANÉANTI, E Abattu, affligé, annihilé, aplati (fam.), découragé, dégonflé (fam.), dégoûté, énervé, fatigué, harassé, inerte, languissant, las, malade, morne, morose, mou, prostré, triste. → rompu.

ANÉANTIR I. → abattre. **II.** → vaincre.

ANÉANTIR (S') I. → abattre (s'). **II.** → abîmer (s').

ANÉANTISSEMENT I. Au pr. : consommation, disparition, engloutissement, extinction, fin, mort, néant. **II. Par ext. 1.** → abolition. **2.** → abaissement. **3.** → abattement.

ANECDOTE → bruit, fable.

ANÉMIANT, E Affaiblissant, débilitant, épuisant, fatigant.

ANÉMIE I. Au pr. 1. Hommes et animaux : abattement, affaiblissement, aglobulie, débilité, dépérissement, épuisement, faiblesse, langueur, pâleur. **2. Des végétaux :** chlorose, défoliation, dépérissement, épuisement, faiblesse. **II. Fig. :** crise, dépression, marasme, récession.

ANÉMIÉ, E Affaibli, anémique, chétif, débile, déficient, délicat, déprimé, étiolé, faible, fatigué, fluet, fragile, frêle, languissant, las, malingre, pâle, pâlot.

ANÉMIER → affaiblir.

ANÉMIQUE → anémié.

ANESTHÉSIE I. Au pr. : analgésie, apaisement, chloroformisation, cocaïnisation, éthérisation, hémianesthésie, hypoesthésie, insensibilisation, narcose. **II. Fig.** : apaisement, détachement, inconscience, indifférence, insensibilité, nirvâna, sommeil, voyage (arg.).

ANESTHÉSIER I. Au pr. : chloroformer, endormir, éthériser, insensibiliser, narcotiser. **II. Fig. 1. Neutre :** apaiser, assoupir, calmer, endormir, rassurer. **2. Non favorable :** abrutir, assommer, enivrer.

ANESTHÉSIQUE Analgésique, antalgique, antidouleur, narcotique, somnifère, stupéfiant.

ANFRACTUEUX, EUSE → creux.

ANFRACTUOSITÉ → trou.

ANGE I. Au pr. 1. Favorable : esprit, messager, ministre, pur esprit. **2.** Archanges, chérubins, dominations, puissances, principautés, séraphins, trônes, vertus. **3. Non favorable** → démon. **II. Fig. 1.** Conseil, exemple, génie, guide, inspirateur, instigateur (péj.), mentor, protecteur, providence, soutien. **2.** Amour, angelet, angelot, chérubin. **III. Loc. Être aux anges :** être comblé/enchanté/en extase/heureux/ravi/ dans le ravissement/satisfait.

ANGÉLIQUE Beau, bénin, bon, céleste, doux, innocent, parfait, pur, ravissant, saint, séraphique, vertueux.

ANGLE I. Par ext. : arête, coin, corne, coude, encoignure, retour, saillant, tournant. **II. Fig. :** aspérité, rudesse, rugosité.

ANGOISSANT, E → inquiétant.

ANGOISSE → inquiétude.

ANGOISSÉ, E → inquiet.

ANGOISSER → inquiéter.

ANICROCHE → incident.

ANIMADVERSION → blâme.

ANIMAL I. Nom masc. → bête. **II. Adj.** → bestial.

ANIMALITÉ → bestialité.

ANIMATEUR, TRICE I. Adj. : créateur, vivifiant. **II. Nom :** âme, boute-en-train, chef, cheville ouvrière, directeur, dirigeant, entraîneur, manager, moteur, organisateur, promoteur, protagoniste, responsable.

ANIMATION I. Au pr. → activité. **II. Fig.** → feu.

ANIMÉ, E I. Les part. passés possibles des syn. de ANIMER. **II. Par ext. :** acharné, agité, ardent, bouillant, bouillonnant, brûlant, chaud, coloré, expressif, mouvementé, vif.

ANIMER I. Au pr. 1. Créer, donner le souffle, donner/insuffler l'âme/la vie. **2.** Activer, agir sur, communiquer le mouvement, diriger, faire aller/marcher, mouvoir, promouvoir, provoquer, vivifier. **II. Fig. 1.** → aiguillonner. **2.** → imprégner. **3.** → égayer. **4.** → exciter. **5.** → inspirer.

ANIMOSITÉ I. Ce qu'on éprouve : amertume, antipathie, fiel, haine, inimitié, malveillance, rancune, ressentiment, venin. **II. Ce qu'on manifeste :** acharnement, âpreté, ardeur, chaleur, colère, emportement, véhémence, vigueur, violence, vivacité.

ANIS I. La plante : badiane, cumin, fenouil. **II. La boisson :** anisette, pastis, ratafia.

ANKYLOSÉ, E Courbatu, engourdi, mort, paralysé, raide, rouillé.

ANKYLOSE I. Au pr. : courbature, engourdissement, paralysie, raideur. **II. Fig. :** arrêt, blocage, marasme, morte-saison, paralysie, récession, stagnation.

ANKYLOSER I. Au pr. : engourdir, paralyser. **II. Fig. :** arrêter, bloquer, paralyser, stopper.

ANNALES I. Au pr. : récit → histoire. **II. Par ext. :** documents, éphémérides, fastes, recueil, revue.

ANNALISTE Biographe, chroniqueur, écrivain, historien, historiographe, mémorialiste.

ANNEAU I. Alliance. **II.** → bague. **III.** → bracelet. **IV.** → boucle.

ANNÉE → an.

ANNEXE I. → accessoire. **II.** → ajout. **III.** Dépendance. **IV.** Complément, pièce jointe, supplément.

ANNEXER → joindre.

ANNEXER (S') → approprier (s').

ANNEXION I. → confiscation. **II.** Anschluss, incorporation, jonction, rattachement, réunion.

ANNIHILER Abattre, abolir, anéantir, annuler, détruire, effacer, frapper d'impuissance, neutraliser, paralyser, supprimer.

ANNIVERSAIRE I. Nom masc. : Commémoration, fête, mémento, mémoire, souvenir. **II. Adj. :** commémoratif.

ANNONCE I. Favorable ou neutre. 1. Prédiction, promesse, prophétie. **2.** Dépliant, écrit, faire-part, prospectus, tract. → affiche, note. **II. Non favorable** → boniment. **III. Fig.** → présage.

ANNONCER I. On annonce quelque chose. 1. Neutre ou favorable : apprendre, avertir de, aviser, communiquer, déclarer, dire, divulguer, faire connaître/savoir, indiquer, notifier, porter à la connaissance, proclamer, publier, signaler. **2. Relig. :** prêcher. **3.** → augurer. **II. Quelque chose annonce :** dénoter, être l'indice/la marque/le présage/le signe/le signe avant-coureur de, faire/laisser deviner/pressentir, manifester, marquer, montrer, précéder, préluder à, préparer à, présager, prévenir de, promettre, prouver, révéler, signaler.

ANNONCIATEUR, TRICE I. → devin. **II.** → précurseur.

ANNOTATION → *note.*

ANNOTER → *noter.*

ANNUAIRE Almanach, agenda, Bottin, Bottin mondain. Gotha, Who's who.

ANNULATION I. → *abrogation.* **II.** → *renvoi.* **III.** → *extinction.*

ANNULER → *abolir, détruire.*

ANODIN, E → *inoffensif.*

ANOMAL, E → *irrégulier.*

ANOMALIE → *irrégularité.*

ÂNONNEMENT → *balbutiement.*

ÂNONNER → *balbutier.*

ANONYME Caché, incognito, inconnu, masqué, mystérieux, secret, voilé.

ANORMAL, E → *irrégulier.*

ANSE → *baie.*

ANTAGONISTE → *adversaire.*

ANTALGIQUE → *anesthésique.*

ANTAN → *autrefois.*

ANTARCTIQUE Austral.

ANTÉCÉDENT, E → *antérieur.*

ANTÉDILUVIEN, ENNE → *ancien.*

ANTÉRIEUR, E Antécédent, antéposé, antidaté, frontal, plus ancien, précédent, préexistant, premier.

ANTÉRIORITÉ → *ancienneté.*

ANTHOLOGIE Analectes, choix, chrestomathie, épitomé, florilège, recueil, spicilège.

ANTHRAX → *abcès.*

ANTHROPOLOGIE Ethnographie, ethnologie, paléontologie humaine, sociologie.

ANTHROPOPHAGE Cannibale, ogre.

ANTICHAMBRE I. Chambre, hall, réception, salle d'attente, vestibule. **II. Loc. 1. Faire antichambre :** attendre, solliciter. **2. Pilier d'antichambre :** quémandeur, solliciteur.

ANTICIPATION I. Au pr. (philos.) : prolepse, prénotion. **II. Par ext. 1.** Prescience, science-fiction. **2.** Empiétement, usurpation. **III. Loc. Par anticipation :** par avance, avant l'échéance/terme, préalablement.

ANTICIPÉ, E I. Un remboursement : avancé, par avance. **II. Une retraite :** précoce, prématuré. **III. Une opinion :** préalable, préconçu.

ANTICIPER I. → *escompter.* **II.** → *devancer.*

ANTICOMBUSTIBLE Ignifuge.

ANTICORPS → *antitoxine.*

ANTIDOTE I. Au pr. : alexipharmaque, contrepoison, mithridatisation. **II. Fig. :** adoucissement, allégement, contrepartie, dérivatif, distraction, préservatif, soulagement.

ANTIENNE Cantique, invitatoire, refrain, répons.

ANTINOMIE → *antiphrase.*

ANTIPATHIE → *éloignement.*

ANTIPATHIQUE I. → *désagréable.* **II. Pop. :** sale gueule/tête, tête à claques/gifles, *et les syn. de* TÊTE.

ANTIPHRASE Contraire, euphémisme, ironie.

ANTIPODE Par ext. Loc. *Aux antipodes :* au diable/loin, contraire, extrême, inverse, opposé.

ANTIQUE → *ancien.*

ANTIQUITÉ → *brocante.*

ANTISEPSIE → *prophylaxie.*

ANTISEPTIQUE Antiputride, antisepsie.

ANTISPASMODIQUE → *calmant.*

ANTITHÈSE Antilogie, antinomie, comparaison, contraste, opposition.

ANTONYME Contraire, opposé.

ANTRE → *abri.*

ANTIPHRASE Antinomie, contraire, euphémisme, ironie, paradoxe.

ANUS Fondement. **Arg. :** Anneau, as de pique/trèfle, bagouse, bague, chou, chouette, couloir à lentilles, coupe - cigare, cyclope, échalote, figne, fignedé, fion, œil de bronze, oignard, oigne, oigneul, oignon, pétoulard, pétoulet, rondelle, rose des vents, trou du cul, troufignon. → *fessier.*

ANXIÉTÉ → *inquiétude.*

ANXIEUX, EUSE → *inquiet.*

APACHE → *bandit.*

APAISANT, E → *calmant.*

APAISEMENT I. → *tranquillité.* **II.** Accoisement (vx), baume, calme, consolation, guérison, pacification, soulagement.

APAISER I. → *calmer.* **II.** → *adoucir.* **III.** Cicatriser, consoler, délivrer, dissiper, endormir, éteindre, fermer une plaie, guérir, lénifier, rasséréner, soulager, verser un baume. **IV.** → *assouvir.*

APANAGE → *bien, privilège.*

APARTÉ I. Nom masc. : conversation privée/à l'écart, entretien particulier. **II. Loc. En aparté :** à la cantonade, cavalier seul, en Suisse (fam.).

APATHIE I. Philos. : ataraxie, impassibilité, imperturbabilité, stoïcisme. **II. Par ext. :** aboulie, absence, amollissement, anéantissement, engourdissement, faiblesse, fatalisme, indifférence, indolence, inertie, insensibilité, langueur, lenteur, léthargie, lymphatisme, malléabilité, marasme, mollesse, nonchalance, nonchaloir, paresse, plasticité, résignation, veulerie (péj.), vide.

APATHIQUE Aboulique, absent, amorphe, anéanti, ataraxique, faible, fataliste, inconsistant, indifférent, indolent, inerte, informe, insensible, languide, lent, léthargique, lymphatique,

malléable, mollasson (fam.), mou, nonchalant, paresseux, plastique, résigné, veule, vide.
APATRIDE Heimatlos, métèque (péj.), personne déplacée, sans patrie.
APERCEVOIR I. Au pr. → *voir.*
II. Fig. 1. Avoir connaissance, comprendre, connaître, constater, découvrir, deviner, entraver (fam.), noter, pénétrer le sens, percevoir, piger (fam.), saisir, sentir, voir. **2. Loc.** *Laisser apercevoir :* montrer.
APERCEVOIR (S') I. Se voir *et les* syn. de VOIR (SE). **II.** Avoir conscience de, connaître que, découvrir, faire la connaissance/découverte de, remarquer, se rendre compte de.
APERÇU I. → *estimation.* **II.** → *échantillon.* **III.** → *note.*
APETISSER → *diminuer.*
À PEU PRÈS I. Loc. adv. : environ. **II. Nom masc. :** calembour, jeu de mots.
APEURÉ, E → *inquiet.*
APHÉRÈSE → *ellipse, suppression.*
APHORISME → *maxime.*
APITOIEMENT → *compassion.*
APITOYER → *émouvoir.*
APITOYER (S') → *plaindre et les* syn. de ÉMOUVOIR (S').
APLANIR → *niveler, faciliter.*
APLATISSEMENT I. → *humiliation* **II.** → *abaissement.*
APLATI, E I. Au pr. : comprimé, étroit, mince, plat. **II. Un nez :** camard, camus, cassé, écrasé.
APLATIR → *écraser.*
APLATIR (S') I. Au pr. : s'écraser *et les syn. de* ÉCRASER (S'). **II. Fig. 1. Devant quelqu'un** → *abaisser (s').* **2. Les cheveux :** appliquer, coller, gominer, plaquer, pommader. **3.** S'allonger, se casser la figure/la gueule (fam.), s'étaler, s'étendre. → *tomber.*
APLATISSEMENT I. → *écrasement.* **II.** → *abattement.* **III.** → *abaissement.*
APLOMB I. Au pr. → *équilibre.* **II. Fig. 1.** → *confiance.* **2.** → *impudence.*
APOCALYPTIQUE → *effrayant.*
APOCRYPHE Par ext. : controuvé, douteux, faux, hérétique, inauthentique, supposé.
APOGÉE Acmé, apothéose, comble, faîte, gloire, point culminant/le plus haut, sommet, summum, triomphe, zénith.
APOLOGÉTIQUE, APOLOGIE I. → *défense.* **II.** → *éloge.*
APOLOGIQUE → *élogieux.*
APOLOGUE → *fable.*

APOPHTEGME → *maxime.*
APOPHYSE Bosse, crête, éminence, épine, protubérance, saillie, tubérosité.
APOPLEXIE Attaque, coup de sang, hémorragie cérébrale, paralysie générale.
APOSTASIE → *abandon.*
APOSTASIER → *abjurer.*
APOSTAT Infidèle, renégat.
APOSTER Mettre à l'affût/aux aguets/en poste, placer, planter, poster.
A POSTERIORI I. Après, en second lieu, ensuite. **II.** A l'expérience.
APOSTILLE → *note.*
APOSTILLER → *noter.*
APOSTOLAT Ministère, mission, prédication, propagation de la foi, prosélytisme.
APOSTROPHE Par ext. : appel, interpellation, invective.
APOSTROPHER Appeler, interpeller, invectiver.
APOSTÈME, APOSTUME → *abcès.*
APOTHÉOSE I. → *bouquet.* **II.** Consécration, déification, exaltation, glorification, triomphe.
APOTHICAIRE Pharmacien, potard (péj.).
APÔTRE Défenseur, disciple, ministre, missionnaire, prédicateur, propagateur de la foi, prosélyte.
APPARAÎTRE I. V. intr. : affleurer, arriver, atteindre, se découvrir, se dégager, se détacher, se dévoiler, éclore, se faire jour, se faire voir, jaillir, se lever, luire, se manifester, se montrer, naître, paraître, se présenter, poindre, se révéler, sortir, sourdre, surgir, survenir, transparaître, venir. **II. Impers. 1.** Sembler. **2.** Ressortir, résulter de.
APPARAT I. Neutre : appareil, cérémonie, décor, éclat, luxe, magnificence, pompe, solennité, splendeur. **II. Non favorable :** en grand arroi, étalage, faste, montre, ostentation, tralala (fam.).
APPAREIL I. → *équipage.* **II.** → *apparat.* **III. Techn. 1. Arch. :** assemblage, montage, taille. **2. Par ext. :** arsenal, attirail, collection. **3.** *L'appareil législatif :* dispositions ensemble, législation, système. **4.** Dispositif, engin, gadget, instrument, machine, mécanique, métier (vx), outil, robot. **5. Fam. :** bécane, bidule, machin, truc, zinzin.
APPAREILLAGE, APPAREILLE-MENT → *accouplement.*
APPAREILLAGE I. Mar. : départ, préparatifs de départ. **II.** → *appareil.*
APPAREILLER I. V. intr. (mar.) : lever l'ancre, partir, quitter le mouillage. **II. V. tr. 1. Au pr. :** accorder, accou-

pler, apparier, assortir, joindre, marier, réunir, unir. **2. Techn.** *Mar.* : équiper, gréer. *Arch.* : agencer/assembler/disposer/monter/tailler les pierres.

APPAREMMENT Au premier abord, en apparence, extérieurement, sans doute, selon toute apparence/vraisemblance, vraisemblablement.

APPARENCE I. De quelqu'un→*air.* **II. De quelque chose. 1.** → *aspect.* **2.** → *extérieur.* **III.** → *bienséance.* **IV. Loc. Contre toute apparence :** crédibilité, probabilité, vérité, vraisemblance.

APPARENT, E I. Neutre ou favorable : apercevable, clair, discernable, évident, incontestable, manifeste, ostensible, perceptible, visible. **II. Non favorable** → *incertain.*

APPARENTAGE, APPARENTEMENT → *alliance.*

APPARENTER → *allier.*

APPARENTER (S') → *convenir.*

APPARIEMENT → *accouplement.*

APPARIER → *appareiller.*

APPARITEUR I. Anc. : accense. **II.** Chaouch (arabe), huissier, massier, surveillant, tangente (arg.).

APPARITION I. Au pr. 1. Sens général : arrivée, avènement, introduction, manifestation, survenance, venue. **2. D'un phénomène :** commencement, création, éclosion, émergence, éruption, explosion, naissance, production. **3. D'une œuvre :** création, publication. **4. Loc. Faire son apparition :** entrée. **II. Par anal. 1.** Épiphanie, vision. **2.** Esprit, fantôme, revenant, spectre.

APPARTEMENT Chambre, garçonnière, habitation, logement, maison, meublé, pied-à-terre, studio.

APPARTENANCE I. A quelqu'un → *possession.* **II. A quelque chose** → *dépendance.*

APPARTENIR Concerner, convenir à, dépendre de, être le bien/la propriété/le propre de, se rapporter à, relever de, tenir à.

APPARTENIR (S') Être à soi/libre/ maître de soi, ne dépendre de personne.

APPAS Agrément, grâce. → *charme.*

APPÂT → *aiche.*

APPÂTER I. Au pr. → *amorcer.* **II. Fig.** → *allécher.*

APPAUVRIR I. Au pr. → *affaiblir.* **II. Fig.** → *altérer.*

APPAUVRISSEMENT Abâtardissement, affaiblissement, amaigrissement, amputation, anémie, dégénérescence, diminution, épuisement, étiolement, perte, réduction, ruine.

APPEAU I. → *aiche.* **II.** → *appelant.*

APPEL I. Quelqu'un appelle. 1. → *cri.* **2.** → *signe.* **3.** → *convocation.* **4.** → *demande.* **5. L'instrument :** coup de cloche/corne/sifflet/sonnette/trompe. **II. Fig. Quelque chose appelle :** aspiration, attirance, excitation, fascination, impulsion, incitation, invitation, provocation, sollicitation, vocation, voix. **III. Jurid. :** appellation, intimation, pourvoi, recours. **IV. Loc. Sans appel :** définitivement, irrémédiablement.

APPELANT Appeau, chanterelle, courcaillet, leurre, moquette, pipeau.

APPELER I. On appelle quelqu'un. 1. → *Crier.* **2.** → *convier.* **3. Non favorable :** apostropher, assigner, citer, défier, provoquer. **4. A une fonction :** choisir, coopter, désigner, élire, nommer, prier. **5.** Baptiser, dénommer, donner un nom/titre, nommer, prénommer, qualifier. **II. Par ext. 1.** → *aspirer.* **2. L'attention** → *alerter.* **3. Non favorable** → *réclamer.* **III. Loc. En appeler :** invoquer, se référer à, s'en remettre à, soumettre le cas à.

APPELLATION Dénomination, désignation, label, marque, mot, nom, qualification, vocable.

APPENDICE I. → *extrémité.* **II.** → *addition.*

APPENDRE → *accrocher.*

APPENTIS → *hangar.*

APPESANTIR → *alourdir.*

APPESANTISSEMENT → *alourdissement.*

APPÉTENCE, APPÉTIT I. Au pr. 1. Favorable ou neutre : besoin, boyau vide (fam.), désir, envie, faim, fringale (fam.). **2. Non favorable :** boulimie, gloutonnerie, goinfrerie, gourmandise, voracité. **II. Par ext. 1. Favorable ou neutre :** aspiration, attrait, curiosité, désir, faim, goût, inclination, instinct, passion, soif, tendance. **2. Non favorable :** concupiscence, convoitise, désir.

APPÉTISSANT, E Affriolant, agréable, alléchant, engageant, friand, ragoûtant, savoureux, séduisant, succulent, tentant.

APPLAUDIR I. Battre/claquer des mains. → *acclamer.* **II.** → *approuver.*

APPLAUDISSEMENT I. Au pr. → *acclamation.* **II. Fig.** → *approbation.*

APPLICABLE Adéquat, congru, congruent, convenable, imputable, superposable.

APPLICATION → *attention.*

APPLIQUE → *chandelier.*

APPLIQUER Administrer, apposer, assener, attribuer, coller, employer, faire servir, frapper, imputer, infliger, mettre, plaquer.

APPLIQUER (S') I. → *pratiquer.* **II.** → *user.* **III.** → *approprier (s').*

IV. → *adonner (s')* à. **V.** → *occuper (s') de.* **VI.** → *correspondre.*

APPOINT I. → *supplément.* **II.** → *appui.*

APPOINTEMENTS → *rétribution.*

APPOINTER I. → *affiler.* **II.** → *joindre.* **III.** → *payer.*

APPORT Allocation, attribution, cens, contingent, contribution, cotisation, dot, dotation, écot, financement, fraction, imposition, impôt, lot, montant, part, participation, portion, pourcentage, quantité, quota, quotepart, quotité.

APPORTER I. → *porter.* **II.** → *citer.* **III.** → *occasionner.* **IV.** → *donner.*

APPOSER → *appliquer.*

APPRÉCIABLE → *grand.*

APPRÉCIER I. → *estimer.* **II.** → *juger.*

APPRÉHENDER I. → *arrêter.* **II.** → *craindre.*

APPRÉHENSION → *crainte.*

APPRENDRE I. On apprend quelque chose à quelqu'un : annoncer, aviser, communiquer, déclarer, découvrir, dire, éclairer, enseigner, faire connaître/savoir, indiquer, informer, instruire, mettre au courant/à la coule (fam.)/dans le bain (fam.)/au parfum (arg.)/au pas, montrer, renseigner, révéler. **II. On apprend pour s'instruire** → *étudier.*

APPRENTI → *élève.*

APPRÊT → *affectation.*

APPRÊTÉ, E I. Un comportement → *affecté.* **II. Cuisine :** accommodé, arrangé, assaisonné, cuisiné, disposé, préparé, relevé.

APPRÊTER Accommoder, arranger, assaisonner, cuisiner, disposer, faire cuire, préparer.

APPRÊTS Appareil (vx), arrangement, branle-bas, dispositif, dispositions, précaution, préparatif, préparation, toilette.

APPRIVOISÉ, E I. Au pr. : affaité (vx), domestique, domestiqué, dompté, dressé, privé (vx). **II. Fig. :** adouci, amadoué, charmé, civilisé, conquis, gagné, humanisé, poli, séduit, soumis.

APPRIVOISEMENT I. Au pr. : affaitage (vx), domestication, dressage. **II. Fig. :** adoucissement, conquête, familiarisation, soumission.

APPRIVOISER I. Au pr. : affaiter (vx), charmer, domestiquer, dompter, dresser. **II. Par ext. :** adoucir, amadouer, charmer, civiliser, conquérir, gagner, humaniser, polir, séduire, soumettre.

APPROBATEUR, TRICE I. Adj. : affirmatif, approbatif, consentant, favorable. **II. Nom masc. :** adulateur, applaudisseur, appréciateur, bénisseur, flagorneur (péj.), flatteur, laudateur, louangeur, thuriféraire (péj.).

APPROBATION Acceptation, accord, acquiescement, adhésion, admission, adoption, agrément, applaudissement, assentiment, autorisation, avis/déclaration favorable, chorus, confirmation, consentement, entérinement, déclaration, homologation, permission, ratification, sanction, suffrage, voix.

APPROCHANT, E Analogue, approximatif, comparable, égal à, équivalent, proche, ressemblant, semblable, synonyme, tangent, voisin.

APPROCHER → *aborder.*

APPROFONDIR → *creuser.*

APPROFONDISSEMENT I. Au pr. : affouillement, creusage. **II. Fig. :** affermissement, analyse, développement, enrichissement, étude, examen, exploration, introspection, méditation, pesée, progrès, recherche, réflexion, sondage.

APPROPRIÉ, E → *propre.*

APPROPRIER Accommoder, accorder, adapter, apprêter, arranger, conformer, nettoyer, proportionner.

APPROPRIER (S') I. Non favorable, on s'approprie quelque chose : s'adjuger, s'arroger, s'attribuer, dérober, s'emparer, empocher, enlever, escroquer, grignoter, occuper, prendre, ravir, se saisir de, souffler, soustraire, usurper, voler. **II. Quelque chose s'approprie à :** s'accommoder, s'accorder, s'adapter, s'appliquer, se conformer, être proportionné à.

APPROUVER Abonder dans, accepter, acquiescer, adhérer à, admettre, adopter, agréer, applaudir à, autoriser, bonneter (vx), complimenter, comprendre, confirmer, congratuler, dire amen, encourager, entériner, faire chorus, féliciter, glorifier, goûter, homologuer, juger bon, louanger, opiner du bonnet/du chef, permettre, se rallier à, ratifier.

APPROVISIONNEMENT → *provision.*

APPROVISIONNER → *pourvoir.*

APPROVISIONNEUR Fournisseur, pourvoyeur, ravitailleur.

APPROXIMATIF, IVE → *approchant.*

APPROXIMATIVEMENT → *environ.*

APPUI I. Au pr. : adossement, arc-boutant, base, colonne, épaulement, éperon, étai, étançon, foulée (d'un cheval), levier, pilier, pivot, soutènement, soutien, support, tuteur. **II. Par ext. :** aide, apostille, appoint, assistance, collaboration, coopération, concours, coup d'épaule, égide, encouragement, influence, intervention, main-forte, patronage, piston (fam.), planche de salut, protection, recommandation, réconfort, rescousse, sauvegarde, secours, service, soutien, support. **III. Loc.** *Être l'appui de :* auxiliaire, bouclier, bras, champion, défenseur, garant, patron, protecteur, second, souteneur (péj.), soutien, supporter, tenant.

APPUYER I. Au pr. : accoter, adosser, arc-bouter, buter, épauler, étançonner, étayer, faire reposer, maintenir, soutenir, supporter. **II. Par ext. 1.** *On appuie quelqu'un :* aider, assister, encourager, épauler, fortifier de son autorité/crédit, patronner, pistonner (fam.), porter, pousser, prendre fait et cause, prêter main-forte, protéger, recommander, secourir, soutenir, venir à la rescousse. **2.** *On appuie un raisonnement sur* → fonder. **3.** *On appuie sur un détail :* insister, peser. **4.** *On appuie son regard :* fixer, regarder avec insistance. **5.** *Appuyer ses dires sur :* alléguer, arguer, confirmer, corroborer, exciper, fortifier, renforcer.

ÂPRE → rude.

APRÈS I. → puis. **II. Loc. 1.** *D'après* → suivant. **2.** *L'un après l'autre :* à la queue leu leu, alternativement, un à un.

APRÈS-DÎNÉE ou **DÎNER** Après-soupée ou souper, soir, soirée.

APRÈS-MIDI Tantôt (régional), relevée (vx).

ÂPRETÉ → rudesse.

À PROPOS I. Loc. prép. : à propos de, au sujet de, relativement à, sur. **II. Loc. adv. :** à bon escient, à pic (fam.), à point nommé. **III. Loc. adj.** → convenable. **IV. Nom masc. :** convenance, esprit, opportunité, pertinence, repartie.

APTE Adéquat, ad hoc (fam.), approprié, bon, capable, congru, convenable, de nature à, étudié pour (fam.), fait pour, habile à, idoine, juste, propre à, prévu pour.

APTITUDE I. → capacité. **II.** → disposition.

AQUARELLE Gouache, lavis, peinture.

AQUATIQUE Aquatile, aquicole.

AQUEDUC → canal.

AQUEUX, EUSE Fluide, humide, marécageux, spongieux, tépide.

AQUILON → vent.

ARABESQUE Broderie, dessin, fioriture, ligne, moresque, ornement, volute.

ARABLE Cultivable, fertile, labourable.

ARAIRE → charrue.

ARBITRAGE I. Au pr. → médiation. **II. Par ext.** → compromis.

ARBITRAIRE I. Neutre ou favorable → absolu. **II. Non favorable** → injustifié.

ARBITRE I. Au pr. : amiable compositeur, conciliateur, expert, juge. **II. Par ext. :** maître absolu. **III. Loc.** *Libre arbitre* → liberté.

ARBITRER → juger.

ARBORER I. Au pr. → élever. **II. Par ext. 1.** → montrer. **2.** → porter.

ARBORICULTEUR Agrumiculteur, horticulteur, jardinier, pépiniériste, planteur, pomiculteur, sylviculteur.

ARBRE I. Arbuste, fût, végétal. **II.** Axe, essieu, pivot, tige, vilebrequin.

ARBRISSEAU Arbuste, scion.

ARC Courbe. → voûte.

ARCADE → voûte.

ARCANE → secret.

ARC-BOUTANT → appui.

ARC-BOUTER → appuyer.

ARCHAÏQUE → vieux.

ARCHE I. Vx. 1. → coffre. **2.** → bateau. **II. Arch.** → voûte.

ARCHER Sagittaire.

ARCHITECTE Bâtisseur, chef, constructeur, créateur, édificateur, ingénieur, inventeur, maître de l'œuvre, ordonnateur.

ARCHITECTURAL, E Par ext. : auguste, colossal, considérable, écrasant, élevé, énorme, étonnant, fantastique, formidable, grand, grandiose, imposant, impressionnant, magistral, magnifique, majestueux, monumental, noble, olympien, pyramidal, pompeux, solennel, somptueux, superbe.

ARCHITECTURE Par ext. : construction, forme, ligne, ordonnance, plan, structure, style.

ARCHITECTURER → bâtir.

ARCHIVES → histoire.

ARDEMMENT → vivement.

ARDENT, ENTE I. Au pr. → chaud. **II. Par ext. 1. Favorable :** actif, agile, alerte, allègre, animé, brillant, chaleureux, dégagé, déluré, dispos, éveillé, fougueux, frétillant, fringant, gaillard, guilleret, ingambe, intelligent, léger, leste, mobile, pétillant, pétulant, primesautier, prompt, rapide, sémillant, vif, vivant. **2. Non favorable :** aigre, brusque, coléreux, emporté, excessif, mordant, soupe au lait (fam.), violent.

ARDEUR I. Au pr. → chaleur. **II. Par ext. 1.** → vivacité. **2.** → bouillonnement.

ARDU, E I. Au pr. → escarpé. **II. Par ext.** → difficile.

ARÈNE I. Au pr. : calcul, gravier, pierre, sable, sablon. **II. Par ext. :**

amphithéâtre, carrière, champ de bataille, cirque, lice, théâtre.

ARÉOPAGE → *réunion*.

ARÊTE I. Aiguille, bord, piquant, pointe. **II.** Angle.

ARGENT I. Au pr. : métal blanc. **II. Par ext. 1.** *Système fiduciaire :* capital, deniers, écus (vx), espèces, finances, fonds, fortune, monnaie, numéraire, pécule, pécune, recette, ressources, somme, trésor, trésorerie, viatique. **Arg. :** artiche, avoine, blé, braise, flouze, fraîche, fric, galette, oseille, osier, picaille, pognon, radis, ronds, soudure, sous. **2.** → *richesse*.

ARGOT Langue verte. →*jargon*.

ARGOUSIN → *policier*.

ARGUER I. Au pr. → *inférer*. **II. Jurid.** → *inculper*.

ARGUMENT I. → *abrégé*. **II.** → *raisonnement*. **III.** → *preuve*.

ARGUTIE Abstraction, artifice, byzantinisme, casuistique, cavillation (vx et jurid.), chicane, chinoiserie (fam.), entortillage, équivoque, escamotage, fumisterie (fam.), procédé dilatoire, subtilité.

ARIA I. Nom fém. → *air*. **II. Nom masc.** → *souci*. **III.** → *obstacle*.

ARIDE I. Au pr. : désert, desséché, improductif, inculte, incultivable, maigre, pauvre, sec, stérile. **II. Fig. :** ingrat, insensible, froid, pauvre, rébarbatif, sec, sévère.

ARIETTE → *air*.

ARISTARQUE → *censeur*.

ARISTOCRATE → *noble*.

ARISTOCRATIE I. → *oligarchie*. **II.** → *choix*.

ARISTOTÉLISME Péripatétisme.

ARITHMÉTIQUE Calcul, opération.

ARLEQUIN I. Au pr. → *pantin*. **II. Pop. :** reliefs, restes.

ARMADA Escadre, flotte, flottille.

ARMATURE Base, carcasse, charpente, échafaudage, ossature, soutien, squelette, support.

ARME I. Au pr. : armement, armure, équipement, instrument de combat, matériel de guerre. **II. Fig. :** argument, moyen, ressource. **III. Au pl. :** armoiries, blason, écu, signes héraldiques.

ARMÉ, E → *fourni*.

ARMÉE I. Au pr. → *troupe*. **II. Par ext.** → *multitude*.

ARMEMENT I. → *arme*. **II. Mar. :** équipage, gréement, matériel.

ARMER I. Au pr. → *fortifier*. **II. Par ext. 1.** → *fournir*. **2.** → *exciter*.

ARMISTICE Arrêt/cessation/interruption/suspension d'armes/des hostilités, cessez-le-feu, trêve.

ARMOIRE Bahut, bibliothèque, bonnetière, semainier, vaisselier.

ARMOIRIES Armes, blason, écu.

ARMURE I. Au pr. : cotte de mailles, cuirasse, haubert. **II. Fig. :** défense, protection.

AROMATE I. Baume, essence, onguent, parfum. **II.** → *assaisonnement*.

ARÔME I. Neutre ou favorable : bouquet, effluves, émanations, empyreume, exhalaison, fragrance, fumet, odeur, parfum, senteur, trace, vent parfumé. **II. Non favorable :** relent, remugle. → *puanteur*.

ARPENTER I. Au pr. → *mesurer*. **II. Par ext.** → *marcher*.

ARQUER (S') → *courber (se)*.

ARRACHEMENT → *déracinement*.

ARRACHER → *déraciner*.

ARRANGEANT, E → *conciliant*.

ARRANGEMENT I. →*accommodement*. **II.** → *ordre*.

ARRANGER I. →*ranger*. **II.** Accommoder, adapter, agencer, ajuster, aménager, apprêter, approprier, assembler, assortir, classer, combiner, composer, construire, coordonner, disposer, grouper, installer, mettre ensemble, ordonner, organiser, placer, préparer, ranger, régler, transformer, trier. **III.** →*parer*. **IV.** →*réparer*. **V.** →*convenir*.

ARRANGER (S') DE → *contenter (se)*.

ARRÉRAGES → *intérêt*.

ARRESTATION Détention, garde à vue, séquestration.

ARRÊT I. Le fait d'arrêter : cessation, escale, étape, halte, interruption, panne, pause, relâche, répit, repos, séjour, stase (méd.), station, stationnement. **II. Le lieu où s'arrête quelqu'un ou quelque chose :** abri, gare, halte, station. **III. Jurid.** → *jugement*. **IV.** Arrêtoir, butée, cliquet, cran, dent, digue, mentonnet, taquet, tenon.

ARRÊTÉ Arrêt, décision, décret, délibération, disposition, jugement, règlement.

ARRÊTER I. Au pr. : ancrer, attacher, bloquer, contenir, empêcher, endiguer, enrayer, étancher, fixer, immobiliser, intercepter, interrompre, juguler, maintenir, mettre un frein/terme, paralyser, retenir, stopper, suspendre, tenir en échec. → *soumettre*. **II. Par ext. 1.** Appréhender, capturer, coffrer (fam.), cueillir (fam.), embarquer (fam.), s'emparer de, empoigner, emprisonner, mettre au bloc/au gnouf/à l'ombre (fam.)/la main au collet (fam.), prendre, ramasser (fam.), s'assurer de. **2.** → *interroger*. **3.** → *décider*. **4.** *On arrête quelqu'un ou quelque chose pour son* *usage* : engager, louer, réserver, retenir. **5.** *On/ça n'arrête pas de faire quelque chose* : cesser, finir.

ARRÊTER (S') S'attarder, camper, cesser, demeurer, faire halte/relâche, se fixer, relâcher, rester, séjourner, stationner, stopper, terminer, se terminer.

ARRHES Acompte, avance, cautionnement, dédit, gage, provision.

ARRIÉRÉ, E I. Attardé, demeuré, diminué, idiot, inintelligent, en retard, retardataire, retardé, taré. **II.** → *rude.* **III.** → *retard.*

ARRIÈRE-GARDE Serre-file.

ARRIÉRER → *retarder.*

ARRIÈRE-SAISON Automne, été de la Saint-Martin.

ARRIÈRE-TRAIN → *derrière.*

ARRIMER Accorer (mar.), accrocher, affermir, amarrer, ancrer, arrêter, assembler, assujettir, assurer, attacher, boulonner, caler, centrer, clouer, coincer, coller, consolider, cramponner, enclaver, enfoncer, enraciner, faire pénétrer/tenir, ficher, fixer, immobiliser, implanter, introduire, maintenir, mettre, nouer, pendre, planter, retenir, river, riveter, sceller, suspendre, soutenir, visser.

ARRIVÉE I. De quelqu'un : apparition, bienvenue, survenance, venue. **II. De quelqu'un ou de quelque chose** : arrivage, avènement, commencement, début, survenance.

ARRIVER I. Au pr. : aborder, accéder, approcher, atteindre, débarquer (fam.), devancer, être rendu, gagner, parvenir, surgir, surprendre, survenir, tomber sur, toucher, venir. **II. Par ext. 1.** → *réussir.* **2.** → *produire (se).*

ARRIVISTE I. → *intrigant.* **II.** → *parvenir.*

ARROGANCE Air de supériorité, audace, dédain, désinvolture, fatuité, fierté, hardiesse, hauteur, impertinence, importance, impudence, insolence, mépris, morgue, orgueil, outrecuidance, présomption, suffisance, superbe.

ARROGANT, E Altier, blessant, cavalier, dédaigneux, désinvolte, fat, fier, hardi, hautain, impertinent, important, impudent, insolent, insultant, méprisant, outrecuidant, présomptueux, rogue, suffisant, superbe, supérieur. → *orgueilleux.*

ARROGER (S') → *approprier (s').*

ARRONDIR → *augmenter.*

ARROSAGE Affusion, arrosement, aspersion, bain, douche, irrigation.

ARROSER I. Au pr. : asperger, baigner, bassiner, humecter, imbiber, irriguer, mouiller, tremper. **II. Fig :**

1. → *soudoyer.* **2.** *Une rivière :* baigner, traverser.

ARSOUILLE → *ivrogne, vaurien.*

ART I. Au pr. : artifice (vx), maîtrise, manière, procédé, science, tour, technique. **II. Par ext. 1. Neutre** → *habileté.* **2. Pej.** → *artifice.*

ARTÈRE → *voie.*

ARTICLE I. De journal : chronique, écho, écrit, éditorial, entrefilet, essai, étude, feuilleton, interview, leader, papier, reportage, rez-de-chaussée, rubrique. **II. Zoologie :** articulation, jointure, segment. **III. Loc. *Sur cet article :*** matière, objet, sujet. **IV.** → *partie.* **V.** → *marchandise.*

ARTICULATION I. Article (anatom.), assemblage, attache, cardan, charnière, emboîtement, engrènement, cheville, jeu, joint, jointure, ligament, nœud. **II.** → *élocution.*

ARTICULER I. → *dire.* **II.** → *énoncer, prononcer.* **III.** → *joindre.*

ARTIFICE Adresse, art, astuce, attrape-nigaud, carotte (fam.), cautèle, chafouinerie, chausse-trape, détour, diplomatie, échappatoire, embûche, faux-fuyant, feinte, ficelle, finasserie, finesse, fourberie, fraude, habileté, intrigue, invention, machiavélisme, machination, machine, malice, manœuvre, matoiserie, méandre, perfidie, piège, politique, retour (vén.), rets, roublardise, rouerie, rubriques (vx), ruse, stratagème, subterfuge, subtilité, trame, tromperie, truc (fam.).

ARTIFICIEL, LE I. Au pr. : fabriqué, factice, faux, imité, postiche, reproduit, synthétique. **II. Par ext. :** affecté, arrangé, contraint, conventionnel, de commande, emprunté, étudié, fabriqué, factice, faux, feint, forcé, littéraire.

ARTIFICIEUX, EUSE → *rusé.*

ARTISAN I. Au pr. : artiste, compagnon, façonnier, maître ouvrier, patron, sous-traitant. **II. Par ext. :** auteur, cause, cheville ouvrière, responsable.

ARTISTE I. Nom : acteur, artisan, chanteur, comédien, danseur, décorateur, dessinateur, écrivain, étoile, exécutant, fantaisiste, graveur, interprète, maître, musicien, peintre, sculpteur, star, vedette, virtuose. **II. Adj.** → *bohème.*

AS Aigle, caïd (pop.), champion, crack, étoile, maître, phénix, virtuose.

ASARCIE → *maigreur.*

ASCENDANCE I. → *naissance.* **II.** → *race.*

ASCENDANT I. Adj. → *montant.* **II. Nom masc. 1.** → *père.* **2.** → *influence.*

ASCENSION → *montée.*

ASCÈSE → *ascétisme.*

ASCÉTIQUE I. Quelqu'un : austère, janséniste, puritain, rigide, rigoriste, rigoureux, rude, sévère, sobre, spartiate, stoïque. **II. Quelque chose** → *simple.*

ASCÉTISME Ascèse, austérité, cénobitisme, érémitisme, expiation, flagellation, jeûne, macération, monachisme, mortification, pénitence, privation.

ASEPSIE → *assainissement.*

ASILE → *abri.*

ASPECT Air, allure, angle, apparence, cachet, caractère, configuration, côté, couleur, dehors, endroit, extérieur, face, faciès, figure, forme, jour, masque, perspective, physionomie, point de vue, profil, tour, tournure, train, visage, vue.

ASPERGER → *arroser.*

ASPÉRITÉ I. Au pr. → *rugosité.* **II. Fig.** → *rudesse.*

ASPHALTE I. Au pr. : bitume, goudron, macadam, revêtement. **II. Par ext. :** chaussée, route, rue, voie.

ASPHYXIER → *étouffer.*

ASPIRANT → *postulant.*

ASPIRATION I. Au phys. : inhalation, inspiration, prise, respiration. **II. Par ext.** → *désir.*

ASPIRER I. V. tr. au phys. : absorber, avaler, humer, inhaler, inspirer, priser, renifler, respirer, sucer, super. **II. V. tr. ind. :** ambitionner, appeler, courir après, désirer, lever/porter ses yeux sur, prétendre, souhaiter, soupirer après/pour, tendre à, vouloir.

ASSAGIR Atténuer, calmer, diminuer, modérer, tempérer.

ASSAGIR (S') Se ranger. → *calmer (se).*

ASSAILLIR → *attaquer.*

ASSAINIR → *purifier.*

ASSAINISSEMENT Antisepsie, asepsie, assèchement, désinfection, drainage, épuration, nettoyage, purification, prophylaxie, stérilisation.

ASSAISONNEMENT I. Au pr. : apprêt, aromate, condiment, épice, garniture, ingrédient, préparation. **II. Par ext.** → *piquant.*

ASSAISONNER I. Au pr. : accommoder, ailler, ajouter, apprêter, aromatiser, épicer, pimenter, poivrer, relever, safraner, saler, vinaigrer. **II. Fig.** → *embellir.*

ASSASSIN → *homicide.*

ASSASSINER → *tuer.*

ASSAUT → *attaque.*

ASSEMBLAGE I. Au pr. : ajustage, montage, monture, réunion, union. **II. Par ext. 1.** → *assortiment.* **2.** → *collection.*

ASSEMBLÉE I. Polit. : chambre, congrès, conseil, parlement. **II. Savant :** académie, compagnie, institut. **III. Par ext.** → *réunion, fête.*

ASSEMBLER I. Ajuster, monter. **II.** Agglomérer, amasser, attrouper, battre le rappel, collecter, concentrer, conglober, conglomérer, grouper, lever, masser, mobiliser, rallier, ramasser, rassembler, recueillir, réunir, unir.

ASSÉNER → *frapper.*

ASSENTIMENT Acceptation, accord, acquiescement, adhésion, agrément, approbation, autorisation, bon vouloir, commun accord, complaisance, consensus, consentement, permission, unanimité.

ASSEOIR → *fonder.*

ASSERTION → *affirmation.*

ASSERVIR → *soumettre.*

ASSEZ I. Adv. : à satiété, suffisamment. **II. Interj. :** ça suffit, ça va, suffit.

ASSIDU, E → *continu, exact.*

ASSIDUITÉ → *exactitude.*

ASSIDÛMENT → *toujours.*

ASSIÉGER I. Au pr. → *investir.* **II. Fig. 1.** → *tourmenter.* **2.** Accabler, s'attacher à, bombarder (fam.), coller (fam.), obséder, poursuivre.

ASSIETTE I. Calotte, écuelle, plat, vaisselle. **II.** Équilibre, pose, position, posture, situation. **III.** → *répartition.*

ASSIGNAT → *billet.*

ASSIGNER I. Jurid. : appeler, citer, convoquer, mander. **II.** → *attribuer.* **III.** → *indiquer.*

ASSIMILÉ, E I. Au pr. : analogue, comparable, équivalent, kif-kif (fam.), identique, pareil, semblable, similaire, tel, tout comme. **II. Par ext. :** acclimaté à, accoutumé à, apprivoisé, au courant, au fait, coutumier de, dressé, éduqué, endurci, entraîné, façonné, fait à, familiarisé avec, familier de, formé, mis au pas (péj.)/ au pli, plié à, rompu à, stylé.

ASSIMILER I. Phys. : élaborer, transformer, utiliser. **II.** → *rapprocher.*

ASSISE → *fondement.*

ASSISTANCE I. → *appui.* **II.** → *public.*

ASSISTANT → *adjoint.*

ASSISTER I. V. tr. dir. 1. → *aider.* **2.** → *appuyer.* **II. V. tr. ind. :** être présent, suivre.

ASSOCIATION Adjonction, affiliation, agrégation, alliance, congrégation, corps, fusion, incorporation, intégration, liaison, réunion, société, syndicat.

ASSOCIÉ, E Acolyte, bras droit, collaborateur, coopérateur, nègre (fam. et péj.).

ASSOCIER Adjoindre, affilier, agréger, enrôler, incorporer, intégrer, intéresser, joindre, réunir, unir.

ASSOIFFÉ, E I. Au pr. → *altérer.*
II. Fig. → *affamé.*

ASSOIFFER Altérer, assécher, déshydrater, dessécher, donner la pépie (fam.)/soif, faire crever de soif (fam.), pousser à boire *et les syn. de* BOIRE, rendre avide de.

ASSOMBRIR I. Au pr. → *obscurcir.*
II. Fig. → *affliger.*

ASSOMMANT, E → *ennuyeux.*

ASSOMMER I. Au pr. 1. → *battre.*
2. → *tuer.* **II. Fig.** → *ennuyer.*

ASSONANCE → *consonance.*

ASSORTIMENT Assemblage, choix, garniture, jeu.

ASSORTIR I. → *accoupler.* **II.** → *fournir.*

ASSORTIR (S') → *plaire (se).*

ASSOUPIR → *endormir.*

ASSOUPIR (S') → *dormir.*

ASSOUPISSEMENT I. Au pr. : coma (pathol.), engourdissement, hypnose, léthargie, narcose, sopor (méd.), sommeil, somnolence. **II. Fig.** → *apathie.*

ASSOUPLIR → *modérer.*

ASSOURDI, E → *sourd.*

ASSOUVIR Apaiser, étancher, calmer, rassasier, remplir, satisfaire.

ASSUJETTIR I. Quelque chose → *fixer.* **II. Quelqu'un. 1.** → *obliger.* **2.** → soumettre.

ASSUJETTISSEMENT I. → *obligation.* **II.** → *subordination.*

ASSUMER Se charger, endosser, prendre sur soi.

ASSURANCE I. → *garantie.* **II.** → *promesse.* **III.** → *confiance.* **IV.** → *sûreté.*

ASSURÉ, E I. Quelqu'un → *décidé.* **II. Quelque chose. 1.** → *évident.* **2.** → *sûr.*

ASSURÉMENT → *évidemment.*

ASSURER I. Affermir, consolider, fixer. **II.** → *garantir.* **III.** → *procurer.* **IV.** → *affirmer.* **V.** → *promettre.*

ASSURER (S') I. → *vérifier.* **II.** → *emparer (s').*

ASSURGENT, E → *montant.*

ASTHÉNIQUE → *faible.*

ASTICOTER I. Neutre. → *taquiner.* **II. Non favorable.** → *tourmenter.*

ASTIQUER Briquer, cirer, faire briller/reluire, fourbir, frictionner, froisser, frotter, nettoyer, peaufiner (fam.), polir, poncer, récurer.

ASTRE I. Au pr. : étoile, planète, soleil. **II. Fig. :** destin, destinée, étoile, signe.

ASTREINDRE → *obliger.*

ASTROLOGUE → *devin.*

ASTUCE I. Au pr. : adresse, art, artifice, attrape-nigaud, carotte (fam.), cautèle, chafouinerie, chausse-trape, détour, diplomatie, échappatoire, embûche, faux-fuyant, feinte, ficelle, finasserie, finesse, fourberie, fraude, habileté, intrigue, invention, machiavélisme, machination, machine, malice, manœuvre, matoiserie, méandre, perfidie, piège, politique, retour (vén.), rets, roublardise, rouerie, rubriques (vx), ruse, stratagème, subterfuge, subtilité, trame, tromperie, truc (fam.). **II. Par ext. :** clairvoyance, discernement, ingéniosité, ouverture d'esprit, pénétration, sagacité. → *intelligence.* **III. Fig.** → *plaisanterie.*

ASYMÉTRIE Dissymétrie, irrégularité.

ASYMÉTRIQUE → *irrégulier.*

ATARAXIE → *tranquillité.*

ATAVISME → *hérédité.*

ATELIER Boutique, chantier, fabrique, manufacture, ouvroir, usine.

ATERMOIEMENT Délai, manœuvre dilatoire, retard, retardement, temporisation.

ATERMOYER → *retarder.*

ATHÉE → *incroyant.*

ATMOSPHÈRE Air, ambiance, espace, éther, fluide, gaz, milieu.

ATOME → *particule.*

ATONE → *inerte.*

ATONIE → *langueur.*

ATOURS → *ornement.*

ATRABILAIRE → *bilieux.*

ÂTRE → *foyer.*

ATROCE Barbare, cruel, féroce, horrible, ignoble.

ATROCITÉ I. → *barbarie.* **II.** → *horreur.*

ATROPHIE → *maigreur.*

ATTACHANT, E I. → *attirant.* **II.** → *intéressant.*

ATTACHE I. Au pr. : chaîne, corde, hart (vx), laisse, lien, ligament, ligature, nœud. **II. Fig. 1.** → *attachement.* **2.** → *relation.*

ATTACHEMENT Adoration, affection, amitié, amour, attache, complaisance (vx), dévotion, dévouement, dilection (relig.), feu, flamme, idolâtrie, inclination, passion, sentiment, tendresse, zèle.

ATTACHER I. Au pr. : accrocher, agrafer, amarrer, ancrer, atteler, botteler, brêler, cheviller, cramponner, enchaîner, ficeler, garrotter, lier, ligoter, nouer, river. → *arrêter.* **II. Fig. Attacher quelqu'un à quelque chose** → *intéresser.*

ATTACHER (S') S'accrocher, s'agriffer, s'agripper, se coller, se cramponner, se raccrocher.

ATTAQUE I. Agression, assaut, charge. **II. Méd. :** congestion, crise, paralysie.

ATTAQUER I. Aborder, assaillir, chercher des crosses (fam.)/querelle, combattre, défier, entreprendre, se frotter à (fam.), se lancer/se précipiter contre, livrer bataille/combat, prendre à partie, presser, quereller, rompre en visière. **II.** → *ronger.* **III.** → *commencer.*

ATTEINDRE I. → *arriver.* **II.** → *toucher.* **III.** → *rejoindre.*

ATTEINTE I. → *dommage.* **II.** → *crise.*

ATTELER → *attacher.*

ATTENANCE → *dépendance.*

ATTENANT → *prochain.*

ATTENDRE I. Demeurer/rester sur place, guetter, languir, se morfondre, patienter. **II. Fam. :** croquer le marmot, droguer, faire le pied de grue, gober des mouches, moisir, poireauter. **III.** → *espérer.* **IV.** → *présumer.*

ATTENDRIR I. Au pr. → *affaiblir.* **II. Fig. 1.** → *émouvoir.* **2.** → *fléchir.*

ATTENDRISSANT, E → *émouvant.*

ATTENDU QUE → *parce que.*

ATTENTAT → *crime.*

ATTENTE Espérance, expectance, expectation (vx), expectative, présomption.

ATTENTER → *entreprendre.*

ATTENTIF, IVE I. Appliqué, diligent, exact, soigneux, vigilant. **II.** Affectueux, attentionné, prévenant.

ATTENTION I. Au pr., effort de l'esprit : application, concentration, contemplation, contention, diligence, étude, exactitude, méditation, réflexion, soin, tension d'esprit. **II.** curiosité. **III.** → *égards.* **IV. Loc. Faire attention :** faire gaffe (arg.), garder de (vx), se garder de, prendre garde.

ATTENTIONNÉ, E → *attentif.*

ATTÉNUER I. → *affaiblir.* **II.** → *modérer.*

ATTERRÉ, E Abasourdi, abattu, accablé, chagriné, catastrophé, confondu, consterné, effondré, épouvanté, étourdi, stupéfait, surpris, triste.

ATTERRER I. → *épouvanter.* **II.** Atterrir, toucher terre. **III. Vx :** abattre, mettre à bas/à terre, rabattre.

ATTERRISSEMENT → *alluvion.*

ATTESTATION Certificat, référence, visa.

ATTESTER I. → *affirmer.* **II.** → *prouver.*

ATTICISME Bonnes manières, civilité, délicatesse, distinction, urbanité.

ATTIÉDIR I. Au pr. → *refroidir.* **II. Par ext.** → *modérer.*

ATTIÉDISSEMENT → *tiédeur.*

ATTIFER Adoniser, adorner, afistoler, apprêter, arranger, bichonner, embellir, endimancher, garnir, orner, pomponner, poupiner.

ATTIRAIL Affaires, appareil, bagage, bataclan, bazar, chargement, équipage, équipement, fourbi, fourniment, paquet, paquetage, train.

ATTIRANCE → *attraction.*

ATTIRANT, E I. Au pr. → *attractif.* **II. Fig. :** attachant, attrayant, captivant, charmant, enchanteur, engageant, ensorcelant, fascinant, insinuant, prenant, ravissant, séduisant.

ATTIRER I. Quelque chose. 1. → *tirer.* **2.** → *occasionner.* **II. Un être vivant :** affriander, affrioler, allécher, amorcer, appâter, charmer, gagner, séduire, tenter.

ATTIRER (S') Encourir, s'occasionner.

ATTISER Accroître, activer, aggraver, aiguillonner, allumer, animer, aviver, déchaîner, donner lè branle/le mouvement/le signal, emballer, embraser, enflammer, enthousiasmer, exacerber, exalter, exaspérer, exciter, faire sortir de ses gonds, fomenter, fouetter, insuffler, mettre en branle/en mouvement/hors de ses gonds, mettre de l'huile sur le feu (fam.), piquer, pousser, relever, réveiller, souffler, souffler sur les braises (fam.), stimuler, surexciter, susciter, travailler.

ATTITRÉ, E Habituel, patenté.

ATTITUDE I. Au phys. → *position.* **II. Par ext.** → *procédé.*

ATTOUCHEMENT I. → *tact.* **II.** → *caresse.*

ATTRACTIF, IVE I. Au pr. : attracteur. **II. Par ext.** → *attirant.*

ATTRACTION I. Au pr. : gravitation. **II. Fig. :** attirance, attrait, séduction. **III.** → *spectacle.*

ATTRAIT I. → *attraction.* **II.** → *grâce.* **III.** → *charme·*

ATTRAPE I. → *piège.* **II. Favorable ou neutre** → *plaisanterie.* **III. Non favorable** → *tromperie.*

ATTRAPER I. Neutre. 1. → *prendre.* **2.** → *obtenir.* **3.** → *rejoindre.* **4.** → *toucher.* **5.** → *entendre.* **II. Non favorable. 1. Une maladie** → *contracter.* **2.** → *tromper.* **3.** → *réprimander.*

ATTRAYANT, E → *attirant.*

ATTRIBUER Adjuger, affecter, allouer, assigner, décerner, donner, imputer, prêter, référer.

ATTRIBUER (S') → *approprier (s').*

ATTRIBUT I. → *qualité.* **II.** → *symbole.* **III. Gram. et log. :** prédicat.

ATTRIBUTION I. Allocation, affectation, assignation, lot, part. → *distribution.* **II.** → *emploi.*

ATTRISTER → *affliger.*

ATTRITION → *regret.*

ATTROUPEMENT → *rassemblement*.

ATTROUPER I. Non favorable → *ameuter*. **II. Neutre** → *assembler*.

AUBADE I. Au pr. → *concert*. **II. Fig.** → *avanie*.

AUBAINE I. Au pr. → *succession*. **II. Par ext. 1.** → *profit*. **2.** → *chance*.

AUBE I. Au pr. 1. Aurore, avant-jour, crépuscule du matin, lever du jour/du soleil, point/pointe du jour. **2. Loc.** *Dès l'aube :* dès potron-minet/jaquet. **II. Par ext.** → *commencement*.

AUBERGE I. → *hôtel*. **II.** → *restaurant*.

AUBERGISTE Hôtelier. → *cabaretier*.

AUCUN → *nul*.

AUCUNS (D') → *plusieurs*.

AUDACE → *hardiesse*.

AUDIENCE I. Au pr. 1. → *public*. **2.** → *réception*. **II. Par ext. 1.** → *influence*. **2.** → *popularité*.

AUDITEUR, TRICE → *public*.

AUDITION I. → *concert*. **II.** Épreuve, essai, test.

AUDITOIRE → *public*.

AUGE Auget, bac, bassin, binée, crèche, mangeoire.

AUGMENTATION Accroissement, agrandissement, aggravation, amplification, croissance, développement, élargissement, enrichissement, gradation, grossissement, intensification, multiplication, recrudescence, redoublement.

AUGMENTER I. V. intr. 1. Neutre : s'accentuer, s'accroître, s'aggraver, s'agrandir, s'amplifier, s'arrondir, croître, s'élargir, s'étendre, grandir, grossir, s'intensifier, se multiplier, redoubler. **2. Non favorable** → *empirer*. **II. V. tr. :** accentuer, accroître, aggraver, agrandir, ajouter à, élargir, enfler, enrichir, étendre, graduer, grossir, hausser, intensifier, multiplier, redoubler.

AUGURE I. → *devin*. **II.** → *présage*.

AUGURER I. → *présumer*. **II.** → *prédire*.

AUGUSTE I. Adj. → *imposant*. **II. Nom masc.** → *clown*.

AUJOURD'HUI → *présentement*.

AUMÔNE → *secours*.

AUMONIER Chapelain, → *prêtre*.

AUMÔNIÈRE Bourse, cassette, escarcelle, poche, porte-monnaie, réticule, sac.

AUPARAVANT Anciennement, antérieurement, au préalable, autrefois, ci-devant (vx), dans le passé, dans le temps, déjà, jadis, naguère, préalablement, précédemment, premièrement.

AUPRÈS I. → *près*. **II.** → *comparaison (en)*.

AURA, AURÉOLE → *nimbe*.

AURORE → *aube*.

AUSPICE I. → *devin*. **II.** → *présage*. **III. Sous les auspices de :** égide, patronage, protection, sauvegarde, tutelle.

AUSSI I. → *ainsi*. **II.** Autant, encore, également, de même, pareillement, de plus.

AUSSITÔT D'abord, à l'instant, d'emblée, illico (fam.), immédiatement, incessamment, incontinent, instantanément, séance tenante, sur-le-champ, tout de suite.

AUSTÈRE I. Quelqu'un. 1. Au phys. → *rude*. **2. Comportement général :** abrupt, ascétique, janséniste, puritain, rigide, rigoriste, rigoureux, sévère, spartiate, stoïque. **II. Quelque chose** → *simple*.

AUSTÉRITÉ Abnégation, ascétisme, jansénisme, nudité (fig.), puritanisme, renoncement, rigidité, rigueur, rudesse, sévérité, simplicité, sobriété, stoïcisme.

AUSTRAL, E Antarctique, méridional, midi, sud.

AUTANT I. → *aussi*. **II. Loc. 1. Autant que** → *comme*. **2. D'autant que** → *parce que*.

AUTEUR → *écrivain*.

AUTHENTIQUE I. Au pr. 1. → *évident*. **2.** → *vrai*. **II. Par ext.** → *officiel*.

AUTOBIOGRAPHIE → *mémoires*.

AUTOBUS Autocar, car, patache (vx).

AUTOCHTONE Aborigène, habitant, indigène, local, natif, naturel, originaire.

AUTOCRATE → *roi*.

AUTOCRATIE → *absolutisme*.

AUTOCRATIQUE → *absolu*.

AUTOLÂTRIE → *égoïsme*.

AUTOMATE Androïde, robot.

AUTOMATIQUE Convulsif, forcé, inconscient, instinctif, involontaire, irréfléchi, machinal, mécanique, passif, réflexe, spontané.

AUTOMÉDON → *cocher*.

AUTOMNE Arrière-saison, été de la Saint-Martin.

AUTOMOBILE → *voiture*.

AUTOMOTRICE Aérotrain, autorail, micheline, motrice.

AUTONOME → *libre*.

AUTONOMIE → *liberté*.

AUTOPSIE Anatomie, dissection, vivisection.

AUTORAIL → *automotrice*.

AUTORISATION → *permission*.

AUTORISER Accepter, accorder, acquiescer, admettre, agréer, approuver, concéder, consentir, dispenser,

donner la permission *et les syn. de*
PERMISSION, endurer, habiliter, laisser, passer, souffrir, supporter, tolérer.
AUTORITAIRE Absolu, altier, catégorique, dictatorial, dominateur, impérieux, irrésistible, net, péremptoire, pressant, tranchant, tyrannique, volontaire.
AUTORITÉ I. Au pr. : absolutisme, autoritarisme, bras de Dieu, domination, empire, férule, gouvernement, griffe, impérialisme, main, omnipotence, pouvoir, prépotence, puissance, toute-puissance. **II. Par ext. 1.** → *influence.* **2.** → *habileté.*
AUTOUR Alentour, à la ronde.
AUTREFOIS A l'origine, anciennement, au temps ancien/passé, dans l'antiquité/le temps, en ce temps-là, il y a longtemps, jadis, naguère.
AUTRE(S), AUTRUI Prochain, semblable.
AUVENT Abri, avant-toit, banne, galerie, marquise.
AUXILIAIRE → *adjoint.*
AVACHI, E → *fatigué.*
AVALER I. Au pr. 1. Absorber, déglutir, engloutir, entonner, friper (vx), gober, humer (vx), ingérer, ingurgiter, prendre. **2.** → *boire.* **3.** → *manger.* **II. Fig. 1.** → *croire.* **2.** → *recevoir.*
AVANCE I. → *acompte.* **II.** → *offre.* **III.** → *avancement.* **IV.** → *courtiser.*
AVANCÉ, E I. Une opinion : extrémiste, libre, progressiste, révolutionnaire. **II. Une denrée** → gâté.
AVANCEMENT I. Au pr. De quelque chose : avance, essor, évolution, marche, progrès, progression. **II. Par ext. De quelqu'un** : amélioration, élévation, marche en avant, nomination, perfectionnement, progression, promotion.
AVANCER I. Au pr. → gagner, gagner du terrain, marcher, pousser, progresser. **II. Par ext.** → *affirmer.*
AVANIE Algarade, aubade (fam.), brimade, camouflet, couleuvres (fam.), incartade, mortification, offense, scène, sortie.
AVANT I. Prép. : devant. **II. Adv.** : anciennement, antérieurement, auparavant, au préalable, autrefois, ci-devant (vx), dans le passé, déjà, jadis, naguère, préalablement, précédemment, premièrement.
AVANTAGE Atout, attribut, dessus, droit, prééminence, privilège, profit, succès, supériorité, utilité.
AVANTAGER → *favoriser.*
AVANTAGEUX, EUSE I. Au pr. Quelque chose → profitable. **II. Par ext. Quelqu'un** → ᐧorgueilleux.

AVANT-COUREUR → *précurseur.*
AVANT-DERNIER Pénultième.
AVANT-GOÛT Aperçu, avant-première, échantillon, essai, exemple, idée, image, pensée, perspective, tableau, topo (fam.).
AVANT-PREMIÈRE Couturières, générale, répétition générale. → *avant-goût.*
AVANT-PROPOS → *préface.*
AVANT-TOIT Abri, auvent, galerie, marquise, véranda.
AVARE Amasseur, avaricieux (vx), boîte-à-sous, chiche, chien, coquin, crasseux, créancier, cupide, égoïste, fesse-mathieu, gobseck, grigou, grippe-sou, harpagon, intéressé, ladre, lésineur, lésineux, liardeur, mégotier, mesquin, pain dur, parcimonieux, pignouf, pince-maille (vx), pingre, pisse-vinaigre, pouacre, près-de-ses-sous, prêteur sur gage, radin, rapiat, rat, regardant, regrattier, serré, shylock, sordide, taquin (vx), thésauriseur, tirelire, tire-sous, tronc, usurier, vautour, vilain.
AVARICE Chiennerie, cupidité, égoïsme, ladrerie, lésine, lésinerie, mesquinerie, parcimonie, pingrerie, radinerie, sordidité, thésaurisation, vilénie.
AVARIE → *dommage.*
AVARIER I. Altérer, corrompre, dénaturer, détériorer, endommager, éventer, gâter, meurtrir, perdre, pourrir, putréfier, tarer, vicier. **II. Par ext.** → gâcher.
AVATAR → *transformation.*
AVEC A, ainsi que, en compagnie de, en même temps, du même coup, par.
AVEN → *abîme.*
AVENANT, E → *aimable.*
AVENANT Adjonction, codicille, modification, supplément.
AVÈNEMENT Accession, apparition, arrivée, élévation, naissance, venue.
AVENIR I. Au pr. : futur, lendemain. **II. Par ext. 1.** Au-delà, autre vie, destinée, éternité, temps/vie futur(e). **2.** Postérité. **III. Loc. A/dans l'avenir** : demain, désormais, dorénavant, dans/par la suite, plus tard.
AVENTURE I. Au pr. 1. → événement. **2.** → entreprise. **II. Par ext. 1.** → hasard. **2.** → destinée.
AVENTURER Commettre, compromettre (péj.), émettre, essayer, exposer, hasarder, jouer, jouer son va-tout, se lancer, risquer, risquer le paquet (fam.), tenter. → expérimenter.
AVENTUREUX, EUSE Aventurier, entreprenant, hasardeux, imprévoyant, osé, risqué, téméraire.
AVENTURIER, ÈRE I. Nom → intrigant. **II. Adj.** → aventureux.

AVENUE I. → *allée.* **II.** → *rue.* **III.** → *voie.*

AVÉRÉ, E → *vrai.*

AVÉRER → *vérifier.*

AVÉRER (S') **I.** → *paraître.* **II.** → *ressortir.*

AVERSE → *pluie.*

AVERSION → *éloignement.*

AVERTIR Alerter, aviser, crier de (vx), dénoncer, dire, donner avis, faire connaître/savoir, indiquer, informer de, instruire, mettre en demeure, montrer, notifier, porter à la connaissance, prévenir, signaler.

AVERTISSEMENT **I. Neutre ou favorable :** avis, communication, conseil, indication, information, monition (relig.), recommandation, signalement, suggestion. **II. Non favorable :** admonestation, remontrance, représentation, réprimande. → *reproche.* **III. Par ext. 1.** → *préface.* **2.** → *lettre.*

AVERTISSEUR Klaxon, signal, sonnette, trompe.

AVETTE Abeille, apis, mouche à miel.

AVEU Approbation, confession, confidence, consentement, déclaration, mea culpa, reconnaissance.

AVEUGLANT, E → *évident.*

AVEUGLÉ, E Fig. → *troublé.*

AVEUGLEMENT **I. Au pr. :** cécité. **II. Fig. :** confusion, entêtement, fascination, ignorance, obscurcissement, opiniâtreté. **III.** → *trouble.*

AVEUGLÉMENT A l'aveugle/aveuglette/tâtons, sans regarder, sans voir.

AVEUGLER I. Au pr. → *boucher.* **II. Fig. 1.** → *éblouir.* **2.** → *troubler.*

AVEUGLETTE (A L') → *aveuglément.*

AVEULIR → *affaiblir.*

AVIATEUR, TRICE Aéronaute, commandant de bord, navigant, pilote.

AVIDE I. Au pr. → *glouton.* **II. Fig.** → *intéressé.*

AVIDITÉ Ambition, avarice, concupiscence, convoitise, cupidité, désir insatiable, gloutonnerie, goinfrerie, rapacité, vampirisme.

AVILI, E → *vil.*

AVILIR → *abaisser.*

AVILISSEMENT → *bassesse.*

AVION Aéronef, aéroplane, jet, plus lourd que l'air.

AVIRON **I.** Godille, pagaie, rame. **II. Par ext. :** régates.

AVIS I. → *avertissement.* **II.** → *opinion.* **III.** → *préface.* **IV.** → *proclamation.* **V. Loc. Donner avis** → *avertir.*

AVISÉ, E → *habile, prudent.*

AVISER I. V. tr. 1. → *avertir.* **2.** → *voir* **II.· V. intr.** → *pourvoir.*

AVISER (S') I. → *oser.* **II.** → *trouver.* **III.** → *penser.*

AVIVER → *augmenter.*

AVOCAT → *défenseur.*

AVOIR I. Nom masc. 1. → *bénéfice.* **2.** → *biens.* **II. V. tr. 1.** Détenir, jouir de, posséder, tenir. **2.** → *obtenir.* **III. Par ext. 1.** → *tromper.* **2.** → *vaincre.*

AVOISINANT, E → *prochain.*

AVORTEMENT I. Au pr. : arrêt/interruption de grossesse, fausse couche. **II. Fig. :** déconfiture, défaite, échec, faillite, insuccès, perte, revers.

AVORTER Chuter, échouer, faire long feu/fiasco, foirer (fam.), louper (fam.), manquer, rater.

AVORTON I. Au pr. : fausse couche. **II. Par ext. 1.** Embryon, fœtus, germe, graine, œuf. **2.** Aztèque, freluquet, gnome, lilliputien, magot, microbe, myrmidon, nabot, nain, pot à tabac, pygmée, ragot, ragotin, rase-mottes, tom-pouce.

AVOUER I. Au pr. : Admettre, concéder, constater, confesser, confier, convenir, décharger/dégager sa conscience, déclarer, dire, reconnaître, tomber d'accord. **II. Arg. :** cracher le morceau, se déboutonner, se dégonfler, manger le morceau, se mettre à table, vider son sac.

AVULSION Arrachement, déracinement, divulsion, éradication, évulsion, extirpation, extraction.

AXE Arbre, essieu, ligne, pivot, vecteur.

AXER → *diriger.*

AXIOME I. Au pr. : évidence, exactitude, postulat, proposition, prémisse, vérité. **II. Par ext. :** adage, aphorisme, apophtegme, maxime, morale, pensée, sentence.

AZULERO → *céramique.*

AZUR Air, atmosphère, bleu, ciel, éther, firmament, voûte céleste.

AZURÉ, E Azurin, bleu, bleuâtre, bleuté, céleste, céruléen, lapis-lazuli, myosotis, pervenche, saphir.

BABA I. Adj. *Fam.* : abasourdi, comme deux ronds de flan, ébahi, étonné, stupéfait, surpris. **II. Nom masc. :** marquise, savarin.

BABIL I. Au pr. : gazouillement, gazouillis. **II. Par ext. :** bruit, murmure.

BABILLAGE I. Favorable ou neutre **:** babillement, bavardage, gazouillement, gazouillis, ramage. **II.** Non favorable **:** caquet, caquetage, jacassement, jaserie.

BABILLARDE Bafouille (fam.), bifton (argot milit.), lettre, message, missive, poulet (fam.).

BABILLER I. Neutre ou favorable : bavarder, gazouiller. **II. Non favorable :** cancaner, caqueter, jacasser, jaser, médire.

BABINES Au pr. 1. *D'un animal :* lèvres, lippes. **2. *De quelqu'un :*** badigoinces (fam.), lèvres, lippes.

BABIOLE I. Chose sans importance : affiquet, amusement, amusette, amusoire, bagatelle, baliverne, bêtise, bibelot, bimbelot, breloque, bricole, brimborion, caprice, colifichet, connerie (vulg.), fanfreluche, fantaisie, frivolité, futilité, rien. **II. Affaire sans importance. 1. *Neutre ou favorable :*** amusement, badinerie, bricole (fam.), broutille, futilité, jeu, plaisanterie, rien. **2. *Non favorable :*** baliverne, bêtise, chanson, fadaise, futilité, sornette, sottise, vétille. **III. Par ext. :** amourette, badinage, chose, flirt, galanterie. → *amour.*

BÂBORD Côté gauche.

BABOUCHE Chaussure, mule, pantoufle, savate.

BAC I. Bachot, bateau plat, embarcation, ferry-boat, toue, traille, va-et-vient. → *bateau.* **II.** Auge, baquet, bassin, cuve, timbre. **III.** → *baccalauréat.*

BACCALAURÉAT Bac (fam.), bachot (fam.), peau d'âne (fam.), premier grade universitaire.

BÂCHE Banne, couverture, prélart (mar.), toile.

BACILLAIRE Bactérien, microbien, parasite.

BACILLE Bactérie, germe, microbe, virus.

BÂCLAGE Expédition, gâchis, liquidation, sabotage, sabrage, torchage (fam.).

BÂCLER Brocher, expédier, finir, gâcher, liquider, saboter, sabrer, torcher (fam.).

BACTÉRIE Bacille, germe, microbe, virus.

BACTÉRIEN, ENNE Bacillaire, microbien, parasite.

BADAUD I. Non favorable : crédule, gobe-mouches (fam.), niais, nigaud, oisif, sot. → *bête.* **II. Neutre :** curieux, flâneur, lèche-vitrine (fam.), promeneur.

BADAUDERIE Crédulité, niaiserie, nigauderie, oisiveté, sottise. → *bêtise.*

BADERNE I. Mar. : protection. **II. Loc. *Vieille baderne* (fam.) :** culotte de peau (milit.), peau de vache (fam.), son et lumière (fam.), vieux chose (fam.), vieux con (grossier), vieux machin (fam.), vieux truc (fam.), vieille vache (fam.).

BADIGEON Enduit. → *peinture.*

BADIGEONNAGE Barbouillage (péj.), enduit. → *peinture.*

BADIGEONNER I. Au pr. : enduire, peindre. **II. Par ext. :** barbouiller, enduire, farder, oindre, peindre, recouvrir.

BADIN, E I. Favorable ou neutre : drôle, enjoué, espiègle, folâtre, fou, foufou (fam.), gai, gamin, rigolo (fam.). **II. Non favorable :** désinvolte, frivole, léger, libre.

BADINAGE I. Au pr. : amusement, amusette, badinerie, batifolage, enjouement, gaieté, jeu, plaisanterie. **II. Avec intention galante :** bluette, fleurette, flirt, galanterie, marivaudage.

BADINER I. Au pr. : s'amuser, jouer, plaisanter, taquiner. **II. Avec intention galante :** baratiner (fam.), conter fleurette, flirter, marivauder.

BADINE I. Nom fém. : canne, cravache, baguette, jonc, stick. **II. Nom fém. pl. :** pincettes.

BAFOUER Abaisser, brocarder, fouler aux pieds, se gausser de, humilier, mettre en boîte (fam.), se moquer de, outrager, se payer la tête de (fam.), persifler, railler, ridiculiser, vilipender.

BAFOUILLAGE Baragouin, baragouinage, bredouillement, cafouillage, charabia (fam.), déconnage (grossier), jargon, merdoyage (grossier), merdoiement (grossier).

BAFOUILLE Babillarde, bifton (argot milit.), lettre, message, missive, poulet (fam.).

BAFOUILLER I. Balbutier, baragouiner (fam.), bégayer, bredouiller, cafouiller (fam.), déconner (grossier), s'embrouiller, jargouiner, manger ses mots, marmonner, merdoyer (grossier), murmurer. **II. Loc. :** ça se bouscule au portillon (fam.).

BAFOUILLEUR, EUSE Baragouineur (fam.), bégayeur, bredouilleur, cafouilleur (fam.), déconneur (grossier), merdoyeur (grossier).

BÂFRER I. Avaler, bouffer, boustifailler, brifer, déglutir, empiffrer, s'empiffrer, engloutir, faire ripaille, goinfrer, se goinfrer, s'en mettre plein la lampe (fam.), phagocyter (fam.), se taper la cloche (fam.). **II. Loc. :** se faire péter la sous-ventrière (fam.).

BÂFREUR Bouffeur (fam.), boustifailleur, empiffreur, glouton, goinfre, goulu, gourmand, phagocyte (fam.), ripailleur, tube digestif (fam.).

BAGAGE I. Au pr. 1. Au pl. : affaires. **2. Sing. et pl. :** attirail (fam.), balle, ballot, balluchon, barda (arg. milit.), caisse, cantine (milit.), chargement, colis, équipement, fourbi (fam.), malle,

paquet, paquetage (milit.), sac, valise. **3.** Arroi (vx), équipage, train. **II. Par ext. :** acquis, compétence, connaissance, savoir. **III. Loc. 1. Avec armes et bagages :** totalement et rapidement, sans demander son reste. **2. Plier bagage :** déguerpir, s'enfuir, partir rapidement.

BAGARRE Altercation, baroud (milit.), bataille, combat, crosses (fam.), discussion, dispute, échauffourée, lutte, noise, querelle, rixe.

BAGARRER, SE BAGARRER I. Au pr. : barouder (milit.), batailler, se battre, se disputer, se quereller, chercher noise/des noises/querelle. **II. Par ext. :** agir/discuter avec ardeur/conviction, lutter.

BAGARREUR Agressif, baroudeur (milit.), batailleur, combatif, mauvais coucheur, querelleur.

BAGATELLE I. Chose sans importance : affiquet, amusement, amusette, amusoire, babiole, baliverne, bêtise, bibelot, bimbelot, breloque, bricole, brimborion, caprice, colifichet, connerie (vulg.), fanfreluche, fantaisie, frivolité, futilité, rien. **II. Affaire sans importance. 1. Neutre ou favorable :** amusement, badinerie, bricole (fam.), broutille, futilité, jeu, plaisanterie, rien. **2. Non favorable :** baliverne, bêtise, chanson, fadaise, futilité, sornette, sottise, vétille. **III. Par ext. :** amourette, badinage, chose, flirt, galanterie. → *amour.*

BAGNARD Détenu, forçat, relégué, transporté.

BAGNE Biribi (fam.), chiourme, détention criminelle, pénitentier, réclusion criminelle, relégation, transportation, travaux forcés.

BAGNOLE I. Au pr. : auto, automobile, taxi, tire (arg.), véhicule. → *voiture.* **II. Péj. :** clou, ferraille, tacot.

BAGOU I. Au pr. : babil, babillage, baratin (fam.), bavardage, bavarderie, bavasserie (fam.), boniment, caquetage, éloquence, jacasserie, jaserie, jaspin (arg.), langue bien affilée/pendue (fam.), logorrhée, loquacité, papotage, parlage (fam.), parlerie, parlote, patati et patata (fam.), verbiage. **II. Par ext. :** anecdote, cancans, commérage, chronique, histoires, indiscrétion, médisance, papotage, potins, racontars, ragots.

BAGUE Alliance, anneau, brillant, chevalière, diamant, jonc, marguerite, marquise, solitaire.

BAGUENAUDER, SE BAGUENAUDER Se balader, faire un tour, flâner, lanterner, musarder, muser, prendre l'air, se promener, sortir, se traîner, se trimbaler (fam.).

BAGUETTE I. Au pr. : petit bâton, tige. **II. Par ext. :** badine, canne, cravache, houssine, jonc, stick, verge. **III. Loc.** *D'un coup de baguette :* par enchantement, magiquement, par magie, miraculeusement, par miracle.

BAHUT I. Meuble : armoire, buffet, coffre, dressoir, huche, maie, semainier, vaisselier. **II. Argot scolaire :** école, collège, lycée. **III. Argot routier :** camion.

BAIE I. Anse, calanque, conche, crique, golfe, havre. **II.** Croisée, double fenêtre, fenêtre, lucarne, ouverture. **III.** Akène, drupe, fruit, graine.

BAIGNADE → *bain.*

BAIGNER I. V. tr. 1. *On baigne quelqu'un ou quelque chose :* laver, mettre dans l'eau, mouiller, nettoyer, plonger dans l'eau, tremper. **2.** *Un fleuve :* arroser, couler dans, irriguer, traverser. **3.** *La mer :* entourer. **4.** *Par ext. :* inonder, mouiller, remplir. **II. V. intr. :** immerger, nager, noyer (péj.), être plongé, tremper.

BAIGNER (SE) Faire trempette (fam.), se laver, nager, se nettoyer, se plonger dans l'eau, prendre un bain, se tremper.

BAIGNEUR, EUSE I. Au pr. : nageur. **II. Par ext. :** aoûtien (fam.), curiste, touriste, vacancier.

BAIGNOIRE I. Piscine, tub. **II. Théâtre :** avant-scène, loge, mezzanine.

BAIL Commandite, contrat, convention, fermage, location, loyer.

BÂILLEMENT Fig. : échancrure, ouverture.

BÂILLER I. Quelqu'un : se décrocher la mâchoire (fam.), ouvrir un four (fam.). **II. Par ext.** *Quelque chose :* être béant/entrouvert/mal ajusté/mal fermé/mal joint/mal tendu.

BAILLEUR, ERESSE I. D'immeubles : propriétaire, proprio (arg.). **II. De fonds :** capitaliste, commanditaire, créancier, prêteur.

BÂILLON Bandeau, muselière, tampon.

BÂILLONNER I. Au pr. : museler. **II. Fig. :** étouffer, museler, réduire au silence.

BAIN I. L'action : ablution, baignade, douche, toilette, trempette. **II. Le lieu. 1. Naturel :** conche, plage, rivière. **2. Aménagé :** bain turc, hammam, piscine, sauna. **III. Loc.** *Être dans le bain :* être compromis, être impliqué dans, être mouillé (fam.),

BAISER v. tr. **I. Au pr. :** bécoter (fam.), biser, donner un baiser, *et les syn. de* BAISER *(nom)*, embrasser, faire la bise (fam.), poser un baiser sur, sucer la pomme (fam.). **II. Par**

ext. **1. Vulg.** → *accoupler (s').* **2. Loc.** *Se faire baiser* (grossier) : être abusé/dupé/feinté/pris/roulé/trompé, se faire avoir/posséder/prendre/rouler.

BAISER n. m. **I. Au pr. :** bécot (fam.), bise (fam.), embrassade, poutou (fam.), suçon. **II. Loc. 1.** *Baiser de Judas :* fourberie, mensonge, trahison, traîtrise. → *hypocrisie.* **2.** *Baiser Lamourette :* duperie, leurre, réconciliation passagère, succès sans lendemain, tromperie.

BAISSE Abaissement, affaiblissement, affaissement, amoindrissement, chute, déclin, diminution, effondrement, faiblissement, fléchissement.

BAISSER I. V. tr. 1. Au pr. : abaisser, descendre, rabaisser, rabattre. **2. La tête :** courber, incliner, pencher. **3. Par ext. :** abattre, démarquer, diminuer, faire un abattement, réduire. **II. V. intr. 1. Quelqu'un :** s'affaiblir, décliner, décroître, diminuer, devenir gâteux (fam.), faiblir, sucrer les fraises (fam.). **2. Quelque chose :** descendre, s'effondrer, faiblir, refluer.

BAL I. Au pr. 1. Neutre ou favorable : dancing, night-club, salle de bal, salon. **2. Non favorable :** bastringue, boîte, guinche, guinguette, pince-fesses (vulg.). **3. Bal champêtre :** frairie, musette. **II. Par ext. 1.** Fête, réception, soirée, surprise-partie. **2. L'après-midi :** cinq à sept, cocktail dansant, sauterie, thé dansant. **3. Argot des jeunes :** boum, quelque chose, surboum, surpatte.

BALADE Excursion, promenade, randonnée, sortie, tour, voyage.

BALADER Faire faire un tour, faire prendre l'air à, promener, sortir, trimbaler (fam. et péj.).

BALADER (SE) I. Au pr. : se baguenauder (fam.), faire un tour, flâner, lanterner, musarder, muser, prendre l'air, se promener, sortir, se traîner (fam.), se trimbaler (fam.). **II. Par ext. :** faire une excursion/du tourisme, un voyage, voir du pays, voyager. **III. Non favorable :** baguenauder, errer, flâner, lécher les vitrines (en ville).

BALADIN Acteur ambulant, acrobate, bateleur, clown, comédien, danseur, enfant de la balle, saltimbanque.

BALAFRE Cicatrice, coupure, entaille, estafilade, taillade. → *blessure.*

BALAFRER Couper, entailler, taillader, tailler. → *blesser.*

BALAI I. Au pr. : balayette, brosse. **II. Par ext. :** aspirateur. **III. Loc.** *Coup de balai* (fam.) : changement, congédiement, liquidation, mise à jour, nettoyage, purge.

BALANCE I. Au pr. 1. *De petite ou* *moyenne capacité :* pèse-bébé, pèse-grains, pèse-lettre, pesette, peson, romaine, trébuchet. **2.** *De* *grande capacité :* bascule, poids public. **II. Fig. :** équilibre, rapport. **III. Loc. 1.** *Mettre en balance :* comparer, favoriser. **2.** *Rester/être en* *balance :* hésiter. **3.** *Tenir en ba-* *lance :* laisser dans l'incertitude, rendre hésitant. **IV. Comptabilité :** bilan, compte, différence, solde.

BALANCÉ, E (BIEN) I. Un garçon : balèze (fam.), beau gars, bien bara- qué (arg.)/bâti/proportionné, costaud. **II. Une fille :** beau brin de fille, beau châssis (arg.), belle fille, bien bâtie/ faite/proportionnée/roulée (fam.)/ tournée, faite au moule.

BALANCEMENT I. Au pr. : alter- nance, bascule, battement, bercement, branle, branlement, brimbalement, dandinement, dodelinement, flotte- ment, fluctuation, flux et reflux, ondula- tion, oscillation, roulis, tangage, vacil- lation, va-et-vient. **II. Par ext. 1.** Flottement, hésitation. **2.** *Littérature :* cadence, harmonie, rythme. **III. Fig. :** compensation, équilibre, pondération.

BALANCER I. V. tr. 1. *Au pr. :* agiter, bercer, faire aller et venir, faire aller de droite et de gauche, faire osciller, remuer. **2.** *Par ext. :* balayer, bazarder (fam.), chasser, congédier, se débarrasser de, donner son compte à, envoyer promener/valser, expulser, faire danser (fam.)/ valser (fam.), ficher/foutre (grossier)/jeter à la porte, remercier, renvoyer. **3.** *Comp-* *tabilité :* couvrir, solder. **4.** *Une* *force :* compenser, contrebalancer, équilibrer, neutraliser. **II. V. intr.** **1.** *Au pr. :* aller de droite et de gauche, brimbaler, bringuebaler, être secoué, osciller, remuer, rouler, tanguer, vacil- ler. **2.** *Fig. :* examiner, flotter, hésiter, peser le pour et le contre. **III. Loc.** **1.** *Je m'en balance :* ça m'est égal, je m'en fiche, je m'en fous (vulg.), je m'en moque. **2.** *Envoyer balancer :* bazarder, se décourager (au fig.), envoyer promener (fam.), liquider, renoncer à, vendre. **3.** *Ça se balance :* s'équilibrer, se neutraliser, se valoir.

BALANÇOIRE I. Bascule, escarpo- lette. **II. Fig. :** baliverne, sornette. **III. Loc.** *Envoyer quelqu'un à la* *balançoire* (fam.) : congédier, envoyer promener. → *balancer.*

BALAYAGE Dépoussiérage, nettoie- ment, nettoyage.

BALAYER I. Au pr. : brosser, don- ner un coup de balai, enlever la poussière, frotter, nettoyer, passer le balai. **II. Fig. 1.** *Quelque chose :* chasser, déblayer, dégager, éclaircir, éclairer, fouiller. **2.** *On balaie quel-*

qu'un (fam.) : balancer, bazarder, chasser, congédier, se débarrasser de, donner son compte à, envoyer pro- mener, faire danser (fam.)/valser (fam.), ficher (fam.)/foutre (gros- sier)/jeter à la porte, liquider, mettre dehors/à la porte, remercier, renvoyer, supprimer.

BALAYEUR Boueur, boueux, em- ployé au petit génie.

BALBUTIEMENT I. Au pr. 1. *Neutre :* babil, murmure. **2.** *Non fa-* *vorable :* ânonnement, bafouillage, baragouin, bégaiement, bredouille- ment. **II. Fig. :** aube, aurore, com- mencement, début, enfance.

BALBUTIER I. Favorable ou **neutre :** articuler, babiller, murmurer. **II. Non favorable :** ânonner, bafouil- ler, baragouiner, bégayer, bredouiller, marmonner, marmotter, merdoyer (fam.), se troubler.

BALCON Avancée, galerie, loggia.

BALDAQUIN I. Au pr. : dais. **II.** **Relig. :** ciborium. **III. Mobilier :** ciel de lit.

BALEINE I. Mammifère cétacé : épaulard, jubarte, orque, rorqual, rorque. **II. De corset :** busc.

BALEINIÈRE Canot, chaloupe, em- barcation. → *bateau.*

BALÈZE I. Baraqué (arg.), costaud, fort, grand. **II. Loc. :** armoire à glace (fam.), fort comme un Turc.

BALISAGE Guidage, radioguidage, signalement.

BALISE Bouée, clignotant, feu, feu clignotant, marque, poteau, signal.

BALISER Indiquer, marquer, munir de balises, signaler, tracer.

BALIVERNE I. Balançoire, billevesée, bourde, calembredaine, chanson, con- nerie (fam.), conte, coquecigrue, enfantillage, facétie, fadaise, faribole, futilité, histoire, niaiserie, puérilité, rien, sornette, sottise. **II.** → *baga-* *telle.* **III.** → *bêtise.*

BALLADE Chanson, lied, refrain. → *poème.*

BALLANT, E I. Adj. : oscillant, pen- dant. **II. Loc.** *Donner du ballant :* détendre, donner du mou, relâcher.

BALLAST I. D'une voie : remblai. **II. Mar. 1.** Lest. **2.** Réservoir.

BALLE I. Ballon, pelote. **II. Loc.** *Balle au panier :* basket-ball. **III.** Cartouche, plomb, projectile, pruneau (arg.). **IV.** Affaires, attirail, ballot, balluchon, barda (arg. milit.), caisse, cantine, colis, fourbi (fam.), paquet, paquetage (milit.), sac. **V. Monnaie** (pop.) : franc. **VI. Loc. fam.** *Une* *bonne balle :* bouille (fam.), figure, mine, tronche (arg.). → *tête.* **VII.**

Botan. : cosse, enveloppe, glume, glumelle.

BALLERINE Danseuse, étoile, petit rat, premier sujet.

BALLET Chorégraphie, danse, divertissement, spectacle de danse.

BALLON I. Balle. **II.** Loc. *1. Ballon rond :* foot, football, football-association. *2. Ballon ovale :* rugby, jeu à treize/à quinze. **III.** Aéronef, aérostat, dirigeable, montgolfière, saucisse, zeppelin. **IV.** Loc. *Faire ballon* (fam.) : faire tintin (fam.), être déçu/privé de quelque chose.

BALLONNÉ, E Enflé, gonflé, météorisé, tendu.

BALLONNEMENT Enflure, gonflement, météorisation, météorisme, tension.

BALLOT I. Au pr. *1.* Affaires, attirail (fam.), bagage, balle, balluchon, barda (arg. milit.), caisse, cantine (milit.), chargement, colis, équipement, fourbi (fam.), malle, paquet, paquetage (milit.), sac, valise. *2.* Arroi (vx), équipage, train. **II. Par ext. :** acquis, compétence, connaissance, savoir. **III.** Loc. *1. Avec armes et bagages :* totalement et rapidement, sans demander son reste. *2. Plier bagages :* déguerpir, s'enfuir, partir rapidement. **IV. Fig. :** absurde, andouille, âne, balourd, baluche, balluchon, baudet, béjaune, bêta, bêtasse, bêtasson, borné, bourrin, bourrique, buse, con (grossier), connard (grossier), corniaud, cornichon, couillon, cruche, cruchon, du schnoque, emprunté, enflé (péj.), enfoiré (grossier), fourneau, gauche, gourde, gourdiflot, idiot, imbécile, lourdaud, maladroit, moule, niais, nouille, nullité, panouille, pauvre d'esprit, rustre, sot, stupide. → *bête.*

BALLOTTEMENT Agitation, balancement, remuement, secousse.

BALLOTTER I. Quelqu'un ou quelque chose : agiter, balancer, cahoter, remuer, secouer. **II. Quelqu'un :** rendre hésitant/indécis, tirailler.

BALLUCHE, BALLUCHON → *ballot.*

BALNÉAIRE I. Station balnéaire : station thermale. **II.** Bord de mer.

BALOURD, E Emprunté, fruste, gaffeur, gauche, grossier, lourd, lourdaud, maladroit, rustaud, rustre. → *bête.*

BALOURDISE Gaffe, gaucherie, grossièreté, lourdeur, maladresse, rusticité, sottise, stupidité. → *bêtise.*

BALUSTRADE Garde-corps, garde-fou, parapet, rambarde.

BAMBIN Bébé, chérubin, enfant, gamin, petiot (fam.), petit.

BAN I. Au pl. : publication. **II.** Applaudissement, hurrah, ovation. **III.** Loc. *Le ban et l'arrière-ban :* tout le monde. **IV.** Loc. *Mettre au ban de :* bannir, chasser, exiler, expulser, mettre en marge de, refouler, repousser.

BANAL, E I. Neutre : commun, courant, ordinaire. **II. Non favorable :** battu, impersonnel, insignifiant, pauvre, plat, rebattu, sans originalité, trivial, usé, vieux, vulgaire.

BANALITÉ Cliché, lapalissade, lieu commun, pauvreté, platitude, poncif, truisme.

BANC I. Banquette, siège. **II. Au pl. *Dans un amphithéâtre :*** gradins. **III. Mar. :** banquise, bas-fond, brisant, écueil, récif. **IV. Géol. :** amas, assise, couche, strate.

BANCAL, E I. Quelqu'un : bancroche, boiteux, éclopé. **II. Un objet :** boiteux, branlant, déglingué (fam.), de guingois (fam.), en mauvais état. **III. Un raisonnement :** boiteux, contestable, faux, fumeux (fam.), illogique, spécieux.

BANDAGE I. Appareil, attelle, bande, écharpe, ligature, minerve, orthopédie, pansement. **II.** Tension.

BANDE I. Au pr. : bandage, bandeau, bandelette, ceinture, sangle. **II. Par ext. *1.*** Bras, coin, morceau. *2. Cinéma :* film, pellicule. **III. Groupe d'hommes. *1. Neutre :*** armée, association, cohorte, compagnie, équipe, groupe, parti, troupe. *2. Non favorable :* clan, clique, coterie, gang, horde, ligue, meute. **IV. Groupe d'animaux :** harde, meute, troupe, troupeau.

BANDER I. Au pr. : faire un pansement, panser, soigner. **II. Par ext. *1.*** Fermer, obturer. *2.* Raidir, roidir, tendre. *3.* Appliquer son attention à, concentrer, tendre son esprit à. *4.* Être en érection. → *jouir.*

BANDEROLE Calicot, flamme, oriflamme. → *bannière.*

BANDIT Apache, assassin, bon à rien, brigand, chenapan, criminel, forban, fripouille, gangster, hors-la-loi, malandrin, malfaiteur, pirate (fam.), sacripant, terreur, vaurien, voleur, voyou.

BANLIEUE Agglomération, périphérie, alentours, ceinture, cité-dortoir (péj.), environs, extension, périphérie, quartiers excentriques, zone suburbaine.

BANNI, E Bagnard, déporté, expatrié, exilé, expulsé, interdit de séjour, proscrit, refoulé, relégué, transporté (vx).

BANNIÈRE I. Banderole, bandière, couleurs, drapeau, étendard, fanion, flamme, guidon, gonfanon, oriflamme, pavillon. **II. Loc. *1. C'est la croix***

et la bannière : c'est très difficile, il faut y mettre beaucoup de formes, il se fait beaucoup prier. *2. Se ranger sous la bannière :* adhérer, adopter, participer, se ranger à l'avis. *3. Arborer, déployer la bannière de :* afficher, donner le signal de, soulever au nom de. *4. Se promener en bannière* (fam.) : en pan de chemise.

BANNIR I. Au pr. : non favorable. *On bannit quelqu'un :* chasser, contraindre à quitter le territoire, déporter, exclure, exiler, expatrier, expulser, interdire de séjour, limoger, ostraciser, proscrire, refouler, reléguer, transporter (vx). **II. Fig. Neutre ou favorable.** *On bannit quelque chose :* s'abstenir de, arracher, chasser, condamner, écarter, éloigner, éviter, exclure, fuir, ôter, proscrire, rayer, refouler, rejeter, repousser, supprimer.

BANNISSEMENT I. De quelqu'un : bagne, déportation, exclusion, exil, expulsion, interdiction de séjour, limogeage, ostracisme (fig.), proscription, relégation, transportation (vx). **II. De quelque chose :** abandon, abstention, abstinence, condamnation, éloignement, exclusion, prescription, rejet, suppression.

BANQUE I. Caisse de crédit/de dépôts, établissement de crédit, comptoir. **II. Loc.** *Billet de banque :* argent, assignat (vx), bank-note (angl.), espèces, fafiot (pop.), fonds, image (fam.), monnaie, papier, papier-monnaie, pèse ou pèze (arg.), ticket (arg.).

BANQUEROUTE Déconfiture, faillite, krack, liquidation, ruine.

BANQUET Agapes, bombance (fam.), bombe, brifeton (fam.), festin, festivité, fête, grand repas, gueuleton (fam.), réjouissances, repas d'apparat, ripaille (péj.).

BANQUETER I. Au pr. 1. Faire des agapes/un bon repas/un festin/la fête. *2. Fam. :* faire bombance/la bombe/ripaille, gueuletonner, s'en mettre plein la lampe, se remplir la panse, ripailler, se taper la cloche. **II. Non favorable :** bambocher, faire la bamboula/la noce/ripaille, ripailler.

BANQUETTE Banc, pouf, siège.

BANQUISE Banc de glace, iceberg.

BAOBAB Adansonia, arbre à pain.

BAPTÊME I. Au pr. : bain purificateur, engagement, immersion, onction, ondoiement, purification, régénération. **II. Fig. :** début, consécration, initiation, révélation.

BAPTISER I. Au pr. : administrer le baptême, immerger, oindre, ondoyer, purifier, régénérer. **II. Fig. :** bénir, consacrer, initier, révéler.

BAQUET Auge, bac, baille, barbo-

tière, comporte, cuve, cuvier, jale, récipient, seille, seillon.

BAR I. Le local : bistrot (péj.), brasserie, buvette, cabaret, café, café-tabac, club, débit de boissons, pub (angl.), saloon (amér.), snack-bar, taverne, troquet (pop.), whisky-club. **II. Loc.** *Être servi au bar :* au comptoir, sur le pouce (fam.), sur le zinc (fam.).

BARAGOUIN Baragouinage, bredouillement, cafouillage, charabia, déconnage (grossier), jargon, merdoyage (grossier), merdoiement (grossier).

BARAGOUINER I. Bafouiller, balbutier, bégayer, bredouiller, cafouiller, déconner (grossier), s'embrouiller, jargouiner, manger ses mots, marmonner, marmotter, merdoyer (grossier), murmurer. **II. Loc. :** ça se bouscule au portillon.

BARAGOUINEUR, EUSE Bafouilleur, bégayeur, bredouilleur, cafouilleur, déconneur (grossier), merdoyeur (grossier).

BARAQUE I. Neutre : appentis, baraquement, cabane, cassine, hangar, loge. **II. Non favorable :** bicoque, boîte, boutique, cabane, masure.

BARAQUÉ, E Armoire à glace (fam.), balancé, balèze (fam.), beau gars, belle fille, bien balancé/bâti/fait/proportionné / roulé / tourné, costaud, fait au moule, fort, fort comme un Turc, grand, membré, puissant, râblé.

BARAQUEMENT I. → baraque. **II. Milit. :** camp, cantonnement, casernement.

BARATIN I. Au pr. : abattage, bagou, boniment, brio, charme, faconde, hâblerie, parlote. **II. Loc.** *Faire du baratin :* bavardage, boniment, compliment, histoire, salade (arg.).

BARATINER I. Au pr. : avoir du bagou, bavarder, chercher à convaincre/à persuader, hâbler, faire du boniment. **II. Par ext. :** complimenter, entreprendre, faire du boniment/du charme/des compliments/la cour, jeter du grain (arg.), raconter des salades (arg.), séduire.

BARATINEUR, EUSE I. Neutre : bavard, beau parleur, bonimenteur, charmeur, séducteur. **II. Péj. :** hâbleur, menteur.

BARBANT, E Assommant, embêtant, emmerdant (vulg.), ennuyeux, la barbe (fam.), rasant, rasoir.

BARBARE Bestial, brutal, cruel, féroce, grossier, impitoyable, impoli, inconvenant, incorrect, inculte, inhumain, non civilisé, non policé, sauvage, vandale.

BARBARIE Atrocité, bestialité, brutalité, cruauté, état de nature, férocité, grossièreté, inhumanité, inconvenance, incorrection, sauvagerie, vandalisme.

BARBE I. Barbiche, barbichette, bouc, collier, impériale, mouche, poils. **II. Loc.** *La barbe* → *barbant.*

BARBECUE Fourneau, rôtissoir, tournebroche.

BARBELÉ I. Piquant. **II. Fil barbelé :** ronce. **III. Pl. :** chevaux de frise.

BARBER Assommer, embêter, emmerder (vulg.), ennuyer, raser.

BARBIER Coiffeur, figaro, perruquier.

BARBITURIQUE Hypnotique, sédatif, somnifère, tranquillisant.

BARBON Péj. : baderne, chefd'œuvre en péril (arg.), grison, vieillard, vieille bête, vieux, vieux beau/con (grossier)/schnoque.

BARBOTER I. V. intr. : s'agiter dans, s'embourber, s'empêtrer, s'enliser, fouiller dans, patauger, patouiller, tremper/se vautrer dans. **II. V. tr. :** chaparder, chiper, piquer, prendre, soustraire, voler.

BARBOUILLAGE Bariolage, croûte (péj.), dessin d'enfant, gribouillage, gribouillis, griffonnage, mauvaise peinture, pattes de mouche.

BARBOUILLER Badigeonner, barioler, couvrir, embarbouiller, encrasser, enduire, gâter, gribouiller, griffonner, maculer, noircir, peindre, peinturer, peinturlurer, salir, souiller, tacher.

BARBOUILLEUR, EUSE Non favorable. 1. *Un écrivain :* écrivailleur, écrivassier, chieur d'encre (grossier), folliculaire, gendelettre, gribouilleur, pisse-copie, plumitif. **2.** *Un peintre :* badigeonneur, gribouilleur, mauvais peintre, pompier, rapin.

BARBU, E Poilu, velu.

BARDA Fam. : affaires, attirail, bagage, balle, ballot, balluchon, casse, cantine, chargement, colis, équipement, fourbi (fam.), paquet, paquetage, sac, valise.

BARDE n. f. Lamelle, tranche de lard.

BARDE n. m. Chantre, poète, troubadour, trouvère.

BARDER I. V. tr. 1. *Au pr. :* armer, caparaçonner, couvrir, cuirasser, garnir, protéger, recouvrir. **2.** *Par ext. :* consteller, garnir. **II. V. intr.** *Ça barde* (pop.) : aller mal, chambarder, chauffer, chier (grossier), fumer, se gâter, prendre mauvaise tournure.

BARÈME Échelle, recueil, répertoire, table, tarif.

BARGUIGNER Argumenter, discuter, hésiter, marchander.

BARIL I. Pour le vin : barrique, demimuid, feuillette, foudre, fût, futaille, muid, quartaut, tonne, tonneau, tonnelet. **II. Pour les harengs :** caque. **III. Par ext. :** tine, tinette.

BARIOLAGE Barbouillage, bigarrure, chamarrure, couleur, diaprure, mélange.

BARIOLÉ, E Barbouillé, chamarré, coloré, composite, diapré, divers, mélangé, panaché, peinturluré. → *taché.*

BARIOLER Barbouiller, bigarrer, chamarrer, colorer, diaprer, mélanger, panacher, peinturlurer → *peindre.*

BARMAN Garçon, serveur, steward.

BAROQUE Abracadabrant, biscornu, bizarre, choquant, étrange, excentrique, extravagant, exubérant, fantaisiste, fantasque, farfelu, insolite, irrégulier, original, rococo, singulier, surchargé.

BAROUD Affaire, bagarre, barouf, bataille, combat, engagement, lutte.

BAROUDER Bagarrer, batailler, se battre, combattre, en découdre, foncer, guerroyer, lutter.

BAROUDEUR Ardent, aventurier, bagarreur, batailleur, combatif, courageux, fonceur, guerrier, pugnace.

BAROUF Bagarre, baroud, bruit, chahut, cris, dispute, scandale, tapage, trouble, vacarme.

BARQUE Bac, bachot, barcasse, barge, barquette, bélandre, bisquine, cange, canoë, canot, coble, couralin, embarcation, esquif, filadière, gig, gondole, gribane, kayak, nacelle, norvégienne, patache, périssoire, picoteux, pinasse, pirogue, plate, rigue, satteau, saugue, sinagot, taureau, tillole, toue, voirolle, youyou. → *bateau.*

BARRAGE I. Au pr. : batardeau, digue, duit, écluse, jetée, levée, ouvrage d'art, retenue. **II. Par ext. 1.** Arrêt, barrière, borne, clôture, écran, fermeture, obstacle. **2. De police :** cordon. **3. De manifestants :** barricade, blocage de la circulation, bouchon, manifestation, obstruction.

BARRE I. Au pr. : baguette, barreau, bâton, tige, tringle. **II. Par ext. 1.** Arbre, axe, barre à mine, chien, cottière, davier, fourgon, levier, pince, râble, ringard, tisonnier. **2. D'or :** lingot. **3. Mar. :** flot, mascaret, raz. **4. Écriture :** bâton, biffure, rature, trait. **5. D'un bateau :** gouvernail, timonerie. **6. D'un cheval :** ganache, mâchoires. **III. Loc.** *Avoir barre sur :* dominer, l'emporter sur.

BARREAU I. Au pr. : arc-boutant, barre, montant, traverse. **II. Jurid. :** basoche, profession d'avocat.

BARRER I. Au pr. : arrêter, barricader, bloquer, boucher, construire/ édifier un barrage, clore, clôturer, colmater, endiguer, faire écran/obstacle/obstruction, fermer, former un cordon (police), obstruer, retenir. **II. Quelque chose, un mot :** annuler, biffer, effacer, enlever, ôter, raturer, rectifier, retirer, retrancher, soustraire, supprimer. **III. Une embarcation :** diriger, gouverner, mettre le cap.

BARRER (SE) Pop. : s'en aller, se cavaler (arg.), ficher le camp (fam.), foutre le camp (grossier), mettre les bouts (arg.), se tirer (arg.).

BARREUR Pilote.

BARRICADE I. Arrêt, barrage, barrière, clôture, digue, écran, empêchement, fermeture, obstacle, obstruction, retenue, séparation. **II. Loc.** *De l'autre côté de la barricade :* adversaire, adverse, antagoniste, différent, ennemi, opposé.

BARRICADER I. Arrêter, bloquer, boucher, construire/édifier une barricade *et les syn.* de BARRICADE, clore, clôturer, colmater, endiguer, faire écran/obstacle/obstruction, fermer, obstruer, retenir. **II. Loc. 1. Sa porte :** se claustrer, se cloîtrer, condamner sa porte, s'enfermer, s'isoler, refuser de recevoir, refuser de voir, se retirer, se retrancher. **2. Quelqu'un :** bloquer, claustrer, empêcher de sortir, enfermer, retenir, séquestrer.

BARRIÈRE I. Au pr. : arrêt, barrage, barricade, clôture, fermeture, garde-corps, garde-fou, haie, obstacle, palissade, séparation, stop. **II. Fig. :** arrêt, borne, empêchement, limite, obstacle.

BARRIQUE I. Baril, bordelaise, demi-muid, feuillette, foudre, fût, futaille, muid, quartaut, tonne, tonneau. **II. Loc. *Plein comme une barrique :*** comme une huître/un œuf/une outre.

BAS, BASSE I. Au pr. : inférieur. → *petit.* **II. Fig. Péj. :** abject, avili, avilissant, crapuleux, dégradant, grivois, grossier, honteux, ignoble, immoral, impur, indigne, infâme, lâche, laid, lèche-cul (grossier), libre, licencieux, mauvais, méchant, médiocre, méprisable, mesquin, obscène, plat, porno (fam.), pornographique, rampant, ravili, servile, sordide, terre à terre, vénal, vicieux, vil, vulgaire. **III. Loc. 1. A bas prix :** bon marché, en solde, infime, modéré, modique, petit, vil. **2. La rivière est basse :** à l'étiage. **3. L'oreille basse :** confus, honteux, humilié, mortifié, penaud. **4. A voix basse :** doucement. **5. Une voix basse :** assourdi. **6. Le bas pays :** plat. **7. Le bas clergé/peuple :** menu, petit. **8. Basse littérature :** mauvais, méchant, médiocre, minable (fam.), pauvre, piètre. **9. Basse époque :** décadente, tardive. **10. Au bas mot :** au plus

faible, au plus juste, au minimum. **BAS** n. m. **I.** Assise, base, dessous, embase, fond, fondation, fondement, pied, socle, soubassement, support. **II. Par ext.** → *chute.*

BASANE Alude, cuir, peau de chamois/de mouton.

BASANÉ, E Bistré, bronzé, brun, café au lait, foncé, hâlé, noir, noirâtre, noiraud.

BAS-BLEU Péj. : femme écrivain, pédante, prétentieuse.

BAS-CÔTÉ I. Au pr. : banquette, bordure, caniveau, fossé, trottoir. **II. Arch. d'une église :** collatéral, déambulatoire, nef latérale.

BASCULE I. Au pr. : balance, poids public, romaine. **II. Jeu :** balançoire. **III. Par ext. :** capotage, chute, culbute, cul par-dessus tête, renversement, retournement, tonneau.

BASCULER Capoter, chavirer, chuter, culbuter, faire passer cul par-dessus tête (fam.), pousser, renverser, tomber.

BASE I. Au pr. : appui, assiette, assise, bas, dessous, embase, fond, fondation, fondement, pied, socle, soubassement, support. **II. Milit. :** centre, point d'appui/de départ, tête de pont. **III. Par ext. 1.** Appui, assiette, assise, condition, origine, plan, point de départ, prémisse, principe, support. **2. Finances :** taux.

BASER Appuyer, échafauder, établir, faire reposer sur, fonder, tabler.

BASER (SE) S'appuyer, s'établir, se fonder, partir de, tabler sur.

BAS-FOND I. Au pr. : creux, dépression, endroit humide, fond, marais, marécage, ravin. **II. Fig. 1. Non favorable :** bas étage, boue, fange, pègre. **2. Neutre ou favorable:** bas quartiers, quartiers pauvres, sous-prolétariat.

BASILIQUE Cathédrale, église privilégiée, haut lieu du culte, monument religieux, sanctuaire.

BASQUE I. Pan, queue, queue-de-pie. **II. Loc. *Être pendu aux basques de quelqu'un :*** abuser de, coller, être dans les jambes/au crochet de.

BASSE-COUR Cabane à poules, poulailler, volière.

BASSEMENT Abjectement, crapuleusement, grossièrement, honteusement, ignoblement, indignement, lâchement, méchamment, médiocrement, odieusement, platement, servilement, sordidement, vicieusement, vulgairement.

BASSESSE I. Favorable ou neutre : faiblesse, humilité, indignité, misère, pauvreté. **II. Non favorable :** abaissement, abjection, aplatissement, avilissement, bestialité, corruption, crapulerie, dégradation, grossièreté, honte, ignominie, impureté, indignité, infamie, lâcheté, laideur, malignité, méchanceté, mesquinerie, petitesse, platitude, ravalement, servilité, traîtrise, trivialité, turpitude, vénalité, vice, vilenie, vulgarité. **III. Loc.** *Faire des bassesses :* flagorner, flatter, lécher le cul (grossier), faire des platitudes.

BASSIN I. Portatif : bassine, cuvette, récipient, tub, vase. **II. Arch. :** étang, pièce d'eau, piscine, vasque. **III. Mar. :** avant-port, darse, dock. **IV. Géogr. :** cuvette, dépression, plaine. **V. Anat. :** abdomen, bas-ventre, ceinture, lombes.

BASSINER I. Au pr. : chauffer un lit, réchauffer. **II. Pop. :** barber, casser les pieds (fam.), emmerder (vulg.), ennuyer, faire chier (grossier)/ suer (fam.), raser.

BASTILLE I. Château fort. **II. Fig. :** abus, arbitraire, asservissement, pouvoir arbitraire, privilèges. **III.** Prison.

BASTINGAGE Garde-corps, garde-fou, rambarde.

BASTION Casemate, défense, fortification, protection, rempart, retranchement.

BASTONNADE Correction, coups de bâton, fustigation, plumée (fam.), rossée (fam.), volée (fam.).

BASTRINGUE I. Pop. : bal, dancing, guinche, guinguette, musette, pince-fesses. **II. Par ext. 1.** Bruit, chahut, désordre, tapage, tohu-bohu, vacarme. **2.** Attirail, bataclan, bazar, bordel (grossier), désordre, fourbi, foutoir (vulg.).

BAS-VENTRE Abdomen, bassin, cavité pelvienne, ceinture, hypogastre, lombes, nature (pop.), parties, parties honteuses, parties sexuelles, pubis, pudendum, sexe.

BÂT I. Au pr. : brêle, brelle, cacolet, harnais, selle. **II. Fig. :** embarras, défaut, difficulté, gêne, souffrance.

BATACLAN I. Attirail, bastringue, bazar, bordel (grossier), fourbi, foutoir (vulg.), frusques. **II. Loc.** *Tout le bataclan :* tout ce qui s'ensuit, tout le reste.

BATAILLE I. Au pr. *Milit :* accrochage, action, affaire, affrontement, choc, combat, escarmouche, guerre, lutte, mêlée, opération, rencontre. **II. Par ext. :** affrontement, bagarre, combat, lutte, mêlée, querelle, rixe. **III. Fig. 1.** Concurrence, émulation, rivalité. **2.** Discussion.

BATAILLER I. Au pr. : affronter, agir, se bagarrer, se battre, combattre, lutter. **II. Fig. 1.** *Pour réussir :* s'accrocher, agir, bagarrer, se battre, se crever (fam.), s'échiner, foncer, lutter, rivaliser. **2.** *Pour convaincre :* argumenter, discuter, disputer, militer.

BATAILLEUR, EUSE I. Neutre ou favorable : accrocheur, actif, ardent, bagarreur, combatif, courageux, fonceur, lutteur, militant. **II. Non favorable :** bagarreur, belliqueux, irascible, querelleur.

BATAILLON Fig. : accompagnement, cohorte, compagnie, escouade, régiment. → *troupe.*

BÂTARD, E I. Au pr. 1. *Quelqu'un :* adultérin, champi (dial.), illégitime, naturel, né de la cuisse gauche (péj.). **2.** *Animaux :* corniaud, croisé, hybride, mélangé, métis, métissé. **II. Par ext. :** complexe, composite, mélangé, mixte.

BÂTÉ, E Ignare, ignorant, prétentieux. → *bête.*

BATEAU I. Au pr. 1. *De commerce, de pêche, de plaisance, de recherche, de sport :* allège, arche, bac, bachot, balancelle, balandre, baleinière, bananier, barcasse, barge, barque, barquerolle, bâtiment, bathyscaphe, bélandre, berthon, bisquine, bombard, brick, brise-glace, caboteur, cabotière, caïque, cange, canoë, canot, cap-hornier, caraque, caravelle, cargo, chaland, chaloupe, chalutier, charbonnier, cinq-mâts, coble, coquille de noix, coraillère, coraline, cotre, couralin, criss-craft, crevettier, cutter, dandy, dinghy, doris, dragueur, drakkar, embarcation, esquif ferry-boat, filadière, flette, flûte, fruitier, follier, gabare, galéasse, galère, galiote, gigue, goélette, gondole, gribane, harenguier, horsbord, houari, hydroglisseur, kayak, ketch langoustier, long-courrier, lougre, liberty-ship, liner, marie-salope, minéralier, morutier, nacelle, nave, navire, nef, norvégienne, paquebot, patache, pédalo, péniche, périssoire, pétrolier, picoteux, pinasse, pink, pirogue, plate, podoscaphe, pousse-pied, quaîche, quatre-mâts, racer, rafiot, remorqueur, rigue, sampan, sardinier, satteau, saugue, schooner, sinagot, skiff, sloop, steamer, supertanker, tanker, tartane, taureau, thonier, tillole, toue, traille, transatlantique, trois-mâts, unité, vaisseau, vapeur, vaurien, vedette, voilier, voirolle, wager-boat, yacht, yole, youyou. **2. Mar. milit. :** aviso, bâtiment de guerre, canonnière, contre-torpilleur, corvette, croiseur, cuirassé, destroyer, dragueur de mines, dreadnought, frégate, garde-côte, mouilleur de mines, péniche de débarquement, porte-avions, sous-marin, torpilleur, unité, vaisseau, vaisseau-amiral, vedette. **II. Fig. 1.** Attrape, blague, craque, farce, fourberie, histoire, intrigue, invention, mensonge, mystification, ruse, tromperie. **2.** Dada, enfant chéri,

idée fixe, lubie, manie, marotte, radotage. **3.** Cliché, lieu commun.

BATELEUR Acrobate, amuseur, baladin, banquiste, bouffon, charlatan,
équilibriste, farceur, forain, funambule,
hercule, histrion, jongleur, lutteur,
opérateur, paradiste, prestidigitateur,
saltimbanque, sauteur.

BATELIER Gondolier, marinier, nautonier, passeur, pilote.

BATELLERIE Marine.

BAT-FLANC Cloison, planche, plancher, séparation.

BATH (Pop.) Agréable, beau, chic,
chouette (fam.), gentil, serviable.

BATIFOLAGE Amusement, amusette,
amourette, badinage, badinerie, bagatelle, caprice, chose (fam.), flirt, jeu
folâtre/galant/léger, lutinerie, marivaudage. → *amour.*

BATIFOLER S'amuser, s'ébattre, faire
le fou, folâtrer, folichonner, lutiner,
perdre son temps, marivauder, papillonner.

BÂTI I. Nom masc. : assemblage,
cadre, support. **II. Adj. et loc.** *Bien
bâti :* balancé, balèze, baraqué, bien
fait/roulé, costaud, fort.

BÂTIMENT I. Au pr. : abri, architecture, bâtisse, construction, corps
de logis, édifice, gros-œuvre, habitat,
habitation, immeuble, maison, monument. **II. Mar. :** bateau, embarcation,
navire, unité, vaisseau.

BÂTIR I. Au pr. : construire, édifier,
élever, ériger, monter. **II. Fig. :** agencer, architecturer, échafauder, édifier,
établir, fonder, monter.

BÂTISSE Abri, appentis, bâtiment,
masure.

BÂTISSEUR I. Au pr. : architecte,
constructeur, entrepreneur, fondateur,
promoteur. **II. Fig. :** conquérant,
créateur, fondateur, initiateur, organisateur.

BÂTON I. Au pr. : baguette, barre,
tige, verge. **II. Par ext. :** aiguillon,
alpenstock, batte, bourdon, canne,
carassonne, échalas, gourdin, houlette, jalon, latte, marquant, piolet,
piquet, stick, tringle, trique, tuteur.
III. Loc. 1. *A bâtons rompus :*
décontracté (fam.), discontinu, libre,
sans suite. **2.** *Avoir son bâton de
maréchal :* atteindre son but, être
à son apogée/au faîte de sa carrière/
au plafond/au summum. **3.** *Mettre
des bâtons dans les roues :*
difficulté, empêchement, entrave,
obstacle, obstruction. **4.** *Bâton de
vieillesse :* aide, consolation, réconfort, soutien, support. **5.** *Une vie de
bâton de chaise :* agitée, débauchée,
déréglée, impossible, inimitable (vx).

BATTAGE I. Bluff, bruit, charlatanisme, publicité, réclame, vent. **II.**

Des céréales : dépiquage, vannage.

BATTANT I. Menuiserie, vantail.
II. De cloche : marteau. **III. Arg. :**
cœur.

BATTEMENT I. Espace de temps :
entracte (théâtre), interclasse (scol.),
interlude, intervalle, mi-temps (sport).
II. Choc répété. 1. De mains :
applaudissements, bravos. **2.** *D'yeux :*
clignement/clins d'yeux. **3.** *De cœur :*
accélération, palpitations, rythme.

BATTERIE I. Accumulateur, accus,
pile. **II.** Instruments de musique à
percussion. **III. Milit. 1. Au pr. :**
artillerie, canons, pièces à feu. **2. Fig.**
Dresser ses batteries (loc.) : artifices,
moyens, ruses. **IV. De cuisine :**
accessoires, casseroles, fait-tout, mar-
mites, plats, poêles, ustensiles.

BATTEUSE Battoir, dépiqueur, égre-
neur, tarare, trieur, van.

BATTRE I. Au pr. *Quelqu'un :*
bigorner (fam.), boxer, cogner, corriger, frapper, passer à tabac (fam.),
rosser, rouer de coups, tabasser, taper,
torcher (fam.). **II. Par ext. :** anéantir,
assommer, avoir (fam.), défaire,
écraser, l'emporter sur, enfoncer
(fam.), rouler (fam.), torcher (fam.),
triompher de, vaincre. **III. Loc. 1.**
Chien battu : brimé, humilié. *2. Yeux
battus :* cernés, fatigués, avoir des
poches/des valises sous les yeux
(arg.). **IV. Quelque chose. 1.** *Le
fer :* façonner, forger, taper. *2. Un
tapis :* agiter, dépoussiérer, secouer,
taper. **3.** *Les céréales :* dépiquer,
vanner. **4.** *Les œufs :* brouiller, mélanger, mêler, secouer. *5. La monnaie :*
frapper. **6.** *Les mains :* applaudir,
faire bravo, frapper, taper. **7.** *Les
cartes :* brouiller, mélanger, mêler.
8. La campagne, le pays : arpenter,
chercher, explorer, fouiller, parcourir,
rechercher, reconnaître. **9.** *La campagne* (fig.) : déconner (vulg. et péj.),
délirer, déraisonner, devenir gaga
(fam.)/gâteux, divaguer, être gaga
(fam.)/gâteux, extravaguer, perdre la
raison/les pédales (arg.), radoter.
**V. Quelque chose bat quelque
chose. 1.** *La mer :* assaillir, attaquer,
fouetter, frapper. *2. La pluie :* cingler,
claquer, fouetter, frapper, marteler,
tambouriner, taper. **VI. Loc. 1.**
*Battre le fer pendant qu'il est
chaud :* poursuivre, profiter. *2. Battre
le pavé :* aller sans but, chercher
longtemps, errer, flâner. *3. Battre en
retraite :* abandonner, décamper,
décrocher, s'éclipser, s'enfuir, s'en
aller, ficher le camp (fam.), foutre le
camp (vulg.), laisser la place, partir,
prendre la poudre d'escampette (fam.),
quitter, reculer, se replier, se retirer,
se tirer (fam.), tourner le dos/les
talons. *4. Battre la semelle :* attendre

en vain (fig.), frapper/secouer les pieds, se réchauffer, taper des pieds. **VII. V. intr. 1. Une porte :** cogner, frapper, taper. **2. Le cœur.** Au pr. : avoir des pulsations, fonctionner, palpiter. Fig. : aimer, avoir le béguin de (fam.), avoir le coup de foudre pour (fam.)/un coup de cœur pour/ dans la peau (fam.), être amoureux de/épris de, s'intéresser à, en pincer pour (fam.), soupirer pour.

BATTUE Chasse, rabattage.

BAUDET I. Au pr. : âne, aliboron, bourricot, bourrique, bourriquet, grison, ministre (fam.), roussin d'Arcadie. **II. Fig.** → bête.

BAUDRIER Bandoulière, ceinture, écharpe.

BAUDRUCHE I. Au pr. : ballon, boyau, pellicule. **II. Fig. :** erreur, fragilité, illusion, inconsistance, prétention, vanité.

BAUGE I. Bousillage, mortier de terre, pisé, torchis. **II. Du sanglier ou par anal. :** abri, gîte, loge, repaire, soue, souille, tanière. **III. Par ext. :** bordel (grossier), fange, fumière, souillarde, tas de fumier, taudis. **IV. Loc. Se vautrer dans sa bauge :** boue, déchéance, fange; indignité, saleté, vice.

BAUME I. Au pr. : essence, extrait, gemme, huile, laque, onguent, résine. **II. Fig. :** adoucissement, apaisement, consolation, dictame, remède, rémission.

BAVARD, E I. Au pr. : babillard, baratineur (fam.), bonimenteur, bon grelot, bonne tapette, bruyant, discoureur, jacasseur, jaseur, loquace, parleur, phraseur, pipelet, prolixe, verbeux, volubile. **II. Par ext. :** cancanier, commère, concierge, indiscret, qui a la langue trop longue.

BAVARDAGE I. Au pr. : babil, babillage, bagou (fam.), baratin (fam.), bavarderie, bavasserie (fam.), boniment, caquetage, jacasserie, jaserie, jaspin (arg.), logorrhée, loquacité, papotage, parlage (fam.), parlerie, parlote, patati et patata, verbiage. **II. Par ext. :** anecdote, cancans, chronique, commérage, histoires, indiscrétion, médisance, papotage, potins, racontars, ragots.

BAVARDER I. Non favorable. 1. Sans malveillance : babiller, baratiner (fam.), bonimenter, cailleter, caqueter, débiter, discourir, jaboter, jabouiner, jacasser, jaspiller (arg.), jaspiner (arg.), palabrer, papoter, parler, potiner, répandre. **2. Avec malveillance :** baver, broder, cancaner, caqueter, clabauder, colporter, commérer, débiner (fam.), débiter, déblatérer, faire battre des montagnes, faire des commérages/des histoires/

des racontars, jaser, lantiponer, potiner, publier, raconter, répandre. **II. Favorable ou neutre :** s'abandonner, cailleter, causer, converser, deviser, échanger, s'entretenir.

BAVE Écume, mucus, salive.

BAVER I. Quelqu'un : écumer, postillonner, saliver. **II. Quelque chose :** couler, dégouliner, mouiller. **III. Fig.** (péj.) : bavocher, calomnier, médire, nuire, salir, souiller. **IV. Loc. En baver :** être éprouvé, en voir de toutes les couleurs, en roter (pop.), souffrir.

BAVEUX, EUSE I. Au pr. : coulant, écumeux, liquide. **II. Fig. Quelqu'un :** fielleux, malveillant, médisant, menteur, sournois. → tartufe.

BAVURE I. Au pr. : bavochure, macule, mouillure, tache. **II. Fig. :** erreur, imperfection, faute.

BAYER Bader, être dans la lune, rêvasser, rêver.

BAZAR I. Au pr. : galerie, magasin, passage, souk. **II. Fam. 1.** Attirail, bagage, barda, bordel (grossier), fourbi. **2. Péj. :** bahut, boîte, boutique. **III. Loc. Tout le bazar :** toute la boutique, tout le tremblement/le toutim (fam.).

BAZARDAGE Braderie, liquidation, solde.

BAZARDER Brader, se débarrasser de, fourguer (arg.), liquider, solder, vendre.

BÉANT, E Grand, large, ouvert.

BÉAT, E Bienheureux, calme, heureux, niais, paisible, rassasié, ravi, repu, satisfait, tranquille.

BÉATIFICATION Canonisation, introduction au calendrier.

BÉATIFIER Canoniser, inscrire/introduire/mettre au calendrier.

BÉATITUDE Bien-être, bonheur, calme, contentement, euphorie, extase, félicité, quiétude, réplétion (péj.), satisfaction.

BEAU ou **BEL, BELLE** adj. **I. Au pr. 1. Qualité physique ou morale :** achevé, admirable, adorable, agréable, aimable, angélique, bath (fam.), bellissime, bellot (fam.), bien, bien roulé (fam.)/tourné, bon, brillant, céleste, charmant, chic, chouette (fam.), coquet, délicat, délicieux, distingué, divin, éblouissant, éclatant, élégant, enchanteur, esthétique, étonnant, exquis, fameux, fastueux, féerique, fin, formidable, fort, gent, gentil, girond (fam.), glorieux, gracieux, grand, grandiose, harmonieux, idéal, imposant, incomparable, joli, magique, magnifique, majestueux, merveilleux, mignon, mirifique, noble, non-pareil, parfait, piquant, plaisant, proportionné, pur, radieux, ravissant, remarquable, riche, robuste, sculptural, séduisant, somptueux, splendide, stupéfiant, sublime, superbe, supérieur. **2. Qualité de l'esprit :** accompli, achevé, bien, brillant, charmeur, cultivé, délicat, distingué, divin, éblouissant, éclatant, élégant, enchanteur, esthétique, étonnant, exquis, fin, formidable, fort, gracieux, génial, grand, grandiose, incomparable, magistral, magnifique, merveilleux, noble, non-pareil, parfait, piquant, plaisant, poétique, pur, ravissant, remarquable, riche, robuste, séduisant, somptueux, splendide, stupéfiant, sublime, superbe, supérieur, surprenant, unique. **3. Qualité morale :** admirable, digne, élevé, estimable, généreux, glorieux, grand, honorable, juste, magnanime, magnifique, pur, saint, sublime, vertueux. **4. Du temps.** Adj. : calme, clair, ensoleillé, limpide, printanier, pur, radieux, serein, souriant. Nom fém. : éclaircie, embellie. **5. Notion de quantité :** considérable, fort, grand, gros, important. **II. Loc.** (en emploi péj.). **1. Un beau monsieur :** triste personnage/sire, vilain monsieur. **2. Un beau rhume :** gros, méchant, tenace. **3. Du beau travail :** gâchis, de beaux draps, mauvaise position/posture/situation, sale affaire. **4. Un beau discours :** fallacieux, trompeur. **5. Une belle question :** enfantin, naïf, ridicule, stupide. **6. Bel esprit :** léger, mondain, prétentieux, snob, superficiel, vain. **7. De belle manière :** convenablement, correctement. **8. Le plus beau :** amusant, comique, drôle, étonnant, extraordinaire, fantastique, formidable, fumant (fam.), intéressant, marrant (fam.), merveilleux, plaisant, rigolo (fam.). **9. Pour les beaux yeux :** gracieusement, gratuitement, par amour, pour rien. **10. Un vieux beau :** barbon, grison, vieux coureur/galant/marcheur. **III. Loc.** (favorable ou neutre). **1. Le bel âge :** en pleine force, force de l'âge, jeunesse, maturité. **2. Beau joueur :** conciliant, large, régulier. **3. Belle humeur :** aimable, enjoué, gai, rieur. **4. Belle saison :** printemps, été. **5. De plus belle :** davantage, de plus en plus. **6. Au beau milieu :** en plein.

BEAU n. m. Art, beauté, esthétique, perfection.

BEAUCOUP I. Abondamment, en abondance, amplement, bésef (arg.), bien, bigrement (fam.), bougrement (fam.), comme quatre (fam.), considérablement, copieusement, diablement, énormément, à foison, force, formidablement, fort, à gogo (fam.), grandement, infiniment, joliment, largement, libéralement, longuement, magnifiquement, moult, passionnément, plantureusement, plein, prodigieusement, à profusion, richement, en

quantité, salement (fam.), tant e, plus, à tire-larigot (fam.), vachement (fam.), en veux-tu en voilà (fam.)t vivement, à volonté. **II. Beaucoup de gens, de choses :** abondance, foisonnement, fourmillement, grouillement, multitude, pullulement.

BEAU-FILS Gendre.

BEAUTÉ I. Au pr. 1. Quelque chose : agrément, art, charme, délicatesse, distinction, éclat, élégance, esthétique, faste, féerie, finesse, force, forme, fraîcheur, grâce, grandeur, harmonie, joliesse, lustre, magie, magnificence, majesté, noblesse, parfum, perfection, piquant, poésie, pureté, richesse, séduction, somptuosité, splendeur, sublimité, symétrie. **2. Une femme :** aphrodite, belle, pin-up (fam.), star, vénus. **II. Loc. Grain de beauté :** mouche. **III. Pl. :** appas, charmes, sex-appeal, trésors.

BEAUX-ARTS Académie, conservatoire.

BÉBÉ I. Au pr. : baby, bambin, enfançon, enfant, gosse (pop.), lardon (vulg.), marmot (fam.), mioche (fam.), môme (arg.), moutard (fam.), moutchatchou (fam.), nourrisson, nouveau-né, petit, petit-salé (pop.), poupard (fam.), poupon, têtard (fam.). **II. Jouet :** baigneur, poupée, poupon.

BEC I. Au pr. : bouche, rostre. **II. Par ext. 1. Objet en forme de bec :** cap (géo.), confluent (géo.), embouchure (géo. et mus.), promontoire (géo.). **2. De quelqu'un** (fam.) : bouche, clapet, goule, goulot, gueule. **3. Bec de gaz :** brûleur, lampadaire, réverbère. **III. Loc. 1. Bon bec :** bavard. **2. Coup de bec :** méchanceté, médisance. **3. Bec fin :** bon vivant, connaisseur, fine gueule (fam.) gourmand, gourmet.

BÉCANE I. Au pr. : bicyclette, biclo, biclou (péj.), clou (péj.), cycle, petite reine, vélo. **II. Par ext. :** guillotine, machine.

BÉCASSE I. Au pr. : barge, courlis, échassier, huîtrier, outarde. **II. Fig. :** femme bête, bêtasse, cruche, empotée, gnangnan (fam.), gourde, idiote, naïve, oie blanche, outarde, sotte, stupide. → *bête*.

BÊCHE Bêchard, bêchelon, bêcheton, bêchette, bêchoir, bêchot, louchet, palot, pelle.

BÊCHER I. Au pr. : cultiver, labourer, mésoyer, retourner. **II. Fig. Fam. :** débiner, gloser, médire, ragoter, snober, tenir à distance.

BÊCHEUR, EUSE Aigri, arrogant, distant, fier, jaloux, médisant, méprisant, orgueilleux, péteux (fam.), prétentieux, snob, vaniteux. → *bête*.

BÉCOT Baiser, bise, bisette (fam.), petit baiser, poutou (fam.).

BÉCOTER Baiser, biser (fam.), embrasser, faire la bise (fam.), poser un baiser sur, sucer la pomme (fam.).

BECQUÉE Nourriture, pâture, pitance.

BECQUETER *ou* **BÉQUETER** Manger, mordiller, picorer, picoter.

BEDAINE (Fam.) Bedon, brioche, gidouille, œuf d'autruche, panse, tripes. → *ventre.*

BEDEAU Marguillier, porte-verge, sacristain, suisse.

BEDONNANT, E (Fam.) Adipeux, grassouillet, gros, obèse, pansu, rondouillard, ventru.

BEDONNER S'arrondir, devenir bedonnant, enfler, être obèse, gidouiller, gonfler, grossir, prendre de la bedaine/ du bedon/de la brioche/de la gidouille/de la panse/du ventre.

BÉER I. Admirer, bayer, ouvrir le bec, regarder avec admiration/étonnement/ stupéfaction/stupeur. **II.** Rêver, rêvasser. **III. Loc.** *Bouche bée :* abasourdi, ahuri, étonné, frappé d'admiration/d'étonnement/de stupéfaction/de stupeur, stupéfait.

BEFFROI Campanile, clocher, jaquemart, tour.

BÉGAIEMENT I. Au pr. : bafouillage, balbutiement, bredouillement. **II. Fig. :** commencement, début, tâtonnement.

BÉGAYER Bafouiller, balbutier, bredouiller.

BÈGUE Bafouilleur (péj.), bégayeur, bredouilleur (péj.).

BÉGUEULE I. Neutre : austère, bienséant, convenable, correct, décent, prude, raide, rigide, rigoriste, rigoureux. **II. Péj. :** affecté, effarouché, étroit, farouche, pisse-froid (fam.), prude, tartufe.

BÉGUIN I. Au pr. : bonnet, coiffe. **II. Fig. et fam. 1. La personne :** amoureux, flirt. **2. La chose :** amourette, aventure, caprice, flirt, pépin, touche. **III. Loc. 1. Avoir le béguin :** être amoureux *et les syn. de* AMOUREUX, être coiffé de. **2. Faire un béguin :** avoir une amourette/un flirt, faire une touche (fam.), tomber une fille *et les syn. de* FILLE (vulg.).

BEIGE Bis, gris, jaunâtre, marron clair.

BEIGNE (Pop.) **I. Avoir une beigne :** blessure, bosse, cocard, ecchymose, tuméfaction, tumeur. **II. Recevoir une beigne :** coup, coup de poing, gifle, giroflée, soufflet, tarte.

BEIGNET Bosse, buigne, pet de nonne, soufflet.

BÊLANT, E (Fig.) Bête, mélodramatique, moutonnier, stupide.

BÊLEMENT I. Au pr. : béguètement, chevrotement, cri. **II. Fig. :** braiement, braillement, cri, criaillerie, jérémiade, niaiserie, piaillerie, plainte, rouspétance (fam.), stupidité. → *bêtise.*

BÊLER I. Au pr. : appeler, béguéter, chevroter, crier. **II. Fig. :** braire, brailler, bramer, criailler, crier, jérémier, piailler, se plaindre, rouspéter (fam.).

BÉLIER I. → mouton. **II.** → demoiselle.

BELLÂTRE Avantageux, fat, plastron, plastronneur. → *hâbleur.*

BELLE-FILLE Bru.

BELLE-MÈRE I. *Seconde femme d'un veuf :* marâtre (péj.). **II.** Bellemaman, belle-doche (arg.). **III. Loc.** *Coussin de belle-mère :* cactus.

BELLICISME Amour de la guerre, culte de la guerre/de la violence, jusqu'au-boutisme (fam.).

BELLICISTE Belliqueux, boute-feu, guerrier, guerroyeur, jusqu'au-boutiste, va-t'en-guerre.

BELLIGÉRANCE Affrontement, conflit, état de guerre, guerre.

BELLIGÉRANT, E Adversaire, affronté, aux prises, combattant, ennemi, en état de guerre, mêlé au conflit.

BELLIQUEUX, EUSE I. Au pr. *Qui aime la guerre :* agressif, guerrier, martial. **II. Par ext. :** agressif, bagarreur, chicaneur, chicanier, mordant, procédurier, querelleur.

BELVÉDÈRE I. Naturel : falaise, hauteur, point de vue, terrasse. **II. Construit :** gloriette, kiosque, mirador, pavillon, terrasse.

BÉNÉDICTIN I. Ascète : cénobite, moine. → *religieux.* **II. Loc. 1.** *Ordre des bénédictins :* ordre régulier, règle de saint Benoît. **2.** *Travail de bénédictin :* érudit, long, minutieux, soigné, parfait, persévérant.

BÉNÉDICTION I. Au pr. : faveur, grâce, protection. **II. Par ext. :** abondance, bienfait, bonheur, événement favorable/heureux, prospérité, succès, veine (fam.). **III. Relig. 1.** Prière du soir, salut. **2.** Absolution, baptême, confession, confirmation, extrême-onction, mariage, onction, ordre, pénitence, sacrement. **IV. Fig. :** affection, approbation, estime, reconnaissance, vénération.

BÉNÉFICE I. Au pr. : avantage, avoir, bénef (fam.), boni, excédent, gain, gratte (fam.), guelte, profit, rapport, reliquat, reste, revenant-bon, revenu, solde positif. **II. Fig. :** avantage, bienfait, droit, faveur, grâce, privilège, récompense, résultat, service, utilité. **III. Loc. 1.** *Au bénéfice de :* pour le motif de, par privilège de, en raison de. **2.** *Sous bénéfice de :* sous condition de, sous réserve de, avec restriction de. **IV. Relig.** : abbaye, annate, canonicat, chapellenie, cure, doyenné, évêché, portion congrue, prébende, prieuré, récréance.

BÉNÉFICIAIRE I. Adj. : juteux (fam.), profitable, rentable. **II. Nom :** adjudicataire, cessionnaire, crédirentier, propriétaire, rentier.

BÉNÉFICIER Jouir de, profiter de, retirer de, tirer avantage.

BÉNÉFIQUE Avantageux, bienfaisant, favorable, heureux.

BENÊT Andouille (fam.), âne, bêta (fam.), bêtassot (fam.), con (vulg. et péj.), connard (vulg. et péj.), corniaud (fam.), couillon (mérid.), dadais, demeuré, empoté, godiche, gordiflot (fam.), jocrisse, niais, nigaud, niguedouille (fam.), sot. → *bête*.

BÉNÉVOLE A titre gracieux, complaisant, de bon gré, désintéressé, extra, gracieux, gratuit, spontané, volontaire.

BÉNÉVOLEMENT De bonne grâce, de bon gré, complaisamment, de façon désintéressée, gracieusement, gratuitement, de son plein gré, spontanément, volontairement.

BÉNIGNITÉ Affabilité, bienveillance, bon accueil, bonté, charité, douceur, indulgence, mansuétude, onction. → *amabilité*.

BÉNIN, IGNE I. Quelqu'un : accueillant, affable, aimable, bienveillant, bon, charitable, doux, indulgent, plein de mansuétude/d'onction → *doux*. **II. Quelque chose : 1.** Bénéfique, favorable, inoffensif, propice. **2. Méd.** Affection bénigne : léger, peu grave, sans gravité, superficiel.

BÉNIR I. Dieu 1. Bénir Dieu : adorer, exalter, louer, glorifier, remercier, rendre grâce. **2. Dieu bénit :** accorder, consoler, protéger, récompenser, répandre des bienfaits/des grâces. **II. Bénir quelqu'un. 1.** Attirer/implorer les faveurs/les grâces de Dieu sur, recommander à Dieu. **2.** Dire du bien de, estimer, être reconnaissant à, exalter, glorifier, louanger, louer, remercier, vénérer. **III. Bénir quelque chose. 1. Un bateau :** baptiser. **2. Une circonstance :** s'en féliciter.

BENJAMIN Dernier, dernier né, petit dernier, le plus jeune.

BENNE I. Comporte, hotte, panier, récipient. **II.** Chariot, decauville, téléphérique, wagonnet.

BENOÎT, E I. Neutre ou favorable : bénin, bon, doux, indulgent. **II. Non favorable :** chafouin, doucereux, hypocrite, patelin, rusé, sournois, tartufe.

BENOÎTEMENT Non favorable : chafouinement, doucereusement, en dessous, hypocritement, mine de rien (fam.), sournoisement.

BENZÈNE, BENZINE Dérivé du goudron, détachant, hydrocarbure.

BÉOTIEN, IENNE Balourd, bouché (fam.), bovin, épais, grossier, inculte, lent, lourd, lourdingue (fam.), obtus, pédezouille (fam.), plouc (fam.), rustre, cul de plomb (fam.), culterreux (fam.).

BÉQUILLE Bâton, canne, support, soutien.

BERCAIL I. Au pr. : abri, appentis, bergerie, hangar, parc, toit. **II. Fig. :** domicile, foyer, maison, pénates (fam.).

BERCEAU I. Au pr. 1. Lit d'enfant : barcelonnette, bercelonnette, couffin, crèche, moïse, nacelle, panier. **2. Archit. :** arc, cintre, voûte. **3. De jardin :** brandebourg, charmille, gloriette, tonnelle. **4. Mar. :** ber, bers. **II. Fig. :** commencement, début, endroit, lieu, naissance, origine, place.

BERCEMENT I. Au pr. : balancement, ondoiement, ondulation, va-et-vient. **II. Fig. :** adoucissant, adoucissement, apaisement, atténuation, calme, charme, consolation, douceur, enchantement, soulagement.

BERCER I. Au pr. : balancer, dodeliner, faire aller et venir, faire aller d'avant en arrière/en cadence, ondoyer, onduler, remuer, rythmer. **Fig. 1. Bercer une peine :** adoucir, apaiser, atténuer, calmer, charmer, consoler, endormir, partager, soulager. **2. Se laisser bercer par :** amuser, berner, emporter, endormir, flatter, illusionner, leurrer, mystifier, tromper. **III. Loc. Son enfance a été bercée par :** enchanter, imprégner, remplir.

BERCER (SE) S'endormir, se faire des illusions, s'illusionner, se leurrer, se tromper *et les formes pronom. possibles des syn. de* BERCER.

BERCEUR, EUSE Adoucissant, apaisant, cadencé, calmant, charmeur, consolant, consolateur, doux, enchanteur, endormeur, lénifiant, ondoyant, ondulant, rythmé.

BERCEUSE Barcarolle, mélodie douce, rythme doux/lent. → *chant*.

BÉRET I. Calot, coiffure basque, galette (fam.), toque. **II. D'étudiant :** faluche.

BERGE I. Au pr. : berme, bord, levée, rivage, rive. **II. Arg. :** ans, années.

BERGER, ÈRE I. Au pr. : conducteur de troupeaux, gardeur, gardien, pasteur, pastoureau, pâtour, pâtre. **II. Fig. :** chef, conducteur, guide, pasteur, souverain.

BERGÈRE Fauteuil, siège.

BERLINE Auto, automobile, coach. → *voiture*.

BERLINGOT Bêtise de Cambrai, bonbon, friandise, sucrerie.

BERLUE Loc. *Avoir la berlue :* avoir des hallucinations/des visions, faire erreur, se tromper, voir des mirages, voir de travers.

BERNE I. Loc. *En berne :* en deuil, voilé. **II. Vx :** couverture.

BERNER On berne quelqu'un : abuser, amuser, attraper, avoir (fam.), baiser (grossier), blouser (fam.), bourrer la caisse (fam.)/le mou (fam.), carotter (fam.), couillonner (fam. et mérid.), décevoir, duper, embabouiner (fam.), embobiner (fam.), emmener en bateau (fam.), empapaouter (arg. et péj.), empaumer (fam.), enfoirer (grossier), enjôler, entuber (fam.), escroquer, faire croire/marcher, flouer, frauder, jouer, leurrer, monter le coup à/un bateau à, mystifier, pigeonner (fam.), piper, railler, rouler, surprendre, trahir, tromper.

BESOGNE Affaire, boulot (fam.), business, corvée, job (fam.), labeur, mission, occupation, œuvre, ouvrage, tâche, travail, turbin (fam.).

BESOGNEUX, EUSE Chétif, crève-la-faim (fam. et péj.), dans la dèche (fam.), décavé (fam.), déshérité, économiquement faible, fauché, gagne-petit, gueux (péj.), impécunieux, malheureux, meurt-la-faim, minable (péj.), misérable, miséreux, miteux, nécessiteux, paumé (fam.), pauvre diable/drille/type, pouilleux (péj.), purotin (fam.), ruiné.

BESOIN I. Au pr. : appétence, appétit, désir, envie, exigence, faim, goût, insatisfaction, manque, nécessité, soif, utilité. **II. Loc. 1.** *Quelque chose manque :* indispensable, nécessaire, utile. **2.** *Au besoin :* à la rigueur, en cas de nécessité, le cas échéant, sait-on jamais, si nécessaire. **3.** *Etre dans le besoin :* débine (fam.), dèche (fam.), dénuement, disette, gêne, impécuniosité, indigence, manque, misère, mistoufle (fam.), mouise (fam.), mouscaille (fam.), nécessité, panade (fam.), pauvreté, en panne, en peine, pétrin (fam.), purée (fam.). **4.** *Avoir besoin de* (et l'inf.)/*que* (et le subj.) : devoir, falloir. **5.** *Faire ses besoins :* aller aux W.-C./aux toilettes/au petit coin (fam.)/à la garde-robe (vx ou méd.)/à la selle (méd.)/sur le pot (enf.), caguer (mérid.), chier (grossier), couler un bronze (arg.), déféquer, faire la petite commission (enf.)/la grosse commission (enf.)/caca (enf.)/pipi (enf.), pisser (vulg.), se soulager, uriner.

BESTIAL, E Animal, bête, brutal, brute, féroce, glouton, goujat, grossier, lubrique, sauvage.

BESTIALITÉ Animalité, bas instincts,
brutalité, concupiscence, férocité, gloutonnerie, goujaterie, grossièreté, instinct animal, lubricité, sauvagerie.

BESTIAUX Animaux de ferme, bétail, cheptel vif.

BESTIOLE Insecte, petite bête.

BEST-SELLER Succès.

BÊTA, BÊTASSE (Fam.) Andouille, âne, ballot, balluchon, balourd, baluche, baudet, bébête, bécasse, bécassot, benêt, bétassot, bourricot, bourrique, buse, con (grossier), connard (grossier), corniaud, cornichon, couillon (mérid.), cruche, cruchon, dadais, empoté, finassaud, gauche, godiche, godichon, gourde, gourdiflot, gros finaud, innocent, lourdaud, lourdingue, moule, niais, nigaud, niguedouille, nouille, panouille, patate, sot. → *bête*.

BÉTAIL I. Au pr. : animaux de boucherie / d'élevage / d'embouche / de ferme, bergerie, bestiaux, bêtes de somme, bovins, caprins, cheptel vif, équidés, écurie, étable, ovins, porcherie, porcins, troupeau. **II. Fig. En parlant d'hommes.** *1. Péj. :* chair à canon, matériau, matière première, ménagerie, populace, populo. *2. Non péj. :* foule, masse.

BÊTE n. f. **I. Au pr. :** animal, batracien, bestiole, cétacé, insecte, invertébré, mammifère, oiseau, poisson, reptile, saurien, vertébré. **II. Loc. 1.** *Bête à bon Dieu :* coccinelle. **2.** *Bête de boucherie :* âne, agneau, baby-bœuf, bœuf, cheval, chevreau, cochon, mouton, mulet, porc, veau. **3.** *Bête de somme :* âne, bœuf, bourricot, chameau, cheval, dromadaire, hongre, jument, lama, mule, mulet, yack, zébu. **4.** *Chercher la petite bête :* chercher le petit défaut, chercher le détail infime/minime, chercher des crosses/des poux (fam. et péj.), chercher des vétilles. **III. Fig. En parlant de quelqu'un, non favorable, avec l'adj. mauvais, méchant, sale, vilain :** animal, bonhomme, brute, butor, coco (fam.), con (fam.), fauve, fumier (grossier), gnasse (arg.), jojo (fam.), mec (arg.), moineau (fam.), monsieur, mufle, oiseau, piaf (arg.), piège (fam.), pierrot (fam.), rapace, sauvage, type, vache, zigoto. **IV. Loc.** *C'est une bête :* abruti, andouille, âne, animal, badaud, ballot, balluchon, balourd, baluche, baudet, bécasse, bécassot, béjaune, benêt, bêta, bourricot, bourrin, bourrique, brute, bûche, buse, butor, cochon, con (fam.), connard (grossier), corniaud, cornichon, couillon (mérid.), crétin, cruche, cruchon, dadais, demeuré, dindon, empoté, enfoiré (vulg.), fada, fat, force de la nature, fourneau, ganache, gourde, gourdiflot, guignol (arg.), idiot, imbécile, innocent, insensé, lourdaud, moule, niais, nigaud, niguedouille, nouille, nullité, oie, panier, panouille, paon, patate, pauvre d'esprit, porc, prétentieux, ridicule, rustre, sagouin, salaud, saligaud, simple d'esprit, sot, stupide, trou du cul (vulg.). **V.** *Favorable, avec l'adj.* bon, brave, *pas mauvais, pas méchant :* bougre, garçon, gars, gnasse (arg.), guignol (arg.), mec (arg.), pâte, type, zig. **VI. Loc. *Bête noire.** 1. Qu'on subit :* cauchemar, croix, épouvantail, poison, pot de colle, supplice, torture, tourment. *2. A qui on fait subir :* martyr, os à ronger, souffre-douleur, victime. **VII. Faire la bête à deux dos :** s'accoupler (animaux ou vulg.), baiser (vulg.), coïter, connaître au sens biblique, consommer, copuler, faire l'amour, réaliser l'acte charnel/ l'acte de chair, voir la feuille à l'envers, → *accoupler (s').* **VIII. Reprendre du poil de la bête. *1. Au phys. :* bonne mine, le dessus, force, santé, vie, vigueur. *2. Au moral :* agressivité, ardeur, confiance, courage, le dessus, du mordant, du punch.

BÊTE adj. **I. Quelqu'un :** abruti, absurde, ahuri, ballot, balourd, baluche, bâté, bébête, bécasse, bécassot, benêt, bêta, bêtasse, bêtassot, borné, bouché, bovin, con, crétin, cucu, demeuré, empoté, emprunté, fada, fat, pas fin/finaud, fruste, gauche, godiche, gourde, idiot, imbécile, indigent, inepte, inintelligent, innocent, insensé, lourd, lourdaud, lourdingue, maladroit, naïf, niais, nigaud, niguedouille, nouille, nul, obtus, patate, pauvre d'esprit, prétentieux, ridicule, rustre, simple d'esprit, sot, stupide. **II. Loc. *1. Se trouver tout bête :* comme deux ronds de flan, confus, déconte-nancé, désarçonné, désemparé, entre deux chaises, gêné, idiot, interdit, interloqué, maladroit, mal à l'aise, penaud. *2. Être bête de et l'inf. :* étourdi, tête en l'air. *3. Quelque chose, c'est bête :* aberrant, absurde, con (fam.), cucu (fam.), dommage, ennuyeux, fâcheux, fat, grotesque, idiot, impardonnable, inepte, inutile, niais, prétentieux, regrettable, ridicule, sot, stupide, vain.

BÊTEMENT I. Au pr. : gauchement, idiotement, innocemment, lourdement, maladroitement, naïvement, niaisement, prétentieusement, ridiculement, sans réfléchir, simplement, sottement, stupidement. **II. Fig. *Neutre :* bonnement, comme ça, naïvement, simplement.

BÊTIFIER I. V. intr. Fam. : bêtiser, dire des âneries/des bêtises, être gnangnan, faire l'âne/la bête/l'idiot/ l'imbécile. **II. V. tr. :** abêtir, abrutir, rendre bête.

BÊTISE I. Comportement : abrutissement, absurdité, ahurissement, badauderie, balourdise, bécasserie (fam.), connerie (fam.), crétinerie, étourderie, fatuité, gaucherie, idiotie, imbécillité, indigence, ineptie, inintelligence, innocence, lourdauderie, lourdeur, maladresse, naïveté, niaiserie, nigauderie, pauvreté d'esprit, prétention, ridicule, rusticité, simplicité d'esprit, sottise, stupidité. **II. Acte ou parole. *1. Au pr. :* absurdité, ânerie, balourdise, bêlement, bévue, boulette (fam.), bourde, cliché, connerie (fam.), cuir, drôlerie, fadaise, faute, faux pas, gaffe, imbécillité, impair, ineptie, lapalissade, lieu commun, maladresse, maldonne, méprise, naïveté, niaiserie, pas de clerc, pauvreté, perle, platitude, sottise, stupidité, vanne (arg.). *2. Neutre ou favorable, général, au pl. :* astuces, attrapes, balivernes, baratin, blague, boniments, conneries (fam.), drôleries, facéties, farces, gaillardises, gaudrioles (fam.), gauloiseries, grivoiseries (péj.), histoires drôles, histoires gauloises, histoires marseillaises, histoires paillardes, paillardises, plaisanteries, propos légers, propos lestes. *3. Une chose sans importance :* amusement, amusette, amusoire, babiole, badinerie, baliverne, bricole, brimborion, broutille, colifichet, connerie (fam.), fantaisie, frivolité, futilité, rien, sottise. → *bagatelle.*

BÊTISIER Dictionnaire de lieux communs/des idées reçues, recueil de cuirs/de perles/de sottises.

BÉTON Aggloméré, ciment, matériau, mortier.

BÉTONNER Cimenter, renforcer.

BEUGLANT Assommoir, bal musette, bastringue (fam.), boîte, bouge (péj.), bousin, (fam.), caboulot (fam.), café-concert, gargote (péj.), guinche (fam.), guinguette, night-club, popine (péj.), tapis-franc (vx), taverne.

**BEUGLER I. Au pr. *Cri d'un bovin :* appeler, brâmer, crier, meugler, mugir. **II. Fig. *En parlant de personnes :* appeler, brailler, braire, crier, hurler, gueuler, vociférer.

BEUGLEMENT Appel, braiement, braillement, bramante (fam.), cri, hurlement, gueulante (fam.), vocifération.

**BEURRE Loc. *1. Comme dans du beurre :* avec aisance, facilement, tout seul, comme sur des roulettes. *2. Compter pour du beurre :* pour des nèfles/des prunes/rien/faire semblant. *3. Assiette au beurre :* affaire juteuse, pouvoir politique. *4. Mettre du beurre dans les épinards :* améliorer l'ordinaire/la situation. *5. C'est du beurre :* c'est avantageux/

bon/facile/une sinécure. **6. Faire son beurre :** faire des bénéfices, prospérer, s'enrichir. **7. Couleur beurre frais :** blanc cassé, jaune clair. **8. Petit beurre :** biscuit. **9. Œil au beurre noir :** coquard ou coquart, ecchymose, œil poché, tuméfaction. **BEURRIER I.** Pot à beurre, récipient. **II. Celui qui fait du beurre :** crémier, fermier, laitier.

BEUVERIE Bacchanale, bombance, bombe, bringue, débauche, dégagement (milit.), fête bachique, foire, noce, nouba, orgie, ribote, ribouldingue, ripaille, soûlerie, soulographie, tournée des grands ducs.

BÉVUE Anerie, balourdise, boulette, bourde, connerie (fam.), cuir, erreur, étourderie, faute, faux-pas, gaffe, impair, maladresse, maldonne, méprise, pas de clerc, perle (fam.), vanne (arg.). → *bêtise.*

BIAIS I. Aspect, côté, diagonale, ligne oblique, travers. **II.** Artifice, détour, moyen. **III. Loc. 1. De biais :** en diagonale, de travers, en travers, obliquement. **2. Par le biais de :** par l'intermédiaire de/le moyen de/ le truchement de.

BIAISER I. Au pr. : obliquer. **II. Fig. :** atermoyer, composer, feinter, louvoyer, temporiser, tergiverser, user de procédés dilatoires.

BIBELOT I. Au pr. : objet d'art/ fragile, petit objet, souvenir. **II. Fig. :** affiquet, amusement, amusette, amusoire, babiole, bagatelle, baliverne, bêtise, bimbelot, breloque, bricole, brimborion, caprice, colifichet, fanfreluche, fantaisie, frivolité, futilité, rien.

BIBERON I. Au pr. : flacon gradué. **II. Fig. :** alcoolique, boit-sans-soif (fam.), buveur, cuitard (fam.), débauché, dipsomane, éponge (fam.), éthylique, intempérant, lécheur (fam.), licheur (fam.), pilier de bistrot/de cabaret/de café/d'estaminet (fam.), picoleur (fam.), pochard (fam.), poivrot (fam.), sac à vin (fam), siffleur (fam.), soiffard (fam.), soûlard (fam.), soûlaud ou soûlot (fam.), soûlographe (fam.), suppôt de Bacchus (fam.), téteur (fam.), tonneau (fam.), vide-bouteille (fam.).

BIBI I. Au pr. Fam. : bugne (arg.), chapeau, galure (fam.), galurin (fam.). → *coiffure.* **II. Pronom pers. Pop. :** mézigue (fam.), moi.

BIBLE I. Au pr. : Écritures, Évangile, le Livre, les Saintes Écritures, le Testament (Ancien et Nouveau). **II. Par ext. 1.** Autorité, base, fondement. **2.** Bréviaire, livre de chevet/de prières, manuel, ouvrage de base/ fondamental/usuel.

BIBLIOGRAPHIE Catalogue, liste, nomenclature, référence.

BIBLIOPHILE Amateur de livres, bibliomane, collectionneur de livres, paléographe (par ext.).

BIBLIOPHILIE Paléographie, (par ext.).

BIBLIOTHECAIRE Archiviste, chartiste, conservateur, libraire, paléographe, rat de bibliothèque (péj.).

BIBLIOTHÈQUE I. Le lieu : bureau, cabinet, collection, librairie. **II. Loc. Bibliothèque de gare :** kiosque. **III. Le meuble :** armoire à livres, casier, étagère, rayon, rayonnage, tablette.

BIBLIQUE Hébraïque, inspiré, judaïque, révélé, sacré.

BICEPS I. Au pr. : biscoto (fam.), bras, muscle. **II. Par ext. :** force, puissance, vigueur.

BICHER (Pop.) Aller, aller au poil (fam.)/bien, coller (fam.), gazer (fam.), marcher, rouler (fam.).

BICHONNER I. Au pr. : attifer, boucler, friser, parer, pomponner. **II. Fig. :** choyer, coucouner (fam.), s'empresser auprès de, entourer de soins, gâter.

BICOQUE Abri, appentis, baraque, cabane, cassine, maison, masure, taudis (péj.).

BICYCLETTE Bécane, biclo, biclou (arg. et péj.), cycle, petite reine, vélo.

BIDE I. Fam. : bedon, brioche, gidouille, œuf d'autruche, panse, tripes, ventre. **II. Pop. :** bouillon, défaite, échec, fiasco, four, gamelle (fam.), insuccès, pelle (fam.), veste.

**BIDET I. Cuvette. II. Bourrin, canasson, cheval, cob, mule, mulet, postier.

BIDOCHE Pop. et péj. : barbaque, cuir, mauvaise viande, semelle.

BIDON I. Gourde. **II.** Fût, jerrycan, nourrice. **III.** Container, cuve, réservoir. **IV. Fig. Pop. :** bide, bouillon, défaite, échec, fiasco, four, gamelle (fam.), insuccès, pelle (fam.), veste.

BIDONNANT Fam. : boyautant, crevant, marrant, poilant, rigolo, roulant, sucré, torboyautant, tordant, transpoil.

BIDONNER (SE) Se boyauter, se marrer, se poiler, rigoler, se torboyauter (arg.), se tordre, se tordre de rire.

BIDONVILLE Camp, campement, favela, zone.

BIDULE (Arg.) Bazar, bitonio (arg.), bordel (grossier), chose, machin, objet, outil, truc, zizi (arg.), zinzin (arg.).

BIELLE Arbre, axe, balancier, bras, embiellage, manivelle, tige.

BIEN adv. de manière. **I.** *Tous les dérivés en -ment d'adj. d'achèvement,* *d'avantage, de grandeur, d'intensité, d'intérêt, de qualité, de quantité, etc., par ex.* : admirablement, adroitement, agréablement, aimablement, aisément, assurément, avantageusement, bellement, bigrement (fam.), bonnement, bougrement (fam.), commodément, complètement, confortablement, convenablement, correctement,dignement, drôlement (fam.), dûment, éloquemment, éminemment, entièrement, expressément, extrêmement, favorablement, fermement, formellement, formidablement, gracieusement, grandement, habilement, heureusement, honnêtement, honorablement, intégralement,intensément, joliment, judicieusement, largement, longuement, merveilleusement, nettement, noblement, parfaitement, passablement, pleinement, profondément, prudemment, raisonnablement, réellement, sagement, salement (fam.), totalement, utilement, vachement (fam.), vraiment. **II.** *Tous les compl. circ. de manière réalisés par un subst. amplifiant ou valorisant ce qu'exprime le verbe, par ex.* : de façon admirable, avec adresse/aisance/amabilité / appétit / assurance / avantage, sans bavure (fam.), en beauté, avec bonheur / bonté / charme / confort / correction, de façon correcte, avec dignité/élégance/éloquence, de façon complète/éminente, avec faveur/fermeté, en force, avec grâce/habileté, en long et en large, avec netteté/noblesse, de manière parfaite, avec plénitude, en profondeur, avec prudence, de façon raisonnable, en réalité, avec sagesse, en totalité, de manière utile, en vérité. **III. Devant un adj.** : absolument, complètement, dûment, entièrement, extrêmement, fameusement, formidablement, fort, intégralement, nettement, pleinement, profondément, réellement, sérieusement, totalement, tout, tout à fait, très. **IV. Loc. 1.** *Il est bien grand* : ce que/comme/qu'est-ce qu'il est grand. **2.** *Bien des + un nom* : beaucoup de, une foule de, nombre de, quantité de, des tas de. **3.** *Aussi bien* : d'ailleurs, du reste, en outre. **4.** *Bien entendu* : évidemment. **5.** *Bien* : certes.

BIEN adj. inv. **Cet homme est bien** : bath (fam.), bon, chouette (fam.), compétent, consciencieux, distingué, droit, honnête, lucide, sérieux, sûr, sympa (fam.), sympathique.

BIEN n. m. **I. Abstrait** : beau, beauté, bon, bonheur, bonté, devoir, droit, honneur, idéal, justice, perfection, progrès, sainteté, vérité, vertu. **II. Concret, souvent au pl.** : apanage, avoir, capital, cheptel, chose, domaine, don, dot, dotation, douaire,

exploitation, fonds, fortune, fruit, gain, héritage, immeuble, maison, patrimoine, portefeuille, possession, produit, propriété, récolte, rente, richesse, valeur. **III. Loc. 1.** *Le bien public* : intérêt, service. **2.** *Faire du bien* : jouissance, plaisir, profit, satisfaction, soulagement, volupté. **3.** *Attendre un bien* : avantage, bénéfice, bienfait, résultat, satisfaction, secours, service, soulagement, utilité. **4.** *Dire du bien* : compliment, éloge, louange.

BIEN-AIMÉ, E Amant, amoureux, chéri, chouchou (fam.), élu, fiancé, flirt, maîtresse, préféré.

BIEN-ÊTRE I. La sensation : agrément, aise, béatitude, bonheur, contentement, détente, euphorie, félicité, jouissance, plaisir, quiétude, relaxation, satisfaction, sérénité, soulagement. **II. La situation** : aisance, confort, luxe, vie large.

BIENFAISANCE I. Institution : aide, assistance, secours. **II. Qualité** : bénignité, bienveillance, charité, générosité, humanité, philanthropie, serviabilité. → *bonté.*

BIENFAISANT, E I. Quelque chose : bénéfique, efficace, favorable. → *bon.* **II. Quelqu'un** : charitable, généreux, humain, philanthropique, serviable. → *bon.*

BIENFAIT I. Qu'on donne : aumône, bon office, cadeau, charité, don, faveur, fleur (fam.), générosité, grâce, largesse, libéralité, obole, plaisir, présent, service. **II. Qu'on reçoit** : avantage, bénéfice, profit, utilité.

BIENFAITEUR, TRICE I. Adj. : bénéfique, bienfaisant, bon, tutélaire. **II. Nom** : donateur, inventeur, mécène, philanthrope, protecteur, sauveur.

BIEN-FONDÉ Authenticité, bon droit, correction, exactitude, excellence, justesse, justice, solidité, validité, vérité.

BIENHEUREUX, EUSE I. Adj. : assouvi, béat (péj.), bien aise, comblé, content, repu, satisfait. **II. Nom. 1. Au pr.** : élu, saint. **III. Loc.** *Dormir comme un bienheureux* : comme une souche/un sourd, profondément.

BIENNAL, E Bisannuel.

BIEN-PENSANT I. Au pr. : conformiste, intégriste, pratiquant, traditionnel. **II. Par ext. 1. Neutre** : conservateur. **2. Péj.** : béni-oui-oui (fam.), bigot, cafard, cagot, calotin, dévot, tala (arg. scol.). → *tartufe.*

BIENSÉANCE Apparences, convenance, correction, décence, honnêteté, politesse, pudeur, savoir-vivre.

BIENSÉANT, E Agréable, comme il faut, congru, convenable, correct, décent, honnête, poli.

BIENTÔT Dans peu de temps/ quelque temps, d'ici peu, incessamment.

BIENVEILLANCE Affabilité, amabilité, bon accueil, bonté, complaisance, compréhension, cordialité, faveur, gentillesse, indulgence, mansuétude, obligeance, ouverture d'esprit, prévenance, sympathie.

BIENVEILLANT, E Accueillant, affable, aimable, amical, bon, brave (pop.), complaisant, compréhensif, coopératif (fam.), cordial, débonnaire, favorable, gentil, indulgent, miséricordieux, obligeant, ouvert, prévenant, sympathique.

BIENVENU, E Bien/favorablement accueilli/reçu, celui qu'on attend, ne pouvant mieux tomber (fam.), tombant à point (fam.).

BIENVENUE Bon accueil, bonjour, bonne étrenne, salut, salutations.

BIÈRE I. cervoise. **II.** → *cercueil.*

BIFFAGE Annulation, barre, mot rayé, rature, repentir, suppression, trait de plume.

BIFFER Annuler, barrer, corriger, effacer, raturer, rayer, supprimer.

BIFTECK I. Au pr. : barbaque (péj.), grillade, rumsteck, semelle (péj.), steak, viande grillée. **II. Loc. *Défendre son bifteck :*** croûte (fam.), existence, pain, travail, vie.

BIFURCATION I. Au pr. : carrefour, division, embranchement, fourche, patte-d'oie, séparation. **II. Fig. :** changement d'orientation.

BIFURQUER I. Une voie : diverger, se diviser. **II. Un véhicule :** être aiguillé, se diriger, s'orienter.

BIGARRÉ, E Bariolé, disparate, hétérogène, mâtiné, mélangé, mêlé, varié. → *taché.*

BIGARRURE Bariolage, disparité, hétérogénéité, mélange, variété.

BIGLER (Pop.) **I. V. intr. :** ciller, cligner des yeux, loucher, être myope, mal voir. **II. V. tr. :** bader, contempler, loucher sur, mater (arg.), mirer (arg.), regarder avec attention/envie/ étonnement.

BIGLEUX, Louchard (fam.), myope.

BIGORNEAU I. Au pr. : coquillage, littorine. **II. Fig. *Pop. :*** écouteur, téléphone.

BIGORNER (Pop.) **I. Bigorner quelqu'un :** abîmer, abîmer le portrait (fam.), amocher (fam.), casser la figure (fam.)/la gueule (vulg.), castagner (fam.), cogner, coller une châtaigne (fam.), corriger, donner des coups, endommager, endommager le portrait (fam.), esquinter, flanquer/foutre (grossier) une correction/une dérouillée (fam.)/ une trempe (fam.)/une volée (fam.). → *battre.* **II. Bigorner quelque chose :** abîmer, accrocher, amocher, aplatir, briser, casser, écraser, endommager, entrer en collision, esquinter, friser la tôle (fam.), froisser, heurter, télescoper.

BIGORNER (SE) Se casser la figure, se casser la gueule (vulg.), se cogner dessus, se donner des coups, se ficher/flanquer (fam.)/foutre (vulg.) une trempe (fam.)/une volée, se quereller, se taper dessus (fam.) *et les formes pronom. possibles des syn. de* BATTRE.

BIGOT, BIGOTE Cafard, cagot, calotin, cul-bénit, dévot, grenouille de bénitier, petit saint, punaise de sacristie, tala (arg. scol.). → *tartufe.*

BIGREMENT Beaucoup, bien, bougrement (fam.).

BIJOU I. Au pr. : joyau. **II. Fig. :** beauté, chef-d'œuvre, merveille, perfection. **III. Loc. :** mon bijou/amour/ chéri/mignon. → *biquet.*

BIJOUTERIE I. Au pr. : horlogerie, joaillerie, orfèvrerie. **II. Fig. :** chef-d'œuvre, merveille, perfection, technique parfaite, travail achevé/parfait/précis.

BIJOUTIER, ÈRE Horloger, joaillier, orfèvre.

BILAN I. Au pr. : balance, conclusion, inventaire, point, situation. **II. Loc. *1. Déposer son bilan :*** capituler, être en déconfiture/difficulté/faillite/liquidation, faire la culbute/de mauvaises affaires. *2.* **Faire le bilan :** conclure, tirer la conclusion/ les conséquences. **III. Fig. *Bilan d'une guerre :*** conséquences, résultats, séquelles, suites.

BILE I. Au pr. : atrabile (vx), fiel, glaire, humeur (vx). **II. Fig. *1.*** Amertume, colère, fiel, maussaderie, mauvais caractère, méchanceté, récriminations, venin. → *aigreur. 2.* Mauvais sang, mouron (fam.), noir, pessimisme, souci, tourment. **III. Loc. *1. Échauffer la bile de quelqu'un :*** casser les pieds (fam.), chauffer les oreilles (fam.), excéder, faire sortir de ses gonds (fam.), mettre à bout/en colère/ hors de soi. *2. Se faire de la bile :* avoir des idées noires, se biler (fam.), s'en faire, être pessimiste/soucieux/ tourmenté, se faire du mauvais sang/ du mouron (fam.)/du souci/du tourment, s'inquiéter, se préoccuper, se soucier de, se tourmenter.

BILIEUX, EUSE I. Au pr. *Teint bilieux :* atrabilaire, hépatique, jaunâtre, jaune, vert. **II. Fig. *1. Neutre :*** anxieux, chagrin, inquiet, pessimiste,

soucieux, tourmenté, troublé. **2.**
Non favorable : atrabilaire, bâton
merdeux (fam.), coléreux, maussade,
mauvais coucheur, misanthrope, ombrageux, soupçonneux, susceptible.
BILINGUE I. Quelqu'un : interprète, polyglotte, traducteur, truchement. **II. Quelque chose :**
sous-titré, synoptique.
BILLARD I. Par ext. : fumoir, salle
de jeux. **II. Fig. :** salle/table d'opération. **III. Loc. pop. C'est du**
billard : ça va comme sur des roulettes (fam.), c'est du beurre (fam.),
c'est facile, c'est de la tarte (arg.).
BILLE I. Au pr. 1. Agate, boule. **2.**
Bille de bois : morceau, tronc, tronçon. **II. Fig. :** Air, allure, aspect,
bobine (fam.), bouille (fam.), expression, figure, physionomie. **III.**
Loc. Une bonne bille : l'air avenant/
bien intentionné/honnête/jovial/sym-
pathique, une bonne bouille (fam.)/
tête.
BILLET I. Au pr. 1. Bafouille (pop.),
correspondance, lettre, message, missive, pli. **2.** Récépissé, reçu, ticket.
3. Billet de banque : assignat (vx),
espèces, monnaie, monnaie fiduciaire,
numéraire, ticket (arg.). **II. Loc. Je**
vous en fiche mon billet (fam.) :
affirmer, assurer, certifier, donner sa
parole, faire serment, garantir, jurer,
promettre.
BILLEVESÉES Balivernes, chimères,
conneries (fam.), coquecigrues, fadaises, fantaisies, fantasmagories, ima-
ginations, sornettes, sottises, utopies.
BILLOT I. Au pr. : bille de bois,
planche à découper/à trancher. **II.**
Par ext. : décapitation, décollation,
supplice.
BINAIRE Alternatif, alterné, à deux
aspects / faces / temps / termes / unités, dichotomique, en opposition,
en relation.
BINAGE Bêchage, façonnage, grattage, sarclage.
BINER Aérer le sol, bêcher, cultiver,
façonner, gratter, sarcler.
BINETTE I. Au pr. : grattoir, houe,
sarclette, sarcloir, tranche. **II. Fig. :**
air, allure, aspect, bille (fam.),
bobine (fam.), bouille (fam.), expression, figure, nez (fam.), physionomie,
tête, tronche (arg.).
BINIOU Bag-pipe (angl.), bombarde,
cabrette, chabrette, chevrie, cornemuse, musette, pibrock (écossais).
BINOCLE Besicles, face-à-main, lorgnon, lunettes.
BIOGRAPHIE Histoire personnelle,
journal, mémoires, notice, prière
d'insérer.
BIQUE I. Au pr. : cabrette, cabri, caprin, chèvre. **II. Fig. Péj. →** mégère.

BIQUET, ETTE I. Au pr. : chevreau,
chevrette. **II. Fig. Fam. :** agneau,
aimé, âme, ami, amour, ange, beau,
belle, bellot, biche, bichette, bichon,
bien-aimé, bijou, bon, bon ami, caille,
chat, chatte, cher, chéri, chevrette,
chou, coco, cocotte, cœur, crotte,
enfant, fille, fils, gros, joli, joujou,
lapin, ma charmante, m'amie, mamour,
mie, mignon, mimi, minet, minette,
moineau, oiseau, petit, petite, poule,
poulet, poulette, poulot, poupée,
poupoule, prince, princesse, rat,
raton, reine, roi, tourterelle, trésor, etc.
BIS I. Interj. : bravo, encore, hourra.
II. Nom : applaudissements, bravos,
hourras, ovation, succès, triomphe.
BIS, E I. Au pr. : basané, bistre,
bistré, brun, brunâtre, gris, jaunâtre,
marron clair. **II. Loc. Pain bis :**
pain de campagne/complet/de seigle.
BISBILLE (Fam.) Bouderie, brouillerie, dépit, désaccord, différend, discorde, dispute, fâcherie, humeur, malentendu, mésentente, querelle, trouble.
BISCORNU, E I. Neutre : à
deux cornes, irrégulier. **II. Non fa-**
vorable : absurde, bizarre, confus,
déraisonnable, écervelé, échevelé,
extravagant, farfelu (fam.), fou, grotesque, inepte, insane, insensé, stupide.
BISCUIT I. Biscotte, friandise, galette, gâteau, gimblette, macaron,
pâtisserie, toast. **II.** Pain azyme.
III. Bibelot, porcelaine, statuette.
BISE I. Au pr. : blizzard, vent froid,
vent du Nord. **II. Fam. :** baiser, bécot
bisette, petit baiser, poutou.
BISEAU Loc. En biseau : en
oblique, entaillé.
BISEAUTÉ, E I. Au pr. : taillé en
oblique. **II. Loc. Cartes biseau-**
tées : marquées, truquées.
BISQUER Loc. pop. Faire bisquer
quelqu'un : asticoter (fam.), ennuyer,
faire endêver (fam.)/enrager/maronner
(fam.)/râler (fam.), taquiner, vexer.
BISSER Applaudir, en redemander
(fam.), faire une ovation/un triomphe,
ovationner, rappeler, réclamer.
BISTOURI I. Au pr. : couteau, lame,
scalpel. **II. Par ext. :** chirurgie,
opération.
BISTRE, BISTRÉ, E Basané, bis,
brun, brunâtre, gris, jaunâtre, marron
clair.
BISTROT I. Le lieu : abreuvoir
(fam.), assommoir, bar, café, estaminet, gargote, mastroquet, troquet,
zinc. **→** cabaret. **II. La fonction :**
cabaretier, cafetier, gargotier, marchand de vin, mastroquet, patron,
taulier (arg.), tavernier, troquet.
BITUME I. Au pr. : asphalte, coaltar, goudron, macadam, revêtement.
II. Loc. Faire le bitume : faire le

trottoir/le turf, racoler. → *prostitution*.

BITUMAGE Goudronnage, revêtement.

BITUMER Entretenir, goudronner, macadamiser, revêtir.

BITURE (Pop) **I. Loc. *A toute biture :*** à tout berzingue (fam.), à toute vitesse, en hâte, à fond de train, précipitamment. **II.** Cocarde, cuite, ébriété, muflée, pistache. → *ivresse*.

BIVOUAC Abrivent, campement, cantonnement, castramétation, faisceaux, halte, installation de nuit.

BIVOUAQUER Camper, cantonner, dresser les tentes, faire halte, former les faisceaux, installer le bivouac, planter les tentes.

BIZARRE I. Quelque chose ou quelqu'un (général. non favorable) : abracadabrant, abrupt, anormal, baroque, biscornu, capricieux, changeant, chinois, cocasse, comique, curieux, drôle, étonnant, étrange, excentrique, extraordinaire, extravagant, fantaisiste, fantasmagorique, fantasque, fantastique, funambulesque, grotesque, hétéroclite, impossible, incompréhensible, inégal, inhabituel, inquiétant, insolite, maniaque, marrant (fam.), mobile, monstrueux, original, plaisant, remarquable, ridicule, saugrenu, singulier, surprenant. **II. Quelqu'un** (péj.) : aliéné, autre, braque, brindezingue, cinglé, dérangé, fou, halluciné, iroquois, loufoque, lunatique, maniaque, numéro, olibrius, original, phénomène, pistolet, tout chose, type, zèbre, zigoto.

BIZARRERIE I. De quelque chose ou de quelqu'un : anomalie, caprice, chinoiserie, cocasserie, comportement bizarre, *et les syn. de* BIZARRE, curiosité, drôlerie, étrangeté, excentricité, extravagance, fantaisie, fantasmagorie, folie, monstruosité, originalité, ridicule, singularité. **II. De quelqu'un** (péj.) : aliénation, dérangement, folie, hallucination, loufoquerie, manie.

BLACKBOULER → *refuser*.

BLAFARD, E → *pâle*.

BLAGUE I. Poche/sac à tabac. **II.** Astuce, bobard, craque, exagération, farce, galéjade, hâblerie, histoire drôle, mensonge, plaisanterie, sornette. **III.** Erreur, faute, gaffe (fam.), maladresse, sottise. → *bêtise*.

BLAGUER I. V. tr. : asticoter (fam.), chahuter, faire marcher, se moquer de, railler, taquiner, tourner en dérision. **II. V. intr. 1. *Au pr. :*** exagérer, faire des astuces (fam.), galéjer (fam.), mentir, plaisanter, raconter des blagues *et les syn. de* BLAGUE. **2. *Par ext. :*** bavarder, causer, passer le temps.

BLAGUEUR, EUSE Farceur, galé-

jeur (fam.), menteur, moqueur, plaisantin, railleur, taquin. → *hâbleur*.

BLÂMABLE Condamnable, critiquable, déplorable, répréhensible.

BLÂME Accusation, anathème, attaque, avertissement, censure, condamnation, critique, désapprobation, grief, improbation, mise à l'index, objurgation, punition, remontrance, répréhension, réprimande, réprobation, reproche, semonce, tollé, vitupération.

BLÂMER Accuser, anathématiser, attaquer, censurer, condamner, critiquer, désapprouver, désavouer, donner un avertissement, donner un blâme, *et les syn. de* BLAME, faire grief de, faire reproche de, flageller, flétrir, fustiger, improuver, incriminer, jeter la pierre, punir, reprendre, réprimander, reprocher, réprouver, semoncer, sermonner, stigmatiser, trouver à redire, vitupérer.

BLANC, BLANCHE I. Adj. 1. *Au pr. :* argenté, beurre frais, blafard, blanchâtre, blême, clair, crème, immaculé, incolore, ivoire, ivoirin, lacté, lactescent, laiteux, limpide, net, opalin, pâle, platine, propre, pur. **2. *Fig. :*** candide, clair, immaculé, innocent, lilial, net, pur, virginal. **II. Nom. Typo. :** espace, interligne, intervalle, vide. **III. Loc. 1. *Saigner à blanc :*** à fond, épuiser, vider. **2. *Le blanc de l'œil :*** cornée, sclérotique. **3. *De but en blanc :*** de façon abrupte, directement, sans crier gare, sans préparation.

BLANC-BEC Arrogant, béjaune, insolent, niais, petit merdeux (fam.), morveux, prétentieux, sot.

BLANCHÂTRE Albugineux, blafard, blême, lacté, lactescent, laiteux opalin.

BLANCHEUR I. Au pr. : clarté, lactescence, netteté, pâleur, propreté, pureté. **II. Fig. :** candeur, innocence, pureté, virginité.

BLANCHIMENT Blanchissage, déalbation, décoloration, échaudage, finissage, herberie, lessivage, nettoiement.

BLANCHIR I. Au pr. 1. *Du linge :* frotter, herber, lessiver, nettoyer, savonner. **2. *Typo. :*** éclaircir. **3. *Un mur à la chaux :*** chauler, échauder. **4. *Quelqu'un :*** blêmir, pâlir. **5. *Des cheveux :*** prendre de l'âge, vieillir. **II. Fig. *Blanchir quelqu'un :*** acquitter, disculper, excuser, fournir un alibi, réhabiliter.

BLANCHISSAGE Lessive, nettoyage, savonnage.

BLANCHISSERIE Buanderie, laverie, lavoir.

BLANCHISSEUR, EUSE Lavandier, lavandière, laveur, laveuse, lessivier.

BLANC-MANGER Caillé, caillebotte, gelée, yaourt, yogourt.

BLANC-SEING Carte blanche, chèque en blanc, liberté de manœuvre, mandat, procuration en blanc.

BLANDICE Caresse, charme, flatterie, jouissance, séduction, tentation.

BLANQUETTE I. Ragoût. **II.** Chasselas, clairette, vin clairet.

BLASÉ, E I. Assouvi, dégoûté, difficile, fatigué, indifférent, insensible, rassasié, repu, revenu de tout, sceptique, usé. **II. Loc.** : avoir fait le tour de tout.

BLASER Dégoûter, désabuser, fatiguer, laisser froid, lasser, rassasier, soûler.

BLASON Armes, armoiries, écu, écusson, cartouche, panonceau, pennon, sceau.

BLASPHÉMATEUR, TRICE Apostat, impie, parjure, renieur, sacrilège.

BLASPHÉMATOIRE Impie, sacrilège.

BLASPHÈME Grossièreté, impiété, imprécation, injure, insulte, jurement, outrage, sacrilège.

BLASPHÉMER I. V. tr. : injurier, insulter, maudire, se moquer de, outrager. **II. V. intr.** : jurer, proférer des blasphèmes, sacrer.

BLATTE Cafard, cancrelat.

BLAUDE → *blouse.*

BLAZER Flanelle, veste, veston.

BLÉ Céréale, épeautre, froment, sarrasin.

BLED Brousse, pays perdu/sauvage, petite ville, petit village, trou.

BLÊME Blafard, blanchâtre, bleu, décoloré, exsangue, hâve, incolore, livide, pâle, pâlot, plombé, terne, terreux, vert.

BLÊMIR Blanchir, se décomposer, devenir livide, pâlir, verdir.

BLÉSEMENT Zézaiement, zozotement.

BLÉSER Zézayer, zozoter.

BLESSANT, E Agressif, arrogant, choquant, contrariant, déplaisant, désagréable, désobligeant, grossier, impoli, inconvenant, injurieux, irrespectueux, mal embouché, mortifiant, offensant, piquant, vexant.

BLESSÉ, E Éclopé, estropié, invalide, mutilé.

BLESSER I. Au pr. : abîmer, amocher (fam.), arranger (fam.), arranger le portrait (pop.), assommer, balafrer, battre, broyer, brûler, contusionner, corriger, couper, déchirer, écharper, écloper, écorcher, écraser, encorner, entailler, entamer, érafler, éreinter, estropier, faire une entorse, fouler, frapper, froisser, léser, luxer, maltraiter, meurtrir, mordre, mutiler,

navrer (vx), percer, piquer, poignarder. **II. Loc. Blesser la vue, les oreilles :** affecter, casser, causer une sensation désagréable, déchirer, écorcher, effaroucher, irriter, rompre. **III. Fig. 1. On blesse quelqu'un :** atteindre, choquer, contrarier, déplaire, égratigner, faire de la peine, froisser, heurter, irriter, offenser, piquer, toucher, ulcérer, vexer. **2. Quelqu'un blesse les convenances :** attenter à, enfreindre, être contraire à, heurter, porter atteinte, violer. **3. Quelque chose blesse quelqu'un dans ses intérêts :** causer du préjudice, faire tort, léser, nuire, porter atteinte, porter préjudice, préjudicier.

BLESSER (SE) I. Au pr. : *les formes pronom. possibles des syn. de* BLESSER. **II. Fig.** : être susceptible, se formaliser, s'offenser, s'offusquer, se piquer, se vexer.

BLESSURE I. Au phys. : atout (pop.), balafre, beigne (fam.), bleu, bobo (fam.), bosse, brûlure, châtaigne (fam.), choc, cicatrice, contusion, coquard, coup, coupure, distension, ecchymose, égratignure, élongation, entaille, entorse, éraflure, estafilade, estocade, fêlure, fracture, froissement, foulure, luxation, meurtrissure, plaie, tuméfaction. **II. Moral** : atteinte, brûlure, coup, coup dur, douleur, froissement, offense, pique, plaie, trait.

BLEU, E I. Adj. : ardoise, azur, azurin, bleuâtre, bleuet, céleste, céruléen, lapis-lazuli, myosotis, pers, pervenche, saphir. **II. Nom masc. 1.** Azur, ciel. **2.** Bizuth, bleusaille, conscrit, nouveau, novice. **3.** Beigne (fam.), châtaigne (fam.), coquard (fam.), ecchymose, meurtrissure, œil au beurre noir (fam.), tuméfaction. **III. Loc. 1. Sang bleu :** noble. **2. Fleur bleue :** sentimental, tendre. **3. Bas bleu :** pédante. **4. Cordon bleu :** bonne cuisinière. **5. Rêve bleu :** optimisme, sentimentalité.

BLEUSAILLE (Fam.) → *bleu.*

BLIAUD, BLIAUT → *blouse.*

BLINDAGE Abri, boisage, carter, cuirasse, protection.

BLINDÉ Automitrailleuse, char, char d'assaut, tank.

BLINDER I. Au pr. : abriter, boiser, cuirasser, protéger, renforcer. **II. Fig. :** endurcir, immuniser, protéger, renforcer.

BLINDER (SE) (Pop.) S'alcooliser. → *enivrer (s').*

BLOC I. Au pr. : bille, masse, pavé, pièce, roche, rocher. **II. Par ext. 1.** Amas, assemblage, ensemble, ouvrage, quantité, totalité, tout, unité. **2.** Cartel, coalition, fédération, front, groupe, union. **III. Loc. 1. En bloc :**

ensemble, globalement, en totalité, tout ensemble. **2. *Mettre au bloc :*** à la salle de police, à l'ombre (fam.), au gnouf (arg.), au trou (arg.), au violon, en prison, en taule (arg.). **3. *A bloc :*** à craquer, à fond, au maximum, le plus possible.

BLOCAGE I. Arrêt, coup d'arrêt, stabilisation. **II.** Empilage, serrage.

BLOCKHAUS Casemate, fortification, fortin, ouvrage.

BLOCUS Investissement, siège.

BLOND, E Blondin, blondinet, doré, lin.

BLONDIN → *galant.*

BLOQUER I. Au pr. : amasser, empiler, entasser, grouper, masser, rassembler, réunir. **II. Par ext. 1.** Assiéger, cerner, encercler, entourer, envelopper, fermer, investir. **2.** → *arrêter.* **3. *Les crédits :*** geler, immobiliser, suspendre. **4. *Un passage :*** coincer, condamner, encombrer, obstruer.

BLOTTIR (SE) S'accroupir, se cacher, se clapir, se coucher, s'enfouir, se mettre en boule, se pelotonner, se presser contre, se ramasser, se recroqueviller, se replier, se serrer contre, se tapir.

BLOUSE I. Au pr. : biaude, blaude, bliaud, bourgeron, camisole, caraco, roulière, sarrau, tablier, vareuse. **II. Par ext. :** chemisette, chemisier, corsage, marinière.

BLOUSER I. V. tr. → *tromper.* **II. V. intr. :** bouffer, gonfler.

BLUETTE Amourette, badinage, badinerie, fleurette, flirt, galanterie. → *amour.*

BLUFF Audace, bagou, baratin (fam.), battage, chantage, culot (fam.), épate (fam.), esbroufe (fam.), intimidation, tromperie, vantardise.

BLUFFER Abuser, aller au culot (fam.), baratiner (fam.), épater, esbroufer (fam.), faire du chantage/ de l'esbroufe (fam.)/de l'épate (fam.)/ du vent (fam.), galéjer (fam.), intimider, leurrer, masser (arg.), tromper, se vanter.

BLUTOIR Bluteau, sas, tamis.

BOBARD Bateau, blague, boniment, fantaisie, fausse nouvelle, mensonge, plaisanterie, ragot, tromperie, tuyau (fam.), vantardise.

BOBINE I. Au pr. : bloquet, bobineau, broche, dévidoir, navette, nille, rochet, roquetin, rouleau. **II. Fig.** → *tête.*

BOBINER Enrouler, envider, rendvider.

BOCAGE Boqueteau, bosquet, breuil, chemin creux, garenne, petit bois.

BOCAGER, ÈRE Agreste, bucolique,

champêtre, mythologique, pastoral.

BOCAL Pot, récipient, vase.

BOCK Chope, demi, verre.

BŒUF I. Nom : bovidé. **II. Adj. Fig. :** colossal, énorme, extraordinaire, formidable, monstre, surprenant.

BOHÈME I. Favorable ou neutre : artiste, fantaisiste, indépendant, insouciant. **II. Non favorable :** asocial, débraillé, désordonné, instable, original, peu soigné, vagabond.

BOHÉMIEN, ENNE Baraquin (péj.), fils du vent, gipsy, gitan, nomade, roma ou romé, romanichel, romano (fam.), sinte ou zing, tzigane, zingaro.

BOIRE I. V. tr. 1. *On boit :* absorber, avaler, buvoter, ingurgiter, prendre. **2. *Quelque chose boit :*** absorber, s'imbiber de, s'imprégner de. **II. V. intr. 1. *Un animal :*** s'abreuver, se désaltérer, laper. **2. *L'homme.*** *Neutre :* se désaltérer, étancher sa soif, prendre un verre, se rafraîchir. *Non favorable et fam. :* s'abreuver, absorber, arroser, s'aviner, biberonner, buvoter, chopiner, se cocarder, écluser, s'enivrer, entonner, éponger, godailler, s'humecter le gosier, s'imbiber, s'imprégner, lamper, se lester, lever le coude, licher, picoler, pinter, pomper, se rafraîchir, se remplir, riboter, se rincer la dalle/le gosier, siroter, sucer, téter, se taper/vider un verre. **III. Loc. *Boire le calice :*** endurer, souffrir, subir.

BOIS I. Bocage, boqueteau, bosquet, bouquet d'arbres, breuil, châtaigneraie, chênaie, forêt, fourré, frondaison, futaie, hallier, hêtraie, massif d'arbres, pinède, sapinière, sous-bois, sylve, taillis. **II.** Bille, billette, billot, bourrée, branche, brasse, brassée, brindille, bûche, bûchette, charbonnette, cotret, fagot, falourde, fascine, margotin, rondin. **III.** Copeau, déchet, sciure. **IV. *Des cervidés :*** andouiller, corne, dague, empaumure, merrain, ramure, revenue.

BOISAGE I. L'action : consolidation, cuvelage, cuvellement, garnissage, muraillement, renforcement, soutènement. **II. Le matériau, l'appareil :** cadre, chapeau, corniche, étai, montant, palplanche, semelle, sole.

BOISEMENT Pépinière, plantation, repeuplement, semis.

BOISER I. Ensemencer, garnir, planter, repeupler. **II.** Consolider, cuveler, étayer, garnir, renforcer, soutenir.

BOISERIE Charpente, châssis, huisserie, lambris, menuiserie, moulure, panneau, parquet.

BOISSON Alcool, apéritif, bibine (péj.), bière, bouillon, breuvage, café, chaudeau, chocolat, cidre, citronnade, cocktail, coco, cordial, décoction, digestif, eau, eau de mélisse, eau-de-vie, élixir, émulsion, grog, hydromel, hypocras, infusion, julep, jus de fruit, kéfir, kwas, lait, limonade, liqueur, maté, mélange, mixture, nectar, orangeade, piquette, poiré, potion, punch, remontant, sirop, soda, thé, tisane, vin, vulnéraire, etc.

BOÎTE I. Au pr. : bonbonnière, boîtier, cagnotte, caisse, caque, carton, case, casier, cassette, cercueil, chancelière, châsse, chocolatière, coffre, coffret, contenant, custode (relig.), drageoir, écrin, emballage, malle, marmotte, nécessaire, plumier, poubelle, poudrier, récipient, reliquaire, tabatière, tirelire, tronc, trousse, valise, vanity-case. **II. Par ext. 1. Arg. scol.** : bahut, collège, école, lycée, pension. **2.** Administration, affaire, atelier, boutique, bureau, chantier, commerce, entreprise, firme, maison, société, usine. **3.** → cabaret. **III. Loc. 1. Mise en boîte** → raillerie. **2. Ta boîte :** ta bouche, ta gueule (pop.).

BOITER I. Quelqu'un : aller clopin-clopant/de travers, béquiller (fam.), boitiller, claudiquer, clocher, clopiner, se déhancher, loucher de la jambe (fam.). **II. Quelque chose :** brimbaler, bringuebaler, osciller. **III. Fig. :** aller cahin-caha/de travers/mal, clocher, laisser à désirer.

BOITEUX, EUSE I. Quelqu'un : bancal, bancroche (fam.), béquillard (fam.), claudicant, éclopé, estropié, infirme, invalide. **II. Quelque chose :** bancal, bancroche (fam.), branlant, de travers, de traviole (fam.), esquinté, inégal, instable, sur trois pattes/pieds. **III. Loc. 1. Raisonnement boiteux :** faux, incomplet. **2. Motif boiteux :** prétexte.

BOITILLANT, E Dissymétrique, irrégulier, saccadé, sautillant, syncopé.

BOL Coupe, jatte, récipient, tasse.

BOLCHEVIK, BOLCHEVISTE Communiste, marxiste, révolutionnaire, rouge, socialiste, soviétique.

BOLCHEVISME Collectivisme, communisme, marxisme, socialisme.

BOLET Bordelais, champignon, cèpe, tête-de-nègre.

BOLIDE I. Au pr. : aérolithe, astéroïde, corps céleste, étoile filante, météore, météorite, projectile céleste. **II.** Voiture de course.

BOMBANCE (Fam.) Agape, bamboche, bamboula, banquet, bombe, bonne chère, boustifaille, bringue, chère lie, dégagement, festin, festivité, foire, godaille, gogaille, gueuleton, java, liesse, muffée, muflée, noce, partie, réjouissances, ripaille, ronflée.

BOMBARDE I. Bouche à feu, canon, mortier, pièce d'artillerie.

II. Bag-pipe (angl.), biniou, cabrette, chabrette, chevrie, cornemuse, musette, pibrock (écossais).

BOMBARDEMENT Arrosage (arg.), barrage, canonnade, marmitage (fam.), mitraillade, mitraillage, tir.

BOMBARDER I. Au pr. : arroser (arg.), canarder (arg.), canonner, écraser, lancer des bombes, marmiter (arg.), mitrailler, tirer. **II. Fig. :** accabler, cribler, jeter, lancer, obséder.

BOMBE I. Au pr. : charge de plastic, engin, explosif, grenade, machine infernale, obus, projectile, torpille. **II. Fig. →** bombance. **III.** Crème glacée, glace, sorbet.

BOMBÉ, E Arrondi, bossu, convexe, cintré, courbe, gonflé, renflé, ventru.

BOMBEMENT Apostème, apostume, arrondi, bosse, convexité, cintre, courbe, dos d'âne, enflure, gonflement, renflement, ventre.

BOMBER I. Au pr. : arrondir, cintrer, courber, enfler, gondoler, gonfler, renfler. **II. Loc. Bomber le torse :** se gonfler, se redresser, faire le fier/ le malin.

BON, BONNE adj. I. Au pr. : accueillant, agréable, amical, avantageux, beau, bien, bienfaisant, bienveillant, congru, convenable, favorable, heureux, intéressant, juste, profitable, propice, propre, utile. **II. Par ext.** : acceptable, correct, excellent, exemplaire, meilleur, moyen, parfait, passable, satisfaisant, suffisant, utilisable. **III. Quelque chose. 1. Un repas :** délectable, délicat, excellent, exquis, parfait, succulent. **2. Une activité :** lucratif. **3. Un sol :** fertile, productif, riche. **4. Une situation :** certain, enviable, solide, stable, sûr. **5. Un compte :** exact, rigoureux, sérieux, strict. **6. Un conseil :** avisé, éclairé, judicieux, pondéré, prudent, raisonnable, sage, utile. **7. Un motif :** admissible, convaincant, plausible, recevable, valable. **8. Un remède, un moyen :** approprié, efficace, opérant, réconfortant, salutaire. **9. Activités de l'esprit :** adroit, agréable, amusant, beau, bien, drôle, émouvant, habile, instructif, plaisant, spirituel, sublime, touchant. **10. Une odeur :** agréable, aromatique, délicieux, exquis, suave. **IV. La quantité :** abondant, complet, considérable, grand, plein. **V. Par ironie. Une bonne maladie :** bien tassé, carabiné, mauvais, sale. **VI. Quelqu'un. 1. Le corps :** bien bâti/planté, costaud, fort, robuste, sain, solide. **2. Le caractère.** Neutre ou favorable : accessible, accueillant, agréable, aimable, altruiste, bénin, benoît, bienfaisant, bienveillant, brave, charitable, clément, complaisant, dévoué, doux, estimable, franc, généreux, gentil, gracieux, honnête, humain, humanitaire, indulgent, magnanime, miséricordieux, obligeant, ouvert, philanthrope, secourable, sensible, serviable, sociable. *Non favorable :* bénin, bonasse, boniface, brave, candide, crédule, débonnaire, gogo (fam.), ingénu, innocent, naïf, paterne, simple. **3. Le comportement :** beau, charitable, convenable, courageux, digne, distingué, droit, efficace, énergique, équitable, exemplaire, généreux, héroïque,. honnête, honorable, judicieux, juste, louable, méritoire, modèle, moral, noble, raisonnable, utile, vertueux. **VII. Loc. 1. Bon à, bon pour :** apte, capable, convenable, correct, digne, efficace, favorable, prêt, propice, propre, utile, valable. **2. Faire bon :** agréable, beau, doux. **3. Tenir bon :** dur, ferme, fermement, fort, solidement. **4. Tout de bon :** effectivement, réellement, sérieusement.

BON n. m. Attestation, billet, certificat, coupon, coupure, ticket, titre.

BONACE I. Au pr. : calme plat, répit, tranquillité. **II. Fig. :** apaisement, calme, paix, quiétude, rémission, tranquillité, trêve.

BONASSE Faible, mou, simple, timoré. → *bon.*

BONBON Berlingot, bêtises, calisson, caramel, chatterie, chocolat, confiserie, crotte de chocolat, dragée, fourrés, gourmandise, papillote, pastille, pâte de fruit, praline, sucette, sucre d'orge, sucrerie, etc.

BONBONNE Bouteille, dame-jeanne, fiasque, tourie.

BONBONNIÈRE I. Au pr. : boîte, chocolatière, coffret, drageoir. **II. Fig. :** boudoir, garçonnière, petit appartement, studio.

BOND I. Au pr. : bondissement, cabriole, cahot, cascade, entrechat, rebond, ricochet, saut, secousse, sursaut, vol plané. **II. Par ext. Les prix :** boom, hausse.

BONDE I. D'un étang : empellement, tampon, vanne. **II. D'un tonneau :** bondon, bouchon, tampon.

BONDÉ, E Archiplein, bourré, comble, complet, plein.

BONDER Bourrer, faire le plein, remplir.

BONDIR Cabrioler, cahoter, cascader, s'élancer, s'élever, faire des cabrioles/des entrechats/un vol plané, rebondir, ricocher, sauter, sursauter, voltiger.

BONHEUR I. Neutre ou favorable. 1. Un événement : aubaine, bénédiction, chance, faveur, fortune, heur (vx), pot (arg.), réussite, succès, veine (fam.). **2. Un état :** ataraxie, béatitude, bien, bien-être, calme, contentement, délices, enchantement, euphorie, extase, félicité, joie, nirvâna, paix, plaisir, prospérité, ravissement, relaxation, satisfaction, septième ciel, sérénité, volupté, voyage (arg.). **II. Loc. Avoir le bonheur de :** agrément, avantage, honneur, plaisir.

BONHOMIE I. Favorable : amabilité, bonté, douceur, facilité, familiarité, gentillesse, indulgence, simplicité. **II. Non favorable :** bonasserie, finasserie, rouerie.

BONHOMME I. Favorable ou neutre : aimable, altruistre, bon, bonasse (péj.), brave, débonnaire, facile, gentil, obligeant, serviable, simple. **II. Non favorable** → *naïf.* **III. Péj. :** faux jeton (fam.), patelin, simulateur, trompeur. → *hypocrite.* **IV. Nom :** guignol (arg.), mec (arg.), type (fam.), zigue (fam.). → *homme.*

BONI Avantage, bénef (fam.), bénéfice, excédent, gain, gratte (fam.), guelte, profit, rapport, reliquat, reste, revenant-bon, revenu, solde positif.

BONIFICATION I. Au pr. → *amélioration.* **II. Par ext. 1. Du sol** → *amendement.* **2.** → *gratification.*

BONIFIER I. Au pr. → *améliorer.* **II. Par ext.** → *gratifier.*

BONIMENT I. Battage, bluff, bruit, charlatanisme, parade, publicité, réclame. **II.** Abattage, bagou, baratin, bavardage, blague, bobard, compliment, craque, discours, fadaise, hâblerie, histoire, mensonge, parlote, salade (fam.), verbiage.

BONISSEUR I. Au pr. : batteur, bonimenteur, bonneteur, camelot, charlatan, forain, rabatteur. **II. Par anal. :** baratineur, beau parleur, blagueur, bluffeur, bonimenteur, charlatan, complimenteur, discoureur, flatteur, hâbleur, menteur, raconteur de boniments, *et les syn. de* BONIMENT.

BONITE Pélamyde, thon.

BONNE I. Bonniche (péj.), domestique, employée de maison, factoton, femme de chambre/de ménage, maritorne (péj.), servante. **II. Bonne d'enfants :** gouvernante, nurse.

BONNE-MAMAN Grand-maman, grand-mère, grannie, mame, mamie, mémé.

BONNEMENT De bonne foi, franchement, naïvement, réellement, simplement, sincèrement.

BONNET I. De femme : attifet, baigneuse, bavolet, béguin, charlotte, coiffe, colinette, toque, toquet. **II. D'homme. 1. Au pr. :** béret, calot, chamka, coiffe, coiffure, colback, couvre-chef, passe-montagne, serretête, toque. **2. Particul. :** barrette, calot, calotte, faluche, mortier. **III.**

Bonnet de nuit. 1. Casque à mèche (fam.). **2. Par anal., quelqu'un, péj. et fam. :** baderne, barbon, emmerdeur (grossier), éteignoir, vieille bête, vieux con (grossier)/machin/schnoque/truc.

BONNETERIE Jersey, sous-vêtement, tricot.

BONNETEUR → bonisseur.

BONNETIÈRE Armoire, bahut, penderie.

BON-PAPA Grand-papa, grand-père, papie ou papy, pépé.

BON SENS Équilibre, juste milieu, lucidité, pondération, raison.

BONSOIR Adieu, au revoir, bonne nuit, salut.

BONTÉ I. Qualité morale. 1. Favorable : abnégation, accueil, agrément, altruisme, amabilité, bénignité, bienfaisance, bienveillance, bonhomie, charité, clémence, compassion, complaisance, dévouement, douceur, facilité d'humeur, générosité, gentillesse, gracieuseté, honnêteté, humanité, indulgence, magnanimité, mansuétude, miséricorde, obligeance, ouverture, philanthropie, pitié, serviabilité, sociabilité, tendresse. **2. Péj. :** candeur, crédulité, débonnaireté, ingénuité, innocence, naïveté, simplicité. **II. Quelque chose :** agrément, avantage, beauté, bienfaisance, congruité, convenance, exactitude, excellence, force, intérêt, justice, perfection, propriété, utilité, vérité.

BONZE I. Au pr. : moine bouddhiste, prêtre. **II. Fig.** (péj.) : fossile, gâteux, mandarin, pédant, pontife, vieux con (grossier), vieil imbécile, et les syn. de IMBÉCILE.

BOOM Accroissement, augmentation, bond, hausse, prospérité, relance.

BOQUETEAU → bois.

BORBORYGME Bruit, flatulence, flatuosité, gargouillement, gargouillis, murmure confus, ronflement, ronflette (fam.), rot.

BORD I. D'une surface : arête, bordure, contour, côté, limite, périmètre, périphérie, pourtour. **II. De la mer :** côte, grève, littoral, plage, rivage. **III. D'une rivière :** berge, grève, levée, rivage, rive. **IV. D'un bois :** bordure, lisière, orée. **V. D'un puits :** margelle. **VI. D'une route :** banquette, bas-côté, fossé. **VII. D'un bateau** → bordage. **VIII. D'un objet :** arête, cadre, contour, entourage, extrémité, frange, marge, ourlet, tranche.

BORDAGE I. Au pr. : bord, bordé. **II. Par ext. :** bâbord, bastingage, bau, coupée, couple, hiloire, pavois, plat-bord, préceinte, rance, tribord, virure.

BORDÉE I. Au pr. : ligne de canons, salve. **II. Fig. et fam. Loc. 1.** Tirer une bordée : escapade, sortie, tournée, virée. **2.** Une bordée d'injures : avalanche, averse, brouettée, charretée, collection, déluge, orage, pelletée, pluie, tas, tombereau.

BORDELAISE I. → barrique. **II.** → bouteille.

BORDER I. Mar. : caboter, côtoyer, longer, louvoyer. **II.** S'étendre le long de, limiter, longer. **III. Par ext. On borde quelque chose :** cadrer, encadrer, entourer, franger, garnir, ourler.

BORDEREAU État, facture, justificatif, liste, note, récapitulatif, récapitulation, relevé.

BORDERIE I. Au pr. : métairie. **II. Par ext. :** ferme, fermette.

BORDIER, ÈRE I. Métayer. **II.** Frontalier, mitoyen.

BORDURE I. Ajout, ajouture, agrément, cordon, feston, haie, garniture, ligne, ornement. **II.** → bord.

BORÉAL, E Arctique, du nord, nordique.

BORNAGE Délimitation, limite, tracé.

BORNE Fin, limite, frontière, marque, terme.

BORNÉ, E I. Au pr. : cadastré, circonscrit, défini, délimité, entouré, limité, marqué, tracé. **II. Fig.** (péj.) : à courte vue, bouché, étroit, imbécile, limité, obtus, rétréci, sot, stupide. → bête.

BORNER I. Au pr. : cadastrer, circonscrire, délimiter, enclaver, limiter, marquer. **II. Par ext. : 1.** Confiner à, être en limite de, terminer, toucher à. **2. Borner la vue :** arrêter, barrer, boucher, fermer, intercepter, limiter, restreindre. **III. Fig. :** arrêter, circonscrire, faire obstacle à, limiter, mettre un terme à, modérer, réduire, restreindre.

BORNER (SE) Se cantonner dans, se circonscrire à, se confiner dans, se contenter de, ne faire que, se limiter/se réduire/se restreindre/s'en tenir à.

BOSQUET → bois.

BOSSAGE Anglet, refend, relief, ronde-bosse, saillie.

BOSSE I. Au pr. : apostume, beigne, bigne, cabosse, cyphose, enflure, excroissance, gibbosité, grosseur, protubérance, tumeur. **II. Fig. :** arrondi, bosselure, convexité, éminence, enflure, excroissance, grosseur, protubérance, renflement.

BOSSELÉ I. Au pr. : accidenté, âpre, bombé, bossu, inégal, montueux, mouvementé, pittoresque, varié. **II. Par ext. :** abîmé, cabossé, déformé, faussé, inégal, irrégulier, martelé.

BOSSELER Abîmer, bossuer, cabosser, déformer, fausser, marteler.

BOSSER Fam. : en fiche/en foutre un coup, turbiner. → *travailler.*

BOSSU, E I. Au pr. : boscot, contrefait, difforme, estropié, gibbeux, tordu. **II. Par ext.** → *bosselé.*

BOSSUER → *bosseler.*

BOTANIQUE Étude des végétaux, herborisation (vx).

BOTANISTE Herborisateur (vx).

BOTTE I. De végétaux : balle, bouquet, bourrée, brassée, fagot, faisceau, gerbe, javelle, manoque, touffe. **II.** Bottillon, bottine, brodequin, cuissard, houseaux, snow-boot. **III. Loc. 1. Lécher les bottes** : courtiser, flagorner, flatter. **2. A sa botte** : à sa dévotion, à ses ordres. **3. Coup de botte** : coup de pied, shoot. **4. Ça fait ma botte :** ça me convient, ça fait mon affaire, ça me va. **5. Y laisser ses bottes** : y perdre tout, être tué. **IV. Escrime** : attaque, coup, secret.

BOTTELER Assembler, attacher, gerber, grouper, lier, manoquer.

BOTTER I. Au pr. : chausser. **II. Fig.** : aller, convenir, faire l'affaire, plaire, trouver chaussure à son pied. **III.** Shooter, taper.

BOTTIER I. Chausseur. **Par ext.** → *cordonnier.*

BOTTINE Chaussure montante. → *botte.*

BOUCAN (Fam.) Raffut, tapage, vacarme. → *bruit.*

BOUCANÉ, E I. Au pr. : desséché, conservé, fumé, séché. **II. Par ext.** : basané, bronzé, cuit par le soleil, desséché, ridé.

BOUCANER Dessécher, durcir, conserver, cuire au soleil, fumer, sécher.

BOUCANIER Aventurier, coureur/écumeur des mers, pirate.

BOUCHAGE Fermeture, obturation, occultation.

BOUCHE I. De l'homme : avaloire (fam.), bec, cavité buccale, gosier (fam.), goule (fam.), gueule (fam.), margoulette, museau. **II. D'animaux** : bec, cystotome, gueule, mandibule, suçoir, trompe. **III. Fig.** : embouchure, entrée, orifice, ouverture. **IV. Loc. Fine bouche** : délicat, difficile, fin bec, gourmand, gourmet.

BOUCHÉ, E I. Au pr. : fermé, obstrué, obturé, occulté. **II. Le temps** : bas, brumeux, couvert, menaçant. **III. Fig.** → *bête.*

BOUCHÉE Becquée, goulée (fam.), lippée (fam.), morceau.

BOUCHER I. Au pr. 1. Sens général : clore, fermer, obstruer, obturer. **2. Un tonneau :** bondonner.

3. Une ouverture : aveugler, calfeutrer, colmater, obstruer, occulter. **4. Une voie d'eau** : aveugler, étancher, étouper, tamponner. **5. Un passage** : barrer, condamner, encombrer, murer. **6. La vue :** intercepter, offusquer. **II. Fig. Loc. fam.** En boucher un coin : clouer le bec, épater, étonner, laisser pantois/sans voix, réduire au silence.

BOUCHER (SE) S'engorger, *et les formes pronom. possibles des syn. de* BOUCHER.

BOUCHER, ÈRE I. Au pr. : chevillard, détaillant, étalier, tueur. **II. Fig.** (péj.) : bourreau, chasseur, chirurgien, militaire.

BOUCHERIE I. Au pr. : abattoir, commerce de la viande, échaudoir, étal. **II. Fig.** : carnage, guerre, massacre, tuerie.

BOUCHE-TROU Fig. (fam.) : doublure, extra, figurant, remplaçant, utilité.

BOUCHON I. Poignée de paille, tampon, tapon. **II.** Cabaret, estaminet, gargote (péj.), petit restaurant, troquet. **III.** Bonde, bondon, fermeture.

BOUCHONNAGE, BOUCHONNEMENT Friction, frictionnement, massage, pansage, soins.

BOUCHONNER I. Chiffonner, froisser, mettre en bouchon, tordre. **II.** Frictionner, frotter, masser, panser, soigner.

BOUCLE I. Au pr. 1. Agrafe, anneau, ardillon, assemblage, attache, fermeture, fermoir, fibule. **2.** Bijou, clip, dormeuse, pendant d'oreille. **II. Par ext.** : accroche-cœur, anglaises, bouclette, boudin, frisette.

BOUCLER I. V. intr. : friser, onduler. **II. V. tr. 1.** Attacher, fermer, serrer. **2.** Emprisonner, enfermer, mettre au clou (arg.)/au gnouf (arg.)/à l'ombre (fam.)/au trou (arg.).

BOUCLIER I. Au pr. : arme, broquel, écu, pavois, pelte, rondache, rondelle, targe, tortue. **II. Fig.** : abri, carapace, cuirasse, défense, palladium, protection, rempart, sauvegarde.

BOUDER Battre froid, être fâché/en froid/maussade/de mauvaise humeur, faire la grimace/la tête/la moue, grogner, refuser, rechigner.

BOUDERIE Brouille, brouillerie, dépit, désaccord, différend, discorde, dispute, fâcherie, humeur, malentendu, mésentente, moue, querelle, trouble.

BOUDEUR, EUSE Grognon, maussade.

BOUDINÉ, E Comprimé, entortillé, étouffé, étriqué, serré, tordu, tortillé.

BOUDOIR Cabinet particulier, petit bureau/salon.

BOUE I. Au pr. : alluvion, bourbe, braye, crotte, curure, dépôt, fagne, fange, gâchis, gadoue, gadouille, immondices, jet, limon, margouillis, merde (grossier), sédiment, tourbe, vase. **II. Fig.** : abjection, abomination, bassesse, corruption, débauche, impureté, infamie, ordure, stupre, vice, vilenie.

BOUÉE Balise, flotteur, gilet de sauvetage.

BOUEUR Balayeur, boueux, éboueur.

BOUEUX, EUSE I. Au pr. : bourbeux, crotteux, fagneux, fangeux, gadouilleux, limoneux, marécageux, merdeux (grossier), tourbeux, vaseux. **II. Fig.** : abject, bas, corrompu, impur, infâme, ordurier, malodorant, trouble, vicieux. **III. Nom masc.** → *boueur*.

BOUFFANT, E Ballonné, gonflé.

BOUFFARDE Brûle-gueule, pipe.

BOUFFE Bouffon, burlesque, comique.

BOUFFÉE I. Au pr. : accès de chaleur, courant d'air, émanation, exhalaison, haleine, halenée, souffle, vapeur. **II. Fig.** : accès, explosion, manifestation, mouvement, passage, traînée. **III. Loc. Par bouffées :** par accès/à-coups/intervalles.

BOUFFER v. tr. et intr. **I. Au pr. :** ballonner, enfler, gonfler. **II.** → *bâfrer*.

BOUFFETTE Chou, coque, nœud.

BOUFFI, E I. Quelqu'un. *1. Au pr. :* ballonné, boursouflé, empâté, enflé, gonflé, gras, gros, joufflu, mafflu, obèse, soufflé, turgescent, turgide, vultueux. *2. Par ext. :* plein, rempli. **II. Fig.** → *ampoulé*.

BOUFFIR Ballonner, boursoufler, devenir bouffi *et les syn. de* BOUFFI, empâter, enfler, engraisser, gonfler, grossir.

BOUFFISSURE I. Quelqu'un. *.1 Au pr. :* ballonnement, bosse, boursouflure, cloque, embonpoint, empâtement, enflure, gonflement, grosseur, intumescence, obésité. *2. Fig. :* enflure, orgueil, vanité. **II. Quelque chose :** boursouflage, emphase gongorisme, grandiloquence.

BOUFFON I. Nom masc. : arlequin, baladin, bateleur, bouffe, clown, comique, fagotin, farceur, gugusse, histrion, matassin, nain, paillasse, pantalon, pantin, pasquin, pitre, plaisantin, queue-rouge, saltimbanque, trivelin, zanni. **II. Adj. :** burlesque, cocasse, comique, drôle, fantaisiste, folâtre, grotesque, ridicule, rigolo (fam.).

BOUFFONNER → *plaisanter*.

BOUFFONNERIE Arlequinade, batelage, chose bouffonne *et les syn. de* BOUFFON, clownerie, comédie, farce,

joyeuseté, pantalonnade, pasquinade, pitrerie, plaisanterie.

BOUGE Bastringue, bordel, boui-boui (fam.), bouic (fam.), boxon (vulg.), cabaret mal famé, gargote, maison close/mal famée, mauvais lieu.

BOUGEOIR Par ext. : binet, bobèche, brûle-tout, chandelier, chandelle, lumière, lumignon.

BOUGER I. V. intr. : s'agiter, aller et venir, avoir la bougeotte, broncher, changer de place, ciller, se déplacer, se déranger, se mouvoir, partir, remuer, ne pas rester en place, voyager. **II. V. tr. :** agiter, changer, déplacer, déranger, mouvoir, remuer.

BOUGIE Camoufle (arg.), chandelle, cierge, lumignon.

BOUGON, ONNE → *grognon*.

BOUGONNER → *grogner*.

BOUGRE, ESSE I. Nom. *1. Favorable ou neutre :* bonhomme, brave homme, drôle, gaillard, luron, mec (fam.), piaf (fam.), type. *2. Non favorable :* bonhomme, gaillard, homme, individu, mec (fam.), oiseau, piaf (fam.), pistolet, quidam, type. **II. Interj. :** bigre, fichtre, foutre (grossier). **III. Loc. Bougre de :** espèce de.

BOUI-BOUI → *bouge*.

BOUIF → *cordonnier*.

BOUILLABAISSE I. Au pr. : chaudrée, matelote, soupe de poisson. **II. Fig.** : bazar, embrouillamini, fourbi, gâchis, mélange, pastis, salade.

BOUILLANT, E Fig. → *bouillonnant*.

BOUILLE I. Au pr. *1. Pour le lait :* berthe, pot, récipient, vase. *2. Pour la vendange :* hotte. **II. Fig.** (pop.) : air, apparence, balle, bille, bouillotte, figure, mine, tête, tronche, visage.

BOUILLEUR Distillateur.

BOUILLI, E I. Adj. : cuit, ramolli, stérilisé. **II. Nom** → *pot-au-feu*.

BOUILLIE I. Au pr. *1.* Blanc-manger, compote, consommé, coulis, crème, décoction, gaude, marmelade, polenta, purée, sagamité. *2. Techn. :* barbotine, chyme (méd.), exsudat (méd.), laitance, laitier, pulpe, pultacé (méd.). **II. Fig.** → *confusion*.

BOUILLIR I. Au pr. : bouillonner, cuire, frémir, mijoter, mitonner. **II. Fig. :** s'agiter, bouillonner, s'échauffer, s'emporter, être en effervescence s'exaspérer, exploser, fermenter, frémir, s'impatienter, se mettre en colère/ en fureur, ronger son frein, sortir de ses gonds.

BOUILLOIRE Bouillotte, coquemar, samovar.

BOUILLON I. Au pr. : brouet, chaudeau, chaudrée, concentré, consommé, court-bouillon, potage, pot au-feu, soupe. **II. Par ext. :** gargote (péj.), restaurant, self-service. **III. Fig. Loc.** *Boire un bouillon :* la tasse. → *échouer.*

BOUILLONNANT, E Actif, ardent, bouillant chaleureux, chaud, effervescent, emballé, embrasé, emporté, endiablé, enflammé, enthousiaste, exalté, excité, fanatique, fébrile, fervent, fiévreux, fougueux, frémissant, frénétique, furieux, généreux, impatient, impétueux, incandescent, le sang chaud/prompt/vif, passionné, prompt, tout feu tout flamme, tumultueux, véhément, vif, violent, volcanique.

BOUILLONNEMENT I. Au pr. : ébullition, fermentation. **II. Fig. :** activité, acharnement, agitation, alacrité, amour, animation, ardeur, avidité, brasier, chaleur, convoitise, désir, échauffement, effervescence, emballement, embrasement, émotion, emportement, empressement, enthousiasme, éruption, exaltation, excitation, fanatisme, fébrilité, ferveur, feu, flamme, force, fougue, frémissement, frénésie, fureur, impatience, impétuosité, incandescence, lyrisme, mouvement, passion, promptitude, surexcitation, tumulte, véhémence, vie, vigueur, violence, vitalité, vivacité, volcanisme.

BOUILLONNER → *bouillir.*

BOUILLOTTE I. Brelan, jeu de cartes. **II.** → *bouilloire.* **III.** Boule, bouteille, cruche, cruchon. **IV. Par ext. :** brique, chaufferette, moine. **V.** → *bouille.*

BOULE I. Au pr. : balle, ballon, bille, boulet, boulette, bulle, bulteau, cochonnet, globe, pelote, peloton, pomme, pommeau, sphère. **II. Jeu de boules :** bilboquet, billard, billard japonais, billard nicolas, boule lyonnaise, boulier, bowling, passe-boules, pétanque, quilles. **III. Loc.** *1. Se mettre en boule* → *colère. 2. Perdre la boule :* le nord, la tête.

BOULER I. Débouler, dégringoler, dévaler, s'écrouler, s'effondrer, rouler, tomber. **II.** Agiter, bouillir, fatiguer, remuer, touiller, troubler. **III. Fig. Loc.** *Envoyer bouler :* éconduire, envoyer promener, repousser.

BOULET I. Au pr. : obus, projectile. **II. Fig. :** affliction, angoisse, chagrin, châtiment (péj.), désespoir, douleur, épreuve, peine (neutre ou péj.), souci, souffrance, tourment.

BOULETTE I. Au pr. : croquette. **II. Fig.** → *erreur.*

BOULEVARD Allée, avenue, cours, levée, mail, promenade, rempart, rocade.

BOULEVARDIER, ÈRE Par ext. : à la mode, mondain, primesautier,

railleur, satirique, vif, viveur (péj.).

BOULEVERSEMENT I. → *agitation.* **II.** → *changement.*

BOULEVERSANT, E → *émouvant.*

BOULEVERSÉ, E I. Quelqu'un : abattu, agité, déconcerté, décontenancé, ébranlé, ému, paniqué (fam.), retourné, secoué, sens dessus dessous, touché, troublé. **II. Le visage, les traits :** altéré, décomposé, ravagé, tiré.

BOULEVERSER I. Quelqu'un ou quelque chose bouleverse quelque chose : abattre, agiter, brouiller, casser, chambarder, chambouler, changer, contester, déranger, détruire, ébranler, faire sauter, farfouiller, fouiller, ficher/foutre/mettre en l'air/ en désordre/sens dessus dessous/en pagaille, modifier, perturber, propager la subversion, ravager, réformer, renverser, révolutionner, ruiner, saccager, secouer, trifouiller (fam.), tripatouiller (fam.), troubler. **II. On bouleverse quelqu'un :** abattre, agiter, déconcerter, décontenancer, ébranler, émouvoir, mettre sens dessus dessous, paniquer (fam.), retourner, secouer, toucher, troubler.

BOULIER Abaque, calculateur, compteur.

BOULIMIE I. Au pr. : appétit, faim, gloutonnerie, goinfrerie, grandfaim, insatiabilité. **II. Fig. :** appétit, ardeur, curiosité, désir.

BOULINGRIN Gazon, jeu de boules, parterre, tapis vert.

BOULONNER I. Au pr. : assujettir, assurer, attacher, fixer, lier, maintenir, river, visser. **II. Fig.** → *travailler.*

BOULOT, OTTE Court, courtaud, gras, grassouillet, obèse, rond, rondouillard, rondelet, trapu.

BOULOT → *travail.*

BOULOTTER → *manger.*

BOUQUET I. De fleurs : brassée, gerbe. **II. Fig.** *1. C'est le bouquet :* le comble, le plus beau, il ne manquait plus que ça (fam.). *2.* Assemblage, assemblée, assistance, groupe, parterre, réunion. *3. Feu d'artifice :* apothéose. **III. D'arbres** → *bois.*

BOUQUETIER, ÈRE Fleuriste.

BOUQUIN I. Au pr. : bouc, lièvre mâle. **II. Par anal.** *1.* Satyre. *2.* → *livre.*

BOUQUINER I. → *accoupler (s').* **II.** → *lire.*

BOURBEUX, EUSE I. → *boueux.* **II.** → *impur.*

BOURBIER I. → *marais.* **II.** → *impureté.*

BOURDALOU I. Ruban, tresse. **II.** Urinal. **III. Fam. :** jules (fam.), pissoir, pot de chambre, vase de nuit.

BOURDE I. → *baliverne.* **II.** → *bêtise.*

BOURDON I. Cafard, découragement, ennui, mélancolie, spleen, tristesse, vague à l'âme. **II.** Bâton, canne, houlette. **III.** Cloche.

BOURDONNEMENT Bruissement, bruit de ruche/sourd et continu, chuchotement, chuintement, fredonnement, froufroutement, murmure, musique, ronflement, ronron, ronronnement, vrombissement.

BOURDONNER I. Bruire, fredonner, froufrouter, murmurer, ronfler, ronronner, vrombir. **II. Loc.** → *agacer.*

BOURG, BOURGADE → *village.*

BOURGEOIS, OISE I. Au pr. 1. Citadin, habitant des villes. **2. *Classe sociale* :** cadre, dirigeant, élite, homme à l'aise, rentier, riche. **II. Par ext. 1.** Civil. **2.** Employeur, patron, singe (arg.). **3. *Au fém.* :** épouse, femme, gouvernement (fam.), moitié (fam.), patronne (fam.). **III. Non favorable :** béotien, borné, commun, conformiste, conservateur, égoïste, étriqué, grossier, lourd, médiocre, nanti, pantouflard, philistin, repu, vulgaire.

BOURGEOISEMENT I. De manière bourgeoise *et les syn. de* BOURGEOIS. **II.** *Les adverbes en* -ment *formés avec les syn. de* BOURGEOIS.

BOURGEOISIE Gens à l'aise, *et le pl. des syn. de* BOURGEOIS.

BOURGEON I. Au pr. : bourre, bouton, bulbille, caïeu, chaton, drageon, gemme, greffe, maille, mailleton, pousse, rejet, rejeton, stolon, turion. **II. Fig. :** acné, bouton, gourme.

BOURGEONNEMENT I. Au pr. : débourrement, démarrage, départ, pousse. **II. Fig. :** boutonnement, fleurissement.

BOURGEONNER I. Au pr. : débourrer, jeter/mettre/pousser des bourgeons. **II. Fig. :** avoir des boutons, boutonner, fleurir.

BOURRAGE I. Au pr. 1. *Action de bourrer* : approvisionnement, chargement, garnissage, empilage, remplissage, tassement. **2. *Matière* :** bourre, capiton, crin, duvet, garniture, kapok, laine, rembourrage. **II. Fig. *Bourrage de crâne* :** baratin, battage, bluff, boniment, exagération, mensonge, mise en condition, persuasion, propagande, publicité.

BOURRASQUE Coup de chien/de tabac (fam.)/de vent, cyclone, orage, ouragan, rafale, tempête, tornade, tourbillon, tourmente, trombe, typhon, vent.

BOURRE I. Au pr. 1. Duvet, jarre, feutre, poil. **2.** → *bourrage.* **II. Fig. *Nom masc.*** (arg.) → *policier.*

BOURREAU I. Au pr. : bras séculier (vx), exécuteur des hautes œuvres, guillotineur, monsieur de Paris, tueur. **II. Fig. 1. *Non favorable* :** meurtrier, sadique, sanguinaire, tortionnaire. **2. Loc.** *Bourreau des cœurs* : cruel, don juan, galant, tombeau des cœurs (fam.). *Bourreau de travail* → acharné.

BOURRELÉ, E → *tourmenté.*

BOURRÈLEMENT → *tourment.*

BOURRELER → *tourmenter.*

BOURRELET I. Au pr. : calfeutrage, garniture. **II. Par ext. :** boudin, enflure, excroissance, grosseur, renflement, saillie.

BOURRELIER Bâtier, sellier.

BOURRELLERIE Sellerie.

BOURRÉ, E I. Au pr. : complet, empli, plein, rassasié, rempli. **II. Fig.** → *ivre.*

BOURRER I. Au pr. 1. *Sens général* : approvisionner, charger, combler, empiler, emplir, garnir, remplir, tasser. **2. *Techn.* :** capitonner, cotonner, empailler, fourrer, garnir, matelasser, rembourrer. **II. Fig. 1. *Quelqu'un. De victuailles* :** faire bouffer *et les syn. de* BOUFFER, gaver, gouger (régional.), remplir. *De travail* → accabler. *De coups* → battre. *Le crâne* : baratiner (fam.), faire du battage *et les syn. de* BATTAGE, faire de la propagande/de la publicité, bluffer, bonimenter (fam.), endormir, exagérer, mentir, mettre en condition, persuader. **2. *Quelque chose* :** farcir, garnir, orner, truffer.

BOURRER (SE) → *enivrer (s').*

BOURRICHE → *panier.*

BOURRICHON (Fam.) Bonnet, caboche, caboche, cafetière, caillou, cervelle, crâne, tête.

BOURRICOT Anon, bourriquet, petit âne. → *âne.*

BOURRIN Canasson → *cheval.*

BOURRIQUE I. Au pr. → *âne.* **II. Fig. 1.** → *bête.* **2.** → *policier.* **III. Loc.** *Soûl comme une bourrique* : comme un cochon (fam.). → *ivre.*

BOURRIQUET I. → *bourricot.* **II. Techn. :** tourniquet, treuil.

BOURRU, E I. Au pr. : brut, grossier, mal dégrossi, rude. **II. Fig. :** abrupt, acariâtre, brusque, brutal, cassant, chagrin, cru, disgracieux, hargneux, hirsute, maussade, mauvais, de mauvaise humeur, de méchante humeur, peu avenant, raide, rébarbatif, renfrogné, rude, sec.

BOURSE I. Objet : aumônière, cassette, escarcelle, gibecière, poche, porte-monnaie, sac, sacoche. **II. Le lieu :** corbeille, coulisse, marché, parquet. **III. Par ext. :** aide, argent, avance, dépannage, don, facilité, prêt, prêt d'honneur, secours, subside, subvention. **IV.** Capsule, enveloppe, poche, sac. **V. Au pl. :** burettes (fam.), burnes (arg.), claouis (arg.), couilles (vulg.), glaoui (arg. et par ext.), parties nobles, roupettes (vulg.), sac, scrotum, testicules, valseuses (arg.), etc.

BOURSICOTER Fam. et/ou péj. : agioter, bricoler à la bourse, hasarder, jouer, miser, spéculer, traficoter, trafiquer, tripoter (péj.).

BOURSOUFLÉ, E I. Phys. → bouffi. **II. Fig.** → ampoulé.

BOURSOUFLER (SE) Se ballonner, se bouffir, se cloquer, enfler, gonfler, grossir, se météoriser, se soulever, se tendre, se tuméfier.

BOURSOUFLURE Ampoule, apostème, apostume, ballonnement, bouffissure, bulle, cloche, cloque, enflure, gonflement, grosseur, météorisation, œdème, phlyctène, soulèvement, tension, tuméfaction, tumeur, turgescence, vésicule.

BOUSCULADE Accrochage, chahut (fam.), désordre, échauffourée, heurt, mouvement, remous, secousse.

BOUSCULÉ, E I. Au pr. → bousculer. **II. Fig. :** agité, ballotté, débordé, dérangé, occupé, pressé, submergé, surmené.

BOUSCULER I. Au pr. 1. Sens général : bouleverser, chahuter (fam.), chambouler (fam.), déranger, mettre en désordre/sens dessus dessous, secouer. **2. Un adversaire :** battre, chasser, culbuter, éliminer, évincer, pousser, repousser, vaincre. **3. Quelqu'un :** accrocher, heurter, pousser. **II. Fig. :** agiter, aiguillonner, asticoter (fam.), avertir, donner un avertissement, exciter, exhorter, gourmander, presser, rappeler à l'ordre, secouer, stimuler, tarabiscoter (fam.).

BOUSE Bousin, excrément, fient, fiente, merde (grossier).

BOUSER Caguer (mérid.), chier (grossier), fienter, évacuer.

BOUSILLAGE I. Bauge, mortier de terre, pisé, torchis. **II. Fig. :** gâchis, massacre, matraquage.

BOUSILLER I. Techn. : bâtir, construire en bousillage et les syn. de BOUSILLAGE. **II. Par ext.** → abîmer.

BOUSSOLE Compas, rose des vents.

BOUSTIFAILLE (Pop.) **I.** Bouffe, graille, mangeaille, nourriture. **II.** → bombance.

BOUSTIFAILLER → bâfrer.

BOUSTIFAILLEUR → bâfreur.

BOUT I. → extrémité. **II.** → morceau. **III. Loc. 1. Bout à bout :** à la queue leu leu, à la suite, l'un après l'autre. **2. Le bout du sein :** aréole, bouton,

mamelon, tétin, téton. **3. A bout portant :** à brûle-pourpoint, au débotté, directement, ex abrupto, immédiatement, sans crier gare. **4. Mettre les bouts** (fam.) : décamper, décaniller, filer, se tirer. **5. Être à bout. Phys. :** anéanti, claqué (fam.), crevé (fam.), épuisé, fatigué, rendu, rompu, sur les genoux, sur les rotules (fam.). Moral : anéanti, à quia, capituler, dégonflé, démoralisé, n'en pouvoir plus, être déprimé/excédé/vaincu. **6. Venir à bout** → réussir. **7. Mettre bout à bout** → joindre. **8. Mener à bout :** à bonne fin, à terme. **9. De cigarette :** mégot. **10. De pain, de viande :** miette, morceau, tranche.

BOUTADE I. Neutre ou favorable : mot, pique, plaisanterie, pointe, propos, repartie, saillie, trait. **II. Non favorable :** accès, à-coup, bizarrerie, bouderie, brusquerie, caprice, extravagance, fantaisie, foucade, humeur, incartade, lubie, mauvaise humeur, méchanceté, mouvement, pique, saute, toquade.

BOUTE-EN-TRAIN → farceur.

BOUTEFEU (Fig.) Contestataire, extrémiste, fanatique, querelleur, terroriste.

BOUTEILLE I. Bordelaise, canette, carafe, carafon, chopine, dame-jeanne, demie, fiasque, fillette, fiole, flacon, gourde, jéroboam, litre, magnum, siphon, tourie. **II. Vide :** cadavre (fam.). **III. Pl.** (mar.) : W.-C.

BOUTIQUE I. Au pr. → magasin. **II. Fig. 1. Un lieu** → boîte. **2. Des objets** → bazar.

BOUTIQUIER, ÈRE → marchand.

BOUTON I. → bourgeon. **II. De porte :** bec-de-cane, loquet, poignée. **III. Électrique :** commutateur, interrupteur. **IV. Méd. :** acné, ampoule, bube, chancre, excoriation, pustule, scrofule, tumeur, urtication, vérole, vésicule.

BOUTON-D'ARGENT Achillée, corbeille-d'argent, millefeuille, renoncule.

BOUTON-D'OR Bassinet, populage, renoncule.

BOUTONNER I. → bourgeonner. **II.** Assurer, attacher, fermer, fixer.

BOUTONNIÈRE I. Au pr. : bride, fente, œillet, ouverture. **II. Par ext.** (méd.) : incision, ouverture.

BOUTURAGE, BOUTURE Drageon, greffe, mailleton, marcotte.

BOUVEAU, BOUVELET, BOUVET, BOUVILLON Jeune bœuf, taurillon, veau.

BOUVET I. → bouveau. **II.** Gorget, rabot.

BOUVIER, ÈRE Cow-boy (vx et partic.), gardian, gaucho, manadier, toucheur de bœufs, vacher.

BOUVREUIL Petit-bœuf, pivoine, pyrrhula.

BOVIN, INE Abruti. → *bête.*

BOW-WINDOW (anglais) → *fenêtre.*

BOX I. Pour quelqu'un. *1. Au pr. :* alcôve, case, cellule, chambrette, coin, compartiment, logement, logette, réduit. *2. Par ext. (des accusés) :* banc, coin. **II. Pour animaux et/ou choses :** case, coin, écurie, garage, loge, réduit, remise, stalle.

BOXE I. Boxe anglaise : art pugilistique, noble art, pugilat. **II. Boxe française :** savate.

BOXER Assener un coup, cogner, marteler, tambouriner, taper. → *battre.*

BOXEUR, EUSE Pugiliste, poids coq/léger/lourd/moyen/plume.

BOY (anglais) Cuisinier, domestique, factoton, garçon, jardinier, serviteur.

BOYAU I. Au pr. : entrailles, tripes (animaux ou péj.), viscères. **II. Loc. *Boyau de chat :*** catgut. **III. Par ext. *1.*** Conduit, tube, tuyau. *2.* Chemin, communication, galerie, passage, tranchée.

BOYCOTTER Frapper d'interdit/d'ostracisme, interdire, jeter l'interdit, mettre à l'index/en quarantaine, refouler, refuser, rejeter, suspendre les achats/les affaires/le commerce/les échanges/les relations commerciales.

BOY-SCOUT Éclaireur, louveteau, pionnier, ranger, routier, scout.

BRABANT Araire, charrue.

BRACELET Anneau, bijou, chaîne, gourmette, jonc, psellion.

BRACHYLOGIE Brièveté, concision, densité, ellipse, laconisme, sobriété de style, style lapidaire.

BRACONNAGE Chasse, délit de chasse/de pêche, piégeage.

BRACONNER Chasser, écumer, pêcher, poser des collets, tendre des pièges *et les syn. de* PIÈGE.

BRACONNIER Écumeur (fig.), piégeur, poseur/tendeur de collets/pièges *et les syn. de* PIÈGE, tueur, viandeur.

BRADER Bazarder (fam.), liquider, mettre en solde, sacrifier, solder.

BRADERIE Foire, kermesse, liquidation, marché, soldes, vente publique.

BRAHMANISME Hindouisme (par ext.), métempsycose.

BRAIE → *culotte.*

BRAILLARD, E Criard, fort en gueule (fam.), gueulard (fam.), pleurard (fam.), pleurnichard (fam.), pleurnicheur.

BRAILLEMENT → *bramement.*

BRAILLER → *crier.*

BRAIMENT → *bramement.*

BRAIRE → *crier.*

BRAISE I. Au pr. : brandon, charbon de bois. **II. Arg.** → *argent.*

BRAMEMENT I. Au pr. : appel, braiment, chant, cri, plainte, voix. **II. Fig. :** braillement, criaillerie (fam.), hurlement, jérémiade, gueulante (fam.), plainte.

BRAMER → *crier.*

BRAN I. Son. **II.** Sciure. **III.** → *excrément.*

BRANCARD I. Au pr. *D'une voiture :* limon, limonière, longeron, prolonge. **II. Par ext. :** bard, bayart, chaise, civière, comète, filanzane, palanquin, timon.

BRANCARDIER, ÈRE Ambulancier, infirmier, secouriste.

BRANCHAGE Frondaison, ramée, ramure. → *branche.*

BRANCHE I. Au pr. : branchette, brin, brindille, brouture, courçon, crossette, ergot, flèche, gourmand, margotin, marre, palme, pampre, rameau, ramée, ramille, ramure, scion, tige. **II. D'un cerf** → *bois.* **III. Fig. *1. D'une voûte :*** nervure. *2. D'un arbre généalogique :* ascendance, famille, filiation, lignée. *3. D'une science :* département, discipline, division, spécialité. **IV. Loc. *Ma vieille branche*** → *ami.*

BRANCHEMENT I. Bifurcation, carrefour, fourche. **II.** Aboutage, articulation, assemblage, conjonction, conjugaison, contact, jointure, jonction, raccord, suture, union. **III. Par ext. :** changement, orientation.

BRANCHER I. Pendre. **II.** → *joindre.*

BRANCHIES Opercule, ouïes.

BRANDE I. Bruyère, lande. **II.** Brassée, brindilles, fagot, ramée.

BRANDEBOURG I. Broderie, cordon, galon, passementerie. **II.** Abri, berceau, fabrique, gloriette, kiosque, pavillon, tonnelle.

BRANDILLER → *agiter.*

BRANDIR Agiter *et les syn. de* AGITER, balancer, brandiller, élever, exposer, mettre en avant, montrer.

BRANDON I. Au pr. : braise, charbon, escarbille, étincelle, flambeau, tison, torche. **II. Fig. :** cause, élément, ferment, prétexte, provocation.

BRANDY Alcool, brandevin, cognac, eau-de-vie.

BRANLANT, E Brimbalant, bringuebalant, cahotant, chancelant, flexible, incertain, instable, peu sûr.

BRANLE I. → *balancement.* **II.** → *mouvement.* **III.** Hamac.

BRANLE-BAS I. Au pr. : alarme, alerte, appel, avertissement, dispositif d'alarme/d'urgence, signal d'alarme.

II. Par ext. : affolement, agitation, effroi, émoi, émotion, épouvante, frayeur, frousse, panique, qui-vive, transe.

BRANLEMENT → *balancement.*

BRANLER I. → *agiter.* **II.** → *chanceler.* **III.** → *caresser.*

BRAQUE I. Au pr. *Un chien :* bleu de l'Ariège/d'Auvergne, chien d'arrêt/du Bengale/du Bourbonnais. **II. Quelqu'un** : brindezingue (fam.), lunatique, mauvais caractère/coucheur (fam.). → *bizarre.*

BRAQUÉ, E Dressé/monté contre, obsédé, prévenu contre.

BRAQUER I. Quelque chose → *diriger.* **II. Quelqu'un.** *1.* → *dresser.* *2.* → *élever.* *3.* → *préparer.* *4.* → *instruire.* **III. Autom.** : obliquer, tourner, virer.

BRAQUET Dérailleur, pignon.

BRAS I. Arg. : abattis, ailes de moulin, allonge. **II. Fig.** *1.* Agent, aide, bourreau, défenseur, homme, instrument, main-d'œuvre, manœuvre, soldat, travailleur. *2. Bras droit :* adjoint. *3. Vivre de ses bras :* activité, labeur. → *travail. 4. Le bras de Dieu :* autorité, châtiment, force, pouvoir, puissance, vengeance. *5. Bras d'un fauteuil :* accoudoir, appui. *6. Méc.* → *bielle. 7. Bras de mer :* chenal, détroit, lagune. *8. Le bras long :* autorité, crédit, influence. *9. Bras de chemise :* manche. *10. Un bras de fer :* autorité, brutalité, courage, décision, force, inflexibilité, tyrannie, volonté. **III. Par ext.** : giron, sein.

BRASERO Barbecue, chaufferette, kanoun.

BRASIER I. Au pr. : feu, fournaise, foyer, incendie. **II. Fig.** : ardeur, passion.

BRASILLEMENT De la mer : luminescence, phosphorescence, scintillement.

BRASILLER I. V. intr. : briller, étinceler, flamboyer, scintiller. **II. V. tr.** → *griller.*

BRASSAGE → *mélange.*

BRASSARD Bande, bandeau, crêpe, signe.

BRASSER I. → *mélanger.* **II.** Pétrir. **III.** Machiner, ourdir, remuer, traiter, tramer.

BRASSERIE Bar, bouillon, buffet, estaminet, grill, grill-room, pub, rôtisserie, self-service, taverne, wimpy.

BRASSIÈRE I. Vêtement : cachecœur, camisole, chemisette, gilet, liseuse. **II. Appareil** : bretelle, bricole, courroie, lanière.

BRASURE Soudure.

BRAVACHE Brave, bravo, capitan, falstaff, fanfaron, fendant, fier-à-bras, mâchefer, rodomont, taillefer, tranchemontagne, vantard. → *hâbleur.*

BRAVADE → *défi.*

BRAVE n. → *héros.*

BRAVE adj. **I.** Audacieux, courageux, crâne, dévoué, généreux, hardi, héroïque, intrépide, invincible, résolu, téméraire, vaillant, valeureux. **II.** Aimable, altruiste, bon, bonasse (péj.), bonhomme, débonnaire, facile, franc, généreux, gentil, honnête, obligeant, serviable, simple. **III. Pop. ou vx** : beau, distingué, élégant.

BRAVER I. Quelqu'un. *1. Neutre :* affronter, aller au devant de, attaquer, combattre, défier, faire face à, jeter le gant, se heurter à, lutter contre, se mesurer à, s'opposer à, provoquer, relever le défi, rencontrer. *2. Non favorable :* faire la nique à, insulter, menacer, se moquer de, morguer, narguer, provoquer. **II. Quelque chose.** *1. Neutre :* dédaigner, défier, faire fi de, mépriser, se moquer de, narguer. *2. Non favorable. Les convenances :* s'asseoir sur, jeter son bonnet par-dessus les moulins, mépriser, se moquer de, offenser, pisser au bénitier (fam.), violer.

BRAVERIE I. → *hâblerie.* **II.** → *confiance.*

BRAVO I. Adv. : bis, encore, hourra, très bien, vivat, vive. **II. Nom masc.** *1.* Applaudissement, hourra, vivat. *2.* Assassin, tueur à gages. → *bravache.*

BRAVOURE I. → *courage.* **II. Loc. Morceau de bravoure :* difficulté, exploit, performance, prouesse.

BREBIS Agnelle, antenaise, mouton, ouaille, vacive.

BRÈCHE I. Au pr. : cassure, écornure, entame, entamure, éraflure, hoche, ouverture, passage, trou, trouée. **II. Géo.** : cluse, col, passage, port, trouée. **III. Fig.** : déficit, dommage, manque, perte, prélèvement, tort, trou.

BRÉCHET Fourchette, poitrine, sternum.

BREDOUILLAGE Baragouin, baragouinage, bredouillement, cafouillage, charabia (fam.), déconnage (grossier), jargon, merdoyage (grossier), merdoiement (grossier).

**BREDOUILLE Loc. Revenir bredouille :* capot, quinaud. → *échouer.*

BREDOUILLEMENT → *bredouillage.*

BREDOUILLER Balbutier, baragouiner, bégayer, cafouiller, ça se bouscule au portillon (fam.), déconner (grossier), s'embrouiller, jargouiner (fam.), manger ses mots (fam.), marmonner, marmotter, merdoyer (grossier), murmurer.

BREF, BRÈVE I. Adj. 1. *Neutre ou favorable* → *court.* **2.** *Par ext., non favorable :* brusque, brutal, coupant, impératif, incisif, sans appel, sec, tranchant. **II. Adv. :** en conclusion, enfin, en résumé, en un mot, pour conclure, pour finir, pour en finir. **III. Nom :** bulle, rescrit.

BRÉHAIGNE Inféconde, mule, stérile.

BREITSCHWANZ Astrakan, karakul.

BRELAN I. Bouillotte, jeu de cartes. **II. Par ext. :** maison de jeu, tripot.

BRÊLE, BRELLE I. Au pr. : bât, cacolet, harnais, selle. **II.** Mule, mulet. **III.** Radeau, train flottant.

BRELOQUE I. Au pr. : affiquet, bijou, chaîne, chaînette, colifichet, fantaisie, porte-bonheur. **II. Par ext. :** amusement, amusette, amusoire, bagatelle, bibelot, bimbelot, bricole, brimborion, caprice, fanfreluche, frivolité, futilité, rien. **III. Loc.** *Battre la breloque.* **1.** *Quelque chose :* cafouiller, se détraquer, marcher mal. **2.** *Quelqu'un :* battre la campagne, délirer, déménager, dérailler, déraisonner, divaguer, extravaguer, perdre l'esprit/la raison, radoter, rêver.

BRENEUX, EUSE I. Au pr. : cochon, dégoûtant, malpropre, merdeux (vulg.), sale, souillé. **II. Fig.** → *coupable.*

BRETAILLER → *ferrailler.*

BRETELLE I. Balancines (pop.), bandeau de cuir, bandoulière, brassière, brayer, bricole, courroie, lanière. **II.** Bifurcation, embranchement, patte d'oie, raccord, trèfle.

BRETTELER Bretter, denteler, rayer, strier, tailler.

BRETTEUR → *ferrailleur.*

BREUIL Bois, broussaille, buisson, clos de haies, fourré, garenne, haie, hallier, taillis.

BREUVAGE I. Au pr. → *boisson.* **II. Par ext. :** médicament, nectar, philtre.

BREVET Acte, certificat, commission, diplôme, garantie, licence.

BREVETÉ, E Certifié, diplômé, garanti.

BRÉVIAIRE I. Au pr. : bref, livre d'heures, office, psautier, rubrique. **II. Par ext. :** bible, livre de chevet.

BRIBE I. Au pr. → *morceau.* **II. Fig. :** citation, extrait, passage, référence.

BRIC-À-BRAC Attirail, bagage, barda, bazar, bordel (grossier), boutique, fourbi (fam.), foutoir (grossier), tremblement (fam.), toutim (fam.).

BRICHETON (Fam.) → *pain.*

BRICOLE I. Au pr. : harnais. → *bretelle.* **II. Par ext. 1.** *Chose sans importance :* affiquet, amusement, amusette, amusoire, babiole, baliverne, bibelot, bimbelot, breloque, brimborion, caprice, colifichet, connerie (vulg.), fanfreluche, fantaisie, frivolité, futilité, rien. **2.** *Affaire sans importance :* badinerie, baliverne, broutille, chanson, fadaise, futilité, jeu, plaisanterie, sornette, sottise, vétille. → *bêtise.* **3.** Amourette, badinage, chose, flirt, galanterie. → *amour.*

BRICOLER I. Au pr. : décorer, entretenir, gratter, jardiner, menuiser, nettoyer, orner, peindre, ravaler, refaire, restaurer. **II. Péj.** → *trafiquer.*

BRICOLEUR, EUSE I. Au pr. : amateur, habile. **II. Non favorable** (par ext.) → *trafiquant.*

BRIDE I. De cheval : bridon, guide, rêne. **II. Par ext. :** jugulaire, sous-mentonnière. **III.** Assemblage, serre-joint. **IV. Loc. 1.** *Lâcher la bride :* lever la contrainte, lever l'interdiction, lever l'interdit. **2.** *A bride abattue, à toute bride :* à toute vitesse, à fond de train (fam.), à tout berzingue (arg. scol.), rapidement. **3.** *La bride sur le cou :* décontracté, détendu, lâché, libre.

BRIDER I. Un cheval (par ext.) : atteler, seller. **II. Fig. :** attacher, comprimer, contenir, empêcher, ficeler, freiner, gêner, refréner, réprimer, serrer.

BRIDGE I. Whist. **II.** Appareil de prothèse.

BRIDON → *bride.*

BRIÈVEMENT Compendieusement, en peu de mots, laconiquement, succinctement.

BRIÈVETÉ Concision, densité, dépouillement, laconisme, précision.

BRIFER → *bâfrer.*

BRIGADE Équipe, escouade, formation, groupe, peloton, quart, tour de garde/de service, troupe.

BRIGADIER I. Caporal, chef d'escouade. **II.** Général de brigade.

BRIGAND Assassin, bandit, chauffeur, chenapan, coquin, coupe-jarret, criminel, détrousseur, forban, fripouille, gangster, hors-la-loi, malandrin, malfaiteur, pillard, pirate, routier (vx), sacripant, terreur, vandale, vaurien, voleur.

BRIGANDAGE Banditisme, concussion, crime, déprédation, exaction, fripouillerie, gangstérisme, pillage, pillerie, piraterie, terrorisme, vandalisme, vol.

BRIGUE Cabale, complot, conjuration, conspiration, démarche, faction, ligue, manœuvre, parti.

BRIGUER I. V. intr. → *intriguer,*

II. V. tr. : ambitionner, convoiter, poursuivre, rechercher, solliciter.

BRILLANCE Intensité, luminescence, luminosité.

BRILLANT, E I. Favorable ou neutre. 1. Au phys. : argenté, brasillant, chatoyant, clair, coruscant, doré, éblouissant, éclatant, étincelant, flamboyant, fulgurant, luisant, luminescent, lumineux, lustré, miroitant, phosphorescent, poli, radieux, rayonnant, resplendissant, rutilant, satiné, scintillant, soyeux. **2. Par ext.** : allègre, ardent, attirant, attrayant, beau, bien, captivant, célèbre, distingué, doué, éblouissant, éclatant, élégant, étincelant, fameux, fastueux, fin, flambant, florissant, glorieux, habile, heureux, illustre, intelligent, intéressant, jeune, lucide, luxueux, magnifique, majestueux, mondain, opulent, pétillant, prospère, reluisant, remarquable, riche, séduisant, somptueux, spirituel, splendide, vif. **II. Non favorable** : clinquant, criard, superficiel, tape à l'œil, trompeur.

BRILLANT I. Favorable ou neutre : beauté, brillance, chatoiement, clarté, éclat, faste, fulgurance, fulguration, gloire, intensité, jeunesse, lumière, luminescence, luminosité, lustre, magnificence, nitescence, phosphorescence, relief, somptuosité, splendeur, vigueur. **II. Non favorable** : apparence, clinquant, fard, faux-semblant, oripeau, tape-à-l'œil, toc, vernis. **III.** Diamant, marguerite, marquise, rose, solitaire.

BRILLER I. Quelque chose. 1. Sens général : aveugler, brasiller, brillanter, chatoyer, éblouir, éclater, étinceler, flamboyer, illuminer, iriser, irradier, luire, miroiter, pétiller, radier, rayonner, réfléchir, refléter, reluire, resplendir, rutiler, scintiller. **2. Faire briller** : astiquer, briquer (fam.), cirer, polir, reluire. **II. Quelqu'un. 1. Par sa beauté, par son éclat** : charmer, éblouir, ensorceler, être mis en relief, frapper, impressionner, paraître, ravir, rayonner, resplendir, ressortir. **2. Par son comportement** : se distinguer, éclabousser (péj.), l'emporter sur, faire florès/des étincelles, se faire remarquer, paraître, réussir. **III. Loc. Faire briller un avantage** : allécher, appâter, étaler, faire miroiter/valoir, manifester, montrer, promettre, séduire.

BRIMADE Berne, épreuve, jeu, mauvais traitement, plaisanterie, raillerie, taquinerie, tourment, vexation.

BRIMBALER, BRINGUEBALER → balancer.

BRIMBORION → bagatelle.

BRIMER I. Au pr. : berner, flouer, mettre à l'épreuve, railler, taquiner, tourmenter, vexer. **II. Par ext.** : défavoriser, maltraiter, priver.

BRIN I. → branche. **II. Par ext.** : bout, fétu, filament, fil, morceau. **III. Loc. Un brin** : un doigt, une goutte, un grain, une larme, un peu, un souffle.

BRINDEZINGUE (Fam.) **I.** → fou. **II.** → ivre.

BRINDILLE → branche.

BRINGUE (Fam.) **I.** Agape, banquet, bamboche, bamboula, bombe, débauche (péj.), dégagement, festin, festivité, fiesta, foire, gueuleton (fam.), java (fam.), noce, partie, ripaille, réjouissance. → bombance. **II. Loc. Grande bringue** (péj.) : cheval, jument, femme, fille.

BRIO Adresse, aisance, bonheur, brillant, chaleur, désinvolture, éclat, élégance, entrain, esprit, facilité, forme, fougue, furia, génie, maestria, maîtrise, parade, pétulance, talent, virtuosité, vivacité.

BRIOCHE I. Au pr. : kugelhopf, massepain, pain de Gênes/de Savoie. **II. Fig. 1.** → tête. **2.** → bedaine.

BRIQUE Aggloméré, briquette, chantignole.

BRIQUER → frotter.

BRIS I. L'acte : casse, démantèlement, démolition, effraction, rupture, viol. **II.** Débris, morceaux.

BRIS I. L'acte : brisement, casse, démantèlement, démolition, effraction, rupture, viol. **II.** Débris, morceaux.

BRISANT Écueil, rocher.

BRISE → vent.

BRISÉES I. Neutre : exemple, traces. **II. Loc. Marcher sur les brisées de quelqu'un** : copier, faire concurrence, imiter, plagier, rivaliser avec.

BRISE-LAMES Digue, jetée, portes de flot.

BRISEMENT I. Mar. : déferlement. **II.** → bris. **III. Loc. Brisement de cœur** : affliction, anéantissement, bouleversement, crève-cœur, déception, douleur.

BRISER I. Au pr. : abattre, aplatir, broyer, casser, défoncer, démolir, desceller, détruire, disloquer, ébouiller (pop.), écraser, effondrer, faire éclater, forcer, fracasser, fracturer, hacher, mettre à bas/en morceaux/en pièces, pulvériser, réduire en miettes, renverser, rompre. **II. Fig. 1. Quelqu'un.** Au moral : abattre, accabler, affaiblir, affliger, anéantir, bouleverser, casser (fam.), décourager, déprimer, émouvoir, faire de la peine, fendre le cœur à. Au phys. : abattre, accabler, casser, disloquer, éreinter, fatiguer, harasser, harceler, moudre. **2. Quelque chose** : dépasser, enfreindre, inter-

rompre, renverser, rompre. **III. Loc.**
Briser les chaînes : délivrer, libérer.
BRISEUR, EUSE Bousilleur, brise-
fer, brise-tout, casseur, destructeur,
iconoclaste, sans-soin.
BRISE-VENT Abri, alignement d'arbres, claie, cloison, clôture, haie, mur.
BRISCARD Ancien, chevronné, vétéran.
BRISQUE Chevron.
BRISURE I. Brèche, cassure, clase
(géol.), éclat, entaille, faille, fêlure,
fente, fracture, rupture. **II.** Brin,
chute, fragment, miette, morceau.
BROC Bidon, pichet, pot à eau.
BROCANTE Antiquité, chine, ferraille, fripes, marché aux puces, occasions, vieilleries.
BROCANTER Acheter, bazarder, brader, chiner, échanger, faire des affaires/
des occasions, marchander, revendre,
troquer, vendre.
BROCANTEUR, EUSE Antiquaire,
biffin (arg.), camelot, casseur, chiffonnier, chineur, ferrailleur.
BROCARD I. Apostrophe, caricature, épigramme, insulte, interpellation,
invective, lazzi, moquerie, pamphlet,
persiflage, plaisanterie, saillie, trait,
vanne (arg.). **II.** Cerf, daim, chevreuil.
BROCARDER I. Neutre : caricaturer, faire des plaisanteries, se moquer
de, plaisanter. **II. Péj. :** apostropher,
insulter, interpeller, invectiver, lâcher
une vanne (arg.), lancer des lazzi,
persifler, tourner en dérision/en ridicule.
BROCART Brocatelle, samit, soierie,
tenture, tissu.
BROCHAGE Assemblage, couture,
mise en presse, pliage, pliure, reliure.
BROCHE I. Barbecue, brochette,
hâtelet, lardoire, lèchefrite. **II.** Agrafe,
attache, bijou, épingle, fibule.
BROCHER I. Assembler, relier.
II. Fig. et fam. → *bâcler.*
BROCHET I. Bécard, brocheton,
lanceron, requin d'eau douce. **II.** Poignard.
BROCHURE → *livre.*
BRODEQUIN Bottillon, bottine,
chaussure, godillot, napolitain, soulier.
BRODER I. Au pr. → *festonner.*
II. Fig. 1. *Neutre ou favorable :*
amplifier, agrémenter, chamarrer, développer, embellir, orner, parer. **2. *Non
favorable*** → *exagérer.*
BRODERIE I. Au pr. : damas,
dentelle, entre-deux, feston, filet,
guipure, orfroi. **II. Fig.** → *exagération.*
BRONCHER I. Au pr. : achopper,
buter, chopper, faire un faux-pas,
trébucher. **II. Fig. 1.** Commettre
une erreur, faillir, hésiter, se tromper.

2. S'agiter, bouger, chahuter, ciller,
contester, se déplacer, manifester,
murmurer, remuer, rouspéter.
BRONCHITE Broncho-pneumonie,
bronchorrhée, dyspnée, inflammation,
toux.
BRONDIR → *vrombir.*
BRONDISSEMENT Ronflement, vibration, vrombissement.
BRONZE I. → *airain.* **II.** Buste,
objet d'art, statue, statuette.
BRONZER Boucaner, dessécher, durcir, hâler, noircir.
BROSSE I. Sens général : balai,
décrotteuse, décrottoir, époussette,
fermière, frottoir. **II. Pour chevaux :**
étrille, limande. **III. Pour la barbe :**
blaireau. **IV.** Ramasse-miettes. **V.**
Pinceau, spalter. **VI. Loc. *Cheveux
en brosse :*** à la bressant.
BROSSÉE I. → *volée.* **II.** → *défaite.*
BROSSER I. Au pr. *1.* Balayer,
battre, décrotter, détacher, donner
un coup de brosse, dépoussiérer,
épousseter, faire reluire, frotter, polir.
2. *Un cheval :* bouchonner, étriller,
panser, soigner. **II. Par ext. :**
dépeindre, peindre, faire une descrip-
tion/un portrait, raconter. **III. Fig.**
(fam.) : battre, donner *et les syn. de*
DONNER, une correction/une leçon/
une peignée/une raclée.
BROSSER (SE) (Fam.) Faire tintin,
se passer de, se priver de, renoncer à.
BROU Bogue, coque, écale, enveloppe.
BROUET Bouillon, chaudeau, jus,
ragoût, potage, soupe.
BROUETTE Cabrouet, diable, vinaigrette.
BROUHAHA Bruit confus, bruits
divers, confusion, rumeur, tapage,
tumulte.
BROUILLAMINI Brouillement, complication, confusion, désordre, embrouillement, méli-mélo, pagaille.
BROUILLARD I. Au pr. : brouillasse,
bruine, brumaille, brumasse, brume,
crachin, embrun, nuage, vapeur.
II. Fig. : obscurité, ténèbres. **III.**
Brouillon, main courante.
BROUILLE Bisbille, bouderie, brouillerie, dépit, désaccord, différend,
discorde, dispute, fâcherie, humeur,
malentendu, mésentente, querelle,
rupture, trouble.
BROUILLÉ, E I. Avec quelqu'un :
en froid, fâché. **II. Quelque chose :**
confus, disparate, incertain.
BROUILLEMENT → *brouillamini.*
BROUILLER I. Au pr. : battre,
bouleverser, confondre, emmêler, empêtrer, enchevêtrer, mélanger, mêler,
mettre en désordre/en pagaille/
pêle-mêle, touiller. **II. Par ext. :**

agiter, altérer, confondre, déranger, désunir, embrouiller, gâter, mêler, troubler. **III. V. intr.** : bafouiller, bredouiller, s'embarrasser, s'embrouiller.

BROUILLER (SE) I. → *fâcher (se)*. **II.** → *gâter (se)*. **III.** *Les formes pronom. possibles des syn. de* BROUILLER.

BROUILLERIE → *brouille*.

BROUILLON, ONNE Agité, compliqué, confus, désordonné, dissipé, embrouillé, étourdi, filandreux, instable, taquin, tracassier, trublion.

BROUILLON Brouillard, ébauche, esquisse, plan, schéma, topo (fam.).

BROUSSAILLE Arbustes, brousse, essarts, garrigue, haie, hallier, maquis, ronce, touffe.

BROUSSE → *bled*.

BROUTART Agneau, chevreau, poulain, veau.

BROUTER Gagner, manger, paître.

BROUTILLE → *bagatelle*.

BROWNING Pétard (arg.), pistolet, revolver, soufflant (arg.).

BROYER I. Au pr. : aplatir, briser, concasser, écacher, écrabouiller, écraser, mettre en morceaux, moudre, pulvériser, réduire en miettes, triturer. **II. Avec les dents** : croquer, déchiqueter, déchirer, mâcher, mastiquer, triturer. **III. Fig.** : abattre, anéantir, détruire, maltraiter, réduire à néant, renverser.

BROYEUR, EUSE Bocard, concasseur, pilon.

BRU Belle-fille.

BRUCELLES Pinces.

BRUINE → *brouillard*.

BRUIRE Bourdonner, chuchoter, chuinter, crier, fredonner, froufrouter, gazouiller, gémir, grincer, murmurer, siffler.

BRUISSEMENT Battement d'ailes, bourdonnement, chuchotement, chuintement, cri, fredon, fredonnement, frémissement, froufrou, gazouillement, gémissement, grincement, murmure, sifflement.

BRUIT I. Au pr. 1. Neutre : babil, battement, borborygme, bourdonnement, brasillement, brondissement, bruissement, chanson, chant, chuintement, clameur, clapotage, clapotement, clapotis, clappement, claque, claquement, cliquetis, craquement, craquètement, crépitation, crépitement, cri, criaillerie, crissement, croule, croulement, décrépitation, déflagration, détonation, écho, éclat, éclatement, explosion, fracas, froissement, frôlement, froufrou, gargouillement, gargouillis, gazouillement, gémissement, grésillement, grincement, grognement, gron-

dement, hiement, hurlement, hydatisme, murmure, musique, onomatopée, pépiage, pépiement, pétarade, pétillement, râlement, ramage, ronflement, ronron, ronronnement, roulement, rumeur, sifflement, son, souffle, soupir, stridulation, tapement, tintement, ululation, ululement, vagissement, vocifération, vrombissement. **2. Non favorable :** bacchanale, bagarre, barouf (fam.), bastringue, bazar, boucan (fam.), bousin (fam.), brouhaha, cacophonie, carillon, cassement de tête, chahut, chamaille, chamaillerie, charivari, esclandre, foin, grabuge, hourvari, huée, pétard, potin, raffut, sabbat, tapage, tintamarre, tintouin, tohu-bohu, train, tumulte, vacarme. **II. Par ext. 1. Méd. :** cornage, gaz, hoquet, pet, râle, rot, souffle, soupir, toux, vent. **2. Du pas d'un cheval :** battue. **3. Onomatopées :** aïe, aouh, bang, bêe, bim, boum, brrr, clac, clic, cocorico, cot-cot-codec, coincoin, crincrin, crrr, ding, dong, drelin-drelin, dzim-boum-boum, flac, flic, floc, froufrou, gioumpf, glouglou, hi-han, meuh, miaou, ouaouah, paf, pan, patapouf, patatras, pif, ping, plouc, pouf, poum, tac, tam-tam, tic, tic-tac, tilt, vlan, zim. **III. Fig. 1.** → *agitation*. **2.** Anecdote, bavardage, chronique, commérage, confidence, conte, dire, éclat, fable, histoire, jacasserie, nouvelle, potin, ragot, renommée, réputation, rumeur.

BRÛLAGE I. Agr. : écobuage. **II.** Brûlement, brûlis.

BRÛLANT, E I. Au pr. : bouillant, cuisant, embrasé, torride. **II. Fig. 1. Un sujet brûlant :** actuel, dangereux, délicat, épineux, périlleux, plein d'intérêt, tabou. **2. De passion :** ardent, bouillant, bouillonnant, dévorant, dévoré, embrasé, enflammé, enthousiaste, fervent, passionné, vif.

BRÛLE-GUEULE Bouffarde, pipe.

BRÛLE-PARFUM Cassolette, encensoir.

BRÛLE-POURPOINT (À) A bout portant, brusquement, de but en blanc, directement, immédiatement, sans avertissement, sans crier gare, sans ménagement/préparation.

BRÛLER I. V. tr. 1. Au pr. : attiser, brouir, calciner, carboniser, consumer, détruire par le feu, embraser, enflammer, faire cramer/flamber/roussir, flamber, griller, incendier, incinérer, réduire en cendres, rôtir. **2. Fig. :** attiser, consumer, dévorer, embraser, enfiévrer, enflammer, exciter, jeter de l'huile sur le feu, miner, passionner, ravager. **3. Par ext.** *Un condamné :* faire un autodafé, jeter au bûcher, supplicier par le feu. *Méd. :* cautériser. *Un cadavre, des ordures :* incinérer.

4. Loc. *Brûler la politesse :* s'enfuir, filer, partir, planter là. **5. Brûler de l'encens :** aduler, flagorner, flatter. **II. V. intr. :** charbonner, se consumer, couver, cramer, flamber.

BRÛLER (SE) S'ébouillanter, s'échauder *et les formes pronom. possibles des syn. de* BRULER.

BRÛLERIE Distillerie, rhumerie.

BRÛLEUR, EUSE I. Quelqu'un. 1. Boutefeu, brûlot, flambeur, incendiaire, pétroleur, pyromane. **2.** Bouilleur de cru, distillateur. **II. Quelque chose :** appareil, bec, réchaud, tuyère.

BRÛLIS Brûlage, brûlement.

BRÛLOIR Crématoire, fourneau, foyer, incinérateur, réchaud, torréfacteur.

BRÛLOT I. Au pr. : torpille. **II. Fig. 1. Quelqu'un** → *brûleur.* **2. Quelque chose** → *brûlant.*

BRÛLURE I. Sur quelqu'un. 1. Phys., souvent par analogie : aigreur, ampoule, blessure, cloque, douleur, échaudure, échauffement, escarre, fièvre, fer chaud, feu, inflammation, irradiation, irritation, insolation, lésion, mortification, phlogose, rougeur, ulcération, urtication. **2. Moral** → *blessure.* **II. Quelque chose. 1. Un vêtement :** tache, trou. **2. Des végétaux :** brouissure, dessèchement.

BRUMAILLE, BRUMASSE, BRUME I. Au pr. → *brouillard.* **II. Fig. :** grisaille, incertitude, obscurité, ombre, spleen, tristesse. → *mélancolie.*

BRUMEUX, EUSE I. Au pr. : couvert, nébuleux, obscur, ouaté. **II. Fig. 1. Neutre :** mélancolique, sombre, triste. **2. Non favorable** → *sombre.*

BRUN, E I. Quelqu'un ou quelque chose : auburn, bis, bistre, boucané, bronzé, brou de noix, brûlé, brunâtre, café au lait, châtain, chocolat, hâlé, kaki, marron, mordoré, tabac, terreux. **II. Quelque chose :** brou de noix, chêne, kaki, noyer, puce, tabac, terre de sienne, tête-de-maure, tête-de-nègre. **III. Un cheval :** bai. **IV. Loc. A la brune :** crépuscule, entre chien et loup, soir.

BRUSQUE I. Quelqu'un : abrupt, autoritaire, bourru, bref, brutal, cassant, cavalier, cru, grossier (péj.), impatient, impétueux, nerveux, prompt, raide, rébarbatif, rude, sec, vif, violent. **II. Quelque chose. 1. Une pente :** escarpée. **2. Un événement :** brutal, imprévu, inattendu, inopiné, précipité, rapide, soudain, subit, surprenant.

BRUSQUÉ, E Inattendu, inopiné, soudain, surprenant.

BRUSQUER I. Quelqu'un. 1. → *obliger.* **2.** Envoyer promener, rabrouer, rembarrer (fam.), rudoyer, secouer. **II. Quelque chose :** accélérer, avancer, forcer, hâter, pousser, précipiter, presser.

BRUSQUERIE → *rudesse.*

BRUT, E I. Quelque chose ou quelqu'un. 1. Neutre : à l'état de nature, élémentaire, grossier, imparfait, informe, inorganique, rudimentaire, simple. **2. Non favorable :** abrupt, balourd, barbare, bestial, brutal, épais, fruste, grossier, illettré, impoli, inculte, inintelligent, lourd, rude, sauvage, simple, stupide, vulgaire. **II. Quelque chose :** écru, grège, en friche, inachevé, inculte, natif, naturel, originel, primitif, pur, rustique, sauvage, vierge.

BRUTAL, E Animal, âpre, barbare, bas, bestial, bourru, brusque, cru, cruel, direct, dur, emporté, entier, féroce, fort, franc, grossier, irascible, matériel, mauvais, méchant, rude, sec, vif, violent.

BRUTALISER Battre, cogner, corriger, exercer des sévices sur, faire violence à, frapper, houspiller, malmener, maltraiter, molester, passer à tabac (fam.), rosser, rouer de coups, rudoyer, tabasser, taper, torcher (fam.), tourmenter.

BRUTALITÉ Animalité, âpreté, barbarie, bassesse, bestialité, brusquerie, cruauté, dureté, férocité, grossièreté, impolitesse, inhumanité, lourdeur, rudesse, rusticité, sauvagerie, stupidité, violence, vulgarité.

BRUTE → *bête.*

BRUYANT, E I. Assourdissant, braillard, criard, éclatant, gueulard (fam.), hurleur, indiscret, piaillard, ronflant, rugissant, sonore, tapageur, tonitruant, tumultueux, turbulent, vociférant. **II. Loc. Un enfant bruyant :** agité, fatigant, remuant, turbulent, vif, violent.

BRUYÈRE Brande, lande.

BUANDERIE Blanchisserie, laverie, lavoir.

BUBON → *abcès.*

BÛCHE I. Bille, billot, branche, charbonnette, rondin, souche, tronce, tronche. **II. Fig. 1.** → *bêta.* **2.** → *chute.*

BÛCHER n. Appentis, cave, resserre.

BÛCHER v. tr. **I. Par ext.** → *battre.* **II. Fig. et fam. :** bosser, buriner, chiader, en foutre/en mettre un coup, étudier, gratter, repasser, travailler, turbiner.

BÛCHEUR, EUSE Bœuf, bosseur, bourreau de travail, burineur, chiadeur, gratteur, travailleur, turbineur.

BUCOLIQUE Agreste, campagnard,

champêtre, forestier, idyllique, pastoral, paysan, rustique.

BUDGET Balance, compte, comptabilité, crédit, dépense, gain, moyens, plan, prévision, recette, rentrée, répartition, revenu, salaire.

BUÉE Condensation, vapeur.

BUFFET I. Le meuble : argentier, bahut, cabinet, crédence, desserte, encoignure, placard, vaisselier. **II. Le lieu :** bar, buvette, café, cantine, estaminet, restaurant.

BUFFLE Bœuf, karbau, syncerus, yack.

BUFFLETERIE Bandoulière, baudrier, bourdalou, brayer, bride, cartouchière, ceinture, courroie, cravache, crispin, guide, harnachement, jugulaire, lanière, sellerie.

BUILDING Bâtiment, bâtisse (péj.), construction, édifice, ensemble, habitat, immeuble, maison, monument, tour.

BUIS Buxus, rameau.

BUISSON Breuil, épines, haie, hallier, ronce.

BULBE I. Au pr. : oignon. **II. Par ext. :** coupole.

BULLE I. Boule. **II. Par ext. :** bref, décrétale, mandement, rescrit, sceau.

BULLETIN I. Au pr. : billet, papier. **II. Par ext. 1.** Annonce, avis, carnet, chronique, communiqué, rapport. **2.** Acte, attestation, certificat, récépissé, reçu. **3.** Bordereau, ordre, relevé. **4.** Annales, cote, feuille, hebdomadaire, information, journal, lettre, lien, magazine, missive, périodique, revue.

BUNGALOW Chartreuse, maison coloniale, véranda, villa.

BURALISTE Débitant, préposé, receveur.

BUREAU I. Le meuble : cabinet, classeur, écritoire, pupitre, secrétaire, table de travail. **II. Le lieu :** administration, agence, boîte (arg.), burlingue (arg.), cabinet, caisse, comptoir, direction, étude, office, officine, secrétariat, service. **III.** Administration, assemblée, collège, comité, commission, conseil, direction, directoire.

BUREAUCRATE (généralement péj.) Fonctionnaire, gratte-papier, gratteur, paperassier, pisse-copie, plumitif, rond-de-cuir, scribe, scribouillard.

BURETTE I. Au sing. 1. Au pr. : aiguière, fiole, flacon. **2. Fig. →** tête. **II. Au pl. →** bourses.

BURIN Charnière, ciseau, drille, échoppe, guilloche, onglette, pointe.

BURINER I. Au pr. : graver. **II.**

Par ext. : marquer, souligner. **III. Fig. →** bûcher.

BURLESQUE I. Adj. → comique. **II. Nom masc. :** baroque, grandguignolesque, grotesque, tragi-comique.

BURON → cabane.

BUSC Baleine, corset, soutien.

BUSE I. Busaigle, busard, harpaye, harpie, rapace. **II.** Canal, canalisation, conduit, poterie, tuyau. **III. Fig. →** bête.

BUSINESS (angl.) **→** affaires.

BUSQUÉ, E I. Arqué, bombé, convexe, courbé. **II. Le nez :** aquilin, bourbon, bourbonien.

BUSQUER Arquer, bomber, courber, rendre convexe.

BUSTE I. Au pr. : corsage, gorge, poitrine, sein, torse. **II. Par ext. 1.** Effigie, figure, portrait, sculpture, traits. **2. Selon la matière employée :** argile, bronze, cire, plâtre, terre cuite.

BUT I. Au pr. : carton, cible, mille, mire, mouche, objectif, point de mire, silhouette. **II. Par ext. 1. Ce qui est atteint :** aboutissement, achèvement, arrivée, destination, objectif, point final, port, terme, terminus. **2. Ce qu'on veut atteindre :** ambition, dessein, détermination, direction, fin, intention, plan, projet, propos, résolution, visée, vue. **3. D'une action, de la vie :** cause, destination, destinée, direction, fin, finalité, fins dernières, ligne de conduite, motif, motivation, raison. **4. Sport :** arrivée, bois, coup, essai, filet, goal, marque, panier, poteau.

BUTÉE Contrefort, culée, massif.

BUTÉ, E Arrêté, braqué, bloqué, entêté, étroit, fermé, méfiant, obstiné, opiniâtre, têtu.

BUTER I. On bute contre quelque chose : achopper, broncher, chopper, cogner, heurter, trébucher. **II. Quelque chose ou quelqu'un prend appui sur :** s'appuyer, s'arc-bouter, s'arrêter, se bloquer, se caler, se coincer, être épaulé/étayé/maintenu/soutenu par, prendre appui. **III. Pop. →** tuer.

BUTER (SE) S'arrêter à, se bloquer, se braquer, s'entêter, se fermer, se méfier, s'obstiner, s'opiniâtrer.

BUTIN I. Au pr. 1. Neutre : capture, dépouille, matériel, prise, proie, trophée. **2. Péj. :** pillerie, rançon, rapine, vol. **II. Fig. Favorable :** aubaine, découverte, profit, provision, récolte, richesse, trouvaille.

BUTINER → recueillir.

BUTOIR Butée, heurtoir.

BUTOR I. → bête. **II. →** impoli, **III. →** maladroit.

BUTTE I. Colline, dune, éminence,

erg, hauteur, mont, monticule, motte, tertre. **II. Loc. *Être en butte à :*** donner prise à, être la cible/le point de mire/le souffre-douleur, prêter le flanc à.

BUVABLE I. Au pr. : potable, sain, **II. Fig. :** acceptable, admissible, possible, potable, recevable, supportable, tolérable.

BUVARD I. Adj. : absorbant. **II. Nom :** sous-main.

BUVETTE Bar, bistrot (fam.), bouchon, buffet, café, café-tabac, cafétéria, cantine, débit de boissons, taverne. → *brasserie, cabaret.*

BUVEUR, EUSE → *ivrogne.*

BUVOTER → *boire.*

BYZANTIN, INE Chinois, compliqué, emberlificoté (fam.), entortillé (fam.), farfelu (fam.), futile, oiseux, pédant, tarabiscoté.

CAB → *cabriolet*.

CABALE I. Au pr. : ésotérisme, herméneutique, interprétation, kabbale. **II. Par ext. 1.** Charivari, magie, mystère, sabbat, théosophie. **2.** Association secrète, brigue, clique, coalition, complot, conjuration, conspiration, coterie, faction, intrigue, ligue, machination, menée, parti.

CABALER Briguer, coasser, comploter, conspirer, criailler, intriguer, machiner, monter une cabale *et les syn. de* CABALE.

CABALISTIQUE Abscons, ésotérique, magique, mystérieux, obscur, secret.

CABANE Abri, appentis, baraque, bicoque, buron, cabanon, cagibi, cahute, carbet, case, cassine, chalet, chaume, chaumière, gloriette, gourbi, hutte, loge, logette, maisonnette, masure, paillote.

CABANER Chavirer, mettre quille en l'air, renverser.

CABARET I. Assommoir, auberge, bar, bistrot, bouchon, bouge, bousin, brasserie, buffet, buvette, caboulot, café, cafétéria, cambuse, comptoir, débit, estaminet, gargote, guinguette, hôtellerie, popine, tabagie, tapis-franc, taverne, tournebride, zinc. **II. 1. Neutre :** boîte, boîte de nuit, café-concert, caveau, club, dancing, discothèque, établissement/restaurant de nuit, music-hall. **2. Non favorable :** bastringue, beuglant, bouiboui, tripot. **III.** Cave/plateau/service à liqueurs.

CABARETIER, ÈRE Bistrot, cafetier, limonadier, patron, restaurateur, taulier, tavernier, tenancier.

CABAS Couffe, couffin, couffle, panier, sac, sachet, sacoche.

CABINE I. Cabinet, cagibi, isoloir, réduit. **II.** Abri, guérite, loge, poste. **III.** Compartiment, couchette.

CABINET I. → *cabine*. **II.** → *water-closet*. **III.** Agence, bureau, étude, studio. **IV.** Bibliothèque, collection, musée, pinacothèque. **V.** Équipe ministérielle, gouvernement, ministère. **VI.** Laboratoire. **VII. Cabinet de verdure :** abri, berceau, brandebourg, fabrique, gloriette, kiosque, pavillon, reposoir, tonnelle. **VIII.** Bahut, bonheur-du-jour, bonnetière, buffet, bureau, meuble, secrétaire, semainier.

CÂBLE I. Chable, chableau, chaîne, corde, filin, orin, remorque, touée. → *cordage*. **II.** Bleu, câblogramme, dépêche, exprès, message, pneu, télégramme.

CÂBLER Envoyer/expédier une dépêche, télégraphier.

CABOCHARD, E n. et adj. Entêté, opiniâtre, têtu.

CABOCHE → *tête*.

CABOSSER I. Au pr. : bosseler, bossuer, déformer. **II. Par ext. :** battre, blesser, contusionner, meurtrir.

CABOT I. → *chien*. **II.** → *caporal*. **III.** → *cabotin*. **IV.** Chabot, cotte, meunier, têtard.

CABOTAGE → *navigation*.

CABOTEUR Balancelle, chasse-marée, galiote, lougre. → *bateau*.

CABOTIN, INE adj. et n. **Péj. :**

acteur, bouffon, charlatan, clown, comédien, histrion, m'as-tu-vu. → *hypocrite.*

CABOTINAGE Affectation, charlatanisme, comédie. → *hypocrisie.*

CABOULOT I. → *cabaret.* **II.** → *bistrot.*

CABRÉ, E Fig. Agressif, combatif, déterminé, farouche, ombrageux, révolté.

CABRER Par ext. : choquer, dresser, irriter, révolter.

CABRER (SE) I. Au pr. : se dresser, se pointer. **II. Fig. :** se dresser, s'insurger, se lever, s'opposer, protester, résister, se révolter. **III. Par ext. :** s'emporter, s'entêter, se fâcher, s'irriter, s'obstiner, s'opiniâtrer, se raidir.

CABRETTE Bag-pipe (angl.), biniou, bombarde, chabrette, chevrie, cornemuse, musette, pibrock (écossais).

CABRI Biquet, chevreau, chevrette.

CABRIOLE I. Au pr. : bond, culbute, entrechat, galipette, gambade, pirouette, saut, voltige. **II. Par ext. *1.* Chute, dégringolade, échec, faillite, krach. *2.* Bouffonnerie, drôlerie, grimace. *3.* Flagornerie, flatterie, servilité. *4.* Apostasie, échappatoire, pirouette, reniement, retournement, revirement.

CABRIOLET I. Boghei, cab, tandem, tilbury, tonneau, wiski. **II.** Cadenas, menotte.

CACA → *excrément.*

CACADE Couardise, échec, foire, lâcheté, reculade.

CACHÉ, E Mystérieux. → *secret.*

CACHE I. Nom fém. : abri, antre, asile, cachette, coin, gîte, nid, planque, refuge, retraite, terrier, trou. **II. Nom masc. :** écran.

CACHE-CACHE Cache-tampon, cligne-musette.

CACHE-COL, CACHE-NEZ Cravate, écharpe, foulard.

CACHE-POUSSIÈRE Bleu, blouse, surtout, tablier. → *manteau.*

CACHER I. Au pr. : abriter, camoufler, celer, couvrir, déguiser, dissimuler, enfermer, enfouir, enserrer, ensevelir, enterrer, envelopper, escamoter, faire disparaître, gazer, masquer, mettre en sûreté/sous clef, mucher, murer, musser (vx), planquer (fam.), receler, recouvrir, rentrer, serrer, voiler. **II. Par ext. *1.* Arrêter la vue, aveugler, boucher, éclipser, intercepter, obscurcir, obstruer, occulter, offusquer, ombrager, pallier. *2.* Agir en cachette/catimini/douce/secret/tapinois, cachotter, celer, déguiser, dissimuler, étouffer, faire des cachotteries, farder, mettre sous le boisseau, ne pas s'en vanter, sceller, taire, tenir secret, tirer un rideau/un voile, voiler.

CACHER (SE) S'abriter, se blottir, se clapir, se défiler (fam.), se dérober, disparaître, se dissimuler, s'éclipser, s'embusquer, éviter, fuir, se mettre à l'abri, se musser, se nicher, se planquer (fam.), se retirer, se soustraire, se tapir, se tenir à l'écart, se terrer.

CACHE-SEXE Culotte, slip, sous-vêtement.

CACHET I. Armes, armoiries, bulle, chiffre, empreinte, estampille, marque, monogramme, oblitération, poinçon, sceau, scellé, seing, tampon, timbre. **II.** Caractéristique, griffe, main, originalité, patte, signe. **III.** Casuel, honoraires, prix, rétribution, salaire. **IV.** Capsule, comprimé, pastille.

CACHE-TAMPON → *cache-cache.*

CACHETER I. Clore, coller, fermer. **II.** Estampiller, marquer, oblitérer, plomber, poinçonner, sceller, tamponner, timbrer.

CACHETTE I. Abri, antre, asile, cache, lieu sûr, mystère, planque, refuge, retraite, secret, sûreté, terrier. **II. Loc. *En cachette :** à la dérobée, à musse-pot, clandestinement, dans sa barbe, discrètement, en contrebande, en secret, en tapinois, furtivement, secrètement, sous cape.

CACHEXIE Amaigrissement, ankylostomiase, carence, consomption, distomatose (vét.), fatigue, fluorine, maigreur, marasme.

CACHOT Basse-fosse, cabanon, cabinet noir, casemate, cellule, coin, cul-de-basse-fosse, geôle, in-pace, mitard (arg.), oubliette, salle de police, salle forte, violon. → *prison.*

CACHOTTERIE Feinte, minon-minette (fam.), mystère, secret, secret de Polichinelle.

CACHOTTIER, ÈRE n. et adj. **I.** → *secret.* **II.** → *sournois.*

CACOCHYME Débile, déficient, faible, impuissant, infirme, invalide, maladif, malingre, pituitaire, valétudinaire. → *quinteux.*

CACOPHONIE Bruit, chahut, charivari, confusion, désaccord, désordre, discordance, dissonance, sérénade, tapage, tintamarre, tumulte.

CADAVRE Corps, dépouille mortelle, macchabée (fam.), momie, mort, reliques, restes, sujet d'anatomie.

CADEAU Avantage, bakchich, bienfait, bouquet, corbeille, don, donation, dot, envoi, étrenne, gratification, largesse, libéralité, offrande, pièce, pot-de-vin, pourboire, présent, prix, souvenir, surprise.

CADENAS I. Fermeture, loquet, serrure, sûreté, verrou. **II.** Coffret, ménagère. **III.** Arrêt.

CADENASSER Barrer, clore, écrouer, emprisonner, enfermer, fermer, verrouiller.

CADENCE Accord, harmonie, mesure, mouvement, nombre, rythme.

CADENCER Accorder, conformer, mesurer, rythmer.

CADET, ETTE Benjamin, jeune, junior, puîné.

CADRAN Gnomon, horloge.

CADRE I. Au pr. 1. Bordure, encadrement, marie-louise, passe-partout. **2.** Boisage, chambranle, châssis, coffrage, huisserie. **3.** → *caisse.* **II. Par ext. :** décor, disposition, ensemble, entourage. **III. Fig. 1.** Borne, limite. **2.** Carcan, contrainte, corset, enveloppe.

CADRER I. S'accorder, s'adapter, s'ajuster, s'assortir, concorder, convenir, plaire, se rapporter. **II. Loc.** *Faire cadrer* → concilier.

CADUC, UQUE Abattu, affaibli, âgé, annulé, cassé, chancelant, débile, décrépit, démodé, dépassé, épuisé, fragile, impotent, nul, passager, périmé, périssable, précaire, suranné, usé, vieux.

CADUCITÉ I. Au pr. : débilité, décrépitude, faiblesse, usure, vieillesse. **II. Jurid. :** annulation, nullité, prescription. **III. Des choses :** fragilité, vanité.

CAFARD, E I. Au pr. : blatte, cancrelat. **II. Par ext. 1.** Bigot, cagot, faux dévot, imposteur, perfide. → *hypocrite.* **2.** Cuistre, délateur, dénonciateur, espion, mouchard, mouche, rapporteur. **III.** Bourdon, découragement, dépression, mélancolie, nostalgie, noir, spleen, tristesse, vague à l'âme. **IV.** → *cafardeux.*

CAFARDAGE Cuistrerie, délation, dénonciation, espionnage, mouchardage.

CAFARDER Dénoncer, moucharder, rapporter, vendre la mèche (fam.).

CAFARDERIE → *hypocrisie.*

CAFARDEUX, EUSE Abattu, découragé, démoralisé, déprimé, fermé, mélancolique, nostalgique, triste.

CAFARDISE → *hypocrisie.*

CAFÉ → *cabaret.*

CAGE I. Case, chanterelle, clapier, épinette, lapinière, loge, logette, oisellerie, ménagerie, mésangette, mue, niche, tournette, volière. **II.** Enceinte. → *prison.* **III.** Chaîne, fil, lien, servitude. **IV.** Boîte, boîtier.

CAGEOT Billot, caisse, caissette, emballage.

CAGIBI Appentis, cabane, cabinet, cage, cagna, case, chambre, guichet, local, mansarde, penderie, placard, réduit, souillarde, soupente.

CAGNA Abri, baraquement, guérite, hutte, maisonnette, tranchée. → *cabane.*

CAGNARD, E Apathique, cossard (fam.), engourdi, fainéant, flemmard (fam.), indolent, inerte, lent, loche (fam.), mou, nonchalant, oisif, paresseux.

CAGNEUX, EUSE Bancal, bancroche, inégal, noueux, tordu, tors, tortu.

CAGNOTTE I. Bas de laine, boîte, bourse, coffret, corbeille, tirelire, tontine. **II.** Économie, fonds, somme.

CAGOT, OTE → *cafard.*

CAGOTERIE, CAGOTISME → *hypocrisie.*

CAGOULE Capuchon, coule, froc. → *manteau.*

CAHIER Album, bloc-notes, calepin, carnet, livre, livret, registre.

CAHIN-CAHA Clopin-clopant, péniblement, tant bien que mal, va comme je te pousse.

CAHOT I. Au pr. : bond, cahotage, cahotement, heurt, mouvement, saut, secousse. **II. Par ext. :** contrariété, difficulté, obstacle, traverse, vicissitude.

CAHOTANT, E Brimbalant (fam.), bringuebalant (fam.), cahoteux, mal suspendu.

CAHOTER v. intr. et tr. Agiter, ballotter, brimbaler (fam.), bringuebaler (fam.), malmener, secouer, tourmenter.

CAHOTEUX, EUSE Mauvais. → *cahotant.*

CAHUTE → *cabane.*

CAILLASSE Caillou, déblai, décharge, pierre.

CAILLEBOTIS I. Lattis, treillis. **II.** Plancher.

CAILLEBOTTER, CAILLER I. Coaguler, condenser, durcir, épaissir, figer, geler, grumeler, prendre, solidifier. **II. Loc.** *Se les cailler* ou *cailler* (id.) *:* avoir froid.

CAILLETAGE Babillage, bavardage, pépiement.

CAILLETER Babiller, bavarder, jacasser, pépier.

CAILLOT Flocon, floculation, grumeau.

CAILLOU I. Au pr. : caillasse, cailloutis, galet, gravier, jalet, palet, pierre, silex. **II. Fig. 1.** Cahot, contrariété, difficulté, embarras, empêchement, inconvénient, obstacle, souci, traverse, vicissitude. **2.** Figure, tête.

CAISSE I. Au pr. : banne, benne, billot, boîte, boîtier, cadre, cageot, caissette, caisson, coffre, colis, emballage, harasse. **II. Par ext. 1.** Coffre-fort. → *cagnotte.* **2.** Bureau, comptabilité, guichet. **3.** Actif, encaisse, montant, trésorerie. **4.** Tambour, timbale, **5. Fam. :** coffre, estomac, poitrine.

CAISSIER, ÈRE Comptable, gestionnaire, intendant, receveur, trésorier.

CAJOLER → caresser.

CAJOLERIE → caresse.

CAJOLEUR, EUSE n. et adj. Caressant, courtisan, enjôleur, flagorneur, flatteur, peloteur.

CAL Callosité, calus, cor, durillon, oignon.

CALAMISTRER Friser, onduler.

CALAMITÉ Accident, adversité, cataclysme, catastrophe, chagrin, contrariété, déboire, déception, désastre, désolation, détresse, deuil, déveine, disgrâce, échec, épreuve, fatalité, fléau, guignon, infortune, insuccès, malheur, misère, orage, tourmente, tribulation, tristesse, vaches maigres.

CALAMITEUX, EUSE Catastrophique, désastreux, désolant, funeste, malheureux, triste.

CALANQUE Anse, crique, golfe.

CALCINER Brûler, carboniser, cuire, dessécher, griller, torréfier.

CALCUL I. Algèbre, arithmétique, compte, décompte, mathématique, opération. **II.** Addition, analyse, appréciation, comput, computation, division, estimation, évaluation, multiplication, prévision, soustraction, spéculation, supputation. **III.** Combinaison, dessein, mesure, moyen, plan, planning, projet. **IV.** Bézoard, concrétion, pierre.

CALCULER I. Au pr. → compter. **II. Par ext. :** adapter, agencer, ajuster, apprécier, apprêter, arranger, combiner, coordonner, déterminer, estimer, établir, évaluer, méditer, peser, préméditer, prévoir, proportionner, raisonner, réfléchir, régler, supputer.

CALÉ, E I. → instruit. **II.** Ardu, complexe, compliqué, difficile.

CALE Coin, étai, étançon, soutien, support.

CALEÇON Chausse, culotte, pantalon, slip.

CALEMBOUR A peu près, astuce, contrepèterie, équivoque, homonymie, homophonie, jeu de mots. → calembredaine.

CALEMBREDAINE Baliverne, bateau, bourde, chanson, conte à dormir debout, coquecigrue, faribole, lanterne (vx), plaisanterie, sornette, sottise.

CALENDRIER Agenda, almanach, annuaire, bref, chronologie, comput, éphéméride, martyrologe, ménologe, ordo, table, tableau.

CALEPIN Aide-mémoire, cahier, carnet, mémento, recueil, répertoire.

CALER I. V. intr. : baisser pavillon, caner, céder, filer doux, rabattre, reculer. **II. V. tr. :** ajuster, arrêter, assujettir, bloquer, étayer, fixer, serrer, soutenir, stabiliser.

CALFATER Aveugler, boucher, brayer, caréner, goudronner, obturer, radouber.

CALFEUTRER I. → boucher. **II.** → enfermer.

CALIBRE I. → dimension. **II.** Acabit, classe, genre, espèce. → qualité.

CALIBRER Classer, mesurer, proportionner.

CALICE I. → coupe. **II.** → mal. **III.** Enveloppe.

CALICOT → vendeur.

CALIFOURCHON (À) A cheval.

CÂLIN, E → caressant.

CÂLINER I. → caresser. **II.** → soigner.

CÂLINERIE → caresse.

CALLEUX, EUSE Apre, dur, endurci, insensible, vide.

CALLIGRAPHIE → écriture.

CALLOSITÉ → cal.

CALMANT, E adj. et n. Adoucissant, analgésique, anesthésique, anodin, antalgique, antipyrétique, antispasmodique, apaisant, balsamique, consolant, hypnotique, lénifiant, lénitif, parégorique, rafraîchissant, relaxant, reposant, sédatif, vulnéraire. → narcotique.

CALME I. Adj. 1. → impassible. **2.** → tranquille. **II. Nom pr. 1.** → tranquillité. **2.** Assurance, flegme, maîtrise/possession de soi, patience, sagesse, sang-froid, silence. **3.** Accalmie, beau fixe, beau temps, bonace, embellie.

CALMER Adoucir, alléger, apaiser, arrêter, assoupir, assourdir, assouvir, consoler, désaltérer, désarmer, détendre, dompter, endormir, étancher, éteindre, étouffer, faire taire, immobiliser, imposer silence, lénifier, maîtriser, mater, modérer, pacifier, panser, rasséréner, rassurer, satisfaire, soulager, tranquilliser.

CALMER (SE) Tomber et les formes pronom. possibles des syn. de CALMER.

CALOMNIATEUR, TRICE I. Au pr. : détracteur, diffamateur. **II. Par ext. :** accusateur, cancanier (fam.), cuistre (fam.), délateur dénonciateur, imposteur, langue de serpent (fam.)/venimeuse (fam.)/de vipère (fam.), mauvaise/méchante langue, médisant, menteur.

CALOMNIE I. Au pr. : allégation,

détraction, diffamation, horreur (fam.), imputation fausse, insinuation, mensonge, menterie (pop.). **II. Par ext.** : accusation, attaque, cancan (fam.), délation, dénonciation, injure, méchanceté, perfidie, traîtrise.

CALOMNIER I. Au pr. : baver (fam.)/cracher sur quelqu'un (fam.), casser du sucre sur le dos (fam.), déchirer, dénaturer les faits, diffamer, dire du mal, distiller du venin (fam.), entacher l'honneur, habiller (fam.), insinuer, mentir, noircir, parler mal/contre, répandre des calomnies *et les syn.* de CALOMNIE, traîner dans la boue, vomir son venin (fam.). **II. Par ext.** : accuser, attaquer, décrier, médire, tirer à boulets rouges (fam.), tomber sur.

CALOMNIEUX, EUSE Allusif, diffamatoire, faux, inique, injurieux, injuste, mensonger, venimeux.

CALOTIN, E → *bigot.*

CALOTTE I. → *bonnet.* **II.** Baffe, claque, coup, gifle, giroflée, mornifle, soufflet, taloche, tape. → *camouflet.* **III.** Coupole, dôme, voûte. **IV.** Hémisphère, pôle. **V.** Calotte de glace, couche, épaisseur.

CALQUER → *imiter.*

CALUMET → *pipe.*

CALUS → *cal.*

CALVAIRE I. Au pr. : Golgotha. **II. Par ext.** : affliction, chemin de croix, croix, épreuve, martyre, peine, supplice.

CAMARADE I. Ami, associé, collègue, compagnon, condisciple, confrère, connaissance, égal, labadens, partenaire. **II. Fam.** : aminche, copain, frère, pote, poteau, vieille branche, zigue.

CAMARADERIE Amitié, bonne intelligence, camarilla, coterie, entente, entraide, familiarité, liaison, union, solidarité.

CAMARD, E → *camus.*

CAMARILLA Coterie, entourage, groupe. → *camaraderie.*

CAMBRER Arc-bouter, arquer, arrondir, busquer, cintrer, couder, courber, infléchir, plier, ployer, recourber, voûter.

CAMBRER (SE) Bomber le torse, se redresser.

CAMBRIOLER → *voler.*

CAMBRIOLEUR → *voleur.*

CAMBROUSE *ou* **CAMBROUSSE** → *campagne.*

CAMBRURE I. Au pr. : cintrage, courbure, ensellure. **II. Méd.** : lordose. **III. Fig.** : apprêt, pose, recherche.

CAMBUSE I. Cantine, cuisine, magasin, réfectoire. **II.** → *cabaret.*

III. → *cabane.* **IV.** Antre, bouge, réduit, souillarde, taudis.

CAMELOT Bonimenteur, charlatan, marchand forain.

CAMELOTE I. → *marchandise.* **II.** → *saleté.*

CAMÉRIER, CAMERLINGUE → *chambellan.*

CAMÉRIÈRE, CAMÉRISTE Dame d'atours/d'honneur/de compagnie, femme de chambre, servante, soubrette, suivante.

CAMION I. Chariot, fardier, voiture. **II.** Benne, bétaillère, citerne, fourgon, poids lourd, véhicule. **III.** Pot à peinture.

CAMISOLE Brassière, caraco, casaquin, chemise, corsage, gilet.

CAMOUFLAGE Déguisement, occultation, masque.

CAMOUFLER Cacher, celer, couvrir, déguiser, dissimuler, maquiller, masquer, renfermer, voiler.

CAMOUFLET Affront, avanie, mortification, nasarde, offense, vexation. → *calotte.*

CAMP I. Bivouac, campement, cantonnement, castramétation, quartier. **II.** Camping, plein air. **III.** *Camp d'aviation :* aérodrome, aéroport, champ, terrain. **IV.** *Camp volant* → *bohémien.* **V.** Côté, équipe, faction, groupe, parti.

CAMPAGNARD, E I. Nom : contadin, hobereau. → *paysan.* **II. Adj.** *1. Favorable ou neutre* → *agreste.* *2. Non favorable :* grossier, lourdaud, rustre.

CAMPAGNE I. Au pr. : bled, brousse, cambrouse, cambrousse, champ, nature, pays, plaine, sillon (poét.), terre. **II. Par ext. 1.** Cabale, croisade, propagande, prospection, publicité, saison. **2.** Combat, équipée, expédition, guerre, intervention, manœuvre, offensive, opération, voyage. **3.** Chartreuse, château, cottage, domaine, ferme, maison, moulin, propriété, villégiature. **4. Loc.** *Partie de campagne :* excursion, pique-nique, promenade, sortie.

CAMPANE → *cloche.*

CAMPANILE Clocher, lanterne, tour.

CAMPÉ, E Assis, établi, fixé, placé, posé, posté.

CAMPEMENT, CAMPING → *camp.*

CAMPER I. V. intr. : bivouaquer, cantonner, s'établir, s'installer, planter sa tente, séjourner. **II. V. tr.** : affermir, asseoir, dresser, établir, fixer, installer, loger, mettre, placer, planter, poser, poster.

CAMPOS → *vacances.*

CAMUS, E I. Au pr. : aplati, camard, court, écaché, écrasé, épaté, plat, sime (vx). **II. Fig.** : confus, déconcerté, désappointé, ébahi, embarrassé, honteux, interdit, penaud, quinaud.

CANAILLE I. → *vaurien.* **II.** → *populace.*

CANAILLERIE Friponnerie, improbité, indélicatesse, malhonnêteté, polissonnerie, saleté, trivialité, vulgarité.

CANAL I. Au pr. : adducteur, aqueduc, arrugie, buse, caniveau, chenal, chéneau, conduit, conduite, coursier, cunette, dalle, dalot, drain, égout, émissaire, étier, fossé, gargouille, goulette, goulot, gouttière, noue, noulet, oléoduc, pipe-line, rigole, robine, roubine, saignée, séguia, tranchée, tube, tuyau. **II. Par ext. 1.** Bras, cours d'eau, détroit, embouquement, grau, lit, passage, passe, rivière. **2.** Bassin, miroir/pièce d'eau. **3. Archit.** : cannelure, glyphe, gorge, rainure, sillon. **III. Fig.** : agent, boîte aux lettres, entremise, filière, intermédiaire, moyen, source, voie.

CANALISATION Branchement, colonne, conduite, égout, émissaire, griffon, réseau, tout-à-l'égout, tuyauterie.

CANALISER I. → *conduire.* **II.** Centraliser, concentrer, diriger, grouper, rassembler, réunir.

CANAPÉ Borne, causeuse, chaise longue, confident, cosy-corner, divan, fauteuil, lit, méridienne, ottomane, récamier, siège, sofa, sopha.

CANARD I. Au pr. : barbarie, cane, caneton, eider, halbran, macreuse, malard, milouin, morillon, mulard, nyroque, palmipède, pétrin, pilet, rouen, tadorne. **II. Par ext. 1.** Cacophonie, couac. **2.** Bobard, bruit, canular, nouvelle, tuyau. **3.** → *journal.*

CANARDER → *tirer.*

CANASSON → *cheval.*

CANCAN Bavardage, calomnie, caquet, caquetage, clabaudage, commérage, jasement, jaserie, médisance, potin, racontar, ragot, scandale.

CANCANER → *médire.*

CANCANIER, ÈRE n. et adj. → *calomniateur.*

CANCER Carcinome, épithéliome, fongus malin, leucémie, néoplasme, sarcome, squirrhe, tumeur.

CANCRE I. → *élève.* **II.** → *paresseux.*

CANDÉLABRE → *chandelier.*

CANDEUR Blancheur, crédulité, franchise, ingénuité, innocence, naïveté, niaiserie (péj.), pureté, simplesse, simplicité, sincérité.

CANDIDAT, E → *postulant.*

CANDIDE Blanc, crédule, franc, ingénu, innocent, naïf, naturel, puéril, pur, simple, sincère, virginal

CANER Céder, flancher, reculer.

CANETTE → *bouteille.*

CANEVAS Essai, modèle, ossature, plan, pochade, scénario, squelette, synopsis, tableau. → *ébauche.*

CANICULE Chaleur, été.

CANIF Couteau, grattoir, onglet.

CANINE Croc, défense, dent, laniaire.

CANIVEAU Conduit, rigole. → *canal.*

CANNE I. → *bâton.* **II.** Balisier, bambou, roseau.

CANNELÉ, E Creusé, mouluré, rainuré, sillonné, strié.

CANNELURE Gorge, goujure, moulure, rainure, strie.

CANNIBALE n. et adj. Anthropophage, cruel, féroce, ogre, sauvage.

CANOË Barque, canadien, canot, embarcation, périssoire, pirogue. → *bateau.*

CANON I. Arme, artillerie, batterie, bertha, bombarde, bouche à feu, caronade, couleuvrine, crapouillot, faucon, fauconneau, mortier, obusier, pièce d'artillerie, pierrier, veuglaire. **II.** Airain, bronze, foudre, ultima ratio regum. **III.** Catalogue, décision, idéal, modèle, module, norme, règle, type.

CANON Col, défilé, gorge, ravin.

CANONIQUE Conforme, convenable, exact, obligatoire, réglé, réglementaire, régulier.

CANONISATION Béatification.

CANONISER I. Au pr. : béatifier, déclarer canonique, mettre/inscrire au calendrier, sanctifier. **II. Par ext.** : encenser, glorifier, louer, prôner.

CANONNER Arroser, battre, bombarder, canarder, pilonner, soumettre au tir.

CANOT Baleinière, barque, batelet, bombard, canadien, canoë, chaloupe, embarcation, esquif, flambard, horsbord, nacelle, périssoire, skiff, vedette, yole, youyou. → *bateau.*

CANTATE, CANTILÈNE → *chant.*

CANTATRICE → *chanteuse.*

CANTINE I. → *cabaret.* **II.** Bagage, caisse, coffre, malle, portemanteau.

CANTIQUE Antienne, chant, hymne, motet, noël, poème, prose, psaume, répons.

CANTON Circonscription, coin, lieu, région, pays, territoire, zone.

CANTONNEMENT → *camp.*

CANTONNÉ, E Enfermé, isolé, renfermé.

CANTONNER → *camper.*

CANTONNER (SE) S'établir, se fortifier, s'isoler, se renfermer, se retirer.

CANULE Cannelle, clysoir, drain.

CANULER I. Casser les pieds,

ennuyer, fatiguer, importuner. **II.** Abuser, mystifier.

CAP I. Avancée, bec, pointe, promontoire, ras. **II.** → *extrémité*.

CAPABLE Adroit, apte, bon, compétent, dégourdi, doué, entendu, exercé, expérimenté, expert, fort, habile, habilité, idoine, industrieux, ingénieux, intelligent, malin, puissant, qualifié, savant, talentueux, versé dans.

CAPACITÉ I. Contenance, cubage, cylindrée, épaisseur, étendue, grosseur, mesure, portée, profondeur, quantité, tonnage, volume. **II.** Adresse, aptitude, compétence, disposition, esprit, expérience, faculté, force, génie, habileté, inclination, industrie, ingéniosité, intelligence, mérite, pouvoir, qualité, savoir, science, talent, valeur.

CAPARAÇON Armure, couverture, harnais, housse.

CAPARAÇONNÉ, E → *vêtu*.

CAPE → *manteau*.

CAPELAN → *prêtre*.

CAPHARNAÜM Amas, attirail, bagage, bazar, bordel (grossier), bric-à-brac, confusion, désordre, entassement, fourbi, méli-mélo, pêle-mêle.

CAPILOTADE Déconfiture, gâchis, marmelade.

CAPISTON, CAPITAINE Commandant, gouverneur, lieutenant de vaisseau. → *chef*.

CAPITAL, E → *principal*.

CAPITAL I. → *argent*. **II.** → *bien*. **III.** → *terre*. **IV.** → *établissement*.

CAPITALE I. Babel, Babylone, chef-lieu, métropole, pandémonium. **II.** → *majuscule*.

CAPITALISTE n. et adj. Bourgeois, libéral (par ext.), riche.

CAPITAN → *hâbleur*.

CAPITEUX, EUSE Alcoolisé, échauffant, enivrant, entêtant, étourdissant, exaltant, excitant, généreux, grisant, qui monte/porte à la tête, troublant.

CAPITONNER Étouper, garnir, rembourrer, remplir.

CAPITULATION Abandon, abdication, accommodement, armistice, cession, convention, défaite, démission, reddition, renoncement, renonciation.

CAPITULER Abandonner, abdiquer, battre la chamade, céder, demander grâce/merci, se démettre, déposer/ jeter bas/ mettre bas/ poser/rendre les armes, hisser le drapeau blanc, lâcher prise, livrer les clefs, mettre les pouces, ouvrir les portes, parlementer, se rendre, renoncer, se retirer, se soumettre.

CAPON, ONNE adj. et n. Alarmiste, couard, craintif, flagorneur (vx), froussard, lâche, mazette, peureux,

pleutre, poltron, poule mouillée (fam.), pusillanime, rapporteur, timide, timoré, trembleur, trouillard.

CAPONNER → *dénoncer*.

CAPORAL Brigadier, cabot (fam.).

CAPORALISME Absolutisme, autocratie, autoritarisme, césarisme, dictature, militarisme, pouvoir absolu/ discrétionnaire, prépotence.

CAPOT adj. inv. Confus, embarrassé, honteux, interdit.

CAPOTE → *manteau*.

CAPOTER Chavirer, culbuter, se renverser, se retourner.

CAPRICE I. Au pr. : accès, arbitraire, bizarrerie, bon plaisir, boutade, changement, chimère, coup de tête, envie, extravagance, fantaisie, folie, foucade, gré, humeur, impatience, incartade, inconséquence, inconstance, instabilité, légèreté, lubie, lune, marotte, mobilité, mouvement, originalité, primesaut, quinte, saillie, saute d'humeur, singularité, toquade, variation, versatilité, volonté. **II. Par ext. :** amour, amourette, béguin, dada (fam.), enfantillage, escapade, étrangeté, excentricité, frasque, fredaine, flirt, idylle, passade, pépin, toquade.

CAPRICIEUX, EUSE I. Au pr. : arbitraire, bizarre, braque, capricant, changeant, excentrique, extravagant, fantaisiste, fantasque, fou, gâté, inconséquent, inconstant, instable, irréfléchi, irrégulier, léger, lunatique, maniaque, mobile, ondoyant, original, quinteux, sautillant, variable, versatile. **II. Par ext. :** anormal, saugrenu, surprenant.

CAPSULE → *enveloppe*.

CAPSULER Boucher, cacheter, clore, fermer, obturer, sceller.

CAPTATION I. Jurid. : détournement, dol, subornation, suggestion. **II.** Captage, prélèvement, prise.

CAPTER I. Canaliser, conduire, prélever, pomper. **II.** Intercepter, surprendre. **III.** Rassembler, recueillir, réunir. **IV. Quelqu'un. 1. *Favorable ou neutre :*** attirer, captiver, charmer, conquérir, gagner, obtenir, vaincre. *2. Non favorable :* abuser, accaparer, attraper, circonvenir, duper, embabouiner, embobeliner, embobiner, enjôler, fourvoyer, leurrer, surprendre, tromper.

CAPTIEUX, EUSE Abusif, artificieux, déloyal, dupeur, égarant, endormant, enjôleur, fallacieux, faux, fourbe, fourvoyant, insidieux, mensonger, mystifiant, retors, roué, séduisant, sophistiqué, spécieux, trompeur.

CAPTIF, IVE adj. et n. Asservi, attaché, cadenassé, contraint, détenu, écroué, emprisonné, enchaîné, enfermé, esclave, forçat, gêné, incarcéré, interné, otage, prisonnier, reclus, relégué, séquestré, transporté.

CAPTIVANT, E Attachant, attirant, charmant, charmeur, ensorcelant, ensorceleur, enthousiasmant, enveloppant, fascinant, intéressant, magique, prenant, ravissant, séduisant, vainqueur.

CAPTIVER Absorber, asservir, assujettir, attacher, capter, charmer, conquérir, convaincre, dompter, enchaîner, enchanter, enjôler, ensorceler, enthousiasmer, entraîner, fasciner, gagner, intéresser, maîtriser, occuper, passionner, persuader, plaire, ravir, réduire à sa merci, saisir, séduire, soumettre, vaincre.

CAPTIVITÉ → *emprisonnement.*

CAPTURE I. Arrestation, coup de filet, prise, saisie. **II.** Butin, confiscation, conquête, prise, proie, rapine, trésor de guerre, trophée.

CAPTURER → *prendre.*

CAPUCHON I. Au pr. 1. Béguin, cagoule, camail, capeline, capuche, capuce, capulet, chaperon, coiffure, coqueluchon, couvre-chef, cuculle. **2.** Couvercle, opercule, protection. **II. Par ext. :** caban, capote, coule, crispin, domino, duffle-coat, pèlerine.

CAPUCHONNER → *couvrir.*

CAPUCIN, E I. Franciscain, moine. **II. Vén. :** lièvre. **III.** Saï, sajou, singe d'Amérique.

CAPUCINADE I. → *homélie.* **II.** Bigoterie, cafarderie, fausse dévotion.

CAQUET, CAQUETAGE Babil, babillage, bagou, bavardage, cailletage (fam.), cancan, clabauderie, commérage, faconde, jactance, jaserie, médisance, piaillerie, parlote, verbiage, verbosité.

CAQUETER Babiller, bavarder, cancaner, commérer, jaboter, jacasser, jaser.

CAR Attendu que, du fait que, en effet, étant donné que, parce que, puisque, vu que.

CAR Autobus, autocar, courrier, patache, pullman.

CARABIN → *médecin.*

CARABINE → *fusil.*

CARACTÈRE I. Chiffre, écrit, écriture, empreinte, graphie, gravure, inscription, lettre, sceau, sigle, signe, symbole, texte, trait. **II. De quelque chose :** attribut, cachet, caractéristique, critérium, essence, facture, indice, marque, nature, particularité, propriété, qualité, relief, sens, signe, signification, titre, ton, trait. **III. De quelqu'un :** air, allure, apparence, aspect, constitution, expression, extérieur, façons, figure, génie, goût, humeur, idiosyncrasie, manière, marque, naturel, originalité, personnalité,

psychologie, qualité, relief, style, tempérament, visage. **IV. Par ext. :** assurance, audace, constance, courage, détermination, dignité, empire sur soi, énergie, entêtement, fermeté, fierté, force, grandeur d'âme, héroïsme, inflexibilité, loyauté, maîtrise de soi, opiniâtreté, orgueil, résolution, stoïcisme, ténacité, trempe, valeur, volonté. **V. D'une nation :** âme, génie, mœurs, originalité, particularisme, particularité, spécificité.

CARACTÉRISER Analyser, circonstancier, constituer, définir, dépeindre, désigner, déterminer, distinguer, expliciter, indiquer, individualiser, marquer, montrer, particulariser, peindre, préciser, spécifier.

CARACTÉRISTIQUE I. Adj. : déterminant, distinctif, dominant, essentiel, notable, original, particulier, patent, personnel, propre, remarquable, saillant, significatif, spécifique, symptomatique, typique, visible. **II. Nom fém. :** aspect, attribut, caractère, disposition particulière, distinction, indice, marque, originalité, particularité, propriété, qualité, signe, singularité, spécificité, trait.

CARACUL Astrakan, breitschwanz.

CARAMBOLAGE → *heurt.*

CARAMBOLER → *heurter.*

CARAVANE I. Caravansérail, kan, smala. **II.** → *troupe.* **III.** → *convoi.* **IV.** Remorque, roulotte.

CARAVANSÉRAIL Auberge, bordj, fondouk, hôtellerie.

CARBONADE Bifteck, grillade, steak.

CARBONISER Brûler, calciner, charbonner, consumer, cuire, réduire en charbon, rôtir.

CARBURANT → *combustible.*

CARCAN I. → *cheval.* **II.** → *collier.*

CARCASSE I. Charpente, ossature, squelette. **II.** Armature, charpente, châssis, coque. **III.** Canevas, esquisse, plan, projet, topo.

CARDER Battre, démêler, dénouer, peigner.

CARDINAL, E → *principal.*

CARÊME → *jeûne.*

CARENCE I. Absence, défaut, défection, défectuosité, imperfection, incomplétude, indigence, insolvabilité, insuffisance, manque, manquement, oubli, pénurie, privation. **II.** Abstention, impuissance, inaction. **III. Méd :** avitaminose. **IV.** → *pauvreté.*

CARESSANT, E Affectueux, aimable, aimant, amoureux, attentionné, cajoleur, câlin, démonstratif, doux, enjôleur, expansif, flatteur, tendre, voluptueux.

CARESSE I. Au pr. : accolade, amabilité, amitiés, attentions, attouchement, baiser, becquetage, bontés, cajolerie, câlinerie, chatouille, chatouillement, chatterie, contact, douceurs, effleurement, égards, embrassement, enlacement, étreinte, familiarité, flatterie, frôlement, frottement, gâteries, gentillesse, geste, lèchement, mamours, mignardise, mignotise, papouille, patinage, patte de velours, pelotage, pression, prévenances, privauté, tendresse, titillation. **II. Fig. :** bain, délice, faveur, illusion, volupté.

CARESSER I. Au pr. : accoler, attoucher, avoir des bontés, baiser, bécoter, becqueter, bichonner, bouchonner, cajoler, câliner, chatouiller, chiffonner, couvrir de caresses *et les syn. de* CARESSE, dorloter, effleurer, embrasser, enlacer, étreindre, flatter, frôler, frotter, lécher, manier, manger de baisers, mignarder, mignoter, passer/promener la main, patiner (vx), patouiller, peloter, presser, rebaudir (vén.), serrer, tapoter, titiller, toucher, tripoter, tripotailler. **II. Par ext. 1.** Bercer, se complaire, entretenir, nourrir, projeter, ressasser. **2.** Aduler, amadouer, cajoler, courtiser, faire du plat, flagorner, flatter, lécher les bottes.

CARGAISON I. Au pr. : charge, chargement, fret, marchandises. **II. Par ext. :** bagage, collection, provision, réserve.

CARGO Tramp. → *bateau.*

CARICATURAL, E Bouffon, burlesque, carnavalesque, clownesque, comique, contrefait, difforme, grotesque, parodique, ridicule.

CARICATURE I. Charge, dessin, effigie, peinture, pochade, silhouette, traits. **II.** Contrefaçon, déformation, farce, grimace, parodie, raillerie, satire.

CARICATURER Charger, contrefaire, croquer, parodier, railler, ridiculiser, tourner en ridicule.

CARIER Abîmer, altérer, avarier, corrompre, détériorer, endommager, gâter, gangrener, infecter, nécroser, pourrir.

CARILLON I. Au pr. → *cloche.* **II. Par ext. :** chahut, charivari, criaillerie, micmac, scène, tapage, tohubohu.

CARILLONNER I. → *sonner.* **II.** → *publier.*

CARMIN n. m. et adj. → *rouge.*

CARNAGE I. Au pr. (vx) : chair, nourriture, viande. **II. Par ext. :** boucherie, décimation, étripage (fam.), hécatombe, massacre, tuerie. **III. Fig. :** destruction, dévastation, extermination, gâchis, pogrom, ravage, ruine, Saint-Barthélemy.

CARNASSIER, ÈRE → *carnivore.*

CARNASSIÈRE Carnier, gibecière, havresac, musette.

CARNATION I. Au pr. : apparence, coloration, couleur, mine, teint. **II. Par ext. :** chair, peau.

CARNAVAL I. Amusement, cavalcade, célébration du mardi gras/de la mi-carême, défilé, déguisement, divertissement, mascarade, travestissement. **II.** Carême-prenant (vx), chicard, chienlit, domino, masque.

CARNE I. → *chair.* **II.** → *cheval.* **III.** → *virago.*

CARNET Agenda, cahier, calepin, journal, livret, mémento, mémoires, mémorandum, notes, registre, répertoire.

CARNIER → *carnassière.*

CARNIVORE I. Carnassier, omophage, sanguinaire. **II.** Belette, brochet, chat, chien, civette, coati, épaulard, fouine, furet, glouton, hyène, lion, loup, loutre, lycaon, mangouste, martre, mouffette, musaraigne, otocyon, ours, panda, paradoxure, protèle, puma, putois, oiseau de proie, rapaces, ratel, renard, requin, suricate, tigre, varan, zorille.

CAROGNE I. → *chair.* **II.** → *virago.*

CAROTTE I. Par ext. 1. Échantillon, prélèvement. **2.** Chique. **II. Fig. :** artifice, duperie, escroquerie, exploitation, ficelle, filouterie, illusion, leurre, mensonge, piperie, resquille, ruse. → *tromperie.*

CAROTTER → *tromper.*

CARPETTE → *tapis.*

CARRÉ I. Au pr. : quadrilatère. **II. Par ext. 1.** Carreau, case, quadrillage. **2. D'un escalier :** palier. **3. Jardinage :** corbeille, massif, parterre, planche, plate-bande. **4.** Bout, coin, morceau, pièce.

CARRÉ, E Fig. : droit, ferme, franc, loyal, net, ouvert, sincère, vrai.

CARREAU I. → *carrelage.* **II.** Croisée, fenêtre, glace, panneau, verre, vitre. **III.** → *coussin.* **IV.** → *trait.*

CARREFOUR Bifurcation, bivoie, croisée des chemins, embranchement, étoile, fourche, patte d'oie, rond-point.

CARRELAGE Carreaux, dallage, dalles, mosaïque, sol. → *céramique.*

CARRELET I. Ableret, araignée, filet. **II.** Aiguille, lime, règle.

CARRER (SE) → *prélasser (se).*

CARRIÈRE I. Ardoisière, ballastière, glaisière, grésière, marbrière, marnière, meulière, mine, plâtrière, sablière. **II.** Arène, champ de courses, lice, stade. **III.** Curriculum, état, fonction, métier, occupation, profession. **IV. Loc. Donner carrière :** champ, cours, course.

CARRIOLE → *charrette.*

CARROSSE → coche.
CARROSSIER I. Charron. **II.** Auto-médon, cocher, conducteur. **III.** Couturier de la voiture, modéliste.
CARROUSEL I. Au pr. : fantasia, parade, reprise, tournoi. **II. Par ext. :** ronde.
CARTABLE Carton, musette d'écolier, porte-documents, portefeuille, sac, sacoche, serviette, sous-main.
CARTE I. A jouer. 1. As, atout, carreau, cœur, dame, manillon, pique, reine, roi, tarot, trèfle, valet. **2.** Baccara, bassette, bataille, belote, besigue, blanque, bog, bonneteau, boston, bouillotte, brelan, bridge, brisque, brusquemaille, crapette, drogue, écarté, grabuge, hoc, hombre, impériale, lansquenet, manille, mariage, mistigri, mouche, nain-jaune, pamphile, pharaon, piquet, poker, polignac, quadrille, réussite, reversi, revertier, romestecq, tarot, trente-et-un, trente-et-quarante, tri, triomphe, vingt-et-un, whist. **II. Géogr. :** atlas, carton, croquis, géorama, mappemonde, plan, planisphère, projection, représentation. **III. De correspondance :** bristol, carte-lettre, lettre, paysage, pneu, pneumatique, photo, vue. **IV.** Autorisation, billet, coupe-file, laissez-passer, ticket, titre, visa. **V.** Catalogue, choix, menu, prix.
CARTEL I. Billet, bristol, carte, papier. **II. Par ext. 1. Vx :** convention, traité. **2.** Défi, provocation. **III.** Cartouche, encadrement, horloge, pendule, régulateur. **IV.** Association, comptoir de vente, concentration, consortium, entente, société, trust.
CARTOMANCIE Par ext. → divination.
CARTOMANCIEN, ENNE Diseur de bonne aventure, tireur de cartes et par ext. → devin.
CARTON I. → carte. **II.** Boîte. → cartable. **III.** Croquis, dessin, étude, modèle, patron, plan, projet. **IV.** → feuille.
CARTOUCHE I. Nom masc. : blason, cadre, cartel, encadrement. **II. Nom fém. :** balle, explosif, mine, munition, pétard.
CARTOUCHIÈRE Giberne, musette, sac, sacoche.
CAS I. Au pr. : accident, aventure, circonstance, conjoncture, événement, éventualité, fait, hasard, histoire, hypothèse, matière, occasion, occurrence, possibilité, rencontre, situation. **II. Jurid. :** action, affaire, cause, crime, délit, fait, procès. **III. Loc. 1. C'est le cas :** lieu, moment, occasion, opportunité. **2. En ce cas :** alors. **3. En aucun cas :** façon, manière. **4. Cas de conscience :** difficulté, scrupule. **5. En tout cas :** de toute

façon, en toute hypothèse, quoi qu'il arrive. **6. En-cas :** casse-croûte (fam.), collation, goûter, repas léger. **7. Au cas où, En cas que :** à supposer que, en admettant que, quand, si, s'il arrivait/survenait/venait que. **8. Faire cas de** → estimer.
CASANIER, ÈRE I. Au pr. : pantouflard, pot-au-feu, sédentaire, solitaire. **II. Par ext. :** bourru, ours, sauvage.
CASAQUE I. → corsage. **II.** → manteau. **III. Des condamnés de l'Inquisition :** san-benito. **IV. Vx :** cotte, hoqueton, jaquette, sayon, soubreveste.
CASAQUIN → corsage.
CASCADE, CASCATELLE I. Au pr. : buffet d'eau, cataracte, chute, rapides. **II. Fig. :** avalanche, culbute, dégringolade, rebondissement, ricochet, saccade, succession, suite.
CASE I. → cabane. **II.** Alvéole, carré, casier, cellule, compartiment, division, subdivision, vide.
CASEMATE Abri, blockhaus, fortification, fortin, ouvrage fortifié, tourelle.
CASER I. Au pr. : aligner, classer, disposer, installer, loger, mettre, ordonner, placer, ranger, serrer. **II. Par ext. :** établir, faire nommer, fixer, procurer un emploi.
CASERNE, CASERNEMENT Baraquement, base, cantonnement, dépôt, garnison, place, quartier.
CASIER I. Cartonnier, cases, classeur, compartiments, fichier, rayons, tiroir. **II.** Nasse.
CASQUE I. Au pr. : armet, bassinet, bicoquet, bourguignotte, cabasset, capeline, chapeau, gamelle (arg. milit.), heaume, morion, pot de fer, salade. **II. Par ext. :** bombe, calotte, chevelure, coiffure. **III. Loc. Casque à mèche :** bonnet de nuit.
CASQUER → payer.
CASQUETTE Bâche (fam.), coiffure, couvre-chef, képi, tampon (fam.).
CASSANT, E I. Au pr. : délicat, destructible, faible, friable, fragile. **II. Par ext. :** absolu, âpre, autoritaire, bourru, brusque, dur, impérieux, inflexible, insolent, rude, sec, sévère, tranchant.
CASSATION Jurid. : abrogation, annulation, dégradation (milit.), remise, renvoi.
CASSÉ, E I. Au pr. → casser. **II. Par ext. Quelqu'un :** âgé, anémique, brisé, caduc, courbé, débile, décrépit, estropié, faible, infirme, tremblant, usé, vieux, voûté.
CASSE I. Bagarre, bris, dégât, démolition, désagrément, destruction

dommage, ennui, grabuge, perte. **II.** Bassine, lèchefrite, poêle, poêlon, récipient. → *casserole*. **III. Imprim. :** bardeau, casier, casseau. **IV. Loc.** *Faire un casse* (arg.) : cambrioler. → *voler*.

CASSE-COU I. Brise-cou, casse-gueule, casse-pipes, danger, guerre. **II.** Audacieux, brise-tout, brûlot, cascadeur, casse-gueule, étourdi, hardi, imprudent, inconscient, irré-fléchi, présomptueux, risque-tout, téméraire. **III. Loc.** *Crier casse-cou :* avertir, crier gare, mettre en garde, prévenir.

CASSE-CROÛTE Collation, en-cas, goûter, repas froid/léger/sur le pouce, sandwich.

CASSE-GUEULE I. → *casse-cou*. **II. Péj. :** casse-pattes, casse-poitrine, eau-de-vie, gnôle, schnaps, tord-boyaux. → *alcool*.

CASSEMENT   Bruit, casse-tête, ennui, fatigue, préoccupation, souci, tracas.

CASSE-PIPES → *casse-cou*.

CASSER I. V. tr. 1. Au pr. : abîmer, briser, broyer, concasser, craqueler, déchirer, délabrer, désagréger, détériorer, détruire, disloquer, ébrécher, éclater, écorner, écraser, effondrer, émietter, entailler, entamer, éventrer, fêler, fendiller, fendre, fracasser, fractionner, fracturer, fragmenter, morceler, piler, rompre. **2. Chir. :** comminuer. **II. Loc.** (fig.) **1. A tout casser** (fam.) → *extraordinaire*. *Casser les vitres :* chambarder, s'emporter, faire un éclat, manifester, se mettre en colère. *Casser le morceau :* avouer, dénoncer. *Casser du sucre* → *calomnier. Casser les pieds/la tête :* assommer, assourdir, ennuyer, étourdir, fatiguer, importuner. *Casser la figure* → *battre. Casser les bras :* affaiblir, choquer, couper les bras, décourager, démolir, démoraliser, éreinter, frapper, mettre à plat. **2. Jurid. :** abolir, abroger, annuler, infirmer, rejeter, rescinder, rompre. **3. Milit. :** dégrader. **4. Par ext. :** démettre, déposer, destituer, renvoyer, révoquer, supprimer, suspendre. **III. V. intr. :** céder, craquer, flancher, péter (fam.), tomber.

CASSER (SE) I. Fam. → *partir*. **II.** *Les formes pronom. possibles des syn. de* CASSER.

CASSEROLE Braisière, cocotte, faitout, lèchefrite, marmite, poêle, poêlon, sauteuse, sautoir.

CASSE-TÊTE I. Au pr. : coup-de-poing, gourdin, masse, massue, matraque, merlin, nerf de bœuf. **II.** → *cassement*.

CASSETTE → *boîte*.

CASSINE Villa. → *cabane*.

CASSIS I. Groseillier noir. **II.** Dos-d'âne, fondrière, nid-de-poule, rigole.

CASSURE I. Au pr. : arête, brèche, brisure, casse, crevasse, faille, fente, fissure, fracture, joint. **II. Par ext. 1.** → *débris*. **2.** Coupure, disjonction, dislocation, distinction, fêlure, rupture.

CASTE → *rang*.

CASTEL Chartreuse, château, folie, gentilhommière, logis, manoir, pavillon, rendez-vous de chasse.

CASTRAMÉTATION → *camp*.

CASTRAT I. Châtré, eunuque. **II.** Chanteur, sopraniste. **III.** Chapon, châtron, hongre.

CASTRATION Bistournage, émasculation, ovariectomie, stérilisation, vasectomie.

CASTRER → *châtrer*.

CASUEL, ELLE I. Adj. : accidentel, contingent, éventuel, fortuit, occasionnel. **II. Nom masc. :** avantage, émolument, gain, honoraires, profit, rapport, rémunération, rétribution, revenu.

CASUISTE I. Jésuite, juge, ordinaire, théologien. **II.** Sophiste. → *hypocrite*.

CASUISTIQUE I. Théologie morale. **II.** Sophistique, subtilité. → *hypocrisie*.

CATACLYSME Accident, anéantissement, bouleversement, calamité, catastrophe, crise, cyclone, débordement, déluge, désastre, désordre, destruction, dévastation, éruption volcanique, fléau, guerre, inondation, maëlstrom, ouragan, ravage, raz de marée, révolution, ruine, séisme, sinistre, tempête, tornade, tremblement de terre, troubles.

CATACOMBE I. Carrière, cavité, cimetière, excavation, grotte, hypogée, ossuaire, souterrain. **II. Par ext. :** abîme, dédale, labyrinthe.

CATAFALQUE Cénotaphe, chapelle ardente, décoration funèbre, estrade, mausolée, pompe funèbre.

CATALEPSIE Cataplexie, extase, fixité, hypnose, immobilité, insensibilité, léthargie, mort apparente, paralysie, tétanisation.

CATALOGUE I. Au pr. : dénombrement, énumération, état, inventaire, liste, mémoire, nomenclature, recueil, relevé, répertoire, rôle. **II.** Bibliographie, collection, fichier, index, table. **III. D'une manifestation :** livret, programme. **IV. Rel. :** canon, martyrologe, ménologe. **V. Méd. :** codex, formulaire.

CATALOGUER Classer, dénombrer, inscrire, juger (fig.).

CATAPLASME Bouillie, embrocation, emplâtre, épithème, fomentation, sinapisme, topique, vésicatoire.

CATAPULTE Baliste, bricole, espringale, machine, mangonneau, onagre, scorpion.

CATARACTE I. Au pr. → *cascade.* **II. Par ext.** : avalanche, déluge, écluse, torrent, trombe, vanne.

CATARRHE Influenza, grippe, refroidissement, rhume de cerveau.

CATASTROPHE I. → *calamité.* **II.** → *dénouement.* **III.** → *péripétie.*

CATCH Lutte, pancrace, pugilat.

CATÉCHISER I. Au pr. : endoctriner, évangéliser, initier, instruire, moraliser, persuader, prêcher. **II. Par ext. 1.** Chapitrer, gourmander, gronder, réprimander, sermonner. **2.** Dresser, former, styler.

CATÉCHISME I. Abrégé, crédo, dogme, foi, instruction, recueil, rudiment. **II.** Leçon de morale, remontrance, sermon.

CATÉGORIE I. Au pr. : concept, critère, idée. **II. Phil. 1. Les dix catégories d'Aristote :** agir, avoir, lieu, pâtir, qualité, quantité, relation, situation, substance, temps. **2. Kant, les quatre classes des douze catégories :** modalité, qualité, quantité, relation. **III. Par ext.** : classe, classification, délimitation, division, espèce, famille, genre, groupe, nature, ordre, race, série, sorte.

CATÉGORIQUE Absolu, affirmatif, clair, dogmatique, explicite, formel, franc, impératif, net, péremptoire, positif, précis, strict, volontaire.

CATHARSIS I. Purgation, purge. **II.** Désinhibition, évacuation, libération.

CATHÉDRALE. Église, métropole, monument.

CATHOLICISME, CATHOLICITÉ Christianisme, Église, papisme (péj.).

CATHOLIQUE I. Au pr. : œcuménique, universel. **II.** Baptisé, chrétien, converti, croyant, fidèle, papiste (péj.), pratiquant.

CATIMINI (EN) En cachette, en douce, en secret, secrètement, en tapinois.

CATIN → *prostituée.*

CAUCHEMAR Crainte, délire, hallucination, idée fixe, obsession, peur, rêve, songe, tourment.

CAUDATAIRE I. Suivant. **II.** → *flatteur.*

CAUSANT, E Communicatif, confiant, expansif, exubérant, loquace, ouvert.

CAUSE I. Au pr. : agent, artisan, auteur, base, créateur, départ, explication, ferment, fondement, germe, inspiration, instigateur, mère, moteur, motif, moyen, objet, occasion, origine, principe, promoteur, raison, source, sujet. **II. Par ext.** : aboutissement, but, considération, intention, mobile, motif, pourquoi, prétexte. **III. Jurid. :** affaire, chicane, procès. **IV. Méd. :** étiologie. **V. Loc. prép. A cause de :** en considération/raison de, par, pour.

CAUSER I. V. tr. : allumer, amener, apporter, attirer, déterminer, donner lieu, entraîner, exciter, faire, faire naître, fomenter, inspirer, motiver, occasionner, produire, provoquer, susciter. **II. V. intr.** : bavarder, cancaner, confabuler (vx), converser, s'entretenir, giberner (fam.), jaboter (fam.), parler.

CAUSERIE, CAUSETTE I. → *conversation.* **II.** → *conférence.*

CAUSEUR, EUSE n. et adj. Babillard, bavard, parleur. → *causant.*

CAUSEUSE → *canapé.*

CAUSTIQUE → *mordant.*

CAUTÈLE Chafouinerie, défiance, finesse, habileté, prudence, rouerie, ruse. → *hypocrisie.*

CAUTELEUX, EUSE Adroit, chafouin, défiant, flatteur, fin, habile, roué, rusé. → *hypocrite.*

CAUTÈRE I. Brûlure, escarre, exutoire, plaie artificielle, ulcération. **II.** Coagulateur, galvanocautère, stérilisateur, thermocautère.

CAUTÉRISER Aseptiser, brûler, nettoyer, purifier, stériliser.

CAUTION, CAUTIONNEMENT I. Au pr. : arrhes, assurance, consigne, dépôt, endos, gage, garantie, preuve, sûreté. **II. Loc. Sujet à caution :** douteux, suspect. **III. Par ext. Quelqu'un :** garant, otage, parrain, répondant, soutien, témoin.

CAVALCADE Chevauchée, défilé, marche, promenade, troupe.

CAVALE Haquenée, jument, pouliche, poulinière.

CAVALER → *courir.*

CAVALERIE I. Écurie, remonte. **II. Par anal.** : cavale, chars.

CAVALIER, ÈRE n. et adj. **I. Nom :** amazone, écuyer, jockey, messager, postier, postillon. **II. Milit. :** argoulet, carabin, carabinier, cent-garde, chasseur, chevau-léger, cornette, cravate, cosaque, cuirassier, dragon, éclaireur, estradiot, gendarme, goumier, guide, hussard, lancier, mameluk, mousquetaire, reître, polaque, spahi, uhlan, vedette. **III.** Chevalier, écuyer, gentilhomme, noble, seigneur. **IV.** Chaperon, chevalier servant, galant, sigisbée. **V.** Déblai, retranchement, talus. **VI. Adj. 1. Favorable ou neutre :** aisé, dégagé, élégant, hardi, libre, souple. **2. Non**

favorable : arrogant, brusque, désinvolte, hautain, impertinent, inconvenant, insolent, leste, sans gêne.

CAVATINE → *chant.*

CAVE I. Nom fém. 1. Caveau, caverne, excavation, grotte, oubliette, silo, sous-sol, souterrain. **2.** Chai, cellier, cuvier, vendange, vinée. **II. Adj.** → *creux.*

CAVEAU I. → *cave.* **II.** → *cabaret.* **III.** Colombarium, crypte, enfer, hypogée, mausolée, niche, sépulture, tombe, tombeau.

CAVEÇON Mors/muselière/sous-gorge/têtière de dressage.

CAVÉE → *chemin.*

CAVER I. Approfondir, creuser, fouiller, miner, sonder. **II.** Faire mise, jeter/mettre en jeu, miser.

CAVERNE I. Au pr. : balme, baume, grotte, spélonque (vx), station archéologique. → *cavité.* **II. Par ext. :** antre, gîte, refuge, repaire, retraite, tanière, terrier.

CAVERNEUX, EUSE Fig. : bas, grave, profond, sépulcral, sourd, voilé.

CAVIARDER Barrer, biffer, censurer, effacer, supprimer.

CAVITÉ Abîme, alvéole, anfractuosité, antre, aven, bassin, bétoire, brèche, canal, cave, caveau, caverne, concavité, cratère, creux, crevasse, crypte, doline, embrasure, encoignure, enfonçure, excavation, fente, fosse, fossé, galerie, gouffre, grotte, loge, mine, niche, ouverture, poche, poljé, précipice, puits, rainure, ravin, strie, tranchée, trou, vide.

CÉANS Dedans, ici.

CÉCITÉ I. Au pr. : amaurose, cataracte, goutte de l'œil. **II. Fig.** → *aveuglement.*

CÉDER I. V. tr. : abandonner, accorder, aliéner, concéder, délaisser, se dessaisir, donner, livrer, passer, refiler (fam.), rétrocéder, transférer, transmettre, vendre. **II. V. intr. 1. Quelqu'un ou quelque chose :** s'abandonner, abdiquer, acquiescer, approuver, battre en retraite/la chamade, broncher, caler, caner, capituler, composer, concéder, condescendre, consentir, déférer, écouter, faiblir, flancher, fléchir, s'incliner, jeter du lest, lâcher pied, lâcher prise, mettre les pouces, mollir, obéir, obtempérer, perdre du terrain, se plier, reculer, se rendre, renoncer, se résigner, rompre, se soumettre, succomber, transiger. **2. Quelque chose :** s'abaisser, s'affaisser, casser, cesser, se courber, diminuer, s'écrouler, s'effondrer, s'enfoncer, fléchir, plier, ployer, rompre, tomber.

CÉDULE Billet, fiche, liste, ordonnance, titre.

CEINDRE I. Attacher, ceinturer, entourer, sangler, serrer. **II.** Border, clôturer, couronner, disposer, enceindre, encercler, enclore, entourer, enserrer, envelopper, environner, palissader, placer, renfermer.

CEINTURE I. Bande, bandelette, ceinturon, ceste, cordelière, cordon, écharpe, obi. **II.** Bandage, corset, gaine, sangle, soutien. **III.** Taille, tour de hanches. **IV.** Clôture, encadrement, entourage. **V.** Banlieue, faubourgs, zone.

CEINTURER I. → *ceindre.* **II.** → *prendre.*

CEINTURON Baudrier, porte-épée, porte-glaive.

CÉLADON I. Nom masc. → *amant.* **II. Adj.** → *vert.*

CÉLÉBRATION I. Anniversaire, cérémonie, commémoration, culte, fête, mémento, commémoration, solennité, souvenir, tombeau (litt.), triomphe. **II.** Apologie, compliment, éloge, encensement, exaltation, gloria, glorification, hosanna, louange, oraison, panégyrique, prône.

CÉLÈBRE Connu, distingué, éclatant, éminent, fameux, glorieux, historique, illustre, immortel, légendaire, notoire, renommé, réputé.

CÉLÉBRER I. Commémorer, fêter, marquer, procéder à, se réjouir, sanctifier, solenniser. **II.** Admirer, chanter, encenser, entonner, exalter, faire l'éloge, fêter, glorifier, louer, préconiser, prôner, publier, rendre hommage/les honneurs/un culte, vanter.

CÉLÉBRITÉ I. Considération, crédit, éclat, faveur, gloire, marque, nom, notoriété, popularité, renom, renommée, réputation, succès, vogue. **II.** Éminence, personnalité, sommité, vedette.

CELER → *cacher.*

CÉLÉRITÉ Activité, agilité, diligence, hâte, empressement, précipitation, prestesse, promptitude, rapidité, vélocité, vitesse, zèle.

CÉLESTE → *divin.*

CÉLIBATAIRE n. et adj. Catherinette, demoiselle, garçon, homme seul, jeune homme/fille, libre, seul, solitaire, vieille fille, vieux garçon.

CELLIER Hangar. → *cave.*

CELLULE I. Carré, case, chambre, chambrette, loge. **II.** → *cachot.* **III.** Alvéole. **IV.** Groupe, noyau, section.

CELLULOSE Viscose.

CELTE Breton, celtique, gallois, galate, gaulois.

CELTIQUE Breton, celte, cornique, gaélique, gallois, gaulois, kymrique.

CÉNACLE Cercle, chapelle, club, école, groupe, pléiade, réunion.

CENDRE I. Au sing. 1. Au pr. : escarbille, fraisil, lave, lapilli, poussière, résidu, scorie, spodite. **2. Fig.** → *ruine* et *pénitence.* **II. Au pl. :** débris, relique, restes, souvenir.

CENDRILLON → *servante.*

CÈNE Célébration, communion, eucharistie.

CÉNOBITE → *religieux.*

CÉNOTAPHE Catafalque, mausolée, monument, sarcophage, sépulture, tombe, tombeau.

CENS I. Au pr. : décompte, dénombrement, recensement. **II. Par ext. :** imposition, impôt, quotité, redevance.

CENSÉ, E Admis, présumé, regardé comme, réputé, supposé.

CENSEUR I. Neutre : aristarque, critique, juge. **II. Non favorable. 1.** Bégueule, prude. **2.** Contempteur, métaphraste, pédant, zoïle. **III.** Commissaire aux comptes, questeur. **IV.** → *maître.*

CENSURE I. Anastasie (fam.), autorisation, contrôle, filtre, imprimatur, index, veto. **II.** Animadversion, blâme, condamnation, critique, désapprobation, désaveu, examen, improbation, jugement, réprimande, réprobation. **III.** Avertissement, excommunication, interdit, monition, observations, recommandations, suspense.

CENSURER I. Au pr. : blâmer, critiquer, désapprouver, flétrir, punir, reprendre, reprocher, réprouver, tancer, trouver à redire. **II.** Barrer, biffer, caviarder, condamner, couper, défendre, effacer, faire des coupures, gratter, improuver, interdire, retirer, retrancher, sabrer, supprimer, taillader.

CENTENAIRE I. Adj. : antique, séculaire, vieux. **II. Nom :** aïeul, vétéran, vieillard.

CENTON Mélange, pastiche, pot-pourri, rhapsodie.

CENTRALISATION Concentration, rassemblement, réunification, réunion.

CENTRALISER Concentrer, ramener, rassembler, regrouper, réunir.

CENTRE I. Axe, clef de voûte, cœur, fort, foyer, lieu géométrique, métacentre, milieu, mitan, nœud, nombril, noyau, point, sein. **II. Par ext. 1.** Base, citadelle, fondement, principe, siège. **2.** Agglomération, capitale, chef-lieu, métropole. **3. Quelqu'un :** animateur, cerveau, cheville ouvrière, organe essentiel, pivot, promoteur.

CENTRER Ajuster, cadrer, mettre au point, régler.

CENTUPLER Agrandir, augmenter, décupler, multiplier.

CEPENDANT I. Adv. : alors, au moment même, en attendant. **II. Conj. :** avec tout cela, en regard de, en tout cas, mais, malgré cela/tout, néanmoins, n'empêche que, nonobstant, pourtant, toujours est-il, toutefois. **III. Loc. conj. Cependant que :** alors/durant/pendant/tandis que, au moment où.

CÉRAMIQUE Biscuit, émail, faïence, gemmail, grès, platerie, porcelaine, poterie, terre cuite.

CERBÈRE Chien de garde, concierge, garde, garde du corps, gardien, geôlier, molosse, portier, sentinelle, surveillant.

CERCLE I. Au pr. : aréole, auréole, cerne, disque, halo, nimbe, périmètre, rond, rondelle. **II. Archit. :** abside, amphithéâtre, arcade, arceau, cintre, cirque, lobe, rosace, voûte. **III. Par ext. 1.** Circonférence, colure, contour, courbe, écliptique, épicycle, équateur, méridien, orbe, orbite, parallèle, tour, tropique, zone. **2.** Circonvolution, circuit, cycle, giration, périple, révolution, rotation. **3.** Anneau, armille, bague, bracelet, collier, couronne. **4.** Bandage, cerceau, collerette, entourage, frette, roue. **5.** Assemblée, association, chapelle, cénacle, club, école, groupe, réunion, salon, société. **6.** Domaine, étendue, limite, périphérie. **7.** Étreinte, piège, prison, tourbillon.

CERCLER Borner, clore, consolider, courber, enclore, entourer, fermer, garnir/munir de cercles, renforcer.

CERCUEIL Bière, boîte (fam.), caisse (fam.), capule (vx), coffin (rég.), manteau/paletot de bois (fam.), sarcophage, sapin (fam.).

CÉRÉALE I. Graminée. **II.** Avoine, blé, froment, maïs, millet, orge, riz, seigle, sorgho.

CÉRÉBRAL, E → *intellectuel.*

CÉRÉMONIAL → *protocole.*

CÉRÉMONIE I. Au pr. : célébration, cérémonial, culte, fête, liturgie, office, messe, procession, rite, sacre, sacrement, service divin/funèbre, solennité. **II. Par ext. :** anniversaire, apparat, appareil, cavalcade, commémoration, cortège, défilé, gala, inauguration, parade, pompe, réception, raout ou rout (angl.). **III. Par anal., au pl. 1. Neutre :** civilités, code, convenances, courtoisie, décorum, déférence, formes, honneurs, politesses, protocole, règles, rite, usages. **2. Non favorable :** affectation, chichis, chinoiseries, complications, embarras, formalités, manières.

CÉRÉMONIEUX, EUSE Affecté, apprêté, compliqué, façonnier (fam.), formaliste, guindé, maniéré, mondain, obséquieux, poli, protocolaire, recherché, révérencieux, solennel.

CERF I. Au pr. : axis, bête fauve (vén.), chevreuil, élan, hère, muntjac, sica, wapiti. **II. Par ext.** : biche, brocard, daguet, faon.

CERISE Bigarreau, cerisette, cœur de pigeon, griotte, guigne, guignon, marasque, merise, montmorency.

CERNE I. → cercle. **II.** Bleu, marbrure, poches/valises (arg.) sous les yeux.

CERNÉ, E Par ext. : battu, bouffi, creux, fatigué, gonflé.

CERNER → encercler.

CERTAIN, AINE I. Quelque chose : absolu, admis, assuré, attesté, authentique, avéré, certifié, clair, confirmé, connu, constant, constaté, contrôlé, décisif, démontré, déterminé, effectif, évident, exact, fixe, fixé d'avance, flagrant, fondé, formel, franc, historique, immanquable, inattaquable, incontestable, incontesté, indéniable, indiscutable, indubitable, inévitable, infaillible, invariable, irrécusable, irréfutable, manifeste, mathématique, net, notoire, officiel, palpable, patent, péremptoire, positif, précis, reconnu, réel, rigoureux, sans conteste, solide, sûr, tangible, véridique, visible, vrai. **II. Quelqu'un :** affirmatif, assuré, convaincu, dogmatique, sûr.

CERTAINEMENT, CERTES I. Absolument, exactement, formellement, incontestablement, indéniablement, indiscutablement, indubitablement. **II.** A coup sûr, avec certitude, fatalement, inévitablement, nécessairement, sûrement. **III.** Assurément, clairement, en vérité, évidemment, franchement, naturellement, nettement, réellement, sans doute, vraiment. **IV.** Bien sûr, oui, parfaitement.

CERTAINS D'aucuns, plusieurs, quelques-uns, tels.

CERTIFICAT Acte, assurance, attestation, brevet, constat, constatation, diplôme, laissez-passer, papier, parère, passeport, patente, preuve, procès-verbal, référence, témoignage.

CERTIFICATION Assurance, authentification.

CERTIFIER Affirmer, assurer, attester, authentifier, confirmer, constater, donner/ficher/flanquer son billet (fam.), garantir, légaliser, maintenir, témoigner, vidimer.

CERTITUDE I. Assurance, conviction, croyance, opinion. **II.** Dogme, évidence, parole d'Évangile, sûreté. **III.** Autorité, clarté, fermeté, infaillibilité, netteté. **IV. Loc. Avec certitude** → certainement.

CERVEAU I. Au pr. : cervelle, encéphale. **II. Par ext. 1.** Cervelle, ciboulot (fam.), crâne, matière/

substance grise, méninges, petite tête, tête. **2.** Entendement, esprit, intelligence, jugement, jugeote, raison. **3.** Auteur, centre, grand esprit, génie, intelligence, meneur, prophète, visionnaire.

CERVELLE Par ext. → cerveau.

CÉSARISME Absolutisme, autocratie, dictature.

CESSATION I. Au pr. 1. Totale : abandon, annulation, arrêt, disparition, fermeture, fin, liquidation, suppression. **2. Momentanée :** apaisement, armistice, discontinuation, discontinuité, grève, halte, interruption, pause, relâche, rémission, répit, repos, suspension, trêve, vacation. **3.** Chômage, faillite. **II. Par ext. 1.** Accalmie, bonace. **2.** Aboutissement, échéance, tarissement, terme, terminaison.

CESSE Loc. Sans cesse : à tout moment, continuellement, éternellement, sans arrêt, sempiternellement, toujours.

CESSER I. V. intr. 1. Au pr. : s'apaiser, s'arrêter, se calmer, céder, discontinuer, disparaître, dissiper, s'effacer, s'enfuir, s'évanouir, finir, s'interrompre, perdre de sa vigueur/ de son intensité, se tarir, se terminer, tomber, tourner court. **2. Par ext. :** abandonner, abolir, s'abstenir, achever, briser là, chômer, se déprendre, se détacher, diminuer, s'éteindre, expirer, faire grève, lâcher, mourir, passer, renoncer. **3. Faire cesser :** abattre, anéantir, apaiser, arrêter, bannir, briser, calmer, chasser, couper court, détruire, dissiper, écarter, enlever, étouffer, faire tomber, lever, mettre le holà/un frein/un terme, ôter, rabattre, supprimer, suspendre, tuer. **II. V. tr.** : abandonner, arrêter, faire taire, interrompre, suspendre.

CESSIBLE Négociable, transférable.

CESSION Abandon, abandonnement, aliénation, concession, délaissement, désaisissement, renonciation, transfert, transmission, transport, vente.

CESSIONNAIRE Acquéreur, bénéficiaire.

C'EST-À-DIRE A savoir, disons, entendez, j'en conclus, j'entends, je veux dire, seulement, simplement, surtout.

CÉSURE Coupe, coupure, hémistiche, pause, repos.

CHABANAIS → chahut.

CHAFOUIN, INE adj. et n. Cauteleux, rusé, sournois. → hypocrite.

CHAGRIN, INE adj. Abattu, affecté, affligé, aigre, assombri, atrabilaire, attristé, bilieux, bourru, colère, consterné, contrit, désolé, dolent, douloureux, éploré, gémissant, grimaud (vx), hypocondriaque (vx), inconsolable, inquiet, larmoyant, lugubre, maussade, mélancolique, misanthrope, morne, morose, mortifié, peiné, plaintif, sinistre, sombre, soucieux, triste.

CHAGRIN n. m. **I. Au pr.** *Ce qu'on éprouve :* accablement, affliction, amertume, consternation, déchirement, déplaisir, désespoir, désolation, douleur, ennui, mal, malheur, misère, peine, souci, souffrance, tourment, tristesse. **II. Par ext.** *1.* Accident, angoisse, contrariété, déboire, déception, dégoût, dépit, désagrément, désappointement, deuil, inquiétude, mécontentement, regret, remords, tracasserie. *2.* Atrabile, bile, cafard, humeur noire, hypocondrie, maussaderie, mauvaise humeur, mélancolie, morosité, spleen.

CHAGRINER Affecter, affliger, agacer, angoisser, assombrir, attrister, consterner, contrarier, contrister, décevoir, déchirer, dépiter, désappointer, désenchanter, désespérer, désoler, endeuiller, endolorir, ennuyer, fâcher, faire de la peine, faire souffrir, fendre le cœur, gêner (vx), inquiéter, mécontenter, mortifier, navrer, oppresser, peiner, percer le cœur, rembrunir, torturer, tourmenter, tracasser, tuer (fig.).

CHAHUT Bacchanale, bagarre, barouf (fam.), bastringue (fam.), bazar (fam.), boucan (fam.), bousin (fam.), brouhaha, bruit, cacophonie, carillon, cassement de tête, chabanais, (fam.), chambard (fam.), charivari, désordre, dissonance, esclandre, foin (fam.), fracas, grabuge (fam.), hourvari, huée, pétard (fam.), potin (fam.), raffut (fam.), sabbat, scandale, sérénade (par ext. et fam.), tapage, tintamarre, tintouin (fam.), tohu-bohu, train, tumulte, vacarme.

CHAHUTER I. S'agiter, crier, faire du chahut *et les syn. de* CHAHUT, manifester, perturber, protester. **II.** Bousculer, culbuter, renverser, secouer. **III.** Bizuter (fam.), brimer, lutiner, se moquer, taquiner.

CHAÎNE I. Bijou, chaînette, châtelaine, clavier, collier, ferronnière, gourmette, jaseran, jaseron, sautoir. **II. De captif :** alganon, cabriolet, fers, liens, menottes. **III. Par ext. :** asservissement, assujettissement, captivité, dépendance, discipline, engagement, esclavage, gêne, geôle, joug, lien, obligation, prison, servitude, sujétion, tyrannie. **IV. Fig. :** affection, alliance, attache, attachement, liaison, mariage, parenté, union. **V. Par anal. :** association, continuité, cortège, enchaînement, entrelacement, liaison, série, solidité, succession,

suite. **VI. Géogr. :** cordillère, serra, sierra.

CHAÎNON Anneau, maille, maillon.

CHAIR I. Carnation, corps, enveloppe, forme, muscle, peau, pulpe, tissu. **II. Des animaux. *1.*** Venaison, viande. *2. Péj. :* barbaque, bidoche, carne, carogne, charogne. **III. Par métaphore :** concupiscence, faiblesse instincts sexuels, libido, luxure, nature humaine, sens, sensualité, tentation. **IV. Loc. *Œuvre de chair :*** accouplement, congrès, fornication, procréation, rapport sexuel, reproduction, union. **V. → *corps.***

CHAIRE I. Au pr. : ambon, estrade, pupitre, siège, tribune. **II. Par ext. :** enseignement, prédication, professorat.

CHAISE I. Au pr. : caquetoire, chauffeuse, dormeuse, siège. **II. Chaise à porteurs :** brouette, filanzane, palanquin, vinaigrette. **III. Loc. *Chaise longue* → *canapé.***

CHALAND I. Balandre, barque, bélandre, bette, coche d'eau, drague, gabarre, marie-salope, ponton. → *bateau.* **II.** Acheteur, amateur, client, clientèle, pratique.

CHALET I. Buron, cabane, villa. → *maison.* **II. *Chalet de nécessité* → *water-closet.***

CHALEUR I. Au pr. *1.* Caloricité, calorification. *2.* Bouffée/coup/vague de chaleur, canicule, étuve, fournaise, rayonnement, réverbération, touffeur. **II. Par ext. *1. Des sentiments :*** amour, ardeur, concupiscence, désir, feu (vx), flamme, folie, libido, lubricité. *2. Des animaux. Être en chaleur :* chaudier (vén.), demander/quêter/réclamer/vouloir le mâle, en vouloir, être en chasse/en folie/en rut, retourner à l'espèce, vouloir le veau (bovins). *3. Des passions :* action, animation, animosité, ardeur, brio, cœur, cordialité, courage, élan, empressement, énergie, enthousiasme, entrain, exaltation, excitation, feu, fièvre, flamme, force, impétuosité, lyrisme, passion, promptitude, trempe, véhémence, verve, vie, vigueur, violence, vivacité, zèle.

CHALEUREUX, EUSE Amical, animé, ardent, bouillant, chaud, empressé, enflammé, enthousiaste, fanatique, fervent, pressant, prompt, véhément, vif, zélé.

CHALLENGE → *compétition.*

CHALOUPE Baleinière, berge, bombard, coraillère, embarcation, flette, péniche. → *bateau.*

CHALOUPER Se dandiner, danser, se déhancher.

CHALUMEAU Flûteau, galoubet, pipeau, tige. → *flûte.*

CHALUTIER → *bateau*.

CHAMAILLER (SE) Se battre, se chicaner, se chipoter, contester, controverser, se disputer, polémiquer, se quereller.

CHAMAILLERIE → *querelle*.

CHAMAILLEUR, EUSE adj. et n. → *querelleur*.

CHAMARRÉ, E → *bariolé*.

CHAMARRER → *orner*.

CHAMBARD → *chahut*.

CHAMBARDEMENT Bouleversement, changement, chaos, dérangement, désordre, désorganisation, fatras, fouillis, gâchis, mélange, perturbation, remue-ménage, renversement, révolution, saccage, tohu-bohu, transformation.

CHAMBARDER Bouleverser, chambouler, changer, mettre sens dessus dessous, renverser, révolutionner, saccager, transformer.

CHAMBELLAN Camérier, officier.

CHAMBOULER → *chambarder*.

CHAMBRE I. Au pr. 1. Antichambre, cabinet, pièce, salle. **2.** Nursery. **3.** Chambrée, dortoir. **4.** Cagibi, cellule, chambrette, galetas, mansarde. **II. Fam. :** cambuse, carrée, crèche, gourbi, piaule, taule, turne. **III.** Assemblée, corps, parlement, tribunal. **IV.** Alvéole, case, cavité, compartiment, creux, vide.

CHAMBRÉE I. → *chambre*. **II.** Auditoire, public, réunion.

CHAMBRER I. → *enfermer*. **II. Du vin :** réchauffer, tempérer. **III. Fig. :** circonvenir, endoctriner, envelopper, mettre en condition, prendre en main, sermonner.

CHAMBRIÈRE Camérière, camériste, femme de chambre, servante.

CHAMP I. Au pr. 1. Au pl. : campagne, culture, espace, glèbe, lopin, nature, terrain, terroir. **2. Au sing. :** aspergerie, brûlis, câprière, chaume, chènevière, emblavure, essarts, fougeraie, fourragère, friche, garancière, garenne, genêtière, genévrière, guéret, houblonnière, labour, luzernière, melonnière, pâtis, pâturage, plantation, prairie, pré, verger. **II.** Arène, carrière, lice, stade. **III. Fig. :** carrière, cercle, domaine, état, matière, objet, occasion, perspective, profession, sphère, sujet. **IV. Loc. Champ de courses :** carrière, hippodrome, pelouse, turf. **2. Champ de repos →** cimetière. **3. Champ de foire :** foirail, marché. **4. Sur-le-champ :** à l'instant, aussitôt, bille en tête (fam.), comptant, ex abrupto, illico (fam.), immédiatement, instantanément, maintenant, sans délai/désemparer, sur l'heure, tout de suite, vite.

CHAMPÊTRE Agreste, bucolique, campagnard, pastoral, rural, rustique.

CHAMPIGNON I. Au pr. 1. Cryptogame. **2.** Agaric, amanite, armillaire, barbe-de-capucin, bolet, boule-de-neige, cèpe, champignon de couche/ de Paris, chanterelle, charbonnier, chevalier, clavaire, clitocybe, coprin, corne-d'abondance, cortinaire, coucoumelle, coulemelle, entolome, farinier, fistuline, foie-de-bœuf, girolle, golmotte, helvelle, hérisson, hydne, lactaire, langue-de-bœuf, lépiote, marasme, menotte, morille, mousseron, nez-de-chat, oreille-d'ours, oreillette, oronge, phalle impudique, pied-de-mouton, pleurote, polypore, potiron, pratelle, psalliote, rosé, rousset, russule, satyre puant, souchette, tricholome, trompette-de-la-mort, truffe, vesse-de-loup, volvaire. **II. Fig. :** accélérateur.

CHAMPION I. Recordman, tenant, vainqueur, vedette. **II.** Combattant, concurrent, défenseur, partisan, zélateur. **III.** As, gagnant, leader, maître, virtuose.

CHAMPIONNAT → *compétition*.

CHAMPS ÉLYSÉES I. → *paradis*. **II.** → *enfer*.

CHANCE I. Favorable : atout, aubaine, auspice, bonheur, étoile, faveur, filon, fortune, heur (vx), loterie, réussite, succès, veine. **II. Neutre :** aléa, circonstance, éventualité, hasard, occasion, possibilité, probabilité, risque, sort. **III. Loc. Par chance :** d'aventure, éventuellement, incidemment, le cas échéant, par hasard.

CHANCELANT, E Branlant, faible, flageolant, hésitant, incertain, oscillant, titubant, trébuchant, vacillant.

CHANCELER Basculer, branler, broncher, buter, chavirer, chopper, faiblir, flageoler, fléchir, flotter, glisser, hésiter, lâcher pied, osciller, tituber, trébucher, trembler, vaciller.

CHANCELIER Archichancelier, connétable, consul, garde des Sceaux, ministre de la Justice, secrétaire.

CHANCELLERIE Administration, ambassade, bureaux, consulat, ministère de la Justice, secrétariat, services.

CHANCEUX, EUSE I. Quelque chose : aléatoire, aventureux, dangereux, hasardeux, incertain, risqué. **II. Quelqu'un. Fam. :** cocu, coiffé, veinard, verni → *heureux*.

CHANCIR → *pourrir*.

CHANCRE Bobo, bouton, bubon, exulcération, exutoire, lésion, lupus, ulcération. → *abcès*.

CHANDAIL Gilet, maillot, pull-over, sweater, tricot.

CHANDELIER Applique, bougeoir, bras, candélabre, flambeau, girandole, lustre, martinet, torchère.

CHANDELLE I. Bougie, cierge, flambeau, lumignon, luminaire, oribus. **II.** Feu d'artifice, fusée.

CHANGE I. Au pr. : changement, échange, permutation, troc. **II.** Agio, agiotage, banque, bourse, commission, courtage, marché des valeurs, spéculation. **III.** Arbitrage, compensation. **IV. Loc. 1. Agent de change :** coulissier, remisier. **2. Lettre de change :** billet à ordre, effet de commerce, traite. **3. Donner le change → abuser. 4. Prendre le change → abuser (s').**

CHANGEANT, E Arlequin, caméléon, capricieux, chatoyant, divers, élastique, éphémère, fantaisiste, fantasque, flottant, incertain, inconsistant, inconstant, indécis, inégal, infidèle, instable, journalier, léger, lunatique, mobile, mouvant, ondoyant, opportuniste, oscillant, papillonnant, protéiforme, sauteur, vacillant, variable, versatile, volage.

CHANGEMENT I. Favorable ou neutre : abandon, allotropie, alternance, amélioration, amendement, assolement, augmentation, avatar, balancement, bascule, cession, change, commutation, conversion, correction, déménagement, dénivellation, dépaysement, déplacement, dérangement, détour, déviation, différence, écart, échange, éclaircie, embellie, émigration, évolution, expatriation, fluctuation, gradation, immigration, inflexion, innovation, interversion, inversion, métamorphose, métaplasme, métaphore, métastase, métonymie, mobilité, modification, modulation, mouvement, mue, mutation, nouveauté, novation, nuance, ondoiement, oscillation, passage, permutation, phase, rectification, réduction, refonte, réformation, réforme, remaniement, remplacement, remue-ménage, renouvellement, rénovation, renversement, retournement, révolution, rotation, saute, substitution, transfiguration, transformation, transmutation, transplantation, transport, transposition, transsubstantiation, troc, vacillement, variante, variation, virage. **II. Non favorable :** abandon, accident, adultération, aggravation, altération, avatar, bouleversement, caprice, corruption, déclassement, défiguration, déformation, dégénérescence, déguisement, dénaturation, dérangement, diminution, falsification, inconstance, infidélité, instabilité, irrégularité, légèreté, palinodie, perversion, réduction, rétractation, retournement, revirement, saute, travestissement, valse, versati-

lité, vicissitude, volte-face, voltige, voltigement.

CHANGER I. V. tr. 1. Neutre ou favorable : agrandir, augmenter, bouleverser, chambarder, chambouler, commuer, convertir, corriger, innover, métamorphoser, modifier, muer, rectifier, refondre, réformer, remanier, renouveler, rénover, renverser, révolutionner, toucher à, transfigurer, transformer, transmuer, transposer. **2. Non favorable :** aggraver, altérer, contrefaire, défigurer, déformer, déguiser, dénaturer, diminuer, fausser, réduire, travestir, truquer. **3. Changer de place :** alterner, bouger, copermuter, déloger, déménager, déplacer, déranger, se détourner, se dévier, écarter, émigrer, enlever, s'expatrier, intervertir, inverser, muter, passer, permuter, tourner bride, transférer, transplanter, transposer, virer. **4. Changer de nom :** débaptiser, rebaptiser. **5. Changer de l'argent :** convertir, échanger. **6. Changer d'attitude, d'opinion :** se convertir, se dédire, évoluer, fluctuer, papillonner, se raviser, se retourner, retourner sa veste, se rétracter, tourner bride/casaque, varier, virer, virevolter, voleter, voltiger. **II. V. intr. 1.** Augmenter, diminuer, empirer, évoluer, grandir, passer, rapetisser, tourner, vieillir. **2. Moral :** s'améliorer, s'amender, se corriger, se modifier, se pervertir, se transformer.

CHANSON I. Au pr. → chant. **II. Par ext. :** babil, bruit, chant, gazouillis, murmure, ramage, refrain, roucoulement. **III. Fig. :** bagatelle, baliverne, bateau, billevesée, bourde, calembredaine, conte, coquecigrue, fadaise, faribole, lanterne, sornette, sottise. **→** bêtise.

CHANSONNIER Auteur, compositeur, humoriste, librettiste, mélodiste. **→** chanteur.

CHANT I. Au pr. : air, aria, ariette, arioso, aubade, ballade, barcarolle, bandit, berceuse, blues, cantabile, cantilène, cavatine, chanson, chansonnette, complainte, comptine, couplet, épithalame, hymne, lied, mélodie, mélopée, negro spiritual, péan, pontneuf, pot-pourri, psalmodie, ranz, récitatif, refrain, rengaine, rhapsodie, ritournelle, romance, ronde, rondeau, roulade, scie, sérénade, spiritual, tyrolienne, variation, vaudeville, villanelle, vocero. **II. Liturg. 1.** Cantate, choral, messe, oratorio. **2.** Antienne, cantique, grégorien, hymne, litanie, motet, plain-chant, prose, psaume, répons, séquence. **3.** Agnus dei, alleluia, dies irae, gloria, hosanna, ite missa est, kyrie, magnificat, miserere, noël, requiem, sanctus, tantum ergo, te deum. **III.** Comédie lyrique/

musicale, opéra, opéra-comique, opérette, vaudeville. **IV.** Canon, choral, chœur, duo, polyphonie, trio. **V. Fam. et péj.** : beuglante, beuglement, bruit, cacophonie, chahut, coup de gueule, goualante. → *chanson.* **VI.** → *poème.*

CHANTAGE Duperie, escroquerie, extorsion, filouterie, friponnerie, prélèvement, pression, racket, tromperie, truanderie (fam.). → *vol.*

CHANTER I. V. intr. 1. Au pr. : barytonner, bourdonner, chantonner, cultiver/développer/travailler sa voix, déchiffrer, fredonner, jodler, moduler, nuancer, psalmodier, solfier, ténoriser, vocaliser. **2. Fam. et péj. :** beugler, brailler, braire, bramer, chevroter, crier, dégoiser, détonner, s'égosiller, hurler, machicoter, miauler, roucouler. **3. Oiseaux :** coqueriquer, crier, gazouiller, jaser, pépier, ramager, roucouler, siffler. **II. V. tr. 1. Au pr. :** exécuter. **2. Péj. :** conter, dire, rabâcher, raconter, radoter, répéter. **3.** *Chanter victoire :* se glorifier, louer, se vanter.

CHANTEUR Acteur, aède, artiste, barde, castrat, chansonnier, chantre, choriste, citharède, coryphée, croquenote (fam.), duettiste, exécutant, interprète, ménestrel, minnesinger, rhapsode, scalde, soliste, troubadour, trouvère, virtuose. → *voix.*

CHANTEUSE Actrice, artiste, cantatrice, diva, divette, prima donna, vedette. → *voix.*

CHANTIER I. Atelier, dépôt, entrepôt, fabrique, magasin. **II.** → *chaos.* **III. Loc. *En chantier :*** commencé, en cours, en route, en train, entrepris.

CHANTONNER v. tr. et intr. → *chanter.*

CHANTRE → *chanteur.*

CHAOS Anarchie, bazar, bordel (grossier), bouleversement, cataclysme, chantier, cohue, complication, confusion, débâcle, désordre, désorganisation, discorde, foutoir (pop.), incohérence, marasme, mêlée, méli-mélo, mic-mac (fam.), pastis, pêle-mêle, perturbation, tohu-bohu, trouble, zizanie.

CHAPARDER → *voler.*

CHAPE → *manteau.*

CHAPEAU → *coiffure.*

CHAPELAIN Aumônier. → *prêtre.*

CHAPELET I. Ave maria, rosaire. **II.** → *suite.*

CHAPELLE I. → *église.* **II.** → *coterie.*

CHAPERON Duègne, gouvernante, suivante.

CHAPERONNER Accompagner, conseiller, couvrir, défendre, diriger,

garantir, garder, parrainer, patronner, piloter, préserver, protéger, sauvegarder, suivre, surveiller, veiller sur.

CHAPITEAU Par ext. : cirque, tente.

CHAPITRE I. Article, livre, matière, objet, partie, question, section, sujet, titre. **II.** Assemblée, conseil, réunion.

CHAPITRER Blâmer, catéchiser, donner/infliger un avertissement/un blâme, faire la leçon/la morale, gourmander, gronder, laver la tête (fam.), morigéner, reprendre, réprimander, semoncer, sermonner, tancer.

CHAQUE Chacun, tout.

CHAR I. →, *chariot.* **II. Char d'assaut :** blindé, tank.

CHARABIA → *galimatias.*

CHARADE Devinette, énigme, jeu de mots, rébus.

CHARBON Anthracite, boulet, briquette, coke, combustible, escarbille, gaillette, gailletin, grésillon, houille, lignite, noisette, poussier, tête de moineau, tourbe.

CHARCUTER → *découper.*

CHARCUTERIE Andouille, andouillette, boudin, cervelas, cochonnaille, confit, crépinette, cuisine, fromage de cochon/d'Italie/de tête, galantine, jambon, jambonneau, jésus, lard, mortadelle, panne, pâté, plats cuisinés, rillettes, rosette, salé, saucisse, saucisson.

CHARCUTIER, ÈRE Cuisinier, traiteur.

CHARDON Fig. → *difficulté.*

CHARGÉ, E I. → *plein.* **II.** → *excessif.* **III.** → *épais.* **IV.** Baroque, fleuri, lourd, rococo, tarabiscoté, touffu.

CHARGE I. Au pr. : ânée, batelée, brouettée, capacité, cargaison, chargement, charretée, contenu, faix, fardeau, fret, lest, mesure, poids, quantité, somme, voiturée. **II. Phys. :** poussée, pression. **III. Loc. *En charge :*** en fonction, en service, sous tension. **IV. Fig. 1. *Non favorable :*** boulet, corvée, embarras, gêne, incommodité, servitude. **2.** Dépense, dette, devoir, frais, hypothèque, imposition, impôt, intérêt, obligation, prélèvement, prestation, redevance, responsabilité, servitude. **3.** Accusation, inculpation, indice, présomption, preuve. **4.** → *caricature.* **5.** Canular, mystification, plaisanterie. **6.** Assaut, attaque, chasse, choc, offensive, poursuite. **7.** *Favorable ou neutre :* dignité, emploi, fonction, ministère, office, place, poste, sinécure.

CHARGEMENT → *charge.*

CHARGER I. Au pr. : arrimer, combler, disposer, embarquer, empiler, emplir, fréter, garnir, lester, mettre, placer, poser, remplir. **II. Avec excès :** accabler, couvrir, écraser, recouvrir. **III. Fig. 1.** Accuser, aggraver, calomnier, déposer contre, imputer, inculper, noircir. **2. La mémoire :** encombrer, remplir, surcharger. **3. D'obligations :** accabler, écraser, frapper, grever, imposer, obérer, taxer. **4. Des faits :** amplifier, enchérir, exagérer, grossir. **5. Un portrait :** caricaturer, forcer, outrer, tourner en ridicule. **6. D'une fonction :** commettre, déléguer, donner à faire, préposer à. **7. Milit. ou vén. :** attaquer, s'élancer, foncer, fondre sur.

CHARGER (SE) Au pr. : assumer, endosser, prendre sur soi.

CHARIOT Berline, binard, briska, caisson, camion, char, charrette, diable, fardier, fourgon, fourragère, guimbarde, kibitké, ribaudequin, triqueballe, trinqueballe, truck.

CHARITABLE → bon.

CHARITÉ → bonté.

CHARIVARI → chahut.

CHARLATAN I. Baraquin, bonimenteur, camelot, empirique, guérisseur, marchand forain, médicastre, morticole, rebouteux. **II. Par ext.** → hâbleur.

CHARLATANERIE, CHARLATANISME → hâblerie.

CHARMANT, E Agréable, aimable, amène, amusant (par ext.), attachant, attirant, beau, captivant, charmeur, enchanteur, enivrant, ensorcelant, ensorceleur, fascinant, galant, gentil, gracieux, grisant, intéressant, joli, merveilleux, piquant, plaisant, ravissant, riant, séducteur, séduisant, souriant.

CHARME I. Breuvage, conjuration, enchantement, envoûtement, envoûture (vx), illusion, incantation, magie, magnétisme, philtre, pouvoir, prestige, sorcellerie, sort, sortilège. **II.** Agrément, attrait, délice, intérêt, fascination, plaisir, ravissement, séduction. **III.** Appas, attrait, avantages, beauté, chic, chien, élégance, grâce, sex-appeal, vénusté.

CHARMÉ, E Comblé, content, émerveillé, enchanté, heureux, ravi, séduit.

CHARMER I. Au pr. : enchanter, ensorceler, envoûter, fasciner, hypnotiser. **II. Fig. 1.** Adoucir, apaiser, calmer, tenir sous le charme. **2.** Apprivoiser, attirer, émerveiller, entraîner, ravir, séduire, tenter. **3.** Captiver, complaire, délecter, donner dans l'œil/dans la vue, éblouir, enlever, enthousiasmer, flatter, parler aux yeux, transporter, verser l'ambroisie/le miel.

CHARMEUR, EUSE Enjôleur, magicien, séducteur.

CHARMILLE Allée, berceau, bocage, bosquet, buisson, chemin, haie, palissade, palisse.

CHARNEL, ELLE I. Au pr. : corporel, naturel, physique, sexuel. **II. Par ext. 1.** Matériel, sensible, tangible, temporel, terrestre. **2.** Animal, bestial, impur, lascif, libidineux, lubrique, luxurieux, sensuel.

CHARNIER I. → cimetière. **II.** → cloaque.

CHARNIÈRE Gond, paumelle, penture.

CHARNU, E Bien en chair, charneux, corpulent, dodu, épais, gras, grassouillet, potelé, replet, rond, rondouillard, rondouillet, viandé (fam.).

CHAROGNE → chair.

CHARPENTE I. → carcasse. **II.** → poutre. **III.** → composition.

CHARPENTER I. Au pr. : charpir, cintrer, contreventer, couvrir, dégauchir, enchaîner, équarrir, lier, menuiser, soutenir, tailler. **II. Fig. :** construire, équilibrer, étayer, étoffer, façonner, projeter.

CHARPIE I. Pansement, plumasseau. **II. Loc. Mettre en charpie** → déchirer.

CHARRETIER Cocher, conducteur, roulier, voiturier.

CHARRETTE Carriole, char, chariot, chartil, gerbière, haquet, surtout, tombereau. → voiture.

CHARRIER, CHARROYER I. → transporter. **II.** → emporter.

CHARROI Équipage, train, transport. → charge.

CHARRUE Araire, brabant, cultivateur, déchaumeuse, dombasle.

CHARTE I. → titre. **II.** → règlement.

CHARTREUSE I. → cloître. **II.** → pavillon.

CHASSE I. Au pr. : affût, art cynégétique, battue, fauconnerie, piégeage, safari, tenderie, traque, vénerie, volerie. **II. Par ext.** → recherche.

CHÂSSE I. Boîte, coffre, fierte (vx), reliquaire. **II. Arg.** → œil.

CHASSER. I Au pr. : donner la chasse, poursuivre, quêter. **II. Par ext. :** bannir, bouter, congédier, débusquer, déjucher, déloger, dénicher, dissiper, écarter, éconduire, éjecter, éliminer, exclure, expulser, faire disparaître/fuir, forcer, mettre à la porte/dehors/en fuite, ostraciser, ôter, pourchasser, purger, reconduire, refouler, rejeter, remercier, renvoyer, se séparer de, vider, vomir. **III. Un gouvernant :** bannir, démettre, déposer, détrôner, évincer, exiler. **IV. Vén. Battre les buissons :** courir, courre (vx), débucher, débusquer, dépister, lancer, quêter, rabattre, refuir, relancer, rembucher, servir.

CHASSEUR I. Boucanier, fauconnier, nemrod, piqueur, pisteur, quêteur, rabatteur, trappeur, veneur. **II.** Groom, portier. **III. Par ext. :** braconnier.

CHASSEUSE, CHASSERESSE Amazone, diane.

CHÂSSIS → encadrement.

CHASTE I. Abstinent, ascétique, continent, honnête, pur, sage, vertueux, vierge. **II.** Angélique, décent, immaculé, innocent, modeste, prude, pudique, virginal.

CHASTETÉ → continence.

CHASUBLE Dalmatique, manteau.

CHAT, CHATTE I. Chaton, félin, haret, matou. **II. Fam. :** chattemite, greffier, grippeminaud, mimi, minet, minette, minon, minou, mistigri, moumoute, patte-pelu, raminagrobis.

CHÂTAIGNE I. Au pr. : macre, marron. **II. Fig.** → coup.

CHÂTEAU I. Milit. : bastide, bastille, citadelle, donjon, fort, forteresse. **II.** Castel, chartreuse, demeure, folie, gentilhommière, hôtel, manoir, palais, pavillon, rendez-vous de chasse, résidence. **III. Château d'eau :** réservoir.

CHÂTIÉ, E Académique, classique, dépouillé, épuré, poli, pur.

CHÂTIER I. Battre, corriger, punir, réprimer, sévir. **II.** Corriger, épurer, perfectionner, polir, raboter, rectifier, retoucher, revoir. **III.** Améliorer, guérir de.

CHÂTIMENT → punition.

CHATOIEMENT → reflet.

CHATOUILLEMENT I. Agréable → caresse. **II. Désagréable :** agacerie, démangeaison, excitation, picotement, prurit.

CHATOUILLER I. Agréablement → caresser. **II. Désagréablement :** agacer, démanger, exciter, gratter, picoter. **III. Par ext.** → charmer.

CHATOUILLEUX, EUSE Délicat, douillet, sensible. → susceptible.

CHATOYANT, E Brillant, changeant, coloré, étincelant, imagé, luisant, miroitant, moiré, riche, séduisant.

CHATOYER Briller, étinceler, jeter des reflets, luire, miroiter, pétiller, rutiler.

CHÂTRÉ, E adj. et n. **I.** Castrat, eunuque. **II.** Bréhaigne, bœuf, chapon, hongre, mouton, mule, mulet, porc.

CHÂTRER Bistourner, bretauder, castrer, chaponner, couper, déviriliser, émasculer, hongrer, mutiler, stériliser.

CHATTEMITE → patelin.

CHATTERIE I. → caresse. **II.** Douceur, friandise, gâterie, sucrerie.

CHAUD, E I. Au pr. : bouillant, brûlant, cuisant, incandescent, tiède, torride. **II. Fig. 1.** Amoureux, ardent, chaleureux, décidé, délirant, déterminé, échauffé, emballé, emporté, empressé, enthousiaste, fanatique, fervent, fougueux, passionné, pressant, vif, zélé. **2.** Apre, dur, sanglant, sévère.

CHAUD → chaleur.

CHAUDRONNERIE I. Dinanderie. **II.** Batterie/ustensiles de cuisine.

CHAUFFAGE, CHAUFFE I. Climatisation. **II.** Distillation. **III. Appareils de chauffage :** bassinoire, bouillotte, brasero, calorifère, chaufferette, chauffe-pieds, cheminée, couvet, fourneau, moine, poêle, radiateur, réchaud, thermosiphon.

CHAUFFARD → chauffeur.

CHAUFFER v. tr. **I. Au pr. :** bassiner, braiser, brûler, calciner, cuire, faire bouillir/cuire/réduire, échauffer, embraser, étuver, griller, réchauffer, rendre chaud, rôtir, surchauffer. **II. Fig. 1.** Attiser, exciter, mener rondement, presser. **2.** Bachoter, réviser. **3.** → voler. **III. V. intr. 1.** S'échauffer, être sous pression. **2.** → barder.

CHAUFFEUR Automédon (péj.), chauffard (péj.), conducteur, écraseur (péj.), machiniste, pilote.

CHAUME I. Éteule, paille, tige. **II.** → cabane.

CHAUMIÈRE, CHAUMINE → cabane.

CHAUSSE I. Bas, culotte, gamache, grègue, guêtre, jambière. **II. Loc. Être aux chausses de :** être aux trousses, harceler, poursuivre, serrer de près.

CHAUSSÉE I. Digue, levée, remblai, talus. **II.** Chemin, piste, route, rue, voie.

CHAUSSE-TRAPE → piège.

CHAUSSEUR → cordonnier.

CHAUSSON Babouche, espadrille, mule, pantoufle, savate.

CHAUSSURE I. Babouche, botte, bottine, brodequin, charentaise, chausson, cothurne, escarpin, espadrille, galoche, mocassin, mule, nu-pieds, pantoufle, patin, richelieu, sabot, sandale, savate, socque, snow-boot, soulier, spartiate. **II. Fam. :** bateau, croquenot, écrase-merde, godasse, godillot, grolle, péniche, pompe, ribouis, sorlot, tatane.

CHAUVE adj. et n. Dégarni, déplumé, pelé.

CHAUVE-SOURIS Chiroptère, noctule, oreillard, pipistrelle, rhinolophe, rhinopome, roussette, sérotine, vampire, vespertilion.

CHAUVIN, E Belliqueux, borné, cocardier, étroit, fanatique, intolérant, jingo, nationaliste, patriotard, xénophobe.

CHAUVINISME Fanatisme, intolérance, jingoïsme, nationalisme, xénophobie.

CHAVIRER I. V. intr. 1. Au pr. : s'abîmer, basculer, couler, faire naufrage, se renverser, se retourner, sombrer. **2. Par ext. :** chanceler, tanguer, tituber, trébucher, vaciller. **3. Loc.** Les yeux chavirent : se révulser. **II. V. tr. 1.** Bousculer, cabaner, renverser. **2. Loc.** Chavirer le cœur/ l'estomac : barbouiller.

CHEF I. → tête. **II. Celui qui est à la tête de. 1. Au pr. :** administrateur, animateur, architecte, berger, commandant, conducteur, despote (péj.), directeur, dirigeant, dominateur, entraîneur, fondateur, gouverneur, maître, meneur, pasteur, patron, responsable, tête. **2.** Consul, dictateur, monarque, président, prince, régent, roi, souverain. **3.** Échevin, magistrat, maire, ministre. **4.** Abbé, archimandrite, évêque, métropolite, pape, patriarche, supérieur. **5.** Cacique, cheik, sachem. **6.** Cadre, contremaître, ingénieur. **7.** Cinquantenier, condottiere, doge, dynaste, polémarque, tétrarque, triérarque, vergobret. **8. Officier :** amiral, aspirant, capitaine, colonel, commandant, enseigne de vaisseau, général, généralissime, lieutenant, lieutenant-colonel, sous-lieutenant. **9. Sous-officier :** adjudant, adjudant-chef, caporal, caporal-chef, maître, maréchal des logis, maréchal des logis-chef, quartier-maître, second-maître, sergent, sergent-chef. **10.** Chef d'orchestre, coryphée (péj.). **11. Chef d'œuvre →** ouvrage. **III. →** cuisinier. **IV. →** matière.

CHEMIN I. Accès, allée, artère, avenue, boulevard, cavée, chaussée, laie, layon, lé, ligne, passage, piste, ravin, raidillon, rampe, rocade, route, rue, sente, sentier, tortille. **II.** Direction, distance, itinéraire, trajet. **III.** Façon, manière, méthode, moyen, voie.

CHEMINEAU → vagabond.

CHEMINÉE I. Âtre, feu, foyer. **II.** Puits, trou.

CHEMINEMENT Approche, avance, marche, progrès, progression.

CHEMINER → marcher.

CHEMISE I. → dossier. **II.** Brassière, camisole, chemisette, combinaison, linge de corps, lingerie, parure.

CHEMISETTE I. → chemise. **II. →** corsage.

CHEMISIER → corsage.

CHENAL → canal.

CHENAPAN → vaurien.

CHEPTEL I. Cheptel vif : animaux, bergerie, bestiaux, bétail, capital, écurie, étable, troupeau. **II. Cheptel mort :** capital, équipement, instruments, machines, matériel, outillage.

CHER, ÈRE I. Quelqu'un : adoré, adulé, affectionné, aimé, bien-aimé, chéri. **II. Quelque chose :** agréable, aimable, estimable, précieux, rare. **III.** Coup de barre/de fusil (fam.), coûteux, dispendieux, hors de portée/ de prix, inabordable, onéreux, ruineux, salé.

CHERCHER I. On cherche un objet : aller à la découverte/recherche/ en reconnaissance, battre la campagne/ les buissons (fam.), être en quête, explorer, fouiller, fourrager, fureter, quérir (vx), quêter, rechercher. **II. Une solution :** s'appliquer à, se battre les flancs (fam.), calculer, consulter, demander, s'enquérir, enquêter, examiner, imaginer, s'informer, interroger, inventer, se pencher sur, penser/réfléchir à, scruter, sonder, supposer. **III. Chercher à :** s'efforcer, s'évertuer, tâcher, tendre, tenter, viser. **IV. Une faveur :** intriguer, rechercher, solliciter. **V. Quelqu'un :** aller/ envoyer/faire/venir prendre, quérir, requérir.

CHERCHEUR, EUSE n. et adj. **I.** Explorateur, orpailleur. **II.** Curieux, enquêteur, érudit, fouineur, fureteur, inventeur, investigateur, savant. **III.** Détecteur.

CHÈRE Bombance, bonne table, chère lie, gastronomie, menu, ordinaire, plaisir de la table, ripaille.

CHÈREMENT I. → cher. **II.** Affectueusement, amoureusement, avec affection/amour/piété/sollicitude/tendresse, pieusement, tendrement.

CHÉRI, E adj. et n. **I. →** amant. **II. →** cher.

CHERTÉ → prix.

CHÉRUBIN → enfant.

CHÉTIF, IVE I. → faible. **II. →** mauvais. **III. →** misérable.

CHEVAL I. Équidé, solipède. **II.** Étalon, hongre, jument, poulain, pouliche, poney, yearling. **III. Fam. ou arg. 1.** Bidet, bourrin, bourrique, canasson, carne, criquet, haridelle, mazette, rossard, rosse, rossinante, sardine, tréteau, vieille bique. **2.** Coco, dada. **IV.** Cheval d'armes, de chasse/ de cirque/de concours/de course/ d'élevage/de fond/de parade/de remonte, cob, coureur, courtaud, crack, favori, hunter, postier, sauteur, trotteur **V.** Cheval sauvage, mustang, tarpan. **VI. Vx ou poét. :** cavale, coursier, destrier, haquenée, palefroi. **VII.** Équipage, monture. **VIII. Races :** andalou, anglais, anglo-normand, arabe, ardennais, auvergnat, barbe, belge, berrichon, boulonnais, bourbonien, breton, camarguais, cauchois, charentais, circassien, comtois, corse, danois, flamand, genet, hanovrien, hollandais, hongrois, kabyle, kirghise, klepper, landais, limousin, lorrain, mecklembourgeois, mongol, navarrais, normand, percheron, persan, picard, poitevin, russe, tarbais, tartare, tcherkess, turc. **IX. Loc. 1. Allures du cheval :** amble, aubin, canter, entrepas, galop, hobin, mésair, pas, trac, train, traquenard, trot. **2. Cheval de bataille.** Fig. : argument, dada, idée fixe. **3. Aller/monter à cheval →** chevaucher.

CHEVALERESQUE → généreux.

CHEVALERIE Féodalité, institution/ordre militaire, noblesse.

CHEVALET Banc, baudet, chèvre, échafaudage, tréteau.

CHEVALIER I. Bachelier (vx), cavalier, écuyer, noble, paladin, preux, suzerain, vassal. **II. Loc. Chevalier d'industrie :** aigrefin, escroc, faisan. → voleur.

CHEVALIÈRE Anneau, armes, armoiries, bague.

CHEVAUCHÉE I. Au pr. : cavalcade, course, promenade, reconnaissance, traite, tournée. **II. Par ext. :** incursion, investigation, raid.

CHEVAUCHER I. V. intr. 1. Aller/monter à cheval, caracoler, galoper, parader, trotter. **2.** Se croiser, empiéter, être mal aligné, mordre sur, se recouvrir. **II. V. tr. :** couvrir, enjamber, passer au-dessus/par-dessus, recouvrir. **III. Loc. A chevauchons** (vx) : à califourchon, à cheval, à dada (fam.).

CHEVELU, E → poilu.

CHEVELURE, CHEVEUX I. Au pr. : coiffure, toison. **II. Fam. :** crinière, crins, douilles, plumes, poils, tignasse. **III. Par ext.** → postiche.

CHEVILLARD Boucher, commissionnaire, grossiste.

CHEVILLE Fig. : inutilité, pléonasme, redondance, superfluité.

CHEVILLER I. → fixer. **II.** → enfoncer.

CHÈVRE I. Bique, biquet, biquette, cabri, caprin, chevreau, chevrette, menon, menou. **II.** Appareil de levage, bigue, grue, treuil. → chevalet.

CHEVREUIL Brocard, chevrette, chevrillard, chevrotin.

CHEVRON → poutre.

CHEVRONNÉ, E I. → ancien. **II.** → capable.

CHEVROTER I. → trembler. **II.** → chanter.

CHEZ-SOI → maison.

CHIASSE → excrément.

CHIC I. Nom. 1. → élégance. **2.** → habileté. **II. Adj. 1.** → aimable. **2.** → élégant.

CHICANE, CHICANERIE I. Avocasserie, incident/procédé dilatoire, procédure, procès. **II.** Argutie, artifice, contestation, controverse, équivoque, ergotage, ergoterie, logomachie, pointille, pointillerie, subtilité. **III.** Altercation, bagarre, bataille, bisbille, chamaillerie, chipotage, conflit, contradiction, contrariété, critique, démêlé, désaccord, différend, discordance, dispute, marchandage, mésentente, noise, passe d'armes, querelle, réprimande, tracasserie.

CHICANER v. tr. et intr. **I. Au pr. :** arguer, argumenter, avocasser, batailler, chamailler, chicoter, chipoter, chercher des crosses (fam.)/noise/la petite bête/des poux/querelle, contester, contrarier, contredire, controverser, critiquer, discuter, disputer, épiloguer, ergoter, incidenter, objecter, pointiller, provoquer, soulever un incident, tatillonner, vétiller. **II. Par ext. 1.** Barguigner, lésiner, marchander. **2.** → tourmenter.

CHICANEUR, EUSE, CHICANIER, ÈRE n. et adj. Argumenteur, avocassier, batailleur, chicoteur, chipoteur, coupeur de cheveux en quatre, disputailleur, éplucheur d'écrevisses, ergoteur, mauvais coucheur, plaideur, pointilleux, procédurier, processif, querelleur, vétilleur, vétilleux.

CHICHE I. Quelqu'un : crasseux, ladre, lésineux, parcimonieux. → avare. **II. Quelque chose :** chétif, léger, mesquin, mesuré, pauvre, sordide.

CHICHI I. Affectation, cérémonie, embarras, façon, girie (fam.), manière, mignardise, minauderie, simagrée. **II.** Boucle/mèche de cheveux. → postiche.

CHICOT Croc, débris, dent, fragment, morceau.

CHICOTER v. tr. et intr. → chicaner.

CHIEN I. Au pr. 1. Canidé. **2. Chien sauvage :** cabéru, cyon, dingo, lycaon, otocyon. **3.** Chienne, chiot, lice. **4.** Berger, corniaud, garde, gardien, mâtin, policier, roquet. **5. Fam. :** cabot, cerbère, clébard, clebs, toutou. **6. Races :** barbet, bas-rouge, basset, beagle, berger allemand/des Pyrénées, bichon, bleu d'Auvergne, bouledogue, braque, briard, briquet, bull-terrier, caniche, carlin, choupille, chow-chow, clabaud, cocker, colley, corneau, danois, dogue, épagneul, fox-terrier, griffon, havanais, houret, king-Charles, levrette, lévrier, limier, loulou, malinois, maltais, mastiff, mâtin, pékinois, pointer, ratier, saint-bernard, saint-hubert, sloughi, terre-neuve, teckel, terrier, vautre. **II. Fig. :** attrait, chic, élégance, sex-appeal. **III. Loc. Cou de chien →** bourrasque.

CHIFFON I. Au pr. : chiffe, défroque,

drapeau (vx), drille, guenille, haillon, lambeau, loque, morceau, oripeau, paille, pilot, serpillière, souquenille. **II.** → *bagatelle.*

CHIFFONNER I. Au pr. : bouchonner, friper, froisser, manier, mettre en tampon, plisser, remuer, tripoter. **II. Fig. :** attrister, chagriner, choquer, contrarier, faire de la peine, fâcher, froisser, heurter, intriguer, meurtrir, offenser, piquer, préoccuper, taquiner, tracasser.

CHIFFONNIER, ÈRE I. Au pr. : biffin, brocanteur, chineur, fripier, trimardeur, triqueur. **II. Par ext.** → *vagabond.* **III.** Bonheur-du-jour, bonnetière, commode, table à ouvrage, travailleuse.

CHIFFRE I. → *nombre.* **II.** → *somme.* **III.** → *marque.*

CHIFFRER I. → *évaluer.* **II.** Coder, mettre/transcrire en chiffre/code.

CHIGNER Grogner, pleurer, pleurnicher, rechigner, rouspéter.

CHIMÈRE → *illusion.*

CHIMÉRIQUE → *imaginaire.*

CHINÉ. E → *bariolé.*

CHINOIS, E n. et adj. **I. Au pr. :** asiate, asiatique, jaune. **II. Fig.** → *original, compliqué.* **III.** → *tamis.*

CHINOISERIE Complication, formalité. → *chicane.*

CHIOT → *chien.*

CHIOURME → *bagne.*

CHIPER → *voler.*

CHIPIE → *mégère.*

CHIPOTER I. → *manger.* **II.** → *chicaner.* **III.** → *hésiter.*

CHIQUÉ → *tromperie.*

CHIQUENAUDE Croquignole, nasarde, pichenette.

CHIROMANCIEN, ENNE → *devin.*

CHIRURGIEN I. Au pr. : médecin, opérateur, praticien. **II. Péj. :** boucher, charcutier.

CHIURE → *excrément.*

CHOC I. Au pr. : abordage, accident, accrochage, carambolage, collision, coup, heurt, percussion, tamponnement, télescopage. **II. Milit. :** affaire, assaut, attaque, bataille, charge, combat, corps à corps, engagement, lutte, offensive. **III. Par ext.** → *émotion.*

CHOCOLAT I. Cacao. **II.** Bille, bonbon, bouchée, croquette, crotte, pastille, plaque, tablette, truffe.

CHŒUR Choral, chorale, manécanterie, orphéon.

CHOIR → *tomber.*

CHOISI, E Appelé, élu, oint du Seigneur, prédestiné.

CHOISIR Adopter, aimer mieux, coopter, se décider pour, désigner, distinguer, élire, embrasser, s'engager, faire choix, fixer son choix, jeter son dévolu, nommer, opter, préférer, prendre, sélectionner, trancher, trier sur le volet.

CHOIX I. Au pr. : acceptation, adoption, cooptation, décision, désignation, élection, nomination, prédilection, préférence, résolution, sélection, triage. **II.** Alternative, dilemme, option. **III.** Assortiment, collection, dessus du panier, éventail, prix, qualité, réunion, tri. **IV.** Morceaux choisis, recueil. → *anthologie.* **V.** Aristocratie, crème, élite, fine fleur, gratin, happy few.

CHOLÉRA I. → *peste.* **II.** → *méchant.*

CHÔMAGE Crise, manque de travail, marasme, morte-saison.

CHÔMER Arrêter/cesser/suspendre le travail, célébrer, faire le pont, fêter.

CHOPINER → *enivrer (s').*

CHOPPER Achopper, broncher, buter, faire un faux pas, trébucher.

CHOQUANT, E → *désagréable.*

CHOQUER I. Au pr. : buter, donner contre, frapper, heurter, taper. **II. Par ext. :** atteindre, blesser, contrarier, déplaire, écorcher, effaroucher, faire mauvais effet, froisser, heurter, indigner, offenser, offusquer, mécontenter, rebuter, révolter, scandaliser, sonner mal, soulever l'indignation, vexer.

CHORAL, CHORALE → *chœur.*

CHORÉGRAPHIE → *danse.*

CHOREUTE, CHORISTE → *chanteur.*

CHORUS (FAIRE) → *approuver.*

CHOSE → *objet.*

CHOUCHOU, OUTE → *favori.*

CHOUCHOUTER, CHOYER → *soigner.*

CHRESTOMATHIE → *anthologie.*

CHRÉTIEN, IENNE adj. et n. **I.** Baptisé, catholique, copte, fidèle, orthodoxe, ouaille, protestant, schismatique. **II. Par ext. 1.** → *bon.* **2.** → *homme.*

CHRONIQUE I. Adj. → *durable.* **II. Nom. 1.** → *histoire.* **2.** → *article.*

CHRONOLOGIE → *histoire.*

CHUCHOTEMENT, CHUCHOTERIE Bruit, bruissement, gazouillement, gazouillis, murmure, susurrement.

CHUCHOTER → *murmurer.*

CHUINTER Bléser, zézayer, zozoter.

CHUT Paix, silence, taisez-vous.

CHUTE I. Au pr. 1. Affaissement, avalanche, croulement, éboulement, écrasement, écroulement, effondrement, glissement. **2.** Bûche, cabriole, carambolage, culbute, dégringolade, glissade, pelle, plongeon. **II. Méd. :** déplacement, descente, prolapsus, ptôse. **III. Fig. :** abdication, capitulation, déconfiture, défaite, disgrâce, échec, faillite, insuccès, renversement. **IV. Par ext. 1.** Crise, décadence, déchéance, faute, péché, scandale. **2.** Abattement, découragement, démoralisation, perte de confiance. **3.** Baisse, dépréciation, dévaluation. **4.** Extrémité, fin, terminaison. **5.** → *abaissement*. **V.** Rapide. → *cascade*. **VI.** → *déchet*.

CIBLE But, mouche, papegai, papegeai, quintaine.

CICATRICE I. Au pr. : balafre, couture, marque, signe, souvenir, stigmate, trace. **II. Par ext. :** brèche, défiguration, lézarde, mutilation.

CICATRISATION I. Au pr. : guérison, réparation, rétablissement. **II. Fig. :** adoucissement, apaisement, consolation, soulagement.

CICATRISER I. Au pr. : se dessécher, se fermer, guérir. **II. Fig. :** adoucir, apaiser, consoler, soulager.

CICÉRONE → *guide*.

CI-DEVANT I. Adv. → *avant*. **II. Nom** → *noble*.

CIEL I. Au pr. : atmosphère, calotte/voûte céleste/des cieux, coupole/dôme du ciel, espace, éther, firmament, infini, nuages, nue (vx). univers. **II. Sing. et pl. :** au-delà, céleste empire/lambris/séjour, éden, empyrée, Jérusalem céleste, là-haut, paradis, patrie des élus, séjour des bienheureux/des élus, walhalla. **III. Par ext. :** Dieu, divinité, Jupiter, Providence. **IV. Ciel de lit :** baldaquin, dais.

CIERGE → *chandelle*.

CIGARE Havane, londrès, manille, panatela, panetela, trabuco.

CI-JOINT Ci-annexé, ci-inclus.

CILICE I. Au pr. : haine. **II. Par ext. :** mortification, pénitence.

CILLER I. V. tr. : cligner, clignoter, papilloter. **II. V. intr. :** broncher, s'émouvoir, marquer le coup.

CIME → *sommet*.

CIMENT Béton, liant, lien, mortier.

CIMENTER Fig. : affermir, amalgamer, consolider, lier, raffermir, unir.

CIMETERRE → *épée*.

CIMETIÈRE Catacombe, champ des morts/du repos, charnier, columbarium, crypte, nécropole, ossuaire.

CINÉASTE Chef de production, dialoguiste, metteur en scène, opérateur, producteur, réalisateur, scénariste.

CINÉMA I. Ciné (fam.), grand écran,

permanent, salle, salle obscure, spectacle (par ext.). **II.** → *comédie*.

CINÉMATOGRAPHIER Enregistrer, filmer, photographier, prendre un film, tourner.

CINGLANT, E Blessant, cruel, dur, sévère, vexant.

CINGLÉ, E adj. et n. → *fou*.

CINGLER I. V. intr. : aller, s'avancer, faire route/voile, marcher, naviguer, progresser, voguer. **II. V. tr. 1. Au pr. :** battre, cravacher, flageller, fouailler, fouetter, frapper, fustiger, sangler. **2. Fig. :** attaquer, attiser, blesser, critiquer, exciter, moucher, vexer.

CINTRE I. Arc, arcade, arceau, cerceau, courbure, ogive, voussure, voûte. **II.** Armature, coffrage. **III.** Portemanteau.

CIRCONFÉRENCE I. → *tour*. **II.** → *rond*.

CIRCONFLEXE → *tordu*.

CIRCONLOCUTION → *périphrase*.

CIRCONSCRIPTION → *division*.

CIRCONSCRIRE → *limiter*.

CIRCONSPECT, E → *prudent*.

CIRCONSPECTION Attention, calme, considération, défiance, diplomatie, discernement, discrétion, égard, habileté, ménagement, mesure, modération, politique, précaution, prévoyance, prudence, quant-à-soi, réflexion, réserve, retenue, sagesse.

CIRCONSTANCE I. Accident, climat, condition, détail, détermination, donnée, modalité, particularité. **II.** Actualité, conjoncture, état des choses, événement, heure, moment, situation, temps. **III.** Cas, chance, coïncidence, entrefaite, épisode, éventualité, hasard, incidence, incident, occasion, occurrence, péripétie. **IV.** A-propos, contingence, opportunité.

CIRCONSTANCIÉ, E → *détaillé*.

CIRCONVENIR → *séduire*.

CIRCONVOLUTION, CIRCUIT → *tour*.

CIRCULATION I. → *mouvement*. **II.** → *trafic*.

CIRCULER → *mouvoir (se)*.

CIRQUE I. Au pr. : amphithéâtre, arène, carrière, chapiteau, colisée, hippodrome, naumachie, piste, représentation, scène, spectacle, stade, tauromachie, voltige. **II. Fig.** → *chahut*.

CISAILLE Ciseaux, cueilloir, forces, sécateur.

CISAILLER Ébarber, élaguer. → *couper*.

CISEAU I. Sing. : bec-d'âne, bédane, berceau, biseau, bouchard, burin, ciselet, cisoir, ébauchoir, fermoir, gouge, gougette, grattoir, matoir, ognette, plane, poinçon, pointe, riflard, rondelle. **II. Plur.** : cisaille, cueille-fleurs, forces, mouchette, onglier, sécateur.

CISELER I. → *tailler.* **II.** → *parfaire.*

CITADELLE → *forteresse.*

CITADIN., E I. Adj. → *urbain.* **II. Nom** → *habitant.*

CITÉ → *agglomération, village.*

CITER I. Au pr. : ajourner, appeler en justice, assigner, convoquer, faire sommation, intimer, mander, sommer, traduire en justice. **II. Par ext.** : alléguer, avancer, consigner, donner/fournir en exemple/référence, évoquer, indiquer, invoquer, mentionner, nommer, produire, rappeler, rapporter, signaler, viser.

CITERNE → *réservoir.*

CITOYEN → *habitant.*

CITRON Agrume, bergamote, citrus, limon, poncine.

CITROUILLE → *courge.*

CIVIÈRE Bast, bayart, brancard, litière, oiseau.

CIVIL, E I. Adj. 1. Civique, laïque. **2.** Affable, aimable, bien élevé, convenable, correct, courtois, empressé, galant, gentil, gracieux, honnête, poli. **II. Nom** : bourgeois, pékin (fam.).

CIVILISATION Avancement, culture, évolution, perfectionnement, progrès.

CIVILISÉ, E → *policé.*

CIVILITÉ I. Sing. : affabilité, amabilité, bonnes manières, convenances, courtoisie, éducation, gentillesse, gracieuseté, honnêteté, politesse, raffinement, savoir-vivre, sociabilité, urbanité, usage. **II. Plur. 1.** Amabilités, amitiés, baisemain, bien des choses, compliments, devoirs, hommages, politesses, salutations. **2.** Cérémonies.

CIVISME → *patriotisme.*

CLABAUDER → *médire.*

CLABAUDERIE → *médisance.*

CLAIE I. Clayon, clisse, crible, éclisse, sas, tamis, volette. **II.** Bordigue, nasse. **III.** Abri, brisevent, clôture, grille, treillage.

CLAIR, E I. Au pr. 1. Brillant, éclatant, luisant, lumineux, net, poli, pur, serein, transparent. **2.** Clairet, clairsemé, léger, rare. **3.** Aigu, argentin, vif. **II. Fig. 1.** Aisé, explicite, facile, intelligible, précis. **2.** Apparent, certain, distinct, évident, manifeste, notoire, palpable, sûr. **3.** Cartésien, catégorique, délié, formel, lucide, pénétrant, perspicace, sûr.

CLAIRIÈRE Clair, échappée, éclaircie, trouée.

CLAIRON Clique, fanfare, trompette.

CLAIRSEMÉ, E → *épars.*

CLAIRVOYANCE → *pénétration.*

CLAIRVOYANT, E I. → *pénétrant.* **II.** → *intelligent.*

CLAMER → *crier.*

CLAMEUR → *cri.*

CLAN I. → *tribu.* **II.** → *coterie.* **III.** → *parti.*

CLANDESTIN, E → *secret.*

CLAPIR (SE) Se blottir, se musser, se tapir.

CLAQUE I. → *gifle.* **II.** → *lupanar.*

CLAQUEMENT → *bruit.*

CLAQUEMURER I. → *coffrer.* **II.** → *enfermer.*

CLAQUER I. V. tr. 1. → *frapper.* **2.** → *dépenser.* **3.** → *fatiguer.* **II. V. Intr. 1.** → *rompre.* **2.** → *mourir.*

CLARIFIER I. → *éclaircir.* **II.** → *purifier.*

CLARTÉ I. Au pr. : clair-obscur, demi-jour, éclat, embrasement, lueur, lumière, nitescence. **II. Par ext.** : limpidité, transparence. **III. Fig.** : intelligibilité, netteté, perspicacité, précision.

CLASSE I. Au pr. : caste, catégorie, clan, division, état, famille, gent, groupe, ordre, rang, série. **II.** → *école.* **III.** Carrure, chic, chien, dimension, distinction, élégance, génie, présence, talent, valeur.

CLASSEMENT Arrangement, bertillonnage, catalogue, classification, collocation, index, nomenclature, ordre, rangement, répertoire, statistique.

CLASSER Arranger, assigner, attribuer, cataloguer, classifier, différencier, diviser, grouper, ordonner, placer, ranger, répartir, séparer, sérier, trier.

CLASSIFICATION → *classement.*

CLASSIFIER → *classer.*

CLASSIQUE → *traditionnel.*

CLAUDICANT, E → *boiteux.*

CLAUSE I. → *disposition.* **II. Loc.** *Clause pénale :* cautionnement, dédit, dédommagement, garantie, sûreté.

CLAUSTRAL, E Ascétique, cénobitique, monacal, monastique, religieux.

CLAUSTRER → *enfermer.*

CLAUSULE → *terminaison.*

CLEF I. Au pr. : crochet, passe-partout, rossignol. **II.** Explication, fil conducteur, introduction, sens, signification, solution. **III.** → *dénouement.*

CLÉMENT, E → *indulgent.*

CLERC I. → *prêtre.* **II.** → *savant.* **III.** Actuaire, commis, employé, principal, saute-ruisseau, secrétaire, tabellion.

CLERGÉ Église, ordre.

CLICHÉ I. Épreuve, image, négatif, pellicule, phototype. **II.** Banalité, fadaise, lieu commun, poncif, redite, truisme.

CLIENT, E I. → *acheteur.* **II.** → *protégé.*

CLIGNEMENT → *clin d'œil.*

CLIGNER, CLIGNOTER I. → *ciller.* **II.** → *vaciller.*

CLIMAT I. Au pr. : ciel, circonstances/conditions atmosphériques/climatiques/météorologiques, régime, température. **II. Fig. 1.** → *pays.* **2.** Atmosphère, ambiance, environnement, milieu.

CLIN D'ŒIL Battement, clignement, coup d'œil, œillade.

CLINICIEN → *médecin.*

CLINIQUE → *hôpital.*

CLINQUANT Camelote, éclat, faux, imitation, pacotille, quincaillerie, simili, verroterie.

CLIQUE I. → *orchestre.* **II.** → *coterie.*

CLIQUETIS → *bruit.*

CLOAQUE I. Au pr. : bourbier, charnier, décharge, égout, margouillis, sentine, voirie. → *water-closet.* **II. Par ext. 1.** → *abjection.* **2.** *bas-fond.*

CLOCHARD, E Chemineau, cloche, mendiant, trimard, trimardeur, vagabond.

CLOCHE I. Au pr. : beffroi, bélière, bourdon, campane, carillon, clarine, clochette, grelot, sonnaille, timbre. **II. Poét.** : airain, bronze. **III. Par ext.** → appel, signal, sonnerie. **IV.** → *boursouflure.* **V.** → *clochard.* **VI. Adj.** → *bête.*

CLOCHER Beffroi, bulbe, campanile, clocheton, flèche, tour.

CLOCHER I. Aller à cloche-pied, boiter, broncher, claudiquer, clopiner. **II.** → *décliner.*

CLOCHETTE → *cloche.*

CLOISON I. → *mur.* **II.** → *séparation.*

CLOÎTRE Abbaye, béguinage, chartreuse, communauté, couvent, déambulatoire, ermitage, monastère, moutier, préau, promenoir, retraite.

CLOÎTRER → *enfermer.*

CLOPINER → *clocher.*

CLOQUE → *boursouflure.*

CLOQUER I. Gaufrer. → *gonfler.* **II.** → *donner, mettre, placer.*

CLORE I. → *fermer.* **II.** → *entourer.* **III.** → *finir.*

CLOS I. → *enceinte.* **II.** → *champ.* **III.** → *vigne.*

CLÔTURE I. Au pr. : balustre, barbelé, barricade, barrière, chaîne, claie, échalier, enceinte, entourage, fermeture, grillage, grille, haie, herse, lice, mur, muraille, palis, palissade, treillage, treillis. **II.** → *fin.*

CLÔTURER I. → *entourer.* **II.** → *finir.*

CLOU I. → *pointe.* **II.** → *abcès.* **III.** → *mont-de-piété.* **IV.** → *bouquet.*

CLOUER → *fixer.*

CLOUTAGE Assemblage, clouage, clouement, fixage, fixation, montage.

CLOWN Acrobate, artiste, Auguste, bateleur, bouffon, fantaisiste, farceur, gugusse, paillasse, pitre.

CLUB → *cercle.*

CLUSE → *vallée.*

CLYSTÈRE → *lavement.*

COACCUSÉ, E → *complice.*

COACTION → *contrainte.*

COADJUTEUR Adjoint, aide, assesseur, auxiliaire, suppléant.

COAGULER v. tr. et intr. Caillebotter, cailler, congeler, figer, floculer, grumeler, prendre, solidifier.

COALISER → *unir.*

COALITION Alliance, archiconfrérie, association, bloc, cartel, collusion (péj.), confédération, entente, front, intelligence, ligue, trust.

COALTAR → *goudron.*

COASSER Fig. : bavarder, cabaler, clabauder, criailler, jacasser, jaser, médire.

COBAYE Cavia, cochon d'Inde.

COCAGNE Abondance, eldorado, paradis, pays des merveilles/de rêve, réjouissance.

COCARDE → *emblème.*

COCARDIER, ÈRE → *patriote.*

COCASSE → *risible.*

COCHE I. Berline, carrosse, chaise de poste, courrier, diligence, malle, malle-poste, patache. → *voiture.* **II. Coche d'eau** : bac, bachot, bateau-mouche. → *bateau.* **III.** → *porc.*

COCHER Aurige, automédon, collignon, conducteur, patachier, patachon, phaéton, postillon, roulier, voiturier, voiturin.

COCHON I. Au pr. → *porc.* **II. Fig. 1.** → *obscène.* **2.** → *débauché.*

COCHONNAILLE → *charcuterie.*

COCHONNER → *gâcher.*

COCHONNERIE I. → *obscénité.* **II.** → *saleté.*

COCTION → *cuisson.*

COCU, E n. et adj. Bafoué, berné, floué, coiffé, cornard, trompé.

COCUFIER → *tromper.*

CODE I. → *collection.* **II.** → *règlement.*

COÉQUIPIER → *partenaire.*

COERCITION → *contrainte.*

CŒUR I. → *âme.* **II.** → *naturel.* **III.** → *sensibilité.* **IV.** → *générosité.* **V.** → *chaleur.* **VI.** → *courage.* **VII.** →

estomac. **VIII.** → *conscience.* **IX.** → *mémoire.* **X.** → *intuition.* **XI.** → *centre.* **XII. Loc. 1. A cœur ouvert :** avec abandon/confiance, franchement, librement. **2. De bon cœur :** avec joie/plaisir, de bon gré, volontairement, volontiers.

COFFRE I. Au pr. : arche (vx), bahut, boîte, caisse, caisson, cassette, coffre-fort, coffret, huche, maie, malle. **II. Fig. 1. Fam. :** culot, estomac, souffle, toupet. **2.** Caisse, pectoraux, poitrine, thorax.

COFFRER Arrêter, claquemurer, emprisonner, mettre à l'ombre/en prison *et les syn. de* PRISON.

COFFRET → *boîte.*

COGNAT → *parent.*

COGNÉE → *hache.*

COGNER I. → *battre.* **II.** → *frapper.* **III.** → *heurter.*

COGNITION → *connaissance.*

COHABITATION Compagnonnage, concubinage, mixité, promiscuité, voisinage.

COHÉRENCE, COHÉSION I. → *adhérence.* **II.** → *liaison.*

COHÉRENT, E → *logique.*

COHORTE → *troupe.*

COHUE I. Affluence, foule, mêlée, multitude, presse. **II.** Bousculade, confusion, désordre, tumulte.

COI, COITE I. Au pr. → *tranquille.* **II. Par ext. :** abasourdi, muet, sidéré, stupéfait.

COIFFE Cale (vx), cornette. → *bonnet.*

COIFFER → *peigner.*

COIFFER (SE) Fig. → *engouer (s').*

COIFFEUR, EUSE Artiste capillaire, barbier, capilliculteur, figaro, merlan (vx), perruquier, pommadier, pommadin, testonneur (vx).

COIFFURE I. Atour, attifet, barrette, béret, bibi, bitos (fam.), bonnet, cagoule, cale, calot, calotte, capuche, capuchon, carré, casque, casquette, chapeau, chapelet (vx), chaperon, chapska, chéchia, coiffe, cornette, couronne, couvre-chef, diadème, escoffion, faluche, fanchon, feutre, fez, filet, fontange, foulard, galette, galure, galurin, garcette, hennin, madras, mantille, marmotte, mitre, mortier, mouchoir, passe-montagne, perruque, polo, pschent, résille, réticule, ruban, serre-tête, shako, suroît, talpack, tapebord, tarbouch, tiare, toque, tortil, tortillon, turban, voile. **II.** Accroche-cœur, aile-de-pigeon, à la chien, anglaise, bandeau, boucle, catogan, chignon, frange, macaron, queue, rouleau, torsade, tresse.

COIN I. Cachet, empreinte, estampille, marque, poinçon, sceau. **II.** Angle, encoignure, recoin, renfoncement, retrait. **III. Coin de la rue :** croisement, détour, tournant. **IV.** Bled, endroit, lieu, localité, pays, trou. **V.** Cachette, solitude, thébaïde. **VI.** Bout, extrémité, morceau, partie, secteur.

COINCER I. → *fixer.* **II.** → *prendre.*

COÏNCIDENCE Concomitance, concours de circonstances, isochronisme, rencontre, simultanéité, synchronie.

COÏNCIDER → *correspondre.*

COÏNTÉRESSÉ, E → *associé.*

COL I. → *cou.* **II.** → *collet.* **III.** → *défilé.*

COLÈRE n. Agitation, agressivité, atrabile, bile, bourrasque, courroux, dépit, ébullition, effervescence, emportement, exaspération, foudres, fureur, furie, hargne, impatience, indignation, ire, irritation, rage, surexcitation, violence.

COLÈRE, COLÉREUX, EUSE, COLÉRIQUE adj. Agité, agressif, atrabilaire, bilieux, chagrin, courroucé, emporté, exaspéré, fulminant, furieux, hargneux, impatient, irascible, irritable, monté contre, rageur, soupe au lait.

COLIFICHET → *bagatelle.*

COLIMAÇON → *limaçon.*

COLIQUE I. Au pr. 1. Colite, crampe, débâcle, déchirement d'entrailles, diarrhée, dysenterie, entérite, entérocolite, épreinte, flatuosité, flux de ventre (vx), indigestion, intoxication, occlusion intestinale, tiraillement d'intestin, tranchées (vx). **2. Colique néphrétique :** anurie, dysurie, hématurie. **3. Colique de plomb :** saturnisme. **4. Fam. :** chiasse, cliche, courante, foire. **II. Fig.** → *importun.*

COLIS → *paquet.*

COLLABORATEUR, TRICE → *associé.*

COLLABORER → *participer.*

COLLANT, E → *importun.*

COLLATÉRAL, E → *parent.*

COLLATION I. Casse-croûte, cinq à sept, cocktail, en-cas, five o'clock, goûter, lunch, quatre heures, rafraîchissement, réfection, régal, souper, thé. **II.** Comparaison, confrontation, correction, lecture, vérification. **III.** Attribution, distribution, remise.

COLLATIONNER → *comparer.*

COLLÉ, E → *refusé.*

COLLECTE I. Cueillette, ramassage, récolte. **II.** → *quête.*

COLLECTER → *assembler.*

COLLECTEUR I. → *conduit.* **II.** → *percepteur.*

COLLECTIF, IVE Communautaire. → *général.*

COLLECTION I. Au pr. : accumulation, amas, appareil, assemblage, assortiment, attirail, compilation, ensemble, foule, groupe, nombre, quantité, ramas (péj.), ramassis (péj.), réunion, tas, variété. **II. Par ext. :** album, anthologie, bibelotage, bibliothèque, catalogue, code, coquillier, discothèque, galerie, herbier, iconographie, médailler, ménagerie, musée, philatélie, pinacothèque, vitrine.

COLLECTIONNER Accumuler, amasser, assembler, bibeloter, colliger, entasser, grouper, ramasser, réunir.

COLLECTIONNEUR, EUSE Amateur, bibeloteur, bibliomane, bibliophile, chercheur, curieux, fouineur (fam.), numismate, philatéliste.

COLLECTIVISER → nationaliser.

COLLECTIVISME Babouvisme, bolchevisme, communisme, fourriérisme, marxisme, mutuellisme, saint-simonisme, socialisme.

COLLECTIVITÉ Communauté, ensemble, phalanstère, société.

COLLÈGE I. → corporation. **II.** → lycée.

COLLÉGIALE → église.

COLLÉGIEN, ENNE → élève.

COLLÈGUE Associé, camarade, compagnon, confrère.

COLLER I. → appliquer. **II.** → mettre. **III. Fam. :** ajourner, refuser.

COLLER (SE) → attacher (s').

COLLET I. Col, collerette, encolure, fraise, jabot, rabat. **II.** Lacet, lacs, piège. **III. Loc. Collet monté :** affecté, bégueule, guindé, prude, revêche.

COLLETER → prendre.

COLLIER I. Au pr. : bijou, carcan, chaîne, rang de perles, rivière de diamants, sautoir, torque. **II. Par ext. :** harnais, joug. → servitude.

COLLINE → hauteur.

COLLISION I. → heurt. **II.** → engagement.

COLLOQUE → conversation.

COLLUSION → complicité.

COLMATER → boucher.

COLOMBE → pigeon.

COLOMBIER → pigeonnier.

COLON Agriculteur, cultivateur, exploitant, fermier, métayer, planteur, preneur.

COLONIE I. Ensemble, famille, groupe. **II.** Comptoir, empire, établissement, factorerie, fondation, plantation, protectorat.

COLONISATION Colonialisme, expansion, hégémonie, impérialisme.

COLONISER Conquérir, envahir, occuper.

COLONNE I. Contrefort, fût, montant, pilastre, pilier, poteau, pylône, soutènement, soutien, support. **II.** Aiguille, cippe, obélisque, stèle. **III.**

Colonne vertébrale : échine, épine dorsale, rachis, vertèbres. **IV. Milit. :** commando, escouade, renfort, section.

COLORATION → couleur.

COLORÉ, E I. Barbouillé (péj.), colorié, enluminé, peinturluré, polychrome, teinté. **II.** Animé, expressif, imagé, vif, vivant.

COLORER, COLORIER Barbouiller (péj.), barioler, embellir, enluminer, farder, orner, peindre, peinturlurer, rehausser, relever, teindre.

COLORIS → couleur.

COLOSSAL, E → gigantesque.

COLOSSE → géant.

COLPORTER → répandre.

COLTINER → porter.

COLTINEUR → porteur.

COMA Assoupissement, évanouissement, insensibilité, léthargie, perte de connaissance, sommeil, sopor.

COMBAT I. → bataille. **II.** → conflit.

COMBATIF, IVE Accrocheur, agressif, bagarreur, baroudeur, batailleur, belliqueux, lutteur, pugnace, querelleur, vif.

COMBATTANT, E n. et adj. **I. Au pr. :** guerrier, homme, soldat. **II. Par ext. 1.** Adversaire, antagoniste, challenger, rival. **2.** Apôtre, champion, militant, prosélyte.

COMBATTRE v. tr. et intr. → lutter.

COMBE → vallée.

COMBINAISON I. → cotte. **II.** → mélange. **III.** → plan.

COMBINE I. Astuce, manigance, moyen, planque, système, tour, truc, tuyau. **II.** Favoritisme, passe-passe, piston.

COMBINER I. Allier, arranger, assembler, associer, assortir, composer, coordonner, disposer, joindre, marier, mélanger, mêler, ordonner, réunir, unir. **II.** Agencer, calculer, concerter, construire, élaborer, imaginer, machiner, manigancer, méditer, organiser, ourdir, préparer, spéculer, trafiquer, tramer.

COMBLE I. Adj. → plein. **II. Nom. 1. Au pr. :** supplément, surcroît, surplus, trop-plein. **2. Par ext. :** apogée, excès, faîte, fort, limite, maximum, période, pinacle, sommet, summum, triomphe, zénith. **3. Archit. :** attique, couronnement, faîte, haut, mansarde, pignon, toit.

COMBLÉ, E Abreuvé, accablé, chargé, couvert, gâté, heureux, satisfait.

COMBLER I. Emplir, remplir, surcharger. **II.** Abreuver, accabler, charger, couvrir, donner, gâter, gorger, satisfaire. **III.** Aplanir, boucher, bourrer, niveler, obturer, remblayer, remplir.

IV. Loc. Combler la mesure : attiger, dépasser les bornes, exagérer, faire déborder le vase (fam.), forcer la dose, y aller fort (fam.).

COMBUSTIBLE I. Nom : aliment, matière inflammable. **II. Adj. 1. Par ext. :** comburant. **2. Fig. :** ardent, chaud, enflammé, inflammable, vif.

COMBUSTION I. Au pr. : calcination, crémation, incinération, inflammation, ignition, oxydation. **II. Par ext. :** déflagration, incendie. **III. Fig.:** conflagration, effervescence, fermentation, feu.

COMÉDIE I. Au pr. : arlequinade, bouffonnerie, farce, momerie, pièce, proverbe, saynète, sketch, sotie, spectacle, théâtre, vaudeville. **II. Par ext. :** cabotinage, déguisement, feinte, invention, mensonge, plaisanterie, simulation, tromperie, turlupinade.

COMÉDIEN, ENNE n. et adj. I. Au pr. : acteur, artiste, comique, mime, pensionnaire/sociétaire de la Comédie-Française, tragédien. **II. Non favorable :** baladin, cabot, histrion. **III. Par ext. 1. →** farceur. **2. →** hypocrite.

COMESTIBLE I. Nom → subsistance. **II. →** mangeable.

COMICE → réunion.

COMIQUE I. Nom. 1. → bouffon. **2. →** écrivain. **II. Adj. 1.** Abracadabrant, absurde, amusant, bizarre, bouffe, bouffon, burlesque, caricatural, cocasse, désopilant, drôle, facétieux, falot, gai, grotesque, hilarant, inénarrable, loufoque, plaisant, ridicule, risible, saugrenu, vaudevillesque. **2. Fam. :** au poil, bidonnant, boyautant, cornecul, crevant, fumant, gondolant, impayable, marrant, pilant, pissant, poilant, rigolo, roulant, tordant, transpoil.

COMITÉ Commission, soviet. → réunion.

COMMANDANT → chef.

COMMANDE I. Achat, ordre. **II. Loc. De commande :** affecté, artificiel, factice, feint, simulé. → obligatoire. **III. Au pl. :** gouvernes, poste de pilotage.

COMMANDEMENT I. Jurid. : avertissement, injonction, intimation, jussion (vx), ordre, sommation. **II. Relig. :** décalogue, devoir, loi, obligation, précepte, prescription, règle. **III.** Autorité, direction, pouvoir, puissance, responsabilité. **IV.** État-major.

COMMANDER I. V. tr. 1. Au pr. : avoir la haute main sur, contraindre, décréter, disposer, donner l'ordre, enjoindre, exiger, imposer, intimer, obliger, ordonner, prescrire, recommander, sommer. **2.** Conduire, diriger, dominer, gouverner, mener. **3. Par ext. :** appeler, attirer, entraîner, imposer, inspirer, nécessiter, réclamer. **4.** Acheter, faire/passer commande. **II. V. intr. :** dominer, être le maître, gouverner.

COMMANDITER → financer.

COMMANDO → troupe.

COMME I. Ainsi que, à l'égal/à l'instar de, autant/de même/non moins/pareillement que, quand. **II. Loc. Tout comme :** la même chose, pareil.

COMMÉMORATION Anniversaire, célébration, commémoraison, fête, mémento, mémoire, rappel, souvenir.

COMMÉMORER I. → fêter. **II. →** rappeler.

COMMENCEMENT Abc, adolescence, alpha, amorce, apparition, arrivée, attaque, aube, aurore, avènement, axiome, balbutiement, bégaiement, berceau, bord, création, début, déclenchement, départ, ébauche, embryon, enfance, entrée, esquisse, essai, exorde, fleur, fondement, inauguration, liminaire, matin, mise en train, naissance, orée, origine, ouverture, point initial, postulat, préambule, préface, préliminaires, premier pas, prémice, prémisse, primeur, principe, prologue, racine, rudiment, seuil, source, tête.

COMMENCER I. V. tr. : amorcer, aligner, débuter, déclencher, démarrer, ébaucher, embarquer, emmancher, enfourner (fam.), engager, engrener, entreprendre, esquisser, étrenner, fonder, former, inaugurer, instituer, lancer, mener, mettre en œuvre/en route/en train, se mettre à, ouvrir. **II. V. intr. 1. Au pr. →** partir. **2. Fig. :** ânonner, balbutier, débuter, éclore, émerger, se lever, naître, poindre, progresser, se risquer, tâtonner et les formes pronom. possibles des syn. de COMMENCER.

COMMENSAL → convive.

COMMENTAIRE I. Au sing. 1. Au pr. : annotation, exégèse, explication, glose, note, paraphrase, scolie. **2. Par ext. →** bavardage. **II. Au pl. →** histoire.

COMMÉRAGE → médisance.

COMMERÇANT, E. I. Adj. → achalandé. **II. Nom :** boutiquier, commissionnaire, consignataire, débitant, détaillant, fournisseur, grossiste, marchand, mercanti (péj.), négociant, stockiste, trafiquant (péj.), transitaire.

COMMERCE I. Au pr. : échange, négoce, offre et demande, trafic, traite (vx). **II. Par ext. 1.** Affaires, bourse, courtage, exportation, importation, marché. **2. →** magasin. **3. →**

entreprise. **III. Péj. 1.** Bricolage, brocantage, brocante, friperie, maqui-gnonnage. **2.** Concussion, malversation, micmac, prévarication, simonie. **IV. Fig.** : amitié, fréquentation, rapport, relation.

COMMÈRE I. Au pr. : belle-mère, marraine. **II. Fig.** → *bavard.*

COMMETTRE I. → *remettre.* **II.** → *hasarder.* **III.** → *préposer.* **IV.** → *perpétrer.*

COMMINATION → *menace.*

COMMINATOIRE → *menaçant.*

COMMIS, E I. → *employé.* **II.** → *vendeur.* **III.** → *représentant.*

COMMISÉRATION → *pitié.*

COMMISSION I. → *mission.* **II.** → *course.* **III.** → *comité.* **IV.** → *courtage.* **V.** → *gratification.*

COMMISSIONNAIRE I. → *intermédiaire.* **II.** → *messager.* **III.** → *porteur.*

COMMISSIONNER → *charger.*

COMMISSURE Fente, jonction, joint, ouverture, pli, repli.

COMMODE I. Adj. 1. *Quelque chose* : agréable, aisé, avantageux, bien, bon, confortable, convenable, facile, favorable, maniable, pratique, propre. **2. Péj.** : libre, relâché. **3.** *Quelqu'un* : accommodant, agréable, aimable, arrangeant, bon vivant, complaisant, facile, indulgent. **II. Nom** : armoire, bonheur-du-jour, bahut, bonnetière, chiffonnier, chiffonnière, coffre, semainier.

COMMODITÉ I. Au sing. : agrément, aise, avantage, confort, facilité, utilité. **II. Au pl.** → *water-closet.*

COMMOTION I. → *secousse.* **II.** → *ébranlement.* **III.** → *séisme.*

COMMUER → *changer.*

COMMUN, E I. Neutre : accoutumé, banal, courant, général, habituel, naturel, ordinaire, public, quelconque, rebattu, standard, universel, usuel, utilitaire. **II. Non favorable** : bas, bourgeois, épicier, grossier, inférieur, marchand, médiocre, pauvre, popu, populacier, populaire, prolo, prosaïque, trivial, vulgaire. **III. Par ext.** → *abondant.* **IV. Loc.** *En commun* : en communauté/société, de concert, ensemble.

COMMUN I. Au sing. → *peuple.* **II. Au pl.** : aile, débarras, écuries, pavillons, remises, services, servitudes.

COMMUNE Agglomération, bourg, bourgade, centre, conseil municipal, municipalité, paroisse, village, ville.

COMMUNAUTÉ I. ↳ *société.* **II.** → *congrégation.*

COMMUNICATIF, IVE I. Quelqu'un : causant, confiant, démonstratif, expansif, exubérant, ouvert, volubile. **II. Quelque chose** : contagieux, épidémique.

COMMUNICATION I. Adresse, annonce, avis, confidence, correspondance, dépêche, liaison, message, note, nouvelle, rapport, renseignement. **II.** → *relation.* **III.** Communion, échange, télépathie, transmission.

COMMUNION I. Au pr. → *union.* **II. Relig.** : cène, échange, eucharistie, partage, viatique.

COMMUNIQUÉ → *avertissement.*

COMMUNIQUER I. V. intr. 1. *Quelqu'un* : correspondre, s'entendre, se mettre en communication/relation avec. **2.** *Quelque chose.* Faire communiquer : commander, desservir, relier. **II. V. tr. 1.** *Quelqu'un* : confier, découvrir, dire, divulguer, donner, échanger, écrire, enseigner, épancher, expliquer, faire connaître/partager/part de/savoir, indiquer, livrer, mander, parler, publier. **2.** *Quelque chose* : envahir, gagner, imprimer. **3.** *Une maladie:* inoculer, passer, transmettre.

COMMUNISME → *socialisme.*

COMMUNISTE n. et adj. Babouviste (vx), bolchevik, bolcheviste, partageux (vx), socialiste, soviet.

COMMUTATION → *remplacement.*

COMPACT, E → *épais.*

COMPAGNE → *épouse.*

COMPAGNIE Assemblée, collège, comité, entourage, réunion, société, troupe.

COMPAGNON I. Acolyte, ami, associé, camarade, chevalier servant, collègue, commensal, compère, complice (péj.), condisciple, copain (fam.), labadens, partenaire, pote (fam.), poteau (fam.). **II.** → *travailleur.* **III.** → *gaillard.*

COMPARABLE Analogue, approchant, assimilable, égal, semblable.

COMPARAISON I. Au pr. : balance, collation, collationnement, confrontation, mesure, parallèle, rapprochement, recension. **II. Par ext.** : allusion, analogie, image, métaphore, métonymie, parabole, similitude. **III. Loc.** *En comparaison de* : auprès/au prix/au regard de, par rapport à.

COMPARAÎTRE → *présenter (se).*

COMPARER Analyser, apprécier, balancer, collationner, conférer, confronter, évaluer, examiner, mesurer, mettre au niveau de/en balance/en parallèle/en regard, rapprocher, vidimer.

COMPARSE I. Figurant. **II.** → *complice.*

COMPARTIMENT Alvéole, case, casier, casse, cellule, classeur, division, subdivision.

COMPASSÉ, E → *étudié.*

COMPASSION Apitoiement, attendrissement, cœur, commisération, humanité, miséricorde, pitié, sensibilité.

COMPATIBLE → conciliable.

COMPATIR → plaindre.

COMPATISSANT, E → bon.

COMPATRIOTE → concitoyen.

COMPENDIEUX, EUSE → court.

COMPENDIUM Abrégé, condensé, digest, somme. → résumé.

COMPENSATION I. Au pr. 1. Dédommagement, indemnité, récompense, réparation, retour, soulte. **2.** Balance, contrepoids, égalisation, égalité, équilibre, l'un dans l'autre, moyenne, neutralisation. **II. Par ext. :** consolation, correctif, récompense, revanche. **III. Loc. En compensation :** en échange, en revanche, mais, par contre.

COMPENSER Balancer, consoler, contrebalancer, corriger, dédommager, égaliser, équilibrer, faire bon poids, indemniser, neutraliser, réparer.

COMPÈRE I. → compagnon. **II.** → complice. **III.** Beau-père, parrain.

COMPÈRE-LORIOT Chalaze, chalazion, grain d'orge, orgelet.

COMPÉTENCE I. → capacité. **II.** Attribution, autorité, pouvoir, qualité, ressort.

COMPÉTENT, E → capable.

COMPÉTITEUR, TRICE → concurrent.

COMPÉTITION Challenge, championnat, concours, concurrence, conflit, coupe, course, critérium, épreuve, match, omnium, poule, rivalité.

COMPILATION I. Au pr. 1. → collection. **2.** → mélange. **II. Par ext.** → imitation.

COMPLAINTE I. Au pr. (vx) → gémissement. **II. Par ext.** → chant.

COMPLAIRE → plaire.

COMPLAISANCE I. Au pr. : affection, amabilité, amitié, attention, bienveillance, bonté, charité, civilité, condescendance, déférence, empressement, facilité, indulgence, obligeance, politesse, prévenance, serviabilité, soin, zèle. **II. Par ext. 1.** → servilité. **2.** → plaisir.

COMPLAISANT, E I. Favorable ou neutre : aimable, amical, attentionné, bienveillant, bon, charitable, civil, déférent, empressé, indulgent, obligeant, poli, prévenant, serviable, zélé. **II. Non favorable :** ardélion (vx), arrangeant, commode, coulant, facile, flagorneur, flatteur, satisfait, servile.

COMPLÉMENT → supplément.

COMPLET, ÈTE I. → entier. **II.** → plein. **III.** Absolu, exhaustif, intégral, radical, sans restriction, total.

COMPLÈTEMENT Absolument, à fond, de fond en comble, des pieds à la tête, entièrement, in extenso, jusqu'au bout/aux oreilles, par-dessus les oreilles/la tête, ras le bol (fam.), tout à fait, tout au long.

COMPLÉTER Achever, adjoindre, ajouter, améliorer, arrondir, assortir, augmenter, combler, conclure, couronner, embellir, enrichir, finir, parachever, parfaire, perfectionner, rajouter, rapporter, suppléer.

COMPLEXE I. Adj. → compliqué. **II. Nom** → obsession. **III.** Ensemble, groupe, groupement.

COMPLEXION I. → naturel. **II.** → mine.

COMPLICATION → difficulté.

COMPLICE Acolyte, affidé, aide, associé, auxiliaire, coaccusé, compagnon, comparse, compère, consort, fauteur, suppôt.

COMPLICITÉ Accord, aide, assistance, association, collaboration, collusion, connivence, coopération, entente, entraide, intelligence.

COMPLIMENT I. → félicitation. **II.** → éloge. **III.** → discours. **IV.** → civilités.

COMPLIMENTER Applaudir, approuver, congratuler, faire des civilités/politesses, féliciter, flatter, glorifier, louer, tirer son chapeau, vanter.

COMPLIQUÉ, E Alambiqué, apprêté, complexe, composé, confus, contourné, difficile, embarrassé, emberlificoté (fam.), embrouillé, entortillé, obscur, quintessencié, raffiné, savant, subtil, touffu, tourmenté, trouble.

COMPLIQUER Alambiquer, apprêter, brouiller, chinoiser, couper les cheveux en quatre, embarrasser, emberlificoter (fam.), embrouiller, embroussailler, emmêler, entortiller, obscurcir, quintessencier, raffiner, rendre confus.

COMPLOT Association, attentat, brigue, cabale, coalition, concert, conciliabule, conjuration, conspiration, coup d'État, coup monté, faction, intrigue, ligue, machination, menée, parti, ruse, sédition, trame.

COMPLOTER v. tr. et intr. S'associer, briguer, cabaler, se coaliser, se concerter, conjurer, conspirer, intriguer, se liguer, machiner, manigancer, ourdir, projeter, tramer.

COMPONCTION I. → regret. **II.** → gravité.

COMPORTEMENT → procédé.

COMPORTER Admettre, autoriser, comprendre, contenir, emporter, enfermer, impliquer, inclure, justifier, permettre, renfermer, souffrir, supporter.

COMPORTER (SE) Agir, se conduire, être, réagir, se sentir, se trouver, en user avec.

COMPOSANT, E adj. et n. Corps, élément, terme, unité.

COMPOSÉ, E I. Adj. 1. → *étudié.* **2.** → *compliqué.* **II. Nom** → *composant.*

COMPOSER I. V. tr. 1. Agencer, apprêter, arranger, assembler, associer, bâtir, charpenter, ciseler, combiner, concevoir, confectionner, constituer, créer, disposer, écrire, élucubrer, faire, faufiler, former, imaginer, jeter les bases, organiser, polir, préparer, produire, rédiger, sculpter, travailler. **2.** Adopter/se donner/emprunter/prendre une attitude/une contenance, affecter, apprêter, déguiser, étudier. **II. V. intr. 1.** S'accommoder, s'accorder, s'entendre, se faire. **2.** Négocier, pactiser, traiter, transiger. **3.** Capituler, céder, faiblir.

COMPOSITE → *mêlé.*

COMPOSITEUR I. → *musicien.* **II.** → *typographe.* **III. Loc. Amiable compositeur** → *arbitre.*

COMPOSITION I. Au pr. 1. Agencement, arrangement, assemblage, association, charpente, combinaison, constitution, construction, contexture, coupe, dessin, disposition, ensemble, formation, organisation, structure, synthèse, texture. **2.** Alliage, composante, teneur. **3.** Colle (fam.), concours, devoir, dissertation, épreuve, examen, exercice, rédaction. **II. Par ext. 1. Entre personnes :** accommodement, accord, compromis, concession, transaction. **2.** Caractère, disposition, humeur, pâte, tempérament. **III.** → *indemnité.*

COMPOST Débris, engrais, feuilles mortes, fumier, humus, mélange, poudrette, terreau, terre de bruyère.

COMPRÉHENSIBLE → *intelligible.*

COMPRÉHENSIF, IVE → *intelligent.*

COMPRÉHENSION → *entendement.*

COMPRENDRE I. Au pr. Quelque chose comprend : comporter, compter, contenir, embrasser, enfermer, englober, envelopper, faire entrer, impliquer, inclure, incorporer, intégrer, mêler, renfermer. **II. Par ext. On comprend. 1.** → *entendre.* **2.** Apercevoir, concevoir, déchiffrer, interpréter, pénétrer, saisir, sentir, traduire, trouver, voir. **3.** Apprendre, atteindre à, connaître, faire rentrer, s'y mettre, mordre, suivre. **4.** S'apercevoir/se rendre compte de.

COMPRENDRE (SE) S'accorder, sympathiser, *et les formes pronom.*

possibles des syn. de COMPRENDRE.

COMPRESSIBLE → *élastique.*

COMPRESSION I. → *réduction.* **II.** → *contrainte.*

COMPRIMER → *presser.*

COMPRIS, E Admis, assimilé, enregistré, interprété, reçu, saisi, vu.

COMPROMETTRE I. → *hasarder.* **II.** → *nuire.*

COMPROMIS Accord, amiable composition, amodiation, arbitrage, arrangement, composition, concession, conciliation, convention, cote mal taillée, entente, moyen terme, transaction.

COMPTABLE I. Nom : caissier, ordonnateur, receveur, trésorier. **II. Adj. :** garant, responsable.

COMPTE I. Addition, calcul, dénombrement, différence, énumération, nombre, recensement, somme, statistique, total. **II.** Appoint, arrêté, avoir, balance, bénéfice, bilan, boni, bordereau, bulletin de paie, comptabilité, débet, décompte, découvert, déficit, dépens, écriture, encaisse, facture, gain, liquidation, mécompte, montant, précompte, rectificatif, règlement, reliquat, revenant-bon, ristourne, solde, soulte, total. **III. Compte rendu :** analyse, bilan, critique, explication, exposé, note, procès-verbal, rapport, récit, relation.

COMPTER I. V. tr. 1. Calculer, chiffrer, computer, dénombrer, inventorier, mesurer, nombrer, précompter, supputer. **2.** Considérer, examiner, peser, regarder. **3.** → *payer.* **4.** Énumérer, facturer, faire payer, inclure, introduire. **5.** Apprécier, considérer, estimer, évaluer, prendre, réputer comme. **6.** Comprendre, englober, mettre au rang de. **II. V. intr. 1.** Calculer. **2.** → *importer.* **3.** Avoir l'intention, croire, espérer, estimer, former le projet, penser, projeter, se proposer de. **4.** S'attendre à, avoir/tenir pour certain/sûr, regarder comme certain/sûr.

COMPTOIR I. → *table.* **II.** → *établissement.*

COMPULSER I. → *examiner.* **II.** → *feuilleter.*

COMPUTER → *compter.*

CONCASSER I. → *broyer.* **II.** → *casser.*

CONCAVE I. → *creux.* **II.** → *courbe.*

CONCAVITÉ → *excavation.*

CONCÉDER I. Au pr. : accorder, allouer, attribuer, céder, donner, octroyer. **II. Par ext. :** abandonner, admettre, avouer, composer, convenir, faire des concessions, y mettre du sien.

CONCENTRATION I. Au pr. : accumulation, agglomération, amas, assemblage, association, cartel, consortium, entente, groupement, rassemblement, regroupement, réunion, trust. **II. Concentration d'esprit :** application, attention, contention, recherche, recueillement, réflexion, tension.

CONCENTRÉ, E I. → *condensé.* **II.** → *secret.*

CONCENTRER I. Au pr. : accumuler, assembler, centraliser, diriger vers, faire converger, grouper, rassembler, réunir. **II. Un liquide :** condenser, cohober, diminuer, réduire. **III. Fig. :** appliquer son énergie/son esprit/ses forces/ses moyens, canaliser, ramener, rapporter, se recueillir, réfléchir, tendre. **IV. Ses passions :** contenir, dissimuler, freiner, refouler, renfermer, rentrer.

CONCENTRER (SE) I. → *penser.* **II.** → *renfermer (se).*

CONCEPT → *idée.*

CONCEPTION I. → *entendement.* **II.** → *idée.*

CONCERNER S'appliquer à, dépendre de, être de la juridiction/du rayon/relatif à/du ressort, intéresser, porter sur, se rapporter à, regarder, relever de, toucher.

CONCERT I. Au pr. : aubade, audition, récital, sérénade. **II. Fig.** → *chahut.* **III.** Accord, ensemble, entente, harmonie, intelligence, union. **IV. Loc. De concert :** concurremment, conjointement, de connivence, de conserve, en accord/harmonie, ensemble.

CONCERTÉ, E → *étudié.*

CONCERTER → *préparer.*

CONCERTER (SE) → *entendre (s').*

CONCESSION I. → *cession.* **II.** → *tombe.* **III.** → *renoncement.*

CONCETTO, CONCETTI Bon mot, pensée, mot/trait d'esprit/piquant.

CONCEVOIR I. → *créer.* **II.** → *entendre.* **III.** → *trouver.*

CONCIERGE → *portier.*

CONCILE I. → *consistoire.* **II.** → *réunion.*

CONCILIABLE Accordable, compatible.

CONCILIABULE I. → *consistoire.* **II.** → *réunion.* **III.** → *conversation.*

CONCILIANT, E Accommodant, apaisant, arrangeant, conciliateur, coulant, diplomate, doux, facile, traitable.

CONCILIATEUR, TRICE Arbitre, intermédiaire, médiateur.

CONCILIATION → *compromis.*

CONCILIER I. Accorder, allier, arbitrer, mettre d'accord, raccommoder, réconcilier, réunir. **II.** Adoucir, ajuster, faire aller/cadrer/concorder, harmoniser.

CONCILIER (SE) → *gagner.*

CONCIS, E Bref, court, dense, dépouillé, incisif, laconique, lapidaire, lumineux, nerveux, net, précis, ramassé, sec, serré, sobre, succinct.

CONCISION Brachylogie, brièveté, densité, laconisme, netteté, précision, sécheresse, sobriété.

CONCITOYEN, ENNE Compagnon, compatriote, pays (fam.).

CONCLUANT, E Convaincant, décisif, définitif, irrésistible, probant.

CONCLURE I. Une affaire : s'accorder, achever, arranger, arrêter, clore, contracter une obligation, convenir de, couronner, s'entendre, finir, fixer, mener à bonne fin, passer/signer/traiter un arrangement/une convention/un marché/un traité, régler, résoudre, terminer. **II. Par ext. 1.** Arguer, argumenter, conduire un raisonnement, déduire, démontrer, induire, inférer, juger, opiner, prononcer un jugement, tirer une conclusion/une conséquence/une leçon. **2. V. intr. :** décider, prendre une décision, se résoudre.

CONCLUSION I. Au pr. : arrangement, clôture, convention, couronnement, dénouement, entente, épilogue, fin, péroraison, règlement, solution, terminaison. **II. Par ext. :** conséquence, déduction, enseignement, leçon, morale, moralité, résultat.

CONCOMBRE Coloquinte, cornichon, cucurbitacée, zuchette.

CONCOMITANCE Accompagnement, coexistence, coïncidence, rapport, simultanéité.

CONCOMITANT, E Coexistant, coïncident, secondaire, simultané.

CONCORDANCE I. → *rapport.* **II.** → *conformité.*

CONCORDAT → *traité.*

CONCORDE → *union.*

CONCORDER → *correspondre.*

CONCOURIR → *participer.*

CONCOURS I. → *compétition.* **II.** → *examen.* **III.** → *multitude.* **IV.** → *rencontre.* **V.** → *appui.* **VI.** → *exposition.*

CONCRET, ÈTE I. → *épais.* **II.** → *réel.* **III.** → *manifeste.*

CONCRÉTISER → *matérialiser.*

CONCUBINAGE → *cohabitation.*

CONCUBINE → *maîtresse.*

CONCUPISCENCE Amour, appétit, avidité, bestialité, chair, convoitise, cupidité, désir, faiblesse, instinct, lascivité, libido, penchant, sens, sensualité, soif de plaisir.

CONCURRENCE → *lutte.*

CONCURRENT, E n. et adj. Adversaire, candidat, challenger, champion, compétiteur, contendant (vx), émule, participant, rival.

CONCUSSION → *malversation.*

CONDAMNABLE Blâmable, critiquable, déplorable, inexcusable, répréhensible.

CONDAMNATION I. La peine : anathématisation, arrêt, bagne, bannissement, bûcher, confiscation, damnation, décision, déportation, exil, expatriation, index, indignité nationale, interdiction de séjour, interdit, peine, prohibition, punition, sanction, sentence. **II. L'action :** accusation, animadversion, attaque, blâme, censure, critique, désaveu, interdiction, procès, réprimande, réprobation.

CONDAMNÉ, E Bagnard, banni, déporté, détenu, repris de justice, transporté. → *prisonnier.*

CONDAMNER I. → *blâmer.* **II.** → *obliger.* **III.** → *fermer.*

CONDENSÉ, E I. Au pr. : concentré, réduit. **II. Fig. 1.** → *dense.* **2.** → *court.*

CONDENSER → *resserrer.*

CONDESCENDANCE I. → *complaisance.* **II.** → *dédain.*

CONDESCENDANT, E → *complaisant.*

CONDESCENDRE I. → *abaisser (s').* **II.** → *céder.* **III.** → *daigner.*

CONDIMENT → *assaisonnement.*

CONDISCIPLE → *camarade.*

CONDITION I. → *état.* **II.** → *rang.* **III.** → *disposition.* **IV. Loc.** (vx). *De condition* → *noble.*

CONDOLÉANCE → *sympathie.*

CONDUCTEUR, TRICE → *chauffeur.*

CONDUIRE I. Au pr. : accompagner, chaperonner, diriger, emmener, entraîner, faire aller/venir, guider, manœuvrer, mener, piloter, promener, raccompagner, reconduire. **II. Par ext. 1.** Aboutir, amener, déboucher. **2.** Conclure, déduire, induire, introduire, raisonner. **3.** Administrer, animer, commander, diriger, entraîner, exciter, gérer, gouverner, influencer, pousser, soulever. **4.** Acculer, convaincre, persuader, réduire.

CONDUIRE (SE) Agir, se comporter, se diriger, procéder, en user, vivre.

CONDUIT I. Boyau, canal, canalicule, canalisation, chemin, conduite, écoulement, méat, tube, tubulure, tuyau. **II.** Aqueduc, buse, cheneau, collecteur, égout, goulotte, gouttière, reillère, tuyauterie.

CONDUITE I. → *conduit.* **II.** → *procédé.* **III.** → *direction.*

CONFECTIONNER → *produire.*

CONFÉDÉRATION I. → *alliance.* **II.** → *fédération.*

CONFÉDÉRÉ, E n. et adj. → *allié.*

CONFÉDÉRER → *unir.*

CONFÉRENCE I. → *conversation.* **II.** Assemblée, colloque, congrès, conseil, consultation, entretien, réunion, séminaire, symposium, table ronde. **III. Péj. :** palabre, parlote.

CONFÉRENCIER, ÈRE → *orateur.*

CONFÉRER I. → *comparer.* **II.** Administrer, attribuer, déférer, donner.

CONFESSER → *convenir de.*

CONFESSION I. Au pr. : autocritique, aveu, déballage (fam.), déclaration, reconnaissance. **II. Par ext. :** credo, croyance, église, foi, religion. **III.** → *regret.*

CONFIANCE I. Au pr. : aplomb, assurance, courage, culot (fam.), hardiesse, outrecuidance, présomption, sécurité, toupet (fam.). **II.** → *abandon.* **III.** → *espérance.*

CONFIANT, E I. Favorable ou neutre. 1. Assuré, hardi, sûr de soi. **2.** Communicatif, ouvert. **II. Non favorable. 1.** Fat, outrecuidant, présomptueux, téméraire. **2.** Crédule, naïf.

CONFIDENCE I. → *confiance.* **II.** Révélation, secret.

CONFIDENT, E Affidé, ami, confesseur.

CONFIER Abandonner, communiquer, conférer, déléguer, faire tomber/ verser dans l'oreille, laisser, livrer, mandater, remettre, souffler quelque chose.

CONFIER (SE) Déballer (fam.), se déboutonner (fam.), s'épancher, s'ouvrir *et les formes pronom. possibles des syn. de* CONFIER.

CONFIGURATION → *forme.*

CONFINER → *reléguer.*

CONFINS → *limite.*

CONFIRMATION Affirmation, approbation, assurance, attestation, certitude, consécration, continuation, entérinement, garantie, homologation, légalisation, maintenance (vx), maintien, preuve, ratification, reconduction, renouvellement, sanction, validation, vérification.

CONFIRMER I. Quelque chose : affirmer, affirmer, approuver, appuyer, assurer, attester, certifier, consacrer, cimenter, compléter, corroborer, démontrer, entériner, garantir, homologuer, légaliser, légitimer, mettre un sceau, prouver, ratifier, renforcer, sanctionner, sceller, valider, vérifier. **II. Quelqu'un. Dans un comportement :** encourager, fortifier, soutenir.

CONFIRMER (SE) S'avérer *et les formes pronom. possibles des syn. de* CONFIRMER.

CONFISCATION Mainmise, privation, saisie, suppression.

CONFISERIE → *friandise.*

CONFISQUER → *prendre.*

CONFITURE Compote, conserve de fruits, cotignac, gelée, marmelade, orangeat, pâte, prunelée, raisiné, roquille.

CONFLAGRATION I. → *incendie.* **II.** → *guerre.*

CONFLIT I. → *guerre.* **II.** Antagonisme, compétition, contestation, désaccord, dispute, lutte, opposition, rivalité, tiraillement.

CONFLUENT I. Nom : affluent, bec, jonction, rencontre. **II. Adj. :** concourant, convergent.

CONFLUER Affluer, se joindre, se rejoindre, se réunir, s'unir.

CONFONDRE I. Au pr. : amalgamer, associer, effacer les différences, entrelacer, fondre, fusionner, identifier, mélanger, mêler, réunir, unir. **II. Par ext. 1.** → *humilier.* **2.** → *convaincre.*

CONFONDU, E I. → *confus.* **II.** → *surpris.* **III.** → *consterné.*

CONFORMATION → *forme.*

CONFORME I. → *semblable.* **II.** → *convenable.*

CONFORMÉMENT D'après, en conformité, en conséquence, selon, suivant.

CONFORMER → *former.*

CONFORMER (SE) I. → *soumettre (se).* **II.** → *régler (se).*

CONFORMITÉ Accord, affinité, analogie, concordance, convenance, correspondance, harmonie, rapport, ressemblance, similitude, sympathie, unanimité, union, unisson, unité.

CONFORT Aise, bien-être, commodité, luxe, niveau de vie, standing.

CONFORTER → *consoler.*

CONFRÈRE → *collègue.*

CONFRÉRIE Association, communauté, congrégation, corporation, corps, réunion.

CONFRONTATION → *comparaison.*

CONFRONTER → *comparer.*

CONFUS, E I. Au pr. : chaotique, confondu, désordonné, disparate, indistinct, pêle-mêle. **II. Fig. 1.** *Quelque chose :* alambiqué, amphigourique, brouillé, brouillon, compliqué, embarrassé, embrouillé, entortillé, équivoque, filandreux, incertain, indécis, indéterminé, indigeste, indistinct, inintelligible, lourd, nébuleux, obscur, vague. **2.** *Quelqu'un :* camus, capot, déconcerté, désolé, embarrassé, ennuyé, honteux, penaud, piteux, quinaud, sot, troublé.

CONFUSION I. Dans les choses : anarchie, billebaude (fam.), bouleversement, bredi-breda (fam.), brouhaha, brouillamini, capharnaüm, chaos, complication, cohue, cour des miracles, débâcle, débandade, dédale, désordre, désorganisation, ébranlement, embarras, embrouillamini, embrouillement, enchevêtrement, enfer, fatras, fouillis, gâchis, imbroglio, labyrinthe, mélange, mêlée, méli-mélo, obscurité, pastis (fam.), pêle-mêle, pétaudière, ramassis, remue-ménage, réseau, saccade, salade (fam.), salmigondis, tintamarre, tohu-bohu, trouble, tumulte, vague. **II. De quelqu'un. 1.** Désarroi, égarement, erreur, indécision, indétermination, méprise. **2.** Dépit, embarras, gêne, honte, sottise, timidité, trouble.

CONGÉ I. → *permission.* **II.** → *vacances.*

CONGÉDIER Balancer (fam.), casser aux gages, chasser, débarquer (fam.), destituer, donner sa bénédiction (fam.)/congé/ses huit jours/son compte/son congé/son exeat, écarter, éconduire, éloigner, emballer, envoyer/faire paître (fam.)/valser, envoyer dinguer (fam.)/péter (fam.), expédier; ficher/flanquer/foutre (grossier)/jeter/mettre à la porte, licencier, liquider, remercier, renvoyer, révoquer, saquer, vider.

CONGÉLATION Coagulation, gelure, réfrigération.

CONGELER I. → *geler.* **II.** → *frigorifier.*

CONGÉNÈRE Pareil, parent, semblable.

CONGÉNITAL, E → *inné.*

CONGESTION Afflux/coup de sang, apoplexie, cataplexie, hémorragie, pléthore, tension, transport au cerveau, turgescence.

CONGESTIONNER Fig. : alourdir, embouteiller, encombrer.

CONGLOMÉRAT Agglomérat, agglomération, agglutination.

CONGRATULER → *féliciter.*

CONGRÉGANISTE → *religieux.*

CONGRÉGATION Communauté, compagnie, ordre, réunion, société.

CONGRÈS I. → *réunion.* **II.** → *assemblée.*

CONGRU, E I. → *propre.* **II.** → *pauvre.*

CONGRUENT, E → *convenable.*

CONJECTURE I. → *présomption.* **II.** → *supposition.*

CONJECTURER I. → *présumer.* **II.** → *supposer.*

CONJOINDRE → *joindre.*

CONJOINT → *époux.*

CONJONCTION I. Au pr. : assemblage, jonction, rencontre, réunion, union. **II.** → *accouplement.*

CONJONCTURE → *cas.*

CONJUGAL, E → *nuptial.*

CONJUGUER → *joindre.*

CONJUNGO → *mariage.*

CONJURATION I. → *complot.*
II. → *magie.* **III.** → *prière.*

CONJURER I. → *adjurer.* **II.** → *parer.*
III. → *prier.* **IV.** → *charmer, chasser.*
V. → *comploter.*

CONNAISSANCE I. Philos. → *conscience.* **II. Au pr. 1.** → *idée,
notion.* **2.** → *expérience.* **III. Par ext.
1.** → *ami.* **2.** → *amante.*

CONNAISSEUR → *collectionneur.*

**CONNAÎTRE I. On connaît
quelque chose :** apercevoir, apprendre, avoir connaissance/la pra-
tique/l'usage, entrevoir, être au fait/
averti / calé / compétent / entendu /
expert / ferré / informé / qualifié / savant, percevoir, posséder, savoir, sentir.
II. Quelqu'un : apprécier, comprendre,
juger. **III. Loc. Faire connaître :**
apprendre, communiquer, dévoiler,
divulguer, exposer, exprimer, extérioriser, informer, instruire, lancer,
manifester, marquer, montrer, présenter, propager, publier, témoigner,
vulgariser.

CONNECTER → *joindre.*

CONNEXE Adhérent, analogue, dépendant, joint, lié, uni, voisin.

CONNEXION, CONNEXITÉ → *liaison.*

CONNIVENCE → *complicité.*

CONNU, E I. Quelque chose :
commun, découvert, évident, notoire,
officiel, présenté, proverbial, public,
rebattu, révélé. **II. Quelqu'un** → *célèbre.*

CONQUÉRANT, E adj. et n.
Conquistador, dominateur, fier, guerrier, hautain, présomptueux, soldat,
vainqueur.

CONQUÊT Acquêt, acquisition.

CONQUÊTE n. f. **I. Au pr. :**
appropriation, assujettissement, capture, domination, gain, guerre, prise,
soumission, victoire. **II. Par ext. :**
amour, sympathie, déduction, soumission.

CONSACRÉ, E → *usité.*

CONSACRER I. → *sacrer.* **II.** → *vouer.* **III.** → *confirmer.*

CONSACRER (SE) → *adonner (s').*

CONSANGUIN, E → *parent.*

CONSANGUINITÉ → *parenté.*

CONSCIENCE I. Connaissance,
intuition, lucidité, notion, pressentiment, sentiment. **II. Cœur, for
intérieur,** honnêteté, sens moral.
III. → *soin.*

CONSCIENCIEUX, EUSE Attentif,
délicat, exact, honnête, minutieux,

scrupuleux, soigné, soigneux, travailleur.

CONSCRIT I. → *soldat.* **II.** → *novice.*

CONSEIL I. → *avertissement.* **II.**
→ *assemblée.* **III.** → *conseiller.*
IV. → *résolution.* **V.** → *défenseur.*

CONSEILLER v. **I.** → *diriger.* **II.**
→ *recommander.* **III.** → *inspirer.*

CONSEILLER, ÈRE n. **I.** Conducteur,
conseil, conseilleur, directeur, égérie
(fém.), guide, inspirateur, instigateur, mentor. **II. Loc. Conseiller
municipal :** édile.

CONSEILLEUR, EUSE n. et adj.
→ *conseiller.*

CONSENTEMENT Acceptation, accord, acquiescement, adhésion, agrément, approbation, assentiment, autorisation, commun accord, complaisance, consensus, permission, unanimité.

CONSENTIR I. V. intr. : s'abandonner, accéder, accepter, accorder,
acquiescer, adhérer, admettre, adopter, applaudir, approuver, assentir
(vx), autoriser, avoir pour agréable,
céder, condescendre, donner les
mains (vx), dire amen, se laisser faire,
opiner, permettre, se prêter, se soumettre, souscrire, tomber d'accord,
toper, vouloir bien. **II. V. tr. :**
accorder, octroyer.

CONSÉQUENCE I. Conclusion,
contrecoup, corollaire, effet, fruit,
réaction, rejaillissement, résultat, retentissement, ricochet, séquelle, suite.
II. → *importance.* **III. Loc. 1. De
conséquence** → *important.* **2. En
conséquence :** conséquemment,
donc, par conséquent/suite. **3. En
conséquence de :** en vertu de.

CONSÉQUENT, E I. → *logique.*
II. Loc. adv. Par conséquent :
ainsi, dès lors, donc, ergo, partant.

CONSERVATEUR, TRICE n. et
adj. **I.** → *gardien.* **II.** → *réactionnaire.*

CONSERVATION Conserve, entretien, garde, maintien, préservation,
protection, sauvegarde.

CONSERVATOIRE I. → *école.*
II. → *musée.*

CONSERVE I. Boucan, confit,
corned-beef, pemmican, singe (fam.).
II. Loc. adv. De conserve → *ensemble.*

CONSERVER Entretenir, garantir,
garder, maintenir, ménager, préserver,
protéger, réserver, sauvegarder, sauver,
soigner, tenir en état.

CONSIDÉRABLE → *grand.*

CONSIDÉRABLEMENT → *beaucoup.*

CONSIDÉRANT → *motif.*

CONSIDÉRATION   I. Attention, étude, examen, observation, réflexion, remarque. **II.** Circonspection, tact. **III.** Autorité, crédit, déférence, égard, estime, faveur, grâce, honneur, renommée, révérence, vénération. **IV. Loc. En considération de :** à cause de, au nom de, en faveur de, en vue de, eu égard à, par égard pour, pour.

CONSIDÉRER   I. Admirer, contempler, observer, regarder, toiser (péj.), tourner les yeux sur. **II.** Apprécier, approfondir, balancer, envisager, estimer, étudier, examiner, juger, observer, peser, voir. **III.** S'attacher, avoir égard, prendre garde, se préoccuper, songer, se souvenir, tenir compte. **IV.** Prendre pour, regarder comme, réputer, tenir pour, traiter de. **V.** Révérer, vénérer.

CONSIGNATAIRE Agent, commissionnaire, correspondant, dépositaire, gardien, transitaire.

CONSIGNATION → *dépôt.*

CONSIGNE   I. → *instruction.* **II.** → *punition.*

CONSIGNER I. → *noter.* **II.** → *citer.* **III.** → *défendre.* **IV.** → *enfermer.*

CONSISTANCE → *solidité.*

CONSISTANT, E → *solide.*

CONSISTER Avoir pour nature, comporter, se composer de, comprendre, être constitué/formé de, gésir (vx), reposer sur, résider dans.

CONSISTOIRE Assemblée, conciliabule, concile, réunion, symposium, synode.

CONSOLANT, E Apaisant, calmant, consolateur, consolatif, consolatoire, lénitif, réconfortant.

CONSOLATION   I.   Au   pr. : adoucissement, allégement, apaisement, baume, bercement, réconfort, soulagement. **II. Par ext. 1. Quelqu'un :** appui, consolateur, soutien. **2.** Dédommagement, joie, plaisir, satisfaction, sujet de satisfaction.

CONSOLER I. Au pr. : apaiser, calmer, conforter (vx), dérider, diminuer la peine, distraire, égayer, essuyer les larmes, guérir, rasséréner, rassurer, réconforter, relever/remonter le moral, sécher les larmes, verser du baume sur le cœur/les plaies. **II. Fig. :** adoucir, alléger, assoupir, atténuer, bercer, compenser, diminuer, endormir, flatter, tromper.

CONSOLIDER → *affermir.*

CONSOMMATION I. Achèvement, couronnement, fin, terminaison. **II.** Boisson, commande, refraîchissement.

CONSOMMÉ, E I. Adj. → *parfait.* **II. Nom** → *bouillon.*

CONSOMMER I. → *réaliser.* **II.** → *finir.* **III.** Absorber, boire, manger,

se nourrir, user de, vivre de. **IV.** Brûler, consumer, employer.

CONSOMPTION   I. → *langueur.* **II.** → *maigreur.*

CONSONANCE Assonance, concordance, contrassonance, écho, harmonie, rime.

CONSORT I. → *associé.* **II.** → *complice.*

CONSORTIUM → *trust.*

CONSPIRATION → *complot.*

CONSPIRER   I. *comploter.* **II.** → *participer.*

CONSPUER → *vilipender.*

CONSTAMMENT Assidûment, continuellement, en permanence, fermement, fréquemment, incessamment, invariablement, régulièrement, sans arrêt/cesse/désemparer/relâche, toujours.

CONSTANCE   I.   De quelqu'un. 1. Courage, énergie, fermeté, force, patience, résignation, résolution, volonté. **2.** Assiduité, fidélité, obstination, opiniâtreté, persévérance, régularité. **II. De quelque chose :** continuité, durabilité, fixité, immutabilité, invariabilité, permanence, persistance, régularité, stabilité.

CONSTANT, E I. Quelqu'un. 1. Courageux, énergique, ferme, fort, inaltérable, inébranlable, inflexible, résigné, résolu. **2.** Assidu, fidèle, même, obstiné, opiniâtre, patient, persévérant, régulier. **II. Quelque chose. 1.** Continuel, durable, fixe, immuable, invariable, permanent, persistant, régulier, soutenu, stable, un, unique. **2.** Assuré, authentique, certain, établi, évident, formel, incontestable, indubitable, patent, positif, sûr.

CONSTATER → *vérifier.*

CONSTELLATION Pléiade. → *groupe.*

CONSTELLÉ, E Agrémenté, brillant, étoilé, orné, parsemé, semé.

CONSTERNATION → *stupéfaction.*

CONSTERNÉ, E Abasourdi, abattu, accablé, atterré, chagriné, catastrophé, confondu, effondré, étourdi, surpris, triste.

CONSTERNER   I. → *chagriner.* **II.** → *épouvanter.*

CONSTIPATION → *opilation.*

CONSTIPÉ,   E   Fig. : anxieux, compassé, contraint, embarrassé, froid, guindé, solennel, triste.

CONSTITUANT, E → *constitutif.*

CONSTITUER I. Au pr. : assigner, composer, créer, établir, faire, former, instaurer, instituer, mettre à la tête, placer, préposer. **II. Par ext. 1.** Arranger, bâtir, charpenter, construire, disposer, édifier, élaborer, fonder, mettre en œuvre/sur pied, monter, organiser. **2.** Asseoir, caractériser, consister dans, représenter.

CONSTITUTIF, IVE Caractéristique, constituant, essentiel, fondamental.

CONSTITUTION I. → *composition.* **II.** → *nature.* **III.** → *règlement.* **IV.** → *rescrit.* **V.** → *loi.*

CONSTRICTION → *contraction.*

CONSTRUCTEUR Architecte, bâtisseur, entrepreneur, ingénieur, maître d'œuvre, promoteur.

CONSTRUCTION I. → *bâtiment.* **II.** → *composition.* **III.** → *structure.* **IV.** → *expression.*

CONSTRUIRE → *bâtir.*

CONSULAT Ambassade, chancellerie. → *diplomatie.*

CONSULTATION I. Méd. : examen, visite. **II.** Enquête, plébiscite, référendum, vote.

CONSULTER I. → *examiner.* **II.** → *demander.*

CONSUMER I. → *consommer.* **II.** Absorber, anéantir, brûler, calciner, corroder, détruire, dévorer, dissiper, embraser, engloutir, épuiser, incendier, manger, oxyder, ronger, user. **III.** → *abattre.* **IV.** → *ruiner.*

CONTACT I. Fig. → *tact.* **II.** → *relation.*

CONTAGIEUX, EUSE I. → *pestilentiel.* **II.** → *communicatif.*

CONTAGION I. Au pr. : communication, contamination, infection, transmission. **II. Fig. :** diffusion, imitation, influence, propagation, virus.

CONTAMINATION I. → *contagion.* **II.** → *mélange.*

CONTAMINER → *salir.*

CONTE I. → *roman.* **II.** → *histoire.*

CONTEMPLATEUR, TRICE → *penseur.*

CONTEMPLATION I. → *attention.* **II.** → *pensée.*

CONTEMPLER I. → *regarder.* **II.** → *penser.*

CONTEMPORAIN, E adj. et n. → *présent.*

CONTEMPTEUR, TRICE → *méprisant.*

CONTENANCE I. Capacité, contenu, étendue, mesure, quantité, superficie, surface, tonnage, volume. **II.** Affectation, air, allure, aplomb, assurance, attitude, dégaine (fam.), figure, maintien, mine, port, posture, prestance.

CONTENANT Boîte, cadre, cageot, caisse, caque, container, emballage, enveloppe, panier, plat, récipient, sac, ustensile, vaisseau, vaisselle, vase.

CONTENIR I. Capacité : avoir, comporter, comprendre, compter, embrasser, enfermer, s'étendre, être composé de, impliquer, inclure, mesurer, posséder, receler, recevoir, renfermer, tenir. **II.** Arrêter, assujettir, borner, contrôler, dominer, dompter, emprisonner, endiguer, enfermer, enserrer, limiter, maintenir, maîtriser, refouler, refréner, réprimer, retenir, tenir.

CONTENIR (SE) Se contraindre, se contrôler, se dominer, être maître de soi, se faire violence, se maîtriser, se modérer, se posséder, se retenir, *et les formes pronom. possibles des syn. de* CONTENIR.

CONTENT, E I. Au pr. : aise, béat, enchanté, gai, heureux, joyeux, radieux, ravi, réjoui, satisfait, triomphant. **II. Loc. Content de soi :** fat, orgueilleux, présomptueux, suffisant, vaniteux.

CONTENTEMENT → *plaisir.*

CONTENTER → *satisfaire.*

CONTENTER (SE) S'accommoder, s'arranger, avoir assez, se borner, faire avec, se payer de.

CONTENTIEUX, EUSE Contesté, litigieux.

CONTENTION I. → *effort.* **II.** → *attention.* **III.** → *discussion.*

CONTER Décrire, dire, exposer, faire un récit, narrer, raconter, rapporter, relater, retracer.

CONTESTABLE → *incertain.*

CONTESTATION Altercation, chicane, conflit, contradiction, controverse, débat, démêlé, dénégation, désaveu, différend, difficulté, discussion, dispute, incident, instance, litige, mise en cause, objection, opposition, pointille, procédure, procès, querelle.

CONTESTE I. Vx → *contestation.* **II. Loc. adv. Sans conteste** → *évidemment.*

CONTESTER I. V. tr. : arguer, contredire, controverser, débattre, dénier, discuter, disputer, douter, nier, s'opposer, plaider, quereller, réclamer, récuser, refuser, résister, révoquer en doute. **II. V. intr. :** attaquer, batailler, chicaner, mettre en cause/en doute/en question, pointiller, revendiquer.

CONTEXTE → *texte.*

CONTEXTURE I. Au pr. → *tissu.* **II. Fig.** → *composition.*

CONTIGU, UË → *prochain.*

CONTINENCE Abstinence, ascétisme, chasteté, modération, mortification, privation, pudeur, pudicité, pureté, sagesse, sobriété, tempérance, vertu.

CONTINENT, E Abstinent, ascétique, chaste, décent, innocent, modéré, pudique, pur, sage, sobre, tempérant, vertueux, vierge.

CONTINGENT I. Nom → *part*.
II. Adj. : accidentel, casuel, conditionnel, éventuel, fortuit, incertain, occasionnel, possible.
CONTINGENTEMENT → *répartition*.
CONTINU, E Assidu, constant, continuel, d'affilée, durable, éternel, immuable, incessant, indéfectible, infini, ininterrompu, interminable, invariable, opiniâtre, permanent, perpétuel, persistant, prolongé, sans arrêt/cesse/fin/répit/trêve, sempiternel, soutenu, successif, suivi.
CONTINUATION Continuité, persévérance, poursuite, prolongation, prolongement, reprise, succession, suite.
CONTINUEL, ELLE I. → *continu*.
II. → *éternel*.
CONTINUELLEMENT → *toujours*.
CONTINUER I. V. tr. : achever, allonger, augmenter, conserver, donner suite, durer, étendre, éterniser, laisser, maintenir, perpétuer, persévérer, persister, poursuivre, pousser jusqu'au bout, prolonger, reconduire, reprendre.
II. V. intr. 1. Quelqu'un : s'acharner, s'entêter, s'obstiner, s'opiniâtrer. **2. Une route :** aller, s'étendre, se prolonger, se poursuivre. **3. Quelque chose :** durer, se succéder, tenir.
CONTINUITÉ → *continuation*.
CONTORSION I. → *torsion*. **II.** → *grimace*.
CONTOUR I. → *tour*. **II.** → *ligne*.
CONTOURNÉ, E I. → *dévié*. **II.** → *embarrassé*.
CONTOURNER → *tourner*.
CONTRACTER I. Au pr. → *resserrer*. **II. Par ext. 1. Une maladie :** attraper, gagner, pincer (fam.), piquer (fam.), prendre, ramasser (fam.). **2.** → *acquérir*. **3.** Devoir, emprunter, s'endetter.
CONTRACTION Angoisse, constriction, contracture, convulsion, crampe, crispation, resserrement, rétraction.
CONTRADICTEUR Adversaire, antagoniste, contredisant, débateur, interlocuteur, interrupteur, objecteur, opposant.
CONTRADICTION I. Philos. : absurdité, antilogie, antinomie, barrière, contradictoire, contraste, empêchement, impossibilité, incompatibilité, inconséquence, obstacle. **II.** Chicane, conflit, contestation, démenti, dénégation, désaccord, dispute, négation, objection, opposition, réfutation.
CONTRADICTOIRE → *opposé*.
CONTRAINDRE → *obliger*.
CONTRAINT, E I. → *obligé*. **II.** → *embarrassé*. **III.** → *artificiel*.

CONTRAINTE I. Au pr. : autorité, coaction, coercition, empêchement, entrave, force, gêne, obstacle, pression, violence. **II. Par ext. 1.** Discipline, exigence, loi, obligation, nécessité, règle. **2.** Affectation, pudeur, respect humain, retenue. **3.** Asservissement, assujettissement, captivité, chaîne, esclavage, joug, oppression, servitude, sujétion, tutelle. **4.** Astreinte, commandement, mise en demeure, poursuite.
CONTRAIRE I. Nom : antithèse, antonyme, contraste, inverse, négation, opposé, opposition. **II. Adj. 1. Au pr. :** antinomique, antithétique, contradictoire, différent, incompatible, inverse, opposé, paradoxal. **2. Non favorable :** adverse, antagoniste, attentatoire, défavorable, ennemi, hostile, nuisible, préjudiciable. **III. Loc. adv. Au contraire :** a contrario, à l'encontre, à l'opposé, au rebours, contrairement, en revanche, loin de là, par contre, tant s'en faut, tout autrement.
CONTRARIER I. Au pr. : agir/aller contre, barrer, combattre, contrecarrer, contredire, déranger, entraver, être contraire/en opposition/en travers, empêcher, faire empêchement/entrave/obstacle, freiner, gêner, mettre des bâtons dans les roues (fam.), nuire, s'opposer à, repousser. **II. Fig. :** forcer, violer, violenter. **III. Non favorable :** agacer, blesser, casser les pieds (fam.), causer du dépit/du mécontentement, chagriner, chicaner, chiffonner, choquer, dépiter, déranger, désespérer, désoler, embêter, ennuyer, fâcher, faire crever de dépit (fam.)/endêver, faire faire une crise/une maladie/du mauvais sang, heurter, inquiéter, irriter, mécontenter, offusquer, rembrunir, tarabuster, tracasser, troubler.
CONTRARIÉTÉ → *ennui*.
CONTRASTE → *opposition*.
CONTRASTER Détonner, jurer, s'opposer, ressortir, trancher.
CONTRAT → *convention*.
CONTRAVENTION I. Au pr. : entorse, infraction, violation. **II. Par ext. :** amende, cheville (fam.), contredanse (fam.), peine, pénalisation, pénalité, procès-verbal.
CONTRE I. Auprès de, en face de, près de, sur. **II.** A l'encontre de, à l'opposé de, malgré, nonobstant (vx). **III. Loc. adv. Par contre :** au contraire, en compensation, en revanche, mais.
CONTRE-AVIS Annulation, avis/indication/ordre/prescription contraire, contremandement, contrordre, décommandement.

CONTREBALANCER I. → *équilibrer.* **II.** → *égaler.*

CONTRECARRER → *contrarier.*

CONTRECOUP I. Au pr. : choc en retour, rebondissement, répercussion, ricochet. **II. Fig. :** conséquence, éclaboussure, effet, réaction, réponse, résultat, retentissement, suite.

CONTREDIRE I. Au pr. : aller à l'encontre, contester, dédire, démentir, désavouer, s'inscrire en faux, opposer, réfuter, répondre. **II. Par ext.** → *contrarier.*

CONTREDIRE (SE) Se couper (fam.) *et les formes pronom. possibles des syn. de* CONTREDIRE.

CONTREDISANT, E → *contradicteur.*

CONTREDIT I. Au pr. : réfutation. **II. Par ext. :** contradiction, contradictoire, objection. **III. Loc. adv.** *Sans contredit :* à l'évidence, assurément, certainement, de toute évidence, évidemment, sans aucun doute, sans contestation/conteste.

CONTRÉE → *pays.*

CONTREFAÇON I. Contrefaction, faux, fraude. **II.** Caricature, contre-épreuve, copie, démarquage, falsification, imitation, parodie, pastiche, plagiat, vol.

CONTREFAIRE I. → *faire.* **II.** → *imiter.* **III.** Feindre. → *affecter.*

CONTREFAIT, E I. → *difforme.* **II.** → *faux.*

CONTREFORT → *colonne, appui.*

CONTRE-JOUR → *obscurité.*

CONTREMAÎTRE Chef d'atelier/de brigade/d'équipe, porion, prote.

CONTREMANDER Annuler, décommander, rapporter, revenir, révoquer.

CONTREPARTIE I. → *opposé.* **II.** → *objection.*

CONTREPÈTERIE, CONTREPETTERIE Par ext. → *lapsus.*

CONTRE-PIED I. → *opposé.* **II. Loc. adv.** *A contre-pied :* à contre-poil, à l'encontre, à l'envers, à l'opposé *et les syn. de* OPPOSÉ, à rebours, de travers.

CONTREPOIDS I. Balancier, équilibre. **II.** → *compensation.*

CONTRE-POIL (À) → *contre-pied.*

CONTREPOINT → *harmonie.*

CONTREPOISON Alexipharmaque, antidote, mithridatisation, remède.

CONTRE-REJET Enjambement, rejet.

CONTRESEING → *signature.*

CONTRESENS I. Erreur, faux-sens, non-sens, paradoxe. **II. Loc. adv.** *A contresens* → *contre-pied.*

CONTRETEMPS I. → *obstacle.* **II. Loc. adv.** *A contretemps :* au mauvais moment, comme un chien dans un jeu de quilles (fam.), hors de saison, inopportunément, mal à propos.

CONTREVENIR → *désobéir.*

CONTREVENT → *volet.*

CONTREVÉRITÉ I. → *antiphrase.* **II.** → *mensonge.*

CONTRIBUER → *participer.*

CONTRIBUTION I. → *quota.* **II.** → *impôt.*

CONTRISTER → *chagriner.*

CONTRIT, E → *honteux.*

CONTRITION → *regret.*

CONTRÔLER I. → *vérifier.* **II.** → *censurer.*

CONTROUVER → *inventer.*

CONTROVERSER → *discuter.*

CONTUMACE n. f. et adj. → *défaut.*

CONTUSION Bleu, bosse, coquard (fam.), coup, ecchymose, lésion, mâchure, meurtrissure. → *blessure.*

CONVAINCRE I. Neutre : amener, démontrer, dissuader, entraîner, expliquer, persuader, prouver, toucher. **II. Non favorable :** accabler, confondre.

CONVALESCENCE → *rétablissement.*

CONVENABLE I. Au pr. *Qui convient :* adapté, ad hoc, approprié, à propos, assorti, compatible, condigne (théol.), conforme, congru, convenant, de saison, expédient, fait exprès, idoine, opportun, pertinent, présentable, propice, proportionné, raisonnable, satisfaisant, seyant, propre, sortable, topique, utile. **II. Par ext. :** beau, bien, bienséant, bon, comme il faut, correct, décent, digne, honnête, honorable, juste, poli, séant.

CONVENANCE I. Au pr. : accord, adaptation, adéquation, affinité, analogie, appropriation, assortiment, compatibilité, concordance, conformité, congruence, congruité, correspondance, harmonie, idonéité, justesse, pertinence, proportion, propriété, rapport, utilité. **II. Par ext. 1.** Commodité, goût, gré, utilité. **2.** Apparence, bienséance, bon ton, code, correction, décence, décorum, élégance, étiquette, façons, forme, honnêteté, politesse, protocole, règles, savoir-vivre, tact, usage.

CONVENIR I. S'accorder, admettre, avouer, concéder, confesser, constater, déclarer, dire, reconnaître, tomber d'accord. **II.** → *décider.* **III.** → *correspondre.* **IV.** → *plaire.* **V.** → *appartenir.* **VI.** → *falloir.*

CONVENTION I. Au pr. : accommodement, accord, alliance, arrangement, capitulation, cartel, collaboration, compromis, concordat, connivence, contrat, covenant, engagement, entente, forfait, marché, pacte, promesse, protocole, traité, transaction, union. **II. Par ext. 1.** Acte, article, clause, condition, disposition, règle, résolution, stipulation. **2.** Axiome, hypothèse, postulat, principe, supposition. **3.** Deus ex machina, fiction, lieu commun, moyen, procédé. **4.** → *convenance*.

CONVENTIONNEL, ELLE I. → *artificiel*. **II.** → *traditionnel*.

CONVERGER → *aller*.

CONVERSATION Aparté, babillage, badinage, bavette, causerie, causette, colloque, commérage, conciliabule, conférence, débat, devis, dialogue, échange, entretien, interlocution, interview, jacasserie, palabre, parlote, pourparlers, propos, tête-à-tête. → *bavardage*.

CONVERSER → *parler*.

CONVERSIBLE, CONVERTIBLE Convertissable modifiable, transformable.

CONVERSION I. Au pr. : changement, convertissement, métamorphose, modification, mutation, transformation, virement. **II. Par ext. 1. *Relig.* :** abjuration, adhésion, apostasie, reniement, renoncement, volteface. **2.** Retournement, révolution, tour, volte.

CONVERTIR → *transformer*.

CONVERTIR (SE) I. → *changer*. **II.** → *renier*.

CONVERTISSABLE → *conversible*.

CONVERTISSEMENT → *conversion*.

CONVICTION → *croyance*.

CONVIER I. Au pr. : convoquer, demander, inviter, mander, prier, semondre (vx), traiter. **II. Fig. :** engager, exciter, exhorter, inciter, induire, inviter, solliciter.

CONVIVE I. Favorable : commensal, convié, hôte, invité. **II. Non favorable** → *parasite*.

CONVOCATION I. Appel, avertissement, indiction, invitation, semonce (vx), sommation. **II.** Incorporation, levée, mobilisation, recrutement.

CONVOI I. Caravane, charroi, file, train. **II.** Enterrement, funérailles, obsèques.

CONVOITER → *vouloir*.

CONVOITISE I. → *désir*. **II.** → *concupiscence*.

CONVOLER → *marier (se)*.

CONVOQUER I. → *inviter*. **II.** → *mander*.

CONVOYER → *accompagner*.

CONVULSION I. Au pr. : contrac-

tion, saccades, secousse, soubresaut, spasme. **II. Fig. 1.** Contorsion, distorsion, grimace. **2.** Agitation, bouleversement, crise, remous, révolution, trouble.

COOPÉRATEUR, TRICE → *associé*.

COOPÉRATION Accord, aide, appui, collaboration, concours, contribution.

COOPTATION → *choix*.

COOPTER → *choisir*.

COORDONNER → *combiner*.

COPAIN, COPINE → *compagnon*.

COPIE I. Au pr. : ampliatif, ampliation, calque, compulsoire, double, duplicata, épreuve, exemplaire, expédition, fac-similé, grosse, photocopie, reproduction, transcription. **II. Par ext. 1.** → *imitation*. **2.** → *composition*.

COPIER I. Au pr. 1. *Jurid.* : expédier, grossoyer, inscrire, transcrire. **2.** Calquer, noter, prendre en note, recopier, relever, reproduire, transcrire. **II. Par ext.** → *imiter*.

COPIEUSEMENT → *beaucoup*.

COPIEUX, EUSE → *abondant*.

COQUE → *coquille*.

COQUECIGRUE → *chanson*.

COQUELICOT → *pavot*.

COQUET, ETTE I. → *élégant*. **II.** → *joli*. **III.** → *important*.

COQUETTERIE I. → *amour*. **II.** → *minauderie*.

COQUILLE I. Au pr. : carapace, conche (vx), coque, coquillage, écaille, enveloppe, test. **II. Fig. :** erreur, faute, lapsus.

COQUIN, E I. Nom. 1. Bandit, canaille, escroc, scélérat. → *voleur*. **2.** Bélître, faquin, fripon, gredin, gueux, lâche, maraud, maroufle, pendard, va-nu-pieds, vaurien. **3.** Garnement, polisson. **II. Adj. :** canaille, égrillard, espiègle, gaillard, gaulois, libertin, libre, malicieux, polisson.

COR I. → *cal*. **II. Vén. :** andouiller, bois, branche, épois, perche, rameau, ramure. **III.** Corne, olifant, trompe.

CORBEILLE I. Ciste, faisselle, manne, moïse, sultan, vannerie. → *panier*. **II.** → *parterre*. **III. Théâtre :** balcon, mezzanine.

CORDAGE I. Au pr. : bastin, bitord, câble, câblot, corde, filin, grelin, guinderesse, lusin, manœuvres, merlin, quarantenier, ralingue, sciasse, trélingage. **II. Mar. :** amure, balancine, bouline, brague, bosse, cargue, commande, cravate, draille, drisse, drosse, écoute, élingue, enfléchure, erse, estrope, étai, filière, gambre, garcette, gerseau, hauban, haussière, laguis, lève-nez, marguerite, martingale, orin, pantoire, passeresse, ralingue, redresse, remorque, retenue, ride, sabaye, saisine, sauvegarde, sous-barbe, suspense, touée, tourtouse, trévire, va-et-vient.

CORDE Bolduc, cordelette, cordon, étendoir, ficelle, lasso, lien, tendeur. → *cordage.*

CORDELIÈRE I. → *corde.* **II.** → *ceinture.*

CORDIAL, E I. Adj. → *franc.* **II. Nom** → *fortifiant.*

CORDIALITÉ I. → *bonté.* **II.** → *franchise.*

CORDON → *corde.*

CORDONNIER Bottier, bouif (fam.), chausseur, gnaf (arg.), savetier.

CORIACE I. → *dur.* **II.** → *résistant.*

CORNAC → *guide.*

CORNE I. Au pr. : défense. → *cor.* **II.** Callosité, châtaigne, kératine.

CORNEMUSE Bag-pipe (angl.), biniou, bombarde, cabrette, chabrette, chevrie, musette, pibrock (écossais).

CORNER v. intr. et tr. **I.** → *publier.* **II.** Bourdonner, claironner, siffler, sonner, tinter.

COROLLAIRE → *conséquence.*

CORPORATION Assemblée, association, collège, communauté, confrérie, congrégation, corps, gilde, guilde, hanse, métier, ordre.

CORPOREL, ELLE → *physique.*

CORPS I. Au pr. 1. → *objet.* **2.** → *substance.* **II. Par ext.** *1.* Anatomie, carcasse (fam.), chair, individu, morphologie, personne, tronc. *2.* → *cadavre.* *3.* → *congrégation.* *4.* → *corporation.*

CORPULENT, E → *gros.*

CORPUSCULE → *particule.*

CORRECT, E I. → *convenable.* **II.** → *exact.* **III.** → *poli.*

CORRECTEUR, TRICE Censeur, corrigeur, réviseur.

CORRECTION I. Amélioration, amendement, biffure, correctif, modification, rature, rectification, refonte, remaniement, retouche, révision, surcharge. **II.** Adoucissement, assouplissement, atténuation, compensation, contrepoids, tempérament. **III.** → *punition.* **IV.** → *pureté.* **V.** → *civilité.*

CORRÉLATION → *rapport.*

CORRESPONDANCE I. → *rapport.* **II.** Courrier, épître, lettre. **III.** Chronique, reportage, rubrique. **IV.** Changement, relais.

CORRESPONDANT, E → *journaliste.*

CORRESPONDRE I. S'accorder, aller, concorder, se conformer, convenir, être conforme à/en conformité/en harmonie/en rapport/en symétrie, faire pendant, s'harmoniser, se rapporter, se référer, répondre, représenter,

ressembler, rimer, satisfaire, synchroniser. **II.** Collaborer, écrire, être en relation, tenir au courant. → *communiquer.*

CORRIDOR → *passage.*

CORRIGER I. Au pr. : améliorer, amender, changer, civiliser, moraliser, perfectionner, policer, redresser, réformer, régénérer, relever, reprendre. **II. Par ext.** *1.* Adoucir, atténuer, balancer, compenser, dégauchir, dulcifier, émender, équilibrer, expurger, modérer, modifier, neutraliser, pallier, racheter, rectifier, refondre, remanier, remettre sur l'enclume/le métier, réparer, reprendre, retoucher, revenir sur, réviser, revoir, tempérer. *2.* → *réprimander.* *3.* → *punir.*

CORRIGER (SE) Se convertir, se défaire de, se guérir, se reprendre *et les formes pronom. possibles des syn. de* CORRIGER.

CORRIGEUR → *correcteur.*

CORROBORER I. → *fortifier.* **II.** → *confirmer.*

CORRODER → *ronger.*

CORROMPRE I. → *gâter.* **II.** → *altérer.* **III.** → *séduire.*

CORROMPRE (SE) → *pourrir.*

CORROMPU, E Fig. → *vicieux.*

CORROSIF, IVE → *mordant.*

CORROSION Brûlure, désagrégation, destruction, érosion, ravinement, usure.

CORRUPTION I. → *altération.* **II.** → *dégradation.*

CORSAGE I. Buste, poitrine. **II.** Blouse, brassière, cache-cœur, camisole, canezou, caraco, casaque, casaquin, chemisette, chemisier, guimpe, jersey.

CORSAIRE Bandit, boucanier, écumeur des mers, flibustier, forban, frère de la côte, pirate, requin.

CORSER → *fortifier.*

CORTÈGE → *suite.*

CORUSCANT, E → *brillant.*

CORUSCATION Brillance, éclat, intensité, lumière, luminescence, luminosité.

CORVÉE I. → *devoir.* **II.** → *travail.*

CORYPHÉE → *chef.*

CORYZA Catarrhe, écoulement, inflammation, rhume de cerveau.

COSMOGONIE Cosmographie, cosmologie, cosmosophie, description/ interprétation de l'Univers.

COSSE Enveloppe, gousse, tégument.

COSSU, E → *riche.*

COSTUME → *vêtement.*

COSTUMER → *vêtir.*

COSY-CORNER → *canapé.*

COTE I. → *taxe.* **II.** → *impôt.*

CÔTE I. → *bord.* **II.** → *hauteur.*
III. → *montée.*

CÔTÉ I. → *flanc.* **II.** → *aspect.*
III. → *partie.* **IV.** → *direction.* **V.**
Loc. A côté → *près.*

COTEAU → *hauteur.*

COTER I. Folioter, noter, numéroter,
paginer. **II.** → *estimer.*

COTERIE Association, bande, cabale,
camarilla, caste, cercle, chapelle,
clan, clique, école, faction, famille,
mafia, parti, secte, tribu.

COTHURNE Brodequin, chaussure,
socque.

COTILLON I. → *jupe.* **II.** → *femme.*
III. → *danse.*

COTISATION → *quote-part.*

CÔTOYER → *longer.*

COTTAGE → *villa.*

COTTE I. → *jupe.* **II.** Bleu/vêtement
de travail, combinaison, salopette.

COU Col, encolure.

COUARD, E → *capon.*

COUCHANT Occident, ouest, ponant.

COUCHE I. Crépi, croûte, enduit.
II. Assise, banc, formation, lit, nappe,
région, sphère, strate. **III.** Braie (vx),
drapeau (vx), lange, linge, layette,
maillot. **IV.** → *catégorie.* **V.** → *lit.*
VI. → *enfantement.* **VII. Loc.**
Fausse couche : avortement.

COUCHER I. → *étendre.* **II.** →
inscrire. **III.** → *viser.*

COUCHER (SE) I. Au pr. :
s'aliter, s'allonger, se blottir, s'étendre,
gésir (vx), se glisser dans le lit/sous
les draps, se mettre au lit, se prosterner,
se vautrer (péj.). **II. Fam. :** aller
au dodo/au page/au pageot/au pieu,
se bâcher, mettre la viande dans les
bâches/les bannes/les torchons/les
toiles, se pager, se pageoter, se
pagnoter, se pieuter, se plumarder,
se plumer, se ventrouiller, se vituler.

COUCHETTE → *lit.*

COUCHEUR (MAUVAIS) → *querelleur.*

COUCOU I. → *horloge.* **II.** Locomotive, machine. → *voiture.*

COUDE Angle, courbe, détour,
méandre, retour, saillie, sinuosité,
tour, tournant, virage.

COUDÉ, E → *courbe.*

COUDOYER I. → *heurter.* **II.** →
rencontrer.

COUDRE I. Au pr. : bâtir, faufiler,
linger, monter, ourler, raccommoder,
rapiécer, ravauder, repriser, surfiler,
surjeter. **II. Par ext.** → *joindre.*

COUDRE, COUDRIER Noisetier.

COUENNE Lard. → *peau.*

COUFFE, COUFFIN, COUFFLE →
cabas.

COULAGE I. Au pr. : coulée. **II.**
Fig. → *perte.*

COULANT, E adj. **I.** → *fluide.* **II.**
→ *naturel.*

COULANT n. **I.** Anneau. **II.** Pousse,
rejeton, stolon.

COULER I. V. tr. 1. → *filtrer.*
2. → *verser.* **3.** → *introduire.* **4. Mar. :**
envoyer par le fond, faire sombrer,
torpiller. **II. V. intr. 1.** Affluer, arroser,
baigner, courir, déborder, découler,
dégouliner, se déverser, s'échapper,
s'écouler, émaner, s'épancher, s'extravaser, filer, fluer, fuir, gicler, jaillir,
refluer, se répandre, rouler, ruisseler,
sourdre. **2.** Dégoutter, s'égoutter,
goutter, instiller, suinter. **3.** Baver,
exsuder, suer, transpirer. **4.** Descendre,
glisser, se mouvoir, passer, tomber.
5. Un bateau : s'abîmer, chavirer,
s'enfoncer, s'engloutir, faire naufrage,
s'immerger, se perdre, se saborder,
sancir, sombrer.

COULER (SE) → *introduire (s').*

COULEUR I. Au pr. : carnation, coloration, coloris, demi-teinte, nuance,
teint, teinte, ton, tonalité. **II. Fig.**
1. Allure, apparence, aspect, brillant,
caractère, éclat, force, truculence,
vivacité. **2.** → *opinion.* **3.** → *prétexte.*
4. Au pl. → *drapeau.*

COULOIR → *passage.*

COUP I. Au pr. 1. Choc, ébranlement, heurt, secousse, tamponnement.
2. Anguillade, bastonnade, botte,
bourrade, calotte, charge, châtiment,
chiquenaude, claque, correction, décharge, distribution, escourgée, fessée,
gifle, gourmade, horion, pichenette,
sanglade, soufflet, tape. **3. Fam. :**
abattage, baffe, bâfre, beigne, beignet,
branlée, brossée, brûlée, châtaigne,
contredanse, coquard, danse, déculottée, dérouillée, frottée, giboulée,
giroflée, gnon, marron, mornifle,
pain, peignée, pile, pochon, raclée,
ramponneau, ratatouille, rincée, rossée,
roulée, rouste, tabac, talmouse, taloche, tampon, tannée, taquet, tarte,
tatouille, torgniole, tournée, trempe,
tripotée. **4.** Blessure, bleu, bosse,
contusion, mauvais traitements, meurtrissure, violences, voie de fait.
II. Par ext. 1. Coup de feu :
arquebusade, canonnade, charge, décharge, détonation, fusillade, salve,
tir. **2.** → *bruit.* **3.** → *émotion.* **4.** →
action. **III. Loc. 1. Coup de foudre**
→ *béguin.* **2. Coup de main** →
engagement. **3. Coup de sang** →
congestion. **4. Coup d'État :** coup
d'autorité/de force, changement, pronunciamiento, putsch, révolution. **5.**
Coup de tête → *caprice.* **6. Coup de**
théâtre → *péripétie.* **7. Coup d'œil** →
regard et *vue.* **8. A coup sûr :**
certainement, évidemment, sûrement.

9. Tout à coup : à l'improviste, à brûle-pourpoint, brusquement, en un instant, inopinément, soudain, subitement, subito.

COUPABLE n. et adj. Blâmable, breneux (fam.), condamnable, damnable, délictueux, délinquant, fautif, honteux, illégitime, illicite, inavouable, indigne, infâme, mauvais, peccant, pécheur, pendable, punissable, répréhensible.

COUPANT, E → tranchant.

COUPE I. Calice, coupelle, cratère, gobelet, jatte, patère, vase, vaisseau. **II.** → compétition. **III.** → pièce. **IV.** → plan. **V.** Césure, hémistiche, repos. **VI. Loc. Coupe sombre :** sanction. → retranchement.

COUPÉ, E → court.

COUPE-FILE → laissez-passer.

COUPE-JARRET I. → tueur. **II.** → voleur.

COUPER I. Au pr. : amputer, découper, diviser, entamer, entre-couper, hacher, inciser, sectionner, taillader, tailler, trancher, tronçonner. **II. Par ext. 1.** → retrancher. **2.** → châtrer. **3.** → traverser. **4.** → mêler. **5.** → interrompre. **6.** → abattre.

COUPERET → couteau.

COUPLE I. Nom fém. : paire. **II. Nom masc. 1.** Duo, paire, tandem. **2.** Époux, ménage.

COUPLET I. → stance. **II.** → chant. **III.** → tirade.

COUPOLE → dôme.

COUPON I. → pièce. **II.** → billet.

COUPURE I. → blessure. **II.** → billet.

COUR I. Atrium, cloître, patio, préau. **II.** → tribunal.

COURAGE Ardeur, assurance, audace, bravoure, cœur, confiance, constance, cran, crânerie, décision, énergie, fermeté, force, générosité, hardiesse, héroïsme, impétuosité, intrépidité, patience, persévérance, résolution, stoïcisme, témérité, vaillance, valeur, volonté, zèle.

COURAGEUX, EUSE Ardent, audacieux, brave, confiant, constant, crâne, décidé, énergique, ferme, fort, hardi, héroïque, impétueux, intrépide, mâle, martial, noble, patient, persévérant, résolu, stoïque, téméraire, travailleur, vaillant, volontaire, zélé.

COURANT, E adj. **I.** → présent. **II.** → commun.

COURANT n. **I.** → cours. **II. Loc. 1. Être au courant** → connaître. **2. Mettre/tenir au courant** → informer.

COURBATU, E → fatigué.

COURBE I. Adj. : arqué, busqué, cambré, cassé, concave, convexe, coudé, courbé, crochu, incurvé, infléchi, inflexe, rebondi, recourbé, renflé, rond, tordu, tors, tortu, tortueux, voûté. **II. Nom :** arabesque, arc, boucle, cercle, circonférence, coude, ellipse, feston, méandre, ondulation, ovale, ove, serpentin, sinuosité, spirale, virage, volute.

COURBER I. Au pr. 1. → fléchir. **2.** → incliner. **II. Fig.** → soumettre.

COURBER (SE) I. Au pr. : s'arquer, s'arrondir, se busquer, se cambrer, se casser, se couder, falquer, s'incurver, s'infléchir, se recourber, se renfler, se tordre, se voûter. **II. Fig.** → incliner (s').

COURBETTE → salut.

COUREUR I. → messager. **II.** → débauché.

COURGE Bonnet-de-prêtre/Turc, citrouille, coloquinte, concombre, courgette, cucurbitacée, giraumon, gourde, pâtisson, potiron, zuchette.

COURIR I. V. intr. 1. Au pr. : bondir, détaler, dévorer l'espace, s'élancer, fendre l'air, galoper, se hâter, se précipiter, se presser, voler. **2. Fam. :** avoir le diable à ses trousses/le feu au derrière, brûler le pavé, caleter, se carapater, cavaler, décaniller, dropper, filer, foncer, gazer, jouer des flûtes/des gambettes/des pinceaux/des pincettes, mettre les bouts, pédaler, piquer un cent mètres, prendre ses jambes à son cou, se tirer, tracer, tricoter des pinceaux/des pincettes, trisser, trôler. **II. V. tr. 1.** → rechercher. **2.** → fréquenter. **3.** → poursuivre. **4.** → répandre (se). **5.** → passer. **6.** → parcourir.

COURONNE I. Au pr. : bandeau royal, diadème, tiare, tortil. **II. Par ext. :** guirlande. **III. Fig. 1.** Attribut, emblème, ornement, signe. **2.** Distinction, honneur, lauriers, palme, prix, récompense. **3.** Empereur, empire, État, maison, monarchie, monarque, roi, royaume, royauté, souverain, souveraineté.

COURONNER I. Au pr. : auréoler, ceindre, coiffer, introniser, sacrer. **II. Par ext. :** décerner un prix/une récompense. **III. Fig. 1.** Accomplir, achever, conclure, finir, parachever, parfaire, terminer. **2.** → blesser.

COURRIER I. → messager. **II.** → bateau. **III.** → correspondance.

COURROIE Attache, bandoulière, bretelle, harnais, jugulaire, lanière, sangle.

COURROUX → colère.

COURS I. Carrière, chenal, courant, course, fil, mouvement. **II. Loc. Cours d'eau :** affluent, canal, collecteur, émissaire, fleuve, gave, ravine, rivière, ru, ruisseau, torrent, voie fluviale. **III.** → *promenade.* **IV.** → *évolution.* **V.** → *traité.* **VI.** → *leçon.* **VII.** → *école.* **VIII.** → *prix.* **IX. Loc.** *Avoir cours :* avoir du crédit/de la vogue, déchaîner l'enthousiasme, être à la mode/dans le vent/in, faire fureur.

COURSE I. Allées et venues, commissions, démarches. **II.** → *marche.* **III.** → *cours.* **IV.** → *incursion.* **V.** → *trajet.* **VI.** → *promenade.*

COURSIER → *cheval.*

COURT, E I. De taille : bas, courtaud, étriqué, étroit, mince, minuscule, petit, rabougri, ramassé, ras, rétréci, tassé, trapu. **II. De durée :** bref, éphémère, fragile, fugace, fugitif, intérimaire, momentané, passager, périssable, précaire, pressé, prompt, provisoire, rapide, temporaire, transitoire. **III. Par ext. :** abrégé, accourci, bref, compendieux (vx), concis, condensé, contracté, coupé, dense, diminué, écourté, elliptique, haché, laconique, lapidaire, raccourci, ramassé, réduit, resserré, restreint, résumé, serré, simple, sommaire, succinct.

COURTAGE I. Au pr. : commission, ducroire, pourcentage, prime, remise, rémunération. → *agio.* **II. Par ext. :** dessous-de-table, pot-de-vin, pourboire. → *gratification.*

COURTAUD, E I. Adj. → *court.* **II. Nom** → *cheval.*

COURTIER → *intermédiaire.*

COURTISAN n. et adj. Homme de cour. → *flatteur.*

COURTISANE → *prostituée.*

COURTISER I. Badiner, conter fleurette, faire des avances/la cour, galantiser (vx), marivauder, rechercher. **II. Fam. :** baratiner, causer, draguer, faire du gringue/les yeux doux, flirter, fréquenter, jeter du grain, sortir avec.

COURTOIS, E → *civil.*

COURTOISIE → *civilité.*

COUSETTE Arpette, midinette, petite main, trottin.

COUSSIN Bourrelet, carreau, coussinet, oreiller, polochon, pouf, traversin.

COÛT → *prix.*

COUTEAU Bistouri, canif, couperet, coutelas, coutre, eustache, lame, lancette, navaja, poignard, scalpel, scramasaxe. **Arg. :** rapière, saccagne, surin.

COÛTER v. tr. et intr. → *valoir.*

COÛTEUX, EUSE → *cher.*

COUTUME → *habitude.*

COUTUMIER, ÈRE I. → *accoutumé.* **II.** → *habitué.* **III.** → *ordinaire.*

COUTURIER, ÈRE Modéliste, tailleur. → *cousette.*

COUVÉE Nichée, portée, produit, race.

COUVENT → *cloître.*

COUVER I. Au pr. : incuber. **II. Par ext. 1.** → *nourrir.* **2.** → *préparer.* **3. Loc.** Couver des yeux → *regarder.*

COUVERT I. → *abri.* **II.** → *ombre.* **III.** → *maison.* **IV. Loc. 1. A couvert :** à l'abri, garanti, protégé. **2. Sous le couvert de :** caution/manteau/protection de.

COUVERT, E Abrité, défendu, garanti, préservé, sauvegardé, vêtu.

COUVERTURE I. Au pr. : courtepointe (vx), couverte, couvrante (fam.), couvre-lit, couvre-pied, édredon, plaid, poncho, tartan. **II. Par ext. 1.** Bâche, capote. **2.** → *garantie.* **3.** → *toit.*

COUVRE-CHEF → *coiffure.*

COUVRE-LIT, COUVRE-PIED → *couverture.*

COUVRIR I. Au pr. : appliquer/disposer/mettre sur, bâcher, banner, barder, caparaçonner, enduire, envelopper, habiller, recouvrir. **II. Par ext. 1.** → *protéger.* **2.** → *cacher.* **3.** → *vêtir.* **4.** → *parcourir.* **5.** → *accoupler (s').* **III. Fig. 1.** → *répondre de.* **2.** → *déguiser.* **3.** → *remplir.* **4.** → *dominer.*

COVENANT → *traité.*

CRACHEMENT I. Au pr. : crachat, expectoration, expuition, salivation, sputation. **II. Arg. :** glaviot, huître, molard.

CRACHER v. tr. et intr. Crachailler, crachoter, crachouiller, expectorer, glaviotter (fam.), graillonner, molarder (fam.), recracher, vomir.

CRACHIN → *pluie.*

CRACHOTER → *cracher.*

CRAINDRE I. S'alarmer, appréhender, avoir peur, être effrayé/épouvanté, redouter. → *trembler.* **II.** → *honorer.*

CRAINTE I. Au pr. : alarme, angoisse, anxiété, appréhension, défiance, effarouchement, effroi, émoi, épouvante, frayeur, frousse, inquiétude, méfiance, obsession, peur, phobie, pressentiment, terreur, transe, tremblement. **II. Par ext. :** respect, révérence, vénération.

CRAINTIF, IVE Angoissé, anxieux, appréhensif, effarouché, effrayé, ému, épouvanté, honteux, inquiet, jaloux, méfiant, peureux, pusillanime, sauvage, scrupuleux, soupçonneux, terrifié, timide, timoré, tremblant, trembleur.

CRAMOISI, E → *rouge.*

CRAMPE I. → *contraction.* **II.** → *colique.*

CRAMPON I. Au pr. : agrafe, attache, croc, crochet, grappin, griffe, happe, harpeau, harpin, harpon, piton. **II. Fig.** → *importun.*

CRAMPONNER I. Au pr. → attacher. II. Fig. → ennuyer.

CRAMPONNER (SE) → attacher (s').

CRAN I. Au pr. → entaille. II. Fig. → fermeté.

CRÂNER I. → braver. II. → poser.

CRÂNERIE I. → hâblerie. II. → courage.

CRAPULE I. Quelqu'un → vaurien. II. Quelque chose. 1. → débauche. 2. → ivresse.

CRAQUER Claquer, crouler, se détruire, s'effondrer, péter, pétiller, produire un bruit/craquement, se rompre.

CRASSE I. Nom. 1. → bassesse. 2. → malpropreté. II. Adj. → épais.

CRASSEUX, EUSE I. → malpropre. II. → sordide. III. → avare.

CRAVACHE → baguette.

CRAVACHER → cingler.

CRAYON → ébauche.

CRÉANCE → foi.

CRÉATEUR → dieu.

CRÉATION → univers.

CRÉATURE I. → homme. II. → protégé.

CRÈCHE → auge.

CRÉDIBILITÉ → vraisemblance.

CRÉDIT I. Avoir, solde. → bénéfice. II. → influence. III. → faveur. IV. → cours. V. Loc. A crédit : à tempérament/terme, par mensualités.

CREDO → foi.

CRÉDULE → simple.

CRÉDULITÉ → simplicité.

CRÉER I. Au pr. : accoucher, composer, concevoir, découvrir, donner l'être/l'existence/la vie, élaborer, enfanter, engendrer, faire, faire naître, former, imaginer, inventer, lancer, mettre au monde/en chantier/en œuvre, procréer, produire, réaliser, trouver. II. Par ext. 1. → occasionner. 2. → établir.

CRÈME Fig. → choix.

CRÉNEAU Embrasure, mâchicoulis, meurtrière, ouverture, parapet.

CRÉOLE n. et adj. I. Au pr. : colonial, insulaire, tropical. II. Par ext. : métis.

CRÊPÉ → frisé.

CRÊPER → friser.

CRÉPITER → pétiller.

CRÉPU, E → frisé.

CRÉPUSCULE I. Au pr. 1. → aube. 2. Brune, déclin/tombée du jour, entre chien et loup, rabat-jour. II. Fig. → décadence.

CRÉSUS → riche.

CRÊTE I. → sommet. II. → touffe.

CRÉTIN, E → bête.

CREUSER I. Au pr. : affouiller, approfondir, bêcher, caver, champlever, chever, défoncer, échancrer, enfoncer, évider, excaver, foncer, forer, fouiller, fouir, labourer, miner, pénétrer, percer, piocher, sonder, terrasser. II. Fig. → étudier.

CREUX, CREUSE I. Au pr. : concave, courbe, encaissé, entaillé, évidé, rentrant. II. Par ext. 1. → profond. 2. → vide. III. Fig. : chimérique, futile, vain. → imaginaire.

CREUX I. → abîme. II. → excavation.

CREVASSE → fente.

CRÈVE-CŒUR → ennui.

CREVER I. V. intr. 1. → mourir. 2. → rompre (se). II. V. tr. → fatiguer.

CRI I. Vx : devise. II. Appel, avertissement, beuglement, braillement, braiment, bruit, clameur, criaillerie, crierie, éclat, exclamation, gémissement, glapissement, grognement, gueulement, haro, hourvari, huée, hurlement, improbation, interjection, lamentation, mouvement, mugissement, murmure, piaillerie, plainte, pleur, protestation, réclamation, récrimination, sanglot, tapage, tollé, tumulte, vacarme, vocifération.

CRIARD, E I. → aigu. II. → voyant.

CRIBLER I. → tamiser. II. → percer.

CRIÉE I. → enchères. II. → vente.

CRIER I. V. intr. 1. Au pr. : appeler, beugler, brailler, braire, bramer, clabauder, clamer, criailler, s'écrier, s'égosiller, s'époumoner, glapir, grogner, gueuler, hêler, houper, hucher, hurler, meugler, mugir, piailler, piauler, rugir, vagir, vociférer. 2. Contre quelqu'un : accuser, apostropher, attraper, conspuer, criailler, se fâcher, faire de la musique, gronder, interpeller, invectiver, se plaindre de, protester, se récrier, réprimander, tempêter. II. V. tr. 1. → publier. 2. → affirmer.

CRIME Assassinat, attentat, brigandage, complot, délit, empoisonnement, espionnage, faute, faux, forfait, forfaiture, fraude, inceste, infraction, mal, meurtre, péché, stupre, trahison, viol. → vol.

CRIMINEL, ELLE n. et adj. I. → meurtrier. II. → malfaiteur. III. → scélérat.

CRINIÈRE, CRINS → cheveux.

CRIQUE → golfe.

CRISE I. Au pr. : accès, attaque, atteinte, bouffée, poussée, quinte. II. Par ext. 1. → péripétie. 2. Alarme, angoisse, danger, débâcle, dépression, détresse, difficulté, krach, malaise, manque, marasme, misère, pénurie, péril, perturbation, phase critique, récession, rupture d'équilibre, stagnation, tension, trouble.

CRISPATION → *contraction.*

CRISPER I. → *resserrer.* **II.** → *énerver.*

CRITIQUE I. Adj. 1. → *décisif.* **2.** → *sérieux.* **II. Nom fém. 1.** → *jugement.* **2.** → *reproche.* **3.** → *censure.* **III. Nom masc.** → *censeur.*

CRITIQUER I. → *blâmer.* **II.** → *chicaner.* **III.** → *discuter.*

CROASSER → *crier.*

CROC I. → *dent.* **II.** → *harpon.*

CROCHET I. → *dent.* **II.** → *détour.*

CROCHETER → *ouvrir.*

CROCHU, E → *courbe.*

CROIRE I. V. tr. 1. Accepter, admettre, cuider (vx), être convaincu de, penser, regarder/tenir comme/pour certain/sûr/véridique/vrai. **2. Non favorable :** avaler, donner dans, gober, marcher, mordre à l'hameçon, prendre pour argent comptant, prêter l'oreille. **3. Faire croire :** abuser, faire accroire, mener en bateau, monter le coup/un bateau, tromper. **4. Croire que :** considérer, estimer, être convaincu/persuadé, se figurer, s'imaginer, juger, penser, préjuger, présumer, sembler, supposer. **II. V. intr. :** adhérer à, compter sur, se faire disciple de, faire confiance à, se fier à, se rallier à.

CROIRE (SE) → *vanter (se).*

CROISÉE I. → *carrefour.* **II.** → *fenêtre.*

CROISEMENT → *carrefour.*

CROISER I. V. intr. → *montrer (se).* **II. V. tr. 1.** Entrecroiser, entrelacer. **2.** Couper, mâtiner, mélanger, mêler, métisser. **3.** Traverser. **4.** → *rencontrer.*

CROISIÈRE → *voyage.*

CROISSANCE Accroissement, agrandissement, augmentation, avancement, crue, développement, poussée, progrès, progression.

CROÎTRE S'accroître, s'agrandir, augmenter, se développer, s'élever, s'enfler, s'étendre, gagner, grandir, grossir, monter, multiplier, pousser, prendre de la taille, profiter, progresser, prospérer, pulluler, venir.

CROIX I. Crucifix. **II.** → *gibet.*

CROQUANT → *paysan.*

CROQUER I. → *broyer.* **II.** → *manger.* **III.** → *dépenser.* **IV.** → *ébaucher.* **V. Loc. Croquer le marmot** → *attendre.*

CROQUIS → *ébauche.*

CROTTE I. → *excrément.* **II.** → *boue.*

CROULER S'abattre, s'abîmer, s'affaler, craquer, s'ébouler, s'écrouler, s'effondrer, se renverser, se ruiner, tomber. → *affaisser (s').*

CROUPE I. → *derrière.* **II.** → *sommet.*

CROUPIR I. → *séjourner.* **II.** → *pourrir.*

CROUSTILLANT, E, CROUSTILLEUX, EUSE → *obscène.*

CROÛTE, CROÛTON I. → *morceau.* **II.** → *tableau.*

CROYABLE → *vraisemblable.*

CROYANCE I. Au pr. : adhésion, assentiment, certitude, savoir. **II. Non favorable :** crédulité, superstition. **III. Relig. :** confiance, conviction, doctrine, dogme, espérance, foi, religion, révélation, tradition. **IV.** Attente, conscience, créance, idée, opinion, pensée, persuasion, prévision, soupçon.

CROYANT, E I. Adj. → *religieux.* **II. Nom** → *fidèle.*

CRU, E I. → *indigeste.* **II.** → *naturel.* **III.** → *rude.* **IV.** → *obscène.*

CRU → *vin.*

CRUAUTÉ → *barbarie.*

CRUCHE I. → *pot.* **II.** → *bête.* **III.** → *lourdaud.*

CRUCIAL, E → *décisif.*

CRUEL, CRUELLE I. → *barbare.* **II.** → *insensible.* **III.** → *douloureux.*

CRYPTONYME → *pseudonyme.*

CUBER → *évaluer.*

CUEILLETTE Collecte, cueillage, cueillaison, cueille, cueillement, ramassage, récolte.

CUEILLIR I. → *recueillir.* **II.** → *arrêter.*

CUIR I. → *peau.* **II.** → *lapsus.*

CUIRASSER → *protéger.*

CUIRASSER (SE) → *endurcir (s').*

CUIRE I. V. tr. : bouillir, braiser, cuisiner, étuver, faire revenir/sauter, fricoter, frire, griller, mijoter, mitonner, préparer, rôtir, rissoler. **II. V. intr. 1.** → *chauffer.* **2.** → *brûler.* **3.** → *bronzer.*

CUISANT, E I. → *douloureux.* **II.** → *vif.*

CUISINE I. Office. **II.** Chère, manger (pop.), menu, mets, ordinaire, préparation, repas, table. **III. Fam. :** bouffe, bouffetance, cuistance, frichti, fricot, graille, popote, rata, soupe, tambouille. **IV. Fig.** → *manigance.*

CUISINIER, ÈRE I. Au pr. : bonne, chef, coq, cordon bleu, hâteur (vx), maître coq, maître d'hôtel, maître queux, queux, rôtisseur, saucier, traiteur. **II. Fam. :** cuistancier, cuistot, empoisonneur, fricasseur, gargotier, gâte-sauce, marmiton, souillon.

CUISSE, CUISSEAU, CUISSOT Boucherie : baron, culotte, gigot, gigue, jambon, pilon, quasi.

CUISSON Caléfaction, coction, cuite, préparation.

CUISTRE → *pédant.*

CUL. I. → *derrière.* **II.** → *fessier.*
III. → *fond.*

CULBUTE → *cabriole.*

CULBUTER I. V. tr. 1. → *abattre.* **2.** →
enfoncer. **3.** → *vaincre.* **4.** → *accoupler (s').*
Pop. et vulg. : baiser, besogner, grimper,
sauter, etc.

CULÉE → *appui.*

CULOT I. → *hardiesse.* **II.** →
confiance.

CULOTTE I. Au pr. 1. Vx : braies,
chausses, trousses. **2.** Caleçon, flottant, short. **3. De femme :** cache-
fri-fri (arg.), cache-sexe, collant,
dessous, lingerie, panty, parure, slip.
4.. Par ext. : blue-jean, fuseau, jeans,
knickerbockers, pantalon. **5. Arg. :**
bénard, bénouze, culbutant, falzar,
fendard, flottard, froc, futal, grimpant,
valseur. **II. Fig.** → *perte.*

CULOTTÉ, E → *impudent.*

CULOTTER Noircir, roder, salir, user.

CULPABILISER Rendre responsable.

CULPABILITÉ Faute, imputabilité,
responsabilité.

CULTE I. Dulie, latrie. → *religion.*
II. → *respect.* **III. Loc. Rendre un
culte** → *honorer.*

CULTIVATEUR, TRICE → *agriculteur.*

CULTIVÉ, E → *instruit.*

CULTIVER I. Bêcher, défricher,
essarter, exploiter, faire pousser/venir,
fertiliser, labourer, mettre en culture/
valeur, sarcler, semer, soigner. **II.** →
former. **III.** → *pratiquer.* **IV.** → *soigner.* **V.** → *fréquenter.*

CULTURE I. → *agriculture.* **II.** →
savoir. **III.** → *civilisation.*

CULTUREL, ELLE → *didactique.*

CUMULER → *accumuler, réunir.*

**CUNNILINCTUS, CUNNILINGUE
(FAIRE/PRATIQUER LE). Arg. :**
brouter, descendre au barbu, à la
cave/au lac/au panier, donner sa
langue au chat, faire minette, lécher,
se mettre une fausse barbe, etc.

CUPIDE → *avare.*

CUPIDITÉ → *avarice.*

CURAGE → *nettoiement.*

CURE I. → *soins.* **II.** → *guérison.*
III. Presbytère.

CURÉ → *prêtre.*

CURÉE I. → *nourriture.* **II.** → *pillage.*

CURER → *nettoyer.*

CURIEUX, EUSE I. Adj. 1. → *soi-
gneux* (vx). **2.** → *indiscret.* **3.** → *rare.*
4. → *intéressant.* **II. Nom. 1.** → *collectionneur.* **2.** → *badaud.*

CURIOSITÉ I. Neutre. 1. Appétit,
attention, avidité, intérêt, recherche,
soif de connaître. **2.** Nouveauté,
rareté, singularité. → *bibelot.* **II. Non
favorable :** espionnage, indiscrétion.

CURSIF, IVE → *rapide.*

CUVE → *baquet.*

CUVETTE I. → *dépression.* **II.** →
baquet.

CUVIER I. → *baquet.* **II.** → *cave.*

CYCLE I. → *vélo.* **II.** → *époque.*

CYCLONE → *bourrasque.*

CYCLOPÉEN, ENNE → *gigantesque.*

CYNIQUE → *impudent.*

DADA Hobby, idée fixe, lubie, manie, marotte, mode, passe-temps, tic, violon d'Ingres, vogue.

DADAIS → *bêta*.

DAGUE → *poignard*.

DAIGNER Accepter, acquiescer, admettre, agréer, autoriser, condescendre à, consentir à, permettre, tolérer, vouloir bien.

DAIL n. m. *ou* **DAILLE** n. f. Faux.

DAIS Abri, baldaquin, chapiteau, ciel, ciel de lit, lambrequin, poêle, vélum, voûte.

DALLAGE → *pavé*.

DALLE Carreau, pierre.

DALMATIQUE Chasuble, tunique, vêtement sacerdotal.

DAMASQUINER → *incruster*.

DAME → *femme*.

DAMNÉ, E adj. et n. **I.** → *maudit*. **II.** → *détestable*.

DAMNER → *tourmenter*.

DAMOISEAU I. → *jeune homme*. **II.** → *galant*.

DANCING → *bal*.

DANDINER → *balancer*.

DANDY → *élégant*.

DANDYSME → *affectation*.

DANGER Abîme, affaire, alarme, aléa, alerte, détresse, difficulté, écueil, embarras, embûche, guêpier, hasard, impasse, imprudence, inconvénient, inquiétude, mauvais pas, menace, perdition, péril, risque, S.O.S., traverse.

DANGEREUX I. → *mauvais*. **II.** → *imprudent*. **III.** → *sérieux*.

DANSE I. Au pr. : ballet, boléro, chorégraphie, contredanse, cotillon, farandole, gambille (pop.), gigue, entrechat, évolution, mascarade, menuet, pavane, polka, quadrille, rigodon, ronde, saltation (vx), sarabande, sauterie, valse. → *bal*. **II. Par ext.** *De nombreux termes en fonction de la mode ou des coutumes régionales :* blue, boston, bourrée, carmagnole, czardas, danse du ventre, dérobée, farandole, french cancan, fox-trot, gavotte, java, jota, matchiche, mazurka, one-step, pas de quatre, ridée, tango, tarentelle, etc. **III. Fig. 1.** → *reproche*. **2.** → *volée*. **IV Loc. 1. Entrer en danse** → *intervenir*. **2. Mener la danse** → *gouverner*. **3. Donner une danse** → *battre* et *réprimander*.

DANSER I. Au pr. : s'agiter, baller (vx), dansotter, faire des entrechats, gambiller, gigoter, sauter, sautiller, se trémousser, valser. **II. Loc. *Ne savoir sur quel pied danser*** → *hésiter*.

DANSEUSE I. Au pr. : almée, ballerine, bayadère, chorégraphe, choriste, étoile, petit rat, sujet. **II. Par ext. 1.** Acrobate, baladin (vx). **2.** Cavalière, partenaire. **3.** Girl. **4.** Taxi-girl.

DANTESQUE I. → *effrayant*. **II.** → *tourmenté*.

DARD → *trait*.

DARDER → *lancer*.

DARE-DARE → *vite*.

DARSE → *bassin*.

DATE I. An, année, époque, jour, millésime, moment, période, quantième, rubrique, temps. **II. Par ext.** → *délai.* **III. *Fausse date :*** antidaté, postdaté.

DATER I. → *vieillir.* **II.** Dater de. → *venir.*

DAUBER I. → *dénigrer.* **II.** → *railler.*

DAVANTAGE → *plus.*

DÉ I. Cube. **II.** Poker, zanzi.

DÉAMBULER → *marcher.*

DÉBÂCLE I. Au pr. : dégel. **II. Fig. :** catastrophe, chute, culbute, débâclage, débâclement, débandade, débine (fam.), déconfiture, défaite, démolition, déroute, désastre, échec, écroulement, effondrement, faillite, fin, fuite, krach, naufrage, revers, ruine.

DÉBALLER I. → *montrer.* **II.** → *confier (se).*

DÉBANDADE I. → *fuite.* **II.** → *défaite.*

DÉBANDER → *lâcher.*

DÉBANDER (SE) → *disperser (se).*

DÉBARBOUILLER → *nettoyer.*

DÉBARCADÈRE → *quai.*

DÉBARDEUR → *porteur.*

DÉBARQUER I. → *arriver.* **II.** → *destituer.*

DÉBARRASSER Alléger, arracher, balayer, déblayer, débrouiller, décharger, décoiffer, défaire, dégager, dégorger, délivrer, dépêtrer, déposséder, dépouiller, désempêtrer, désencombrer, désenlacer, désobstruer, écumer, enlever, évacuer, exonérer, extirper, extraire, filtrer, libérer, nettoyer, ôter, purger, purifier, quitter, retirer, retrancher, sarcler, soulager, soustraire, supprimer, tailler, vider.

DÉBARRASSER (SE) Abandonner, s'acquitter/s'affranchir de, balancer, bazarder (pop.), se défaire/se dépouiller de, jeter, en finir, liquider, ôter, oublier, quitter, rejeter, vendre.

DÉBAT I. → *contestation.* **II.** → *discussion.* **III.** → *procès.*

DÉBÂTIR → *démolir.*

DÉBATTRE → *discuter.*

DÉBATTRE (SE) → *démener (se).*

DÉBAUCHE I. Au pr. 1. *L'acte :* bacchanale, bambochade, bamboche, bamboula, beuverie, bombe, bordée, boucan, bousin, bringue, crapule, crapulerie, débordement, déportement, dérèglement, désordre, écart de conduite, fredaine, foire, godaille, goguette, libation, lupanée, noce, nouba, orgie, partie, partouse, ribauderie, ribote, ribouldingue, riole (vx), ripaille, saturnale, scandale, soûlerie, vadrouille, vie de bâton de chaise. → *fête.* **2. *Le comportement :*** abus, corruption, dépravation, dissipation, dissolution, excès, fange, galanterie, immoralité, impudicité, inconduite, incontinence, indécence, intempérance, ivrognerie, jouissance, libertinage, licence, luxure, ordure, paillardise, polissonnerie, stupre, sybaritisme, turpitude, vice, volupté. **II. Par ext. :** étalage, luxe, profusion, quantité, surabondance.

DÉBAUCHÉ, E Arsouille, bambocheur, cochon, corrompu, coureur, crapuleux, cynique, dépravé, déréglé, dévergondé, dissipateur, dissolu, don juan, drille, godailleur, grivois, immoral, impudique, indécent, ivrogne, jouisseur, libertin, libidineux, licencieux, lovelace, luxurieux, mauvais sujet, noceur, paillard, pervers, polisson, porc, putassier (grossier), ribaud, roué (vx), ruffian, satyre, sybarite, vaurien, verrat (grossier), vicieux, viveur.

DÉBAUCHER I. → *séduire.* **II.** → *distraire.*

DÉBILE → *faible.*

DÉBILITÉ Abattement, aboulie, adynamie, anémie, asthénie, atonie, chétivité, consomption, délicatesse, faiblesse, fragilité, idiotie, imbécillité, impotence, impuissance, langueur, psychasthénie.

DÉBILITER → *affaiblir.*

DÉBINER → *dénigrer.*

DÉBIT I. → *magasin.* **II.** → *élocution.*

DÉBITANT → *commerçant.*

DÉBITER I. → *vendre.* **II.** → *découper.* **III.** → *prononcer* et *dire.*

DÉBLAI I. Aplanissement, débarras, dégagement, dépouillement, nettoyage. **II.** Débris, décharge, décombre, gravats, plâtras.

DÉBLATÉRER → *invectiver.*

DÉBLAYER → *débarrasser.*

DÉBLOQUER → *dégager.*

DÉBOIRE → *déception.*

DÉBOÎTER → *disloquer.*

DÉBONDER I. Au pr. : mettre en perce, ouvrir. **II. Fig. :** éclater, épancher, se répandre, soulager, vider.

DÉBONNAIRE → *brave.*

DÉBONNAIRETÉ I. → *bonté.* **II.** → *douceur.*

DÉBORDANT, E Fig. : abondant, actif, animé, enthousiaste, expansif, exultant, fourmillant, gonflé, impétueux, pétulant, plein, pullulant, prodigue, regorgeant, rempli, surabondant, vif, vivant.

DÉBORDEMENT I. Au pr. : cataclysme, crue, débord, déluge, dérèglement, écoulement, effusion, expansion, explosion, flot, flux, inondation, invasion, irruption, marée, submersion. **II. Par ext. :** abus, débauche, déchaînement, démesure,

dérèglement, dévergondage, dissolution, excès, exubérance, libertinage,
licence, profusion, torrent, surabondance. → *débauche.*

DÉBORDER I. Au pr. : s'épancher,
se déchaîner, déferler, dépasser, se
déverser, échapper, éclater, s'emporter, envahir, s'épandre, exploser, faire
irruption, inonder, noyer, se répandre,
sortir de, submerger. **II. Par ext. 1.**
Être plein/rempli de, fourmiller, regorger, surabonder. **2. Milit. :** contourner, dépasser, tourner. **III. Fig. :**
s'écarter/s'éloigner/sortir   de. **IV.**
Loc. Déborder en invectives →
emporter (s').

DÉBOUCHÉ → *sortie.*

DÉBOUCHER I. → *ouvrir.* **II.** →
sortir et *jeter (se).*

DÉBOURRER Décharger, décongestionner, dégager, vider.

DÉBOURS → *dépense.*

DÉBOURSER → *payer.*

DEBOUT Carré, dressé, droit, en
pied (beaux-arts), érigé, levé, sur
pied, sur ses jambes.

DÉBOUTER Ajourner, éloigner, récuser, refuser, rejeter, renvoyer, repousser.

DÉBOUTONNER (SE) Fig. →
confier (se).

DÉBRAILLÉ → *négligé.*

DÉBRAILLER (SE) → *découvrir
(se).*

DÉBRIDER I. Couper, exciser,
inciser, ouvrir. **II. Par ext. :** déchaîner, donner libre cours.

DÉBRIS Balayures, bribes, bris,
copeau, déchet, décombre, défet,
détritus, effondrilles, épave, fondrilles,
fragment, limaille, miette, morceau,
plâtras, ramas, rebut, relique, résidu,
reste, rogaton, rognure, ruine, tesson.
→ *déblai.*

DÉBROUILLARD, E → *malin.*

DÉBROUILLER I. → *distinguer.*
II. → *éclaircir.*

DÉBROUSSAILLER I. Au pr. :
défricher, dégager, éclaircir, essarter.
II. Fig. : débrouiller, dégrossir.

DÉBUSQUER → *chasser.*

DÉBUT → *commencement.*

DÉBUTANT → *novice.*

DÉBUTER → *commencer.*

DÉCADENCE Abaissement, affaiblissement, affaissement, catabolisme,
chute, crépuscule, déchéance, déclin,
décrépitude, dégénérescence, dégradation, dégringolade, déliquescence,
dépérissement, descente, destruction,
détérioration, disgrâce, écroulement,
épave, fin, pente, renversement,
ruine.

DÉCAISSER → *payer.*

DÉCALER → *retarder.*

DÉCAMPER → *partir.*

DÉCANTER → *transvaser.*

DÉCAPITER I. Au pr. : couper le
cou/la tête, décoller, faire sauter/
tomber/voler la tête, guillotiner,
mettre à mort, raccourcir (arg.),
supplicier, trancher, tuer. **II. Par
ext.** → *abattre.* **III. Bot. :** écimer,
écrêter, émonder, étêter.

DÉCARCASSER (SE) → *démener
(se).*

DÉCATI, E → *fané.*

DÉCÉDÉ, E → *mort.*

DÉCELER → *découvrir.*

DÉCENCE Bienséance, bon aloi,
bon ton, chasteté, congruité, convenance, correction, délicatesse, dignité, discrétion, éducation, gravité,
honnêteté, honneur, modestie, politesse, propreté, pudeur, pudicité,
réserve, respect, retenue, sagesse,
tact, tenue, vertu.

DÉCENT Bienséant, bon, chaste,
comme il faut, convenable, correct,
digne, discret, grave, honnête, modeste, poli, propre, pudique, réservé,
retenu, sage, séant, sortable, vertueux.

DÉCEPTION Chagrin, déboire, décompte, déconvenue, défrisement
(fam.), dégrisement, dépit, désabusement, désappointement, désenchantement, désillusion, douche (fam.),
échec, ennui, infortune, insuccès,
mécompte, peine, revers.

DÉCERNER → *attribuer.*

DÉCÈS → *mort.*

DÉCEVOIR → *tromper.*

DÉCHAÎNEMENT → *violence.*

DÉCHAÎNER I. → *occasionner.*
II. → *exciter.* **III.** → *emporter (s').*

DÉCHANTER Se modérer, perdre
ses illusions, rabattre de ses prétentions, tomber de haut.

DÉCHARGE I. Bordée, coup, détonation, escopetterie, feu, fusillade,
mousquetade, rafale, salve, volée.
II. → *débris.* **III.** Accusé de réception, acquit, débarras, décharge-
ment, diminution, quittance, quitus,
récépissé, reçu.

DÉCHARGER I. Au pr. : alléger,
débarder, débarquer, débarrasser, diminuer, enlever, libérer, ôter. **II.
Par ext. 1.** Acquitter, dégrever,
dispenser, exempter, excuser, soulager. **2.** Assener, tirer. **3.** Blanchir,
disculper, innocenter, justifier, renvoyer d'accusation.

DÉCHARNÉ, E I. → *maigre.* **II.**
→ *pauvre.*

DÉCHAUSSER I. Au pr. : dégra-
voyer. **II. Par ext. 1.** Débotter.
2. Dénuder, dépouiller, déraciner.
3. Agr. : débutter.

DÈCHE Besoin, débine (fam.), dénuement, gêne, indigence, manque d'argent, médiocrité, misère, nécessité, pauvreté, pénurie.

DÉCHÉANCE Abaissement, avilissement, bassesse, chute, décadence, déclassement, déclin, décri, dégénération, dégénérescence, déposition, déshonneur, destitution, disgrâce, faute, flétrissure, forfaiture, honte, ignominie, inconduite, indignité, infamie, interdiction, ruine, souillure, turpitude.

DÉCHET Battitures, bris, chute, débris, dépôt, détritus, épluchure, lavure, lie, ordure, parcelle, perte, raclure, ramas, rebut, relief, reliquat, résidu, rinçure, rogaton, rognure, saleté, scorie. → *excrément.*

DÉCHIFFRER Analyser, comprendre, décoder, découvrir, décrypter, démêler, deviner, éclaircir, épeler, expliquer, lire, pénétrer, résoudre, saisir.

DÉCHIQUETER Broyer, couper, déchirer, découper, dépecer, dilacérer, hacher, labourer, lacérer, mettre en charpie / lambeaux / morceaux / pièces, morceler, mordre, pulvériser, sectionner, séparer, taillader, tailler.

DÉCHIRANT, E I. Aigu, perçant, suraigu. **II.** Bouleversant, douloureux, émouvant, lancinant, navrant, triste.

DÉCHIREMENT I. Au pr. : cassure, déchirure, douleur, égratignure, éraflure, lacération, griffure, rupture, trouble. **II. Par ext. 1.** Affliction, arrachement, chagrin, douleur, épreuve, plaie, souffrance, tourment. **2.** Discorde, discussion, division, trouble, zizanie.

DÉCHIRER I. Au pr. : carder, couper, déchiqueter, découdre, défaire, délabrer, dilacérer, diviser, écarteler, écorcher, égratigner, élargir, entamer, érafler, érailler, fendre, griffer, labourer, lacérer, mettre en charpie / lambeaux / morceaux / pièces, morceler, ouvrir, percer, rompre, taillader, tailler, traverser. → *dépecer.* **II. Fig. 1.** Calomnier, dénigrer, diffamer, médire, offenser, outrager. **2.** Dévoiler, révéler. **3.** Affliger, arracher, attrister, désoler, émouvoir, fendre le cœur, meurtrir, navrer, tourmenter.

DÉCHIRURE I. Au pr. : accroc, coupure, déchiqueture, échancrure, écorchure, égratignure, entaille, éraflure, éraillure, excoriation, fente, griffure, rupture, taillade. **II. Fig. 1.** Blessure, déchirement, peine. **2.** Crevasse, faille, fissuration, fissure, ouverture, percée, trouée.

DÉCHOIR S'abaisser, s'affaiblir, s'amoindrir, s'avilir, baisser, se déclasser, décliner, décroître, se dégrader, dégringoler, déroger, descendre, dévier,

diminuer, s'encanailler, s'enfoncer rétrograder, rouler dans, tomber, vieillir. → *dégénérer.*

DÉCHU, E Abaissé, affaibli, amoindri, avili, déclassé, dégénéré, déposé, diminué, maudit, mis au ban, pauvre, privé de, tombé.

DÉCIDÉ, E I. Quelqu'un : assuré, audacieux, brave, carré, convaincu, courageux, crâne, déterminé, ferme, fixé, franc, hardi, net, résolu, tranchant. **II. Quelque chose :** arrêté, choisi, conclu, convenu, décrété, décisif, entendu, fixé, jugé, ordonné, prononcé, réglé, résolu, tranché, vu.

DÉCIDER I. Décider quelque chose : arbitrer, arrêter, choisir, conclure, convenir de, décréter, définir, délibérer de, déterminer, se déterminer à, dire, disposer, finir, fixer, juger, ordonner, se promettre, prononcer, régler, résoudre, solutionner, statuer, tirer au sort, trancher, vider. **II. Quelqu'un :** convaincre, entraîner, faire admettre à, persuader, pousser.

DÉCIDER (SE) Adopter un parti/ une solution, finir par, se hasarder à, prendre parti, se résoudre à.

DÉCIMER → *tuer.*

DÉCISIF Capital, concluant, convaincant, critique, crucial, décidé, décisoire (jurid.), définitif, dernier, déterminé, important, irréfutable, prépondérant, principal, probant, tranchant.

DÉCISION I. L'acte. 1. *Individuel :* choix, conclusion, détermination, parti, résolution. **2.** *Public :* arrêt, arrêté, canon (rel.), décret, délibération, édit, jugement, ordonnance, règlement, résolution, résultat, sentence, ukase, verdict. **II. La faculté. 1.** *Favorable :* assurance, caractère, courage, énergie, fermeté, hardiesse, initiative, résolution, volonté. **2.** *Non favorable :* audace, caprice.

DÉCLAMATEUR I. Nom masc. → *orateur.* **II. Adj.** → *emphatique.*

DÉCLAMATOIRE → *emphatique.*

DÉCLAMER I. → *prononcer.* **II.** → *invectiver.*

DÉCLARATION Affirmation, annonce, assurance, attestation, aveu, ban, communication, confession, déposition, dire, discours, énonciation, énumération, état, indication, information, manifestation, manifeste, notification, parole, proclamation, profession de foi, promesse, révélation, témoignage, version.

DÉCLARER Affirmer, annoncer, apprendre, assurer, attester, avouer, certifier, communiquer, confesser, confier, découvrir, dénoncer, déposer, dévoiler, dire, s'engager, énoncer, énumérer, s'expliquer, exposer, exprimer, faire état de, indiquer, informer de, manifester, montrer, notifier, porter à la connaissance, prétendre, proclamer, professer, promettre, protester, publier, reconnaître, révéler, signaler, signifier, stipuler, témoigner.

DÉCLARER (SE) I. Au pr. : s'avouer, se compromettre, s'expliquer, se reconnaître. **II. Fig. :** apparaître, se déclencher, survenir.

DÉCLASSEMENT → *déchéance.*

DÉCLASSÉ, E → *déchu.*

DÉCLENCHEMENT → *commencement.*

DÉCLENCHER I. → *mouvoir.* **II.** → *commencer.* **III.** → *occasionner.*

DÉCLIC I. Cran, crochet, ressort. **II.** Bruit sec, claquement.

DÉCLIN I. Au pr. : abaissement, affaissement, baisse, chute, décadence, décours, décroissance, décroît, diminution, fin. **II. Par ext. :** déchéance, dégénérescence, étiolement, penchant, vieillesse. **III. Fig. :** agonie, couchant, crépuscule, soir.

DÉCLINER I. Au pr. : s'achever, s'affaiblir, baisser, décroître, dépérir, diminuer, disparaître, empirer, finir, languir, péricliter, se terminer, tomber. **II. Par ext. :** déchoir, dégénérer, s'écarter, s'étioler, vieillir. **III.** Écarter, éloigner, éviter, refuser, rejeter, renvoyer, repousser.

DÉCLINQUER → *disloquer.*

DÉCLIVITÉ → *pente.*

DÉCOCHER → *lancer.*

DÉCOCTÉ, E adj., **DÉCOCTION** n. f. → *tisane.*

DÉCOLLER → *décapiter.*

DÉCOLORÉ → *terne.*

DÉCOMBRES Déblai, débris, décharge, démolitions, éboulis, épave, gravats, gravois, miettes, plâtras, reste, ruines, vestiges.

DÉCOMMANDER → *contremander.*

DÉCOMPOSER I. Au pr. : analyser, anatomiser, désagréger, désintégrer, dissocier, dissoudre, diviser, résoudre, scinder, séparer. **II. Par ext. 1.** Dépecer, désosser, disséquer, **2.** Altérer, corrompre, désorganiser, faisander, gâter, mortifier, pourrir, putréfier. **III. Fig.** *Les traits du visage :* altérer, troubler.

DÉCOMPOSITION I. Au pr. 1. Analyse, désintégration, dissociation, dissolution, division, séparation. **2.** Altération, corruption, dégradation, désagrégation, désorganisation, gangrène, moisissure, pourriture, putréfaction. **II. Par ext. 1.** Agonie, décadence, mort. **2.** Altération, convulsion, trouble.

DÉCOMPTE I. D'argent. **1.** Compte, détail. **2.** Déduction, réduction, retranchement. **II.** → *déception.*

DÉCOMPTER → *retrancher,*

DÉCONCERTANT, E Bizarre, déroutant, embarrassant, étonnant, imprévu, inattendu, inquiétant, surprenant, troublant.

DÉCONCERTÉ, E Confondu, confus, déconfit, décontenancé, défait, déferré, démonté, dépaysé, dérouté, désarçonné, désemparé, désorienté, étonné, étourdi, inquiet, interdit, mis en boîte (fam.), pantois, penaud, quinaud, renversé (fam.), sot, stupéfait, surpris, troublé.

DÉCONCERTER Confondre, déconfire, décontenancer, déferrer, déjouer, démonter, démoraliser, dépayser, déranger, dérouter, désarçonner, désorienter, embarrasser, embrouiller, inquiéter, interdire, intimider, surprendre, troubler.

DÉCONFIRE I. → *vaincre.* **II.** → *déconcerter.*

DÉCONFIT, E I. → *déconcerté.* **II.** → *honteux.*

DÉCONFITURE I. → *défaite.* **II.** → *ruine.* **III.** → *faillite.*

DÉCONSEILLER → *dissuader.*

DÉCONSIDÉRER → *dénigrer.*

DÉCONTENANCÉ → *déconcerté.*

DÉCONTENANCER → *déconcerter.*

DÉCONVENUE I. → *déception.* **II.** → *mésaventure.*

DÉCOR I. Ambiance, apparence, atmosphère, cadre, décoration, milieu, paysage. **II.** Mise en scène, praticable, scène, spectacle.

DÉCORATEUR, TRICE Antiquaire, architecte, ensemblier.

DÉCORATION I. → *ornement.* **II.** → *insigne.*

DÉCORER → *orner.*

DÉCORTIQUER → *éplucher.*

DÉCORUM → *convenance.*

DÉCOULEMENT → *écoulement.*

DÉCOULER Couler, se déduire, dériver, émaner, procéder, provenir, résulter, tenir à, tirer sa source/son origine de, venir de.

DÉCOUPAGE Coupe, débitage, dépeçage, équarrissage.

DÉCOUPER I. Au pr. : chantourner, charcuter (fam. et péj.), couper, débiter, déchiqueter, démembrer, dépecer, détacher, détailler, diviser, échancrer, équarrir, évider, lever, morceler, partager, trancher. **II. Par ext.** *Un profil :* détacher, profiler.

DÉCOUPÉ, E Accidenté, dentelé, irrégulier, sinué, sinueux, varié.

DÉCOUPLÉ, E I. → *taillé.* **II.** → *dispos.*

DÉCOURAGEMENT Abattement, accablement, anéantissement, bourdon (fam.), cafard (fam.), consternation, déception, démoralisation, déréliction, désappointement, désenchantement, désespérance, désespoir, écœurement, lassitude. tristesse.

DÉCOURAGER Abattre, accabler, briser, consterner, déballonner (fam.), déconforter; dégonfler (fam.), dégoûter, démonter, démoraliser, désenchanter, désespérer, détourner, dissuader, doucher, écœurer, faire perdre confiance/courage, lasser, rebuter, refroidir.

DÉCOURAGER (SE) S'effrayer, renoncer *et les formes pronom. possibles des syn. de* DÉCOURAGER.

DÉCOURS → *déclin.*

DÉCOUSU, E Désordonné, disloqué, haché, heurté, illogique, incohérent, inconséquent, sans queue ni tête, sautillant.

DÉCOUVERT (À) Au grand jour, à nu, clairement, franchement, ouvertement.

DÉCOUVERTE Astuce (fam.), exploration, illumination, invention, trait de génie/lumière, trouvaille.

DÉCOUVRIR I. Au pr. : décolleter, dégager, démasquer, dénuder, dévoiler, enlever, laisser voir, ôter. **II. Par ext. 1.** Apprendre, avouer, confesser, confier, déceler, déclarer, dénoncer, dévoiler, dire, divulguer, exposer, laisser percer/voir, lever le voile, mettre au jour, montrer, ouvrir, percer à jour, publier, révéler, trahir (péj.), vendre la mèche (fam.). **2.** Apercevoir, comprendre, discerner, reconnaître, remarquer, repérer, saisir, voir. **III. Fig. :** déceler, déchiffrer, dégoter (fam.), dénicher, dépister, détecter, déterrer, deviner, éventer, lire, pénétrer, percer, repérer, trouver.

DÉCOUVRIR (SE) I. Quelqu'un. 1. Se débrailler (péj.), se décolleter, se dénuder, se déshabiller, se dévêtir, s'exposer, se montrer. **2.** Saluer. **II. Le temps :** se dégager, s'éclaircir, s'éclairer.

DÉCRASSER I. → *nettoyer.* **II.** → *dégrossir.*

DÉCRÉDITER → *dénigrer.*

DÉCRÉPITUDE → *vieillesse.*

DÉCRET I. → *décision.* **II.** → *loi.* **III.** → *commandement.*

DÉCRÉTALE → *rescrit.*

DÉCRÉTER I. → *ordonner.* **II.** → *décider* et *commander.*

DÉCRI I. → *défaveur.* **II.** → *déchéance.*

DÉCRIER → *dénigrer.*

DÉCRIRE I. → *tracer.* **II.** → *peindre.*

DÉCROISSANCE → *diminution.*

DÉCROISSEMENT → *diminution* et *déclin.*

DÉCROÎTRE → *diminuer.*

DÉCRYPTER → *déchiffrer.*

DÉDAIGNER Faire fi, mépriser, mésestimer, négliger, refuser, rejeter, repousser, rire de, tourner le dos.

DÉDAIGNEUX, EUSE Altier, arrogant, condescendant, distant, farouche, fier, haut, hautain, impérieux, indépendant, indifférent, insolent, méprisant, moqueur, orgueilleux, rogue, protecteur, renchéri, superbe, supérieur.

DÉDAIN Air/sourire/ton protecteur, arrogance, condescendance, crânerie, dérision, distance, fierté, hauteur, indifférence, insolence, mépris, mésestime, moquerie, morgue, orgueil, superbe.

DÉDALE → *labyrinthe.*

DEDANS → *intérieur.*

DÉDICACE Consécration, envoi, invocation.

DÉDIER Consacrer, dédicacer, dévouer, faire hommage, offrir, vouer.

DÉDIRE Contredire, démentir, dépromettre, désavouer.

DÉDIRE (SE) Annuler, se contredire, déclarer forfait, se délier, se démentir, se désavouer, se désister, manquer à sa parole, se raviser, reprendre sa parole, se rétracter, revenir sur, révoquer.

DÉDIT I. Annulation, désistement, rétractation, révocation. **II. Jurid. :** clause pénale, sûreté. → *dédommagement.*

DÉDOMMAGEMENT Compensation, consolation, dédit, dommages et intérêts, indemnité, réparation.

DÉDOMMAGER Compenser, donner en dédommagement *et les syn. de* DÉDOMMAGEMENT, indemniser, payer, récompenser, remercier, rémunérer, réparer.

DÉDOMMAGER (SE) → *rattraper (se).*

DÉDUCTION I. Conclusion, démonstration, développement, énumération, raisonnement, récit. **II.** Décompte, défalcation, remise, retranchement, ristourne, soustraction.

DÉDUIRE I. → *retrancher.* **II.** → *exposer.* **III.** → *inférer.*

DÉESSE Beauté, déité, divinité, fée, grâce, muse, nymphe, ondine, walkyrie.

DÉFAILLANCE I. → *manquement.* **II.** → *évanouissement.*

DÉFAILLANT, E → *faible.*

DÉFAILLIR I. → *faiblir.* **II.** → *évanouir (s').*

DÉFAIRE I. Au pr. 1. Neutre :

déballer, débarrasser, débâtir, déboucler, déboutonner, déclouer, découdre, déficeler, dégager, délacer, démonter, dénouer, dépaqueter, déplier, déshabiller, dessangler, détacher, enlever, ôter, ouvrir, quitter. **2. Non favorable:** abattre, affaiblir, bouleverser, casser, changer, démolir, déranger, détruire, faire table rase, mettre sens dessus dessous, miner, modifier, renverser, rompre, saper. **II. Par ext. 1. Quelqu'un :** affranchir, débarrasser, dégager, délivrer, dépêtrer (fam.), libérer. **2. Milit. :** battre, culbuter, enfoncer, tailler en pièces, vaincre.

DÉFAIRE (SE) I. On se défait de quelqu'un : s'affranchir, congédier, se débarrasser, se dégager, se délivrer, se dépêtrer, s'écarter, éliminer, renvoyer. **II. De quelque chose. 1.** Abandonner, aliéner, balancer (fam.), bazarder (fam.), débarrasser, délaisser, donner, écarter, échanger, jeter, laisser, laisser tomber, liquider, mettre au rancart (fam.), nettoyer, renoncer à, se séparer de, vendre. **2.** Se dépouiller, se déshabiller, ôter/quitter ses vêtements. **3.** S'amender, se corriger, perdre, quitter.

DÉFAIT, E I. → *déconcerté.* **II.** → *maigre.*

DÉFAITE Brossée (fam.), débâcle, débandade, déconfiture, déculottée (fam.), dégelée (fam.), déroute, désavantage, dessous, échec, frottée (fam.), fuite, insuccès, pile (fam.), piquette (fam.), retraite, revers, rossée (fam.), rouste (fam.), volée (fam.).

DÉFAITISTE → *pessimiste.*

DÉFALQUER → *retrancher.*

DÉFAUT I. Jurid. : contumace. **II. Au pr. :** absence, anomalie, carence, disette, imperfection, insuffisance, manque, pénurie, privation, rareté. → *faute.* **III. Loc. Être en défaut** → *tromper (se).* **2. Faire défaut** → *manquer.* **3. Mettre en défaut** → *insuccès.*

DÉFAVEUR I. Au pr. : décri, discrédit, disgrâce. **II. Par ext. :** défiance, éclipse, hostilité, inimitié.

DÉFAVORABLE Adverse, contraire, désavantageux, ennemi, funeste, hostile, mauvais, néfaste, nuisible, opposé, péjoratif.

DÉFAVORISER → *désavantager.*

DÉFECTION Abandon, apostasie, carence, débandade, déroute, désertion, lâchage, trahison.

DÉFECTUEUX, EUSE → *imparfait.*

DÉFECTUOSITÉ → *imperfection.*

DÉFENDEUR, DÉFENDERESSE Appelé, cité, convoqué, intimé.

DÉFENDRE I. Protection. 1. Sens général : aider, aller à la rescousse, protéger, secourir, soutenir. **2.** Excuser,

intercéder, intervenir, plaider, prendre en main/protection/sauvegarde, sauvegarder. **3. Milit. :** abriter, couvrir, flanquer, fortifier, garantir, garder, interdire, préserver, protéger, tenir. **II. Prohibition :** inhiber (vx), interdire, prescrire, prohiber. **III. Loc. Défendre sa porte :** condamner, fermer.

DÉFENDRE (SE) I. Se battre, se débattre, lutter, parer, résister, riposter, *et les formes pronom. possibles des syn. de* DÉFENDRE. **II.** Se justifier, réfuter, répondre.

DÉFENDU, E I. Abrité, couvert, flanqué, fortifié, garanti, gardé, préservé, protégé, secouru, tenu. **II.** Illicite, inhibé, interdit, prohibé.

DÉFENSE I. L'acte. 1. Aide, parade, protection, réaction, repli, rescousse, retraite, riposte, sauvegarde, secours. **2.** Apologie, apologétique (relig.), éloge, excuse, glorification, justification, louange, plaidoirie, plaidoyer, polémique, réponse. **3.** Embargo, inhibition, interdiction, prohibition. **II. L'ouvrage :** abri, asile, bouclier, boulevard, citadelle, couverture, cuirasse, fortification, fossé, glacis, réduit, rempart, retranchement. **III.** → *défenseur.*

DÉFENSEUR Avocaillon (péj.), avocassier (péj.), avocat, avoué, champion, conseil, défense, tenant.

DÉFÉRENCE I. → *complaisance.* **II.** → *égards.*

DÉFÉRENT, E → *complaisant.*

DÉFÉRER I. → *conférer.* **II.** → *céder.* **III.** → *inculper.*

DÉFERLER Se briser *et les formes pronom. possibles des syn. de* BRISER.

DÉFEUILLER → *effeuiller.*

DÉFI I. Appel, bravade, cartel, crânerie, fanfaronnade, menace, provocation, ultimatum. **II. Loc. Mettre au défi** → *inviter.*

DÉFIANT, E → *méfiant.*

DÉFICIENCE → *manque.*

DÉFICIENT, E → *faible.*

DÉFICIT → *manque.*

DÉFIER I. → *braver.* **II.** → *inviter.*

DÉFIGURER → *déformer.*

DÉFILÉ I. Géogr. 1. Sur terre : cañon, cluse, couloir, faille, gorge, pas, passage, port, porte. **2. De mer :** bras, canal, détroit, fjord, grau. **II.** Cavalcade, colonne, cortège, file, manifestation, mascarade, monôme, procession, retraite, succession, théorie.

DÉFILER → *passer.*

DÉFILER (SE) Fam. → *partir.*

DÉFINIR I. → *fixer.* **II.** → *décider.*

DÉFINITIF I. → *irrévocable.* **II.** → *final.*

DÉFINITIVE (EN) Au bout du compte, en dernière analyse, en fin de compte, en un mot, finalement, pour conclure/finir/terminer, tout compte fait.

DÉFLAGRATION I. → *combustion.* **II.** → *explosion.*

DÉFLEURIR v. tr. et intr. Déflorer, défraîchir, faner, flétrir.

DÉFONCER → *enfoncer.*

DÉFONCER (SE) → *crouler.*

DÉFORMÉ, E I. Quelqu'un : anormal, bancal, bancroche (fam.), difforme, estropié, infirme. **II. Quelque chose :** avachi, défraîchi, fané, fatigué, usé.

DÉFORMATION Altération, contorsion, faute, gauchissement, grimace, imperfection, incorrection, malformation.

DÉFORMER I. Au pr. *Neutre :* altérer, changer, transformer. **II. Non favorable :** avachir, bistourner (techn. ou fam.), contourner, contrefaire, corrompre, défigurer, dénaturer, dépraver, difformer, distordre, écorcher, estropier, fausser, gâter, gauchir, massacrer, mutiler, tordre, trahir, travestir.

DÉFRAÎCHI, E → *fatigué.*

DÉFRICHER I. → *cultiver.* **II.** → *éclaircir.*

DÉFRICHEUR Pionnier, précurseur.

DÉFROQUE I. Déguisement, frusque (fam.), guenille, haillon, harde. **II. Par ext. :** carcasse, chair, corps.

DÉFUNT, E adj. et n. → *mort.*

DÉGAGÉ, E I. Quelqu'un. 1. *Favorable :* aisé, alerte, élégant, souple, vif. **2. *Neutre :*** affranchi, délivré, libéré. **3. *Non favorable :*** affranchi, cavalier, délibéré, désinvolte, léger, leste, libre, sans-gêne. **II. Quelque chose :** accessible, débarrassé, découvert, dégagé, facile, libre, ouvert.

DÉGAGEMENT I. → *indifférence.* **II.** → *passage.*

DÉGAGER v. tr. **I. Au pr. :** débarrasser, déblayer, débloquer, débroussailler, découvrir, dénuder, dépouiller, désencombrer, évacuer, enlever, épurer, évacuer, extraire, ôter, retirer. **II. Par ext. :** affranchir, décharger, déconsigner, dédouaner, dégrever, dispenser, exonérer, libérer, soustraire. **III. Fam. :** s'en aller, circuler, débarrasser/vider les lieux/la place/le terrain, décamper, déguerpir, ficher/foutre (grossier) le camp, partir, sortir, se tirer de. **IV. Un concept :** avancer, distinguer, extraire, isoler, manifester, mettre en évidence, rendre évident/manifeste, séparer. **V. Une odeur :** émettre, exhaler, produire, puer, répandre, sentir.

DÉGAGER (SE) I. Échapper, se libérer, quitter, rompre, se séparer.

II. Apparaître, se découvrir, s'éclaircir, émaner, émerger, s'exhaler, jaillir, se montrer, se répandre, sortir. **III.** Se faire jour, se manifester, ressortir, résulter.

DÉGAINE Allure, attitude, comportement, conduite, convenance, demande, port, silhouette.

DÉGARNIR I. Au pr. : débarrasser, découvrir, déménager, démeubler, dépouiller, dépourvoir, vider. **II. Par ext. et fig. :** élaguer, émonder, tailler.

DÉGÂT Avarie, bris, casse, débâcle, dégradation, déprédation, destruction, détérioration, dévastation, dommage, grabuge (fam.), méfait, perte, ravage, ruine.

DÉGAUCHIR Aplanir, corriger, dégourdir, dégrossir, raboter, redresser.

DÉGELER Fig. : amuser, animer, dérider, faire rire/sourire, mettre de l'animation/de la vie, ranimer, réchauffer.

DÉGÉNÉRATION, DÉGÉNÉRESCENCE I. Au pr. : Abaissement, abâtardissement, appauvrissement, avilissement, baisse, catabolisme, chute, déchéance, déclin, dégradation, détérioration, étiolement, perte, perversion, pervertissement. **II. Non favorable :** crétinisme, débilité, idiotie, imbécillité.

DÉGÉNÉRÉ, E adj. et n. Abâtardi, arriéré, bâtard, débile, idiot, imbécile, minus.

DÉGÉNÉRER S'abâtardir, s'appauvrir, s'avilir, changer, déchoir, décliner, se dégrader, déroger, se détériorer, s'étioler, forligner (vx), perdre, se pervertir, tomber, se transformer.

DÉGINGANDÉ, E → *disloqué.*

DÉGLUTIR → *avaler.*

DÉGORGER I. → *vomir.* **II.** → *débarrasser.*

DÉGOTER I. → *trouver.* **II.** → *surpasser.*

DÉGOULINER → *dégoutter.*

DÉGOURDI, E → *éveillé.*

DÉGOURDIR → *dégrossir.*

DÉGOÛT Abattement, allergie, amertume, anorexie, antipathie, aversion, chagrin, déboire, déception, dépit, déplaisir, désenchantement, écœurement, éloignement, ennui, exécration, haine, haut-le-cœur, honte, horreur, humiliation, inappétence, indigestion, lassitude, mélancolie, mépris, mortification, nausée, répugnance, répulsion, satiété, spleen, tristesse.

DÉGOÛTANT, E n. et adj. Abject, affreux, cochon (fam.), crasseux, décourageant, dégueulasse (grossier), déplaisant, désagréable, écœurant, exécrable, fastidieux, fétide, gras, grivois, grossier, honteux, horrible, ignoble, immangeable, immonde, incongru, indécent, infect, innommable, inqualifiable, insupportable, laid, licencieux, malpropre, merdique (grossier), nauséabond, nauséeux, odieux, peu ragoûtant, puant, rebutant, repoussant, répugnant, révoltant, sale, sordide.

DÉGOÛTÉ, E → *difficile*.

DÉGOUTER Affadir le cœur, blaser, déplaire, détourner, dissuader, écœurer, ennuyer, fatiguer, lasser, ôter l'envie, peser, rebuter, répugner, révolter, soulever le cœur/de dégoût.

DÉGOUTTER Couler, dégouliner, distiller, exhaler, fluer, ruisseler, suinter, tomber.

DÉGRADATION I. Au pr. : bris, casse, dégât, délabrement, déprédation, destruction, détérioration, dommage, égratignure, endommagement, éraflure, érosion, graffiti, mutilation, profanation, ruine. **II. Par ext. :** abaissement, abrutissement, avilissement, corruption, décadence, déchéance, décomposition, dégénération, déliquescence, dépravation, flétrissure, honte, humiliation, ignominie, perversion, prostitution, souillure, tache.

DÉGRADER I. Au pr. : abîmer, barbouiller, briser, casser, déglinguer (fam.), délabrer, démolir, détériorer, détraquer, détruire, ébrécher, endommager, égratigner, érafler, esquinter (fam.), fausser, gâter, mutiler, profaner, ruiner, saboter, salir, souiller. **II. Par ext. :** abaisser, abrutir, acoquiner, avilir, déchoir, déformer, déprimer, déshonorer, dévaluer, diminuer, disqualifier, flétrir, gâter, humilier, profaner, prostituer, rabaisser, ridiculiser. **III. Géol. :** affouiller, éroder, ronger, saper.

DÉGRADER (SE) S'affaiblir, s'avilir, baisser, déchoir, dégénérer, déroger, descendre, se déshonorer, diminuer, faiblir, tomber.

DEGRÉ I. Échelon, escalier, grade, gradin, graduation, étage, marche, marchepied, perron, rang, rangée, rayon. **II.** Paroxysme, période, phase, point, stade. **III.** Amplitude, niveau. **IV.** Classe, cran, échelon, étape, grade, niveau, position, nuance. **V.** Différence, gradation, nuance. **VI. Loc. *Par degrés* :** au fur et à mesure, par échelon/étape/palier, pied à pied, de proche en proche.

DÉGRÈVEMENT → *diminution*.

DÉGREVER → *soulager*.

DÉGRINGOLER I. → *descendre*. **II.** → *tomber*.

DÉGROSSIR Affiner, commencer, débourrer, débrouiller, débrutir, décrasser (fam.), dégauchir, dégourdir, dégourmer, déniaiser, dérouiller, dé-

sencroûter (fam.), ébaucher, éclaircir, former.

DÉGUENILLÉ, E Dépenaillé, haillonneux, loqueteux, négligé, va-nu-pieds.

DÉGUERPIR → *partir*.

DÉGUISEMENT I. Au pr. : accoutrement, carnaval, chienlit, costume, mascarade, masque, momerie, travesti, travestissement. **II. Par ext. :** artifice, camouflage, couverture, dissimulation, fard, feinte, feintise.

DÉGUISER I. Au pr. : accoutrer, affubler, costumer, maquiller, masquer, travestir. **II. Par ext. :** arranger, cacher, camoufler, celer, changer, contrefaire, couvrir, dénaturer, dissimuler, donner le change, se donner une contenance, dorer la pilule (fam.), emmitoufler, envelopper, farder, habiller, maquiller, pallier, plâtrer, recouvrir, taire, travestir, tromper.

DÉGUSTER → *savourer*.

DEHORS adv. et n. **I.** → *extérieur*. **II.** → *apparence*.

DÉIFICATION → *apothéose*.

DÉIFIER → *louer*.

DÉISME Théisme.

DÉITÉ Déesse, dieu, divinité, idole.

DÉJETÉ → *dévié*.

DÉJEUNER I. V. intr. → *manger*. **II. Nom** → *repas*.

DÉJOINDRE Déboîter, démonter, désassembler, désunir, détacher, disjoindre, disloquer, diviser, scinder, séparer.

DÉJOUER → *empêcher*.

DÉLABRER → *détériorer*.

DÉLAI I. Au pr. : date, temps. **II. Par ext. 1. Non favorable :** atermoiement, manœuvre dilatoire, retard, retardement, temporisation. **2. Neutre :** crédit, facilité, marge, moratoire, préavis, prolongation, prorogation, remise, renvoi, répit, report, surséance, sursis. **III. Loc. *Sans délai* :** aussitôt, immédiatement, sans déport, séance tenante, sur-le-champ, tout de suite, toutes affaires cessantes.

DÉLAISSEMENT I. Au pr. : abandon, cession, défection, déguerpissement (fam.), renonciation. **II. Par ext. :** désertion, lâcheté.

DÉLAISSER Abandonner, déserter, se désintéresser de, lâcher, laisser tomber, négliger, quitter, renoncer à, tourner le dos à.

DÉLASSEMENT *I. → *repos*. **II.** → *divertissement*.

DÉLATEUR → *accusateur*.

DÉLAVER → *humecter*.

DÉLAYER I. Au pr. : couler, détremper, diluer, dissoudre, étendre, fondre, gâcher. **II. Fig. :** noyer, tourner autour.

DÉLECTABLE Agréable, bon, délicat, délicieux, doux, exquis, friand, savoureux.

DÉLECTATION → *plaisir.*

DÉLECTER (SE) → *régaler (se).*

DÉLÉGATION I. Ambassade, députation. **II.** Attribution, mandat, procuration, représentation.

DÉLÉGUÉ → *envoyé.*

DÉLÉGUER I. → *envoyer.* **II.** → *transmettre.*

DÉLESTER → *soulager.*

DÉLÉTÈRE → *mauvais.*

DÉLIBÉRATION Conseil, consultation, conversation, débat, décision, délibéré, discussion, examen, réflexion, résolution.

DÉLIBÉRÉ, E I. Adj. 1. → *dégagé.* **2.** → *décidé.* **II. Nom masc.** → *délibération.*

DÉLIBÉRER I. → *discuter* et *opiner.* **II.** → *décider.* **III.** → *penser.*

DÉLICAT, E I. Favorable ou neutre. 1. Quelqu'un : agréable, aimable, bon, courtois, délicieux, discret, distingué, doux, élégant, exquis, fin, galant, gentil, gracieux, honnête, humain, joli, mignon, obligeant, pénétrant, plein de tact, poli, prévenant, probe, pur, raffiné, scrupuleux, sensible, soigné, subtil, tendre. **2. Quelque chose :** adroit, aérien, arachnéen, beau, bon, délectable, délié, éthéré, fignolé (fam.), friand, habile, harmonieux, léché, léger, recherché, savoureux, suave, subtil, succulent, ténu, vaporeux. **II. Non favorable. 1. Quelqu'un :** blasé, chatouilleux, chétif, compliqué, débile, difficile, douillet, efféminé, exigeant, faible, fluet, frêle, maigre, malingre, mince, ombrageux, petit, recherché, susceptible. **2. Quelque chose :** complexe, dangereux, embarrassant, malaisé, périlleux, scabreux.

DÉLICATESSE I. Favorable. 1. Du caractère, du comportement : agrément, amabilité, amour, attention, bon goût, bonté, circonspection, courtoisie, discrétion, distinction, douceur, élégance, finesse, galanterie, gentillesse, grâce, honnêteté, humanité, joliesse, ménagement, obligeance, pénétration, politesse, prévenance, probité, pudeur, pureté, raffinement, sagacité, scrupule, sensibilité, soin, subtilité, tact, tendresse. **2. Des actes :** adresse, dextérité, habileté, soin. **3. De quelque chose :** finesse, harmonie, légèreté, pureté, recherche, suavité, subtilité, succulence, transparence. **II. Non favorable. 1. De quelqu'un.** *Phys. :* débilité, faiblesse, fragilité, maigreur, mignardise, minceur, ténuité. *Caractère :* difficulté, mollesse, susceptibilité. **2. De quelque**

chose : complexité, danger, difficulté, péril.

DÉLICE → *plaisir.*

DÉLICIEUX, EUSE → *délectable.*

DÉLICTUEUX, EUSE Coupable, criminel, fautif, interdit, peccant (vx), répréhensible, susceptible de poursuites.

DÉLIÉ, E I. → *menu.* **II.** → *délicat.* **III.** → *éveillé.*

DÉLIER (SE) → *libérer (se).*

DÉLIMITER I. → *limiter.* **II.** → *fixer.*

DÉLINQUANT, E adj. et n. → *fautif.*

DÉLIQUESCENCE I. → *dégradation.* **II.** → *décadence.*

DÉLIRE I. Au pr. : agitation, aliénation, delirium tremens, divagation, égarement, excitation, folie, frénésie, hallucination, surexcitation. **II. Par ext. 1.** Feu sacré, inspiration. **2.** Enthousiasme, exultation, frémissement, passion, trouble.

DÉLIRER → *déraisonner.*

DÉLIT → *faute.*

DÉLIVRANCE I. → *libération.* **II.** → *enfantement.* **III.** → *remise.*

DÉLIVRER I. → *remettre.* **II.** → *libérer.*

DÉLOGER I. → *chasser.* **II.** → *partir.*

DÉLOYAL, E → *infidèle.*

DELTA → *embouchure.*

DÉLUGE I. → *débordement.* **II.** → *pluie.*

DÉLURÉ, E I. → *éveillé.* **II.** → *hardi.*

DÉMAGOGUE → *démocrate.*

DEMAIN → *bientôt.*

DÉMANCHER Briser, casser, déboîter, déclinquer, déglinguer, démancher, démantibuler, démettre, démolir, désarticuler, désemboîter, désemparer, désunir, détraquer, disloquer, diviser, écarteler, fausser, luxer.

DÉMANCHER (SE) (fam.) S'agiter, se battre, se colleter, se débattre, se débrouiller, se décarcasser (fam.), se démener, se démultiplier, discuter, se donner du mal/de la peine/du tintouin (fam.), s'émouvoir, s'empresser de, faire du vent (fam.), faire feu des quatre fers (fam.)/pieds (fam.), lutter.

DEMANDE Adjuration, appel, candidature, commande, commandement, conjuration, convoitise, démarche, désir, doléance, écrit, envie, exigence, imploration, instance, interpellation, interrogation, mandement, ordre, pétition, placet, prétention, prière, question, quête, réclamation, recours, requête, revendication, sollicitation, sommation, souhait, supplique, vœu.

DEMANDER Adresser/faire/former/formuler/présenter une demande *et les syn. de* DEMANDE, briguer, commander, consulter, cuisiner (fam.), désirer, dire, enjoindre, exiger, exprimer un désir/souhait, implorer, imposer, insister, interpeller, interroger, mander, mendier (péj.), ordonner, pétitionner, postuler, prescrire, présenter un placet/une requête/une supplique, prétendre à, prier, quémander, questionner, quêter, rechercher, réclamer, se recommander de, requérir, revendiquer, solliciter, sommer, souhaiter, supplier, vouloir.

DÉMANGEAISON I. → *picotement.* **II.** → *désir.*

DÉMANTELER I. Au pr. : abattre, culbuter, débâtir, déconstruire, défaire, démolir, démonter, détruire, disloquer, mettre à bas, raser, renverser. **II. Par ext. 1. Des institutions :** abolir, faire table rase, supprimer. **2. Quelque chose :** abîmer, bousiller (fam.), briser, casser, déglinguer (fam.), démolir, démonter, détraquer, endommager, esquinter.

DÉMANTIBULER → *disloquer.*

DÉMARCATION I. → *limite.* **II.** → *séparation.*

DÉMARCHE I. Au pr. : air, allure, aspect, dégaine (fam.), maintien, marche, mine, pas, port, tenue, tournure. **II. Par ext. 1.** Action, attitude, comportement, conduite. **2.** Agissement, approche, déplacement, tentative. → *demande.*

DÉMARQUER → *limiter.*

DÉMARRER I. → *partir.* **II.** → *commencer.*

DÉMASQUER → *découvrir.*

DÉMÊLÉ → *contestation.*

DÉMÊLER I. → *distinguer.* **II.** → *éclaircir.*

DÉMEMBRER I. → *découper.* **II.** → *partager.*

DE MÊME QUE → *comme.*

DÉMÉNAGER I. → *transporter.* **II.** → *partir.* **III.** → *déraisonner.*

DÉMENCE → *folie.*

DÉMENER (SE) S'agiter, se battre, se colleter, se débattre, se débrouiller, se décarcasser (fam.), se démancher (fam.), se démultiplier, discuter, se donner du mal/de la peine/du tintouin (fam.), s'émouvoir, s'empresser de, faire du vent (fam.), faire feu des quatre fers (fam.)/pieds (fam.), lutter, se mouvoir, se multiplier, péter la flamme (fam.)/le feu (fam.), se remuer, remuer l'air, se secouer (fam.), se trémousser (fam.).

DÉMENT, E → *fou.*

DÉMENTI n. m. **I.** → *dénégation.* **II.** → *offense.*

DÉMENTIR Contredire, couper, décevoir, dédire, désavouer, infirmer, s'inscrire en faux, nier, s'opposer à, opposer un démenti *et les syn. de* DÉMENTI.

DÉMÉRITE → *honte.*

DÉMESURE → *excès.*

DÉMESURÉ Astronomique, colossal, déraisonnable, disproportionné, éléphantesque, énorme, exagéré, excessif, exorbitant, extraordinaire, extrême, fantastique, formidable, géant, gigantesque, grand, illimité, immense, immodéré, incommensurable, infini, maous (arg.), monstrueux, monumental, outré, pharamineux, titanesque, vertigineux.

DÉMETTRE I. → *disloquer.* **II.** → *destituer.* **III.** → *abdiquer.*

DEMEURANT (AU) Après tout, au fond, au/pour le reste, d'ailleurs, en somme.

DEMEURE I. Au pr. : adresse, domicile, foyer, habitacle, logis, pénates (fam.). → *habitation.* **II. Loc. 1. Sans demeure** (vx) : délai, retard, retardement. **2. A demeure :** en permanence, fixe. **3. Mettre en demeure** → *commander.*

DEMEURER I. S'arrêter, s'attarder, attendre, coller (fam.), s'éterniser, prendre racine (fam.), rester, stationner, tarder. **II.** Continuer, durer, s'entêter, lutter, se maintenir, s'obstiner, persévérer, persister, rester, subsister, survivre, tenir bon/ferme. **III.** Crècher (fam.), descendre/être/être domicilié à, gîter (fam.), habiter, jucher (fam.), loger, nicher (fam.), occuper, percher (fam.), résider, séjourner, se tenir, vivre.

DÉMISSIONNER → *abdiquer.*

DEMI-TEINTE → *couleur.*

DÉMIURGE Bienfaiteur, demi-dieu, dieu, divinité, héros, génie, grand.

DÉMOCRATE Bousingot (vx et péj.), de gauche, démagogue (péj.), démocratique, démophile, égalitaire, jacobin, républicain.

DÉMOCRATIE République, suffrage universel.

DÉMODÉ, E → *désuet.*

DEMOISELLE I. → *fille.* **II.** → *célibataire.* **III.** → *femme.* **IV. L'outil :** dame, hie, libellule.

DÉMOLIR I. Au pr. : abattre, culbuter, débâtir, déconstruire, défaire, démanteler, démonter, détruire, mettre à bas, raser, renverser. **II. Par ext. 1. Des institutions :** abolir, faire table rase, supprimer. **2. Quelque chose :** abîmer, bousiller (fam.), briser, casser, déglinguer (fam.), démonter, détraquer, endommager, esquinter. **3. ·Quelqu'un :** battre, critiquer, épuiser, éreinter, esquinter, perdre, ruiner, terrasser, tuer.

DÉMOLITIONS Déblai, débris, décharge, décombres, éboulis, épave gravats, gravois, miettes, plâtres, restes, ruines, vestiges.

DÉMON I. → *diable.* **II.** → *génie.* **III.** → *enthousiasme.*

DÉMONIAQUE I. → *diabolique.* **II.** → *turbulent.* **III.** → *énergumène.*

DÉMONSTRATIF, IVE → *communicatif.*

DÉMONSTRATION I. Déduction, expérience, induction, preuve, raisonnement. **II.** Civilités, étalage (péj.), expression, manifestation, marque, preuve, protestations, témoignage.

DÉMONTÉ, E → *déconcerté.*

DÉMONTRER → *prouver.*

DÉMORALISATION → *découragement.*

DÉMORALISER → *décourager.*

DÉMORDRE → *renoncer.*

DÉMUNI, E Dénué, dépouillé, dépourvu, destitué, nu, pauvre, privé.

DÉMUNIR I. Au pr. : arracher, défaire, dégager, dégarnir, dénuder, dépecer, dépiauter (fam.), dépouiller, déshabiller, dévêtir, écorcher, enlever, ôter, peler, tondre. **II. Par ext.** → *voler.*

DÉNATURER → *altérer.*

DÉNÉGATION Contestation, controverse, démenti, déni, désaveu, négation, refus.

DÉNI I. → *dénégation.* **II.** → *refus.*

DÉNIAISER → *dégrossir.*

DÉNICHER I. Au pr. : braconner, chasser, débusquer, enlever. **II. Par ext. :** découvrir, trouver.

DENIER I. → *argent.* **II.** → *intérêt.* **III.** → *arrhes.*

DÉNIER I. → *nier.* **II.** → *refuser.*

DÉNIGRER Attaquer, baver (fam.), calomnier clabauder (fam.), critiquer (par ext.), dauber (fam.), débiner (fam.), déblatérer (fam.), déchiqueter, déchirer, déconsidérer, décréditer, décrier, déprécier, dépriser, déshonorer, diffamer, discréditer, médire, noircir, rabaisser, salir, tympaniser, vilipender.

DÉNOMBREMENT Catalogue, cens, compte, détail, énumération, état, évaluation, inventaire, liste, litanie, recensement, rôle, statistique.

DÉNOMBRER Cataloguer, classer, compter, détailler, dresser l'état/l'inventaire/la liste/le rôle, égrener, énumérer, évaluer, faire le compte, inventorier, nombrer, recenser.

DÉNOMINATION → *nom.*

DÉNOMMER → *appeler.*

DÉNONCER I. Accuser, brûler (arg.), cafarder (fam.), caponner (fam.), capouner (fam.), déclarer, désigner, dévoiler, donner, indiquer, livrer, se mettre à table (arg.), mou-

charder (fam.), nommer, rapporter, révéler, trahir, vendre. **II.** Annoncer, déclarer, faire savoir, notifier, proclamer, publier, signifier. **III.** Annuler, renoncer, rompre. **IV.** Dénoter, faire connaître/sentir, manifester, montrer, sentir.

DÉNONCIATEUR → *accusateur.*

DÉNOTER → *indiquer.*

DÉNOUEMENT Achèvement, catastrophe, bout, cauda, clef, conclusion, épilogue, extrémité, fin, queue, résolution, résultat, solution, terme.

DENRÉE I. → *marchandise.* **II.** → *subsistances.*

DENSE I. Au pr. : abondant, compact, condensé, dru, épais, feuillu, fort, impénétrable, pilé, plein, serré, tassé, touffu. **II. Par ext. :** compact, concis, condensé, dru, lourd, nombreux, nourri, plein, ramassé, sobre.

DENT I. Au pr. : broche (vén.), canine, carnassière, chicot (fam.), crochet, croc, défense, incisive, pince, quenotte (fam.), mâchelière, molaire, prémolaire, surdent. **II. Par anal. 1. Méc. :** alluchon, came, cran. **2. Arch. :** denticule, feston. **3. Géogr. :** aiguille, crête, pic. **III. Fig. :** animosité, haine, jalousie, rancune.

DENTELLE Broderie, filet, guipure, macramé, point.

DENTIER Râtelier (fam.).

DENTURE Dentition, râtelier (fam.).

DÉNUDER I. → *dépouiller.* **II.** → *dévêtir (se).*

DÉNUÉ, E Démuni, dépouillé, dépourvu, destitué, nu, pauvre, privé.

DÉNUEMENT → *pauvreté.*

DÉPAREILLER Amputer, déparier, désaccoupler, désapparier, désassortir, diminuer.

DÉPARER → *nuire à.*

DÉPARIER → *dépareiller.*

DÉPART I. Commencement, début, origine. **II.** Appareillage, décollage, démarrage, envoi, envol, expédition, partance. **III.** Congédiement, démission, exil, licenciement.

DÉPARTEMENT Charge, district, domaine, institut, ministère, préfecture, secteur, spécialité, sphère.

DÉPARTIR I. → *séparer.* **II.** → *distribuer.* **III.** → *renoncer.*

DÉPASSER I. Au pr. : déborder, devancer, gagner de vitesse, gratter (fam.), l'emporter/mordre sur, passer, saillir, surpasser, surplomber. **II. Par ext. :** enchérir, exagérer, excéder, faire de la surenchère, franchir, s'oublier, outrepasser les bornes/les limites.

DÉPAYSER → *dérouter.*

DÉPECER I. → *découper.* **II.** → *partager.*

DÉPÊCHE Avis, billet, correspondance, courrier, lettre, message, missive, petit bleu, pli, pneu (fam.), pneumatique, télégramme.

DÉPÊCHER I. → *accélérer.* **II.** → *envoyer.* **III.** → *tuer.*

DÉPÊCHER (SE) → *hâter (se).*

DÉPEINDRE → *peindre.*

DÉPENAILLÉ, E I. → *déguenillé.* **II.** → *négligé.*

DÉPENDANCE I. Log. : analogie, causalité, conséquence, corrélation, enchaînement, interdépendance, liaison, rapport, solidarité. **II. Fig. :** appendice, complément, conséquence, effet, épisode, suite, tenants et aboutissants. **III. Par ext. 1.** Accessoire, annexe, bâtiment, communs, succursale. **2. On est dans la dépendance de :** appartenance, asservissement, assujettissement, attachement, attenance, captivité, chaîne, contrainte, coupe, domesticité, domination, emprise, esclavage, gêne, griffe, joug, main, mainmise, merci, mouvance, obédience, obéissance, oppression, patte, pouvoir, puissance, ressort, servage, servitude, soumission, subordination, sujétion, tutelle, vassalité.

DÉPENDANT, E Accessoire, inférieur, interdépendant, soumis, subordonné, sujet.

DÉPENDRE I. Appartenir à, découler de, être attaché/enchaîné/lié à/ à la merci/sous l'autorité/sous la dépendance de *et les syn. de* DÉPENDANCE, procéder/provenir/relever/résulter de, se rattacher à, reposer sur, ressortir à, rouler sur, tenir à. **II.** Décrocher, détacher.

DÉPENS Charge, compte, crochet, coût, débours, dépense, détriment, frais, prix.

DÉPENSE I. L'endroit : cambuse, cellier, garde-manger, office, questure, resserre, réserve. **II. L'action de dépenser. 1. Au pr.** Neutre : charge, contribution, cotisation, débours, déboursé, décaissement, dépens, écot, extra, faux frais, frais, impense, paiement, participation, quote-part. **2. Non favorable :** dilapidation, dissipation, étalage, exhibition, fastuosité, gaspillage, luxe, montre, prodigalité.

DÉPENSER I. Au pr. : débourser, payer. **II. Non favorable :** consumer, croquer (fam.), dévorer (fam.), dilapider, dissiper, écorner son avoir (fam.), engloutir, escompter, faire danser les écus (fam.)/les picaillons (fam.)/les sous (fam.), faire/jouer le grand seigneur, fricasser, fricoter, friper, gaspiller, jeter l'argent par les fenêtres, manger, manger ses quatre sous (fam.)/son blé en herbe (fam.), mener grand train/la vie à grandes

guides, prodiguer, se ruiner, se saigner aux quatre veines, semer son argent, vivre bien/largement/en grand seigneur/sur un grand pied.

DÉPENSER (SE) Se démener, se dévouer, se fatiguer.

DÉPENSIER n. et adj. Dissipateur, gaspilleur, gouffre, panier à salade/ percé (fam.), prodigue.

DÉPERDITION Affaiblissement, dégradation, dépérissement, diminution, épuisement, fuite, perte.

DÉPÉRIR S'affaiblir, s'altérer, s'anémier, s'atrophier, se consumer, décliner, défaillir, se délabrer, se démolir (fam.), se détériorer, diminuer, s'étioler, se faner, languir, mourir, péricliter, sécher.

DÉPÉRISSEMENT → *décadence.*

DÉPÊTRER → *débarrasser.*

DÉPEUPLEMENT I. Au pr. : dépopulation, disparition. **II. Par ext. :** déboisement.

DÉPIAUTER → *dépouiller.*

DÉPILER Débourrer, épiler.

DÉPISTER I. → *découvrir.* **II.** → *dérouter.*

DÉPIT I. → *colère.* **II.** → *fâcherie.* **III. Loc. En dépit de** → *malgré.*

DÉPITER Décevoir, fâcher. → *tromper.*

DÉPLACÉ Grossier, hors de propos/ saison, importun, incongru, inconvenant, incorrect, inopportun, insolent, mal élevé, malséant, malvenu, scabreux.

DÉPLACEMENT → *voyage.*

DÉPLACER I. On déplace quelque chose : bouger, déboîter, décaler, déclasser, déménager, démettre, déranger, dériver, détourner, excentrer, intervertir, manipuler. **II. On déplace quelqu'un :** faire valser (fam.), limoger (péj.), muter, nommer.

DÉPLACER (SE) Aller, avancer, bouger, circuler, déambuler, se déranger, marcher, se mouvoir, venir, voyager.

DÉPLAIRE Blesser, choquer, contrarier, coûter, dégoûter, ennuyer, fâcher, froisser, gêner, importuner, indisposer, offenser, offusquer, peiner, rebuter, répugner, vexer.

DÉPLAISANT, E Agaçant, antipathique, blessant, contrariant, dégoûtant, désagréable, désobligeant, disgracieux, ennuyeux, fâcheux, gênant, irritant, laid, pénible, répugnant.

DÉPLAISIR → *ennui.*

DÉPLIER → *étendre.*

DÉPLORABLE I. → *pitoyable.* **II.** → *fâcheux.*

DÉPLORER → *regretter.*

DÉPLOIEMENT Défilé, démonstration, développement, étalage, étendue, exhibition, manifestation, manœuvre, montre.

DÉPLOYER I. → *étendre.* II. → *montrer.*

DÉPOPULATION → *dépeuplement.*

DÉPORTATION → *relégation.*

DÉPORTEMENT → *dérèglement.*

DÉPORTER → *reléguer.*

DÉPOSER I. → *mettre.* II. → *destituer.* III. → *quitter.*

DÉPOSITION I. → *déchéance.* II. → *témoignage.*

DÉPOSSÉDER Dépouiller, désapproprier, déshériter, dessaisir, enlever, évincer, exproprier, frustrer, ôter, priver, soustraire, spolier.

DÉPÔT I. **D'une valeur :** arrhes, avance, caution, cautionnement, consignation, couverture, gage, garantie, provision, remise, séquestre, sûreté. II. Annexe, comptoir, dock, entrepôt, local, magasin, stock, succursale. III. Garage, gare, quai, station. IV. → *prison.* V. → *abcès.* VI. **Géol. :** agglomération, allaise, alluvion, couche, limon, sédiment, strate. VII. Décharge, dépotoir, voirie. VIII. Boue, effondrilles, falun, lie, précipité, tartre, vase.

DÉPOUILLE I. → *proie.* II. → *mort.*

DÉPOUILLÉ, E I. → *dénué.* II. → *simple.*

DÉPOUILLEMENT I. → *renoncement.* II. → *relevé.*

DÉPOUILLER I. **Au pr. :** arracher, défaire, dégager, dégarnir, dénuder, dépecer, dépiauter (fam.), déshabiller, dévêtir, écorcher, enlever, ôter, peler, tondre. II. **Par ext. 1.** → *voler.* **2.** → *abandonner.*

DÉPOUILLER (SE) I. **Au pr. :** muer, perdre. II. **Par ext.** → *abandonner.*

DÉPOURVU, E → *dénué.*

DÉPRAVATION → *dégradation.*

DÉPRAVÉ → *vicieux.*

DÉPRAVER → *gâter.*

DÉPRÉCATION → *prière.*

DÉPRÉCIATION → *dévalorisation.*

DÉPRÉCIER Abaisser, attaquer, avilir, baisser, critiquer, débiner (fam.), déconsidérer, décréditer, décrier, dégrader, dénigrer, déprimer (vx), dépriser, détracter (vx), détruire, dévaloriser, dévaluer, diffamer, diminuer, discréditer, entacher, flétrir, méconnaître, méjuger, mépriser, mésestimer, perdre, rabaisser, rabattre, ravaler, salir, ternir, vilipender.

DÉPRÉDATION I. → *malversation.* II. → *dommage.*

DÉPRENDRE → *séparer.*

DÉPRESSION I. **Au pr. :** abaissement, affaissement, bassin, creux, cuvette, enfoncement, fosse, géosynclinal, vallée. II. **Par ext. :** baisse, crise, dépréciation, diminution, marasme, pénurie, récession. III. → *fatigue.* IV. **Méd. :** abattement, adynamie, affaiblissement, alanguissement, aliénation, anémie, asthénie, coma, langueur, mélancolie, prostration, sidération, torpeur, tristesse.

DÉPRIMER I. → *enfoncer.* II. → *déprécier.* III. → *fatiguer.*

DÉPRISER I. → *déprécier.* II. → *mépriser.*

DEPUIS PEU Fraîchement, naguère, nouvellement, récemment.

DÉPURATION → *purification.*

DÉPURER → *purifier.*

DÉPUTÉ I. Ambassadeur, délégué, envoyé, légat, mandataire, ministre, représentant. II. Élu/représentant du peuple, membre du Parlement, parlementaire.

DÉRACINEMENT I. **Au pr. :** arrachage, arrachement, arrachis, avulsion, défrichement, divulsion, éradication, évulsion, extirpation, extraction. II. **Par ext. :** déportation, émigration, exil, expatriation.

DÉRACINER I. **Au pr. :** abattre, arracher, déplanter, détacher, déterrer, enlever, essoucher, exterminer, extirper, extraire, sarcler. II. **Fig. :** déplacer, déporter, détruire, éloigner, exiler, expatrier, faire émigrer.

DÉRAISONNABLE Absurde, dément, déséquilibré, détraqué, fou, illogique, inconscient, insensé, irraisonnable, irréfléchi, léger. → *bête.*

DÉRAISONNER Battre la breloque (fam.)/campagne (fam.), délirer, déménager (fam.), dérailler (fam.), divaguer, extravaguer, perdre l'esprit, radoter, rêver.

DÉRANGEMENT Aliénation, bouleversement, bousculade, chambardement, changement, débâcle, déplacement, dérèglement, déroute, déséquilibre, désordre, désorganisation, ennui, gêne, incommodation, interruption, interversion, perturbation, remue-ménage, trouble. → *folie.*

DÉRANGER I. → *déplacer.* II. → *troubler.* III. → *gêner.*

DÉRÈGLEMENT Débauche, débordement, déportement, dévergondage, dévergondement, dissolution, égarement, excès, inconduite, inconséquence, iniquité, libertinage, licence. → *dérangement.*

DÉRÉGLER → *troubler.*

DÉRIDER → *égayer.*

DÉRISION → *raillerie.*

DÉRISOIRE → *petit.*

DÉRIVATIF → *diversion.*

DÉRIVER → *découler.*

DERNIER, ÈRE I. Adj. 1. A la queue, final, ultime. **2.** Décisif, définitif, extrême, infime, irrévocable, nouveau, seul, suprême. **II. Nom :** bout, culot (fam.), derrière, feu rouge (fam.), lambin, lanterne (fam.), traînard.

DÉROBADE → *fuite.*

DÉROBÉE (À LA) → *secrètement.*

DÉROBER I. Au pr. : s'approprier, attraper, barboter (fam.), carotter (fam.), chaparder, chauffer (fam.), chiper (fam.), choper (fam.), copier, dépouiller, détourner, distraire, s'emparer de, emprunter (fam.), enlever, escamoter, escroquer, étouffer (fam.), extorquer, faucher (fam.), friponner, gripper, imiter (par ext.), marauder, picorer, piper, piquer (fam.), plagier (par ext.), prendre, refaire, soustraire, subtiliser. → *voler.* **II. Par ext. :** cacher, dissimuler, masquer, voiler.

DÉROBER (SE) I. Au pr. : se cacher, disparaître, échapper, s'éclipser, s'esquiver, éviter, se faufiler, fuir, se perdre, se réfugier, se retirer, se sauver, se soustraire, se tirer (fam.). **II. Fig. :** éluder, esquiver, éviter, fuir, manquer à, reculer.

DÉROGATION → *exception.*

DÉROGER I. → *déchoir.* **II.** → *abaisser (s').*

DÉROULEMENT → *évolution.*

DÉROULER → *étendre.*

DÉROUTANT Bizarre, déconcertant, embarrassant, étonnant, imprévisible, imprévu, inattendu, inespéré, inquiétant, surprenant, troublant.

DÉROUTE → *défaite.*

DÉROUTER I. Au pr. : dépister, détourner, dévier, écarter, égarer, éloigner, faire dévier, perdre, semer (fam.). **II. Fig. :** confondre, déconcerter, décontenancer, dépayser, désorienter, embarrasser, étonner, inquiéter, mettre en difficulté/échec, surprendre, troubler.

DERRIÈRE I. Au pr. : arrière, dos, revers. **II. Par ext. :** anus, arrière-train, bas du dos, croupe, croupion, cul, dos, fesses, fond, fondement, postère, postérieur, reins, séant, siège. → *fessier.*

DÉSABUSEMENT → *déception.*

DÉSABUSER → *détromper.*

DÉSACCORD → *mésintelligence.*

DÉSACCORDER Brouiller, désunir, fâcher, mettre le trouble/la zizanie, opposer.

DÉSACCOUPLER Découpler, dépareiller, désapparier, dételer, séparer.

DÉSAFFECTION Désintéressement, détachement. → *indifférence.*

DÉSAGRÉABLE I. Quelque chose. 1. Affreux, agaçant, blessant, choquant, contrariant, déplaisant, désobligeant, détestable, discordant, douloureux, emmerdant (vulg.), énervant, ennuyeux, fâcheux, fastidieux, fatigant, gênant, grossier, importun, insupportable, intolérable, irritant, laid, mal à propos, malencontreux, malheureux, malplaisant, mauvais, moche (fam.), obscène, pénible, rebutant, regrettable, répugnant, vexant. **2.** Acide, âcre, aigre, âpre, dégoûtant, écœurant, fade, fétide, incommodant, insipide, nauséabond, nauséeux, puant, putride, sale, saumâtre. **II. Quelqu'un :** acariâtre, acerbe, agaçant, antipathique, atrabilaire, bourru, brusque, désobligeant, disgracieux, fatigant, grossier, haïssable, impoli, impopulaire, ingrat, insolent, insupportable, intraitable, maussade, mauvais, méchant, mésavenant, odieux, offensant, réfrigérant, repoussant, rude, vilain.

DÉSAGRÉGATION Décomposition, désintégration, destruction, dislocation, dissociation, dissolution, écroulement, morcellement, pulvérisation, rupture, séparation.

DÉSAGRÉGER → *décomposer.*

DÉSAGRÉMENT → *ennui.*

DÉSALTÉRER (SE) → *boire.*

DÉSAPPARIER → *dépareiller.*

DÉSAPPOINTEMENT → *déception.*

DÉSAPPRENDRE → *oublier.*

DÉSAPPROUVER → *blâmer.*

DÉSARÇONNÉ, E → *déconcerté.*

DÉSARMER → *fléchir.*

DÉSARROI I. → *trouble.* **II.** → *émotion.*

DÉSARTICULER → *disloquer.*

DÉSASSORTIR → *dépareiller.*

DÉSASTRE → *calamité.*

DÉSAVANTAGE I. → *infériorité.* **II.** → *inconvénient.* **III.** → *dommage.*

DÉSAVANTAGER Défavoriser, dépouiller, déshériter, exhéréder, frustrer, handicaper, nuire, tourner au désavantage, *et les syn. de* DÉSAVANTAGE.

DÉSAVANTAGEUX, EUSE Contraire, défavorable, dommageable, ennuyeux, fâcheux, mauvais, nuisible, pernicieux.

DÉSAVEU → *rétractation.*

DÉSAVOUER I. → *blâmer.* **II.** → *nier.* **III.** → *rétracter (se).*

DESCENDANCE, DESCENDANT → *postérité.*

DESCENDRE I. Au pr. : aborder, couler, débarquer, dégringoler, demeurer, dévaler, faire irruption, se jeter à bas, plonger, sauter, tomber, venir de. **II. Par ext.** → *abaisser (s').*

DESCENTE I. → *incursion.* **II.** → *pente.* **III.** → *hernie.*

DESCRIPTION → *image*.

DÉSEMPARÉ, E → *déconcerté*.

DÉSEMPLIR → *vider*.

DÉSENCHANTEMENT → *déception*.

DÉSERT I. Nom masc. 1. Au pr. : bled, erg, hamada, pampa, sahara, solitude, steppe, toundra. **2. Fig. :** néant, rien, vide. **II. Adj.** → *vide*.

DÉSERTER I. → *délaisser*. **II.** → *quitter*.

DÉSERTEUR I. Au pr. : insoumis, transfuge. **II. Par ext. :** apostat, renégat, traître.

DÉSERTION I. → *défection*. **II.** → *insoumission*.

DÉSESPÉRANCE Abattement, accablement, bourdon (fam.), cafard (fam.), consternation, déception, découragement, déréliction, désappointement, désenchantement, désespoir, écœurement, lassitude, mal du siècle, tristesse.

DÉSESPÉRÉ, E I. → *extrême*. **II.** → *misérable*.

DÉSESPÉRER → *décourager*.

DÉSESPOIR I. → *découragement*. **II.** → *douleur*. **III.** → *regret*.

DÉSESTIMER → *mépriser*.

DÉSHABILLÉ, E adj. et n. **I.** → *nu*. **II.** → *négligé*.

DÉSHABILLER I. → *dévêtir*. **II.** → *médire*.

DÉSHABITÉ, E → *inhabité*.

DÉSHÉRITÉ, E → *misérable*.

DÉSHÉRITER Défavoriser, dépouiller, désavantager, exhéréder, frustrer, priver.

DÉSHONNÊTE I. → *malhonnête*. **II.** → *obscène*.

DÉSHONNEUR → *honte*.

DÉSHONORANT, E → *honteux*.

DÉSHONORER I. → *dénigrer*. **II.** → *séduire*.

DÉSHYDRATER → *sécher*.

DESIDERATA I. → *lacunes*. **II.** → *désir*.

DÉSIGNER I. → *indiquer*. **II.** → *choisir*.

DÉSILLUSION → *déception*.

DÉSILLUSIONNER Décevoir, déguiser, désappointer, désenchanter, faire déchanter, refroidir.

DÉSINENCE → *terminaison*.

DÉSINFECTION → *assainissement*.

DÉSINTÉGRER → *décomposer*.

DÉSINTÉRESSÉ, E → *généreux*.

DÉSINTÉRESSEMENT I. → *indifférence*. **II.** → *générosité*.

DÉSINTÉRESSER Contenter, dédommager, intéresser, payer.

DÉSINTÉRESSER DE (SE) Se moquer de, négliger, oublier. → *abandonner*.

DÉSINVOLTE → *dégagé*.

DÉSINVOLTURE I. Favorable ou neutre : abandon, aisance, facilité, familiarité, légèreté. **II. Non favorable :** effronterie, grossièreté, impertinence, inconvenance, laisser-aller, liberté, négligence, privauté, sans-gêne.

DÉSIR I. Au pr. : ambition, appel, appétence, appétit, aspiration, attente, attirance, attrait, besoin, but, caprice, convoitise, cupidité (péj.), curiosité, demande, démangeaison, desiderata, dessein, envie, espérance, espoir, exigence, faim, fantaisie, force, goût, impatience, inclination, intention, intérêt, penchant, prétention, prurit, rêve, soif, souhait, tendance, tentation, vanité, velléité, visée, vœu, volonté, vouloir. **II.** → *passion*.

DÉSIRER → *vouloir*.

DÉSIREUX, EUSE Affamé, altéré, assoiffé, attaché à, avide, curieux, envieux, impatient, jaloux.

DÉSISTER (SE) → *renoncer*.

DÉSOBÉIR Contrevenir, enfreindre, être insoumis, s'opposer, passer outre, se rebeller, refuser, résister, rompre, transgresser, violer.

DÉSOBÉISSANCE Contravention, indiscipline, indocilité, infraction, insoumission, insubordination, mutinerie, opposition, rébellion, résistance, révolte.

DÉSOBÉISSANT, E Difficile, endêvé (vx et fam.), endiablé, entêté, indiscipliné, indocile, insoumis, insubordonné, intraitable, mutin, opiniâtre, rebelle, récalcitrant, réfractaire, résistant, révolté.

DÉSOBLIGEANT, ANTE Blessant, choquant, déplaisant, malveillant, sec, vexant. → *désagréable*.

DÉSOBLIGER I. → *froisser*. **II.** → *nuire*.

DÉSOCCUPATION → *inaction*.

DÉSOCCUPÉ, E, DÉSŒUVRÉ, E → *inactif*.

DÉSŒUVREMENT → *inaction*.

DÉSOLATION → *affliction*.

DÉSOLER I. → *ravager*. **II.** → *chagriner*.

DÉSOPILANT, E → *risible*.

DÉSORDONNÉ, E I. → *décousu*. **II.** → *illogique*.

DÉSORDRE Altération, anarchie, bordel (vulg.), bouleversement, bric-à-brac, chahut, chambardement, chamboulement, chaos, confusion, débandade, décousu, dégât, dérangement, déroute, désarroi, désorganisation, dissension, dissipation, embrouillement, enchevêtrement, éparpillement, fatras, flottement, fouillis, fourbi (fam.), gabegie (fam.), gâchis, imbroglio, incohérence, inconduite, irrégularité, licence, mélange, pagaille, panique, pastis (fam.), pêle-mêle, perturbation, pillage, querelle, révolte, révolution, salade (fam.), scandale, tapage, trouble, tumulte.

DÉSORGANISATION → *dérangement.*

DÉSORGANISER → *troubler.*

DÉSORIENTER I. → *dérouter.* **II.** → *égarer.*

DÉSORMAIS → *avenir (à l').*

DÉSOSSÉ, E → *disloqué.*

DESPOTE → *tyran.*

DESPOTIQUE → *absolu.*

DESPOTISME → *absolutisme.*

DESSAISIR I. → *déposséder.* **II.** → *renoncer.*

DESSAISISSEMENT → *cession.*

DESSALÉ, E I. → *éveillé.* **II.** → *libre.*

DESSÈCHEMENT I. Au pr. : brûlure, déshydratation, dessiccation, flétrissement. **II. Par ext. :** assainissement, assèchement, drainage, tarissement. **III. Fig. 1. Phys. :** amaigrissement, consomption, maigreur. **2. Moral :** dureté, endurcissement, sécheresse.

DESSÉCHER → *sécher.*

DESSEIN Arrière-pensée, but, conception, conseil, décision, désir, détermination, disposition, entreprise, envie, gré, idée, intention, machination, objet, parti, pensée, plan, préméditation, prétention, programme, projet, propos, proposition, résolution, visée, volonté, vue.

DESSEIN (À) Avec intention, de propos délibéré, délibérément, en toute connaissance de cause, exprès, intentionnellement, volontairement.

DESSERRER Défaire, dévisser, écarter, ouvrir, relâcher.

DESSERTE I. Cure, paroisse. **II.** Buffet, crédence, dressoir, vaisselier.

DESSERVIR I. → *nuire.* **II.** Débarrasser, enlever, ôter.

DESSIN Canevas, coupe, ébauche, élévation, épure, œuvre, plan, relevé, tracé. → *image.*

DESSINER → *tracer.*

DESSOUS I. → *infériorité.* **II.** → *secret.* **III. Loc. 1. En dessous** → *sournois.* **2. Dessous de table** → *gratification.*

DESSUS → *avantage.*

DESTIN Aléa, avenir, destinée, fatalité, fatum, hasard, providence, sort, vie.

DESTINATION → *but.*

DESTINÉE Aventure, chance, destin, étoile, fortune, lot, partage, vie.

DESTINER Garder, prédestiner, réserver, vouer.

DESTITUÉ, E → *dénué.*

DESTITUER Casser, débarquer, débouter, déchoir, dégommer (fam.), dégoter (fam.), démettre de, démissionner, dénuer de, déplacer, déposer, dépouiller, détrôner, faire sauter, limoger, mettre en disponibilité, priver, rappeler, relever de ses fonctions, révoquer, suspendre.

DESTITUTION → *déchéance.*

DESTRIER → *cheval.*

DESTRUCTEUR n. et adj. Démolisseur, déprédateur, destructif, exterminateur, nuisible, stérilisant.

DESTRUCTION Abolition, affaiblissement, anéantissement, annulation, démolition, écrasement, extermination, liquidation, ruine.

DÉSUET, E Démodé, obsolète, périmé, suranné, vieux.

DÉSUNION → *mésintelligence.*

DÉSUNIR I. → *séparer.* **II.** → *saillir, se profiler.*

DÉTAILLÉ, E Circonstancié, particularisé.

DÉTAILLER I. → *découper.* **II.** → *vendre.* **III.** → *prononcer.*

DÉTALER → *enfuir (s').*

DÉTECTER → *découvrir.*

DÉTECTIVE → *policier.*

DÉTEINDRE SUR → *influer.*

DÉTENDRE I. → *lâcher.* **II.** → *apaiser.*

DÉTENIR I. → *garder.* **II.** → *avoir.* **III.** → *emprisonner.*

DÉTENTE → *repos.*

DÉTENTION → *emprisonnement.*

DÉTENU → *prisonnier.*

DÉTÉRIORATION → *dommage.*

DÉTÉRIORER Abîmer, arranger (fam.), bousiller (fam.), briser, casser, déglinguer (fam.), délabrer, démolir, détraquer, endommager, esquinter (fam.), fausser, forcer, gâter, saboter. → *dégrader.*

DÉTERMINATION I. → *résolution.* **II.** → *décision.*

DÉTERMINÉ, E I. → *décidé.* **II.** → *parfait.*

DÉTERMINER I. → *fixer.* **II.** → *décider.* **III.** → *occasionner.*

DÉTERMINISME → *fatalisme.*

DÉTERRER Exhumer, ressortir, sortir de terre.

DÉTESTABLE Abominable, damné, exécrable, haïssable, maudit, méprisable, odieux, sacré (par ext. et fam.).

DÉTESTER → *haïr.*

DÉTONATION → *explosion.*

DÉTONNER → *contraster.*

DÉTORQUER → *détourner.*

DÉTOUR Biais, circuit, coude, crochet, digression, diversion, hypocrisie, méandre, par la bande, périphrase, repli, ruse, secret, sinuosité, subterfuge, subtilité, tour, tournant.

DÉTOURNÉ, E I. Au pr. : contourné, défléchi, déjeté, dévié, dévoyé, en biais, gauchi. **II. Par ext. 1.** → *indirect.* **2.** → *écarté.*

DÉTOURNEMENT → *malversation.*

DÉTOURNER Abandonner, déconseiller, déplacer la question, déranger, détorquer, dissuader, distraire, divertir, écarter, éloigner, éluder, empêcher, faire dévier, obliquer, préserver, rabattre, solliciter, soustraire, tourner.

DÉTRACTER → *déprécier.*

DÉTRACTEUR → *ennemi.*

DÉTRAQUÉ → *fou.*

DÉTRAQUER I. → *détériorer.* **II.** → *troubler.*

DÉTRESSE → *malheur.*

DÉTRIMENT → *dommage.*

DÉTRITUS I. → *déchet.* **II.** → *ordure.*

DÉTROIT Bras de mer, canal, défilé, gorge, manche, pas, passage, passe, pertuis.

DÉTROMPER Avertir, aviser, démystifier, démythifier, désabuser, désillusionner, dessiller les yeux, éclairer, faire voir, informer, instruire, montrer, signaler, tirer d'erreur.

DÉTRÔNER Fig. Casser, débarquer (fam.), dégommer (fam.), dégoter (fam.), démettre de, démissionner, déplacer, déposer, dépouiller, destituer, faire sauter, limoger (fam.), mettre en disponibilité, priver, rappeler, relever de ses fonctions, révoquer, suspendre.

DÉTROUSSER → *voler.*

DÉTRUIRE Abattre, abolir, anéantir, bousiller (fam.), brûler, consumer, défaire, démolir, écraser, effacer, éteindre, exterminer, liquider, mettre en poudre, pulvériser, raser, ravager, renverser, ruiner, supprimer, tuer.

DETTE Charge, créance, débit, déficit, devoir, emprunt, obligation, passif.

DEUIL I. → *tristesse.* **II.** → *enterrement.*

DEUXIÈME Postérieur, second, suivant.

DÉVALER → *descendre.*

DÉVALISER → *voler.*

DÉVALORISATION Dépréciation, dévaluation.

DEVANCER Aller au-devant, anticiper, avoir le pas sur, dépasser, distancer, gagner de vitesse, précéder, prendre les devants, prévenir, prévoir, surpasser.

DEVANCIER → *aïeul.*

DEVANT I. Avant, en avant de, face à, en présence de. **II. Loc. Prendre les devants** → *devancer.*

DEVANTURE I. → *façade.* **II.** → *étalage.*

DÉVASTATION → *dégât.*

DÉVASTER → *ravager.*

DÉVEINE → *malchance.*

DÉVELOPPEMENT Amplification, croissance, déploiement, éclaircissement, évolution, explication, extension, paraphrase, suites, tartine (fam.), tirade.

DÉVELOPPER Allonger, amplifier, circonduire (vx), croître, délayer, démontrer, déployer, dérouler, éclaircir, enseigner, étendre, s'étendre, expliquer, exposer, filer, paraphraser, progresser, traduire.

DEVENIR Évoluer, se faire, se rendre, se transformer.

DÉVERGONDAGE → *dérèglement.*

DÉVERSER → *verser.*

DÉVÊTIR (SE) Se découvrir, se dégarnir, se dénuder, se dépouiller, se déshabiller, enlever, se mettre à poil (fam.), ôter.

DÉVIATION I. → *écart.* **II.** → *dissidence.*

DÉVIDER → *éclaircir.*

DÉVIÉ, E Contourné, défléchi, déjeté, détourné, dévoyé, en biais, gauchi.

DÉVIER → *s'écarter.*

DEVIN Aruspice, astrologue, augure, auspice, cartomancien, chiromancien, chresmologue, clairvoyant, coscinomancien, diseur de bonne aventure, extralucide, magicien, médium, nécromancien, prophète, pythie, pythonisse, sibylle, somnambule, sorcier, vaticinateur, visionnaire, voyant.

DEVINER I. → *découvrir.* **II.** → *pressentir.*

DEVIS I. → *projet.* **II.** → *conversation.*

DÉVISAGER → *regarder.*

DEVISE I. → *symbole.* **II.** → *pensée.* **III.** → *billet.*

DEVISER → *parler.*

DÉVOILER → *découvrir.*

DEVOIR v. tr. Être obligé, falloir, redevoir, tirer de.

DEVOIR n. m. Bien, charge, civilités, corvée, dette, exercice, exigence, obligation, office, pensum, tâche, travail.

DÉVOLU, E I. → *réservé.* **II. Loc. Jeter son dévolu** → *choisir.*

DÉVORER I. → *manger.* **II.** → *consumer.* **III.** → *lire.*

DÉVOT I. → *religieux.* **II.** → *bigot.*

DÉVOTION I. → *religion.* **II.** → *attachement.*

DÉVOUEMENT I. → *attachement.*
II. → *sacrifice.*

DÉVOUER → *vouer.*

DÉVOUER (SE) → *sacrifier (se).*

DÉVOYÉ, E adj. et n. **I.** → *dévié.*
II. → *égaré.* **III.** → *vaurien.*

DEXTÉRITÉ → *habileté.*

DIABLE I. Au pr. : démon, diablesse, diableteau, diablotin, diantre, dragon, incube, Lucifer, Malin, Maudit, mauvais ange, Méphistophélès, misérable, Satan, serpent, succube, tentateur. **II. Loc.** *A la diable :* à la hâte, de chiqué, en désordre/pagaille (fam.), négligemment, sans conscience / méthode / soin. **III.** Brouette, chariot, fardier.

DIABLERIE Espièglerie, machination, maléfice, malice, manigance, menée, mystère, sabbat, sortilège.

DIABLOTIN → *diable.*

DIABOLIQUE Démoniaque, infernal, méchant, méphistophélique, pernicieux, pervers, sarcastique, satanique.

DIADÈME I. → *couronne.* **II.** → *nimbe.*

DIAGRAMME Courbe, délinéation, graphique, plan, schéma.

DIALECTE → *langue.*

DIALECTIQUE → *logique.*

DIALOGUE → *conversation.*

DIALOGUER → *parler.*

DIAMANT Brillant, joyau, marguerite, marquise, pierre, rose, solitaire.

DIAMÉTRALEMENT → *absolument.*

DIANE Avertissement, réveil, signal, sonnerie.

DIANTRE → *diable.*

DIAPASON Accord, niveau, registre, ton.

DIAPHANE Clair, hyalin, limpide, luisant, lumineux, maigre, net, opalescent, translucide, transparent.

DIAPRÉ, E Bariolé, bigarré, chatoyant, émaillé, jaspé.

DIARRHÉE Caquesangue (vx), chiasse (vulg.), cliche (vulg.), colique, colite, courante (fam.), débâcle, dévoiement (vx), dysenterie, entérite, flux de ventre, foire (vulg.), lientérie.

DIATRIBE I. → *critique.* **II.** → *satire.*

DICTATORIAL, E → *absolu.*

DICTATURE → *absolutisme.*

DICTER I. → *inspirer.* **II.** → *prescrire.*

DICTION → *élocution.*

DICTIONNAIRE Codex, encomium, encyclopédie, glossaire, lexique, nomenclature, thesaurus, trésor, usuel, vocabulaire.

DICTON Adage, aphorisme, apophtegme, brocard, formule, locution, maxime, mot, parole, pensée, précepte, proverbe.

DIDACTIQUE Culturel, documentaire, éducatif, pédagogique, scolaire.

DIÈTE I. → *régime.* **II.** → *jeûne.*

DIÉTÉTIQUE n. et adj. → *hygiène.*

DIEU Allah, alpha et oméga, auteur, Bon Dieu, cause universelle, Créateur, déesse, déité, démiurge, démon, divinité, Esprit, Éternel Être suprême, génie, Grand Architecte/Être, idole, immortel, infini, Iahvé, Jahvé, Jéhovah, juge, logos, Notre-Seigneur, Père, principe, providence, pur esprit, roi, Saint des saints, Sauveur, Seigneur, souverain bien, Tout-Puissant, Très-Haut, Trinité, Verbe, Yahvé.

DIFFAMANT, E, DIFFAMATOIRE → *calomnieux.*

DIFFAMÉ, E Attaqué, calomnié, déshonoré, discrédité, malfamé, méprisé, rejeté.

DIFFAMER I. → *dénigrer.* **II.** → *médire.*

DIFFÉRENCE Altérité, antinomie, caractéristique, changement, déviation, disparité, disproportion, dissemblance, dissimilitude, distance, distinction, divergence, diversité, écart, éloignement, inégalité, modification, nuance, opposition, particularité, séparation, variante, variété.

DIFFÉRENCIATION Distinction, division, séparation, transformation.

DIFFÉRENCIER Apercevoir/établir/faire/marquer une différence *et les syn. de* DIFFÉRENCE, distinguer, différer, séparer.

DIFFÉREND → *contestation.*

DIFFÉRENT, E Autre, changé, contradictoire, contraire, disproportionné, dissemblable, distant, distinct, divergent, divers, hétérogène, inégal, méconnaissable, modifié, mystérieux, nouveau, opposé, séparé, transformé, varié.

DIFFÉRER I. → *distinguer (se).* **II.** → *retarder.*

DIFFICILE I. Au pr. : abscons, abstrait, abstrus, ardu, chinois (fam.), complexe, compliqué, confus, coriace, dégoûté, délicat, diabolique, difficultueux, dur, embarrassant, embrouillé, énigmatique, épineux, ésotérique, exigeant, illisible, impénétrable, impossible, indéchiffrable, inextricable, infaisable, ingrat, inintelligible, insupportable, intraitable, introuvable, laborieux, malaisé, pénible, obscur, rude, scabreux, sorcier, subtil, ténébreux. **II. Par ext. 1.** *Un accès :* casse-cou, dangereux, escarpé, impraticable, inabordable, inaccessible, périlleux, raboteux, raide. **2.** *Un caractère :* acariâtre, âpre, contrariant, difficultueux, exigeant, intraitable, irascible, mauvais coucheur, ombrageux, querelleur, rude. *3. Un appétit :* capricieux, dégoûté, délicat.

DIFFICULTÉ I. Sens général : complexité, complication, confusion, danger, délicatesse, gêne, obscurité, peine, péril, subtilité. **II. Quelque chose :** accroc (fam.), anicroche (fam.), aria (fam.), bec (fam.), cahot (fam.), chardon (fam.), cheveu (fam.), chiendent (fam.), contrariété, danger, embarras, empêchement, enclouure (vx), ennui, épine, hic (fam.), histoire, incident, labeur, objection, obstacle, opposition, os (fam.), peine, pépin (fam.), problème, résistance, ronce (fam.), souci, tirage (fam.), tiraillement, tracas, traverse.

DIFFICULTUEUX, EUSE → *difficile.*

DIFFORME Affreux, amorphe, anormal, bancroche (fam.), boiteux, bossu, cagneux, contrefait, croche (fam.), cul-de-jatte, défiguré, déformé, dégingandé, déjeté, disgracié, éclopé, estropié, hideux, horrible, informe, laid, mal bâti/fait, monstrueux, nain, rabougri, repoussant, tordu (fam.), tors.

DIFFUS, E Abondant, bavard, cafouilleux (fam.), déclamateur, délayé, désordonné, long, obscur, phraseur, prolixe, redondant, verbeux.

DIFFUSER → *répandre.*

DIFFUSION I. → *propagation.* **II.** → *émission.*

DIGÉRER I. Au pr. : absorber, assimiler, élaborer, transformer. **II. Fig. 1.** Accepter, avaler, endurer, souffrir, supporter. **2.** Cuire, cuver, méditer, mijoter, mûrir.

DIGÉRER (SE) Passer.

DIGESTION Absorption, animalisation, assimilation, coction, déglutition, élaboration eupepsie, ingestion, nutrition, rumination, transformation.

DIGNE I. → *honnête.* **II.** → *convenable.* **III.** → *imposant.* **IV. Loc. Etre digne de** → *mériter.*

DIGNITÉ I. → *décence.* **II.** → *majesté.* **III.** → *honneur.*

DIGRESSION A-côté, divagation, écart, épisode, excursion, excursus, hors-d'œuvre, parabase, parenthèse, placage.

DIGUE I. Au pr. : barrage, batardeau, brise-lames, chaussée, estacade, jetée, levée, môle, musoir, obstacle, serrement. **II. Fig. :** barrière, frein, obstacle.

DILAPIDATION Dissipation, gaspillage, prodigalité.

DILAPIDER → *dépenser.*

DILATATION Ampliation, augmenta-

tion, distension, divulsion, élargissement, expansion, extension, gonflement, grossissement, tumescence, turgescence.

DILATER I. → *élargir.* **II.** → *grossir.* **III.** → *réjouir.*

DILEMME → *option.*

DILETTANTE → *amateur.*

DILIGENCE I. → *activité.* **II.** → *attention.* **III.** → *coche.* **IV. Loc. 1. A la diligence de** → *demande de (à la).* **2. Faire diligence** → *hâter (se).*

DILIGENT, E I. → *actif.* **II.** → *attentif.*

DILUER → *étendre.*

DIMENSION Calibre, capacité, contenance, coordonnées, cotes, épaisseur, étendue, extension, force, format, gabarit, grandeur, grosseur, hauteur, jauge, largeur, longueur, mensuration, mesure, module, perspective, pointure, profondeur, proportion, puissance, surface, taille, volume.

DIMINUER I. Au pr. On diminue quelque chose : abaisser, abréger, accourcir, affaiblir, affaisser, alléger, altérer amaigrir, amenuiser, amincir, amoindrir, amputer, apetisser, atténuer, baisser, comprimer, concentrer, condenser, contracter, décharger, décroître, déduire, dégonfler, dégrossir, désenfler, diluer, diviser, écimer, éclaircir, écourter, écrêter, élégir, enlever, entamer, étrécir, étriquer, évider, freiner, modérer, ôter, raccourcir, ralentir, rapetisser, réduire, resserrer, restreindre, résumer, retrancher, rétrécir, rogner, ronger, soulager, soustraire, tronquer, user. **II. Par ext. 1. On diminue quelqu'un :** abaisser, abattre / affaiblir / atténuer / attiédir / émousser / faire tomber / modérer / rabattre / ralentir / relâcher l'ardeur / le courage, accabler, avilir, dégrader, dénigrer, déprécier, discréditer, flétrir, humilier, rabaisser, ternir. **2. Quelque chose diminue quelqu'un :** alanguir, amoindrir, amollir, consumer, déprimer, émasculer, épuiser, exténuer, fatiguer. **3. On diminue une peine :** adoucir, alléger, apaiser, calmer, consoler, endormir, étourdir, pallier, soulager. **4. On diminue l'autorité :** compromettre, infirmer, miner, saper. **III. V. intr. :** baisser, se calmer, céder, cesser, déchoir, décliner, décroître, dépérir, descendre, disparaître, s'éclaircir, s'évanouir, faiblir, mollir, pâlir, perdre, rabattre, raccourcir, rapetisser, réduire, se relâcher, resserrer, tomber.

DIMINUTION I. Abaissement, abrégement, affaissement, concentration, contraction, décroissance, décroissement, dégonflement, dégradation, déperdition, épuisement, mutilation, ralentissement, soustraction, suppression. **II.** Abattement, allégement, amoindrissement, baisse, bonification, compression, décharge, déflation, dégrèvement, dépréciation, dévalorisation, modération, moins-value, rabais, réduction, retranchement. **III.** Amaigrissement, amenuisement, amincissement, raccourcissement, soulagement.

DÎNER, DÎNETTE → *repas.*

DIOCÈSE → *évêché.*

DIONYSIAQUE Bachique.

DIPHTÉRIE Croup.

DIPLOMATE → *négociateur.*

DIPLOMATIE → *politique.*

DIPLÔME Brevet, certificat, degré, grade, parchemin, peau d'âne (fam.), titre.

DIRE I. Au pr. : articuler, avertir, chanter (fam.), colporter, communiquer, débiter, déclarer, déclamer, désigner, disserter (par ext.), ébruiter, enfiler (fam.), énoncer, exposer, exprimer,faire, indiquer, juger, lâcher (fam.), narrer, nommer, parler, proférer, prononcer, propager, publier, raconter, réciter, relater, répandre, sortir (fam.), vomir (péj.). **II. Par ext. 1.** → *bavarder.* **2.** → *médire.*

DIRECT, E I. → *immédiat.* **II.** → *naturel.*

DIRECTEMENT → *droit.*

DIRECTEUR, DIRECTRICE I. Au pr. : administrateur, dirigeant, gérant, gouverneur, intendant, maître, patron, principal, proviseur, régisseur, responsable, singe (arg.), supérieur, tête. **II. Loc. *Directeur de conscience :*** confesseur, confident.

DIRECTION I. Administration, conduite, gestion, gouvernail, gouvernement, intendance, régie, régime, règlement. **II.** But, chemin, côté, destination, ligne, orientation, route. **III.** Gouvernail, levier de direction, timon, volant.

DIRECTIVE → *instruction.*

DIRIGEABLE → *ballon.*

DIRIGEANT → *gouvernant.*

DIRIGER Acheminer, administrer, aiguiller, conduire, conseiller, gérer, gouverner, guider, maîtriser, orienter, piloter, rapporter à, régir, régler.

DIRIGER (SE) Aller vers, cheminer, pousser, se tourner vers.

DISCERNEMENT → *raison.*

DISCERNER I. → *distinguer.* **II.** → *percevoir.*

DISCIPLE → *élève.*

DISCIPLINE I. → *ordre.* **II.** → *enseignement.* **III.** → *fouet.*

DISCIPLINER Assujettir, dompter, dresser, élever, former, plier, soumettre.

DISCONTINU, E → *intermittent.*

DISCONTINUATION Arrêt, cessation, discontinuité, intermittence, interruption, suspension.

DISCONTINUER → *interrompre.*

DISCONTINUITÉ → *discontinuation.*

DISCONVENANCE Contradiction, contraste, désaccord, disproportion, opposition.

DISCONVENIR DE → *nier.*

DISCORD Antagonisme, chicane, contradiction, désaccord, dissension, mésintelligence, opposition, querelle.

DISCORDANCE I. → *mésintelligence.* **II.** → *dissonance.*

DISCORDANT, E Adverse, chicanier, confus, contraire, défavorable, désordonné, disproportionné, dissonant, faux, incohérent, mêlé, opposé, rebelle.

DISCORDE → *mésintelligence.*

DISCOUREUR, EUSE → *bavard.*

DISCOURIR Bavarder, causer, débiter, déclamer, disserter, haranguer, laïusser (fam.), palabrer, parler, patrociner, pérorer, pontifier, prêcher, tartiner.

DISCOURS I. Au pr. : adresse, allocution, bavardage (péj.), causerie, compliment, conférence, conversation, déclaration ministérielle, défense, dialogue, éloge, entretien, exhortation, exposé, harangue, interlocution, laïus (fam.), oraison, palabre, paraphrase, préface, proclamation, propos, prosopopée, santé, speech (anglais), tartine (fam.), toast, topo (fam.), traité. **II. Par ext. 1.** Débit, élocution, galimatias (péj.), langage, langue, parole. **2. *Jurid. :*** plaidoirie, réquisitoire. **3. *Relig. :*** homélie, instruction, oraison, prêche, prédication, prône, sermon.

DISCOURTOIS, E → *impoli.*

DISCRÉDIT → *défaveur.*

DISCRÉDITER I. Au pr. : attaquer, baver, calomnier, clabauder (fam.), critiquer. **II. Par ext. :** dauber (fam.), débiner (fam.), déblatérer (fam.), déchiqueter, déchirer, déconsidérer, décréditer, décrier, dénigrer, déprécier, dépriser, déshonorer, diffamer, médire, noircir, rabaisser, salir, tympaniser, vilipender.

DISCRET, E Circonspect, mesuré, mis à part, modéré, modeste, poli, pondéré, prudent, réservé, retenu, retiré, secret.

DISCRÉTION I. → *retenue.* **II. Loc. *A discrétion*** → *volonté (à).*

DISCRÉTIONNAIRE → *absolu.*

DISCRIMINER → *distinguer.*

DISCULPER → *excuser.*

DISCURSIF, IVE → *logique.*

DISCUSSION I. Affaire, altercation, attrapage, bisbille (fam.), chamaille (fam.), chamaillerie (fam.), chamaillis (fam.), chicane, conflit, contention (vx), contestation, controverse, déchirement, démêlé, désaccord, disceptation (vx), discorde, dispute, dissension, grabuge (fam.), heurt, litige, logomachie, noise, palabre, polémique, prise de bec (fam.), querelle, riotte, rixe, scène, vie (fam.). **II.** Débat, dissertation, étude, examen, explication.

DISCUTABLE → *incertain*.

DISCUTER Agiter, analyser, arguer, argumenter, batailler, bavarder, se chamailler, conférer, colloquer, considérer, contester, controverser, critiquer, débattre, délibérer de, démêler, discutailler (péj.), se disputer, échanger des idées/des points de vue, ergoter, s'escrimer, examiner, ferrailler, jouter, lutter, marchander, mégoter (fam.), mettre en doute/en question, négocier, nier, palabrer, parlementer, passer en revue, se quereller, ratiociner (péj.), rompre des lances, tenir conseil, traiter.

DISERT, E Bavard, beau diseur, biendisant, diseur, éloquent, fleuri.

DISETTE Absence, besoin, défaut, dénuement, famine, manque, misère, pauvreté, pénurie, rareté, vaches maigres (fam.).

DISEUR, EUSE n. et adj. **I.** → *disert*. **II. Loc.** *Diseur de bonne aventure* : chiromancien, devin. → *voyant*.

DISGRÂCE I. → *défaveur*. **II.** → *malheur*.

DISGRACIÉ, E → *laid*.

DISGRACIEUX, IEUSE Déplaisant, désagréable, détestable, difforme, discourtois, fâcheux, grossier, ingrat, laid, malgracieux.

DISJOINDRE I. → *déjoindre*. **II.** → *écarter*. **III.** → *séparer*.

DISJONCTION I. Bifurcation, désarticulation, désunion, dislocation, division, divorce, écartement, éloignement, scission, séparation. **II. Gram. :** asyndète.

DISLOQUÉ, E Brisé, cassé, déboîté, dégingandé, déglingué (fam.), déhanché, démanché (fam.), désagrégé, désarticulé, désemboîté, désossé, disjoint, divisé, écartelé, éhanché, fracturé, luxé, morcelé, rompu.

DISLOQUER Briser, casser, déboîter, déclinquer, déglinguer, démancher, démantibuler, démettre, démolir, désarticuler, désemboîter, désemparer, désunir, détraquer, diviser, écarteler, fausser, luxer.

DISLOQUER (SE) I. Quelque chose : se désagréger, se dissoudre, se séparer. **II. Quelqu'un :** se contorsionner, se déformer, se désosser (fam.), *et les formes pronom. possibles des syn. de* DISLOQUER.

DISPARAÎTRE Abandonner, s'absenter, s'anéantir, se cacher, cesser d'être visible/d'exister, se coucher, décamper, se dérober, diminuer, se dissimuler, se dissiper, se dissoudre, échapper aux regards/à la vue, s'éclipser, s'écouler, s'effacer, s'éloigner, s'en aller, s'enfoncer, s'enfuir, s'engouffrer, s'envoler, s'épuiser, s'escamoter, s'esquiver, s'estomper, s'éteindre, être couvert/recouvert, s'évanouir, s'évaporer, finir, fuir, manquer à l'appel, mourir, se noyer dans, partir, passer, se perdre, plonger, prendre la poudre d'escampette (fam.), quitter, se retirer, se soustraire à la vue, tarir, se tirer (fam.), se voiler, se volatiliser.

DISPARATE I. Nom fém. → *opposition*. **II. Adj.** → *bigarré*.

DISPARITÉ → *différence*.

DISPARITION → *éloignement*.

DISPENDIEUX, EUSE → *cher*.

DISPENSE I. → *immunité*. **II.** → *permission*.

DISPENSER I. → *distribuer*. **II.** → *permettre*. **III.** → *exempter*.

DISPENSER (SE) → *abstenir (s')*.

DISPERSER I. Disséminer, dissiper, émietter, éparpiller, jeter, parsemer, répandre, semer. **II.** Désunir, diviser, répartir, séparer. **III.** Balayer, battre, chasser, débander, mettre en déroute/en fuite.

DISPERSER (SE) I. Quelqu'un : se débander, s'écarter, s'égailler, s'égrener, s'enfuir, s'éparpiller, essaimer, fuir, rompre les rangs. **II. Quelque chose :** diffuser, irradier, rayonner.

DISPERSION I. Au pr. : dissémination, division, écartement, émiettement, éparpillement, séparation. **II. Par ext. :** débandade, déroute, fuite, retraite. **III. Fig.** → *distraction*.

DISPONIBLE → *vacant*.

DISPOS, E Agile, alerte, allègre, découplé, délié, en forme, éveillé, frais, gaillard, ingambe, léger, leste, ouvert, preste, reposé, sain, souple, vif, vite.

DISPOSER I. → *arranger*. **II.** → *préparer*. **III.** → *décider*. **IV.** → *aliéner*.

DISPOSITIF I. Machine, mécanique. **II.** Agencement, arrangement, méthode, procédé. → *disposition*.

DISPOSITION I. De quelqu'un : aptitude, bosse (fam.), capacité, dons, esprit, étoffe, facilités, fibre (fam.), goût, inclination, instinct, mesure, moyens, orientation, penchant, prédisposition, propension, qualités, sentiment, talent, tendance, vertu, vocation. **II. Disposition d'esprit :** dessein, intention, sentiment. **III. De quelque chose :** agencement, ajustement, arrangement, combinaison, composition, configuration, construction, coordination, dispositif, économie, modalités, montage, ordonnance, ordre, organisation, orientation, place, plan, position, rangement, répartition, situation. **IV. Au pl. :** arrangement, cadre, clause, condition, décision, mesure, précaution, préparatif, résolution, testament.

DISPROPORTION → *différence.*

DISPROPORTIONNÉ, E Démesuré, déséquilibré, inégal, maladroit, mal proportionné.

DISPUTE → *discussion.*

DISPUTER I. V. intr. → *discuter.* **II. V. tr. 1. Quelque chose à quelqu'un :** briguer, défendre, soutenir. **2. Fam.** *Quelqu'un :* attraper, engueuler (vulg.), gourmander, gronder, réprimander, tancer.

DISPUTER (SE) Avoir des mots (fam.), se battre, se chamailler, se chicaner, se chipoter (fam.), échanger des mots/des paroles, se quereller, *et les formes pronom. possibles des syn. de* DISPUTER.

DISPUTEUR, EUSE n. et adj. Argumenteur, chamailleur, chicaneur, chicanier, discuteur, disputailleur, querelleur.

DISQUALIFIER → *dégrader.*

DISSECTION → *anatomie.*

DISSEMBLABLE Différent, disparate, dissimilaire, divers, hétérogène, opposé.

DISSEMBLANCE → *différence.*

DISSÉMINATION Dispersion, division, éparpillement, propagation.

DISSÉMINER → *répandre.*

DISSENSION, DISSENTIMENT → *mésintelligence.*

DISSERTATION I. → *traité.* **II.** → *rédaction.* **III.** → *discussion.*

DISSERTER → *discourir.*

DISSIDENCE Déviation, division, hérésie, insoumission, insurrection, rébellion, révolte, schisme, scission, sécession, séparation.

DISSIDENT, E → *insoumis.*

DISSIMULATEUR, TRICE → *sournois.*

DISSIMULATION → *feinte.*

DISSIMULÉ, E → *sournois.*

DISSIMULER Atténuer, cacher, camoufler, celer, couvrir, déguiser, enfouir, envelopper, faire semblant, farder, feindre, frauder, garder secret,

masquer, pallier, taire, travestir, tricher, voiler.

DISSIMULER (SE) → *cacher (se).*

DISSIPATION I. → *dépense.* **II.** → *distraction.*

DISSIPER I. → *disperser.* **II.** → *dépenser.*

DISSIPER (SE) I. → *consumer.* **II.** → *disparaître.*

DISSOCIER → *séparer.*

DISSOLU, E → *vicieux.*

DISSOLUTION I. → *résolution.* **II.** → *dérèglement.*

DISSONANCE Cacophonie, charivari, contradiction, désaccord, discordance, disparate, opposition, tintamarre.

DISSOUDRE I. Au pr. : décomposer, délayer, dissocier, fondre, liquéfier. **II. Par ext. :** abroger, annihiler, annuler, arrêter, briser, casser, défaire, dénouer, faire cesser, mettre fin/un terme, retirer les pouvoirs, rompre.

DISSOUDRE (SE) Fondre, se putréfier, se résoudre, se séparer.

DISSUADER Déconseiller, décourager, dégoûter, détourner, écarter, éloigner.

DISSYMÉTRIE Asymétrie, irrégularité.

DISTANCE I. Absence, éloignement, espace, intervalle, lointain, recul. **II. Fig. 1.** Aversion, froideur, mépris, réprobation. **2.** Différence, disparité, dissemblance.

DISTANCER Dépasser, devancer, écarter, éloigner, espacer, forlonger, gagner sur, lâcher, passer, précéder, semer, surpasser.

DISTANT, E I. → *sauvage.* **II.** → *dédaigneux.*

DISTILLER I. Sécréter, épancher, laisser couler, suppurer. **II.** Cohober, condenser, extraire, rectifier, réduire, spiritualiser (vx), sublimer, vaporiser. **III. Fig. 1.** Épancher, répandre. **2.** → *dégoutter.*

DISTINCT, E I. → *différent.* **II.** → *clair.*

DISTINCTION I. Démarcation, différence, différenciation, discrimination, division, séparation. **II.** Décoration, dignité, honneurs, égards, faveur, médaille, prérogative, respect. **III.** Classe, éclat, éducation, élégance, finesse, grandeur, manières, mérite, noblesse, panache, talent, tenue, valeur.

DISTINGUÉ, E Affable, agréable, aimable, beau, bon, brillant, célèbre, courtois, de bonne compagnie/éducation, de bon ton, délicat, digne, éclatant, élégant, émérite, éminent, exquis, galant, gracieux, hors de pair, hors ligne, incomparable, poli, raffiné, rare, reconnu, remarquable, sans pareil, supérieur, transcendant.

DISTINGUER Apercevoir, choisir, débrouiller, découvrir, démêler, différencier, discerner, discriminer, honorer, préférer, reconnaître, remarquer, séparer, trier.

DISTINGUER (SE) Émerger, différer, faire une discrimination, faire figure, se faire remarquer/voir, s'illustrer, se montrer, paraître, se particulariser, percer, se signaler, se singulariser.

DISTORSION → *torsion.*

DISTRACTION I. De quelqu'un : absence d'esprit, dispersion, dissipation, divertissement, étourderie, inadvertance, inattention, irréflexion, légèreté, omission, oubli. **II.** Ébats, jeu, récréation. → *divertissement.* **III. De quelque chose :** démembrement, séparation.

DISTRAIRE I. Au pr. : démembrer, détacher, enlever, extraire, soustraire, prélever, retrancher, séparer. **II. Par ext. :** amuser, baguenauder, débaucher, délasser, désennuyer, détourner, divertir, égayer, étourdir, récréer. **III. Non favorable** → *voler.*

DISTRAIT, E Absent, absorbé, abstrait, dispersé, dissipé, étourdi, inappliqué, inattentif, préoccupé, rassoté (vx), rêveur, vague.

DISTRIBUER I. Au pr. : allotir, arroser (fam.), assigner, attribuer, départir, dispenser, disposer, diviser, donner, gratifier, impartir, octroyer, ordonner, partager, prodiguer, ranger, répandre, répartir, semer. **II. Par ext. :** agencer, aménager, amener, arranger, classer, classifier, coordonner, disposer, distinguer, diviser, ordonner, ranger.

DISTRIBUTION I. Au pr. : attribution, bienfaisance, diffusion, dilapidation (péj.), disposition, don, largesse, libéralité, partage, répartition. **II. Par ext. :** agencement, aménagement, arrangement, classement, classification, disposition, ordonnance, ordre, rang, rangement. **III. Fig. :** correction, coup, raclée (fam.), volée (fam.).

DISTRICT I. → *division.* **II.** → *charge.*

DITHYRAMBE → *éloge.*

DITHYRAMBISTE → *louangeur.*

DIURNE → *journalier.*

DIVAGATION I. → *digression.* **II.** → *délire.*

DIVAGUER I. → *déraisonner.* **II.** → *errer.*

DIVAN → *canapé.*

DIVERGENCE → *mésintelligence.*

DIVERGER → *écarter (s').*

DIVERS, E I. → *changeant.* **II.**

→ *plusieurs.* **III.** → *varié.* **IV.** → *différent.*

DIVERSION Changement, dérivatif, distraction, divertissement, exutoire.

DIVERSITÉ I. → *différence.* **II.** → *variété.*

DIVERTIR → *distraire.*

DIVERTISSEMENT Agrément, amusement, amusette, amusoire, aubade, bagatelle, ballet, concert, déduit, délassement, distraction, diversion, ébat, interlude, intermède, jeu, partie, passe-temps, plaisir, récréation, régal, réjouissance, sérénade, spectacle.

DIVIDENDE → *rétribution.*

DIVIN, DIVINE I. Céleste, occulte, surnaturel. **II.** Admirable, adorable, beau, bien, bon, charmant, délicieux, parfait, sublime.

DIVINATION Astrologie, attente, augure, clairvoyance, conjecture, horoscope, hypothèse, inspiration, intuition, magie, oracle, présage, prescience, pressentiment, prévision, pronostic, prophétie, révélation, sagacité, spiritisme, télépathie, voyance.

DIVINISER → *louer.*

DIVINITÉ → *dieu.*

DIVISER Cliver, cloisonner, couper, débiter, décomposer, démembrer, découper, désagréger, détailler, disjoindre, dissocier, distribuer, fendre, fractionner, fragmenter, morceler, parceller, partager, partir, scinder, sectionner, séparer, subdiviser, trancher, tronçonner.

DIVISION I. Arrondissement, canton, circonscription, département, district, subdivision, zone. **II.** Classement, clivage, coupure, déchirement, démembrement, dichotomie, diérèse, fission, fragmentation, lotissement, morcellement, partie, scission, scissiparité, section, sectionnement, segmentation, séparation, subdivision. **III. Fig. :** désaccord, dispute, divorce, mésintelligence, querelle, rupture, schisme, scission.

DIVORCE I. Au pr. : répudiation, séparation. **II. Par ext. :** contradiction, désaccord, désunion, dissension, divergence, opposition, rupture, séparation.

DIVORCER I. Répudier, rompre, se démarier (pop.), se séparer. **II. Par ext. :** se brouiller, se désunir, se diviser, renoncer à.

DIVULGUER → *publier.*

DIVULSION → *déracinement.*

DOCILE → *doux.*

DOCILITÉ → *douceur.*

DOCK I. → *bassin.* **II.** → *magasin.*

DOCKER → *porteur.*

DOCTE → *savant.*

DOCTEUR I. → *médecin.* II. → *théologien.*

DOCTORAL, E → *tranchant.*

DOCTRINE I. → *théorie.* II. → *savoir.* III. → *principes.*

DOCUMENT → *titre.*

DOCUMENTAIRE → *didactique.*

DODELINER → *balancer.*

DODINER → *balancer.*

DODU, E → *gras.*

DOGMATIQUE → *tranchant.*

DOGMATISTE Dogmatique, dogmatiseur.

DOGME I. → *principe.* II. → *foi.*

DOIGT (UN) loc. adv. → *peu (un).*

DOIGTÉ → *habileté.*

DOL → *tromperie.*

DOLÉANCES → *gémissement.*

DOLENT, E → *malade.*

DOMAINE I. → *bien.* II. → *département.*

DÔME Bulbe, ciel, coupole, voûte.

DOMESTIQUE I. **Nom masc.** → *serviteur.* II. → *servante.* III. → *maison.* IV. **Adj. 1.** → *familier.* *2.* → *apprivoisé.*

DOMICILE → *demeure.*

DOMINANT, E → *principal.*

DOMINATION → *autorité.*

DOMINER v. tr. et intr. I. **Neutre :** asservir, assujettir, commander, couvrir, l'emporter, gouverner, léguer, prédominer, prévaloir, régir, soumettre, surpasser, triompher, vaincre. **II. Par ext. Non favorable :** écraser, étouffer, maîtriser, subjuguer. **III. Fig. :** couronner, dépasser, dresser, surmonter, surplomber.

DOMMAGE I. Atteinte, avarie, casse, coup, dam, dédommagement, dégât, dégradation, déprédation, désavantage, détérioration, détriment, endommagement, grief (vx), injure, injustice, lésion, mal, outrage, perte, préjudice, ravage, ribordage (mar.), sinistre, tort. **II. Loc. C'est dommage :** fâcheux, regrettable, triste.

DOMPTÉ, E → *apprivoisé.*

DOMPTER → *vaincre.*

DON I. **Au pr. :** aumône, bienfait, cadeau, dépannage (fam.), disposition, distribution, donation, dotation, épices (vx), étrennes, générosité, gratification, hommage, honnêteté, legs, libéralités, oblation, offrande, pot-de-vin (péj.), pourboire, présent, secours, souvenir, sportule, subside, subvention, surprise. **II. Par ext. 1.** Apanage, aptitude, art, capacité, facilité, esprit, génie, habileté, intelligence, qualité, talent. *2.* Bénédiction, bienfait, faveur, grâce.

DONC Ainsi, en conséquence, or, par conséquent/suite, partant.

DONNANT, E → *généreux.*

DONNÉE → *principe.*

DONNER I. Abandonner, accorder, administrer, apporter, assigner, attribuer, avancer, bailler (vx), céder, communiquer, concéder, conférer, confier, consacrer, consentir, distribuer, doter, douer, employer, épandre, exposer, exprimer, faire passer, ficher (vulg.), fixer, fournir, foutre (péj. et vulg.), impartir, imposer, léguer, livrer, occasionner, octroyer, offrir, partager, passer, payer, permettre, présenter, procurer, prodiguer, produire, remettre, rémunérer, répandre, répartir, rétribuer, sacrifier, tendre, transmettre, verser, vouer. **II. Fig. 1.** → *dénoncer.* **2.** → *dire.* **III. Loc. 1. En donner** → *tromper.* **2. Donner contre** → *heurter.* **3. Donner les mains** → *consentir.*

DOPER → *enflammer.*

DORÉNAVANT A l'avenir, dans/par la suite, désormais.

DORLOTER → *soigner.*

DORMANT, E → *tranquille.*

DORMIR I. **Au pr. :** s'assoupir, dormailler, s'endormir, être dans les bras de Morphée, faire la sieste/un somme, fermer l'œil (fam.), pioncer (fam.), reposer, ronfler (fam.), roupiller (fam.), sommeiller, somnoler. **II. Fig. :** négliger, oublier, traîner.

DORMITIF → *narcotique.*

DORTOIR Chambrée, dormitorium.

DOS I. **Nom masc. :** colonne vertébrale, derrière, échine, surface, râble, rachis, revers. **II. Loc. Tourner le dos à quelqu'un** → *délaisser.*

DOSE → *quantité.*

DOSER → *mêler.*

DOSSIER I. Appui, appui-tête. **II. 1.** Affaire, cas. *2.* Bordereau, chemise, classeur.

DOTATION I. → *don.* II. → *indemnité.*

DOTER → *gratifier.*

DOUAIRIÈRE I. → *veuve.* II. → *vieille.*

DOUANIER Gabelou, rat-de-cave (arg.).

DOUBLE I. **Adj. 1. Favorable ou neutre :** ambigu, complexe, géminé. *2. Non favorable :* dissimulé, équivoque, faux, hypocrite, sournois, à sous-entendu. *3. Par ext. :* supérieur. **II. Nom masc. 1.** Ampliation, contrepartie, copie, duplicata, expédition, photocopie, reproduction. *2. Quelqu'un :* alter ego, jumeau. *3.* Ectoplasme, fantôme, ombre. *4.* Besson, doublon.

DOUBLER I. → *dépasser.* II. → *remplacer.*

DOUBLE SENS → *ambiguïté.*

DOUBLET Homonyme, paronyme.

DOUCEÂTRE → *doux.*

DOUCEMENT Délicatement, doucettement, en douceur, légèrement, lentement, mollement, mou (fam.), paisiblement, pianissimo, piano, posément, tout beau/doux.

DOUCEREUX, EUSE Benoît, chafouin, douceâtre, doux, emmiellé, fade, melliflue, mielleux, mièvre, papelard, patelin, paterne, patte-pelu, sournois, sucré.

DOUCET, TE → *doux.*

DOUCEUR I. Au pr. : délicatesse, légèreté, modération. **II. Par ext. 1. De quelqu'un :** affabilité, agrément, amabilité, aménité, bienveillance, bonté, calme, charité, clémence, débonnaireté, docilité, gentillesse, humanité, indulgence, mansuétude, onction, patience, placidité, suavité. **2.** Bien-être, bonheur, joie, jouissance, quiétude, satisfaction, tranquillité. **III.** Amuse-gueule (fam.), bonbon, chatterie, friandise, sucrerie. **IV. Loc. En douceur** → *doucement.*

DOUCHE I. Au pr. : affusion, aspersion, bain, hydrothérapie. **II. Fig. :** déception, désappointement.

DOUER → *gratifier.*

DOUILLET, TE I. → *moelleux.* **II.** → *sensible.*

DOULEUR Affliction, amertume, déchirement, désespoir, désolation, élancement, mal, souffrance, supplice, torture, tourment. → *blessure.*

DOULOUREUX, EUSE I. Au pr. : endolori, souffrant, souffreteux. **II. Par ext. :** affligeant, amer, angoissant, attristant, crucifiant, cruel, cuisant, déchirant, difficile, dur, éprouvant, funeste, lamentable, lancinant, navrant, pénible, pitoyable, triste.

DOUTE I. → *incertitude.* **II.** → *scepticisme.* **III. Loc. Sans doute :** à coup sûr, apparemment, assurément, certainement, probablement, selon toutes les apparences, vraisemblablement.

DOUTER I. → *hésiter.* **II.** → *pressentir.*

DOUTEUX, EUSE I. → *incertain.* **II.** → *suspect.*

DOUVE I. → *fossé.* **II.** → *planche.*

DOUX, DOUCE I. Quelqu'un. 1. Affable, agréable, aimable, amène, angélique, bénin, bienveillant, bon, bonasse (péj.), bonhomme, calme, clément, complaisant, conciliant, coulant (péj.), débonnaire, docile, doucereux (péj.), doucet, gentil, humain, indulgent, liant, malléable, modéré, pacifique, paisible, paterne (péj.), patient, sage, sociable, soumis, souple (péj.), tolérant, traitable, tranquille.

2. Affectueux, aimant, câlin, caressant, tendre. **II. Quelque chose. 1.** Agréable, bon, délectable, délicat, délicieux, douceâtre (péj.), exquis, fade (péj.), onctueux, savoureux, suave, succulent, sucré. **2.** Douillet, fin, harmonieux, léger, mélodieux, moelleux, mollet, mou, musical, satiné, soyeux, uni, velouté. **III. Loc. Tout doux** → *doucement.*

DOYEN I. Aîné, ancien, chef, directeur, maître, patron (fam.), président, vétéran. **II.** → *prêtre.*

DRACONIEN, NE → *sévère.*

DRAINER I. → *sécher.* **II.** → *attirer.*

DRAMATIQUE I. Scénique, théâtral. **II.** Émouvant, intéressant, passionnant, poignant, terrible, tragique. **III.** Dangereux, difficile, risqué, sérieux, à suspens.

DRAMATISER → *exagérer.*

DRAMATURGE → *écrivain.*

DRAME Mélodrame, opéra, opéra-comique, pièce, tragédie, tragi-comédie.

DRAPEAU Banderole, bandière (vx), bannière, cornette (vx), couleurs, enseigne, étendard, fanion, fanon (vx), flamme, gonfalon, guidon, oriflamme, pavillon, pennon.

DRAPERIE Cantonnière, rideau, tapisserie, tenture.

DRESSÉ, E I. → *apprivoisé.* **II.** → *préparé.* **III.** → *montant.*

DRESSER I. → *élever.* **II.** → *préparer.* **III.** → *instruire.* **IV.** → *composer.*

DRILLE I. → *gaillard.* **II.** → *misérable.*

DROGMAN → *traducteur.*

DROGUE I. → *remède.* **II.** Cocaïne, haschich, héroïne, L.S.D., marijuana, morphine, narcotique, opium, stupéfiant, toxique. **III. Arg. :** acide, blanche, came, chnouf, coco, défonce, douce, dure, fée blanche/brune/verte, hasch, herbe, joint, kif, merde, naphtaline, neige, noire, pipe, piquouse, poudre, shit, stup, etc.

DROGUER I. → *soigner.* **II.** → *attendre.*

DROGUER (SE) S'intoxiquer. **Arg. :** se camer, chnoufer, se défoncer, s'envaper, fliper, fumer, se piquer, se plastrer, se poudrer, prendre une petite, priser, se shooter, tirer sur le bambou, visionner, etc.

DROIT, E I. Au pr. : abrupt, debout, direct, perpendiculaire, rectiligne, vertical. **II. Fig. 1. Quelqu'un :** bon, désintéressé, équitable, franc, honnête, juste, loyal, probe, pur, sincère. **2. Quelque chose :** direct, judicieux, positif, sain, sensé, strict, vrai. **III. Adv. :** directement.

DROIT I. Barreau, basoche, code, coutume, digeste, juristice, justice, légalité, loi, morale, règlement. **II.** Contribution, imposition, impôt, redevance, taxe. **III.** Rétribution, salaire. **IV.** Autorisation, faculté, habileté, liberté, monopole, permission, possibilité, pouvoir, prérogative, privilège, usage, servitude.

DROITURE I. → *rectitude*. **II.** → *justice*.

DRÔLE I. Adj. → *risible*. **II. Nom masc. 1.** → *gaillard*. **2.** → *enfant*. **3.** → *vaurien*.

DRU, E I. → *épais*. **II.** → *dense*. **III.** → *fort*.

DUBITATIF, IVE → *incrédule*.

DUCTILE → *flexible*.

DUÈGNE → *gouvernante*.

DUEL Affaire, affaire d'honneur, combat, joute, lutte, opposition, rencontre, réparation.

DUELLISTE → *ferrailleur*.

DULCIFIER → *adoucir*.

DUNE → *hauteur*.

DUPE → *naïf*.

DUPER → *tromper*.

DUPERIE → *tromperie*.

DUPEUR, EUSE → *trompeur*.

DUPLICATA, UM → *copie*.

DUPLICITÉ → *hypocrisie*.

DUR, E I. Quelque chose : adamantin, calleux, consistant, coriace, empesé, épais, pris, résistant rigide, solide. **II. Quelqu'un.** *Non favorable :* autoritaire, blessant, brutal, endurci, exigeant, farouche, féroce, froid, impassible, impitoyable, implacable, indifférent, inébranlable, inexorable, inflexible, inhumain, insensible, intraitable, intransigeant, mauvais, méchant, raccorni (fam.), rigoriste, sans âme/cœur/entrailles (fam.), sec, sévère, strict, terrible, vache (fam.). **III. Par ext. 1.** Apre, inclément, inhospitalier, rigoureux, rude. **2.** Difficile, dissipé, turbulent. **3.** → *bête*. **IV. Loc. 1. *Dur d'oreille*** → *sourd*. **2. *Dur à la détente*** → *avare*.

DURABILITÉ Constance, continuité, éternité, fermeté, immortalité, immutabilité, indélébilité, invariabilité, longévité, permanence, persistance, résistance, solidité, stabilité, ténacité, viabilité, vivacité.

DURABLE Chronique, constant, continu, enraciné, éternel, ferme, immortel, immuable, impérissable, inaltérable, indélébile, indestructible, infrangible, invariable, permanent, perpétuel, persistant, profond, résistant, solide, stable, tenace, valable, viable, vivace, vivant.

DURANT Au cours de, au moment de, en même temps, pendant, tandis que.

DURCIR Affermir, endurcir, fortifier, indurer, tremper.

DURCISSEMENT → *prise*.

DURÉE → *temps*.

DURER Se conserver, continuer, demeurer, n'en plus finir, s'étendre, s'éterniser, se maintenir, se perpétuer, persévérer, se prolonger, résister, se soutenir, subsister, tenir, tirer en longueur, traîner, vivre.

DURETÉ I. De quelque chose. 1. Consistance, résistance, rigidité, rudesse, solidité. **2.** Inclémence, rigueur, rudesse, sécheresse. **II. De quelqu'un :** brutalité, endurcissement, implacabilité, inhumanité, insensibilité, méchanceté, rigueur, rudesse, sécheresse de cœur, sévérité.

DURILLON → *cal*.

DUVET I. → *poil, plume*. **II.** Édredon, sac à viande (fam.)/de couchage.

DUVETEUX, EUSE → *doux*.

DYNAMIQUE Énergique, → *courageux*.

DYNAMISME → *force*.

DYNASTIE → *race*.

DYSENTERIE → *diarrhée*.

EAU I. Aqua simplex, baille (arg.), flot, flotte (fam.), onde. **II. Au pl.** → *bain.* **III. Eau-de-vie** → *alcool.*

ÉBAHI, E Abasourdi, ahuri, baba (fam.), déconcerté, décontenancé, ébaubi, éberlué, ébouriffé, émerveillé, épaté (fam.), estomaqué (fam.), fasciné, interdit, médusé, penaud, pétrifié, sidéré, stupéfait, surpris, tombé des nues.

ÉBAHIR Abasourdir, ahurir, déconcerter, ébaubir, éberluer, éblouir, épater (fam.), estomaquer, étonner, interdire, méduser, stupéfier, surprendre.

ÉBAT, ÉBATTEMENT I. Au pr. : amusement, délassement, distraction, divertissement, ébats, jeu, mouvement, passe-temps, plaisir, récréation, sport. **II. Par ext.** → *caresse.*

ÉBATTRE (S') → *batifoler.*

ÉBAUBI, E → *ébahi.*

ÉBAUCHE Canevas, carcasse, commencement, crayon, croquis, début, esquisse, essai, germe, griffonnement, idée, linéaments, maquette, pochade, premier jet, préparation, projet, schéma, schème, topo (fam.).

ÉBAUCHER Amorcer, commencer, crayonner, croquer, dégrossir, disposer, donner l'idée, entamer, esquisser, préparer, projeter.

ÉBERLUÉ, E → *ébahi.*

ÉBLOUIR I. Au pr. : aveugler, blesser, luire, offusquer. **II. Fig. 1.** → *fasciner.* **2.** → *impressionner.*

ÉBLOUISSANT, E I. Au pr. : aveuglant, brillant, éclatant, étincelant.

II. Fig. : beau, brillant, étonnant, merveilleux.

ÉBLOUISSEMENT I. Au pr. : aveuglement. **II. Fig. :** berlue, émerveillement, étonnement, fascination, hallucination, séduction, surprise. **III. Par ext. :** malaise, syncope, trouble, vapeurs, vertige.

ÉBOUILLANTER Blanchir, échauder.

ÉBOULEMENT → *chute.*

ÉBOULER (S') → *crouler.*

ÉBOURIFFANT, E → *extraordinaire.*

ÉBOURIFFÉ, E I. → *hérissé.* **II.** → *ébahi.*

ÉBRANCHER → *élaguer.*

ÉBRANLEMENT I. Au pr. : choc, commotion, coup, émotion, secousse, traumatisme. **II. Par ext. :** séisme, tremblement de terre. **III. Fig.** → *agitation.*

ÉBRANLER I. → *remuer.* **II.** → *émouvoir.*

ÉBRANLER (S') → *partir.*

ÉBRÉCHER → *entamer.*

ÉBRIÉTÉ → *ivresse.*

ÉBROUER (S') I. Au pr. : éternuer, renifler, respirer, se secouer, souffler. **II. Fig. :** s'ébattre, folâtrer, jouer.

ÉBRUITER → *publier.*

ÉBULLITION → *fermentation.*

ÉCACHER → *écraser.*

ÉCAILLE → *coquille.*

ÉCAILLEUX, EUSE Rugueux, squameux.

ÉCALER → *éplucher.*

ÉCARLATE → *rouge.*

ÉCARQUILLER → *ouvrir.*

ÉCART I. Au pr. : décalage, déviation, distance, écartement, éloignement, embardée, marge. **II. Par ext. 1.** → *digression.* **2.** → *bourg.* **3.** → *variation.* **III. Fig. :** aberration, débordement, dévergondage, disparate (vx), échappée, équipée, erreur, escapade, extravagance, faute, faux pas, frasque, fredaine, folie, impertinence, incartade, incorrection, irrégularité, manquement, relâchement. → *bêtise.*

ÉCARTÉ, E A l'écart, détourné, éloigné, isolé, perdu, retiré.

ÉCARTEMENT → *écart.*

ÉCARTER Déjoindre, désunir, détourner, disjoindre, disperser, diviser, égarer, éliminer, éloigner, espacer, isoler, mettre à l'écart/à part/en quarantaine, partager, partir (vx), repousser, séparer.

ÉCARTER (S') Biaiser, bifurquer, décliner, se détourner, dévier, diverger, s'éloigner, gauchir, se séparer, sortir de.

ECCHYMOSE → *contusion.*

ECCLÉSIASTIQUE → *prêtre.*

ÉCERVELÉ, E → *étourdi.*

ÉCHAFAUD I. Bois de justice, gibet, guillotine. **II.** Échafaudage, estrade.

ÉCHAFAUDAGE I. → *échafaud.* **II.** → *raisonnement.*

ÉCHAFAUDER → *préparer.*

ÉCHALAS → *bâton.*

ÉCHALIER I. → *échelle.* **II.** → *clôture.*

ÉCHANCRER → *tailler.*

ÉCHANCRURE I. Coupure, découpure, dentelure, encoche, entaille, faille, ouverture. **II.** Brèche, trouée.

ÉCHANGE I. → *change.* **II.** → *commerce.*

ÉCHANGER → *changer.*

ÉCHANTILLON I. Au pr. : aperçu, approximation, exemplaire, exemple, modèle, spécimen. **II. Fig. 1.** → *idée.* **2.** Démonstration, preuve.

ÉCHAPPATOIRE → *fuite.*

ÉCHAPPÉE I. → *escapade.* **II.** → *écart.*

ÉCHAPPER I. V. tr. : faire/laisser tomber, perdre. **II. V. intr. :** éviter, réchapper.

ÉCHAPPER (S') I. Au pr. : se dérober, se dissiper, s'enfuir, s'esquiver, s'esbigner (fam.), s'évader, s'évanouir, éviter, fuir, se répandre, se sauver, sortir, s'en tirer. **II. Fig. :** s'emporter, s'oublier.

ÉCHARPE I. Cache-nez, carré, châle, fichu, guimpe, mantille, pointe, voile. **II.** Bande, baudrier, ceinture. **III. Loc. En écharpe. 1.** En bandoulière. **2.** En travers, par le flanc, sur le côté.

ÉCHARPER I. → *blesser.* **II.** → *vaincre.*

ÉCHAUDER I. → *ébouillanter.* **II.** → *tromper.*

ÉCHAUFFER I. → *chauffer.* **II.** → *enflammer.*

ÉCHAUFFOURÉE → *engagement.*

ÉCHEC → *insuccès.*

ÉCHELLE I. Au pr. : degré, échalier, échelette, escabeau, marche. **II. Par ext. :** comparaison, dimension, mesure, proportion, rapport. **III. Fig.** → *hiérarchie.*

ÉCHELON I. Au pr. : barreau, degré. **II. Fig.** → *grade.*

ÉCHELONNER → *ranger.*

ÉCHEVEAU → *labyrinthe.*

ÉCHEVELÉ, E → *hérissé.*

ÉCHINE Colonne vertébrale, dos, épine dorsale, rachis.

ÉCHINER I. → *battre.* **II.** → *fatiguer.*

ÉCHIQUIER Fig. → *imbroglio.*

ÉCHO I. Anecdote, article, copie, histoire, nouvelle. **II.** Imitation, redoublement, réduplication, répétition, reproduction, résonance.

ÉCHOIR I. Venir à terme. **II.** Être dévolu, être donné en partage, être réservé à, incomber, revenir à, tomber.

ÉCHOPPE I. → *édicule.* **II.** → *magasin.*

ÉCHOUER I. Au pr. : accoster, se briser, s'engraver, s'enliser, s'envaser, faire naufrage, heurter, se perdre, sombrer, talonner, toucher le fond. **II. Par ext. :** avorter, buter, chuter, être bredouille, être recalé, faire long feu (fam.), faire fiasco (fam.), foirer (fam.), manquer, perdre, perdre la partie, prendre une veste (fam.), rater, tomber.

ÉCLABOUSSER → *salir.*

ÉCLABOUSSURE → *boue.*

ÉCLAIR I. → *lueur.* **II.** → *foudre.* **III. Loc. Comme l'éclair** → *vite.*

ÉCLAIRAGE → *lumière.*

ÉCLAIRCIE → *clairière.*

ÉCLAIRCIR I. Au pr. : faire briller, faire reluire, nettoyer, polir. **II. Fig. :** clarifier, débrouiller, déchiffrer, défricher, dégrossir, démêler, démontrer, développer, dévider, éclairer, édifier, élucider, expliquer, illustrer, informer, instruire, mettre en lumière, rendre intelligible, renseigner.

ÉCLAIRCISSEMENT → *explication.*

ÉCLAIRÉ, E → *instruit.*

ÉCLAIRER I. Au pr. : embraser, illuminer, luire. **II. Fig. 1.** → *éclaircir.* **2.** → *instruire.*

ÉCLAT I. → *morceau.* **II.** → *bruit.*
III. → *lumière.* **IV.** → *lustre.* **V.** Brillant, coloris, couleur.

ÉCLATANT, E → *brillant.*

ÉCLATER I. Au pr. : se briser, exploser, se rompre, sauter. **II. Par ext.** → *luire.* **III. Fig. 1.** → *commencer.* **2.** → *révéler (se).* **3.** → *emporter (s').* **4.** → *rire.*

ÉCLECTISME Choix, méthode, préférence, sélection.

ÉCLIPSE I. Au pr. : absence, disparition, interposition, obscurcissement, occultation. **II. Fig. :** affaissement, déchéance, défaillance, défaite, défaveur, échec, faillite, fiasco, ratage.

ÉCLIPSER → *obscurcir.*

ÉCLIPSER (S') → *disparaître.*

ÉCLOPÉ, E → *boiteux.*

ÉCLORE → *naître.*

ÉCLOSION Apparition, avènement, commencement, début, épanouissement, floraison, manifestation, naissance, production, sortie.

ÉCLUSE Barrage, bonde, fermeture, vanne.

ÉCLUSER I. Arrêter, barrer, clore, enclaver, fermer, murer, obstruer, retenir. **II. Arg.** → *boire.*

ÉCŒURANT, E I. → *dégoûtant.* **II.** → *fade.* **III.** → *ennuyeux.*

ÉCŒURER I. → *dégoûter.* **II.** → *décourager.*

ÉCOLE I. Au pr. : académie, bahut (fam.), collège, conservatoire, cours, établissement, faculté, gymnase, institut, institution, lycée. **II. Fig. 1.** → *leçon.* **2.** → *secte.* **3.** Cénacle, cercle, chapelle, club, groupe, pléiade, réunion.

ÉCOLIER I. → *élève.* **II.** → *novice.*

ÉCONDUIRE I. → *congédier.* **II.** → *refuser.*

ÉCONOME I. Nom : administrateur, cellérier, comptable, intendant, questeur. **II. Adj. 1. Favorable :** épargnant, ménager, soucieux. **2. Non favorable** → *avare.*

ÉCONOMIE I. Au pr. 1. Au sing. : administration, bon emploi, épargne, frugalité, ménage, organisation, parcimonie. **2. Non favorable** → *avarice.* **3. Au pl. :** bas de laine, boursicot, épargne, matelas, pécule, tirelire, tontine. **II. Par ext. 1.** → *disposition.* **2.** → *harmonie.*

ÉCONOMISER Amasser, boursicoter, épargner, se faire un matelas (fam.), faire sa pelote, gratter (fam.), lésiner, liarder, marchander, ménager, mettre de côté, regarder, regratter.

ÉCORCE I. → *peau.* **II.** → *apparence.*

ÉCORCHÉ, E I. Au pr. : déchiré, dépouillé, égratigné, lacéré, mis à nu.

II. Fig. : calomnié, exploité, rançonné, volé.

ÉCORCHER I. → *dépouiller.* **II. Loc. Écorcher les oreilles** → *choquer.*

ÉCORCHURE → *déchirure.*

ÉCORNER → *entamer.*

ÉCORNIFLEUR → *parasite.*

ÉCOSSER → *éplucher.*

ÉCOT → *quote-part.*

ÉCOULEMENT I. Au pr. : circulation, débit, débord (vx), débordement, débouché, décharge, découlement (vx), éruption, évacuation, flux, mouvement, passage, sortie. **II. Par ext.** → *vente.*

ÉCOULER → *vendre.*

ÉCOULER (S') I. → *couler.* **II.** → *passer.*

ÉCOURTER → *diminuer.*

ÉCOUTER I. Au pr. : accueillir, boire les paroles (fam.), être attentif/ aux écoutes, indiscret, ouïr, prêter l'oreille. **II. Fig. 1.** → *satisfaire.* **2.** → *obéir.*

ÉCOUTER (S') S'abandonner, s'amollir, se laisser aller, se soigner, *et les formes pronom. possibles de* SOIGNER.

ÉCRABOUILLER → *écraser.*

ÉCRAN Abri, cloison, éventail, filtre, panneau, paravent, pare-étincelles/ feu, portière, protection, rideau, séparation, store, tapisserie, tenture, voilage.

ÉCRASER I. Au pr. : aplatir, bousiller (fam.), briser, broyer, écacher, écarbouiller (fam.), écrabouiller (fam.), moudre. **II. Par ext. 1.** → *vaincre.* **2.** → *surcharger.* **3.** → *fatiguer.*

ÉCRIER (S') → *crier.*

ÉCRIN → *boîte.*

ÉCRIRE I. Au pr. : barbouiller (péj.), calligraphier, consigner, copier, correspondre, crayonner, dactylographier, fixer, former, gratter (fam.), gribouiller, griffonner, inscrire, libeller, marquer, minuter, noter, orthographier, ponctuer, recopier, rédiger, rôler, sténographier, sténotyper, taper, tracer, transcrire. **II. Par ext. 1.** → *composer.* **2.** → *informer.*

ÉCRIT I. → *affiche.* **II.** → *livre.*

ÉCRITEAU Affiche, annonce, enseigne, épigraphe, inscription, pancarte, panneau, placard, programme, réclame.

ÉCRITURE I. Au pr. : graphie, graphisme, orthographe. **II. Par ext. :** griffe, main, manière, patte, plume, style. **III. Au pl. :** bible, évangile, épître, prophétie.

ÉCRIVAIN I. Au pr. : auteur, auteur comique/gai/tragique, barbouilleur (péj.), bas-bleu (péj.), dramaturge, écrivailleur (péj.), écrivaillon (péj.), écrivassier (péj.), essayiste, faiseur de livres (péj.), gendelettre (péj.), grimaud (péj.), homme de lettres, journaliste, littérateur, nouvelliste, pissecopie (fam. et péj.), plume, plumitif (péj.), poète, polygraphe, prosateur, publiciste, romancier, styliste. **II. Par ext.** : calligraphe, commis aux écritures, copiste, gratte-papier, logographe, rédacteur, scribe, scribouillard (fam. et péj.), scripteur.

ÉCROUELLES → *scrofule.*

ÉCROUER → *emprisonner.*

ÉCROULEMENT → *chute.*

ÉCROULER (S') **I.** → *crouler.* **II.** → *tomber.*

ÉCU **I.** → *bouclier.* **II.** → *emblème.*

ÉCUEIL **I. Au pr.** : brisant, récif, rocher. **II. Fig.** → *obstacle.*

ÉCUELLE → *assiette.*

ÉCUMANT, E → *écumeux.*

ÉCUME **I.** → *mousse.* **II.** → *salive.* **III.** → *rebut.*

ÉCUMER **I.** → *rager.* **II.** → *piller.*

ÉCUMEUR → *corsaire.*

ÉCUMEUX, EUSE Baveux, bouillonnant, écumant, mousseux, spumescent, spumeux.

ÉCURER → *nettoyer.*

ÉCURIE → *étable.*

ÉCUSSON → *emblème.*

ÉDEN → *paradis.*

ÉDICTER → *prescrire.*

ÉDICULE Abri, cabane, échoppe, gloriette, guérite, kiosque. → *water-closet.*

ÉDIFIANT, E → *exemplaire.*

ÉDIFICE → *bâtiment.*

ÉDIFIER **I.** → *bâtir.* **II.** → *instruire.*

ÉDILE Bailli, capitoul, conseiller municipal, échevin, maire.

ÉDIT → *loi.*

ÉDITER Lancer, publier, sortir.

ÉDITION **I. On édite** : composition, impression, publication, réédition, réimpression, tirage. **II. Ce qu'on édite** : collection, publication, republication, reproduction. **III. Première édition** : princeps.

ÉDITORIAL → *article.*

ÉDREDON → *couverture.*

ÉDUCATEUR, TRICE **I. Nom** : cicérone, instructeur, maître, mentor, moniteur, pédagogue. → *instituteur.* **II. Adj.** : éducatif, formateur, pédagogique.

ÉDUCATIF, IVE **I.** → *éducateur.* **II.** → *didactique.*

ÉDUCATION **I.** → *instruction.* **II.** → *civilité.*

ÉDULCORER Adoucir, affadir, affaiblir, mitiger, sucrer, tempérer.

ÉDUQUER **I.** → *instruire.* **II.** → *élever.*

EFFACÉ, E **I.** → *modeste.* **II.** → *terne.*

EFFACER **I. Au pr.** : barrer, biffer, caviarder, démarquer, détruire, échopper, faire disparaître, faire une croix, gommer, gratter, laver, oblitérer, radier, raturer, rayer, sabrer, supprimer. **II. Fig. 1.** → *obscurcir.* **2.** Faire oublier *et les syn. de* OUBLIER.

EFFACER (S') → *disparaître.*

EFFARER, EFFAROUCHER → *effrayer.*

EFFECTIF n. → *nombre.*

EFFECTIF, IVE adj. **I.** → *efficace.* **II.** → *réel.*

EFFECTIVEMENT Certainement, en effet, en fait, en réalité, évidemment, positivement, réellement, sûrement.

EFFECTUER → *réaliser.*

EFFÉMINER **I.** → *affaiblir.* **II.** → *féminiser.*

EFFERVESCENCE → *fermentation.*

EFFET **I. Au pr. 1.** Action, application, conclusion, conséquence, corollaire, exécution, fin, influence, portée, réalisation, résultat, suite. **2.** Amélioration, choc, impression, plaisir, sensation, soulagement, surprise. **II. Au pl.** → *vêtement.* **III. Loc. adv. En effet** → *effectivement.*

EFFEUILLER Arracher, défeuiller, dégarnir, dépouiller, faire perdre/tomber.

EFFEUILLER (S') Perdre *et les formes pron. possibles des syn. de* EFFEUILLER.

EFFICACE Actif, effectif, efficient, héroïque (remède), puissant, radical.

EFFIGIE → *image.*

EFFILÉ, E → *mince.*

EFFILER **I.** Amincir, atténuer, défaire, délier, effilocher, effranger. **II.** → *aiguiser.*

EFFLANQUÉ, E → *maigre.*

EFFLEURER **I. Au pr.** : friser, frôler, passer près, raser, toucher. → *caresser.* **II. Fig.** : approcher, faire allusion à, suggérer, survoler.

EFFLORESCENCE → *floraison.*

EFFLUVE **I.** → *émanation.* **II.** → *fluide.*

EFFONDRÉ, E → *consterné.*

EFFONDREMENT **I. Au pr.** → *chute.* **II. Fig.** → *décadence.*

EFFONDRER (S') **I.** → *crouler.* **II.** → *tomber.*

EFFORCER (S') → *essayer.*

EFFORT **I. Au pr.** → *concentration, contention.* **II. Par ext. 1.** → *violence.* **2.** → *hernie.*

EFFRACTION → *vol.*

EFFRANGER → *effiler*.

EFFRAYANT, E Abominable, alarmant, affolant, affreux, angoissant, apocalyptique, dangereux (par ext.), dantesque, effarant, effarouchant, effroyable, épouvantable, excessif, formidable, hallucinant, horrible, inquiétant, mauvais, menaçant, monstrueux, pétrifiant, redoutable, terrible, terrifiant, terrorisant.

EFFRAYER Alarmer, affoler, angoisser, effarer, effaroucher, épouvanter, faire peur *et les syn. de* PEUR, halluciner, horrifier, inquiéter, menacer, pétrifier, terroriser.

EFFRÉNÉ, E → *excessif*.

EFFRITER → *pulvériser*.

EFFROI → *épouvante*.

EFFRONTÉ, E I. → *hardi*. **II.** → *impoli*.

EFFROYABLE → *effrayant*.

EFFUSION → *épanchement*.

ÉGAILLER (S') → *disperser (se)*.

ÉGAL, E I. Adj. 1. Au pr. : comparable, équivalent, jumeau, pareil, plain, plan, plat, semblable. **2. Par ext. :** indifférent, tranquille. **II. Loc. prép. A l'égal de :** à l'instar, comme, de même que. **III. Nom :** alter ago, frère, jumeau, pair, pareil, semblable.

ÉGALER Atteindre, balancer, contrebalancer, disputer, égaliser, équipoller, équivaloir, rivaliser, valoir.

ÉGALISER Aplanir, aplatir, araser, balancer, contrebalancer, égaler, équilibrer, laminer (fig.), mettre de niveau, niveler, parangonner (fig.), raser, régulariser, unifier, unir.

ÉGALITÉ I. Au pr. : conformité, équation, équilibre, équivalence, parité, persistance, régularité, ressemblance, semblance, similitude, uniformité, unité. **II. Par ext.** → *tranquillité*.

ÉGARDS I. Au pr. : assiduité, attentions, condescendance (péj.), considération, courtoisie, déférence, estime, gentillesse, hommages, ménagements, petits soins, politesse, préférence, prévenance, respect, soins, vénération. **II. Loc. 1. A l'égard de :** à l'endroit de, au sujet de, avec, en ce qui concerne, envers, pour, pour ce qui est de, s'agissant de, vis-à-vis de. **2. Avoir égard à** → *considérer*.

ÉGARÉ, E I. Au pr. 1. Quelqu'un : dévoyé, fourvoyé, perdu. **2. Quelque chose :** clairsemé, dispersé, disséminé, éparpillé, épars, sporadique. **II. Fig.** → *troublé*.

ÉGAREMENT I. → *délire*. **II.** → *dérèglement*. **III.** → *erreur*.

ÉGARER I. → *écarter*. **II.** → *tromper*. **III.** Adirer (jurid.). → *perdre*.

ÉGARER (S') S'abuser, se dérouter, se désorienter, se détourner, se dévoyer, s'écarter, errer, se fourvoyer, se perdre.

ÉGAYER I. Au pr. On égaie quelqu'un : amuser, déchagriner, délasser, délecter, dérider, désopiler, dilater/épanouir la rate (fam.), distraire, divertir, ébaudir (vx), récréer, réjouir. **II. Fig. On égaie quelque chose. 1.** → *orner*. **2.** → *élaguer*.

ÉGAYER (S') I. Favorable → *amuser (s')*. **II. Non favorable** → *railler*.

ÉGÉRIE → *conseiller*.

ÉGIDE Appui, auspices, bouclier, patronage, protection, sauvegarde, surveillance, tutelle.

ÉGLISE I. L'édifice : abbatiale, basilique, cathédrale, chapelle, collégiale, mosquée, oratoire, paroisse, sanctuaire, synagogue, temple. **II. L'institution :** assemblée des fidèles, catholicité, clergé, communion des saints, sacerdoce. **III. Par ext.** → *secte*.

ÉGLOGUE Bucolique, chant/poème/poésie pastoral(e)/rustique, géorgique, pastorale.

ÉGOÏSME I. Au pr. : amour de soi, amour-propre, autolâtrie, culte de moi, égocentrisme, égotisme, indifférence, individualisme, insensibilité, moi. **II. Par ext.** → *avarice*.

ÉGOÏSTE I. Au pr. : autolâtre, cœur sec, égocentrique, égotiste, entier, indifférent, individualiste, insensible, narcissique, personnel, sec. **II. Par ext.** → *avare*.

ÉGORGER I. Au pr. → *tuer*. **II. Fig.** → *dépouiller*.

ÉGOSILLER (S') → *crier*.

ÉGOTISME → *égoïsme*.

ÉGOUT → *cloaque*.

ÉGRATIGNER I. Au pr. → *déchirer*. **II. Fig.** → *blesser*.

ÉGRATIGNURE → *déchirure*.

ÉGRENER (S') Fig. → *disperser (se)*.

ÉGRILLARD, E → *libre*.

ÉGROTANT, E → *malade*.

ÉGRUGER → *broyer*.

ÉHANCHÉ, E → *disloqué*.

ÉHONTÉ, E → *impudent*.

ÉJACULATION I. Au pr. : déjection, éjection, évacuation, miction, projection. **II. Par ext.** → *prière*.

ÉJACULER, ÉJECTER → *jeter*.

ÉLABORATION I. Au pr. : accomplissement, conception, exécution, fabrication, mise au point, perfectionnement, préparation, réalisation, travail. **II. Par ext.** → *digestion*.

ÉLABORER I. → *préparer*. **II.** → *digérer*.

ÉLAGUER I. Au pr. : couper, dégager, dégarnir, diminuer, ébrancher, éclaircir, égayer, émonder, étêter, rapetisser, supprimer, tailler, tronquer. **II. Fig.** → retrancher.

ÉLAN I. Au pr. : bond, coup, élancement, essor, lancée, lancement, impulsion, mouvement, saut. **II. Fig. :** ardeur, chaleur, élévation, emportement, émulation, enthousiasme, entraînement, fougue, furia, vivacité, zèle.

ÉLANCÉ, E → mince.

ÉLANCEMENT → élan.

ÉLANCER (S') Bondir, charger, débouler, s'élever, foncer, fondre, se jeter, piquer, se précipiter, se ruer, sauter, tomber.

ÉLARGIR Accroître, augmenter, dilater, distendre, évaser.

ÉLASTIQUE I. Au pr. : compressible, extensible, flexible, mou. **II. Fig. 1.** → indulgent. **2.** → relâché.

ELDORADO Éden, paradis, pays de Cocagne/de rêve, Pérou.

ÉLECTION I. → choix. **II.** → préférence.

ÉLECTRISER → enflammer.

ÉLECTUAIRE → remède.

ÉLÉGANCE I. Au pr. : agrément, allure, beauté, belle apparence, bonne mine, bon ton, cachet, chic, distinction, goût, grâce, harmonie, perfection, race, sveltesse, tenue. **II. Par ext. 1.** → pureté. **2.** → simplicité. **3.** → habileté.

ÉLÉGANT, E I. Adj. 1. Quelqu'un ou un groupe : agréable, beau, bien mis, chic, copurchic (fam.), coquet, de bon goût, délicat, distingué, endimanché, faraud, fringant, galant, gracieux, harmonieux, parfait, pimpant, sélect, smart, sur son trente et un, svelte, tiré à quatre épingles. **2. Quelque chose** → pur. **II. Nom :** brummell, dandy, gandin, muguet, muscadin.

ÉLÉGIAQUE I. Au pr. : mélancolique, plaintif, tendre, triste. **II. Par ext. :** abattu, affecté, attristé, chagrin.

ÉLÉMENT I. → principe. **II.** → substance. **III.** → milieu.

ÉLÉMENTAIRE → simple.

ÉLÉVATION I. Au pr. 1. → hauteur. **2.** → hausse. **II. Fig. :** dignité, éminence, grandeur, héroïsme, noblesse, sublimité, supériorité, tenue.

ÉLÈVE Apprenti, bicarré (arg. scol.), bizut (arg. scol.), cancre (péj.), carré (arg. scol.), collégien, disciple, écolier, étudiant, grimaud (péj.), lycéen, potache, tapir (arg. scol.).

ÉLEVÉ, E I. Au pr. → haut. **II. Par ext. :** accru, augmenté, bon, éduqué, éminent, emphatique (péj.), formé, grand, héroïque, instruit, magnifique, noble, pompeux (péj.),

relevé, soutenu, sublime, supérieur, transcendant. **III. Loc. 1. Bien élevé** → civil. **2. Mal élevé** → impoli.

ÉLEVER I. Au pr. 1. Accroître, arborer, augmenter, dresser, faire monter, hausser, exhausser, lever, planter, rehausser, relever, soulever, surélever. **2.** Bâtir, construire, édifier, ériger. **II. Élever un enfant :** allaiter, cultiver, éduquer, entretenir, former, instruire, nourrir. **III. Par ext. On élève quelque chose ou quelqu'un. 1.** → louer. **2.** → promouvoir. **IV. On élève une objection** → opposer.

ÉLEVER (S') I. → opposer (s'). **II.** → protester. **III.** → monter. **IV.** → naître.

ELFE Esprit, follet, génie, lutin, sylphe.

ÉLIMÉ, E → usé.

ÉLIMINER Abstraire, bannir, écarter, exclure, expulser, évincer, faire abstraction de, forclore (jurid.), laisser de côté, mettre à part/en quarantaine, omettre, ostraciser, proscrire, retirer, retrancher, supprimer, sortir.

ÉLIRE → choisir.

ÉLITE → choix.

ELLIPSE I. → ovale. **II.** Aphérèse, apocope, brachylogie, laconisme, raccourci, syncope.

ELLIPTIQUE → court.

ÉLOCUTION Accent, articulation, débit, déclamation, diction, éloquence, énonciation, expression, langage, langue, parole, prononciation, style.

ÉLOGE I. Au pr. : applaudissement, apologie, apothéose, célébration, compliment, coups d'encensoir (péj.), dithyrambe, encens, encensement, exaltation, faire-valoir, félicitation, flagornerie (péj.), glorification, los (vx), louange, magnification, panégyrique. **II. Par ext. :** chant, gloria, hosanna, oraison funèbre, prône.

ÉLOGIEUX, EUSE Apologétique, dithyrambique, louangeur.

ÉLOIGNÉ, E A distance, détourné, écarté, lointain, reculé.

ÉLOIGNEMENT I. Au pr. 1. De quelqu'un : absence, disparition. **2. De quelque chose :** distance, intervalle, lointain, renfoncement. **II. Fig. :** antipathie, aversion, dégoût, détestation, exécration, haine, horreur, nausée, répugnance, répulsion.

ÉLOIGNER → écarter.

ÉLOIGNER (S') S'absenter, céder la place, disparaître, s'écarter, s'en aller, quitter.

ÉLOQUENCE Ardeur, art, brillant, brio, chaleur, charme, conviction, débit (péj.), déclamation (péj.), élégance, faconde (péj.), ithos (péj.), maîtrise, parole, pathos (péj.), persuasion (par ext.), rhétorique, véhémence, verve.

ÉLOQUENT, E I. → *disert.* **II.** → *probant.*

ÉLU, E adj. et n. **I.** → *député.* **II.** → *saint.*

ÉLUCIDER → *éclaicir.*

ÉLUCUBRER → *composer.*

ÉLUDER → *éviter.*

ÉMACIATION → *maigreur.*

ÉMAIL Décoration, émaillure, nielle.

ÉMAILLER → *orner.*

ÉMANATION I. Au pr. 1. Agréable ou neutre : arôme, bouffée, effluence, effluve, exhalaison, odeur, parfum, senteur. **2. Désagréable :** miasmes, odeur, puanteur, remugle. **II. Fig. :** alter ego, créature, dérivation, disciple, épigone, manifestation, produit.

ÉMANCIPER → *libérer.*

ÉMANER I. → *dégager (se).* **II.** → *découler.*

ÉMARGEMENT Acquit, apostille, décharge, griffe, quittance, quitus, récépissé, reçu, signature, visa.

ÉMARGER v. tr. et intr. **I.** → *toucher.* **II.** Apostiller, mettre sa griffe/marque, signer, viser.

ÉMASCULER I. Au pr. : castrer, châtrer, couper. **II. Fig.** → *affaiblir.*

EMBABOUINER Cajoler, enjôler, flagorner. → *berner.*

EMBALLEMENT → *enthousiasme.*

EMBALLER I. → *envelopper.* **II.** → *transporter.*

EMBALLER (S') → *emporter (s').*

EMBARCATION Bachot, baleinière, barque, canoë, canot, chaloupe, esquif, nacelle, périssoire, pirogue, rafiot, skiff, vedette, yole, youyou. → *bateau.*

EMBARDÉE → *écart.*

EMBARGO → *retenue, saisie.*

EMBARQUER (S') I. Au pr. : monter, partir. **II. Par ext. :** s'aventurer, s'engager, essayer, se lancer.

EMBARRAS I. → *obstacle.* **II.** → *ennui.* **III.** → *indétermination.* **IV.** → *timidité.*

EMBARRASSANT, E Difficile, encombré, gênant, incommodant, intimidant, malaisé, obstrué, pénible.

EMBARRASSÉ, E Contourné, contraint, filandreux, pâteux. → *embarrasser.*

EMBARRASSER I. Quelque chose → *obstruer.* **II. Quelqu'un** → *gêner.* **III. Fig. :** arrêter, compliquer, déconcerter, dérouter, emberlificoter, embourber, embrouiller, empêcher, empêtrer, enchevêtrer, encombrer, enferrer, entortiller, en-

traver, gêner, importuner, incommoder, inquiéter, intimider, troubler.

EMBASTILLER → *emprisonner.*

EMBAUCHAGE Embauche, engagement, enrôlement, racolage (péj.).

EMBAUCHER → *engager.*

EMBAUMER → *parfumer.*

EMBELLIR v. tr. et intr. Agrémenter, décorer, émailler, enjoliver, farder, flatter, garnir, idéaliser, illustrer, ornementer, parer, poétiser, rendre beau. → *orner.*

EMBERLIFICOTER → *embarrasser.*

EMBÊTEMENT → *ennui.*

EMBÊTER → *ennuyer.*

EMBLÉE (D') → *aussitôt.*

EMBLÈME Armes, armoiries, bannière, blason, cocarde, devise, drapeau, écu, écusson, étendard, figure, hiéroglyphe, image, insigne, signe, symbole.

EMBOÎTEMENT Aboutage, accouplement, ajustage, assemblage, emboîture, enchâssement, insertion, rapprochement, réunion, union.

EMBOÎTER I. → *insérer.* **II. Loc. Emboîter le pas** → *suivre.*

EMBONPOINT → *grosseur.*

EMBOUCHÉ, E (MAL) → *impoli.*

EMBOUCHURE I. D'un instrument : bocal, bouquin, embouchoir. **II. D'un cours d'eau :** bouches, delta, estuaire.

EMBOURBER Fig. → *embarrasser.*

EMBOURBER (S') I. Au pr. : s'empêtrer, s'enfoncer, s'engluer, s'enliser, s'envaser, patauger, patiner. **II. Fig. :** s'embrouiller, se tromper, se troubler.

EMBOUTEILLER → *obstruer.*

EMBOUTIR → *heurter.*

EMBRANCHEMENT I. → *fourche.* **II.** → *partie.*

EMBRASEMENT I. → *incendie.* **II. Fig.** → *fermentation.*

EMBRASER I. → *enflammer.* **II.** → *éclairer.*

EMBRASSADE, EMBRASSEMENT Accolade, baisement, baiser, caresse, enlacement, étreinte, resserrement, serrement.

EMBRASSER I. Au pr. 1. → *serrer.* **2.** → *baiser.* **II. Fig. 1.** → *comprendre.* **2.** → *entendre.* **3.** → *suivre.* **4.** → *voir.*

EMBRASURE → *ouverture.*

EMBRIGADER → *enrôler.*

EMBROCATION → *pommade.*

EMBROCHER Brocheter, percer.

EMBROUILLAMINI → *embrouillement.*

EMBROUILLÉ, E → *obscur.*

EMBROUILLEMENT Brouillamini, brouillement, confusion, désordre, embrouillamini, emmêlement, enchevêtrement, imbroglio, incertitude, obscurcissement, ombre, voile.

EMBROUILLER Brouiller, confondre, embarrasser, enchevêtrer, mêler, troubler.

EMBRYON I. Au pr. : fœtus, germe, graine, œuf. **II. Fig.** → commencement.

EMBU, E → terne.

EMBÛCHE, EMBUSCADE → piège.

EMBUÉ, E Embu, imbibé, imprégné, mouillé, obscurci.

ÉMÉCHÉ, E → ivre.

ÉMERAUDE I. Adj. → vert. **II. Nom fém.** → gemme.

ÉMERGER I. → sortir. **II.** → distinguer (se).

ÉMERILLONNÉ, E → éveillé.

ÉMÉRITE → distingué.

ÉMERVEILLÉ, E → étonné.

ÉMERVEILLER I. → fasciner. **II.** → charmer. **III.** → étonner.

ÉMERVEILLER (S') → enthousiasmer (s').

ÉMÉTIQUE n. et adj. → vomitif.

ÉMETTRE I. Au pr. → jeter. **II. Radio :** diffuser, produire, publier, radiodiffuser. **III. Fig.** → énoncer.

ÉMEUTE Agitation, coup de chien, désordre, insoumission, insurrection, mutinerie, rébellion, révolte, révolution, sédition, soulèvement, trouble.

ÉMIGRANT → émigré.

ÉMIGRATION I. Au pr. : exode, expatriation, migration, transmigration, transplantation. **II. Par ext.** → déportation.

ÉMIGRÉ, E n. et adj. Émigrant, exogène, expatrié, immigré, migrant, personne déplacée, réfugié.

ÉMINENCE I. → hauteur. **II.** → saillie. **III.** → élévation. **IV. Protocolaire :** Excellence, Grandeur, Monseigneur.

ÉMINENT, E I. → élevé. **II.** → distingué.

ÉMISSAIRE I. Favorable ou neutre : agent, chargé d'affaires, envoyé. → député. **II. Non favorable.** → espion. **III.** → cours d'eau.

ÉMISSION I. Au pr. : écoulement, éjaculation, émanation, éruption. **II. Par ext. :** diffusion, production, représentation, retransmission, transmission.

EMMAGASINER → accumuler.

EMMAILLOTER → envelopper.

EMMÊLER → mêler.

EMMÉNAGER → installer (s').

EMMENER → mener.

EMMIELLÉ, E → doucereux.

EMMIELLER (Fig.) **I.** → adoucir. **II.** → ennuyer.

EMMITONNER I. Au pr. → envelopper. **II. Fig. 1.** → séduire. **2.** → tromper.

EMMITOUFLER I. Au pr. → envelopper. **II. Fig.** → déguiser.

EMMURER → emprisonner.

ÉMOI → émotion.

ÉMOLUMENTS → rétribution.

ÉMONDER → élaguer.

ÉMOTION Affolement, agitation, bouleversement, choc, commotion, coup, désarroi, ébranlement, effervescence, émoi, enthousiasme, fièvre, frisson, saisissement, secousse, serrement de cœur, souleur (vx), transe, trouble. → sentiment.

ÉMOTIVITÉ → sensibilité.

ÉMOUDRE I. → aiguiser. **II. Loc. Frais émoulu** → sortir.

ÉMOUSSÉ, E I. Au pr. : ébréché, écaché, émoucheté, épointé. **II. Fig. :** abattu, affaibli, amorti, blasé, diminué, obtus, usé.

ÉMOUSTILLER → exciter.

ÉMOUVANT, E Apitoyant, attendrissant, bouleversant, captivant, déchirant, dramatique, éloquent, empoignant, excitant, frappant, impressionnant, larmoyant (péj.), navrant, pathétique, poignant, saisissant, touchant, tragique, troublant.

ÉMOUVOIR Affecter, agiter, alarmer, aller au cœur, apitoyer, attendrir, attrister, blesser, bouleverser, captiver, chavirer (fam.), consterner, déchirer, ébranler, émotionner (fam.), empoigner, enflammer, exciter un sentiment/la passion, faire vibrer, fléchir, frapper, froisser (péj.), impressionner, inquiéter, intéresser, piquer au vif, remuer, retourner, révolutionner (fam.), saisir, secouer, suffoquer, surexciter, toucher, troubler.

ÉMOUVOIR (S') Être agité, s'insurger, réagir et les formes pron. possibles des syn. de ÉMOUVOIR.

EMPALER → percer.

EMPAQUETER → envelopper.

EMPARER (S') Accaparer, s'approprier, s'assurer, s'attribuer, capter, capturer, conquérir, emporter, enlever, envahir, escroquer (péj.), faucher (fam.), intercepter, mettre le grappin (fam.)/la main sur, occuper, piquer (fam.), prendre, rafler, se rendre maître de, soulever, usurper. → voler.

EMPÂTÉ, E → gras.

EMPÂTER (S') → grossir.

EMPAUMER I. → gouverner. **II.** → séduire.

EMPÊCHÉ, E I. *Les part. passés possibles des syn. de* EMPÊCHER. **II.** → *embarrassé.*

EMPÊCHEMENT → *obstacle.*

EMPÊCHER Arrêter, bâillonner, barrer, bloquer, brider, condamner, conjurer, contraindre, contrarier, contrecarrer, couper, défendre, déjouer, dérober, dérouter, détourner, écarter, embarrasser, enchaîner, endiguer, enfermer, entraver, étouffer, exclure, éviter, faire obstacle, *et les syn. de* OBSTACLE, fermer, gêner, interdire, masquer, museler, offusquer, s'opposer à, prévenir, prohiber, retenir, supprimer, tenir, traverser (vx).

EMPEREUR → *roi.*

EMPESÉ, E I. Au pr. : amidonné, apprêté, dur. **II. Fig.** → *étudié.*

EMPESTER → *puer.*

EMPÊTRER → *embarrasser.*

EMPHASE Affectation, ampoule, bouffissure, boursouflure, cérémonie, complications, déclamation, démesure, enflure, excès, grandiloquence, grands airs, hyperbole, ithos, pathos, pédantisme, pompe, prétention, solennité.

EMPHATIQUE Académique, affecté, ampoulé, apprêté, bouffi, boursouflé, cérémonieux, compliqué, creux, déclamateur, déclamatoire, démesuré, enflé, grandiloquent, guindé, hyperbolique, magnifique (vx), pédantesque, pindarique, pompeux, pompier (fam.), prétentieux, ronflant, sentencieux, solennel, sonore, soufflé, vide.

EMPIÉTER → *usurper.*

EMPIFFRER (S') → *manger.*

EMPILER I. Au pr. 1. → *accumuler.* **2.** → *entasser.* **II. Péj.** → *voler.*

EMPIRE I. → *autorité.* **II.** → *règne.* **III.** → *État.* **IV.** → *influence.*

EMPIRER S'aggraver, aigrir, augmenter, se corser, devenir plus grave *et les syn. de* GRAVE, s'envenimer, péricliter, progresser.

EMPIRIQUE Expérimental, routinier.

EMPIRISME → *routine.*

EMPLACEMENT → *lieu.*

EMPLÂTRE I. Au pr. : antiphlogistique, cataplasme, compresse, diachylon, magdaléon, résolutoire, révulsif, sinapisme. **II. Fig.** → *mou.*

EMPLETTE Achat, acquisition.

EMPLIR Bonder, bourrer, charger, combler, embarquer, encombrer, entrelarder, envahir, farcir, garnir, gonfler, insérer, larder, occuper, remplir, saturer, se répandre dans, truffer.

EMPLOI I. Attributions, charge, état, fonction, fromage (fam.), gagne-pain, ministère, occupation, office, place, poste, profession, rôle, service, sinécure, situation, travail. **II. Par ext.** → *usage.*

EMPLOYÉ, E I. Nom. 1. Au pr. : adjoint, agent, aide, auxiliaire, commis, demoiselle, agent, fonctionnaire, garçon, préposé, salarié, subordonné. **2. Par ext. :** bureaucrate, cheminot, copiste, dactylographe, écrivain, expéditionnaire, gratte-papier, greffier, plumitif (péj.), rond-de-cuir (péj.), scribe, scribouillard (péj.), secrétaire, sténodactylographe, sténographe, surnuméraire. **II. Adj.** → *usuel.*

EMPLOYER I. → *user.* **II.** → *occuper.*

EMPLOYEUR → *patron.*

EMPOCHER → *recevoir.*

EMPOIGNER I. Au pr. → *prendre.* **II. Fig.** → *émouvoir.*

EMPOISONNER I. Au pr. : contaminer, envenimer, infecter, intoxiquer. **II. Fig. 1.** → *altérer.* **2.** → *ennuyer.* **3.** → *puer.*

EMPORTÉ, E I. → *impétueux.* **II.** → *colère* (adj.).

EMPORTEMENT I. → *colère.* **II.** → *impétuosité.*

EMPORTER I. Au pr. 1. Quelqu'un ou quelque chose emporte quelque chose : charrier, embarquer (fam.), emmener, s'en aller avec, enlever, entraîner, prendre, rouler, transporter. **2. Une récompense** → *obtenir.* **II. Par ext. :** comporter, impliquer, renfermer. **III. Loc. 1.** *L'emporter sur* → *prévaloir.* **2. Une maladie l'a emporté :** faire mourir *et les syn. de* MOURIR.

EMPORTER (S') Se cabrer, déborder, se déchaîner, éclater, s'emballer, fulminer, se gendarmer, s'irriter, monter sur ses grands chevaux (fam.), prendre le mors aux dents (fam.), sentir la moutarde monter au nez (fam.), sortir de ses gonds (fam.), voir rouge (fam.).

EMPREINDRE → *imprimer.*

EMPREINT, E → *plein.*

EMPREINTE → *trace.*

EMPRESSÉ, E → *complaisant.*

EMPRESSEMENT Ardeur, attention, avidité, célérité, complaisance, diligence, élan, galanterie, hâte, impatience, précipitation, presse, promptitude, soin, vivacité, zèle.

EMPRESSER (S') S'affairer, courir, se démener, se dépêcher, se hâter, se mettre en quatre, se précipiter, se presser.

EMPRISE Ascendant, autorité, dépendance, empiétement, empire, influence, mainmise.

EMPRISONNEMENT Captivité, claustration, contrainte par corps (jurid.), détention, incarcération, internement, mise à l'ombre (fam.), prise de corps (jurid.), prison, réclusion, séquestration.

EMPRISONNER Arrêter, assurer, boucler (fam.), cadenasser, claque-murer, cloîtrer, coffrer (fam.), détenir, écrouer, emballer, embarquer (fam.), embastiller, emmurer, encager, en-celluler, enfermer, foutre dedans (vulg.), incarcérer, interner, jeter aux fers, mettre à l'ombre/sous les verrous/en prison *et les syn. de* PRISON, retenir captif, séquestrer.

EMPRUNT I. Au pr. → *prêt.* **II. Fig.** → *imitation.*

EMPRUNTÉ, E I. → *artificiel.* **II.** → *embarrassé.*

EMPRUNTER *Par ext.* **I.** → *user.* **II.** → *tirer.* **III. Fig.** → *voler.* **IV.** → *imiter.*

EMPUANTIR → *puer.*

EMPYRÉE → *ciel.*

ÉMU, E Affecté, affolé, agité, alarmé, apitoyé, attendri, attristé, blessé, bouleversé, captivé, consterné, dé-chiré, ébranlé, émotionné, empoigné, enflammé, éperdu, excité, frappé, impressionné, inquiété, pantelant, re-mué, retourné, révolutionné, saisi, secoué, suffoqué, surexcité, touché, troublé.

ÉMULATION I. Au pr. : antago-nisme, amour-propre, assaut, combat, compétition, concurrence, course, jalousie, lutte, rivalité, zèle. **II. Par ext. :** énergie, enthousiasme, exalta-tion, incitation.

ÉMULE n. et adj. → *rival.*

ÉNAMOURER (S') → *éprendre (s').*

ENCADREMENT I. Au pr. : ba-guette, bordure, cadre, cartel, car-touche, chambranle, châssis, entou-rage, huisserie, listel, marie-louise. **II. Par ext. 1.** Contrôle. **2.** Hiérarchie.

ENCADRER I. → *entourer.* **II.** → *insérer.*

ENCAISSÉ, E → *profond.*

ENCAISSER I. → *toucher.* **II.** → *recevoir.*

ENCAN → *enchère.*

ENCANAILLER (S') → *déchoir.*

ENCAQUER → *entasser.*

ENCARTER, ENCASTRER → *insé-rer.*

ENCEINDRE → *entourer.*

ENCEINTE I. Ceinture, claie, clos, clôture, douves, enclos, fortification, fossé, glacis, mur, palis, palissade, périmètre, pourpris (vx), rempart. **II.** Amphithéâtre, arène, carrière, champ, cirque, lice.

ENCEINTE I. Adj. : cloquée (arg.), dans une position intéressante (fam.), gestante, grosse, parturiente, pleine (vét.), prégnante. **II. Nom fém.** →. *forteresse.*

ENCENS Fig. → *éloge.*

ENCENSER → *louer.*

ENCÉPHALE → *cerveau.*

ENCERCLER Assiéger, cerner, con-tourner, enfermer, entourer, envelop-per, investir, serrer de toutes parts.

ENCHAÎNEMENT → *suite.*

ENCHAÎNER I. → *attacher.* **II.** → *joindre.* **III.** → *soumettre.* **IV.** → *retenir.*

ENCHANTÉ, E → *content.*

ENCHANTEMENT → *magie.*

ENCHANTER → *charmer.*

ENCHANTEUR, TERESSE → *char-mant.*

ENCHÂSSER Assembler, emboîter, encadrer, encastrer, enchatonner, fixer, monter, sertir. → *insérer.*

ENCHÈRE Adjudication à la chan-delle, criée, encan, enchères à l'amé-ricaine, folle enchère, licitation, sur-enchère, vente, vente au plus offrant, vente publique.

ENCHÉRIR I. Au pr. : ajouter, aller sur, augmenter, dépasser, hausser le prix, rajouter, renchérir, surenchérir. **II. Par ext. :** abonder dans le sens de, approuver.

ENCHEVÊTRÉ, E → *embarrassé.*

ENCHEVÊTREMENT → *embrouille-ment.*

ENCHEVÊTRER → *embrouiller.*

ENCHEVÊTRER (S') Se confondre, s'embarrasser, s'embrouiller, s'em-mêler, s'empêtrer, s'imbriquer, se mé-langer, se mêler.

ENCLAVER I. → *entourer.* **II.** → *fixer.*

ENCLIN → *porté.*

ENCLORE → *entourer.*

ENCLOS I. → *jardin.* **II.** → *pâturage.*

ENCLOUURE (Fam.) → *difficulté.*

ENCOCHE → *entaille.*

ENCOIGNURE → *angle.*

ENCOLURE → *cou.*

ENCOMBREMENT Affluence, amas, désordre, embarras, entassement, obstruction, surabondance, surpro-duction.

ENCOMBRER I. → *obstruer.* **II.** → *embarrasser.*

ENCONTRE (À L') → *opposé.*

ENCORE → *aussi.*

ENCOURAGEANT, E → *prometteur.*

ENCOURAGEMENT Aide, aiguillon, applaudissement, approbation, appui, compliment, éloge, exhortation, inci-tation, prime, prix, protection, récom-pense, réconfort, soutien, stimulant, subvention.

ENCOURAGER Aider, aiguillonner, animer, applaudir, approuver, appuyer, complimenter, conforter, déterminer, enflammer, engager, enhardir, exalter, exciter, exhorter, favoriser, flatter, inciter, porter, pousser, protéger, réconforter, soutenir, stimuler, subventionner.

ENCOURIR S'attirer, être passible de (jurid.), s'exposer à, s'occasionner, risquer.

ENCRASSER → *salir.*

ENCROÛTÉ, E → *routinier.*

ENCROÛTER (S') → *endormir (s').*

ENCYCLIQUE → *rescrit.*

ENCYCLOPÉDIE → *dictionnaire.*

ENDÉMIQUE → *durable.*

ENDETTER (S') Contracter/faire des dettes, s'obérer.

ENDEUILLER → *chagriner.*

ENDIABLÉ, E → *impétueux.*

ENDIGUER → *retenir.*

ENDIMANCHÉ, E → *élégant.*

ENDIMANCHER → *parer.*

ENDOCTRINER Catéchiser, chambrer (fam.), circonvenir, édifier, entortiller (fam.), faire la leçon, faire du prosélytisme, haranguer, gagner, influencer, prêcher, sermonner.

ENDOLORI, E → *douloureux.*

ENDOLORIR → *chagriner.*

ENDOMMAGER → *détériorer.*

ENDORMI, E I. → *engourdi.* **II.** → *lent.*

ENDORMIR I. Au pr. : anesthésier, assoupir, chloroformer, hypnotiser. **II. Fig. 1.** → *ennuyer.* **2.** → *soulager.* **3.** → *tromper.*

ENDORMIR (S') I. Au pr. → *dormir.* **II. Par ext.** → *mourir.* **III. Fig. :** s'amollir, s'encroûter, s'engourdir, s'illusionner, s'oublier, se rouiller.

ENDOS → *signature.*

ENDOSSER Accepter, assumer, avaliser, se charger, mettre, reconnaître, revêtir, signer.

ENDROIT I. Recto. **II.** → *lieu.*

ENDUIRE Appliquer, barbouiller, couvrir, étaler, étendre, frotter, oindre, plaquer, recouvrir, revêtir, tapisser.

ENDUIT Apprêt, couche, crépi, dépôt, incrustation, peinture, protection, revêtement, vernis, vernissure.

ENDURANT, E I. → *résistant.* **II.** → *patient.*

ENDURCI, E → *dur.*

ENDURCIR I. → *durcir.* **II.** → *exercer.*

ENDURCIR (S') S'accoutumer, s'aguerrir, se blinder (fam.), se cuirasser, s'entraîner, s'exercer, se former, se fortifier, s'habituer, résister, se tremper.

ENDURCISSEMENT I. Au pr. : cal, callosité, calus, cor, durillon, induration, œil-de-perdrix, racornissement. **II. Fig. 1. Non favorable :** dessèchement, dureté, égocentrisme, égoïsme, impénitence, insensibilité, méchanceté. **2. Favorable :** accou-

tumance, endurance, entraînement, habitude, résistance.

ENDURER → *souffrir.*

ÉNERGIE I. Au pr. → *force.* **II. Par ext.** → *fermeté.*

ÉNERGIQUE → *ferme.*

ÉNERGUMÈNE Agité, démoniaque, emporté, exalté, excité, extravagant, fanatique, forcené, furieux, original, passionné, possédé, violent.

ÉNERVANT, E I. → *agaçant.* **II.** → *ennuyeux.*

ÉNERVEMENT I. → *agacement.* **II.** → *agitation.*

ÉNERVER I. Au pr. : affadir, affaiblir, alanguir, amollir, aveulir, efféminer, fatiguer. **II. Par ext. 1.** Agacer, crisper, horripiler, impatienter, mettre à bout, obséder, porter sur les nerfs, tourmenter. **2.** Échauffer, exciter, surexciter.

ÉNERVER (S') I. S'affoler. **II.** S'impatienter *et les formes pronom. possibles des syn. de* ÉNERVER.

ENFANCE I. Fig. → *commencement.* **II. Loc. En enfance** → *gâteux.*

ENFANT I. Amour, ange, angelot, babouin, bambin, chérubin, chiffon, diable, diablotin, drôle, enfançon, enfantelet, fillette, gamin, garçonnet, gars, gnasse (arg.), gniard (arg.), gone, gosse, infant, innocent, loupiot, nourrisson, nouveau-né, marmaille, marmot, marmouset, mineur, mioche, môme, morveux (péj.), moucheron, moufflet (arg.), moujingue (arg.), moutard, petit, petit démon/diable/ dragon / drôle / garçon, petite fille, polisson, poupard, poupon, pupille, putto, trousse-pet. → *bébé.* **II. Par ext. 1.** → *fils.* **2.** → *postérité.* **3. D'animaux :** couvée, nichée, petits, portée, ventrée. **III. Loc. 1. Enfant de chœur :** clergeon. **2. Enfant de Marie** (péj.) : oie blanche, prude, rosière, sainte nitouche.

ENFANTEMENT I. Au pr. : accouchement, couches, délivrance, heureux événement (fam.), gésine, gestation (par ext.), mal d'enfant, mise bas (vét.), mise au monde, parturition. **II. Fig. :** création, production.

ENFANTER I. Au pr. : accoucher, agneler (vét.), cochonner (vét.), donner le jour/naissance, mettre bas (vét.)/au monde, pouliner (vét.), vêler (vét.). **II. Par ext. 1.** → *engendrer.* **2.** → *produire.*

ENFANTILLAGE Frivolité, gaminerie, légèreté, infantilisme, puérilité. → *bagatelle.*

ENFANTIN, E Élémentaire, enfant, espiègle, facile, gamin, gosse, infantile, léger, puéril, simple, sot.

ENFER I. Au pr. : abîme, Champs-Élysées, empire des morts, feu éter-

nel, géhenne, infernaux séjours, lé-
viathan, limbes, pandémonium, rives
de Charon/du Styx, schéol, sombre
demeure/empire/rivage/séjour, som-
bres bords, Tartare. **II. Par ext,
1.** → *affliction.* **2.** → *tourment.*

ENFERMER I. Au pr. *On enferme
quelque chose ou quelqu'un :*
boucler, calfeutrer, chambrer, claquemurer, claustrer, cloîtrer, coffrer (fam.),
confiner, consigner, détenir, écrouer,
emballer, emmurer, emprisonner, encercler, encoffrer, enserrer, entourer,
faire entrer, interner, murer, parquer,
renfermer, séquestrer, serrer, verrouiller. **II. Par ext.** *Quelque chose
enferme quelque chose :* comporter,
comprendre, contenir, impliquer, renfermer.

ENFERRER → *percer.*

ENFERRER (S') (Fig.) S'embarrasser *et les formes pronom. possibles
des syn. de* EMBARRASSER.

ENFIELLER → *altérer.*

ENFIÉVRER → *enflammer.*

ENFILADE → *suite.*

ENFILER I. → *percer.* **II.** → *entrer.*
III. → *dire.*

ENFIN A la fin, après tout, bref,
en un mot, finalement, pour finir,
somme toute, tout compte fait.

ENFLAMMÉ, E (Fig.) **I. Phys. :**
allumé, brûlant, empourpré, en feu,
rouge. **II. Sentiments :** animé,
ardent, éloquent, embrasé, enfiévré,
enthousiaste, passionné, surexcité.

ENFLAMMER I. Au pr. : allumer,
attiser, brûler, embraser, ignifier,
incendier, mettre le feu. **II. Fig. :**
accroître, animer, augmenter, communiquer, doper, échauffer, éclairer,
électriser, emporter, empourprer, enfiévrer, enlever, enthousiasmer, entraîner, envenimer, exalter, exciter,
galvaniser, illuminer, irriter, passionner,
pousser, provoquer, stimuler, survolter.

ENFLAMMER (S') (Fig.) S'animer,
s'emporter, se passionner.

ENFLÉ, E I. → *gonflé.* **II.** → *emphatique.*

ENFLER v. tr. et intr. **I.** → *gonfler.*
II. → *grossir.* **III.** → *hausser.*

ENFLURE → *boursouflure.*

ENFONCÉ, E → *profond.*

ENFONCEMENT → *excavation.*

ENFONCER I. Au pr. 1. Ficher,
fourrer, introduire, mettre, passer,
planter, plonger, piquer. **2.** Abattre,
affaisser, briser, crever, défoncer,
déprimer, forcer, renverser, rompre.
II. Fig. 1. Battre, culbuter, percer,
renverser, rompre, surpasser, vaincre.
2. Fam. → *surpasser.*

ENFONCER (S') I. Au pr. 1. →

couler. **2.** → *entrer.* **II. Fig. 1.** →
absorber *(s').* **2.** → *déchoir.*

ENFONÇURE → *excavation.*

ENFOUIR → *enterrer.*

ENFOURNER → *introduire.*

ENFREINDRE → *désobéir.*

ENFUIR (S') Abandonner, s'en aller,
décamper, déguerpir, déloger, déménager à la cloche de bois (fam.), se
dérober, détaler, disparaître, s'échapper, s'éclipser, s'éloigner, s'envoler,
s'esbigner (fam.), s'escamper (vx),
s'esquiver, s'évader, faire un pouf
(péj.), ficher (fam.)/foutre (grossier)
le camp, filer, fuir, gagner le large,
jouer/se tirer des flûtes, jouer les filles
de l'air (fam.), lever le pied, partir,
passer, plier bagages, prendre la clef
des champs/la poudre d'escampette/
ses jambes à son cou, se retirer, se
sauver, se tirer (fam.).

ENGAGEANT, E I. → *aimable.*
II. → *attirant.*

ENGAGEMENT I. Affaire, choc,
collision, combat, coup de main,
coup, échauffourée, escarmouche.
II. → *promesse.* **III.** → *relation.*
IV. Embauchage, embauche, enrôlement, recrutement.

ENGAGER I. → *introduire.* **II.** →
inviter. **III.** → *obliger.* **IV.** → *fiancer.*
V. → *commencer.* **VI.** Embaucher,
enrôler, recruter, retenir.

ENGAGER (S') I. → *entrer.*
II. → *promettre.* **III. Fig. :** s'aventurer,
se compromettre, s'embarquer, s'embarrasser, s'embourber, s'encombrer,
s'enfourner, entreprendre, se jeter, se
lancer, se mettre en avant.

ENGEANCE → *race.*

ENGELURE Crevasse, enflure, érythème, froidure, gelure, rougeur.

ENGENDRER I. Au pr. : concevoir,
créer, donner la vie, enfanter, faire,
générer, procréer, produire, proliférer.
II. Par ext. → *accoucher.* **III. Fig.** →
occasionner.

ENGIN → *appareil.*

ENGLOBER I. → *réunir.* **II.** →
comprendre.

ENGLOUTIR I. → *avaler.* **II.** →
consumer.

ENGLOUTIR (S') → *couler.*

ENGLOUTISSEMENT → *anéantissement.*

ENGONCÉ, E → *vêtu.*

ENGORGEMENT Accumulation,
congestion, obstruction, réplétion,
saturation.

ENGORGER → *obstruer.*

ENGOUEMENT → *enthousiasme.*

ENGOUER (S') S'acoquiner, se
coiffer, s'emballer, s'embéguiner, s'emberlucoquer, s'enjuponner, s'entêter,
s'enthousiasmer, s'enticher, s'éprendre,

s'infatuer, se passionner, se préoccuper, se rassoter (vx), se toquer.

ENGOUFFRER (S') → *entrer*.

ENGOURDI, E I. Au pr. : ankylosé, appesanti, assoupi, endormi, étourdi, gourd, inerte, paralysé, raide, rigide, rouillé. **II. Par ext. :** empoté, hébété, lambin, lent, léthargique.

ENGOURDIR Ankyloser, appesantir, assoupir, endormir, étourdir, paralyser, rouiller.

ENGOURDISSEMENT Alourdissement, ankylose, apathie, appesantissement, assoupissement, atonie, hébétude, indolence, lenteur, léthargie, paralysie, paresse, somnolence, stupeur, torpeur.

ENGRAIS I. → *pâture*. **II.** Amendement, apport, compost, fertilisation, fumier, fumure, poudrette, terre de bruyère.

ENGRAISSER I. Le sol : améliorer, amender, bonifier, enrichir, fumer. **II. Un animal :** alimenter, embecquer, embuquer, empâter, engraisser, gaver, gorger. **III. V. intr.** → *grossir*.

ENGRAISSER (S') Fig. → *enrichir (s')*.

ENGUEULER I. → *injurier*. **II.** → *réprimander*.

ENGUIRLANDER I. Au pr. → *orner*. **II. Fig. 1. Favorable.** → *louer*. **2. Arg.** → *injurier*.

ENHARDIR → *encourager*.

ÉNIGMATIQUE → *mystérieux*.

ÉNIGME I. Au pr. : charade, bouts-rimés, devinette, logogriphe, mots croisés, rébus. **II. Fig.** → *mystère*.

ENIVRANT, E I. Au pr. : capiteux, fumeux, grisant, inébriant, inébriatif. **II. Fig. :** exaltant, excitant.

ENIVREMENT I. Au pr. → *ivresse*. **II. Fig.** → *vertige*.

ENIVRER → *étourdir*.

ENIVRER (S') I. Au pr. : s'aviner, avoir sa cocarde/son compte/son plumet/son pompon, boire, chopiner, se cuiter, gobelotter, se griser, picoler, pinter, se piquer le nez, se pocharder, prendre la bourrique/une cuite/muflée/ronflée, se soûler. **II. Fig. :** s'exalter, s'exciter.

ENJAMBÉE → *pas*.

ENJAMBEMENT Contre-rejet, rejet.

ENJAMBER I. Au pr. 1. → *marcher*. **2.** → *franchir*. **II. Fig.** → *usurper*.

ENJEU → *mise*.

ENJOINDRE → *ordonner*.

ENJÔLER → *tromper*.

ENJOLIVEMENT Accessoire, enjolivure, fioriture, garniture, ornement.

ENJOLIVER → *orner*.

ENJOUÉ, E → *gai*.

ENLACER → *serrer*.

ENLÈVEMENT Kidnapping, prise, rapt, ravissement (vx), violence, voie de fait.

ENLEVER I. → *lever*. **II.** Arracher, kidnapper, prendre, rafler, ravir, razzier. **III.** → *retrancher*. **IV.** → *quitter*. **V.** → *entraîner*. **VI.** → *transporter*. **VII. Loc.** *Être enlevé* → *mourir*.

ENLUMINER → *colorer*.

ENLUMINURE → *miniature*.

ENNEMI, E I. Nom : adversaire, antagoniste, concurrent, détracteur, opposant. **II. Adj.** → *défavorable*.

ENNOBLIR I. Au pr. : anoblir. **II. Par ext. :** élever, grandir, idéaliser, rehausser, sublimer, surélever, transposer.

ENNUI Anicroche (fam.), avanie, avaro (fam.), avatar (par ext.), contrariété, crève-cœur, dégoût (vx), déplaisir, désagrément, difficulté, embarras, embêtement, emmerdement (fam.), empoisonnement, épreuve, inquiétude, lassitude, mal, malaise, mécontentement, mélancolie, nostalgie, nuage (fam.), papillons noirs (fam.), peine, souci, spleen, tracas, tristesse. → *inconvénient*.

ENNUYANT, E → *ennuyeux*.

ENNUYÉ, E → *fâché*.

ENNUYER I. Au pr. : agacer, assombrir, assommer, casser les pieds (fam.), cramponner (fam.), embêter (fam.), emmerder (fam.), empoisonner (fam.), endormir, étourdir, excéder, faire suer (fam.), fatiguer, importuner, lasser, peser, raser (fam.), tanner (fam.). **II. Par ext.** → *affliger*.

ENNUYEUX, EUSE I. Adj. : assommant, barbant (fam.), cassepieds (fam.), contrariant, cramponnant (fam.), dégoûtant, désagréable, écœurant, embêtant (fam.), emmerdant (fam.), empoisonnant (fam.), endormant, ennuyeux, fâcheux, fade, fastidieux, fatigant, inquiétant, insupportable, mortel, narcotique, pénible, pesant, rasant (fam.), rebutant, soporifique, suant (fam.), triste. **II. Nom** → *importun*.

ÉNONCÉ → *énonciation*.

ÉNONCER Affirmer, alléguer, articuler, avancer, déclarer, dire, écrire, émettre, exposer, exprimer, former, formuler, notifier, parler, proférer, prononcer, proposer, stipuler.

ÉNONCIATION Affirmation, articulation, communication, élocution, énoncé, expression, formulation, proposition, stipulation.

ÉNORME I. → *démesuré*. **II.** → *grand*. **III.** → *extraordinaire*.

ÉNORMÉMENT I. → *beaucoup* **II.** → *très*.

ÉNORMITÉ I. → *grandeur.* **II.** → *extravagance.*

ENQUÉRIR (S') Chercher, demander, étudier, examiner, s'informer, s'instruire, observer, rechercher, se renseigner.

ENQUÊTE → *recherche.*

ENRACINER → *fixer.*

ENRAGÉ, E I. → *violent.* **II.** → *furieux.*

ENRAGER → *rager.*

ENRAYER I. → *freiner.* **II.** → *arrêter.* **III.** → *étouffer.*

ENRÉGIMENTER → *enrôler.*

ENREGISTRER I. → *inscrire.* **II.** → *noter.*

ENRICHIR I. → *augmenter.* **II.** → *orner.*

ENRICHIR (S') I. Au pr. : s'accroître, augmenter, se développer, s'engraisser, faire fortune/son beurre, profiter. **II. Par ext. :** doter, embellir, garnir, orner.

ENROBER → *envelopper.*

ENRÔLER Embrigader, engager, enrégimenter, incorporer, lever des troupes, mobiliser, racoler, recruter.

ENROUÉ, E → *rauque.*

ENROULER → *rouler.*

ENSANGLANTÉ, E Rougi de sang, saignant, sanglant, sanguinolent, souillé.

ENSEIGNANT, E adj. et n. → *maître*

ENSEIGNE I. Affiche, écusson, pancarte, panneau, panonceau. **II.** → *drapeau.*

ENSEIGNEMENT I. → *leçon.* **II.** Chaire, discipline, matière, pédagogie. **III.** Apologue, fable, moralité.

ENSEIGNER I. Au pr. : apprendre, démontrer, éclairer, éduquer, expliquer, faire connaître, former, inculquer, indiquer, initier, instruire, montrer, professer, révéler. **II. Relig. :** catéchiser, convertir, évangéliser, prêcher.

ENSEMBLE I. Adv. : à la fois, à l'unisson, au total, conjointement, collectivement, coude à coude, d'accord, de concert, de conserve, de front, du même pas, en accord/bloc/chœur/commun/concordance/harmonie/même temps, simultanément, totalement. **II. Nom masc. 1.** → *totalité.* **2.** → *union.* **III.** → *orchestre.*

ENSEMENCEMENT Semailles, semis.

ENSEMENCER → *semer.*

ENSERRER I. → *enfermer.* **II.** → *entourer.*

ENSEVELIR → *enterrer.*

ENSORCELANT, E I. → *attirant.* **II.** → *charmant.*

ENSORCELER → *charmer.*

ENSORCELLEMENT → *magie.*

ENSUITE → *puis.*

ENSUIVRE (S') → *résulter.*

ENTACHER → *salir.*

ENTAILLE Adent, coche, coupure, cran, crevasse, échancrure, encoche, entaillure, entamure, faille, fente, feuillure, hoche, lioube, mortaise, raie, rainure, rayure, sillon. → *blessure.*

ENTAILLER, ENTAMER I. Au pr. : couper, creuser, diminuer, ébrécher, écorner, inciser, mortaiser, toucher à. **II. Fig. 1.** → *commencer.* **2.** → *entreprendre.* **3.** → *vaincre.* **4.** → *blesser.*

ENTASSEMENT Accumulation, agglomération, amas, amoncellement, assemblage, capharnaüm, chantier, encombrement, pile, pyramide, rassemblement, réunion, tas.

ENTASSER Accumuler, agglomérer, amasser, amonceler, assembler, collectionner, emmagasiner, empiler, encaquer, engerber, gerber, mettre en pile/pilot/tas, multiplier, presser, réunir, serrer, tasser.

ENTASSER (S') S'écraser *et les formes pronom. possibles des syn. de* ENTASSER.

ENTENDEMENT Bon sens, cerveau, cervelle, compréhension, conception, esprit, faculté, imagination, intelligence, intellect, . intellection, jugement, raison, talent, tête.

ENTENDRE I. Phys. : auditionner, écouter, percevoir, ouïr. **II. Par ext. 1.** Attraper, avoir une idée, comprendre, concevoir, embrasser, pénétrer, réaliser, se rendre compte, saisir, voir. **2.** → *connaître.* **3.** → *vouloir.* **4.** → *consentir.*

ENTENDRE (S') I. S'accorder, agir de concert, se concerter, être de connivence/d'intelligence, pactiser, s'unir. **II.** S'accorder, faire bon ménage, fraterniser, sympathiser, vivre en bonne intelligence. **III.** Se comprendre, s'interpréter, signifier.

ENTENDU, E → *capable.*

ENTENTE Compréhension → *union.*

ENTER I. Greffer. **II.** → *ajouter.*

ENTÉRINER → *confirmer.*

ENTERREMENT Convoi, deuil, derniers devoirs/honneurs, ensevelissement, funérailles, inhumation, mise en bière/au sépulcre/tombeau, obsèques, sépulture.

ENTERRER Enfouir, ensevelir, inhumer, mettre/porter en terre, rendre les derniers honneurs.

ENTERRER (S') Se cacher, se confiner, disparaître, faire/prendre retraite, s'isoler, se retirer.

ENTÊTÉ, E → *têtu.*

ENTÊTER → *étourdir.*

ENTÊTER (S') I. Au pr. → *engouer (s').* **II. Par ext. :** s'accrocher (fam.), se cramponner (fam.), ne pas démordre (fam.), s'obstiner, persévérer, poursuivre, rester.

ENTHOUSIASME Admiration, allégresse, ardeur, célébration, délire, dithyrambe, ébahissement, emballement, émerveillement, enfièvrement, engouement, entraînement, exaltation, extase, fanatisme, feu, flamme, frénésie, fureur, génie, inspiration, ivresse, joie, lyrisme, passion, ravissement, succès, transport, triomphe, zèle.

ENTHOUSIASMER → *transporter.*

ENTHOUSIASMER (S') Admirer, s'emballer, s'émerveiller, s'échauffer, s'enfiévrer, s'enflammer, s'engouer, s'exalter, s'exciter, s'extasier, se pâmer, se passionner, se récrier d'admiration.

ENTHOUSIASTE n. et adj. Admirateur, ardent, brûlant, chaud, dévot, emballé, emporté, enflammé, enfiévré, exalté, excité, fana (fam.), fanatique, fervent, inspiré, lyrique, passionné, zélateur.

ENTICHER (S') → *engouer (s').*

ENTIER, ÈRE I. Absolu, complet, franc, global, intact, intégral, parfait, plein, plénier, sans réserve, total. **II.** → *têtu.*

ENTIÈREMENT → *absolument.*

ENTITÉ Abstraction, caractère, essence, être, existence, idée, nature.

ENTORSE I. Au pr. : effort, foulure, luxation. **II. Fig. :** altération, atteinte, contravention, dommage, écart, entrave, erreur, faute, manquement.

ENTORTILLÉ, E I. → *tordu.* **II.** → *embarrassé.* **III.** → *obscur.*

ENTORTILLER I. Au pr. → *envelopper.* **II. Fig.** → *séduire.*

ENTOURAGE Cercle, compagnie, entours, milieu, proches, société, voisinage

ENTOURER I. Au pr. : assiéger, border, ceindre, ceinturer, cerner, circonscrire, clore, clôturer, couronner, embrasser, encadrer, enceindre, enclaver, enclore, enfermer, enrouler, enserrer, envelopper, étreindre, fermer, garnir, hérisser, murer, resserrer. **II. Par ext. :** accabler, assister, combler, être aux petits soins, prendre soin, vénérer. **III. Géogr. :** baigner.

ENTOURS → *entourage.*

ENTRACTE I. → *intervalle.* **II.** → *saynète.*

ENTRAILLES → *viscères.*

ENTRAIN I. → *gaieté.* **II.** → *vivacité.*

ENTRAÎNEMENT I. Mécan. : engrenage, mouvement, transmission. **II. Fig. 1. Favorable :** chaleur, élan, emballement, enthousiasme, exaltation. **2. Non favorable :** faiblesse, impulsion. **III.** Exercice, préparation.

ENTRAÎNER I. Au pr. : attirer, charrier, emporter, enlever, traîner. **II. Par ext. 1.** → *inviter.* **2.** → *occasionner.* **3.** → *exercer.*

ENTRAÎNER (S') → *exercer (s').*

ENTRAVER I. → *embarrasser.* **II.** → *empêcher.*

ENTRAVE → *obstacle.*

ENTRE Au milieu de, parmi.

ENTREBÂILLER → *ouvrir.*

ENTRECHAT → *cabriole.* ·

ENTRECOUPER → *interrompre.*

ENTRÉE I. → *accès.* **II.** → *ouverture.* **III.** → *seuil.* **IV.** → *vestibule.* **V.** → *commencement.* **VI. Loc. Entrée en matière** → *introduction.*

ENTREFILET → *article.*

ENTREGENT → *habileté.*

ENTRELACER → *serrer.*

ENTRELARDER (Fig.) **I.** → *emplir.* **II.** → *insérer.*

ENTREMÊLER → *mêler.*

ENTREMETTEUR → *intermédiaire.*

ENTREMETTEUSE Appareilleuse (vx), célestine, macette, maquerelle, matrone, pourvoyeuse, procureuse, proxénète, vieille.

ENTREMETTRE (S') → *intervenir.*

ENTREMISE Arbitrage, canal, intercession, intermédiaire, interposition, intervention, médiation, ministère, moyen, organe, soins, truchement, voie.

ENTREPÔT → *magasin.*

ENTREPRENANT, E → *hardi.*

ENTREPRENDRE I. Favorable ou, neutre : attaquer, avoir/prendre l'initiative, commencer, se disposer à, enclencher, engager, engrener, entamer, essayer, se mettre à, mettre la main à, prendre à tâche, se proposer de, tenter. **II. Non favorable. On entreprend quelque chose contre :** attenter à/contre/sur, causer un dommage à, déclencher, déroger à, empiéter sur, porter atteinte/préjudice à, oser, risquer, toucher à.

ENTREPRENEUR → *architecte.*

ENTREPRISE I. Action, affaire, aventure, chose, dessein, disposition, essai, mesures, œuvre, opération, ouvrage, plan, projet, tentative, travail. **II.** → *établissement.*

ENTRER Accéder, aller, s'enfiler, s'enfoncer, s'engager, s'engouffrer, se faufiler, forcer, se glisser, se lancer, s'introduire, passer, pénétrer, venir.

ENTRESOL Mezzanine.

ENTRE-TEMPS Époque, ère, intervalle, période.

ENTRETENIR I. → *conserver.* **II.** → *nourrir.*

ENTRETENIR (S') I. → *exercer (s').* **II.** → *parler.*

ENTRETIEN → *conversation.*

ENTREVOIR → *voir.*

ENTREVUE → *rencontre.*

ÉNUMÉRATION → *dénombrement.*

ÉNUMÉRER → *dénombrer.*

ENVAHIR I. Au pr. 1. → *emparer (s'). 2.* → *remplir.* **II. Fig. :** absorber, accaparer, coincer, coller, empiéter, s'étendre à, gagner, mettre le grappin/la main sur, occuper, retenir, tenir la jambe.

ENVAHISSEMENT → *incursion.*

ENVELOPPE I. Au pr. 1. Bot. : bale ou balle, bogue, brou, capsule, cupule, écale, endocarpe, épiderme, gousse, membrane, peau, péricarpe, tégument, zeste. **2.** Chape, contenant, écrin, emballage, étui, fourreau, gaine, housse. **3. Zool. :** carapace, coquille, cuirasse, écaille, tégument, test. **4. Anat. :** capsule, péricarde, péritoine, plèvre. **II. Fig.** → *symbole.*

ENVELOPPÉ, E Fig. → *obscur.*

ENVELOPPER I. Au pr. : bander, couvrir, draper, emballer, embobeliner, emmailloter, emmitonner, emmitoufler, empaqueter, enrober, entortiller, entourer, habiller. **II. Fig. 1.** → *cacher. 2.* → *encercler. 3.* → *comprendre.*

ENVENIMER I. → *empoisonner.* **II.** → *irriter.*

ENVENIMER (S') → *empirer.*

ENVERGURE → *largeur.*

ENVERS I. Prép. : à l'égard de, l'endroit de, avec, pour, vis-à-vis de. **II. Nom** → *revers.*

ENVI (À L') A qui mieux mieux, en rivalisant.

ENVIE I. Au pr. 1. *Favorable ou neutre :* appétence, besoin, désir, goût, inclination, libido. **2. *Non favorable :*** concupiscence, convoitise, cupidité, démangeaison, fureur, jalousie, lubie, rivalité. **II. Loc. I.** *Avoir envie* → *vouloir. 2. Porter envie* → *envier.*

ENVIER I. Favorable ou neutre : avoir envie, désirer, souhaiter. → *vouloir.* **II. Non favorable :** convoiter, haïr, jalouser, porter envie. **III. Par ext.** → *refuser.*

ENVIEUX, EUSE Avide, baveux, cupide, jaloux, zoïle.

ENVIRON A peu près, approximativement, à première vue, à vue de nez (fam.), bien, dans les, presque, un peu moins/plus, quelque.

ENVIRONNANT, E Ambiant, circonvoisin, proche, voisin.

ENVIRONNER → *entourer.*

ENVIRONS Abord, alentours, côté, entours (vx), périphérie, proximité, voisinage.

ENVISAGER → *regarder.*

ENVOI → *dédicace.*

ENVOL → *vol.*

ENVOLER (S') → *passer.*

ENVOÛTEMENT → *magie.*

ENVOÛTER I. Au pr. → *charmer.* **II. Fig.** → *gagner.*

ENVOYÉ Agent, ambassadeur, attaché, chargé d'affaires, délégué, député, émissaire, héraut, homme de confiance, légat, mandataire, messager, ministre, missionnaire, parlementaire, plénipotentiaire, représentant, responsable.

ENVOYER I. Au pr. : adresser, déléguer, dépêcher, expédier. **II. Par ext.** → *jeter.*

ÉPAIS, ÉPAISSE I. Au pr. : abondant, broussailleux, compact, concret, consistant, dense, dru, empâté, fort, fourni, gras, gros, grossier, large, profond. **II. Par ext. 1.** Béotien, crasse, lourd, pesant. **2.** Carré, charnu, court, gras, gros, massif, mastoc, râblé, ramassé, trapu. **III. Loc. *Langue épaisse*** chargée, pâteuse.

ÉPAISSEUR I. Au pr. : abondance, compacité, consistance, densité, étendue, grosseur, largeur, lourdeur, profondeur. **II.** → *bêtise.*

ÉPAISSIR v. tr. et intr. → *grossir.*

ÉPANCHEMENT I. Au pr. : dégorgement, déversement, écoulement, effusion, extravasation, hémorragie, infiltration, suffusion. **II. Par ext. :** abandon, aveu, confidence, effusion, expansion.

ÉPANCHER → *verser.*

ÉPANCHER (S') I. Au pr. → *couler.* **II. Fig. :** s'abandonner, se confier, se débonder, déborder, se dégorger (vx), exhaler, faire des confidences, se livrer, s'ouvrir, parler, se répandre (vx).

ÉPANDRE → *verser.*

ÉPANOUI, E → *réjoui.*

ÉPANOUIR → *ouvrir.*

ÉPARGNE → *économie.*

ÉPARGNER I. → *économiser.* **II.** → *ménager.* **III.** → *éviter.*

ÉPARPILLER → *disperser.*

ÉPARS, E Clairsemé, constellé, dispersé, disséminé, dissocié, divisé, écarté, échevelé, égaré, éloigné, éparpillé, flottant, séparé, sporadique.

ÉPATANT, E → *extraordinaire.*

ÉPATÉ, E I. → *ébahi.* **II.** → *camus.*

ÉPAULER Fig. → *appuyer.*

ÉPAVE Fig. I. → *décombres.* **II.** → *ruine.*

ÉPÉE Alfange, arme blanche, badelaire, bancal, brand, braquemart, brette, briquet, carrelet, cimeterre, claymore, colichemarde, coupe-chou, coutelas, coutille, croisette, espadon, estoc, estocade, estramaçon, fer, flambe, flamberge, fleuret, glaive, lame, latte, palache, plommée, rapière, rondelle, sabre, spathe, yatagan.

ÉPERDU, E → ému.

ÉPERON I. Au pr. : ergot, molette. **II. Géogr. :** dent, plateau, pointe, saillie. **III. Fig. :** aiguillon, aiguillonnement, excitant, stimulant.

ÉPERONNER → exciter.

ÉPEURÉ, E → inquiet.

ÉPHÈBE → jeune.

ÉPHÉMÈRE → passager.

ÉPHÉMÉRIDE → calendrier.

ÉPICE → assaisonnement.

ÉPICURIEN, ENNE adj. et n. Bon vivant, charnel, jouisseur, libre, luxurieux, passionné, pourceau d'Épicure, sensuel, sybarite, voluptueux.

ÉPIDÉMIE I. Au pr. : contagion, enzootie, épizootie (vét.). **II. Fig.** → manie.

ÉPIDÉMIQUE I. Au pr. : contagieux, épizootique (vét.), pandémique, récurrent. **II. Fig.** → communicatif.

ÉPIER Espionner, être/se tenir aux aguets, filer, guetter, se mettre/se tenir à l'affût, observer, pister, surveiller.

ÉPIEU → bâton.

ÉPIGRAMME I. → satire. **II.** → brocard.

ÉPIGRAPHE → inscription.

ÉPILER Débourrer, dépiler.

ÉPILOGUE → conclusion.

ÉPILOGUER → chicaner.

ÉPINE I. Aiguillon, arête, écharde, spinelle, spinule. **II. Épine dorsale :** colonne vertébrale, dos, échine, rachis. **III. Fig.** → difficulté.

ÉPINEUX, EUSE → difficile.

ÉPINGLE I. Au pr. : agrafe, attache, broche, camion, clips, drapière, fibule, fichoir, pince. **II. Fig.** → gratification. **III. Loc. 1. Tiré à quatre épingles** → élégant. **2. Tirer son épingle du jeu** → libérer (se).

ÉPINGLER Accrocher, agrafer, attacher, fixer, poser.

ÉPINOCHER → manger.

ÉPIQUE I. → héroïque. **II.** → extraordinaire.

ÉPISODE I. → digression. **II.** → événement. **III.** → péripétie.

ÉPISTOLIER, ÈRE Épistolaire.

ÉPITAPHE → inscription.

ÉPITHÈTE I. Au pr. : adjectif. **II. Par ext. 1. Non favorable :** attribut, injure, invective, qualificatif. **2. Favorable :** éloge, louange.

ÉPITOMÉ → abrégé.

ÉPÎTRE → lettre.

ÉPIZOOTIQUE → épidémique.

ÉPLORÉ, E → chagrin.

ÉPLUCHER I. Au pr. : décortiquer, écaler, écosser, nettoyer, peler. **II. Fig.** → examiner.

ÉPLUCHER (S') → nettoyer (se).

ÉPOINTÉ, E → émoussé.

ÉPONGER → sécher.

ÉPOPÉE → événement.

ÉPOQUE Age, cycle, date, ère, étape, jours, moment, période, saison, siècle, temps.

ÉPOUMONER (S') → crier.

ÉPOUSAILLES → mariage.

ÉPOUSE I. Au pr. : compagne, conjoint, femme. **II. Fam. :** bourgeoise, légitime, ministre, moitié.

ÉPOUSÉE → mariée.

ÉPOUSER I. Au pr. : s'allier, s'attacher à, choisir, convoler, se marier, s'unir. **II. Fig.** → embrasser.

ÉPOUSTOUFLANT, E → extraordinaire.

ÉPOUVANTABLE → effrayant.

ÉPOUVANTAIL Croquemitaine, fantôme, loup-garou, mannequin. → ogre.

ÉPOUVANTE Affolement, affres, alarme, angoisse, appréhension, consternation, crainte, effroi, épouvantement (vx), frayeur, horreur, inquiétude, panique, peur, terreur.

ÉPOUVANTER Affoler, alarmer, angoisser, apeurer, atterrer, consterner, effarer, effrayer, faire fuir, horrifier, inquiéter, stupéfier, terrifier, terroriser.

ÉPOUX Compagnon, conjoint, homme, mari, seigneur et maître.

ÉPRENDRE (S') S'amouracher, s'attacher à, avoir le béguin/le coup de foudre, se coiffer de, s'emballer, s'embéguiner, s'embraser, s'énamourer, s'enflammer, s'engouer, s'enjouer, s'enjuponner, s'enthousiasmer, s'enticher, gober, se passionner, se toquer, tomber amoureux.

ÉPREUVE I. → expérience. **II.** → compétition. **III.** → malheur.

ÉPRIS, E I. De quelqu'un → amoureux. **II. De quelque chose (par ext.) :** féru, fou, passionné, polarisé (fam.), séduit.

ÉPROUVER I. → expérimenter. **II.** → sentir. **III.** → recevoir.

ÉPUISÉ, E → fatigué.

ÉPUISEMENT → langueur.

ÉPUISER I. Au pr. : assécher, dessécher, mettre à sec, sécher, tarir, vider. **II. Par ext. 1.** → fatiguer. **2.** → affaiblir.

ÉPURATION, ÉPUREMENT I. → purification. **II.** Exclusion, expulsion, purge.

ÉPURER I. Au pr. : apurer (vx), clarifier, décanter, distiller, expurger, filtrer, purger, purifier, raffiner, rectifier. **II. Fig. 1. Quelqu'un** : expulser, supprimer, purger. **2. Quelque chose :** affiner, améliorer, châtier, perfectionner, polir.

ÉQUARRIR I. → découper. **II.** → tailler.

ÉQUILIBRE I. Au pr. : aplomb, assiette, attitude, contrepoids, stabilité. **II. Fig. 1.** Accord, balance, balancement, compensation, égalité, harmonie, pondération, symétrie. **2.** Entrain, forme, plénitude, santé.

ÉQUILIBRER Balancer, compenser, contrebalancer, contrepeser (vx), corriger, égaler, équivaloir, neutraliser, pondérer, répartir.

ÉQUIPAGE I. → bagage. **II.** Arroi, attirail, cortège, escorte, suite, train.

ÉQUIPE Écurie, escouade, groupe, troupe.

ÉQUIPÉE I. → écart. **II.** → escapade.

ÉQUIPEMENT → bagage.

ÉQUIPER → pourvoir.

ÉQUITABLE → juste.

ÉQUITÉ → justice.

ÉQUIVALENT, E I. → égal. **II.** → pareil. **III.** → synonyme.

ÉQUIVALOIR → égaler.

ÉQUIVOQUE I. Adj. 1. Au pr. → ambigu. **2. Par ext.** → suspect. **II. Nom fém.** → jeu de mots.

ÉRAFLÉ, E Abîmé, balafré, blessé, déchiré, écorché, égratigné, éraillé, rayé.

ÉRAFLURE → déchirure.

ÉRAILLÉ, E I. Au pr. 1. → usé. **2.** → éraflé. **II. Par ext.** → rauque.

ÈRE → époque.

ÉRECTION I. Au pr. : construction, dressage, édification, élévation, établissement, fondation, institution, surrection, surgissement. **II. Méd.** : contraction, dilatation, intumescence, raideur, redressement, rigidité, tension, tumescence, turgescence, vultuosité.

ÉREINTER I. Au pr. 1. → fatiguer. **2.** → battre. **II. Fig. 1.** → critiquer. **2.** → médire.

ÉRÉTHISME Colère, courroux, énervement, exaltation, exaspération, excitation, irritation, surexcitation, violence.

ERGOT → ongle.

ERGOTER Argumenter, atermoyer, chicaner, couper les cheveux en quatre (fam.), discourir, discutailler (fam.), discuter, disputailler (fam.), disputer, disserter, épiloguer, noyer le poisson (fam.), pérorer, rabâcher, radoter, raisonner, ratiociner, tergiverser.

ÉRIGER I. → élever. **II.** → établir. **III.** → promouvoir.

ERMITAGE Abbaye, chalet, chartreuse, cloître, couvent, folie, monastère, pavillon, prieuré, solitude.

ERMITE I. Anachorète, ascète, solitaire. **II. Par ext. Non favorable :** insociable, misanthrope, reclus, sauvage, vieux de la montagne.

ÉROSION → corrosion.

ÉROTIQUE I. Neutre ou favorable : amoureux, aphrodisiaque, excitant, galant, sensuel, voluptueux. **II. Non favorable :** cochon (fam.), licencieux, polisson, pornographique (péj.), provocateur, pygocole (fam.).

ERRANCE Ambulation, aventure, course, déplacement, égarement, instabilité, flânerie, nomadisme, pérégrination, promenade, randonnée, rêverie, vagabondage, voyage.

ERRANT, E I. Géol. : erratique. **II.** Ambulant, aventurier, égaré, flottant, fugitif, furtif, instable, mobile, mouvant, nomade, perdu, vagabond.

ERREMENTS I. Neutre : comportement, conduite, habitude, méthode, procédé. **II. Non favorable :** abus, bévue, dérèglement, divagation, écart, égarement, errance, erreur, faute, flottement, hésitation, impénitence, inconduite, indécision, ornière, péché, routine.

ERRER I. Au pr. Quelqu'un erre : aller à l'aventure/à l'aveuglette/au hasard/çà et là, se balader (fam.), battre l'estrade/le pavé, courir les champs/les rues, déambuler, dévier de sa route/son chemin, divaguer, s'égarer, flâner, marcher, se perdre, se promener, rôder, rouler sa bosse, traînasser, traîner, trimarder, vadrouiller, vagabonder, vaguer **II. Fig. Quelque chose erre :** s'égarer, flotter, passer, se promener, vagabonder. **III. Loc. Laisser errer sa pensée** → rêver. **IV.** → tromper (se).

ERREUR Aberration, ânerie, bévue, blague, boulette, bourde, brioche, confusion, cuir, défaut, écart, égarement, errement, faute, fourvoiement, gaffe, illusion, lapsus, maldonne, malentendu, manquement, mécompte, mégarde, méprise, paralogisme, quiproquo, sophisme, vice de raisonnement. → bêtise.

ERSATZ → succédané.

ÉRUCTATION Exhalaison, hoquet, nausée, renvoi, rot.

ÉRUDIT, E → savant.

ÉRUDITION → savoir.

ÉRUPTION I. Au pr. : bouillonnement, débordement, ébullition, écoulement, émission, évacuation, explosion, jaillissement, sortie. **II. Méd.** :

confluence, dermatose, efflorescence, inflammation, poussée, rash, vaccinelle.

ESBROUFANT, E → *extraordinaire.*

ESCABEAU I. → *siège.* **II.** → *échelle.*

ESCADRON → *troupe.*

ESCALADE Ascension, grimpette (fam.), montée, varappe.

ESCALADER → *monter.*

ESCALE (FAIRE) Faire étape/halte/ relâche, relâcher, toucher à un port.

ESCALIER Colimaçon, degré, descente, marches, montée.

ESCAMOTER I. → *dérober.* **II.** → *cacher.*

ESCAMOTEUR I. Au pr. : acrobate, illusionniste, jongleur, magicien, manipulateur, prestidigitateur, physicien (vx). **II. Par ext., non favorable** → *voleur.*

ESCAMPETTE I. → *fuite.* **II. Loc. Prendre la poudre d'escampette** → *enfuir (s').*

ESCAPADE I. Neutre : absence, bordée, caprice, échappée, équipée, escampativos (fam. et vx), frasque, fredaine, fugue. **II. Non favorable** → *écart.*

ESCARCELLE → *bourse.*

ESCARGOT → *limaçon.*

ESCARMOUCHE → *engagement.*

ESCARPE → *vaurien.*

ESCARPÉ, E Abrupt, à pic, ardu, difficile, malaisé, montant, montueux, raide, roide.

ESCARPEMENT → *pente.*

ESCARPIN → *soulier.*

ESCARPOLETTE → *balançoire.*

ESCIENT (À BON) → *sciemment.*

ESCLAFFER (S') → *rire.*

ESCLANDRE → *scandale.*

ESCLAVAGE → *servitude.*

ESCLAVE n. et adj. **I. Au pr. :** asservi, assujetti, captif, dépendant, domestique, ilote, prisonnier, serf, serviteur, valet. **II. Fig. 1. Neutre :** chose. **2. Non favorable :** chien, inférieur, jouet, pantin.

ESCOBAR n. et adj. Fourbe, réticent, sournois. → *hypocrite.*

ESCOBARDERIE I. → *fuite.* **II.** → *hypocrisie.*

ESCOGRIFFE → *géant.*

ESCOMPTE I. Au pr. : avance. **II. Par ext. :** agio, boni, prime, réduction, remise.

ESCOMPTER I. Au pr. : avancer, faire une avance, prendre un billet/un papier/une traite à l'escompte. **II. Par ext. :** anticiper, attendre, compter sur, devancer, espérer, prévenir, prévoir.

ESCORTE → *suite.*

ESCORTER → *accompagner.*

ESCOUADE → *troupe.*

ESCRIMER (S') I. Au pr. → *lutter.* **II. Fig. 1.** → *essayer.* **2.** → *discuter.*

ESCROC → *fripon.*

ESCROQUER → *voler.*

ESCROQUERIE → *vol.*

ÉSOTÉRIQUE → *secret.*

ESPACE I. Au pr. Abstrait : champ, distance, écart, écartement, éloignement, étendue, immensité, infini, intervalle, portion, superficie, surface, zone. **II. Par ext. Concret. 1.** Atmosphère, ciel, éther. → *univers.* **2.** Alinéa, blanc, interligne, interstice, marge. **III. Loc. Espace de temps :** durée, intervalle, laps.

ESPACER → *séparer.*

ESPAGNOLETTE → *poignée.*

ESPALIER Candélabre, cordon, palissade, palmette, treillage.

ESPÈCE I. → *genre.* **II.** → *sorte.* **III. Au pl.** → *argent.*

ESPÉRANCE Aspiration, assurance, attente, certitude, confiance, conviction, croyance, désir, espoir, expectative, foi, illusion, perspective, prévision.

ESPÉRER Aspirer à, attendre, avoir confiance *et les syn. de* CONFIANCE, compter sur, entrevoir, escompter, faire état de, se flatter de, penser, présumer, se promettre, souhaiter, tabler sur.

ESPIÈGLE Agaçant (péj.), badin, coquin, démon, diable, diablotin, éveillé, folâtre, frétillant, fripon, lutin, malicieux, malin, mâtin, miève (vx), mutin, pétillant, polisson, subtil, turbulent.

ESPIÈGLERIE → *plaisanterie.*

ESPION I. Neutre : affidé (vx), agent, émissaire, indic (arg.), indicateur, limier. **II. Non favorable. 1.** Délateur, dénonciateur, mouchard, rapporteur, traître. **2. Arg. :** casserole, mouche, mouton.

ESPIONNER → *épier.*

ESPLANADE → *place.*

ESPOIR → *espérance.*

ESPRIT I. Au pr. 1. De quelqu'un : âme, animation, caractère, cœur, conscience, être, homme, moi, personnalité, souffle, soupir, sujet, vie, **2. De quelque chose :** alcool, essence, quintessence, vapeur. **II. Par ext. Qualité de quelqu'un :** adresse, à-propos, bon sens, causticité, discernement, disposition, entendement, finesse, génie, humour, imagination, ingéniosité, intellection, intelligence, invention, jugement, jugeote (fam.), lucidité, malice, méditation, mentalité, naturel, raison, réflexion, sel, sens commun, talent, vivacité. **III. Être immatériel. 1.** Dieu, divinité. **2.** Ange, démon, élu.

3. Fantôme, mânes, revenant, spectre.
4. → *génie.* **IV. Loc. 1. Esprit fort** →
incroyant. **2. Bel esprit** → *spirituel.*
3. Bon esprit → *accommodant.*
4. Mauvais esprit → *insoumis*
(adj.). **5. Dans l'esprit de :** angle,
aspect, but, dessein, idée, intention,
point de vue. **6. Esprit de corps :**
chauvinisme (péj.), solidarité.

ESQUIF → *embarcation.*

ESQUINTER I. Au pr. → *détériorer.*
II. Fig. 1. → *critiquer.* **2.** → *fatiguer.*

ESQUISSE → *ébauche.*

ESQUISSER I. Au pr. : crayonner,
croquer, dessiner, ébaucher, pocher,
tracer. **II. Fig. :** amorcer, ébaucher,
indiquer.

ESQUIVER → *éviter.*

ESQUIVER (S') → *enfuir (s').*

ESSAI I. → *expérience.* **II.** → *tentative.* **III.** → *article.* **IV.** → *traité.*

ESSAIM Par ext. → *multitude.*

ESSAIMER I. V. intr. : se disperser,
se répandre. **II. V. tr. :** émettre,
produire, répandre.

ESSAYER I. V. tr. → *expérimenter.*
II. V. intr. : chercher à, s'efforcer à/de,
s'escrimer/s'évertuer à, faire l'impossible, s'ingénier à, tâcher à/de,
tâtonner, tenter de.

ESSENCE I. → *extrait.* **II.** Caractère,
moelle, nature, qualité, quiddité (vx),
quintessence, substance.

ESSENTIEL, ELLE → *principal.*

ESSIEU Arbre, axe, boggie (par ext.),
pivot.

ESSOR I. → *vol.* **II. Fig.** → *avancement.*

ESSOUFFLÉ, E Asthmatique (par
ext.), dyspnéique (méd.), époumoné,
fatigué, haletant, pantelant, poussif,
rendu (fam.).

ESSUYER I. Au pr. 1. → *nettoyer.*
2. → *sécher.* **II. Fig.** → *recevoir.*

EST Levant, orient.

ESTACADE → *digue.*

ESTAFETTE Courrier, envoyé, exprès,
messager.

ESTAFIER → *tueur.*

ESTAFILADE → *coupure.*

ESTAMINET → *cabaret.*

ESTAMPE → *image.*

ESTAMPER I. Au pr. → *imprimer.*
II. Fig. → *voler.*

ESTAMPILLE → *marque.*

ESTAMPILLER → *imprimer.*

ESTER Intenter, poursuivre, se présenter en justice.

ESTHÉTIQUE → *beau.*

ESTIMABLE Aimable, appréciable,
beau, bien, bon, honorable, ouable,
précieux, recommandable, respectable.

ESTIMATION Aperçu, appréciation,
approximation, arbitrage, calcul, déter-

mination, devis, évaluation, expertise,
prisée.

ESTIME → *égards.*

ESTIMER I. → *aimer.* **II.** Apprécier,
arbitrer, calculer, coter, déterminer,
évaluer, expertiser, mesurer, mettre à
prix, priser, taxer. **III.** → *honorer.*
IV. Compter, considérer, croire, être
d'avis, faire cas, juger, penser, présumer, regarder comme, tenir pour.

ESTOC I. Au pr. et au fig. :
racine, souche. **II. Par ext. :** race.
III. → *épée.*

ESTOCADE Attaque, botte, coup.

ESTOMAC I. Au pr. 1. D'animaux :
bonnet, caillette, feuillet, gésier, jabot,
panse. **2. Boucherie :** gras-double,
tripe. **II. Fig. :** aplomb, cœur, courage,
cran, culot.

ESTOMAQUÉ, E → *ébahi.*

ESTOMPER → *modérer.*

ESTOMPER (S') → *disparaître.*

ESTOURBIR I. → *battre.* **II.** →
tuer.

ESTRADE Chaire, échafaud, échafaudage, podium, ring, scène, tribune.

ESTROPIÉ, E Amputé, boiteux,
cul-de-jatte, diminué physique, éclopé,
essorillé (vx), handicapé, impotent,
infirme, manchot, mutilé, stropiat.
(fam.), unijambiste.

ESTROPIER → *mutiler.*

ESTUAIRE → *embouchure.*

ÉTABLE Abri, bercail, bergerie,
bouverie, écurie, grange, hangar,
porcherie, soue, vacherie.

ÉTABLIR I. → *prouver.* **II.** Amener,
constituer, créer, disposer, ériger,
faire régner, fonder, implanter, importer, installer, instaurer, instituer,
introduire, introniser, mettre, nommer,
organiser, placer, poser. **III.** Asseoir,
bâtir, construire, édifier, fixer, fonder,
jeter les fondements/les plans, placer,
poser. **IV.** Camper, cantonner, loger,
poster. **V. Fig. 1.** Caser, doter,
marier. **2.** Échafauder, forger, nouer.

ÉTABLISSEMENT I. Agencement,
constitution, création, disposition,
érection, fondation, implantation, importation, installation, instauration,
institution, introduction, intronisation,
mise en place, nomination, organisation, placement, pose. **II.** Affaire,
boîte (fam.), comptoir, entreprise,
exploitation, factorerie, firme, fonds,
loge (vx), maison, usine.

ÉTAGE I. → *palier.* **II.** → *rang.*

ÉTAI → *appui.*

ÉTAL I. → *table.* **II.** → *magasin.*

ÉTALAGE I. Au pr. : devanture,
étal, éventaire, montre, vitrine. **II.
Fig. :** montre, ostentation.

ÉTALE → *stationnaire.*

ÉTALER I. Au pr. → *étendre.*
II. Fig. → *montrer.*
ÉTALER (S') I. → *montrer (se).*
II. → *tomber.*
ÉTALON I. → *cheval.* **II.** → *modèle.*
ÉTANCHE → *imperméable.*
ÉTANCHER I. → *sécher.* **II.** →
assouvir.
ÉTANÇON → *appui.*
ÉTANÇONNER I. → *appuyer.* **II.** →
soutenir.
ÉTANG Bassin, chott, lac, lagune,
marais, mare, pièce d'eau, réservoir.
ÉTAPE I. Au pr. 1. *Le lieu :*
auberge, couchée (vx), escale, gîte,
halte, hôtel, relais. **2. *La distance :***
chemin, journée (vx), route, trajet.
II. Par ext. → *phase.*
ÉTAT I. Attitude, classe, condition,
destin, existence, manière d'être, point,
position, situation, sort, train de vie,
vie. **II.** → *profession.* **III.** → *liste.*
IV. → *gouvernement.* **V.** → *nation.*
VI. Loc. 1. *État d'esprit* → *mentalité.* **2. *Faire état*** → *considérer.*
ÉTATISER → *nationaliser.*
ÉTATISME → *socialisme.*
ÉTAYER I. → *soutenir.* **II.** →
appuyer.
ÉTÉ Beaux jours, belle saison,
canicule, chaleurs, mois de Phœbe
(vx), saison chaude/sèche.
ÉTEINDRE I. Au pr. : étouffer,
consumer. **II. Fig. 1.** → *modérer.*
2. → *détruire.*
ÉTEINDRE (S') → *mourir.*
ÉTENDARD → *drapeau.*
**ÉTENDRE I. On étend quelque
chose :** allonger, déplier, déployer,
dérouler, détirer, développer, étaler,
étirer, mettre, placer, poser, recouvrir,
tendre. **II. Quelqu'un :** allonger,
coucher. **III. Par ext. *Étendre un
liquide :*** ajouter, allonger, augmenter,
baptiser, couper, délayer, diluer,
éclaircir, mouiller (du vin).
ÉTENDRE (S') I. → *occuper.*
II. → *coucher (se).* **III.** → *répandre
(se).* **IV.** → *durer, et les formes
pronom. possibles des syn. de*
ÉTENDRE.
ÉTENDU, E → *grand.*
ÉTENDUE Amplitude, champ, contenance, dimension, distance, domaine,
durée, envergure, espace, grandeur,
grosseur, immensité, importance, largeur, longueur, proportion, sphère,
superficie, surface, volume.
**ÉTERNEL, ELLE I. Favorable ou
neutre :** constant, continuel, durable,
immémorial, immortel, immuable, impérissable, imprescriptible, inaltérable,
incessant, indéfectible, indéfini, indestructible, infini, interminable, perdurable, pérenne, perpétuel, sempiternel.

II. Non favorable → *ennuyeux.*
ÉTERNISER → *allonger.*
ÉTERNISER (S') I. → *demeurer.*
II. → *durer.*
ÉTERNITÉ Continuité, immortalité,
immuabilité, indestructibilité, infini,
pérennité, perpétuité.
ÉTÊTER → *élaguer.*
ÉTHER → *atmosphère.*
ÉTHÉRÉ, E → *pur.*
ÉTHIQUE → *morale.*
ETHNIQUE I. Racial. **II. Par ext. :**
culturel, spécifique.
ETHNOGRAPHIE Anthropologie,
ethnologie.
ÉTINCELANT, E → *brillant.*
ÉTINCELER Brasiller, briller, chatoyer,
luire, pétiller, scintiller.
ÉTINCELLE I. Au pr. : escarbille,
flammèche. **II. Fig. 1.** Cause. **2.** Ar-
deur, feu sacré, flamme.
ÉTIOLEMENT I. → *décadence.* **II.**
→ *ruine.*
ÉTIOLER (S') → *dépérir.*
ÉTIQUE Amaigri, cachectique, cave,
consomptique, décharné, desséché,
efflanqué, émacié, famélique, hâve,
hectique, maigre, mal nourri, sec,
squelettique.
ÉTIQUETER → *ranger.*
ÉTIQUETTE I. → *écriteau.* **II.** →
protocole.
ÉTIRER I. → *tirer.* **II.** → *étendre.*
ÉTOFFE I. Au pr. → *tissu.* **II. Par
ext.** → *matière.* **III. Fig.** → *disposition.*
ÉTOFFER → *garnir.*
ÉTOILE I. Au pr. → *astre.* **II. Fig.
1.** → *destinée.* **2.** → *artiste.* **III. Par
ext. 1.** Carrefour, croisée/croisement
de chemins/routes, échangeur, patte-
d'oie, rond-point, trèfle. **2.** Astérisque
(typo.).
ÉTONNANT, E Admirable, ahurissant,
anormal, beau, bizarre, confondant,
curieux, déconcertant, drôle, ébahissant, ébaubissant (vx ou fam.),
ébésillant (fam.), éblouissant, ébouriffant (fam.), écrasant, effarant,
épatant (fam.), époustouflant (fam.),
étourdissant, étrange, exceptionnel,
extraordinaire, fantastique, faramineux
(fam.), formidable, frappant, fumant
(fam.), génial, gigantesque, impressionnant, inattendu, incomparable,
inconcevable, incroyable, inhabituel,
inouï, insolite, inusité, magique,
magnifique, merveilleux, miraculeux,
mirifique, mirobolant (fam.), monstrueux, original, parfait, particulier,
pharamineux, phénoménal, prodigieux,
pyramidal (fam.), rare, renversant,
singulier, spécial, splendide, sublime,
superbe, surprenant, troublant.
ÉTONNÉ, E Abasourdi, ahuri, baba

(fam.), confondu, désorienté, ébahi, ébaubi, éberlué, ébloui, ébouriffé, effaré, émerveillé, épaté (fam.), estomaqué (fam.), frappé, interdit, interloqué (fam.), renversé, saisi, soufflé (fam.), stupéfait, suffoqué, surpris.

ÉTONNEMENT → *surprise.*

ÉTONNER Abasourdir, ahurir, confondre, désorienter, ébahir, ébaubir, éberluer, éblouir, ébouriffer, effarer, émerveiller, épater, époustoufler, esbroufer, étourdir, frapper, impressionner, interdire, interloquer, renverser, saisir, sidérer, stupéfier, suffoquer, surprendre.

ÉTOUFFANT, E Accablant, asphyxiant, suffocant.

ÉTOUFFÉ, E I. Au pr. → *essoufflé.* **II. Fig.** → *sourd.*

ÉTOUFFER I. Au pr. : asphyxier, étrangler, garrotter, noyer, oppresser, suffoquer. **II. Par ext.** *Un bruit* → *dominer.* **III. Fig. :** arrêter, assoupir, atténuer, briser, cacher, dissimuler, encager, enterrer, escamoter, étourdir, gêner, juguler, mater, mettre en sommeil/une sourdine, neutraliser, passer sous silence, réprimer, retenir, subtiliser, supprimer, tortiller (fam.), tuer dans l'œuf.

ÉTOUFFER (S') S'étrangler *et les formes pron. possibles des syn. de* ÉTOUFFER.

ÉTOURDERIE → *distraction.*

ÉTOURDI, E adj. et n. Braque, briseraison (vx), brouillon, distrait, écervelé, étourneau, évaporé, éventé, fou, frivole, hanneton (fam.), hurluberlu (fam.), imprudent, inattentif, inconséquent, inconsidéré, insouciant, irréfléchi, léger, malavisé, tête à l'évent/de linotte/en l'air/folle/légère (fam.).

ÉTOURDIR I. Au pr. 1. Non favorable → *abasourdir.* **2. Favorable ou neutre** : chavirer, enivrer, entêter, griser, monter/porter à la tête, soûler, taper (fam.), tourner la tête. **II. Par ext. 1.** → *soulager.* **2.** → *étouffer.*

ÉTOURDIR (S') → *distraire (se).*

ÉTOURDISSANT, E → *extraordinaire.*

ÉTOURDISSEMENT → *vertige.*

ÉTOURNEAU Fig. → *étourdi.*

ÉTRANGE Abracadabrant, baroque, biscornu, bizarre, choquant, déplacé, inaccoutumé, indéfinissable, inquiétant, insolite, louche, rare, saugrenu, singulier. → *étonnant.*

ÉTRANGER, ÈRE adj. et n. **I. Au pr. :** allochtone, allogène, aubain (vx), exotique, extérieur, immigrant, métèque (péj.), pérégrin (vx), réfugié, résident, touriste. **II. Par ext. 1.** → *hétérogène.* **2.** → *inconnu.* **3.** → *indifférent.*

ÉTRANGLÉ, E I. Au pr. : asphyxié,

étouffé, garrotté, strangulé. **II. Fig.** → *étroit.*

ÉTRANGLEMENT I. Au pr. : étouffement, garrot, strangulation. **II. Par ext. :** resserrement.

ÉTRANGLER Étouffer, garrotter, pendre, resserrer, serrer le quiqui (fam.)/ la gorge, stranguler, tuer.

ÊTRE I. V. intr. 1. Avoir l'existence, exister, régner, subsister, se trouver, vivre. **2. Loc.** *Être à* → *appartenir.* **II. Nom. 1.** → *homme.* **2. Loc.** *Être suprême* → *dieu.*

ÉTRÉCIR → *resserrer.*

ÉTREINDRE → *serrer.*

ÉTREINTE Embrassade, embrassement, enlacement, serrement.

ÉTRENNES → *don.*

ÊTRES → *pièce.*

ÉTRILLER I. → *battre.* **II.** → *maltraiter.*

ÉTRIQUÉ, E → *étroit.*

ÉTRIQUER → *resserrer.*

ÉTRIVIÈRES → *fouet.*

ÉTROIT, E I. Au pr. *Quelque chose :* collant (vêtement), confiné, effilé, encaissé, étiré, étranglé, étréci, étriqué, exigu, fin, juste, mesquin, mince, petit, ratatiné, réduit, resserré, restreint, serré. **II. Fig. 1. Quelqu'un** → *bête* et *sévère.* **2. Quelque chose** → *limité.*

ÉTROITESSE → *petitesse.*

ÉTUDE I. → *article.* **II.** → *traité.* **III.** → *exercice.* **IV.** → *soin.* **V.** → *attention.* **VI.** Cabinet, bureau, officine.

ÉTUDIANT, E → *élève.*

ÉTUDIÉ, E Affecté, apprêté, arrangé, compassé, composé, concerté, contraint, empesé, forcé, gourmé, guindé, maniéré, pincé, précieux, recherché, soigné, sophistiqué, théâtral.

ÉTUDIER I. Au pr. : apprendre, bûcher, chiader (arg.), s'instruire, piocher (fam.), potasser (fam.). → *travailler.* **II. Par ext. 1.** → *examiner.* **2.** → *exercer (s').*

ÉTUDIER (S') S'examiner, faire attention, s'observer, s'occuper à/de.

ÉTUI → *enveloppe.*

ÉTUVE Four, fournaise, sauna.

ÉTYMOLOGIE Évolution, formation, origine, racine, source.

EUNUQUE → *châtré.*

EUPHÉMISME → *litote.*

EUPHORIE → *aise.*

EUPHUISME → *préciosité.*

EURYTHMIE → *harmonie.*

ÉVACUATION → *écoulement.*

ÉVACUER → *vider.*

ÉVADER (S') → *enfuir (s').*

ÉVALUATION Appréciation, approximation, calcul, comparaison, détermination, estimation, expertise, inventaire, mesure, prisée.

ÉVALUER Apprécier, arbitrer, calculer, chiffrer, coter, cuber, déterminer, estimer, expertiser, fixer la valeur, jauger, juger, mesurer, nombrer, peser, priser, supputer, ventiler.

ÉVANGÉLISATION → *mission.*

ÉVANGÉLISER → *prêcher.*

ÉVANGILE → *foi.*

ÉVANOUIR (S') I. Au pr. : avoir des vapeurs (vx), défaillir, se pâmer, tourner de l'œil (fam.), se trouver mal. **II. Fig. 1.** → *disparaître.* **2.** → *passer.*

ÉVANOUISSEMENT I. Au pr. : défaillance, faiblesse, pâmoison, syncope, vapeurs (vx), vertige. **II. Fig. :** anéantissement, disparition, effacement. → *fuite.*

ÉVAPORATION → *vaporisation.*

ÉVAPORÉ, E → *étourdi.*

ÉVAPORER (S') (Fig.) **I.** → *disparaître.* **II.** → *passer.*

ÉVASER → *élargir.*

ÉVASIF, IVE Ambigu, détourné, dilatoire, douteux, énigmatique, équivoque, fuyant, incertain, réticent.

ÉVASION → *fuite.*

ÉVÊCHÉ Diocèse, épiscopat, juridiction apostolique/épiscopale.

ÉVEILLÉ, E Actif, alerte, animé, décidé, dégourdi, délié, déluré, dessalé, diable, émerillonné, espiègle, excité, frétillant, fripon, fûté, gai, intelligent, malicieux, ouvert, remuant, vif, vif-argent, vivant.

ÉVEILLER I. Au pr. : réveiller, tirer du sommeil. **II. Par ext. 1.** → *provoquer.* **2.** → *animer.*

ÉVÉNEMENT I. Au pr. : accident, action, affaire, avatar, aventure, calamité, cas, cataclysme, catastrophe, chronique, circonstance, conjoncture, dénouement, désastre, drame, épisode, épopée, fait, fait divers, histoire, incident, intrigue, issue, malheur, mésaventure, nouvelle, occasion, scandale, scène, tragédie, vicissitude. **II. Par ext.** → *résultat.*

ÉVENTAIRE → *étalage.*

ÉVENTÉ, E I. Au pr. → *gâté.* **II. Fig.** → *étourdi.*

ÉVENTER (Fig.) **I.** → *découvrir.* **II.** → *gâter.*

ÉVENTUALITÉ → *cas.*

ÉVENTUEL, ELLE → *incertain.*

ÉVÊQUE Monseigneur, pontife, prélat, primat, prince de l'Église, vicaire apostolique.

ÉVERTUER (S') → *essayer.*

ÉVICTION Congédiement, dépossession, disgrâce, élimination, éloignement, exclusion, excommunication, expulsion, licenciement, ostracisme, proscription, rejet, renvoi, révocation.

ÉVIDEMMENT A coup sûr, à l'évidence, assurément, avec certitude, bien entendu, certainement, certes, de toute évidence, immanquablement, incontestablement, indubitablement, infailliblement, sans aucun doute, sans conteste/contredit/doute/faute, sûrement.

ÉVIDENCE Authenticité, certitude, clarté, lapalissade (péj.), netteté, preuve, réalité, truisme, vérité.

ÉVIDENT, E Assuré, authentique, certain, clair, constant, criant, éclatant, flagrant, formel, incontestable, indéniable, indiscutable, indubitable, irréfragable, irréfutable, limpide, manifeste, net, notoire, officiel, palpable, patent, positif, public, sensible, sûr, transparent, véridique, visible, vrai.

ÉVIDER I. → *creuser.* **II.** → *tailler.*

ÉVINCER I. → *déposséder.* **II.** → *éliminer.*

ÉVITER I. On évite quelque chose : s'abstenir, cartayer, contourner, couper à (fam.), se dérober, se dispenser de, écarter, échapper à, éluder, empêcher, esquiver, fuir, se garer de, obvier à, parer, passer à travers, se préserver de, prévenir, se soustraire à. **II. On évite quelqu'un :** couper à (fam.), se détourner de, échapper à, s'éloigner de, fuir. **III. On évite quelque chose à quelqu'un :** décharger/délivrer/dispenser de, épargner, garder/libérer/préserver de, sauver à (vx).

ÉVOLUER Aller/marcher de l'avant, changer, se dérouler, se développer, devenir, innover, manœuvrer, marcher, se modifier, se mouvoir, progresser, réformer, se transformer.

ÉVOLUTION Avancement, changement, cours, déroulement, développement, devenir, film, manœuvre, marche, métamorphose, mouvement, processus, progression, transformation.

ÉVOLUTIONNISME Darwinisme, lamarckisme, mutationnisme, transformisme.

ÉVOQUER Aborder, appeler, décrire, effleurer, éveiller, faire allusion à, imaginer, interpeller, invoquer, montrer, rappeler, remémorer, repasser, représenter, réveiller, revivre, suggérer, susciter.

EXACERBATION → *paroxysme.*

EXACERBER → *irriter.*

EXACT, E I. Quelque chose : authentique, conforme, congru, convenable, correct, fidèle, juste, littéral, précis, réel, sincère, textuel, véridique, véritable, vrai. **II. Quelqu'un :** assidu, attentif, consciencieux, minutieux, ponctuel, réglé, régulier, scrupuleux, zélé.

EXACTION → *malversation.*

EXACTITUDE I. De quelque chose : authenticité, concordance, congruence, convenance, correction, fidélité, justesse, précision, rigueur, véracité, véridicité, vérité. **II. De quelqu'un :** application, assiduité, attention, conscience professionnelle, correction, minutie, ponctualité, régularité, scrupule, sincérité, soin.

EXAGÉRATION Amplification, broderie, démesure, disproportion, emphase, enflure, exubérance, fanfaronnade, galéjade, gasconnade, histoire marseillaise, hyperbole, outrance, vantardise. → *hâblerie.*

EXAGÉRÉ, E → *excessif.*

EXAGÉRER I. On exagère ses propos : agrandir, ajouter, amplifier, bluffer, broder, charger, développer, donner le coup de pouce (fam.), dramatiser, enfler, en remettre (fam.), faire valoir, forcer, galéjer (fam.), gasconner (fam.), grandir, grossir, masser (fam.), ne pas y aller de main morte (fam.), outrer, pousser, rajouter, surfaire, se vanter. → *hâbler.* **II. On exagère dans son comportement :** abuser, aller fort, dépasser les bornes, passer la mesure.

EXALTATION → *enthousiasme.*

EXALTER I. → *louer.* **II.** → *exciter.* **III.** → *transporter.*

EXALTER (S') → *enthousiasmer (s').*

EXAMEN I. → *recherche.* **II.** Bac, baccalauréat, bachot, brevet, certificat d'études, concours, diplôme, doctorat, épreuve, interrogation, licence, test.

EXAMINER Analyser, apprécier, approfondir, ausculter, comparer, compulser, considérer, consulter, contrôler, critiquer, débattre, décomposer, délibérer, dépouiller, désosser (fam.), disséquer, éplucher, éprouver, estimer, étudier, évaluer, expertiser, explorer, inspecter, instruire, interroger, inventorier, observer, palper, parcourir, peser, prospecter, rechercher, reconnaître, regarder, scruter, sonder, toucher, visiter, voir.

EXASPÉRER → *irriter.*

EXAUCER → *satisfaire.*

EXCAVATION Antre, aven, caverne, cavité, cloup, coupure, creux, entonnoir, fente, fosse, grotte, hypogée, ouverture, puits, souterrain, tranchée, trou, vide.

EXCÉDÉ, E → *fatigué.*

EXCÉDENT → *excès.*

EXCÉDER I. → *dépasser.* **II.** → *fatiguer.* **III.** → *énerver.*

EXCELLENCE I. Protoc. : Altesse, Éminence, Grâce, Grandeur, Hautesse (vx). **II.** → *perfection.*

EXCELLENT, E → *bon.*

EXCELLER Briller, être fort/habile à/le meilleur, surclasser, surpasser, triompher.

EXCENTRIQUE n. et adj. → *original.*

EXCEPTÉ Abstraction faite de, à la réserve/l'exception/l'exclusion de, à part, à telle chose près, exclusivement, fors (vx), hormis, hors, non compris, sauf, sinon.

EXCEPTER Écarter, enlever, épargner, exclure, négliger, oublier, pardonner, retrancher.

EXCEPTION I. Anomalie, dérogation, exclusion, particularité, réserve, restriction, singularité. **II. Loc. A l'exception de** → *excepté.*

EXCEPTIONNEL, ELLE → *rare.*

EXCÈS I. De quelque chose : disproportion, énormité, excédent, exubérance, luxe, luxuriance, plénitude, pléthore, profusion, quantité, redondance, reste, satiété, saturation, superfétation, superflu, superfluité, surabondance, surplus, trop, trop-plein. **II. Dans un comportement :** abus, bacchanale, débordement, démesure, dérèglement, exagération, extrême, extrémisme, extrémité, gueuleton (fam.), inconduite, incontinence, intempérance, luxure, orgie, outrance, prouesse, ribote, violence. → *débauche.*

EXCESSIF, IVE Abusif, affreux, carabiné (fam.), chargé, débridé, démesuré, déréglé, désordonné, dévorant, effrayant, effréné, effroyable, énorme, enragé, exagéré, exorbitant, extraordinaire, extrême, exubérant, forcé, fort, fou, furieux, grimaçant, gros, horrible, hyperbolique, immodéré, immodeste, incontinent, incroyable, insensé, insupportable, intempérant, intolérable, long, luxuriant, monstrueux, outrancier, outré, prodigieux, raide, rigoureux, surabondant, terrible, trop, violent.

EXCESSIVEMENT A l'excès, outre mesure, plus qu'il ne convient/n'est convenable.

EXCIPER → *prétexter.*

EXCISION Abcision, ablation, amputation, autotomie, coupe, enlèvement, exérèse, mutilation, opération, résection, sectionnement, tomie.

EXCITANT, E I. → *fortifiant.* **II.** → *affriolant.*

EXCITATEUR, TRICE n. et adj. Agitateur, animateur, fomentateur, instigateur, meneur, révolutionnaire, stimulateur. → *factieux.*

EXCITATION I. Phys. : chaleur, fermentation, stimulus. **II. État d'excitation :** acharnement, agitation, aigreur, animation, ardeur, colère, délire, embrasement, émoi, énervement, enthousiasme, éréthisme, exacerbation, exaltation, exaspération, fébrilité, fièvre, irritation, ivresse, nervosité,

ravissement, surexcitation, trouble.
III. Action d'exciter : appel, émulation, encouragement, entraînement, exhortation, fomentation, impulsion, incitation, invitation, provocation, sollicitation, stimulation.

EXCITÉ, E I. Adj. : agacé, agité, aguiché, allumé, animé, ardent, attisé, émoustillé, énervé, monté, nerveux, troublé. **II. Nom** → *énergumène.*

EXCITER I. Faire naître une réaction : actionner, allumer, animer, apitoyer, attendrir, attirer, causer, charmer, déchaîner, déclencher, donner le branle/le mouvement/le signal, ébranler, emballer, embraser, enflammer, enivrer, enlever, enthousiasmer, exalter, faire naître, fomenter, insuffler, inviter, mettre en branle/en mouvement/de l'huile sur le feu (fam.), mouvoir, provoquer, solliciter, souffler la colère/le désordre/la haine/sur les braises, susciter. **II. On fait croître une réaction :** accroître, activer, aggraver, aigrir, aiguillonner, aiguiser, attiser, aviver, cingler, cravacher, envenimer, éperonner, exacerber, exalter, exaspérer, faire sortir/mettre hors de ses gonds, fouetter, piquer, pousser, relever, réveiller, stimuler, surexciter, travailler. **III. On excite quelqu'un à quelque chose :** animer, convier, encourager, engager, entraîner, exhorter, galvaniser, inciter, instiguer, inviter, obliger, persuader, piéter (vx), porter, pousser, presser, provoquer, tenter. **IV. On excite la foule :** ameuter, électriser, enflammer, fomenter, soulever, transporter. **V. On excite quelqu'un :** agiter, animer, caresser, chatouiller, échauffer, émouvoir, enfiévrer, enivrer, exalter, flatter, fouetter, irriter, mettre en colère/en rogne (fam.), monter la tête, mouvoir, passionner, plaire, ranimer, remuer, soulever, surexciter, taquiner, transporter. **VI. On excite contre quelqu'un :** acharner, armer, braquer, crier haro sur/vengeance, dresser, monter, opposer, soulever. **VII. Le désir sexuel :** agacer, aguicher, allumer, attiser, émoustiller, émouvoir, troubler.

EXCLAMATION → *cri.*

EXCLAMER (S') Admirer, applaudir, s'écrier, s'étonner, se récrier.

EXCLURE I. → *éliminer.* **II.** → *empêcher.*

EXCLUSIF, IVE I. → *unique.* **II.** → *fanatique.*

EXCLUSIVEMENT I. → *excepté.* **II.** → *seulement.*

EXCOMMUNICATION Anathème, bannissement, blâme, censure, exclusion, expulsion, foudres de l'Église, glaive spirituel, interdit, malédiction, ostracisme.

EXCOMMUNIER Anathématiser, bannir, blâmer, censurer, chasser, exclure, frapper, interdire, maudire, ostraciser, rejeter, renvoyer, repousser, retrancher.

EXCRÉMENT I. De l'homme. 1. Méd. ou neutre : crotte, déchet, déjection, excrétion, fèces, flux alvin, garde-robe (vx), matières, matières alvines/fécales, méconium (nouveau-né), selles. **2. Familier ou enfantin :** caca, gros, grosse commission, pot. **3. Vulg. ou arg. :** bran, brenne, bronze, chiasse, colombin, confiture, étron, foire, marchandise, merde, mouscaille, paquet, pêche, sentinelle. **II. Des animaux :** bouse, chiure, colombine, crotte, crottin, fient, fiente, fumées (vén.), fumier, guano, laissées (vén.), purin. **III. Par ext. :** boue, gadoue, immondice, ordure, poudrette, rebut, résidu.

EXCURSION I. → *promenade.* **II.** → *voyage.* **III.** → *digression.*

EXCUSE I. Au pr. : allégation, amende honorable, décharge, défense, disculpation, explication, justification, motif, pardon, raison, regret, ressource. **II. Par ext. :** défaite, dérobade, échappatoire, faux-fuyant, moyen, prétexte.

EXCUSER Absoudre, acquitter, admettre, alléguer, blanchir, couvrir, décharger, disculper, effacer, exempter, faire crédit, innocenter, justifier, laver, légitimer, pardonner, passer l'éponge, remettre, sauver, tolérer.

EXCUSER (S') Demander pardon, se défendre *et les formes pronom. possibles de* EXCUSER.

EXEAT Autorisation, congé, laissez-passer, permis, permission, visa.

EXÉCRABLE I. → *détestable.* **II.** → *haïssable.*

EXÉCRATION I. → *malédiction.* **II.** → *éloignement.*

EXÉCRER → *haïr.*

EXÉCUTANT I. Chanteur, choriste, concertiste, instrumentiste, musicien, virtuose. **II.** Agent, praticien, technicien.

EXÉCUTER I. → *réaliser.* **II.** → *tuer.*

EXÉCUTEUR I. → *bourreau.*

EXÉCUTION I. → *réalisation.* **II.** → *supplice.*

EXEMPLAIRE I. Nom : archétype, canon, copie, échantillon, édition, épreuve, gabarit, leçon, modèle, patron, prototype, spécimen, type. **II. Adj. :** bon, édifiant, parfait.

EXEMPLE I. Au pr. : modèle, paradigme, parangon, règle. **II. Par ext. 1.** Contagion, édification, émulation, entraînement, imitation. **2.** Aperçu, échantillon, preuve, type. **3.** Citation. **4.** → *exemplaire.* **III. Jurid. :** cas, jurisprudence, précédent. **IV. Loc.**

1. A l'exemple de : à l'image/ l'instar, comme, de même que. **2. Par exemple :** ainsi, comme, en revanche, entre autres, mais, notamment, par contre.

EXEMPT, E Affranchi, déchargé, dégagé, dépourvu, dispensé, exonéré, franc (de port), immunisé, indemne, libéré, libre, préservé, quitte.

EXEMPTER Affranchir, amnistier, décharger, dégager, dégrever, dispenser, épargner, éviter, excuser, exonérer, gracier, immuniser, libérer, préserver, tenir quitte.

EXEMPTER (S') Échapper à et les formes pronom. possibles des syn. de EXEMPTER.

EXEMPTION → immunité.

EXERCER I. On exerce une activité : acquitter, s'acquitter de, cultiver, déployer, employer, exécuter, faire, se livrer à, mettre en action/usage/ pratique, pratiquer, professer, remplir. **II. On exerce quelqu'un ou un animal :** dresser, façonner, former, habituer, plier.

EXERCER (S') S'appliquer à, apprendre, s'entraîner, s'essayer, se faire la main.

EXERCICE Application, apprentissage, devoir, entraînement, étude, évolution, instruction, manœuvre, mouvement, pratique, sport, tour de force, travail, vocalise.

EXERGUE → inscription.

EXHALAISON I. Favorable ou neutre : arôme, bouffée, effluve, émanation, évaporation, fragrance, fumée, fumet, gaz, haleine, moyette, odeur, parfum, senteur, souffle, vapeur. **II. Non favorable :** pestilence, puanteur, relent, remugle.

EXHALER I. Au pr. 1. Neutre : dégager, embaumer, émettre, épancher, fleurer, odorer, produire, répandre, sentir. **2. Non favorable :** empester, empuantir, puer. **II. Par ext. :** exprimer, extérioriser, déverser, donner libre cours, proférer, manifester.

EXHALER (S') Émaner, s'évaporer, transpirer et les formes pronom. possibles des syn. de EXHALER.

EXHAUSSER → hausser.

EXHAUSTIF, IVE I. Au pr. : achevé, complet, total. **II. Fig. :** absorbant, accablant, épuisant, exténuant.

EXHÉRÉDER → déshériter.

EXHIBER → montrer.

EXHIBITION → spectacle.

EXHORTATION I. → encouragement. **II.** → sermon.

EXHORTER → encourager.

EXHUMER → déterrer.

EXIGEANT, E Absorbant, accaparant, délicat, difficile, dur, envahissant, insatiable, intéressé, intraitable, maniaque, pointilleux, sévère, strict, tyrannique.

EXIGENCE → réclamation.

EXIGER → réclamer.

EXIGU, UË → petit.

EXIGUÏTÉ Étroitesse, médiocrité, mesquinerie, modicité, petitesse.

EXIL I. Au pr. : ban, bannissement, déportation, expatriation, expulsion, lettre de cachet (vx), ostracisme, proscription, relégation, transportation. **II. Par ext. :** départ, éloignement, isolement, réclusion, renvoi, retraite, séparation.

EXILER → bannir.

EXISTENCE I. → être. **II.** → vie.

EXISTER I. → être. **II.** → vivre.

EXODE I. Au pr. → émigration. **II. Par ext. :** abandon, départ, dépeuplement, désertion.

EXONÉRATION → immunité.

EXONÉRER I. → exempter. **II.** → soulager.

EXORBITANT, E → démesuré.

EXORCISER Adjurer, chasser, conjurer, purifier, rompre le charme/ l'enchantement/l'envoûtement.

EXORCISME Adjuration, conjuration, délivrance, dépossession, désenvoûtement, évangile, formule cabalistique, prière, purification, supplication.

EXORCISTE I. Au pr. : conjurateur, exorciseur. **II. Par ext. :** cabaliste, grand prêtre, mage, sorcier.

EXORDE I. → introduction. **II.** → commencement.

EXOTIQUE → étranger.

EXPANSIF, IVE → communicatif.

EXPANSION I. → dilatation. **II.** → propagation.

EXPATRIÉ, E → émigré.

EXPECTANCE, EXPECTATION, EXPECTATIVE Attente, espérance, espoir, perspective.

EXPECTORATION → crachement.

EXPECTORER → cracher.

EXPÉDIENT, E adj. → convenable.

EXPÉDIENT n. Accommodement, acrobatie, échappatoire, intrigue, moyen, procédé, ressource, rétablissement, ruse, tour, truc.

EXPÉDIER I. Au pr. → envoyer. **II. Par ext. 1.** → accélérer. **2.** → congédier. **3.** → tuer.

EXPÉDITEUR, TRICE Consignateur, destinateur, envoyeur, expéditionnaire.

EXPÉDITIF, IVE I. → actif. **II.** → rapide.

EXPÉDITION I. → copie. **II.** → voyage. **III.** → réalisation. **IV. Milit. :** campagne, coup de main, croisade.

guerre, opération, raid. **V.** Chargement, consignation, courrier, envoi,
transport.

EXPÉRIENCE I. → *expérimentation.*
II. Acquis, apprentissage, connaissance, habitude, pratique, routine,
sagesse, savoir, science, usage.

EXPÉRIMENTATION Application,
constatation, contrôle, démonstration,
épreuve, essai, étude, expérience,
observation, recherche, tentative, test,
vérification.

EXPÉRIMENTÉ, E → *capable.*

EXPÉRIMENTER Constater, éprouver, essayer, étudier, goûter, hasarder,
mettre à l'épreuve, observer, se
rendre compte, se renseigner, risquer,
tâter de, tenter, vérifier, voir.

EXPERT, E → *capable.*

EXPERTISER → *examiner.*

EXPIATION I. → *réparation.* **II.** →
punition.

EXPIER → *réparer.*

EXPIRATION I. Au pr. : haleine,
halenée, respiration, souffle. **II. Par
ext. :** échéance, fin, terme.

EXPIRER I. Au pr. : exhaler, respirer,
souffler. **II. Par ext. :** s'éteindre,
mourir, rendre l'âme/le dernier soupir.
III. Fig. : cesser, disparaître, se dissiper,
s'évanouir, finir, prendre fin, venir à
son échéance/sa fin/son terme.

EXPLÉTIF, IVE → *superflu.*

EXPLICATION I. D'un texte :
anagogie, anagogisme, appareil critique, commentaire, définition, éclaircissement, exégèse, exposé, exposition, glose, herméneutique, indication,
interprétation, note, paraphrase, précision, remarque, renseignement, scolie. **II. Par ext. 1.** Cause, éclaircissement, justification, motif, raison, version. **2.** Altercation, débat, discussion,
dispute, mise au point. → *bagarre.*

EXPLICITE → *clair.*

EXPLIQUER I. Au pr. : annoncer,
communiquer, déclarer, décrire développer, dire, exposer, exprimer, faire
connaître, montrer, raconter. **II. Par
ext. 1. Quelque chose explique
quelque chose :** manifester, montrer,
prouver, trahir. **2. On explique
quelque chose :** commenter, débrouiller, démêler, définir, éclaircir,
éclairer, élucider, expliciter, faire
comprendre, illustrer, interpréter, mettre au clair/au net/au point, rendre
intelligible, traduire. **3.** Apprendre,
enseigner, montrer, rendre compte.
4. Donner/fournir des excuses/expli-
cations, justifier, motiver.

EXPLIQUER (S') I. Quelqu'un :
se déclarer, se disculper, se justifier,
parler. **II. Quelque chose :** aller de
soi, se comprendre.

EXPLOIT I. Au pr. : acte/action

d'éclat, bravoure, conduite, fait d'armes, geste (vx), haut fait, performance, prouesse, record. **II. Jurid. :**
ajournement, assignation, citation,
commandement, notification, procès-
verbal, signification, sommation.

EXPLOITATION → *établissement.*

EXPLOITER I. Au pr. : faire valoir,
mettre en valeur, tirer parti/profit.
II. Par ext. 1. → *abuser.* **2.** → *voler.*

EXPLORATEUR, TRICE Chercheur,
découvreur, navigateur, prospecteur,
voyageur.

EXPLORATION → *voyage.*

EXPLORER → *examiner.*

EXPLOSER → *éclater.*

EXPLOSION I. Au pr. : crépitation,
déflagration, détonation, éclatement,
fulmination, pétarade. **II. Par ext. :**
choc, commotion, désintégration, rupture, souffle. **III. Fig. :** apparition,
bouffée, débordement, déchaînement,
manifestation, ouragan, saute d'humeur, tempête.

EXPORTATION Commerce avec
l'étranger, expatriation, expédition,
export-import, transit. → *commerce.*

EXPORTER → *vendre.*

EXPOSÉ → *récit.*

**EXPOSER I. Au pr. 1. Quelque
chose :** afficher, arranger, disposer,
étaler, exhiber, mettre en vue, montrer,
offrir à la vue, placer, présenter,
publier, tourner vers. **2. Quelqu'un
ou quelque chose :** compromettre,
découvrir, mettre en danger/péril. →
hasarder. **II. Par ext. :** circonstancier,
conter, communiquer, déclarer, décrire, déduire, détailler, développer,
dire, donner, écrire, énoncer, expliquer,
montrer, narrer, raconter, retracer,
traiter.

EXPOSER (S') → *risquer.*

EXPOSITION I. Au pr. 1. Neutre :
concours, démonstration, étalage,
exhibition, foire, galerie, montre, présentation, rétrospective, salon, vernis-
sage. **2. Non favorable :** ban,
carcan, pilori. **II. Par ext. 1.** → *introduction.* **2.** → *position.* **3.** → *récit.*

EXPRÈS n. → *messager.*

EXPRÈS adv. A dessein, délibérément,
intentionnellement, spécialement, volontairement.

EXPRÈS, ESSE adj. Clair, explicite,
formel, impératif, net, positif, précis.

EXPRESSÉMENT → *absolument.*

EXPRESSIF, IVE I. Quelqu'un :
animé, bavard, démonstratif, énergique, mobile, vif. **II. Quelque
chose :** coloré, éloquent, manifeste,
parlant, significatif, touchant, vigoureux, vivant.

EXPRESSION I. Au pr. *Ce qu'on
dit :* cliché (péj.), construction,

énoncé, euphémisme, figure, forme, formule, idiotisme, image, locution, métaphore, mot, phrase, pointe, slogan, symbole, terme, touche, tour, tournure, trait, trope. **II. Manière d'être ou de se comporter. 1.** Attitude, caractère, comportement, génie, manière, physionomie, style, ton. **2.** Animation, écho, émanation, incarnation, manifestation, personnification.

EXPRIMER I. Au pr. 1. → *extraire.* **2.** → *presser.* **II. Par ext. :** dire, énoncer, expliquer, exposer, extérioriser, faire connaître/entendre/savoir, figurer, manifester, peindre, préciser, rendre, rendre compte, représenter, signifier, souhaiter, spécifier, tourner, traduire, vouloir dire.

EXPRIMER (S') → *parler.*

EXPROPRIER → *déposséder.*

EXPULSER I. Au pr. : arracher à, bannir, chasser, déloger, éjecter, éliminer, évacuer, évincer, exclure, excommunier, exiler, expatrier, faire évacuer/sortir, licencier, ostraciser, proscrire, reconduire, renvoyer, vider (fam.). **II. Méd. :** cracher, déféquer, émettre, éructer, expectorer, uriner, vomir.

EXPULSION I. Bannissement, disgrâce, élimination, excommunication, exclusion, exil, expatriation, évacuation, éviction, licenciement, ostracisme, proscription, refoulement, rejet, renvoi, vidage (fam.). **II. Méd. :** crachement, défécation, délivrance, émission, éructation, expectoration, miction, vomissement.

EXPURGER → *épurer.*

EXQUIS, E → *délectable.*

EXSUDER Couler, distiller, émettre, exprimer, fluer, sécréter, suer, suinter, transpirer.

EXTASE I. Favorable : admiration, adoration, anagogie, béatitude, contemplation, émerveillement, enivrement, exaltation, félicité, ivresse, lévitation, ravissement, transport, vénération. **II. Méd. :** hystérie, névrose.

EXTASIER (S') Crier au miracle, s'écrier, s'exclamer, se pâmer, se récrier. → *enthousiasmer (s').*

EXTENSION Accroissement, agrandissement, allongement, amplification, augmentation, déploiement, détente, développement, distension, élargissement, envergure, essor, étendue, étirage, expansion, généralisation, grossissement, prolongement.

EXTÉNUÉ, E → *fatigué.*

EXTÉNUER I. → *fatiguer.* **II.** → *affaiblir.*

EXTÉRIEUR, E I. Adj. : apparent, externe, extrinsèque, manifeste, visible. **II. Nom. 1. De quelque chose :** périphérie. **2. De quelqu'un ou de**

quelque chose : air, allure, appareil (vx), apparence, aspect, attitude, brillant, clinquant, couleur, croûte, déguisement, dehors, éclat, écorce, enduit, enveloppe, façade, face, fard, faux-semblant, figure, forme, jour, livrée, maintien, manière, masque, mine, physionomie, pose, semblance (vx), superficie, surface, tenue, tournure, vernis, visage.

EXTÉRIORISER → *exprimer.*

EXTERMINER I. Au pr. → *tuer.* **II. Par ext. 1.** → *détruire.* **2.** → *déraciner.*

EXTERNE I. Adj. → *extérieur.* **II. Nom** → *médecin.*

EXTINCTION Fig. : abolition, abrogation, anéantissement, annulation, arrêt, cessation, décharge (jurid.), destruction, disparition, épuisement, extermination, fin, prescription, suppression.

EXTIRPATION → *déracinement.*

EXTIRPER → *déraciner.*

EXTORQUER I. → *obtenir.* **II.** → *voler.*

EXTORSION → *malversation.*

EXTRA I. Adv. → *très.* **II. Adj.** → *supérieur.* **III. Nom. 1.** → *supplément.* **2.** → *serviteur.*

EXTRACTION I. → *déracinement.* **II.** → *naissance.*

EXTRADER → *livrer.*

EXTRAIRE Arracher, compiler, dégager, déraciner, détacher, distiller, enlever, énucléer, exprimer, extorquer, isoler, ôter, prélever, prendre, recueillir, relever, résumer, sortir, tirer.

EXTRAIT I. Au pr. : esprit (vx), essence, quintessence. **II. Par ext. :** abrégé, analyse, aperçu, bribe, citation, compendium, copie, digest, éléments, entrefilet, épitomé, esquisse, fragment, morceau, notice, partie, passage, plan, portion, précis, promptuaire, raccourci, récapitulation, résumé, rudiment, schéma, sommaire, topo (fam.).

EXTRAORDINAIRE I. Favorable ou neutre : accidentel, admirable, colossal, considérable, curieux, drôle, énorme, épique, étonnant, étrange, exceptionnel, fabuleux, fameux, fantasmagorique, fantastique, faramineux, féerique, formidable, fort, fou, génial, gigantesque, grand, hallucinant, hors classe/du commun/ligne, immense, incroyable, inexplicable, inhabituel, inouï, insolite, intense, inusité, magnifique, merveilleux, miraculeux, nouveau, original, particulier, pharamineux, phénoménal, prodigieux, pyramidal, rare, remarquable, romanesque, singulier, spécial, sublime, supérieur, supplémentaire, surnaturel, unique. **II. Non favorable :** abracadabrant, affreux, ahurissant, anormal, bizarre, démesuré, ébouriffant (fam.), effrayant, énorme, époustouflant (fam.), épouvantable, esbroufant (fam.), étourdissant, excentrique, exorbitant, extravagant, fantasque, gros, grotesque, inconcevable, ineffable, inimaginable, inquiétant, intense, invraisemblable, mirobolant, mirifique, monstrueux, stupéfiant, terrible.

EXTRAVAGANCE Absurdité, aliénation mentale, bizarrerie, caprice, démence, dérèglement, divagation, écart, énormité, erreur, excentricité, folie, frasque, incartade, insanité.

EXTRAVAGANT, E I. → *insensé.* **II.** → *capricieux.* **III.** → *extraordinaire.*

EXTRAVAGUER → *déraisonner.*

EXTRAVASER (S') → *couler.*

EXTRÊME I. Adj. 1. Au pr. : dernier, final, fin fond, terminal, ultime. **2. Par ext. :** affreux, définitif, désespéré, désordonné, disproportionné, éperdu, exagéré, exceptionnel, excessif, extraordinaire, fort, furieux, grand, héroïque, immense, immodéré, inouï, intense, intensif, mortel, outré, passionné, profond, risqué, suprême, violent. **II. Nom. 1. Sing. :** borne, bout, comble, extrémité, limite, sommet. **2. Général. plur. :** antipode, contraire, opposé.

EXTRÊMEMENT → *très.*

EXTRÊME-ONCTION Derniers sacrements, sacrements de l'Église/des malades/des mourants.

EXTRÉMISME Jusqu'au-boutisme → *excès.*

EXTRÉMISTE n. et adj. Anar (fam.), anarchiste, avancé, à gauche, contestataire, enragé, extrême droite, gauchiste, jusqu'au-boutiste, progressiste, révolutionnaire, subversif, ultra.

EXTRÉMITÉ I. Au pr. : aboutissement, appendice, borne, bout, cap, confins, délimitation (par ext.), fin, frontière, limite, lisière, pointe, pôle (par ext.) queue, terme, terminaison, tête. → *extrême.* **II. Par ext.** → *agonie.*

EXTRINSÈQUE → *extérieur.*

EXUBÉRANCE → *affluence.*

EXUBÉRANT, E I. → *abondant.* **II.** → *communicatif.*

EXULCÉRATION → *ulcération.*

EXULTATION Allégresse, débordement, éclatement, emballement, gaieté, joie, jubilation, transports.

EXULTER → *réjouir (se).*

EXUTOIRE I. → *ulcération.* **II.** → *diversion.*

FABLE I. Au pr. 1. Neutre : affabulation, allégorie, anecdote, apologie, conte, fabulation, fiction, folklore, histoire, intrigue, légende, moralité, mythe, parabole, récit, scénario, thème, trame. **2. Non favorable :** allégation, baratin, blague, cinéma, contrevérité, craque, fantaisie, galéjade (fam.), histoire, imagination, invention, mensonge, menterie (pop.), roman, salade, tartine, tromperie. **II. Par ext. Quelqu'un. Péj. :** célébrité, phénomène, ridicule, rigolade (fam.), risée, sujet/thème des conversations.

FABRICANT, E, FABRICATEUR, TRICE Artisan, confectionneur, façonnier, faiseur, industriel, manufacturier, préparateur, réalisateur.

FABRICATION Agencement, confection, création, exécution, façon, façonnage, facture, montage, préparation, production, réalisation.

FABRIQUE I. Au pr. : atelier, laboratoire, manufacture, usine. **II. Arch. :** bâtiment/construction/édifice d'ornement. **III. Relig. 1. Quelqu'un :** conseiller, fabricien, marguillier, trésorier. **2.** Conseil.

FABRIQUER I. Favorable ou neutre : agencer, bâtir, confectionner, créer, élaborer, exécuter, façonner, faire, former, manufacturer, mettre en œuvre, modeler, monter, œuvrer, ouvrager, ouvrer, préparer, produire, usiner, réaliser, sortir. **II. Non favorable. 1. Quelque chose :** bâcler, bricoler, torcher (fam.), torchonner (fam.). **2. Une opinion :** calomnier, falsifier, forger, inventer,

médire. **3. Un événement :** fomenter, monter, susciter.

FABULATEUR, TRICE → hâbleur.

FABULATION → fable.

FABULER → inventer.

FABULEUX, EUSE I. Neutre ou favorable : étonnant, extraordinaire fantastique, formidable, grandiose, incroyable, légendaire, merveilleux, mythique, mythologique prodigieux, stupéfiant, surnaturel. **II. Non favorable :** chimérique, exagéré, excessif, fabriqué, faux, feint, fictif, imaginaire, inconcevable, incroyable, inimaginable, inventé, invraisemblable, irréel, mensonger, romanesque.

FAÇADE I. Au pr. : avant, devant, devanture, endroit, entrée, extérieur, front, fronton. **II. Fig. :** apparence, dehors, extérieur, montre, surface, trompe-l'œil.

FACE I. Au pr. De quelqu'un → visage. **II. Fig. 1.** → façade. **2.** Angle, apparence, côté, point de vue, tournure. **III. Loc. 1. A la face de :** à la vue de, en présence de, ouvertement. **2. En face de :** à l'opposé de, devant, vis-à-vis de. **3. En face :** carrément, courageusement, par-devant, sans crainte. **4. Faire face :** envisager, faire front, s'opposer/parer/se préparer/pourvoir/ répondre/satisfaire à. **5. Face à face :** de front, en face, les yeux dans les yeux, nez à nez, vis-à-vis, et par ext. : conversation, débat, échange, entretien, entrevue, rencontre.

FACÉTIE Astuce, attrape, bouffe, bouffonnerie, canular (fam.), comédie, drôlerie, farce, galéjade, malice, mystification, niaiserie, niche, pantalonnade, plaisanterie, tour, tromperie, turlupinade. → *baliverne.*

FACÉTIEUX, EUSE → *farceur.*

FÂCHÉ, E Chagriné, contrarié, courroucé, froissé, irrité, marri (vx), de mauvaise humeur, mécontent, offusqué, peiné, piqué, au regret, ulcéré, vexé.

FÂCHER I. → *affliger.* **II.** → *agacer.*

FÂCHER (SE) Avoir un accès/ mouvement d'humeur, crier, éclater, s'emporter, se formaliser, se froisser, gronder, s'irriter, se mettre en colère, montrer les dents, se piquer, prendre la mouche, sortir de ses gonds, *et les formes pronom. possibles des syn.* de FACHER.

FÂCHERIE Colère, contrariété, déplaisir. → *brouille.*

FÂCHEUX, EUSE I. Adj. 1. → *affligeant.* **2.** → *inopportun.* **II. Nom :** casse-pieds (fam.), emmerdeur (grossier), empêcheur de tourner en rond (fam.), gêneur, importun, indiscret, trublion.

FACIÈS I. Au pr. → *visage.* **II. Par ext. :** aspect, configuration, morphologie, structure.

FACILE I. Quelque chose. 1. *Favorable ou neutre :* abordable, accessible, agréable, aisé, à la portée, clair, commode, compréhensible, coulant, dégagé, élémentaire, enfantin, faisable, intelligible, jeu d'enfant, naturel, possible, praticable, réalisable, simple. **2.** *Non favorable :* banal, courant, ordinaire, plat, quelconque, vulgaire. **II. Quelqu'un. 1.** *Neutre* → *accommodant.* **2.** *Non favorable :* débonnaire, élastique, faible, léger, libre, mou, veule.

FACILEMENT Volontiers *et les adv. en -ment formés à partir des syn.* de FACILE.

FACILITÉ I. De quelque chose. 1. *La qualité. Favorable :* accessibilité, agrément, clarté, commodité, intelligibilité, possibilité, simplicité. *Non favorable :* banalité, platitude, vulgarité. **2.** *Le moyen :* chance, latitude, liberté, marge, moyen, occasion, offre, possibilité. → *aide.* **II. De quelqu'un. 1.** *Favorable :* brio, dons, intelligence. → *aisance.* **2.** *Non favorable :* complaisance, faconde, faiblesse, laisser-aller, laxisme, mollesse, paresse, relâchement.

FACILITER I. → *aider.* **II.** Aplanir les difficultés, arranger, égaliser, faire disparaître/lever la difficulté, mâcher le travail/la besogne (fam.),

ménager, ouvrir/tracer la voie, préparer.

FAÇON I. → *fabrication.* **II.** → *ameublissement.* **III.** Allure, coupe, exécution, facture, forme, griffe, manière, style, technique, travail. **IV.** → *allure.* **V. Loc. 1.** *De toute façon :* en tout état de cause, immanquablement, quoi qu'il arrive, quoi qu'il en soit, qu'on le veuille ou non. **2.** *De façon que :* afin de/ que, de manière/sorte que. **3.** *A sa façon :* à sa fantaisie/guise/manière/ volonté. **4.** *En aucune façon :* cas, circonstance, manière. **5.** *Sans façon :* sans gêne. **VI. Au pl. 1.** → *agissements.* **2.** → *affectation.* **3. Loc.** Faire des façons : cérémonies, complications, embarras, histoires, manières, politesses.

FACONDE Génér. péj. **:** abondance, bagou, baratinage, bavardage, charlatanisme, éloquence, emballement, emportement, facilité, logorrhée, loquacité, prolixité, verbiage, verve, volubilité.

FAÇONNER I. Quelque chose : arranger, disposer, transformer, travailler. → *fabriquer.* **II. Par ext. 1.** *Le sol :* aérer, bêcher, biner, cultiver, façonner, gratter, herser, labourer, rouler, sarcler, scarifier, travailler. **2.** *Un objet d'art :* composer, décorer, orner, ouvrager. **3.** *Quelqu'un :* affiner, apprivoiser, assouplir, civiliser, dégourdir, dégrossir, dérouiller, dresser, éduquer, faire, faire l'éducation de, former, modeler, modifier, perfectionner, pétrir, polir, transformer, tremper.

FAÇONNIER, ÈRE I. Nom : artisan, ouvrier. **II. Adj.** → *affecté.*

FAC-SIMILÉ Copie, duplicata, imitation, photocopie, reproduction.

FACTEUR I. Quelqu'un. 1. *D'instruments de musique :* accordeur, fabricant, luthier. **2. Adm. :** agent, commis, employé, messager (vx), porteur, préposé, télégraphiste. **II. Par ext. 1.** Agent, cause, coefficient, élément. **2. Math. :** coefficient, diviseur, multiplicande, multiplicateur, quotient, rapport.

FACTICE I. Quelqu'un → *affecté.* **II. Quelque chose :** artificiel, fabriqué, faux, imité, postiche.

FACTIEUX, EUSE I. Adj. : antifasciste, fasciste, illégal, révolutionnaire, séditieux, subversif. **II. Nom :** agent provocateur, agitateur, cabaleur, comploteur, conjuré, conspirateur, contestataire, émeutier, excitateur, instigateur, insurgé, intrigant, meneur, mutin, partisan, rebelle, révolté, révolutionnaire, séditieux, meneur de troubles, suspect, trublion.

FACTION I. Au pr. : agitation,

brigue, cabale, complot, conjuration, conspiration, contestation, émeute, excitation, groupement, groupuscule, insurrection, intrigue, ligue, mutinerie, parti, rébellion, révolte, révolution, sédition, trouble, violence. **II. Milit. :** garde, guet. **III. Loc. *Être de/en faction* :** attendre, être de garde/en poste/sentinelle, faire le guet/le pet (arg.), guetter, surveiller.

FACTOTUM *ou* **FACTOTON** Homme à tout faire, homme de confiance, intendant, maître Jacques.

FACTUM Diatribe, libelle, mémoire, pamphlet.

FACTURE I. → *addition.* **II.** → *bordereau.* **III.** → *façon.*

FACULTATIF, IVE A option, optionnel.

FACULTÉ I. Collège, campus, corps professoral, école, enseignement supérieur, institut, U.E.R. *et/ou* unité d'enseignement et de recherche, université. **II. De quelqu'un. 1. *Sing.* :** aptitude, capacité, droit, force, génie, liberté, licence, moyen, possibilité, pouvoir, privilège, propriété, puissance, ressource, talent, vertu. **2. *Plur.* :** activité, connaissance, discernement, entendement, esprit, intelligence, jugement, mémoire, parole, pensée, raison, sens, sensibilité. **III. De quelque chose :** capacité, propriété, vertu.

FADA → *bête.*

FADAISE I. → *baliverne.* **II.** → *bêtise.*

FADE I. Au pr. 1. *Au goût* : désagréable, douceâtre, écœurant, insipide, plat, sans relief/saveur, **2. *Par ext.* :** délavé, pâle, terne. **II. Fig. :** affecté, conventionnel, ennuyeux, insignifiant, melliflue, plat, sans caractère/intérêt/relief/saveur/ vivacité, terne. → *affadir (s').*

FADEUR I. Au pr. : insipidité. **II. Fig. :** affectation, convention, ennui, insignifiance, manque de caractère / intérêt / relief / saveur / vivacité, platitude.

FAFIOT → *billet.*

FAGNE → *boue.*

FAGOT Brande, brassée, bourrée, cotret, fagotin, faisceau, falourde, fascine, fouée, javelle, margotin.

FAGOTER → *vêtir.*

FAIBLE I. Adj. 1. *Quelqu'un. Au phys.* : abattu, affaibli, anéanti, anémié, anémique, bas, caduc, chancelant, chétif, débile, défaillant, déficient, délicat, déprimé, épuisé, étiolé, fatigué, fluet, fragile, frêle, grêle, impotent, invalide, languissant, las, malingre, pâle, pâlot, patraque, souffreteux. *Moral* : aboulique, apathique, bonasse, complaisant, dé-

bonnaire, désarmé, doux, facile, impuissant, incertain, indécis, insuffisant, lâche (péj.), médiocre, mou, pusillanime, sans caractère/défense/ volonté, velléitaire, veule. **2. *Quelque chose* :** branlant, fragile, friable, inconsistant, instable, précaire. *Un son* : bas, étouffé, imperceptible, léger. *Un travail* : insuffisant, mauvais, médiocre, réfutable. *Un style* : fade, impersonnel, incolore, mauvais, médiocre, neutre. *Un sentiment* : tendre. *Une quantité* : bas, modéré, modique, petit. *Une opinion* : attaquable, critiquable, réfutable. **II. Nom masc. 1. *Quelqu'un* :** aboulique, apathique, avorton, gringalet, freluquet, imbécile, mauviette, mou, pauvre type, petit, simple. **2. *Comportement. Neutre ou favorable* :** complaisance, goût, penchant, prédilection, tendance, tendresse. *Non favorable* : défaut, faiblesse, infériorité, vice.

FAIBLEMENT Doucement, mal, mollement, à peine, peu, vaguement *et les adv. en -ment formés à partir des syn. de* FAIBLE.

FAIBLESSE I. Phys. : abattement, adynamie, affaiblissement, anéantissement, anémie, apathie, asthénie, cachexie, débilité, défaillance, déficience, délicatesse, dépression, épuisement, étourdissement, évanouissement, fatigue, fragilité, impuissance, infériorité, infirmité, insuffisance, pâmoison, syncope. **II. Moral. 1. *Neutre* :** complaisance, inclination, indulgence, goût, penchant, prédilection, préférence. **2. *Non favorable* :** abandon, aboulie, apathie, aveulissement, bassesse, complaisance, complicité, débonnaireté, défaillance, défaut, démission, écart, entraînement, erreur, facilité, faute, faux pas, glissade, imbécillité, indécision, indigence, insuffisance, irrésolution, lâcheté, laisser-aller, mollesse, partialité, petitesse, pusillanimité, veulerie.

FAIBLIR I. Phys. → *affaiblir (s').* **II. Moral :** s'amollir, céder, fléchir, mollir, plier, ployer, se relâcher, se troubler.

FAÏENCE I. La matière : cailloutage, céramique, terre de pipe. **II. L'objet :** assiette, azulejo, bol, carreau, carrelage, pichet, plat, pot, poterie. **III. D'après le fabricant ou le lieu de fabrique :** Bernard Palissy, Bruxelles, Gien, Jersey, Lunéville, Marseille, Moustiers, Nevers, Quimper, Rouen, Strasbourg, Wedgwood, etc.

FAILLE → *brisure.*

FAILLIR v. intr. et tr. ind. → *manquer.*

FAILLITE I. Au pr. : déconfiture, dépôt de bilan. **II. Par ext. :**

banqueroute, chute, crise, culbute, débâcle, échec, fiasco, krach, liquidation, marasme, ruine.

FAIM I. Au pr. : appétit, besoin, boulimie, creux, dent, disette, famine, fringale, voracité. **II. Fig.** → *ambition*. **III. Loc. Avoir faim** et les syn. de FAIM, claquer du bec (fam.), creuser, crever la faim, la sauter. → *affamé*.

FAINE Amande, fruit, gland, graine.

FAINÉANT, E adj. et n. **I. Au pr.** : bon à rien, cancre, désœuvré, inactif, indolent, lézard, musard, nonchalant, oisif, paresseux, propre-à-rien, rêveur, vaurien. **II. Fam.** : cagnard, cagne, clampin, cossard, feignant, flemmard, tire-au-cul, tire-au-flanc.

FAIRE I. Un objet → *fabriquer*. **II. Une action** → *accomplir*. **III. Une œuvre** → *composer*. **IV. Une loi** → *constituer*. **V. Des richesses** → *produire*. **VI. Un être** : reproduire. → *accoucher*. **VII. Ses besoins** → *besoin*. **VIII. Un mauvais coup** → *tuer, voler*. **IX. Loc.** (*Comme avoir et être, faire a un sens très général et entre dans la composition d'un très grand nombre de loc. Voir les syn. des noms compl. d'obj. de faire entrant dans la loc.*)

FAISABLE → *facile*.

FAISANDÉ, E Fig. : avancé, corrompu, douteux, malhonnête, malsain, pourri.

FAISCEAU I. Au pr. → *fagot*. **II. Par ext.** → *accumulation*.

FAISEUR, EUSE adj. et n. **I.** → *fabricant*. **II.** → *bâtisseur*. **III.** → *bêcheur*.

FAIT I. Favorable ou neutre → *acte, affaire*. **II. Non favorable** → *faute*. **III. Loc. 1. Dire son fait à quelqu'un** : ses quatre vérités. **2. Voie de fait** : coup, violence. **3. Haut fait** : exploit, performance, prouesse. **4. Mettre au fait** → *informer*.

FAÎTAGE Arête, charpente, comble, ferme, faîte, poutres.

FAÎTE I. Au pr. → *faîtage*. **II. Par ext.** : apogée, cime, crête, haut, pinacle, point culminant, sommet, summum.

FAIX → *fardeau*.

FAKIR I. Au pr. : ascète, derviche, mage, yogi. **II. Par ext.** : prestidigitateur, thaumaturge, voyant.

FALAISE Escarpement, mur, muraille, paroi, à-pic.

FALBALA → *affaire*.

FALLACIEUX, EUSE → *hypocrite*.

FALLOIR I. Devoir, être indispensable/nécessaire/obligatoire. **II. Loc.**

1. Peu s'en faut : il a failli, il s'en est manqué de peu. **2. Tant s'en faut** : au contraire, loin de. **3. Il ne faut que** : il suffit de.

FALOT. n. **I.** → *fanal*. **II. Arg. milit.** : conseil de guerre, tribunal.

FALOT, E adj. Anodin, effacé, inconsistant, inoffensif, insignifiant, médiocre, négligeable, nul, pâle, terne.

FALSIFICATION → *altération*.

FALSIFIER → *altérer*.

FAMÉLIQUE I. → *affamé*. **II.** → *besogneux*. **III.** → *étique*.

FAMEUX, EUSE I. → *célèbre*. **II.** Extraordinaire, remarquable. **III.** → *bon*.

FAMILIARISER → *accoutumer*.

FAMILIARITÉ I. Favorable. 1. → *abandon*. **2.** → *intimité*. **II. Non favorable** → *désinvolture*.

FAMILIER, ÈRE I. Nom → *ami*. **II. Adj. 1. Quelque chose** : aisé, commun, courant, domestique, habituel, facile, ordinaire, simple, usuel. **2. Quelqu'un** : accessible, amical, connu, facile, gentil, intime, liant, rassurant, simple, sociable, traitable. **3. Animal** : acclimaté, apprivoisé, dressé, familiarisé.

FAMILLE I. Au pr. 1. Alliance, ascendance, auteurs, branche, descendance, dynastie, extraction, filiation, généalogie, génération, hérédité, lignage, lignée, maison, parenté, parents, postérité, race, sang, souche. **2.** Bercail, couvée, entourage, feu, foyer, logis, maison, maisonnée, marmaille (péj.), ménage, nichée, progéniture, smala, toit, tribu. **II. Par ext.** : catégorie, clan, classe, collection, école, espèce, genre.

FAMINE → *disette*.

FANAL Falot, feu, flambeau, lanterne, phare.

FANATIQUE adj. et n. **I. Non favorable** → *intolérant*. **II. Favorable. 1.** Amoureux, ardent, brûlant, chaleureux, chaud, emballé, en délire, enflammé, enthousiaste, fervent, fou, frénétique, laudateur, louangeur, lyrique, passionné, zélateur. **2.** Convaincu, courageux, dévoué, gonflé (fam.), hardi, jusqu'au-boutiste (fam.), téméraire.

FANATISER → *exciter*.

FANATISME I. Non favorable → *intolérance*. **II. Favorable. 1.** Acharnement, amour, ardeur, chaleur, délire, dithyrambe, emballement, engouement, enthousiasme, exaltation, ferveur, feu, fièvre, flamme, folie, frénésie, fureur, lyrisme, passion, zèle. **2.** Abnégation, acharnement, conviction, courage, dévouement, don de soi, hardiesse, héroïsme, jusqu'au-boutisme (fam.), témérité.

FANÉ, E Abîmé, altéré, avachi, décati, décoloré, défraîchi, délavé, fatigué, flétri, pâli, pisseux, ridé, séché, terni, usagé, vieilli, vieux.

FANER (SE) → *flétrir (se)*.

FANFARE I. Au pr. : clique, cors, cuivres, harmonie, lyre, nouba, orchestre, trompes. **II. Fig. :** bruit, démonstration, éclat, éloge, fracas, pompe.

FANFARON, ONNE adj. et n. → *hâbleur*.

FANFARONNADE → *hâblerie*.

FANFRELUCHE → *bagatelle*.

FANGE I. → *boue*. **II.** → *bauge*.

FANGEUX, EUSE → *boueux*.

FANION → *bannière*.

FANTAISIE I. → *imagination*. **II.** → *humeur*. **III.** → *bagatelle*. **IV.** → *fable*.

FANTAISISTE n. et adj. **I.** → *amateur*. **II.** → *bohème*.

FANTASMAGORIE Grand guignol, phantasme. → *spectacle*.

FANTASMAGORIQUE I. → *extraordinaire*. **II. Par ext. :** énorme, étonnant, extraordinaire, extravagant, fantastique, formidable, hallucinatoire, incroyable, invraisemblable, rocambolesque, sensationnel.

FANTASQUE → *bizarre*.

FANTASSIN → *soldat*.

FANTASTIQUE → *extraordinaire*.

FANTOCHE n. et adj. **I.** Guignol, mannequin, marionnette, pantin, polichinelle, poupée. **II. Par ext. :** bidon (fam.), fantôme, inconsistant, inexistant, sans valeur, simulacre.

FANTOMATIQUE → *imaginaire*.

FANTÔME I. Au pr. : apparition, double, ectoplasme, esprit, ombre, revenant, spectre, vision. **II. Par ext. :** apparence, chimère, épouvantail, illusion, phantasme, simulacre, vision.

FAQUIN → *maraud*.

FARAMINEUX, EUSE → *extraordinaire*.

FARANDOLE → *danse*.

FARAUD, AUDE I. Arrogant, fat, malin, prétentieux. **II.** → *hâbleur*.

FARCE → *facétie*.

FARCEUR, EUSE I. Favorable ou neutre : amuseur, baladin, bateleur, blagueur, bouffon, boute-en-train, comique, conteur, drôle, espiègle, facétieux, gouailleur, loustic, moqueur, plaisantin, turlupin. **II. Non fav. :** fumiste, histrion, mauvais plaisant, paillasse, pitre, sauteur.

FARD Artifice, barbouillage, brillant, couleur, déguisement, dissimulation, faux, feinte, fond de teint, maquillage, ornement, peinture, rouge, trompe-l'œil.

FARDEAU I. Au pr. : bagage, charge, chargement, colis, faix, poids, surcharge. **II. Fig. :** charge, croix, ennui, joug, souci, surcharge, tourment.

FARDER I. Au pr. : embellir, faire une beauté, grimer, maquiller. **II. Fig. 1.** Couvrir, défigurer, déguiser, dissimuler, embellir, envelopper, maquiller, marquer, pallier, voiler. **2.** → *altérer*.

FARDER (SE) S'embellir, s'enduire de fard, se faire une beauté/un ravalement (fam.), se parer, *et les formes pron. possibles des syn. de* FARDER.

FARDIER → *voiture*.

FARFADET Follet, lutin, nain.

FARFOUILLER Bouleverser, brouiller, chercher, déranger, ficher (fam.), foutre (vulg.)/mettre le bordel (grossier)/désordre/en désordre/en l'air sens dessus dessous, retourner, trifouiller (fam.), tripatouiller (fam.).

FARIBOLE → *bagatelle*.

FARIGOULE Pouliot, serpolet, thym.

FARNIENTE → *oisiveté*.

FAROUCHE I. → *sauvage*. **II.** Apre, dur, effarouchant, fier.

FASCICULE Brochure, cahier, libelle, livraison, livre, livret, opuscule, plaquette, publication.

FASCINANT, E → *agréable*.

FASCINATEUR, TRICE n. et adj. → *séducteur*.

FASCINATION I. Au pr. : hypnose, hypnotisme, magie. **II. Par ext. :** appel, ascendant, attirance, attraction, attrait, charme, éblouissement, enchantement, ensorcellement, envoûtement, magnétisme, séduction, trouble.

FASCINE Claie, gabion. → *fagot*.

FASCINER I. Au pr. : charmer, ensorceler, hypnotiser, magnétiser. **II. Par ext. :** appeler, attirer, captiver, charmer, éblouir, égarer, émerveiller, s'emparer de, enchanter, endormir, enivrer, ensorceler, envoûter, maîtriser, plaire à, séduire, troubler.

FASHIONABLE n. et adj. → *élégant*.

FASTE I. Adj. → *favorable*. **II. Nom** → *apparat*.

FASTES → *annales*.

FASTIDIEUX, EUSE → *ennuyeux*.

FASTUEUX, EUSE → *beau*.

FAT Arrogant, avantageux, bellâtre, content de soi, dédaigneux, fanfaron, fiérot, galant, impertinent, infatué, orgueilleux, plastron, plat, plein de soi, poseur, précieux, prétentieux, rodomont, satisfait, sot, suffisant, vain, vaniteux.

FATAL, E I. Neutre : immanquable, inévitable, irrévocable, obligatoire. **II. Non favorable :** déplorable, dommageable, fâcheux, funeste, létal, malheureux, mauvais, mortel, néfaste.

FATALISME Abandon, acceptation, déterminisme, passivité, renoncement, résignation.

FATALITÉ I. Neutre : destin, destinée, éventualité, fortune, nécessité, sort. **II. Non favorable :** catastrophe, désastre, fatum, létalité, malédiction, malheur.

FATIGANT, E → tuant.

FATIGUE I. Au pr. : abattement, accablement, affaissement, épuisement, éreintement, exténuation, faiblesse, forçage, harassement, labeur, lassitude, peine, surmenage. **II. Par ext.** → ennui. **III. Méd. :** abattement, accablement, affaiblissement, alanguissement, anéantissement, asthénie, dépression, faiblesse.

FATIGUÉ, E I. Quelqu'un. 1. Phys. : accablé, assommé, avachi, brisé, claqué, courbatu, courbaturé, crevé, échiné, écrasé, épuisé, éreinté, esquinté, excédé, exténué, flapi, fourbu, harassé, las, mort, moulu, pompé, recru, rendu, rompu, roué de fatigue, surentraîné, sur les dents, surmené, vanné, vaseux, vermoulu, vidé. **2. Par ext. :** abattu, abruti, accablé, assommé, blasé, brisé, cassé, dégoûté, démoralisé, déprimé, écœuré, ennuyé, excédé, importuné, lassé, saturé. **II. Quelque chose :** abîmé, amorti, avachi, déformé, défraîchi, délabré, délavé, éculé, élimé, esquinté, fané, limé, râpé, usagé, usé, vétuste, vieux.

FATIGUER I. Au pr. Phys. : accabler, ahaner, assommer, avachir, briser, claquer, crever, déprimer, échiner, écraser, épuiser, éreinter, esquinter, excéder, exténuer, flapir, harasser, lasser, moudre, rompre, suer, surentraîner, surmener, trimer, tuer, vanner, vider. **II. Fig.** → ennuyer.

FATRAS → amas.

FATUITÉ → orgueil.

FATUM → destin.

FAUBOURG → banlieue.

FAUCHÉ, E → pauvre.

FAUCHER → abattre.

FAUFILER → coudre.

FAUFILER (SE) → introduire (s').

FAUNE Chèvre-pied, satyre, sylvain.

FAUSSER → altérer.

FAUSSETÉ Aberration, chafouinerie, déloyauté, dissimulation, duplicité, erreur, escobarderie, feinte, fourberie, hypocrisie, imposture, inexactitude, jésuitisme, mauvaise foi, mensonge, papelardise, patelinage, pharisaïsme, sophisme, tartuferie, tromperie.

FAUTE I. Au pr. : absence, bévue, boulette (fam.), chute, connerie (fam.), contravention, coulpe (vx), crime, défaut, défectuosité, délit, écart, égarement, énormité, erratum, erreur, forfaiture, gaffe (fam.), ignorance, imperfection, impropriété, inexactitude, infraction, maladresse, manque, manquement, mauvaise action, méfait, méprise, négligence, omission, peccadille, péché, privation, vice. **II. Par ext. :** barbarisme, contresens, cuir, faux-sens, incorrection, lapsus, pataquès, solécisme. **III. Imprimerie :** bourdon, coquille, doublage, doublon, mastic, moine. **IV. Loc. 1. Sans faute** → évidemment. **2. Faire faute** → manquer.

FAUTEUR I. → complice. **II.** → instigateur.

FAUTIF, IVE → coupable.

FAUVE I. Adj. → jaune. **II. Nom masc. :** bête féroce/sauvage, carnassier, félidé, félin, léopard, lion, panthère, tigre.

FAUX, FAUSSE I. Quelqu'un : affecté, cabotin, chafouin, comédien, déloyal, dissimulé, double, emprunté, étudié, fautif, fourbe, grimacier, hypocrite, imposteur, menteur, papelard, patelin, pharisien, simulé, sournois, tartufe, trompeur. **II. Quelque chose :** aberrant, absurde, altéré, apocryphe, artificiel, captieux, chimérique, contrefait, controuvé, copié, emprunté, erroné, fabuleux, factice, fallacieux, falsifié, fardé, feint, imaginaire, incorrect, inexact, inventé, mal fondé, mensonger, pastiché, plagié, postiche, pseudo, saugrenu, simulé, supposé, travesti, trompeur, truqué, usurpé, vain.

FAUX I. Nom masc. → fausseté. **II. Nom fém.** → dail.

FAUX-FUYANT I. → excuse. **II.** → fuite.

FAUX-SEMBLANT → affectation.

FAUX SENS → faute.

FAVEUR I. Ruban. **II.** Aide, amitié, appui, avantage, bénédiction, bénéfice, bienfait, bienveillance, bonnes grâces, bon office/procédé, cadeau, complaisance, considération, crédit, distinction, dispense, don, égards, favoritisme, grâce, gratification, indulgence, libéralité, passe-droit, prédilection, préférence, privilège, protection, récompense, service, sympathie. **III. Faire la faveur de :** aumône, grâce, plaisir, service.

FAVORABLE Accommodant, agréable, ami, avantageux, bénéfique, bénévole, bénin (vx), bienveillant, bon, clément, commode, convenable, faste, heureux, indulgent, obligeant, propice, prospère, protecteur, salutaire, secourable, sympathique, tutélaire.

FAVORI, ITE I. Adj. : chéri, choisi, chouchou, élu, enfant gâté, mignon, préféré, privilégié, protégé. **II. Nom masc. :** côtelette, patte de lapin, rouflaquette.

FAVORISER I. Quelqu'un : accorder, aider, avantager, douer, encourager, gratifier, pousser, prêter aide/assistance/la main, protéger, seconder, servir, soutenir. **II. Quelqu'un ou quelque chose :** faciliter, privilégier, servir.

FAVORITE → amante.

FAVORITISME Combine, népotisme, partialité, préférence.

FÉAL, E I. → loyal. **II.** → partisan.

FÉBRILE I. → fiévreux. **II.** → violent.

FÉBRILITÉ → nervosité.

FÉCOND, E I. Au pr. : abondant, fertile, fructifiant, fructueux, généreux, gras, gros, inépuisable, intarissable, plantureux, producteur, productif, prolifique, surabondant, ubéreux. **II. Par ext. :** créateur, imaginatif, inventif, riche.

FÉCONDATION Conception, conjugaison, ensemencement, génération, insémination, pariade, procréation, reproduction.

FÉDÉRATION Alliance, association, coalition, confédération, consortium, ligue, société, syndicat, union.

FÉDÉRER Affider, allier, assembler, associer, coaliser, confédérer, liguer, rassembler, réunir, unir.

FÉERIE Attraction, divertissement, exhibition, fantasmagorie, fantastique, magie, merveille, merveilleux, numéro, pièce, représentation, revue, scène, séance, show, spectacle, tableau.

FÉERIQUE I. → beau. **II.** → surnaturel.

FEINDRE I. → affecter. **II.** → inventer. **III.** → botter.

FEINT → faux.

FEINTE Affectation, artifice, cabotinage, cachotterie, comédie, déguisement, dissimulation, duplicité, faux-semblant, feintise, fiction, grimace, hypocrisie, invention, leurre, mensonge, momerie, pantalonnade, parade, ruse, simulation, singerie, sournoiserie, tromperie. → fausseté.

FÊLER → fendre.

FÉLICITATION Applaudissement, apologie, bravo, compliment, congratulation, éloge, hourra, glorification, louange, panégyrique.

FÉLICITÉ → bonheur.

FÉLICITER Applaudir, approuver, complimenter, congratuler, louanger, louer.

FÉLICITER (SE) → réjouir (se).

FÉLIN → chat.

FÉLON, ONNE → infidèle.

FÉLONIE → infidélité.

FÉMINISER I. Efféminer. **II. Par ext.** (péj.) → affadir (s').

FEMME I. Au pr. : dame, demoiselle. **II. Par ext. 1. Neutre :** compagne, concubine, égérie, épouse, fille d'Ève, moitié (fam.), muse. **2. Non favorable :** commère, cotillon, créature, donzelle, femelle, gonzesse, grognasse, matrone, ménesse, moukère, mousmé, poule, rombière, virago. **3. Péj.** → prostituée.

FENDILLER (SE) Se craqueler, se crevasser, se disjoindre, s'étoiler, se fêler, se fendre, se fissurer, se gercer, se lézarder.

FENDRE I. Sens général : cliver, couper, disjoindre, diviser, entrouvrir, fêler, tailler. **II. Les pierres, le sol :** craqueler, crevasser, fêler, fendiller, gercer, lézarder. **III. La foule :** écarter, entrouvrir, se frayer un chemin, ouvrir. **IV. Loc. Fendre le cœur :** briser/crever le cœur.

FENDRE (SE) I. → fendre. **II. Fig. Se fendre de quelque chose :** se débloquer (fam.), dépenser, donner, faire un cadeau, faire des largesses, offrir, payer.

FENÊTRE Ajour, baie, bow-window, châssis, croisée, hublot, lucarne, lunette, œil-de-bœuf, ouverture, soupirail, vasistas.

FENTE Boutonnière, cassure, coupure, crevasse, déchirure, espace, excavation, faille, fêlure, fissure, gélivure, gerçure, interstice, jour, lézarde, trou, vide.

FÉODAL, Moyenâgeux, seigneurial.

FÉODALITÉ I. Moyen Age. **II.** Abus, cartel, impérialisme, trust.

FER I. Sens général : acier, métal. **II. Loc. 1. En fer à cheval :** en épingle. **2. De fer.** Au phys. : fort, résistant, robuste, sain, solide, vigoureux. Au moral : autoritaire, courageux, dur, impitoyable, inébranlable, inflexible, opiniâtre, têtu, volontaire. **3. Mettre aux fers :** boucler (fam.), embastiller, emprisonner, enchaîner, lourder (arg.), mettre en tôle (fam.), réduire en esclavage/en servitude. **4. Les quatre fers en l'air :** dégringoler, se casser la figure, se casser la gueule (vulg.), tomber.

FÉRIÉ Congé, pont, vacances, week-end.

FERMAGE Affermage, arrérages, colonage partiaire, ferme, louage, loyer, métayage (par ext.), redevance, terme.

FERME n. I. Immeuble : domaine, exploitation, exploitation agricole, fermette, mas, métairie, ranch. **II. Montant d'une location :** affermage, arrérages, fermage, louage, loyer, redevance, terme. **III. Sous l'Ancien Régime :** collecte des impôts, maltôte, perception des impôts. **IV.** Charpente, comble.

FERME adj. **I. Quelque chose :** assuré, compact, consistant, coriace, dur, fixe, homogène, immuable, résistant, solide, sûr. **II. Quelqu'un :** ancré, arrêté, assuré, autoritaire, catégorique, constant, courageux, décidé, déterminé, dur, endurant, énergique, fort, impassible, imperturbable, inflexible, intraitable, intrépide, mâle, net, obstiné, résolu, sévère, solide, stoïque, strict, tenace, têtu, viril.

FERME, FERMEMENT Avec *fermeté et suite des syn. de* FERMETÉ, de façon/manière ferme *et suite des syn. de* FERME, beaucoup, bien, bon, coriacement, constamment, courageusement, dur, dur comme fer, durement, énergiquement, fixement, fort, fortement, immuablement, impassiblement, imperturbablement, inébranlablement, inflexiblement, intrépidement, nettement, résolument, sec, sévèrement, solidement, stoïquement, sûrement, tenacement, vigoureusement, virilement.

FERMENT I. Au pr. : bacille, bactérie, diastase, enzyme, levain, levure, microcoque, moisissure, zymase. **II. Fig.** *De discorde :* agent, cause, germe, levain, origine, principe, racine, source.

FERMENTATION I. Au pr. : ébullition, échauffement, travail. **II. Fig. :** agitation, bouillonnement, ébullition, échauffement, effervescence, excitation, mouvement, nervosité, préparation, remous, surexcitation.

FERMENTER I. Au pr. : bouillir, chauffer, lever, travailler. **II. Fig. :** s'agiter, bouillonner, s'échauffer, gonfler, lever, mijoter, se préparer, travailler.

FERMER I. V. tr. 1. Une porte, une fenêtre : barrer, barricader, boucler, cadenasser, claquer (péj.), clore, lourder (arg.), verrouiller. **2. Un passage :** barrer, barricader, bloquer, boucher, clore, combler, condamner, faire barrage, murer, obstruer, obturer, occlure. **3. Une surface :** barricader, clore, clôturer, enceindre, enclore, enfermer, entourer. **4. Un contenant, une bouteille :** boucher, capsuler. **5. Une enveloppe:** cacheter, clore, coller, sceller. **6. Le courant :** couper, disjoncter, éteindre, interrompre, occulter. **7. Un compte, une liste :** arrêter, clore, clôturer. **8. L'horizon :** borner. **II. V. intr.** *Les magasins ferment le samedi :* chômer, faire

relâche, faire la semaine anglaise, relâcher.

FERMER (SE) I. → *fermer.* **II. Une blessure :** se cicatriser, guérir, se refermer, se ressouder. **III. Fig.** *Sur soi :* se refuser, se replier.

FERMETÉ I. De quelque chose : compacité, consistance, coriacité, dureté, fixité, homogénéité, immuabilité, résistance, solidité, sûreté. **II. De quelqu'un :** assurance, autorité, caractère, cœur, constance, courage, cran, décision, détermination, dureté, endurance, énergie, entêtement, estomac (fam.), exigence, force, impassibilité, inflexibilité, intransigeance, intrépidité, netteté, obstination, opiniâtreté, poigne, raideur, rectitude, résistance, résolution, ressort, rigidité, rigueur, sang-froid, sévérité, solidité, stoïcisme, ténacité, vigueur, virilité, volonté.

FERMETURE I. Le dispositif : barrage, barreaux, barricade, barrière, bonde, clôture, enceinte, enclos, entourage, fenêtre, grillage, grille, haie, palis, palissade, palplanches, persienne, portail, porte, portillon, store, treillage, treillis, volet. **II. L'appareil :** bondon, bouchon, capsule, clanche, clenche, crochet, disjoncteur, gâche, gâchette, loquet, robinet, serrure, vanne, verrou. **III. L'action.** *Une circulation, un passage :* arrêt, barrage, bouclage, clôture, condamnation, coupure, interruption, obstruction, obturation, occlusion, verrouillage. **IV. Fermeture momentanée :** coupure, interruption, suspension. **V. Fermeture du gaz, de l'électricité :** coupure, disjonction, extinction, interruption de fourniture. **VI.** *D'un pli, d'une enveloppe.* **1.** *L'action :* cachetage, clôture, scellement. **2.** *Le moyen :* bulle (vx et relig.), cachet, sceau. **VII.** *D'une affaire.* **1.** *Par autorité patronale :* lock-out. **2.** *Pour cause de congé :* relâche. **3.** *Faute de travail :* cessation, chômage.

FERMIER, ÈRE I. Sens général : locataire, preneur. **II. Qui cultive la terre :** agriculteur, amodiataire, colon, cultivateur, exploitant agricole, métayer, paysan.

FERMOIR I. D'un vêtement : agrafe, attache, boucle, fermail, fermeture, fibule. **II. D'un coffret, d'une porte :** bobinette, crochet, fermeture, loquet, moraillon, serrure, verrou.

FÉROCE I. Animal : cruel, fauve, sanguinaire, sauvage. **II. Quelqu'un. 1. Au pr. :** barbare, brutal, cannibale, cruel, sadique, sanguinaire, sauvage, violent. **2. Fig. :** acharné, affreux, dur, épouvantable, forcené, horrible, impitoyable, implacable, inhumain, insensible, mauvais, méchant, terrible, violent.

FÉROCITÉ I. Au pr. : barbarie, brutalité, cannibalisme, cruauté, instincts sanguinaires, sauvagerie, violence. **II. Fig.** : acharnement, cruauté, dureté, horreur, insensibilité, méchanceté, raffinement, sadisme, sauvagerie, violence.

FERRADE Dénombrement du bétail, marquage, recensement, tatouage, tri.

FERRAGE Appareillage métallique, assemblage en fer/métallique, ferrement, ferrure, garniture en fer, penture, protection en fer.

FERRAILLE I. Bouts de fer, copeaux, déchets, limaille, rebuts, vieux instruments, vieux morceaux. **II.** Mitraille. **III.** Assemblage/instrument/objet métallique. **IV.** Monnaie (fam.), pièce de monnaie (fam.). **V. Loc. 1. Tas de ferraille** (péj. ou par ironie) : auto, avion, bateau, tout véhicule ou tout instrument. **2. Mettre à la ferraille** : déclasser, jeter, mettre au rebut, réformer, ribloner. **3. Bruit de ferraille** : cliquetis.

FERRAILLER (Péj.) **I. Au pr.** : batailler, se battre, se battre à l'arme blanche, se battre en duel, battre le fer, brétailler, combattre, croiser le fer, en découdre, escrimer. **II. Fig.** : se battre, combattre, se disputer, lutter, se quereller.

FERRAILLEUR I. Batteur à l'arme blanche, bretteur, duelliste, escrimeur, spadassin (péj.). **II.** Querelleur. **III.** Brocanteur, casseur, chiffonnier, commerçant en ferraille, triqueur.

FERRÉ, E I. Au pr. : bardé, garni de fer, paré, protégé. **II. Fig.** : calé, compétent, connaisseur, érudit, fort, grosse tête (fam.), habile, instruit, savant.

FERREMENT I. Assemblage métallique, ensemble de pièces de métal, fer, ferrage, ferrure, instrument en fer, serrure. **II. D'un poisson** : accrochage, capture, coup, prise, touche.

FERRER I. Au pr. : accrocher avec du fer, brocher, clouter, cramponner, engager le fer, garnir de fer, marquer au fer, parer, piquer, plomber, protéger. **II. Un poisson** : accrocher, avoir une touche, capturer, piquer, prendre, tirer.

FERRONNIER Chaudronnier, forgeron, serrurier.

FERRURE Assemblage en fer, charnière, ferrage, ferrement, ferronnerie, garniture de fer, instrument en fer, penture, serrure, serrurerie.

FERTÉ Forteresse, place forte.

FERTILE I. Au pr. 1. Sens général : abondant, bon, fécond, fructueux, généreux, gros, plantureux, prodigue, productif, riche. **2. En parlant d'êtres animés :** fécond, prolifique. **II. Fig.** : fécond, imaginatif, ingénieux, inventif, prolifique, riche, rusé, subtil, superbe.

FERTILISATION Amélioration, amendement, bonification, engraissement, enrichissement, fumure, marnage, mise en valeur, terreautage.

FERTILISER Améliorer, amender, bonifier, cultiver, engraisser, enrichir, ensemencer, fumer, terreauter.

FERTILITÉ I. Sens général : abondance, fécondité, générosité, prodigalité, productivité, rendement, richesse. **II. En parlant d'êtres animés** : fécondité, prolificité.

FÉRU, E De quelque chose : chaud, engoué, enthousiaste, épris de, fou de, passionné de, polarisé par (fam.).

FÉRULE I. Au pr. : baguette, bâton, règle. **II. Fig.** : autorité, dépendance, direction, pouvoir, règle.

FERVENT, E Ardent, brûlant, chaud, dévot, dévotieux, dévoué, enthousiaste, fanatique, fidèle, intense, zélé.

FERVEUR I. Au pr. : adoration, amour, ardeur, chaleur, communion, dévotion, effusion, élan, enchantement, enthousiasme, force, zèle. **II. Loc. La ferveur du moment :** engouement, faveur, mode.

FESSE Bas du dos, croupe, croupion (fam.), cul (grossier), derrière, fondement, lune (fam.), demi-lune (fam.), postérieur, séant, siège. → *fessier*.

FESSÉE I. Au pr. : correction, coup, claque, fustigation. **II. Fig. et fam.** : déculottée (fam.), défaite, échec, honte, raclée, torchée (arg.).

FESSE-MATHIEU Avare, boîte à sous, coquin, créancier, harpagon, ladre, pingre, près de ses sous, prêteur sur gages, radin, rat, usurier.

FESSER Bastonner, battre, botter le train (arg;), châtier, corriger, donner des claques sur les fesses, fouetter, frapper, fustiger, punir, taper.

FESSIER Allumeuses (arg.), arrière-train, (fam. et animaux), as de pique (fam.), bas du dos, baba (arg.), bol (arg.) croupe, croupion (fam.), cul (grossier), derrière, les deux fesses, fondement, hémisphères (fam.), lune (fam.), malle-arrière (fam.), miches (arg.), panier, partie charnue, pétard (fam.), popotin (fam.), postère (fam.), postérieur, pot (arg.), pousse-matières (arg. scol.), séant, siège, train (fam.), train arrière (fam.), tournure, troufignon (fam.), vase (arg. scol.), verre de montre (fam.).

FESSU, E Callipyge, charnu, qui a de grosses fesses, *et les syn. de* FESSE, rebondi, rembourré.

FESTIN Agape, banquet, bombance, brifeton (fam.), gala, gueuleton (fam.), régal, repas, réjouissance, ripaille.

FESTIVAL I. Au pr. : festivité, fête, gala, régal. **II. De danse, de musique, de poésie :** célébration, colloque, congrès, démonstration, exhibition, foire, journées, kermesse, manifestation, organisation, présentation, représentation, récital, réunion, séminaire, symposium. **III. Loc.** *Il s'est offert un festival de pâtisseries :* orgie.

FESTIVITÉ Allégresse, célébration, cérémonie, festival, fête, frairie, gala, joyeuseté, kermesse, manifestation, partie, partie fine, réjouissance, réunion.

FESTON Bordure, broderie, dent, frange, garniture, guirlande, ornement, passementerie, torsade.

FESTONNER v. tr. et intr. Border, brocher, broder découper, denteler, garnir, orner.

FESTOYER v. tr. et intr. Banqueter, donner un festin, faire bombance, faire bonne chère, faire fête à, faire un festin, faire la foire, fêter, gobelotter (fam.), gobichonner (fam.), gueuletonner (fam.), offrir un festin, prendre part à, manger, s'en mettre plein la lampe (fam.), recevoir, régaler, se régaler, ripailler.

FÊTARD (Péj.) Arsouille (fam. et péj.), bambocheur (fam.), débauché, jouisseur, noceur, viveur.

FÊTE Anniversaire, apparat, bal, bamboche (péj.), bamboula (fam.), bombe (fam.), célébration, cérémonie, commémoration, débauche (péj.), dégagement (fam. et milit.), événement, festin, festival, festivité, ferrade, fiesta (fam.), foire (péj.), frairie, gala, inauguration, java (fam.), noce, partie, réception, réjouissance, réunion, solennité, surprise-partie.

FÊTÉ, E Chouchouté (fam.), choyé, entouré, honoré, recherché.

FÊTER Accueillir, arroser, célébrer, commémorer, consacrer, faire fête à, festoyer, honorer, manifester, marquer, se réjouir de, solenniser.

FÉTICHE I. Nom masc. : amulette, effigie, gri-gri, idole, image, mascotte, porte-bonheur, porte-chance, statuette, talisman, totem. **II. Adj. :** artificiel, divinisé, factice, idolâtre, tabou, vénéré.

FÉTICHISME I. Au pr. : animisme, culte des fétiches, culte des idoles, idolâtrie, totémisme. **II. Fig. :** admiration, attachement, culte, idolâtrie,

religion, respect, superstition, vénération. **III. Psych. :** idée fixe, perversion.

FÉTICHISTE I. Au pr. : adepte du *ou* relatif au fétichisme, *et syn. de* FÉTICHISME, adorateur de *ou* relatif aux fétiches, *et syn. de* FÉTICHE, superstitieux, totémiste. **II. Fig. :** admirateur, croyant, fidèle, idolâtre, religieux, superstitieux.

FÉTIDE Au pr. et fig. : asphyxiant, corrompu, dégoûtant, délétère, désagréable, écœurant, empesté, empuanti, étouffant, excrémentiel, fécal, ignoble, immonde, innommable, infect, insalubre, malodorant, malpropre, malsain, mauvais, méphitique, nauséabond, nuisible, ordurier, pestilentiel, puant, putride, repoussant, répugnant.

FÉTU I. Au pr. : brin, brindille. **II. Fig. :** bagatelle, brimborion, misère, petite chose, peu, rien.

FÉTUQUE Graminée, herbe, fétuque ovine, fourrage.

FEU I. Au pr. 1. *Lieu où se produit le feu :* astre, âtre, autodafé, bougie, brasero, brasier, braise, bûcher, cautère, chandelle, chaudière, cheminée, coin de feu, coin du feu, enfer, étincelle, étoile, famille, fanal, flambeau, foyer, forge, four, fournaise, fourneau, fumerolle, incendie, lampe, maison, météore, projecteur, signal, soleil. **2. *Manifestation du feu :*** bougie, brûlure, caléfaction, calcination, cendre, chaleur, chauffage, combustion, consomption, crémation, éblouissement, échauffement, éclat, éclair, éclairage, embrasement, étincelle, éruption, flambée, flamboiement, flamme, flammerole, feu follet, fumée, fumerolle, ignescence, ignition, incandescence, lave, lueur, lumière, rougeur, scintillement. **3. *Par anal.*** *Méd. :* démangeaison, éruption, furoncle, inflammation, irritation, prurit. **4. *Feu d'artillerie :*** barrage, tir, pilonnage. **5. *Feux tricolores :*** signal, signalisation, orange, rouge, vert. **6. *Avez-vous du feu :*** allumettes, briquet. **7. *Faire du feu :*** allumer, se chauffer. **8. *Feu du ciel :*** foudre, orage, tonnerre. **II. Fig. 1. *Favorable ou neutre :*** action, amour, animation, ardeur, bouillonnement, chaleur, combat, conviction, désir, empressement, enthousiasme, entrain, exaltation, excitation, flamme, fougue, inspiration, passion, tempérament, vivacité, zèle. **2. *Non favorable :*** agitation, emballement, colère, combat, courroux, emportement, exagération, passion, véhémence, violence. **3. *Loc.*** *Feu du Ciel :* châtiment, colère/justice divine, punition.

FEUILLAGE I. Au pr. : branchage,

branches, feuillée, feuilles, frondaison, rameau, ramée, ramure, verdure. **II. Par ext.** : abri, berceau, camouflage, charmille, chevelure, dais, tonnelle.

FEUILLAISON Foliation, renouvellement.

FEUILLE I. Au pr. : feuillage, feuillée, foliole, frondaison. **II. Par ext. 1.** Document, feuille de chou (péj.), feuillet, folio, journal, page, papier. **2.** Fibre, lame, lamelle, plaque. **III. Pop.** : oreille. **IV. Loc. Dur de la feuille** : sourd, sourdingue (fam.).

FEUILLÉES → water-closet.

FEUILLET Cahier, feuille, folio, page, planche, pli.

FEUILLETER Compulser, jeter un coup d'œil sur, lire en diagonale (fam.)/rapidement, parcourir, survoler, tourner les pages.

FEUILLETON Anecdote, dramatique, histoire, livraison, nouvelle, roman.

FEUILLU, E Abondant, épais, feuillé, garni, touffu.

FEUILLURE Entaille, rainure.

FEULER → crier.

FEULEMENT → cri.

FEUTRÉ, É I. Au pr. : garni, ouaté, rembourré. **II. Par ext.** : amorti, discret, étouffé, mat, ouaté, silencieux.

FEUTRER I. Au pr. : garnir, ouater, rembourrer. **II. Par ext.** : amortir, étouffer.

FI (FAIRE) → dédaigner.

FIACRE → voiture.

FIANÇAILLES Accordailles (vx), promesse de mariage.

FIANCÉ, E Accordé (vx), bien-aimé, futur, prétendu (région.), promis.

FIANCER (SE) I. Au pr. : s'engager, promettre mariage. **II. Par ext.** : allier, fier, mélanger, unir.

FIASCO → insuccès.

FIBRE I. Au pr. : chair, fibrille, fil, filament, filet, ligament, linéament, substance, tissu. **II. Par ext.** → disposition.

FIBREUX, EUSE Dur, filandreux, nerveux.

FIBROME → tumeur.

FICELÉ, E Fig. → vêtu.

FICELER I. Au pr. → attacher. **II. Fig.** → vêtir.

FICELLE I. Au pr. → corde. **II. Fig. 1.** → ruse. **2.** → procédé. **3. Quelqu'un** → malin.

FICHE I. Aiguille, broche, cheville, prise, tige. **II.** Carte, carton, étiquette, feuille, papier. **III.** Jeton, plaque.

FICHER I. Au pr. 1. → fixer. **2.** → enfoncer. **II. Loc. Ficher dedans** → tromper.

FICHER (SE) I. → railler. **II.** → mépriser.

FICHIER Casier, classeur, dossier, meuble, registre.

FICHU I. Nom masc. : cache-cœur/ col/cou, carré, châle, écharpe, fanchon, foulard, madras, mantille, marmotte, mouchoir, pointe. **II. Adj. 1.** → déplaisant. **2.** → fâcheux. **3.** → perdu.

FICTIF, IVE → imaginaire.

FICTION → invention.

FIDÈLE I. Nom masc. : adepte, antrustion, assidu, croyant, féal, ouaille, partisan, pratiquant. **II. Adj. 1. Quelqu'un** : assidu, attaché, attentif, bon, conservateur, constant, dévoué, exact, favorable, féal, franc, honnête, loyal, persévérant, probe, régulier, sincère, scrupuleux, solide, sûr, vrai. **2. Quelque chose** : conforme, correct, égal, exact, juste, réglé, sincère, sûr, véridique, vrai.

FIDÉLITÉ I. → constance. **II.** → exactitude. **III.** → foi. **IV.** → vérité.

FIEF I. Au pr. : censive, dépendance, domaine, mouvance, seigneurie, suzeraineté. **II. Par ext.** : domaine, spécialité.

FIEFFÉ, E → parfait.

FIEL I. Au pr. → bile. **II. Par ext. 1.** → haine. **2.** → mal.

FIELLEUX, EUSE Acrimonieux, amer, haineux, malveillant, mauvais, méchant.

FIENTE → excrément.

FIER, ÈRE I. → sauvage. **II.** → dédaigneux. **III.** → grand. **IV.** → hardi.

FIER (SE) I. → confier (se). **II.** → rapporter (se).

FIER-À-BRAS → bravache.

FIERTÉ I. → dédain. **II.** → hardiesse. **III.** → orgueil.

FIÈVRE → émotion.

FIÉVREUX, EUSE Agité, ardent, brûlant, chaud, désordonné, fébricitant, fébrile, halluciné, hâtif, inquiet, intense, malade, maladif, malsain, mouvementé, nerveux, passionné, tourmenté, troublé, violent.

FIFRE → flûte.

FIGÉ, E Coagulé, contraint, conventionnel, glacé, immobile, immobilisé, immuable, paralysé, pétrifié, raide, raidi, sclérosé, statufié, stéréotypé, transi.

FIGER I. Au pr. 1. → cailler. **2.** → geler. **II. Par ext. 1.** → immobiliser. **2.** → pétrifier.

FIGNOLAGE Arrangement, enjolivement, finition, léchage, parachèvement, polissage, raffinage, raffinement, soin.

FIGNOLER → *orner, parfaire.*

FIGURANT Acteur, comparse, doublure, représentant, second rôle.

FIGURATION Carte, copie, dessin, fac-similé, image, plan, représentation, reproduction, schéma, symbole.

FIGURE I. → *visage, forme.* **II. Par ext.** → *mine, représentation, statue, symbole, expression, image.*

FIGURER I. Avoir la forme de, être, incarner, jouer un rôle, paraître, participer, représenter, se trouver, tenir un rang **II.** Dessiner, donner l'aspect, modeler, peindre, représenter, sculpter, tracer, symboliser.

FIGURER (SE) → *imaginer.*

FIGURINE → *statue.*

FIL I. → *fibre.* **II.** → *cours.* **III.** → *tranchant.*

FILAMENT → *fibre.*

FILANDREUX, EUSE I. Au pr. : coriace, dur, fibreux, indigeste, nerveux. **II. Fig. :** ampoulé, confus, délayé, diffus, embarrassé, empêtré, enchevêtré, entortillé, fumeux, indigeste, interminable, long, macaronique.

FILASSE I. Nom fém. : étoupe, lin. **II. Adj. :** blond, clair, pâle, terne.

FILE Caravane, chapelet, colonne, cordon, enfilade, haie, ligne, procession, queue, rang, rangée, suite, train.

FILER I. La laine : tordre. **II.** → *lâcher.* **III.** → *marcher.* **IV.** → *suivre.* **V.** → *partir.* **VI. Loc. Filer doux** → *soumettre (se).*

FILET I. Au pr. : carrelet, chalut, échiquier, embûche, épervier, épuisette, filoche, lacet, lacs, nasse, pan, pan de rets, panneau, pantière, piège, porte-bagages, réseau, résille, réticule, rets, toiles, tramail, verveux. **II. Par ext.** → *réseau.* **III. Fig. :** embûche, embuscade, piège, souricière.

FILIALE → *succursale.*

FILIATION I. Au pr. → *naissance.* **II. Par ext.** → *liaison.*

FILIÈRE → *hiérarchie.*

FILIFORME Allongé, délié, effilé, fin, grêle, longiligne, maigre, mince.

FILIN → *cordage.*

FILLE I. Au pr. 1. Descendante, enfant, héritière. **2.** Adolescente, bambine, brin, catherinette, demoiselle, fillette, jeune fille, jeunesse, jouvencelle, nymphe, pucelle (vx), rosière (partic.), vierge. **3. Fam. :** béguineuse, cerneau, fée, frangine, gamine, gazelle, gisquette, gosse, grenouille, mignonne, minette, môme, musaraigne, nana, nénette, nymphette,

pépée, petit bout/lot/rat/sujet, petite, ponette, poulette, poupée, sauterelle, souris. **4. Péj. :** donzelle, gigolette, gigue, gonzesse, greluche, guenuche, pisseuse. **II. Par ext. :** → *célibataire, prostituée, servante, religieuse.*

FILM I. Au pr. → *pellicule.* **II. Par ext.** → *pièce.*

FILMER Enregistrer, photographier, tourner.

FILON I. Au pr. : couche, masse, mine, source, strate, veine. **II. Fig.** → *chance.*

FILOU → *fripon.*

FILOUTER → *voler.*

FILS I. Au pr. : enfant, fieux (région.), fiston, fruit, garçon, gars, géniture, grand, héritier, petit, progéniture, race, rejeton, sang (poét.). **II. Par ext. 1.** Citoyen. **2.** Descendant, parent. **3.** → *élève.* **III. Loc. Fils de ses œuvres. 1.** Autodidacte, self-made-man. **2.** Conséquence, effet, fruit, résultat.

FILTRE Antiparasite, blanchet, bougie, buvard, chausse, citerneau, écran, épurateur, étamine, feutre, papier, passoire, percolateur, purificateur.

FILTRER I. Au pr. : clarifier, couler, épurer, passer, purifier, rendre potable, tamiser. **II. Par ext. 1.** → *vérifier.* **2.** → *pénétrer.* **3.** → *répandre (se).* **4.** → *percer.*

FIN n. **I. Au pr.** → *bout.* **II. Par ext. 1.** Aboutissement, accomplissement, achèvement, arrêt, borne, bout, but, cessation, chute, clôture, coda, conclusion, consommation, crépuscule, décadence, décision, déclin, dénouement, dépérissement, désinence, dessert, destination, destruction, disparition, épilogue, enterrement, épuisement, expiration, extrémité, final, finale, finalité, limite, objectif, objet, perfection, péroraison, prétexte, queue, réalisation, réussite, ruine, solution, sortie, suppression, tendance, terme, terminaison, terminus, visée. **2.** Agonie, anéantissement, décès, déclin, mort, trépas. **III. Loc. 1. Une fin de non-recevoir :** refus. **2. A cette fin :** intention, objet, motif, raison. **3. A la fin :** en définitive, enfin, finalement. **4. Faire une fin :** se marier, se ranger. **5. Mettre fin à :** achever, arrêter, clore, décider, dissiper, dissoudre, éliminer, expirer, faire cesser, finir, lever, parachever, terminer, se suicider, terminer, tuer (se), supprimer. **6. Sans fin :** sans arrêt/cesse/interruption/repos/trêve, continu, éternel, immense, immortel, indéfini, infini, interminable, pérennisé, perpétuel, sans désemparer/discontinuer, sempiternel, toujours, *et les adv.* en -*ment possibles à partir des adj. de cette suite, ex. :* continuellement.

FIN adv. **Fin prêt :** absolument, complètement, entièrement, tout à fait.

FIN, FINE adj. **I. Au pr. :** affiné, allongé, arachnéen, beau, délicat, délié, doux, élancé, émincé, étroit, lamellaire, léger, maigre, menu, mince, petit, svelte, vaporeux. **II. Par ext. :** adroit, affiné, astucieux, averti, avisé, bel esprit, clairvoyant, délié, diplomate, distingué, élégant, excellent, finaud, futé, galant, habile, ingénieux, intelligent, malin, pénétrant, perspicace, piquant, précieux, pur, raffiné, retors, rusé, sagace, sensible, subtil, supérieur. **III. Loc. 1. Fin mot :** dernier, véritable. **2. Fin fond :** éloigné, extrême, loin, lointain, reculé. **3. Fine fleur :** élite, supérieur. **4. Fin du fin :** nec plus ultra. **5. Fine champagne :** brandy, cognac.

FINAL, E Définitif, dernier, extrême, terminal, ultime, téléologique.

FINALEMENT A la fin, définitivement, en définitive, en dernier lieu, enfin, en fin de compte, pour en finir/ en terminer, sans retour, tout compte fait.

FINALITÉ I. But, dessein, destination, fin, intentionalité, motivation, orientation, prédestination, téléologie, tendance. **II.** Adaptation, harmonie, perception. **III.** Adaptation, besoin, détermination, instinct, sélection.

FINANCE I. Argent, ressources. **II. Au pl. :** biens, budget, caisse, comptabilité, crédit, dépense, économie, fonds, recette, trésor, trésorerie. **III. Vx :** ferme, régie. **IV.** Affaires, banque, bourse, capital, capitalisme, commerce, crédit.

FINANCER Avancer/bailler/placer/ prêter des fonds, casquer (fam.), commanditer, entretenir, fournir, payer, procurer de l'argent, régler, soutenir financièrement, subventionner, verser.

FINANCEMENT Développement, entretien, paiement, placement, soutien, subvention, versement.

FINANCIER, ÈRE Bancaire, budgétaire, monétaire, pécuniaire.

FINANCIER Agent de change, banquier, boursier, capitaliste, coulissier, fermier (vx), gérant, gestionnaire, maltôtier (vx), manieur d'argent, partisan (vx), publicain, régisseur, spéculateur, traitant (vx).

FINASSER Éviter, ruser, éluder/ tourner la difficulté, user d'échappatoires/de faux-fuyants.

FINASSERIE Finauderie, ruse, tromperie.

FINAUD, E → *malin.*

FINAUDERIE → *finasserie.*

FINE Brandy, cognac, eau-de-vie.

FINEMENT Adroitement, astucieusement, délicatement, subtilement.

FINESSE I. Délicatesse, étroitesse, légèreté, petitesse. **II. Fig. :** acuité, adresse, artifice, astuce, clairvoyance, difficulté, diplomatie, justesse, malice, pénétration, précision, ruse, sagacité, sensibilité, souplesse, stratagème, subtilité, tact. **III. Par ext. :** beauté, délicatesse, distinction, douceur, élégance, grâce.

FINI, E I. Borné, défini, limité, **II.** Accompli, achevé, consommé, révolu, terminé. **III.** → *fatigué.* **IV.** → *parfait.* **V. Par ext. 1. Quelqu'un :** condamné, fait, fichu, fieffé, foutu, mort, perdu, usé. **2. Quelque chose :** disparu, évanoui, fait, perdu.

FINIR I. V. tr. 1. Neutre ou favorable : accomplir, achever, arrêter, cesser, clore, conclure, consommer, couper, couronner, épuiser, expédier, fignoler, interrompre, lécher, mettre fin à, parachever, parfaire, polir, régler, terminer, trancher, user, vider. **2. Péj. :** anéantir, bâcler. **II. Par ext. 1.** → *mourir.* **2. V. intr. :** aboutir, achever, s'arrêter, arriver, cesser, disparaître, épuiser, s'évanouir, rompre, se terminer, tourner mal.

FINISSAGE Fignolage, fin, finition, perfectionnement.

FINITION Accomplissement, achèvement, arrêt, fin.

FIOLE I. Au pr. : ampoule, biberon, bouteille, flacon. **II. Fig. :** bouille, figure. → *tête.*

FIORITURE → *ornement.*

FIRMAMENT → *ciel.*

FIRME → *établissement.*

FISC Finances, fiscalité, percepteur, Trésor public.

FISSION Désintégration, division, séparation.

FISSURE → *fente.*

FIXATION I. Au pr. : attache, crampon, établissement, fixage. **II. Fig. :** détermination, limitation, réglementation.

FIXE I. → *stable.* **II.** Appointements, mensualité, salaire.

FIXEMENT En face, intensément.

FIXER I. Au pr. : adhérer, accorer (mar.), accrocher, affermir, amarrer, ancrer, arrêter, arrimer, assembler, assujettir, assurer, attacher, boulonner, caler, centrer, claveter, clouer, coincer, coller, consolider, cramponner, enchâsser, enclaver (techn.), enfoncer, enraciner, faire pénétrer/ tenir, ficher, immobiliser, implanter, introduire, lier, maintenir, mettre, nouer, pendre, pétrifier, planter, retenir, river, riveter, sceller, suspendre, soutenir, visser. **II. Fig. 1.** Arrêter, asseoir, assigner, conclure, décider, définir, délimiter, déterminer, envisager, établir, évaluer, formuler, limiter, imposer, indiquer, marquer, particulariser, poser, préciser, prédestiner, préfinir (jurid.), préfixer, prescrire, proposer, qualifier, réglementer, régler, spécifier, stabiliser. **2.** Attirer, captiver, choisir, conquérir, gagner, retenir. **3.** Cristalliser, graver, imprimer, peindre, sculpter. **4.** → *instruire.* **5.** → *regarder.*

FIXER (SE) Se caser, s'établir, établir sa résidence/ses pénates (fam.), habiter, s'implanter, s'installer, se localiser, prendre pied/racine, résider.

FIXITÉ Constance, consistance, fermeté, immobilité, immutabilité, invariabilité, permanence, persistance, stabilité, suite.

FLACON Bouteille, fiasque, fiole, flasque, gourde.

FLA-FLA Affectation, chichis, chiqué, esbroufe, étalage, façons, manières, ostentation.

FLAGELLATION Fouet, fustigation.

FLAGELLER I. Au pr. : battre, châtier, cingler, cravacher, donner la discipline/le martinet/les verges, fesser, fouetter, fustiger. **II. Fig.** attaquer, blâmer, critiquer, maltraiter, vilipender.

FLAGEOLER → *chanceler.*

FLAGEOLET → *flûte.*

FLAGORNER → *flatter.*

FLAGORNERIE → *flatterie.*

FLAGORNEUR, EUSE n. et adj. → *flatteur.*

FLAGRANT, E Certain, constant, constaté, éclatant, évident, incontestable, indéniable, manifeste, notoire, officiel, patent, probant, sans conteste, sur le fait, visible, vu.

FLAIR I. Au pr. → *odorat.* **II. Par ext. :** clairvoyance, intuition, perspicacité. → *pénétration.*

FLAIRER I. Au pr. → *sentir.* **II. Fig.** → *pressentir.*

FLAMBARD Fanfaron, vaniteux.

FLAMBANT, E Ardent, brasillant, brillant, brûlant, coruscant, éclatant, étincelant, flamboyant, fulgurant, incandescent, reluisant, resplendissant, rutilant, scintillant, superbe.

FLAMBEAU Bougie, brandon, candélabre, chandelier, chandelle, cierge, fanal, guide, lampe, lumière, oupille, phare, photophore, torche, torchère.

FLAMBÉ, E (Fam.) Déconsidéré, découvert, fichu, foutu (vulg.), perdu, ruiné.

FLAMBÉE → *feu.*

FLAMBER I. Au pr. 1. V. intr. : arder (vx), ardre (vx), arore (vx), brûler, cramer (fam.), s'embraser, s'enflammer, étinceler, flamboyer, scin-

tiller. **2. V. tr. :** gazer, passer à la flamme, stériliser. **3.** → *briller.* **II. Fig. V. tr. :** dépenser, dilapider, jouer, perdre, ruiner, voler.

FLAMBERGE Épée, lame, rapière, sabre.

FLAMBOIEMENT I. Au pr. : éblouissement, éclat, embrasement, feu. **II. Fig. :** ardeur, éclat.

FLAMBOYANT, E I. Arch. : gothique, médiéval. **II.** → *flambant.*

FLAMBOYER I. Au pr. → *flamber.* **II. Fig.** → *luire.*

FLAMME I. Au pr. → *feu.* **II. Par ext.** → *chaleur.* **III.** → *drapeau.*

FLANC I. De quelqu'un ou d'un animal → *ventre.* **II. Par ext. :** aile, bord, côté, pan.

FLANCHER I. → *céder.* **II.** → *reculer.*

FLÂNER S'amuser, badauder, bader (mérid.), baguenauder (fam.), balocher (fam.), déambuler, errer, flânocher (fam.), folâtrer, gober les mouches, lécher les vitrines (fam.), musarder, muser, se promener, traîner, vadrouiller.

FLÂNEUR, EUSE n. et adj. **I. Au pr. :** badaud, bayeur, promeneur. **II. Par ext. :** désœuvré, fainéant, indolent, lambin, musard, oisif, paresseux, traînard.

FLANQUER I. V. tr. → *jeter.* **II. V. intr. 1.** → *accompagner.* **2.** → *protéger.*

FLAPI, E → *fatigué.*

FLAQUE Flache, mare, nappe.

FLASQUE → *mou.*

FLATTER Aduler, cajoler, caresser, charmer, complaire à, complimenter, courtiser, délecter, embellir, enjoliver, flagorner, idéaliser, louanger, louer, parfaire, passer la main dans le dos (fam.), tromper.

FLATTER (SE) I. Aimer à croire, s'applaudir, se donner les gants de (fam.), s'enorgueillir, se féliciter, se glorifier, s'illusionner, se persuader, se prévaloir, se targuer, tirer vanité, triompher, se vanter. **II.** Compter, espérer, penser, prétendre.

FLATTERIE Adoration, adulation, cajolerie, câlinerie, caresse, compliment, coups d'encensoir, cour, courbette, courtisanerie, douceurs, encens, flagornerie, génuflexion, hommage, hypocrisie, louange, mensonge, plat, pommade, tromperie.

FLATTEUR, EUSE n. et adj. **I. Quelqu'un :** adorateur, adulateur, approbateur, bonimenteur, bonneteur, cajoleur, caudataire, complaisant, complimenteur, courtisan, doucereux, encenseur, enjôleur, flagorneur, génuflecteur, hypocrite, lèche-bottes (fam.), lèche-cul (vulg.), lécheur

(fam.), louangeur, menteur, obséquieux, patelin, séducteur, thuriféraire. **II. Quelque chose** → *agréable.*

FLÉAU I. →*calamité.* **II.** →*punition.*

FLÈCHE → *trait.*

FLÉCHIR I. V. tr. 1. Au pr. :
abaisser, courber, gauchir, infléchir,
plier, ployer, recourber. **2. Fig. On
fléchit quelqu'un :** adoucir, apaiser,
apitoyer, attendrir, calmer, désarmer,
ébranler, émouvoir, gagner, plier,
toucher, vaincre. **II. V. intr. 1.
Au pr. :** arquer, céder, se courber,
craquer, faiblir, flancher, gauchir,
s'infléchir, lâcher, manquer, plier,
ployer, reculer, vaciller. **2. Fig. :**
s'abaisser, abandonner, s'agenouiller,
capituler, céder, chanceler, faiblir,
s'humilier, s'incliner, mollir, plier,
se prosterner, se soumettre, succomber.

FLÉCHISSEMENT I. Au pr. :
baisse, courbure, diminution, flexion.
→ *abaissement.* **II. Fig.** → *abandon.*

FLEGMATIQUE Apathique, blasé,
calme, décontracté, détaché, froid,
impassible, imperturbable, indifférent,
insensible, lymphatique, maître de
soi, mou, olympien, patient, placide,
posé, rassis, serein, tranquille.

FLEGME Apathie, calme, décontraction, détachement, égalité d'âme,
froideur, impassibilité, indifférence,
insensibilité, lymphatisme, maîtrise,
mollesse, patience, placidité, sang-
froid, sérénité, tranquillité.

FLEMMARD, E → *paresseux.*

FLÉTRI, E → *fané.*

FLÉTRIR I. Au pr. : altérer, décolorer, défraîchir, faner, froisser, gâter,
rider, sécher, ternir. **II. Par ext. :**
abaisser, abattre, avilir, blâmer, condamner, corrompre, décourager, défleurir, désespérer, déshonorer, désoler, dessécher, diffamer, enlaidir,
gâter, mettre au pilori, punir, salir,
souiller, stigmatiser, tarer, ternir.

FLÉTRIR (SE) S'abîmer, passer,
vieillir, *et les formes pronom. possibles
des syn. de* FLÉTRIR.

FLÉTRISSURE I. → *blâme.* **II.**
→ *honte.*

FLEUR (Fig.) **I.** → *ornement.* **II.**
→ *lustre.* **III.** → *perfection.* **IV.**
→ *choix.* **V.** → *phénix.* **VI. Loc.
Couvrir de fleurs** → *louer.*

FLEURER → *sentir.*

FLEURET → *épée.*

FLEURETTE → *galanterie.*

FLEURIR I. V. tr. → *orner.* **II. V.
intr. 1.** → *éclore, s'épanouir.*
2. Par ext. : bourgeonner, briller,
croître, se développer, embellir, enjoliver, s'enrichir, être florissant/pros-
père, faire florès, se former, gagner,

grandir, se propager, prospérer.

FLEUVE → *cours (d'eau).*

FLEXIBLE I. Au pr. : élastique, maniable, mou, plastique, pliable, pliant,
souple. **II. Fig. :** docile, ductile,
influençable, malléable, maniable,
obéissant, soumis, souple, traitable.

FLEXION I. → *fléchissement.* **II.**
→ *terminaison.*

FLIBUSTIER → *corsaire.*

FLIRT I. → *béguin.* **II.** → *caprice.*

FLOPÉE → *multitude.*

FLORAISON Anthèse, éclosion, efflorescence, épanouissement, estivation,
fleuraison.

FLORE → *végétation.*

FLORÈS Loc. Faire florès →
fleurir et *briller.*

FLORILÈGE → *anthologie.*

FLORISSANT, E A l'aise, beau,
brillant, heureux, prospère, riche,
sain.

FLOT I. Au pr. → *marée.* **II. Fig.**
→ *multitude.* **III. Plur.** → *ondes.*

FLOTTE I. Au pr. : armada, équi-
pages, escadre, flottille, force navale,
marins, marine. **II. Fam.** → *eau.*

FLOTTEMENT I. → *hésitation.*
II. → *désordre.*

FLOTTER v. tr. et intr. I. Au pr. :
affleurer, émerger, être à flot, nager,
surnager. **II. Par ext. 1.** Agiter,
brandiller, errer, ondoyer, onduler,
voguer, voler, voltiger. **2.** → *hésiter.*

FLOU, E Brouillardeux, brouillé,
brumeux, effacé, fondu, fumeux,
incertain, indécis, indéterminé, indistinct, lâche, léger, nébuleux, trouble,
vague, vaporeux.

FLOUER I. → *tromper.* **II.** → *voler.*

FLUCTUATION → *variation.*

FLUER → *couler.*

FLUET, ETTE → *menu.*

FLUIDE I. Nom masc. : courant,
effluve, flux, liquide. **II. Adj. :**
clair, coulant, dilué, fluctuant, insaisissable, insinuant, instable, limpide,
liquide, mouvant.

FLÛTE Allemande, chalumeau, diaule,
fifre, flageolet, flûteau, flûte de Pan,
galoubet, larigot, mirliton, ocarina, oc-
tavin, piccolo, pipeau, piffero, syrinx,
traversière.

FLUX I. → *marée.* **II.** → *écoulement.*

FLUXION → *gonflement.*

FŒTUS I. Au pr. : embryon, germe,
œuf. **II. Par ext. :** avorton, gringalet,
mauviette.

FOI I. L'objet de la foi : conviction,
créance, credo, croyance, dogme,
évangile, mystique, religion. **II. La
qualité. 1.** → *confiance.* **2.** → *exactitude.* **3.** Droiture, engagement,

franchise, honnêteté, honneur, loyauté, parole, probité, promesse, sincérité. **4. Loc.** Bonne foi → franchise. Mauvaise foi → tromperie. Faire foi → prouver.

FOIRE I. Au pr. 1. → marché. **2.** → fête. **3.** → exposition. **II. Fam. et vx** → diarrhée.

FOISON (À) I. → abondant. **II.** → beaucoup.

FOISONNER → abonder.

FOLÂTRE → gai.

FOLÂTRER → batifoler.

FOLICHON, ONNE → gai.

FOLICHONNER → batifoler.

FOLIE I. Au pr. : aliénation mentale, délire, démence, dépression, dérangement, déraison, déséquilibre, égarement, extravagance, fureur, idiotie, maladie mentale, manie, névrose, psychose, rage, vésanie. **II. Par ext. 1.** → aberration. **2.** → bêtise. **3.** → obstination. **4.** → manie. **5.** → habitation.

FOLKLORE Légende, mythe, romancero, saga, tradition.

FOLLET, ETTE I. → fou. **II.** → capricieux. **III. Loc. Esprit follet** → génie.

FOLLICULAIRE → journaliste.

FOMENTER → exciter.

FONCER → élancer (s').

FONCIER, ÈRE I. → inné. **II.** → profond. **III. Nom masc. :** cadastre, immeubles, impôt sur les immeubles.

FONCIÈREMENT A fond, extrêmement, naturellement, tout à fait.

FONCTION → emploi.

FONCTIONNAIRE → employé.

FONCTIONNER I. → agir. **II.** → marcher.

FOND I. De quelque chose : abysse, bas, base, bas-fond, creux, cul, cuvette, fondement. **II. Par ext. 1.** Base, substratum, tissure, toile. **2. Peint. :** champ, perspective, plan. **3.** Essence, nature, naturel. **4.** → caractère. **5.** → matière. **6.** → intérieur.

FONDAMENTAL, E → principal.

FONDATION I. → établissement. **II.** Appui, assiette, assise. → fondement.

FONDEMENT I. Au pr. : base, fondation, infrastructure, pied, soubassement, sous-œuvre, soutènement, soutien, substruction, substructure. **II. Par ext.** → cause. **III.** Cul, postérieur. → fessier.

FONDER I. Au pr. : appuyer, asseoir, bâtir, créer, élever, enter, ériger, établir, instituer, lancer, mettre, poser. **II. Par ext. :** échafauder, justifier, motiver, tabler.

FONDERIE Aciérie, forge, haut fourneau, métallurgie, sidérurgie.

FONDRE I. V. tr. 1. On fond quelque chose : désagréger, dissoudre, liquéfier, vitrifier. **2. Fig. :** adoucir, attendrir, atténuer, dégeler, diminuer, dissiper, effacer, estomper, mélanger, mêler, unir. **II. V. intr. 1.** S'amollir, brûler, couler, se désagréger, disparaître, se dissiper, se résorber, se résoudre. **2. Fig. :** diminuer, maigrir.

FONDS I. → terre. **II.** → établissement. **III.** → argent. **IV.** → bien.

FONTAINE → source.

FONTE I. → fusion. **II.** → type.

FORAIN I. → nomade. **II.** → saltimbanque. **III.** → marchand forain.

FORBAN → corsaire.

FORÇAT → bagnard.

FORCE I. Au pr. : capacité, dynamisme, énergie, intensité, potentiel, pouvoir, puissance, violence. **II. Par ext. 1. Force physique :** biceps, fermeté, muscle, puissance, résistance, robustesse, santé, sève, solidité, verdeur, vigueur, virilité. **2.** → capacité. **3.** → contrainte. **III. Adv.** → beaucoup. **IV. Au pl. 1.** → troupes. **2.** Cisaille, ciseaux, tondeuse.

FORCÉ, E I. → inévitable. **II.** → artificiel. **III.** → étudié. **IV.** → excessif. **V.** → obligatoire.

FORCENÉ, E adj. et n. → furieux.

FORCER I. → obliger. **II.** → ouvrir. **III.** → prendre. **IV.** → détériorer.

FORER → percer.

FORESTIER, ÈRE Sylvestre, sylvicole.

FORÊT → bois.

FORFAIRE → manquer.

FORFAIT, FORFAITURE I. → malversation. **II.** → trahison.

FORFAITAIRE A prix convenu/fait, en bloc, en gros, en tout.

FORFANTERIE → hâblerie.

FORGER (Fig.) **I.** → inventer. **II.** → former.

FORLIGNER → dégénérer.

FORMALISER (SE) → offenser (s').

FORMALISTE adj. et n. Cérémonieux, façonnier, solennel.

FORMALITÉ I. Convenances, démarches, forme, règle. **II. Péj. :** chinoiseries, paperasses, tracasseries.

FORMAT → dimension.

FORMATION I. Composition, conception, concrétion (géol.), constitution, élaboration, génération, genèse, gestation, organisation, production, structuration. **II.** → instruction. **III.** → troupe.

FORME I. Aspect, configuration, conformation, contour, dessin, état, façon, figure, format, formule, ligne, manière, silhouette, tracé. **II.** →

style. **III.** → *formalité.* **IV.** → *moule.*
V. Au pl. → *façons.*

FORMEL, ELLE I. → *absolu.* **II.** →
clair. **III.** → *évident.*

FORMELLEMENT → *absolument.*

FORMER I. Au pr. : aménager,
arranger, assembler, bâtir, composer,
conformer, constituer, façonner, forger,
modeler, mouler, pétrir, sculpter.
II. Par ext. : cultiver, dégrossir,
éduquer, faire, instruire, perfectionner,
polir. **III.** → *énoncer.*

FORMIDABLE I. → *extraordinaire.*
II. → *terrible.*

FORMULE I. → *expression.* **II.**
→ *forme.*

FORMULER → *énoncer.*

FORT I. Nom masc. → *forteresse.*
II. Adv. 1. → *beaucoup.* **2.** → *très.*
III. Adj. 1. Au phys. : athlétique,
bien charpenté, costaud, dru, ferme,
grand, gros, herculéen, musclé, puissant, râblé, résistant, robuste, solide,
vigoureux. **2. Par ext.** → *excessif,*
capable, instruit.

FORTERESSE Bastille, blockhaus,
casemate, château, château fort,
citadelle, fort, fortification, fortin,
ouvrage, place forte, repaire.

FORTIFIANT Analeptique, cordial,
corroborant, énergétique, excitant,
réconfortant, reconstituant, remontant, roboratif, stimulant, tonique.

FORTIFICATION → *forteresse.*

FORTIFIER I. Affermir, armer, consolider, équiper, renforcer. → *proté-*
ger. **II.** Aider, assurer, conforter,
corroborer, corser, réconforter, tremper.

FORTIN → *forteresse.*

FORTUIT, E → *contingent.*

FORTUITEMENT Accidentellement,
à l'occasion, occasionnellement, par
hasard.

FORTUNE I. → *bien.* **II.** → *desti-*
née. **III.** → *hasard.*

FORTUNÉ, E I. → *riche.* **II.** →
heureux.

FOSSE I. Boyau, cavité, douve,
excavation, fossé, fouille, rigole,
tranchée. **II.** → *tombe.*

FOSSE D'AISANCES → *water-*
closet.

FOSSÉ I. → *fosse.* **II.** → *rigole.*
III. → *séparation.*

FOSSILE Par ext. → *vieux.*

FOU, FOLLE n. et adj. **I. Au**
pr. : aliéné, cerveau fêlé, dément,
déséquilibré, détraqué, furieux, halluciné, interné, malade, malade mental, maniaque, névrosé, paranoïaque,
psychopathe, schizophrène. **II. Fam.**
et par ext. : braque, cinglé, dingo,
dingue, fêlé, follet, frappé, jobard
(arg.), louf, loufoque, louftingue, ma-

boul, marteau, piqué, sonné, tapé,
timbré, toc-toc, toqué. **III. Fig. 1.**
→ *insensé.* **2.** → *extraordinaire.* **3.**
→ *excessif.* **4.** → *épris.* **5.** → *gai.*

FOUAILLER → *cingler.*

FOUCADE Coup de tête, fougasse.
→ *caprice.*

FOUDRE I. Nom masc. → *tonneau.*
II. Nom fém. : éclair, épars, feu du
ciel, fulguration, tonnerre.

FOUDRES → *colère.*

FOUDROYANT, E I. → *fulminant.*
II. → *soudain.*

FOUDROYÉ, E → *interdit.*

FOUDROYER I. → *frapper.* **II.**
→ *vaincre.*

FOUET Chambrière, chat à neuf
queues, discipline, étrivières, martinet.

FOUETTER I. Au pr. 1. → *cingler.*
2. → *frapper.* **II. Par ext.** → *exciter.*
III. Arg. → *puer.*

FOUGASSE Coup de tête, foucade.
→ *caprice.*

FOUGUE → *impétuosité.*

FOUGUEUX, EUSE → *impétueux.*

FOUILLE → *fosse.*

FOUILLER Chercher, farfouiller
(fam.), explorer, fouiner, fourgonner,
fureter, inventorier, sonder, trifouiller
(fam.), tripatouiller (fam.).

FOUILLIS → *désordre.*

FOUIR → *creuser.*

FOULARD → *fichu.*

FOULE Affluence, cohue, masse,
monde, multitude, peuple, populace,
presse.

FOULÉE I. → *pas.* **II.** → *trace.*

FOULER I. Accabler. → *charger.*
II. → *marcher.* **III.** → *presser.* **IV.**
→ *meurtrir.*

FOULER (SE) Se biler (fam.), s'en
faire (fam.), se fatiguer. → *travailler.*

FOUR I. Étuve, fournaise. **II. Fig.**
→ *insuccès.*

FOURBE I. → *faux.* **II.** → *trompeur.*

FOURBIR → *frotter.*

FOURBI → *bazar.*

FOURBU, E → *fatigué.*

FOURCHE Par ext. : bifurcation,
bivoie, bretelle, carrefour, embranchement, raccordement.

FOURGONNER v. tr. et intr. →
fouiller.

FOURMILIÈRE,   FOURMILLE-
MENT → *multitude.*

FOURMILLER I. → *abonder.* **II.**
→ *remuer.*

FOURMIS Par ext. → *picotement.*

FOURNAISE I. → *four.* **II.** →
brasier.

FOURNÉE → *groupe.*

FOURNI, E I. Approvisionné, armé, garni, livré, muni, nanti, pourvu, servi. **II.** → *épais.*

FOURNIMENT → *bagage.*

FOURNIR Approvisionner, armer, assortir, dispenser, garnir, meubler, munir, nantir, pourvoir, procurer.

FOURNISSEUR → *commerçant.*

FOURNITURE Prestation. → *provision.*

FOURRAGER v. tr. et intr. **I.** → *ravager.* **II.** → *fouiller.*

FOURRÉ Breuil, buisson, épines, haie, hallier, massif, ronces.

FOURREAU → *enveloppe.*

FOURRER I. → *introduire.* **II.** → *mettre.* **III.** → *emplir.*

FOURRURE → *poil.*

FOURVOYER (SE) → *égarer (s').*

FOYER I. Au pr. : âtre, brasier, cheminée, feu, fournaise, incendie. **II. Par ext. 1.** → *famille.* **2.** → *maison.* **3.** → *salle.* **4.** → *centre.*

FRACAS → *bruit.*

FRACASSER → *casser.*

FRACTION I. L'action : cassure, division, fission, fracture, partage, scission, séparation. **II. Le résultat :** élément, fragment, morceau, parcelle, part, partie, quartier, tronçon.

FRACTIONNER → *partager.*

FRACTURE → *fraction*

FRACTURER → *casser.*

FRAGILE I. Cassant. **II.** → *faible.* **III.** → *périssable.*

FRAGMENT I. → *fraction* **II.** → *morceau.*

FRAGMENTER → *partager.*

FRAÎCHEUR I. Au pr. : fraîche, frais, froid, humidité. **II. Par ext. 1.** → *grâce.* **2.** → *lustre.*

FRAIS, FRAÎCHE I. → *froid.* **II.** → *nouveau.* **III.** → *reposé.*

FRAIS → *dépense.*

FRANC, FRANCHE Carré (fam.), catégorique, clair, cordial, entier, libre, net, ouvert, parfait, rond (fam.), sans-façon, simple, sincère, vrai.

FRANCHIR Boire l'obstacle (fam.), dépasser, enjamber, escalader, sauter, surmonter. → *passer.*

FRANCHISE I. Abandon, bonne foi, confiance, cordialité, droiture, netteté, rondeur, simplicité, sincérité. **II.** → *vérité.* **III.** → *liberté.*

FRANCO Gratis, gratuitement, port payé, sans frais.

FRANC-TIREUR → *soldat.*

FRANQUETTE (À LA BONNE) Loc. adv. : sans façon, simplement.

FRAPPANT, ANTE → *émouvant.*

FRAPPE I. → *marque.* **II.** → *fripouille.*

FRAPPÉ, E I. → *ému.* **II.** → *fou.*

III. Congelé, frais, froid, glacé, rafraîchi, refroidi.

FRAPPER I. Assener un coup, claquer, cogner, férir (vx), fouetter, heurter, marteler, percuter, pianoter, tambouriner, taper, tapoter, toquer. **II.** → *battre.* **III.** → *toucher.* **IV.** → *émouvoir.* **V.** → *punir.* **VI.** → *refroidir.*

FRASQUE → *fredaine.*

FRATERNISER S'accorder, se comprendre, s'entendre, être de connivence/d'intelligence, contracter amitié, faire bon ménage, se lier, nouer amitié, pactiser, se solidariser, sympathiser, s'unir.

FRATERNITÉ Accord, amitié, bonne intelligence, bons termes, camaraderie, charité, communion, compagnonnage, concert, concorde, confiance, conformité, ensemble, entente, harmonie, intelligence, solidarité, sympathie, union, unisson.

FRAUDE → *tromperie.*

FRAUDER v. tr. et intr. **I.** → *altérer.* **II.** → *tromper.*

FRAYER I. V. tr. : établir, entrouvrir, percer, tracer. → *ouvrir.* **II. V. intr. :** aller/commercer/converser/être en relation avec, fréquenter, se frotter à/avec (fam.), hanter, pratiquer, voir, voisiner.

FRAYEUR Affolement, affres, alarme, angoisse, anxiété, appréhension, consternation, crainte, effroi, épouvante, épouvantement (vx), frousse (fam.), horreur, inquiétude, panique, pétoche (fam.), peur, terreur, trac, transe, tremblement, trouille (fam.).

FREDAINE Aberration, débordement, dévergondage, disparate (vx), écart, échappée, équipée, erreurs (péj.), escapade, extravagance, faute (péj.), faux pas, folie, frasque, impertinence, incartade, incorrection, irrégularité, manquement, relâchement. → *bêtise.*

FREDONNER → *chanter.*

FREIN I. → *mors.* **II.** → *obstacle.*

FREINER I. Au pr. : arrêter, bloquer, ralentir, retenir, serrer, stopper. **II. Fig. :** enrayer, faire obstacle *et les syn. de* OBSTACLE. → *modérer.*

FRELATER Abâtardir, adultérer, affaiblir, aigrir, appauvrir, atténuer, avarier, avilir, bricoler (fam.), changer, contrefaire, corrompre, décomposer, défigurer, déformer, dégénérer, dégrader, déguiser, dénaturer, dépraver, détériorer, détraquer, farder, fausser, frauder, gâter, maquiller, modifier, salir, tarer, tronquer, truquer, vicier. → *altérer.*

FRÊLE → *faible.*

FRELUQUET I. Avorton, aztèque, demi-portion, efflanqué, faible, gringalet, mauviette, minus. **II.** → *galant*.

FRÉMIR → *trembler*.

FRÉNÉSIE I. Au pr. : agitation, aliénation, bouillonnement, délire, delirium tremens, divagation, égarement, emportement, exaltation, excitation, fièvre, folie, hallucination, ivresse, paroxysme, surexcitation, transes. **II. Par ext.** *Non favorable* → *fureur*.

FRÉNÉTIQUE I. → *furieux*. **II.** → *violent*. **III.** → *chaud*.

FRÉQUEMMENT Continuellement, d'ordinaire, généralement, habituellement, journellement, maintes fois, plusieurs fois, souvent.

FRÉQUENCE → *répétition*.

FRÉQUENTATION I. Au pr. : accointance, attache, bonne/mauvaise intelligence, bons/mauvais termes, commerce, communication, compagnie, contact, correspondance, habitude, intimité, liaison, lien, rapport, relation, société. **II. Par ext. 1.** Amour, amourette. → *béguin*. **2.** Assiduité, exactitude, ponctualité, régularité.

FRÉQUENTER Aller/commercer/converser avec, courir (fam. et péj.), cultiver, être en relation avec, frayer, se frotter à/avec (fam.), hanter, pratiquer, voir, voisiner.

FRESQUE I. Au pr. → *peinture*. **II. Fig.** → *image*.

FRET I. Au pr. : charge, chargement, marchandise. **II. Par ext. :** batelée, capacité, cargaison, contenu, faix, fardeau, lest, poids, quantité, voiturée.

FRÉTER Mar. : affréter, louer, noliser.

FRÉTILLER Se trémousser. → *remuer*.

FRETIN I. Au pr. : alevin, blanchaille, frai, menuaille, nourrain, poissonnaille. **II. Fig.** → *rebut*.

FRIAND, E I. Quelqu'un : amateur, avide de → *gourmand*. **II. Quelque chose :** affriolant, agréable, alléchant, appétissant, engageant, ragoûtant, savoureux, séduisant, succulent, tentant.

FRIANDISE Bonbon, chatterie, confiserie, douceur, gourmandise, nanan (fam.), sucreries.

FRICASSÉE I. Au pr. → *ragoût*. **II. Fig.** → *mélange*.

FRICASSER I. Au pr. : braiser, cuire, cuisiner, faire revenir/sauter, fricoter, frire, griller, mijoter, mitonner, préparer, rissoler, rôtir. **II. Fig.** → *dépenser*.

FRICHE I. Au pr. : brande, brousse, garrigue, gâtine, jachère, lande, maquis, varenne. **II. Par ext.** → *pâturage*.

FRICOT I. → *ragoût*. **II.** → *cuisine*.

FRICOTER I. Au pr. → *fricasser*. **II. Fig.** → *trafiquer*.

FRICTIONNER Frotter, masser, oindre.

FRIGIDITÉ I. Flegme, froid, froideur, impassibilité, indifférence, insensibilité, mésintelligence. **II.** Apathie, impuissance, incapacité, inhibition, insuffisance, mollesse.

FRIGORIFÈRE Armoire frigorifique, chambre froide, congélateur, conservateur, Frigidaire (marque déposée), frigorifique, frigorigène, glacière, réfrigérateur.

FRIGORIFIER Congeler, frapper, glacer, réfrigérer, refroidir.

FRIMAS Brouillard, brouillasse, bruine, brume, crachin, embrun, froid, froidure (vx), gelée, hiver, mauvais temps.

FRIMOUSSE (Fam.) Bec, bobine (fam.), bouille (fam.), minois, museau. → *visage*.

FRINGALE I. Au pr. : appétit, avidité, besoin, boulimie, creux, dent, faim, famine, voracité. **II. Fig.** → *ambition*.

FRINGANT, E Actif, agile, alerte, allègre, animé, ardent, brillant, chaleureux, dégagé, déluré, dispos, éveillé, fougueux, frétillant, gaillard, guilleret, ingambe, léger, leste, mobile, pétillant, pétulant, primesautier, prompt, rapide, sémillant, vif, vivant.

FRINGUER I. V. tr. : accoutrer, affubler (péj.), ajuster, arranger, costumer, couvrir, déguiser, draper, endimancher, envelopper, équiper, fagoter (péj.), ficeler (péj.), habiller, nipper, travestir. → *vêtir*. **II. V. intr.** → *sauter*.

FRIPON, FRIPONNE n. et adj. **I. Au pr. :** aigrefin, bandit, chevalier d'industrie, coquin, coupeur de bourses, dérobeur, détrousseur, escroc, estampeur, faiseur, filou, flibustier, fripouille, pickpocket, pipeur, pirate, rat d'hôtel, tricheur, vaurien, videgousset. → *voleur*. **II. Par ext. :** coquin, espiègle, malin, polisson.

FRIPOUILLE Arsouille, aventurier, bandit, bon à rien, brigand, canaille, chenapan, coquin, crapule, débauché, dévoyé, drôle, fainéant, frappe, fripon, fumier (grossier), galapiat, galopin, gangster, garnement, gens de sac et de corde, gibier de potence, gouape, gouspin, maquereau, nervi, plat personnage, poisse, ribaud (vx), rossard, sacripant, salaud (grossier), sale/triste coco (fam.) / individu / personnage/type (fam.), saligaud (grossier), saloperie (grossier), scélérat, truand, vaurien, vermine, vicieux, voyou. → *voleur*.

FRIRE → *fricasser*.

FRISÉ, E Annelé (vx), bouclé, calamistré, crêpé, crépelé, crépu, frisotté, ondulé.

FRISER I. Au pr. : canneler (vx), boucler, calamistrer, crêper, faire une mise en pli/une permanente, frisotter, mettre en plis, moutonner. **II. Par ext. 1.** → *effleurer*. **2.** → *risquer*.

FRISSON I. Au pr. : claquement de dents, convulsion, crispation, frémissement, frissonnement, haut-le-corps, horripilation, saisissement, soubresaut, spasme, sursaut, tremblement, tressaillement. **II. Par ext.** : bruissement, friselis, froissement, froufrou.

FRISSONNANT, E Par ext. : claquant des dents, frémissant, gelé, glacé, grelottant, morfondu, transi, tremblant.

FRISSONNER I. Au pr. : avoir froid, claquer des dents, frémir, grelotter, trembler, tressaillir. **II. Par ext.** : clignoter, scintiller, trembloter, vaciller.

FRITURE I. Au pr. → *poisson*. **II. Par ext.** → *grésillement*.

FRIVOLE Badin, désinvolte, écervelé, folâtre, futile, inconséquent, inconstant, inepte (péj.), insouciant, léger, superficiel, volage.

FRIVOLITÉ I. Au pr. 1. De quelqu'un : inconstance, insouciance, légèreté, puérilité, vanité. **2. Quelque chose :** affiquet, amusement, amusette, amusoire, babiole, baliverne, bêtise, bibelot, bimbelot, breloque, bricole, brimborion, caprice, colifichet, connerie (vulg.), fanfreluche, fantaisie, futilité, rien. **II. Par ext. 1. Neutre ou favorable :** amusement, badinerie, bricole (fam.), broutille, futilité, jeu, mode, plaisanterie, rien. **2. Non favorable :** baliverne, bêtise, chanson, fadaise, futilité, sornette, sottise, vétille.

FROID, E I. Au pr. : congelé, frais, frappé, frisquet (fam.), froidi, glacé, glacial, hivernal, polaire, rafraîchissant, réfrigéré, refroidi. **II. Fig. 1. Quelqu'un :** dédaigneux, distant, fier, flegmatique, frais, glaçant, glacial, hostile, impassible, inamical, indifférent, réfrigérant, renfermé. **2. Quelque chose** → *fade*.

FROID, FROIDEUR I. Au pr. : froidure (vx). **II. Par ext.** : flegme, frigidité, gêne, impassibilité, indifférence, malaise, mésintelligence.

FROISSER I. Au pr. 1. Aplatir, bouchonner, broyer, chiffonner, écraser, fouler, friper, frotter, piétiner. **2.** → *meurtrir*. **II. Fig. 1.** Blesser, choquer, dépiter, déplaire à, désobliger, fâcher, heurter, indisposer, mortifier, offenser, offusquer, piquer/

toucher au vif, ulcérer, vexer. **2.** → *aigrir*. **3.** → *affliger*.

FROISSER (SE) Se fâcher, se piquer, prendre la mouche (fam.), *et les formes pronom. possibles des syn. de* FROISSER.

FRÔLER I. Au pr. : effleurer, friser, passer près, raser, toucher. → *caresser*. **II. Par ext.** → *risquer*.

FROMENT Blé.

FRONCÉ, E I. Quelque chose : doublé, fraisé, ondulé, plié, plissé, ruché. **II. Par ext. 1.** Chiffonné, fripé, froissé. **2.** Grimaçant, raviné, ridé.

FRONCEMENT I. → *pli*. **II.** Grimace, lippe, mimique, mine, moue, plissement, rictus.

FRONDAISON I. Au pr. : branchage, branches, feuillage, feuillée, feuilles, rameau, ramée, ramure, verdure. **II. Par ext.** : abri, ombrages, ombre.

FRONDER Attaquer, brocarder, chahuter, chansonner, critiquer. → *railler*.

FRONDEUR, EUSE Contestataire, critique, dissipé, esprit fort, hâbleur, indiscipliné, moqueur, perturbateur, railleur, rebelle.

FRONT I. Au pr. : face, figure, tête. → *visage*. **II. Par ext. 1.** → *hardiesse*. **2.** → *sommet*. **3.** → *lignes*. **4.** → *coalition*. **5.** → *façade*.

FRONTIÈRE Bord, bordure, borne, bout, confins, démarcation, extrémité, fin, ligne, limite, limite territoriale, marche, mur, terme.

FRONTISPICE Avis, en-tête, introduction, préface.

FROTTER Astiquer, bichonner (fam.), briquer (fam.), cirer, éroder, essuyer, fourbir, frictionner, froisser, lustrer, nettoyer, polir, poncer, racler, récurer.

FROTTER (SE) Par ext. I. → *fréquenter*. **II.** → *attaquer*.

FROUSSARD, E adj. et n. Capitulard, capon, cerf (vx), dégonflé, embusqué, foireux (fam.), Jean-fesse (fam.), Jean-foutre (fam.), lâche, lièvre, péteux (fam.), peureux, pied-plat (fam.), pleutre, poltron, poule mouillée (fam.), pusillanime, timide, trouillard (fam.).

FROUSSE Affolement, affres, alarme, alerte, angoisse, appréhension, aversion, couardise, crainte, effroi, épouvante, foire (fam.), frayeur, frisson, hantise, inquiétude, lâcheté, malepeur (vx), panique, pétoche (fam.), phobie, pusillanimité, saisissement, souleur (vx), terreur, trac, trouble, trouille (fam.), venette (fam.), vesse (fam.).

FRUCTIFIER Abonder en, donner, être fécond, fournir, se multiplier,

porter, produire, rapporter, rendre.
→ *croître.*

FRUCTUEUX, EUSE Abondant,
avantageux, bon, fécond, fertile,
juteux (fam.), lucratif, payant, productif, profitable, rémunérateur, rentable, salutaire, utile.

FRUGALITÉ Abstinence, modération,
sobriété, tempérance.

FRUGIVORE n. et adj. Herbivore,
végétarien.

FRUIT I. Au pr. : agrume, akène,
baie, grain, graine. **II. Par ext. 1.**
→ *fils.* **2.** → *profit.* **3.** → *résultat.*
4. → *recette.*

FRUSTE Balourd (fam.), béotien
bêta (fam.), grossier, inculte, lourd,
lourdaud, paysan du Danube, primitif,
rude, rudimentaire, rustaud (fam.),
rustique, rustre, sauvage, simple. →
paysan.

FRUSTRER Appauvrir, démunir, déposséder, dépouiller, déshériter, enlever, ôter, priver, ravir, sevrer, spolier.
→ *voler.*

FUGACE I. Au pr. : changeant,
fugitif, fuyant. **II. Par ext. :** bref,
court, éphémère, momentané, passager, périssable.

FUGITIF, IVE I. Nom : banni, évadé,
fuyard, proscrit. **II. Adj. :** bref,
court, éphémère, évanescent, fugace,
fuyant, inconstant, instable, mobile,
mouvant, passager, transitoire, variable.

FUGUE Absence, bordée, échappée,
équipée, escapade, escampativos
(fam. et vx), frasque, fredaine.

FUIR I. V. tr. → *éviter.* **II. V.
intr. 1.** Abandonner, s'en aller,
décamper, déguerpir, déloger, déménager à la cloche de bois (fam.),
se dérober, détaler, disparaître, s'é-
chapper, s'éclipser, s'éloigner, s'enfuir, s'envoler, s'escamper (vx), s'esquiver, s'évader, faire un pouf (péj.),
filer, gagner le large, jouer/se tirer
des flûtes, jouer les filles de l'air (fam.),
lever le pied, partir, passer, planter un
drapeau (fam.), plier bagages (fam.),
prendre la clef des champs (fam.)/la
poudre d'escampette (fam.) / ses
jambes à son cou (fam.), se retirer, se
sauver. **2.** → *passer.* **3.** → *couler.* **4.**
→ *perdre.*

FUITE I. Au pr. : abandon, débâcle, débandade, déroute, dispersion,
échappement (vx), échappée, émigration, escapade, évasion, exode,
fugue, panique, sauve-qui-peut. **II.
Par ext. 1.** Écoulement, déperdition,
perte. **2.** Migration, passage, vol.
III. Fig. : défaite, dérobade, dilatoire,
échappatoire, escobarderie, excuse,
faux-fuyant, pantalonnade, pirouette,
subterfuge, volte-face.

FULGURANT, E I. Brillant, écla-

tant, étincelant. **II.** Foudroyant,
rapide, soudain. → *violent.*

FULGURATION Éclair, épart, feu,
foudre.

FULGURER Brasiller, briller, chatoyer, étinceler, luire, pétiller, scintiller.

FULIGINEUX, EUSE I. Au pr. :
enfumé, fumeux. **II. Par ext. :**
assombri, noir, obscur, opaque,
sombre, ténébreux. **III. Fig.** →
obscur.

FULMINANT, E I. Foudroyant,
tonitruant, vociférant. **II.** Agressif,
comminatoire, grondant, inquiétant,
menaçant.

FULMINER Crier, déblatérer, déclamer, invectiver, pester, tempêter,
tonner. → *injurier.*

FUMANT, E I. Au pr. : crachant
la fumée, fuligineux, fumeux. **II.
Fig.** → *furieux.*

FUMÉE I. Au pr. : buée, émanation, exhalaison, fumerolle, gaz, mofette, nuage, nuée, vapeur. **II. Fig.
1.** Chimère, erreur, fragilité, frivolité,
futilité, illusion, inanité, inconsistance, inefficacité, insignifiance, inutilité, mensonge, néant, pompe, vanité, vapeur, vent, vide. → *orgueil.*
2. → *ivresse.* **3. Au pl.** (vén.) →
excréments.

FUMER I. Boucaner. **II. Du tabac.**
Péj. : mégoter, pipailler, pétuner
(vx). **III. Fig. :** bisquer (fam.),
écumer, endêver, enrager, être en
colère/en fureur/en pétard (fam.)/en
rogne (fam.), rager, râler (fam.), rogner
(fam.), ronchonner, se ronger les
poings, rouspéter (fam.).

FUMET Arôme, bouquet, fragrance.
→ *odeur.*

FUMEUX, EUSE I. → *fumant.*
II. → *enivrant.* **III.** → *obscur.*

FUMIER Amendement, apport, compost, engrais, fertilisation, poudrette,
terre de bruyère.

FUMISTE (Fig.) **I.** → *farceur.*
II. → *plaisant.*

FUMISTERIE (Fig.) **I.** → *invention.*
II. → *tromperie.*

FUNAMBULESQUE I. → *extraordinaire.* **II.** → *ridicule.*

FUNÈBRE I. Au pr. : funéraire,
macabre, mortuaire. **II. Par ext.**
→ *triste.*

FUNÉRAILLES Convoi, deuil, derniers devoirs/honneurs, ensevelissement, enterrement, inhumation, mise
en bière/au sépulcre/au tombeau,
obsèques, sépulture.

FUNESTE Déplorable, dommageable,
fâcheux, fatal, malheureux, mauvais,
mortel, néfaste. → *affligeant.*

FURETER Chercher, farfouiller (fam.),
fouiller, fouiner, fourgonner (fam.),
trifouiller (fam.), tripatouiller (fam.).

FURETEUR, EUSE Casse-pieds (fam.), chercheur, curieux, écouteur, espion, fouinard (fam.), fouineur, indiscret, inquisiteur, inquisitif, inquisitorial, touche-à-tout.

FURIBARD, E, FURIBOND, E → furieux.

FURIE I. →.fureur. **II.** Dame de la halle, dragon, gendarme, grenadier, grognasse, harengère, harpie, junon, maritorne, mégère, ménade, poissarde, poufiasse, rombière, tricoteuse (vx), virago.

FURIEUX, SE I. Adj. : acharné, agité, courroucé, déchaîné, délirant, exacerbé, exalté, excessif, frénétique, fulminant, fumant, furibond, maniaque, possédé, violent. **II. Nom masc. :** énergumène, enragé, fanatique, forcené.

FURONCLE Abcès, anthrax, apostème, apostume, bouton, clou, enflure, pustule, tumeur.

FURTIF, IVE I. Au pr. : caché, clandestin, dissimulé, subreptice, secret. **II. Par ext. :** à la dérobée, discret, errant, fugace, fugitif, insinuant, rapide.

FURTIVEMENT A pas de loup, en cachette, en secret, et les adv. en -ment formés à partir des syn. de FURTIF.

FUSEAU I. Bobine, broche. **II.** → culotte.

FUSELÉ, E Allongé, délié, effilé, élancé, étroit, filiforme, fin, fluet, fragile, fusiforme, grêle, maigre, menu, mince, svelte, ténu.

FUSER Bondir, charger, débouler, s'élancer, s'élever, foncer, fondre, glisser, se jeter, piquer, se précipiter, se répandre, se ruer, sauter, tomber.

FUSIBLE I. Adj. Liquéfiable. **II. n. masc.** Plomb, sécurité.

FUSIL Arquebuse, carabine, chassepot, escopette, espingole, flingot (arg.), flingue (arg.), haquebute, lebel, mitraillette, mousquet, mousqueton, pétoire (fam.), rifle, sulfateuse (arg. et par ext.), tromblon.

FUSILLER I. Au pr. : canarder (fam.), exécuter, passer par les armes, tuer. **II. Fig. :** → abîmer.

FUSION I. Au pr. : fonte, liquéfaction, réduction. **II. Par ext.** → union.

FUSIONNEMENT → absorption, réunion.

FUSIONNER Accoupler, agréger, allier, amalgamer, apparier, assembler, associer, assortir, confondre, conjoindre, conjuguer, coupler, enter, fondre, joindre, lier, marier, mélanger, mêler, rapprocher, rassembler, relier, réunir, souder. → unir.

FUSTIGER I. Au pr. : battre, cravacher, cingler, flageller, fouailler, fouetter, frapper, sangler. **II. Par ext.** → réprimander.

FÛT I. → tonneau. **II.** → colonne.

FUTAIE Par ext. : bois, boqueteau, bosquet, bouquet d'arbres, breuil, châtaigneraie, chênaie, forêt, fourré, frondaison, hallier, hêtraie, massif d'arbres, pinède, sapinière, sousbois, sylve, taillis.

FUTAILLE → tonneau.

FUTÉ, E Adroit, astucieux, combinard (fam.), débrouillard, dégourdi, déluré, farceur, ficelle (péj.), fin, finaud, fine mouche, habile, madré, malicieux, malin, matois, renard (péj.), roué (péj.), rusé, sac à malices (fam.), spirituel, trompeur, vieux routier (fam.), vieux singe (péj.).

FUTILE Anodin, badin, désinvolte, évaporé, frivole, inconsistant, inepte (péj.), insouciant, léger, superficiel.

FUTILITÉ I. Au pr. 1. De quelqu'un : inconsistance, insouciance, légèreté, puérilité, vanité. **2. Quelque chose :** affiquet, amusement, amusette, amusoire, babiole, baliverne, bêtise, bibelot, breloque, bricole, brimborion, caprice, colifichet, connerie (vulg.), fanfreluche, fantaisie, frivolité, rien. **II. Par ext. 1. Neutre ou favorable :** amusement, badinerie, bricole (fam.), broutille, jeu, mode, plaisanterie, rien. **2. Non favorable :** baliverne, bêtise, chanson, fadaise, sornette, sottise, vétille.

FUTUR I. Au pr. : au-delà, autre vie, avenir, devenir, destinée, éternité, lendemain, non advenu/révolu, plus tard, postérieur, postériorité, suite, temps à venir/futur, ultérieur, ultériorité, vie éternelle (par ext.). **II. Vx ou région. :** accordé (vx), bien-aimé, fiancé, prétendu (région.), promis.

FUYANT, E I. → fuyard. **II.** Changeant, bref, court, éphémère, évanescent, fugace, fugitif, inconstant, instable, mobile, momentané, passager, périssable, transitoire, variable. **III.** → secret.

FUYARD, E n. et adj. Déserteur, évadé, fugitif, fuyant, lâcheur.

GABARIT Arceau, calibre, dimension, forme, mesure, modèle, patron, tonnage.

GABEGIE → *désordre*.

GABIER Gars de la marine (fam.), marin, matelot, mathurin, mousse.

GABLE Fronton, pignon.

GÂCHER I. Au pr. → *délayer*. **II. Par ext. 1.** Abîmer, bâcler, barbouiller, bousiller, cochonner, déparer, dissiper, enlaidir, galvauder, gaspiller, gâter, manquer, massacrer, perdre, rater, saboter, sabouler, saloper, saveter, torcher, torchonner. **2.** Anéantir, contrarier, diminuer, ruiner, supprimer.

GÂCHIS → *désordre*.

GADOUE Boue, compost, débris, détritus, engrais, fagne, fange, fumier, immondices, ordures, poudrette, terreau, vidange.

GAFFE I. Bâton, perche. **II.** Balourdise, bévue, blague, bourde, erreur, faute, gaucherie, impair, maladresse, sottise. → *bêtise*.

GAFFEUR, EUSE n. et adj. → *maladroit*.

GAG Blague, effet/invention/sketch comique.

GAGE I. Au sing. 1. Au pr. : arrhes, aval, caution, cautionnement, couverture, dépôt, garantie, hypothèque, nantissement, privilège, sûreté. **2. Par ext. :** assurance, preuve, témoignage. **II. Au pl. :** appointements, émoluments, paie (paye), rétribution, salaire, traitement.

GAGER I. Convenir, s'engager à, miser, parier, préjuger, promettre, risquer. **II.** → *affirmer*. **III.** → *garantir*.

GAGEURE Défi, mise, pari, risque.

GAGNANT, E n. et adj. → *vainqueur*.

GAGNER I. → *obtenir*. **II.** → *vaincre*. **III.** → *mériter*. **IV.** → *aller*. **V.** → *arriver*. **VI.** → *avancer*. **VII.** → *distancer*. **VIII.** Amadouer, apprivoiser, attirer, capter, captiver, charmer, se concilier, conquérir, convaincre, envoûter, persuader, séduire, subjuguer.

GAI, E I. Au pr. 1. Allègre, animé, badin, bon vivant, boute-en-train, content, enjoué, enthousiaste, espiègle, folâtre, folichon, fou, gaillard, guilleret, heureux, hilare, jovial, joyeux, joyeux drille/luron, mutin, réjoui, réjouissant, riant, rieur, rigoleur, souriant. **2.** Éméché, émoustillé, gris, parti. **II. Par ext. 1.** → *comique*. **2.** → *libre*.

GAIETÉ Alacrité, allégresse, animation, ardeur, badinage, bonheur, bonne humeur, contentement, enjouement, enthousiasme, entrain, exultation, gaillardise, goguette, hilarité, joie, jovialité, jubilation, liesse, plaisir, rayonnement, réjouissance, satisfaction, vivacité.

GAILLARD, E I. Adj. 1. → *gai*. **2.** → *libre*. **3.** → *valide*. **II. Nom. 1.** Bonhomme, bougre, compagnon, costaud, drille, drôle, gars, individu, lascar, loustic, luron, titi, zig, zigoto. **2. Mar. :** dunette, roof, teugue, vibord.

GAILLARDISE → *plaisanterie*.

GAIN I. → *bénéfice*. **II.** → *rétribution*.

GAINE → *enveloppe.*

GALA I. → *fête.* **II.** → *festin.*

GALANT, E I. Adj. 1. Quelqu'un : aguichant, amène, avenant, de bon goût, civil, coquet, courtois, distingué, élégant, empressé, entreprenant, fin, gracieux, hardi, libertin, poli, prévenant, sensuel, tendre, troublant, voluptueux. **2. Par ext.** → *érotique.* **II. Nom :** amant, amoureux, beau, blondin, bourreau des cœurs, cavalier, chevalier, céladon (vx), coq, coquard (vx), coureur, cupidon, damoiseau, don juan, fat (péj.), freluquet, galantin, godelureau, marcheur (péj.), minet, mirliflore, muguet (vx), play-boy, séducteur, soupirant, vert galant, vieux beau/marcheur (péj.). **III. Loc. Galant homme** (vx) : homme de bien, honnête homme (vx).

GALANTERIE I. Favorable : affabilité, agrément, amabilité, aménité, bonnes manières, civilité, complaisance, courtoisie, déférence, délicatesse, distinction, élégance, empressement, gentillesse, grâce, politesse, prévenance, respect, tendresse. **II. Non favorable. 1.** Coquetterie, coucherie, débauche, libertinage, prostitution. **2.** Douceurs, fadaises, fleurette, flirt, madrigal.

GALAPIAT → *vaurien.*

GALBE → *ligne.*

GALE I. Au pr. : grattelle, rogne. **II. Fig.** → *méchant.*

GALÉJADE → *plaisanterie.*

GALÈRE I. Au pr. : galéasse, galion, galiote, mahonne, prame, sultane, trière, trirème. **II. Fig. :** guêpier, pétaudière, piège, traquenard.

GALERIE I. Au pr. 1. → *passage.* **2.** → *vestibule.* **3.** → *balcon.* **4.** → *pièce.* **5.** → *souterrain.* **II. Par ext. 1.** → *musée.* **2.** → *collection.* **III. Fig.** → *public.*

GALÉRIEN → *bagnard.*

GALET → *pierre.*

GALETAS → *grenier.*

GALETTE I. Au pr. → *pâtisserie.* **II. Fig.** → *argent.*

GALIMAFRÉE → *ragoût.*

GALIMATIAS I. Au pr. : amphigouri, argot, baragouin, bigorne (vx), charabia, dialecte, discours embrouillé, embrouillamini, javanais, langage inintelligible, logographe, loucherbem, patagon, pathos, patois, phébus, pidgin, sabir, tortillage. **II. Par ext. :** désordre, fatras, fouillis, imbroglio, méli-mélo.

GALIPETTE → *cabriole.*

GALOCHE → *sabot.*

GALOP, GALOPADE Allure, canter, course.

GALOPER → *courir.*

GALOPIN → *gamin.*

GALVANISER → *enflammer.*

GALVAUDER I. V. tr. → *gâcher.* **II. V. intr.** → *traîner.*

GALVAUDEUX → *vagabond.*

GAMBADE → *cabriole.*

GAMBADER → *sauter.*

GAMBILLER → *remuer, danser.*

GAMIN, E I. Adj. → *enfantin.* **II. Nom :** apprenti, bébé, chenapan (péj.), enfant, galopin, garnement (péj.), gars, gavroche, gniard (arg.), gosse, marmiton, mioche, môme, morveux (péj.), moufflet (arg.), moujingue (arg.), moutard, polisson, titi, vaurien (péj.), voyou (péj.).

GAMME Par ext. → *suite.*

GANACHE → *bête.*

GANDIN → *élégant.*

GANGRENER → *gâter.*

GANGSTER → *bandit.*

GANT I. Gantelet, mitaine, moufle. **II. Loc. 1. Jeter le gant** → *braver.* **2. Mettre des gants** → *ménager.* **3. Se donner les gants** → *flatter (se).*

GARAGE → *remise.*

GARANT I. Quelque chose → *garantie.* **II. Quelqu'un :** caution, correspondant, endosseur, otage, parrain, répondant, responsable.

GARANTIE I. Arrhes, assurance, aval, caution, cautionnement, consignation, couverture, dépôt, engagement, gage, garant, hypothèque, obligation, palladium, parrainage, préservation, protection, responsabilité, salut, sauvegarde, sûreté, warrant. **II.** Attestation, cachet, certificat, estampille, poinçon.

GARANTIR I. Au pr. : abriter, assurer, avaliser, cautionner, couvrir, épargner, garder, immuniser, mettre à couvert, précautionner/prémunir contre, préserver/protéger de/contre, répondre, sauvegarder, sauver. **II. Par ext.** → *affirmer.*

GARÇON I. → *enfant.* **II.** → *fils.* **III.** → *célibataire.* **IV.** → *jeune homme.* **V.** → *employé.* **VI.** → *serveur.* **VII. Garçon de bureau** → *huissier.*

GARÇONNIER → *mâle.*

GARÇONNIÈRE → *appartement.*

GARDE I. Nom masc. : gardeur, gardien, veilleur, vigie. **II. Nom fém.** → *protection.* **III. Loc. Prendre garde** → *attention.*

GARDE-CORPS, GARDE-FOU → *balustrade.*

GARDE-MALADE → *infirmière.*

GARDER I. Au pr. → *conserver.* **II. Par ext. 1.** → *destiner.* **2.** → *garantir.* **3.** → *observer.* **4.** → *veiller sur.*

GARDER DE (SE) → *abstenir (s').*

GARDIEN, ENNE I. Au pr. 1. → *garde.* **2.** → *veilleur.* **3.** → *portier.* **4.** Argousin (vx), gaffe (arg.), geôlier, guichetier, maton (arg.), porte-clefs, surveillant. **II. Par ext.** : champion, conservateur, défenseur, dépositaire, détenteur, guide, mainteneur, protecteur, tuteur. **III. Gardien de la paix** → *policier.*

GARE → *arrêt.*

GARER (SE) → *éviter.*

GARGARISER (SE) Fig. → *régaler (se).*

GARGOTE I. → *cabaret.* **II.** → *restaurant.*

GARGOUILLEMENT Borborygme, gargouillis, glouglou.

GARNEMENT I. → *gamin.* **II.** → *vaurien.*

GARNI I. Nom → *hôtel.* **II. Adj.** → *fourni.*

GARNIR I. → *emplir.* **II.** → *remplir.* **III.** → *fournir.* **IV.** → *orner.* **V.** → *rembourrer.*

GARNITURE I. → *assortiment.* **II.** → *ornement.*

GARRIGUE → *lande.*

GARROTTER → *attacher.*

GARS Au pr. : gaillard, garçon, jeune, jeune homme, fils, homme, mec (arg.), type.

GASPILLER I. → *dépenser.* **II.** → *gâcher.*

GASTROLÂTRE, GASTRONOME → *gourmand.*

GÂTEAU I. Au pr. → *pâtisserie.* **II. Fig.** → *profit.*

GÂTÉ, E I. Au pr. : aigri, altéré, avarié, blessé, corrompu, déformé, dénaturé, détérioré, endommagé; éventé, fermenté, malade, meurtri, moisi, perdu, pourri, punais, putréfié, rance, taré, vicié. **II. Par ext. 1.** Capricieux, insupportable, mal élevé, pourri. **2.** Cajolé, chéri, chouchouté, choyé, dorloté, favori, favorisé. **3. Péj.** : perverti.

GÂTER I. Au pr. *Quelque chose gâte quelque chose :* aigrir, altérer, avarier, corrompre, dénaturer, détériorer, endommager, éventer, meurtrir, moisir, perdre, pourrir, putréfier, tarer, vicier. **II. Par ext. *Quelqu'un gâte ou laisse gâter quelque chose. 1.* → *gâcher.* **2.** → *salir.* **III. Fig. 1. Favorable** → *soigner.* **2. Péj.** : avilir, corrompre, déformer, dégrader, dépraver, diminuer, gangrener, infecter, perdre, pervertir, pourrir, tarer.

GÂTER (SE) → *pourrir.*

GÂTEUX, EUSE n. et adj. Affaibli, déliquescent, diminué, gaga, en enfance, il/elle sucre les fraises (fam.), ramolli, ramollo (fam.).

GAUCHE I. Nom fém. : bâbord (mar.), senestre (vx), côté cour (à gauche de l'acteur). **II. Adj. 1. Quelqu'un :** baloud, disgracieux, embarrassé, emmanché (fam.), empaillé (fam.), empêtré, empoté, emprunté, gêné, godiche, godichon, inhabile, lourdaud, maladroit, malhabile, manchot, nigaud, pataud, timide. → *bête.* **2. Quelque chose :** cintré, de/en biais, dévié, oblique, tordu, voilé.

GAUCHERIE → *maladresse.*

GAUCHIR I. → *fléchir.* **II.** → *écarter (s').* **III.** → *biaiser.*

GAUDRIOLE → *plaisanterie.*

GAULE Baguette, bâton, canne, échalas, houssine, ligne, perche, tuteur.

GAULER Agiter, battre, ébranler, faire tomber, secouer.

GAULOIS, E n. et adj. **I. Neutre** → *libre.* **II. Péj.** → *obscène.*

GAUSSER (SE) → *railler.*

GAUSSERIE → *raillerie.*

GAVE Cours d'eau, rio, rivière, ruisseau, torrent.

GAVER I. Au pr. → *engraisser.* **II. Fig.** → *gorger.*

GAVROCHE → *gamin.*

GAZ → *vapeur.*

GAZE I. Barège, étoffe transparente, grenadine, mousseline, tissu léger, voile. **II.** Pansement, taffetas, tampon.

GAZER I. V. tr. : asphyxier. **II. V. intr.** (fam.) : aller, filer, foncer, marcher.

GAZETIER → *journaliste.*

GAZETTE → *journal.*

GAZON → *herbe.*

GAZOUILLEMENT Babil, babillage, bruissement, chant, chuchotement, gazouillis, murmure, pépiement, ramage.

GAZOUILLER → *chanter.*

GAZOUILLIS → *gazouillement.*

GÉANT, E I. Nom. 1. Au pr. : colosse, cyclope, force de la nature, goliath, hercule, mastodonte, monstre, titan. **2. Fam. ou arg. :** balèze, cigogne, dépendeur d'andouilles, éléphant, escogriffe, girafe, grande gigue/perche, malabar. **3. Par ext. :** monopole, trust. **4. Fig. :** champion, génie, héros, surhomme. **II. Adj.** → *gigantesque.*

GÉHENNE I. → *enfer.* **II.** → *supplice.*

GEINDRE I. → *gémir.* **II.** → *regretter.*

GELÉ, E adj. → *transi.*

GELÉE n. **I.** Frimas, froid, froidure (vx), gel, gelée, gelée blanche, givre, glace, verglas. **II.** → *confiture.*

GELER I. V. tr. 1. Au pr. : coaguler, congeler, figer, glacer, pétrifier. **2. Fig. :** gêner, glacer, intimider, mettre mal à l'aise, pétrifier, réfrigérer, refroidir. **II. V. intr. 1. Au pr.** *Quelque chose :* se congeler, se figer, se prendre. **2. Par ext.** *Quelqu'un :* cailler (fam.), être transi, grelotter,

GÉMEAU Besson, double, doublon, jumeau, ménechme, pareil, sosie.

GÉMELLER → *géminer.*

GÉMINÉ, E → *double.*

GÉMINATION Fusion, jumelage, mélange, mixité.

GÉMINER Accoupler, assembler, fondre, fusionner, gémeller, jumeler, mélanger, réunir, unir.

GÉMIR I. Au pr. *Quelqu'un :* appeler, crier, geindre, se lamenter, murmurer, se plaindre, pleurer, récriminer, reprocher. **II. Par ext. :** peiner, souffrir. **III. Fig.** *Quelque chose* → *murmurer.*

GÉMISSEMENT I. Au pr. : complainte, cri, doléances, girie (péj.), grincement, jérémiade, lamentation, murmure, plainte, pleur, quérimonie (vx), sanglot, soupir. **II. Par ext. :** douleur, souffrance.

GEMME I. Cabochon, corindon, diamant, escarboucle, happelourde, loupe, parangon, pierre précieuse. **II.** → *résine.*

GÉMONIES Loc. Traîner/vouer aux gémonies → *vilipender.*

GÊNANT, E Assujettissant, déplaisant, désagréable, embarrassant, emmerdant (grossier), encombrant, ennuyeux, envahissant, fâcheux, gêneur, importun, incommodant.

GENDARME I. Brigadier, cogne (péj.), grippe-coquin (vx), guignol (arg.), pandore. → *policier.* **II. Fig.** → *virago.*

GENDARMER (SE) → *offenser (s').*

GENDARMERIE Maréchaussée, prévôté (vx).

GÊNE I. Atteinte à la liberté, chaîne, charge, contrainte, esclavage, nécessité, violence. **II.** Question, torture. **III.** → *inconvénient.* **IV.** → *pauvreté.* **V.** → *obstacle.* **VI. Loc.** *Sans gêne :* cavalier, désinvolte, effronté, égoïste, grossier, impoli.

GÊNÉ, E → *embarrassé.*

GÉNÉALOGIE I. Ascendance, descendance, extraction, extrance (vx), famille, filiation, lignée, origine, quartiers de noblesse, race, souche. **II. Des dieux :** théogonie. **III. Des animaux :** pedigree. **IV. Des végétaux :** phylogenèse, phylogénie. **V. Par ext. :** classification, dérivation, suite.

GÊNER I. Au pr. Phys. et moral : angoisser, brider, contrarier, déplaire, déranger, embarrasser, empêcher, encombrer, engoncer, entraver, faire/mettre obstacle à, importuner, incommoder, indisposer, se mettre en travers, nuire, obstruer, oppresser, opprimer, paralyser, restreindre, serrer, tourmenter. **II. Par ext. :** affecter, intimider, troubler.

GÉNÉRAL I. Nom masc. → *chef.* **II. Adj. 1.** Collectif, global, unanime, total, universel. **2.** Commun, constant, courant, dominant, habituel, ordinaire. **3.** Imprécis, indécis, vague. **III. Loc.** *En général :* communément, couramment, en règle commune/générale/habituelle/ordinaire, généralement, habituellement, à l'/d'ordinaire, ordinairement.

GÉNÉRALE Théâtre : avant-première, couturières, répétition générale.

GÉNÉRALISER → *répandre.*

GÉNÉRALITÉ Banalité, cliché, lapalissade, lieu commun, pauvreté, platitude, poncif, truisme.

GÉNÉRATEUR, TRICE I. Au pr. : auteur, créateur, géniteur, mère, père reproducteur. **II. Techn.** → *alternateur.*

GÉNÉRATION I. → *postérité.* **II.** → *production.*

GÉNÉREUX, EUSE I. Quelqu'un : altruiste, ardent, audacieux, beau, bienveillant, bon, brave, charitable, chevaleresque, clément, courageux, désintéressé, donnant, fier (vx), fort, fraternel, gentil, grand, hardi, héroïque, humain, indulgent, intrépide, large, libéral, magnanime, magnifique, mécène, noble, obligeant, de sentiments élevés, pitoyable, prodigue, sain, sensible, vaillant. **II. Quelque chose. 1.** Corsé, fort, fortifiant, réconfortant, roboratif, tonique. **2.** Abondant, copieux, fécond, fertile, plantureux, productif, riche, vigoureux, vivace.

GÉNÉROSITÉ I. De quelqu'un : abandon, abnégation, altruisme, ardeur, audace, bienfaisance, bonté, charité, clémence, cœur, courage, désintéressement, dévouement, don, don de soi, fraternité, générosité, gentillesse, grandeur d'âme, hardiesse, héroïsme, indulgence, intrépidité, largesse, libéralité, magnanimité, magnificence, munificence, noblesse, oubli de soi, prodigalité, sens des autres/du prochain, vaillance, valeur. **II. De quelque chose. 1.** Force, saveur, valeur. **2.** Abondance, fécondité, fertilité, productivité, richesse, vigueur, vivacité.

GENÈSE I. → *production.* **II.** → *origine.*

GÊNEUR → *importun.*

GÉNIE I. Ange, démon, divinité, djinn, dragon, drow, effrit, elfe, esprit familier/follet, farfadet, fée, gnome, gobelin, goule, kobold, korrigan, lutin, ondin, ondine, péri, salamandre, sylphe, sylphide, sylvains. **II.** Bosse (fam.), caractère, disposition, don, esprit, goût, imagination, nature, penchant, talent. **III. Quelqu'un :** aigle, as (fam.), grand écrivain/ homme/soldat, phénix (fam.).

GÉNISSE → *vache.*

GENOU I. Au pr. : articulation, jointure, rotule. **II. Loc.** *Se mettre à genoux* → *agenouiller (s').*

GENRE I. Au pr. : catégorie, classe, embranchement, espèce, famille, ordre, race, sorte, type, variété. **II. Par ext. 1.** Acabit, farine (fam.), nature, sorte. **2.** Façon, griffe, manière, marque, mode, style. **3.** Air, apparence, aspect, attitude, caractère, comportement, conduite, dégaine (fam.), extérieur, façon, ligne, tenue, touche (fam.), tournure.

GENS n. m. et f. pl. **I.** Êtres, foule, hommes, individus, monde, nation, personnes, public. **II. Loc.** *Gens de maison* → *serviteur.* **III. Loc.** *Gens de lettre* ou *gendelettre* → *écrivain.*

GENTIL n. Goye, idolâtre, infidèle, mécréant, païen.

GENTIL, ILLE adj. **I.** → *bon.* **II.** → *aimable.*

GENTILHOMME → *noble.*

GENTILHOMMIÈRE → *château.*

GENTILLÂTRE (péj.) → *noble.*

GENTILLESSE I. Au pr. → *amabilité.* **II. Par ext. 1.** → *mot d'esprit.* **2.** → *tour.* **3.** → *bagatelle.* **4.** → *méchanceté.*

GEÔLE → *prison.*

GEÔLIER → *gardien.*

GÉOMÈTRE Arpenteur, mathématicien.

GÉOMÉTRIQUE Exact, logique, mathématique, méthodique, précis, régulier, rigoureux.

GÉRANT, E Administrateur, agent, directeur, dirigeant, fondé de pouvoir, gestionnaire, mandataire, régisseur, tenancier.

GERBE I. Botte. **II. Par ext. 1.** Bouquet, faisceau. **2. Loc.** *Gerbe d'eau :* éclaboussure, colonne, jet.

GERCER (SE) → *fendiller (se).*

GERÇURE → *fente.*

GÉRER I. → *régir.* **II.** → *diriger.*

GERMAIN, E Consanguin, utérin.

GERME I. Au pr. : embryon, fœtus, grain, graine, kyste, œuf, semence, sperme, spore. **II. Par ext. :** cause, commencement, départ, fondement, origine, principe, racine, rudiment, source. **III. Fig.** *Germe de discorde :* brandon, élément, ferment, levain, motif, prétexte.

GÉRONTE → *vieillard.*

GÉSINE Accouchement, enfantement, mise bas (anim.)/au monde, parturition.

GÉSIR → *coucher (se).*

GESTATION I. Au pr. : génération, grossesse, prégnation. **II. Par ext. :** genèse, production.

GESTE Action, allure, attitude, conduite, contenance, contorsion, démonstration, épopée, exploit, fait, gesticulation, jeu de mains, manière, mime, mimique, mouvement, œuvre, pantomime, posture, tenue.

GESTICULER → *remuer.*

GESTION Administration, conduite, direction, économat, économie, gérance, gouverne, gouvernement, intendance, maniement, organisation, régie.

GIBBEUX, EUSE → *bossu.*

GIBBOSITÉ → *bosse.*

GIBECIÈRE Besace, bissac, bourse, carnassière, carnier, giberne, musette, panetière, sacoche.

GIBET Corde, credo (arg.), croix, échafaud, estrapade, fourches patibulaires, pilori, potence.

GIBIER I. Bêtes fauves/noires (vén.), faune. **II. Cuis. :** venaison.

GIBOULÉE → *pluie.*

GIBUS → *haut-de-forme.*

GICLER → *jaillir.*

GIFLE Baffe, beigne (fam.), beignet (fam.), calotte (fam.), claque, coup, emplâtre (fam.), giroflée (fam.), mandale (fam.), mornifle (fam.), pain (fam.), soufflet, talmouse (fam.), taloche (fam.), tape, tarte (fam.), torgnole ou torniole (fam.).

GIFLER Battre, calotter, claquer, confirmer, donner une gifle *et les syn. de* GIFLE, mornifler (fam.), souffleter, talocher (fam.), taper (fam.).

GIGANTESQUE Babylonien, colossal, considérable, cyclopéen, démesuré, éléphantesque, énorme, étonnant, excessif, fantastique, faramineux, formidable, géant, grand, himalayen, immense, incommensurable, insondable, monstre, monstrueux, monumental, pélasgique, pharamineux, prodigieux, pyramidal, titanesque.

GIGOLETTE Demi-mondaine, femme entretenue/légère. → *fille.*

GIGOTER I. → *remuer.* **II.** → *danser.*

GIGUE I. Au pr. → *jambe.* **II. Fig.** → *géant.*

GIGUER Baller, gambader, sauter. → *danser.*

GINGUET, ETTE I. Au pr. : acide, aigrelet, amer, rance, vert. **II. Par ext. :** médiocre, mesquin, sans valeur.

GIRANDOLE → *chandelier.*

GIRATION → *tour.*

GIRL → *danseuse.*

GIRON → *sein.*

GIROUETTE Fig. → *pantin.*

GITAN, E n. et adj. → *bohémien.*

GÎTE Au pr. 1. D'un animal : abri, aire, bauge, nid, refuge, repaire, retraite, tanière, terrier. **2. D'un homme** → *maison.* **3.** → *étape.*

GÎTER → *demeurer.*

GIVRE → *gelée.*

GIVRER → *geler.*

GLABRE Imberbe, lisse, nu.

GLACE I. → *miroir.* **II.** → *vitre.* **III.** → *sorbet.*

GLACÉ, E I. → *froid.* **II.** → *transi.* **III.** → *lustré.*

GLACER I. → *geler.* **II.** → *pétrifier.* **III.** → *lustrer.*

GLACIAL, E → *froid.*

GLACIÈRE Armoire frigorifique, congélateur, conservateur, Frigidaire (nom de marque), frigo (fam.), frigorifique, réfrigérateur.

GLACIS I. → *talus.* **II.** → *rempart.*

GLAIRE Bave, crachat, humeur, mucosité.

GLAISE Argile, kaolin, marne, terre à brique/pipe/tuile.

GLAIVE → *épée.*

GLANER Butiner, cueillir, grappiller, gratter, puiser, ramasser, récolter, recueillir.

GLAPIR I. → *aboyer.* **II.** → *crier.*

GLAPISSANT, E → *aigu.*

GLAUQUE → *vert.*

GLÈBE → *terre.*

GLISSEMENT I. Au pr. 1. Affaissement, chute, éboulement. **2.** Dérapage, glissade. **II. Fig. :** changement, évolution, modification.

GLISSER I. V. intr. 1. Chasser, déraper, patiner. **2.** S'affaler, changer, évoluer, se modifier. **II. V. tr.** → *introduire.*

GLISSER (SE) → *introduire (s').*

GLOBAL, E → *entier.*

GLOBE I. → *boule.* **II.** → *terre.*

GLOBE-TROTTER → *voyageur.*

GLOIRE I. Au pr. 1. Beauté, célébrité, consécration, éclat, glorification, grandeur, hommage, honneur, illustration, immortalité, lauriers, louange, lumière, lustre, majesté, notoriété, phare, popularité, rayonnement, renom, renommée, réputation, splendeur. **2.** → *nimbe.* **II. Par ext. 1.** → *sainteté.* **2.** → *respect.*

GLORIEUX, EUSE I. → *illustre.* **II.** → *orgueilleux.* **III.** → *saint.*

GLORIFIER → *louer.*

GLORIFIER (SE) → *flatter (se).*

GLORIOLE → *orgueil.*

GLOSE I. → *commentaire.* **II.** → *parodie.*

GLOSER → *critiquer.*

GLOSSAIRE → *dictionnaire.*

GLOUTON, ONNE adj. et n. Avale-tout/tout cru, avaleur, avide, bâfreur, bouffe-tout, brifaud, gargantua, goinfre, gouliafre, goulu, gourmand, grand/gros mangeur, insatiable, piffre, safre (vx), va-de-la-bouche/gueule, vorace.

GLOUTONNERIE Avidité, goinfrerie, gourmandise, insatiabilité, voracité.

GLUANT, E → *visqueux.*

GNOME I. → *génie.* **II.** → *nain.*

GNOMIQUE → *sentencieux.*

GNOSE → *savoir.*

GOBELET I. Au pr. : chope, godet, quart, shaker, tasse, timbale, vase, verre. **II. Par ext. :** escamoteur, fourbe, hypocrite.

GOBELIN → *génie.*

GOBE-MOUCHES → *naïf.*

GOBER I. → *avaler.* **II.** → *croire.* **III.** → *éprendre (s').* **IV. Loc. Gober les mouches. 1.** → *attendre.* **2.** → *flâner.*

GOBERGER (SE) I. → *manger.* **II.** → *railler.*

GOBEUR, EUSE n. et adj. → *naïf.*

GODELUREAU → *galant.*

GODET I. → *gobelet.* **II.** → *pli.*

GODICHE n. et adj. **I.** → *gauche.* **II.** → *niais.*

GODILLE → *rame.*

GODRON → *pli.*

GOÉMON → *algue.*

GOGO I. Nom et adj. → *naïf.* **II. Loc. A gogo :** abondamment, à discrétion / satiété / souhait / volonté, par-dessus/ras bord.

GOGUENARD, E Chineur, moqueur, narquois, railleur, taquin.

GOGUENARDER → *railler.*

GOGUENARDERIE, GOGUENAR-DISE → *raillerie.*

GOGUENOT → *water-closet.*

GOGUETTE → *gaieté.*

GOINFRE n. et adj. → *glouton.*

GOINFRER → *manger.*

GOLFE Aber, anse, baie, calanque, conche, crique, échancrure, estuaire, fjord, ria.

GOLIATH → *géant.*

GOMMEUX n. et adj. **Fig.** → *élégant.*

GOMMER I. Coller. **II.** Effacer, ôter, supprimer.

GONDOLER Onduler. → *gonfler.*

GONFANON, GONFALON Bannière, enseigne, étendard, flamme, oriflamme. → *drapeau.*

GONFLÉ, E I. Au pr. : ballonné, bombé, bouclé (maçonnerie), bouffant, bouffi, boursouflé, cloqué, congestionné, dilaté, distendu, empâté, enflé, gondolé, gros, hypertrophié, mafflu, météorisé, renflé, soufflé, tuméfié, tumescent, turgescent, turgide, ventru, vultueux. **II. Fig.** → *emphatique.*

GONFLEMENT Ballonnement, bombement, bouffissure, boursouflure, cloque, débordement, dilatation, distension, empâtement, emphase (fig.), emphysème (méd.), enflure, fluxion, grosseur, grossissement, hypertrophie, intumescence, météorisation, œdème, renflement, tuméfaction, tumescence, turgescence, vultuosité. → *abcès.*

GONFLER I. V. intr. : s'arrondir, augmenter, ballonner, bomber, boucler (maçonnerie), bouffer (plâtre), bouffir, boursoufler, cloquer, croître, devenir tumescent / turgescent / turgide/vultueux, s'élargir, enfler, gondoler, grossir, renfler, se tuméfier. **II. V. tr. :** accroître, arrondir, augmenter, bouffir, boursoufler, dilater, distendre, emplir, enfler, souffler. **III. Fig. :** exagérer, grossir, surestimer, tricher, tromper.

GONGORISME Affectation, cultisme, euphuisme, marinisme, préciosité, recherche.

GORET → *porc.*

GORGE I. Au pr. 1. → *gosier.* **2.** → *défilé.* **II. Par ext. :** buste, poitrine, sein. **III. Loc. 1. Rendre gorge** → *redonner.* **2. Faire des gorges chaudes** → *railler.*

GORGÉE Coup, lampée, trait.

GORGER I. Au pr. : alimenter avec excès, bourrer, embecquer, emboquer, empiffrer, emplir, gaver, rassasier, remplir, soûler. **II. Fig. :** combler, gâter, gaver.

GOSIER I. Par ext. : amygdale, bouche, estomac, gorge, larynx, luette, œsophage, pharynx. **II. Fam. et arg. :** avaloir, cloison, corridor, dalle, descente, entonnoir, fusil, gargamelle, gavion, gaviot, goulot, kiki *ou* quiqui, lampas, pavé, sifflet.

GOSSE → *enfant.*

GOTHIQUE I. → *vieux.* **II.** → *sauvage.*

GOUAILLE → *raillerie.*

GOUAILLER v. tr. et intr. → *railler.*

GOUAILLEUR, EUSE n. et adj. → *farceur.*

GOUAPE → *vaurien.*

GOUDRON I. Au pr. : brai, coaltar, poix. **II. Par ext. :** asphalte, bitume, macadam.

GOUFFRE → *précipice.*

GOUGE I. Ciseau. **II.** Fille, servante.

GOUJAT → *impoli.*

GOULÉE → *bouchée.*

GOULET → *passe.*

GOULU, E → *glouton.*

GOURD, E → *engourdi.*

GOURDE I. Nom fém. : bidon, flacon. **II. Adj.** → *bête.*

GOURDIN Bâton, matraque, rondin, trique.

GOURMADE → *coup.*

GOURMAND, E I. Favorable ou neutre : amateur, avide, bec fin, bouche fine, fine gueule, friand, gastronome, gourmet, porté sur la bonne chère/la gueule (fam.). **II. Non favorable :** brifaud, goinfre, goulu, gueulard (vx), lécheur, lucullus, piffre, ripailleur, sybarite, vorace. → *glouton.*

GOURMANDER → *réprimander.*

GOURMANDISE I. Appétit, avidité, gastronomie, gloutonnerie (péj.), goinfrerie (péj.), plaisirs de la table, voracité (péj.). **II.** → *friandise.*

GOURME Eczéma, impétigo.

GOURMÉ, E → *étudié.*

GOURMER → *battre.*

GOURMET → *gourmand.*

GOUSSE Cosse, tête (d'ail).

GOUSSET → *poche.*

GOÛT I. Au pr. : → *saveur.* **II. Par ext. 1.** → *attachement.* **2.** → *inclination.* **3.** → *style.* **4. Loc.** Goût du jour → *mode.*

GOÛTER → *collation.*

GOÛTER I. Déguster, éprouver, essayer, estimer, expérimenter, sentir, tâter, toucher à. **II.** Adorer, aimer, apprécier, approuver, se délecter, s'enthousiasmer pour, être coiffé/entiché/fana (fam.)/fanatique/fou, jouir de, se plaire à, raffoler de, savourer.

GOUTTEUX, EUSE n. et adj. Diathésique, impotent, podagre, rhumatisant.

GOUVERNAIL I. Au pr. 1. Barre, leviers de commande, timon. **2. Aviat. :** empennage, gouverne, manche à balai. **II. Fig. :** conduite, direction, gouvernement.

GOUVERNANT I. Cacique (péj.), chef d'État, dirigeant, maître, mandarin (péj.), monarque, potentat (péj.), premier ministre, président, responsable. **II. Au pl. :** autorités, grands, grands de ce monde, hommes au pouvoir.

GOUVERNANTE Bonne d'enfants, chaperon, dame de compagnie, domestique, duègne (péj.), infirmière, nourrice, nurse, servante.

GOUVERNE I. → *règle.* **II.** Aileron, empennage, gouvernail, palonnier.

GOUVERNEMENT I. Au pr. : administration, affaires de l'État, conduite, direction, État, gestion, maniement des affaires/hommes, pouvoir, protectorat, régence, régime, règne, système. **II. Par ext. 1.** Économie, ménage. **2.** → *autorité*.

GOUVERNER I. Au pr. : administrer, commander, conduire, diriger, dominer, gérer, manier, manœuvrer, mener, piloter, prévoir, régenter, régir, régner, tyranniser (péj.). **II. Par ext. 1. *Non favorable :*** avoir/jeter/ mettre le grappin sur, empaumer, mener à la baguette/tambour battant/ par le bout du nez. **2. *Neutre :*** éduquer, élever, former, instruire, tenir.

GOUVERNEUR I. → *administrateur*. **II.** → *maître*.

GRABAT → *lit.*

GRABUGE I. → *discussion*. **II.** → *dégât*.

GRÂCE I. Qualité. 1. Au pr. : affabilité, agrément, aisance, amabilité, aménité, attrait, beauté, charme, délicatesse, désinvolture, douceur, élégance, finesse, fraîcheur, gentillesse, poésie, sex-appeal, suavité, vénusté. **2.** Beauté, déesse, divinité. **3. Par ext.** (péj.) : alanguissement, langueur, minauderie, mollesse, morbidesse. **II. 1.** → *service*. **2.** → *faveur*. **3.** → *pardon*. **4.** → *amnistie*. **5.** → *remerciement*. **6.** → *excellence*. **III. Loc. De bonne grâce :** avec plaisir, bénévolement, de bon gré, volontairement, volontiers.

GRACIEUSETÉ → *gratification*.

GRACIEUX, EUSE Accort, adorable, affable, agréable, aimable, amène, attirant, attrayant, avenant, bienveillant, bon, charmant, civil, courtois, délicat, distingué, empressé, élégant, facile, favorable, gentil, gracile, joli, mignon, ouvert, plaisant, poli, raffiné, riant, souriant, sympathique, tendre.

GRACILE → *menu*.

GRADATION → *progression*.

GRADE Catégorie, classe, degré, dignité, échelon, honneur, indice.

GRADIN → *degré*.

GRADUER → *augmenter*.

GRAFFITO, TI → *inscription*.

GRAIN I. → *germe*. **II.** → *fruit*. **III. Par ext. 1.** → *pluie*. **2.** → *rafale*.

GRAINE → *germe*.

GRAISSE I. Cambouis, lipide, lubrifiant. **II.** Graille (péj.), graillon, lard, panne, saindoux.

GRAISSER I. Au pr. : huiler, lubrifier, oindre. **II. Par ext. :** encrasser, salir, souiller.

GRAISSEUX, EUSE → *gras*.

GRAMMAIRIEN I. Grammatiste (péj.), philologue. **II. Par ext. :** linguiste, puriste.

GRAND, E I. Adj. 1. *Favorable ou neutre :* abondant, adulte, âgé,

ample, appréciable, colossal, considérable, démesuré, élancé, élevé, étendu, fort, géant, gigantesque, grandiose, gros, haut, immense, important, imposant, incommensurable, large, magnifique, majeur, mûr, noble, profond, spacieux, vaste. **2. *Non favorable :*** atroce, démesuré, effrayant, effroyable, énorme, épouvantable, excessif, fier (culot/toupet), intense, monstrueux, terrible, vif, violent. **II. Nom masc. 1.** → *grandeur*. **2.** → *personnalité*. **3.** Grand homme, fameux, génial, glorieux, illustre, supérieur. → *héros*. **4. *Non favorable :*** asperge, échalas, escogriffe → *géant*.

GRANDEUR I. Favorable ou neutre : abondance, ampleur, amplitude, distinction, élévation, étendue, excellence, force, fortune, gloire, honneur, immensité, importance, intensité, largeur, majesté, mérite, noblesse, pouvoir, puissance, stature, sublimité, taille, valeur, vastitude. **II. Non favorable :** atrocité, énormité, gravité, monstruosité, noirceur. **III. Loc. Grandeur d'âme** → *générosité*.

GRANDILOQUENT, E → *emphatique*.

GRANDIOSE → *imposant*.

GRANDIR v. tr. et intr. → *croître*.

GRAND-MÈRE I. Aïeule, bonnemaman, grannie, mamie, mamita, mémé, mère-grand (vx). **II. Par ext.** → *vieille*.

GRAND-PÈRE I. Aïeul, bon-papa, papi, pépé, pépère. **II. Par ext.** → *vieillard*.

GRANGE Fenil, grenier, hangar, magasin, remise, resserre.

GRAPHIQUE Courbe, dessin, diagramme, tableau, tracé.

GRAPPE I. Au pr. : pampre, raisin. **II. Par ext.** → *groupe*.

GRAPPILLER → *glaner*.

GRAPPIN I. Au pr. : ancre, chat, cigale, corbeau, crampon, croc, crochet, harpeau, harpin, harpon. **II. Loc. Jeter/mettre le grappin sur quelqu'un ou quelque chose :** accaparer, accrocher, s'emparer de, harponner, jeter son dévolu, saisir.

GRAS, GRASSE I. Au pr. 1. Qui a ou semble avoir de la graisse : abondant, adipeux, bien en chair, bouffi, charnu, corpulent, dodu, épais, empâté, fort, gras, grasset (vx), grassouillet (fam.), gros, obèse, onctueux, pansu, plantureux, plein, potelé, rebondi, replet, rond, rondelet, rondouillard (fam.), ventru. **2. Qui est sali de graisse :** glissant, gluant, graisseux, huileux, pâteux, poisseux, sale, suintant, suiffeux, visqueux.

II. Par ext. 1. → *obscène.* **2.** → *fécond.* **3.** → *moelleux.*

GRASSEYER v. tr. et intr. Bléser.

GRATIFICATION Arrosage (fam.), avantage, bakchich, bonne-main (vx), cadeau, chapeau (mar.), commission, denier à Dieu, dessous de table, don, donation, épices (vx), épingles (vx), étrenne, faveur, générosité, gracieuseté, guelte, largesse, libéralité, pièce, pot-de-vin, pourboire, présent, prime, récompense, ristourne, surpaye. → *boni.*

GRATIFIER I. Favorable : accorder, allouer, attribuer, avantager, donner, doter, douer, faire don, favoriser, imputer. **II. Par ext. Non favorable :** battre, châtier, corriger, frapper, maltraiter.

GRATIS A l'œil (fam.), à titre gracieux/gratuit, en cadeau/prime, franco, gracieusement, gratuitement, pour rien.

GRATITUDE Gré, obligation, reconnaissance.

GRATTE-CIEL → *immeuble.*

GRATTE-PAPIER → *employé.*

GRATTER I. Au pr. → *racler.* **II. Par ext. 1.** → *jouer.* **2.** Bricoler, économiser, grappiller, grignoter, griveler (vx). **III.** → *flatter.* **IV.** Dépasser, doubler.

GRATUIT, E I. Au pr. : gracieux. → *gratis.* **II. Par ext.** → *injustifié.*

GRAVATS → *décombres.*

GRAVE I. → *sérieux.* **II.** → *important.*

GRAVELEUX, EUSE Libre. → *obscène.*

GRAVER Buriner, dessiner, engraver, enregistrer, fixer, guillocher, imprimer, insculper, lithographier, sculpter, tracer.

GRAVIER → *sable.*

GRAVIR v. tr. et intr. → *monter.*

GRAVITÉ I. → *pesanteur.* **II.** → *importance.* **III.** Décence, componction, majesté, pompe, raideur, réserve, rigidité, sérieux, sévérité, solennité.

GRAVITER Orbiter, tourner autour.

GRAVOIS → *décombres.*

GRAVURE → *image.*

GRÉ I. Nom masc. 1. → *volonté.* **2.** → *gratitude.* **II. Loc. 1. De bon gré :** de plein gré, avec plaisir, de bon cœur, de bonne volonté, librement, volontairement, volontiers. → *grâce.* **2. Au gré de :** à la merci de, selon, suivant. **3. De gré à gré** → *amiable.*

GREDIN, E adj. et n. → *vaurien.*

GRÉEMENT → *agrès.*

GREFFE I. Au pr. : bouture, ente, greffon, scion. **II. Chir. :** anaplastie, autoplastie, hétéroplastie.

GREFFER I. Au pr. : enter. **II. Fig.** → *ajouter.*

GREFFER (SE) → *ajouter (s').*

GRÉGAIRE Conformiste, docile, moutonnier.

GRÈGUES (vx) Braies, chausses, culotte, pantalon.

GRÊLE I. Nom fém. 1. Au pr. : grain, grêlon, grésil. **2. Fig. :** abattée (fam.), averse, dégringolade (fam.), déluge, pluie. **II. Adj. 1.** → *menu.* **2.** → *faible.*

GRÊLÉ, E → *marqué.*

GRÊLON → *grêle.*

GRELOT Cloche, clochette, sonnaille, sonnette, timbre.

GRELOTTER → *trembler.*

GRELUCHON → *amant.*

GRENADIER I. Fig. : brave à trois poils, briscard, grognard, soldat, vétéran. **II. Péj. Une femme :** dragon, gendarme, maritorne, mégère, poissarde, pouffiasse, rombière. → *virago.*

GRENAT → *rouge.*

GRENIER I. → *grange.* **II.** Comble, galetas, mansarde, taudis (péj.).

GRENOUILLE Raine, rainette, roussette.

GRÉSIL → *grêle.*

GRÉSILLEMENT Bruissement, crépitement, friture, parasites.

GRÉSILLER I. V. intr. 1. Crépiter. **2.** Grêler. **II. V. tr. :** brûler, contracter, dessécher, plisser, racornir, rapetisser, rétrécir.

GRÈVE I. Arrêt, cessation/interruption/suspension du travail, coalition (vx), lock-out. **II.** → *bord.* **III. Loc. Grève de la faim** → *jeûne.*

GREVER → *charger.*

GRIBOUILLAGE → *barbouillage.*

GRIEF → *reproche.*

GRIFFE I. Au pr. → *ongle.* **II. Fig.** → *marque.*

GRIFFER → *déchirer.*

GRIFFONNAGE → *barbouillage.*

GRIFFURE Déchirure, écorchure, égratignure, éraflure, rayure.

GRIGNON Bout, croûton, entame, morceau, quignon.

GRIGNOTER I. → *manger.* **II.** → *ronger.* **III.** → *gratter.*

GRIGOU → *avare.*

GRI-GRI → *fétiche.*

GRIL I. Barbecue, brasero, rôtissoir. **II. Loc. Être sur le gril** → *impatienter (s').*

GRILLADE Bifteck, carbonade, steak.

GRILLE Barreaux, clôture, entrée, grillage, herse.

GRILLER I. Au pr. : brasiller, brûler, chauffer, cuire au gril, rôtir. **II. Fig. :**

brûler, désirer, être désireux/impatient de.

GRILL-ROOM → *restaurant.*

GRIMAÇANT, E Antipathique, contorsionné, déplaisant, désagréable, coléreux, excessif, feint, maniéré, minaudier, plissé, renfrogné, simiesque.

GRIMACE I. Au pr. : baboue (vx), contorsion, cul de poule, lippe, mimique, mine, moue, nique, rictus, simagrée, singerie. **II. Par ext. 1.** → *feinte.* **2.** → *minauderie.*

GRIMACIER, ÈRE Par ext. → *faux.*

GRIMAUD I. Au pr. Péj. → *élève.* **II. Par ext. 1.** → *écrivain.* **2.** → *pédant.*

GRIMER → *farder.*

GRIMOIRE → *barbouillage.*

GRIMPER → *monter.*

GRIMPETTE → *montée.*

GRINCER Crisser.

GRINCHEUX, EUSE I. → *grogneur.* **II.** → *revêche.*

GRINGALET Péj. : avorton, aztèque, demi-portion, efflanqué, faible, freluquet, mauviette, minus.

GRINGOTTER v. tr. et intr. Chanter, chantonner, fredonner, gazouiller, murmurer.

GRIPPE I. Coryza, courbature fébrile, influenza. **II. Loc. Prendre en grippe** → *haïr.*

GRIPPER v. tr. **I.** → *prendre.* **II.** → *dérober.* **III. V. intr.** et **se gripper** v. pr. : se bloquer/coincer, serrer.

GRIPPE-SOU → *avare.*

GRIS, E I. → *terne.* **II.** → *ivre.*

GRISER Enivrer, → *étourdir.*

GRISERIE Enivrement, étourdissement, exaltation, excitation, ivresse.

GRISETTE Courtisane, femme légère, lisette, lorette, manola, Mimi Pinson.

GRISONNANT, E Poivre et sel.

GRIVÈLERIE → *vol.*

GRIVOIS, E Libre. → *obscène.*

GROGNE Mécontentement, récrimination, rouspétance.

GROGNARD Râleur, rouspéteur.

GROGNASSE → *virago.*

GROGNER Bougonner, crier, critiquer, geindre, grommeler, gronder, marmotter, maugréer, murmurer, pester, protester, râler, ronchonner, rouspéter, semoncer.

GROGNEUR, GROGNON n. et adj. Bougon, -critiqueur, geignard, grincheux, grognard, grondeur, mécontent, plaignard, ronchon, ronchonneur, rouspéteur.

GROMMELER → *murmurer.*

GRONDEMENT → *bruit.*

GRONDER I. V. intr. → *murmurer.* **II. V. tr.** → *réprimander.*

GRONDEUR n. et adj. → *grogneur.*

GROOM → *chasseur.*

GROS I. Adj. 1. Quelqu'un ou quelque chose : adipeux, ample, arrondi, ballonné, bedonnant, bombé, boulot, bouffi, boursouflé, charnu, corpulent, empâté, enflé, énorme, épais, épanoui, fort, gonflé, gras, grossi, joufflu, large, lourd, massif, monstrueux, obèse, opulent, pansu, pesant, plein, potelé, puissant, rebondi, renflé, replet, rond, rondelet, ventripotent, ventru, volumineux. **2. Quelque chose** : abondant, considérable, immense, important, intense, opulent, riche, spacieux, volumineux. **3.** Grossier → *obscène.* **4.** → *grand.* **5.** → *riche.* **6. Loc.** Grosse affaire : Firme, groupe, holding, trust, usine. **7. Loc.** Gros temps : Agité, orageux, venteux. **II. Nom masc. 1. Péj.** : barrique, bedon, gidouillard, maous, mastodonte, paquet, patapouf, pépère, piffre, poussah, tonneau. **2.** → *principal.* **3. Loc.** Gros bonnet → *personnalité.* **III. Adv.** → *beaucoup.*

GROSSE I. Adj. → *enceinte.* **II. Nom fém.** : copie, expédition.

GROSSESSE → *gestation.*

GROSSEUR I. De quelque chose : calibre, circonférence, dimension, épaisseur, largeur, taille, volume. **II. De quelqu'un** : adipose, corpulence, embonpoint, obésité, polysarcie (méd.), rondeur, rotondité. **III.** → *abcès.*

GROSSI, E → *gros.*

GROSSIER, ÈRE I. Scatologique. → *obscène.* **II.** → *impoli.* **III.** → *rude.* **IV.** → *imparfait.* **V.** → *pesant.* **VI.** → *gros.*

GROSSIÈRETÉ → *obscénité,.*

GROSSIR I. V. tr. 1. → *exagérer.* **2.** → *augmenter.* **II. V. intr.** : augmenter, croître, se développer, devenir gros, se dilater, s'empâter, enfler, s'enfler, enforcir, engraisser, épaissir, s'épaissir, faire du lard (fam.), forcir, gonfler, se gonfler, prendre de la bedaine/de la brioche (fam.)/de l'embonpoint/de la gidouille (fam.)/du poids/de la rondeur/du ventre, se tuméfier. → *bedonner.*

GROTESQUE n. et adj. **I.** → *burlesque.* **II.** → *ridicule.*

GROTTE I. Au pr. : antre, baume, caverne, cavité, excavation, rocaille (arch.). **II. Par ext. 1.** Crypte, refuge, repaire, retraite, tanière, terrier. **2.** Station archéologique.

GROUILLER I. → *abonder.* **II.** → *remuer.*

GROUPE I. Amas, armée, assemblage, assemblée, association, assortiment, attroupement, bande, bataillon, cellule, cercle, clan, classe, collectif, collection, collectivité, communauté, compagnie, confrérie, constellation, église, ensemble, équipe, escadron, escouade, essaim, famille, fournée, grappe, groupement, loge, nation, noyau, paquet, pâté (de maisons), peloton, pléiade, poignée, race, régiment, section, société, tribu, troupe, volée. **II.** → *orchestre.* **III.** → *parti.* **IV. Litt.** : chapelle, cénacle, cercle, coterie (péj.), école. **V.** Catégorie, classe, division, espèce, famille, ordre, sorte.

GROUPEMENT → *réunion.*

GROUPER → *assembler.*

GRUGER I. → *manger.* **II.** → *ruiner.* **III.** → *voler.*

GRUMEAU → *caillot.*

GRUMELER → *cailler.*

GRUYÈRE Comté, emmenthal, vacherin.

GUENILLE Chiffon, défroque, haillon, harde, lambeau, loque, oripeau.

GUENON, GUENUCHE Fig. → *laideron.*

GUÊPIER → *piège.*

GUÈRE A peine, médiocrement, pas beaucoup / grand-chose / souvent / trop, peu, presque pas, rarement, très peu.

GUÉRET → *lande.*

GUÉRIDON Bouillotte, table ronde, trépied.

GUÉRILLA I. Au pr. → *troupe.* **II. Par ext.** → *guerre.*

GUÉRIR I. V. tr. → *rétablir.* **II. V. intr.** → *rétablir (se).*

GUÉRISON Apaisement, cicatrisation, convalescence, cure, rétablissement, retour à la santé, salut, soulagement.

GUÉRISSEUR I. Favorable ou neutre : empirique (vx), mège, opérateur (vx), rebouteur, rebouteux, renoueur, rhabilleur. **II. Non favorable** : charlatan, sorcier.

GUÉRITE Échauguette, échiffe, guitoune, poivrière, poste.

GUERRE I. Au pr. : affaire, art militaire, attaque, bagarre, baroud, bataille, belligérance, boucherie, campagne, casse-gueule/pipe (fam.), champ de bataille/d'honneur, combat, conflagration, conflit, croisade, démêlé, émeute, entreprise militaire, escarmouche, expédition, guérilla, hostilité, insurrection, invasion, lutte, offensive, révolution, stratégie, tactique, troubles. **II. Fig. 1.** → *animosité.* **2.** → *conflit.* **III. 1. Loc.** *Faire la guerre à* → *réprimander.* **2. Nom de guerre** : pseudonyme.

GUERRIER, IÈRE I. → *militaire.* **II. Nom** → *soldat.*

GUERROYER Se battre, combattre, faire la guerre.

GUET → *surveillance.*

GUET-APENS Attaque, attentat, embûche, embuscade, piège, surprise, traquenard.

GUÊTRE I. Houseaux, jambière, legging, molletière. **II. Loc.** *Laisser ses guêtres* → *mourir.*

GUETTER → *épier.*

GUETTEUR Factionnaire. → *veilleur.*

GUEULARD I. Bouche, orifice, ouverture. **II.** Braillard, criard, fort en gueule (fam.), grande gueule (fam.), hurleur, râleur, rouspéteur.

GUEULE I. → *bouche.* **II.** → *visage.* **III.** → *ouverture.*

GUEULER v. tr. et intr. Beugler, brailler, bramer, crier, hurler, protester, tempêter, tonitruer, vociférer.

GUEULETON → *festin.*

GUEUSER → *solliciter.*

GUEUX, EUSE n. et adj. **I. Neutre. 1.** → *pauvre.* **2.** → *mendiant.* **II. Non favorable** : claque-pain, clochard, clodo, cloporte, gueusaille, gueusard, pouilleux, sabouleux, traîne-misère, vagabond, va-nu-pieds. → *coquin.*

GUICHET I. → *ouverture.* **II. Par ext.** : bureau, caisse, office, officine, renseignements, station, succursale.

GUICHETIER → *gardien.*

GUIDE I. Nom masc. 1. Quelqu'un : cicérone, conducteur, cornac (fam.), introducteur, mentor, pilote. **2.** Catalogue, dépliant, guide-âne, mémento, mode d'emploi, pense-bête, plan, recette, rollet (vx), vade-mecum. **3. Fig.** → *conseiller.* **III. Nom fém.** → *bride.*

GUIDER Aider, conduire, conseiller, diriger, éclairer, éduquer, faire les honneurs de/voir, gouverner, indiquer, mener, mettre sur la voie, orienter, piloter, promener.

GUIDON Banderole, bannière, enseigne, étendard, fanion, oriflamme, → *drapeau.*

GUIGNE → *malchance.*

GUIGNER I. → *regarder.* **II.** → *vouloir.*

GUIGNOL I. → *pantin.* **II.** → *gendarme.* **III.** → *juge.*

GUIGNON → *malchance.*

GUILLERET, ETTE I. → *gai.* **II.** → *libre.*

GUILLOTINE I. Bois de justice, échafaud. **II. Arg.** : bascule, faucheuse, lunette, massicot, monte-à-regret, panier de son, veuve.

GUILLOTINER Couper/trancher la tête, décapiter, décoller, exécuter, faucher/faire tomber une tête, raccourcir, supplicier.

GUIMBARDE → *voiture.*

GUIMPE → *camisole.*

GUINDÉ, E I. → *étudié.* **II.** → *emphatique.*

GUINGOIS (DE) Loc. adv. : à la va-comme-je-te-pousse, de travers/traviole (fam.), mal fichu/foutu (fam.), obliquement.

GUINGUETTE I. → *cabaret.* **II.** → *bal.*

GUIPURE Dentelle, fanfreluche.

GUIRLANDE Décor, décoration, feston, ornement.

GUISE Façon, fantaisie, goût, gré, manière, volonté.

GUITARE Par ext. : balalaïka, banjo, cithare, guimbarde (vx), guiterne, guzla, luth, lyre, mandoline, turlurette.

GUITOUNE, → *tente, cabane.*

GUTTURAL, E → *rauque.*

GYMNASE I. Sens actuel : centre sportif, palestre, stade. **II. Par anal. :** académie, collège, école, institut, institution, lycée.

GYMNASTE Acrobate, culturiste, gymnasiarque (vx), moniteur/professeur d'éducation physique/de gymnastique.

GYMNASTIQUE Acrobatie, agrès, athlétisme, barres parallèles, culture/éducation physique, culturisme, délassement, entraînement, exercice gymnique, mouvement, sport.

GYNÉCÉE I. Au pr. *Neutre :* appartements/quartier des dames/femmes, harem, sérail. **II. Par ext.** *Non favorable :* bordel, quartier réservé → *lupanar.*

GYNÉCOLOGUE Accoucheur, obstétricien.

GYPAÈTE → *aigle.*

HABILE I. Au pr. *Phys.* : adroit, agile, exercé, leste, preste, prompt, vif. **II. Par ext. 1.** *Favorable ou neutre :* apte, astucieux (fam.), bon, calé (fam.), capable, compétent, diligent, diplomate, docte, émérite, entendu, érudit, exercé, expérimenté, expert, ferré (fam.), fin, fort, industrieux, ingénieux, intelligent, inventif, politique, rompu à, savant, souple, subtil, versé, virtuose. **2.** *Non favorable :* débrouillard, démerdard (fam.), finaud, futé, madré, malin, matois, retors, roublard, roué, rusé, vieux routier.

HABILEMENT I. Bien, dextrement, et les adv. en -ment dérivés des syn. de HABILE. **II.** Avec habileté, *et les syn.* de HABILETÉ.

HABILETÉ I. Du corps : adresse, agilité, élégance, dextérité, facilité, prestesse, promptitude, souplesse, technique, tour de main, vivacité. **II. De l'esprit. 1.** *Favorable ou neutre :* adresse, aisance, aptitude, art, astuce (fam.), autorité, bonheur, brio, capacité, chic, compétence, délicatesse, dextérité, diplomatie, doigté, don, élégance, éloquence, entregent, expérience, facilité, finesse, force, industrie, ingéniosité, intelligence, invention, maestria, main, maîtrise, patience, patte (fam.), perspicacité, politique, pratique, savoir-faire, science, souplesse, subtilité, tact, talent, technique, virtuosité. **2.** *Non favorable :* artifice, ficelle (fam.), finasserie, rouerie, ruse, truquage.

HABILITER → *permettre.*

HABILLÉ, E → *vêtu.*

HABILLEMENT → *vêtement.*

HABILLER I. Au pr. : accoutrer, affubler (péj.), ajuster, arranger, costumer, couvrir, déguiser, draper, endimancher, envelopper, équiper, fagoter (péj.), ficeler (fig.), nipper (fam.), travestir. → *vêtir.* **II. Fig. 1.** Calomnier, casser du sucre sur le dos (fam.), médire, taper sur le dos (fam.). **2.** → *orner.*

HABIT I. → *vêtement.* **II. 1.** Frac, queue-de-morue/de-pie, tenue de cérémonie. **2. Par ext. :** jaquette, redingote, smoking, spencer. **3. Fig.** → *aspect.*

HABITACLE I. D'avion : cabine, cockpit. **II. D'animaux :** abri, carapace, conque, coque, coquillage, coquille, cuirasse, gîte, refuge, retraite, spirale, test. **III. Mar. :** boîte à compas. **IV.** → *maison.*

HABITANT I. Au pr. : aborigène, autochtone, banlieusard, bourgeois (vx), campagnard, citadin, citoyen, contadin, faubourien, hôte, indigène, insulaire, montagnard, natif, naturel, occupant, villageois. **II. Par ext. 1.** Ame, homme, individu, personne, résident. **2. Au pl. :** faune, démographie, nation, peuple, peuplement, population.

HABITAT I. → *milieu.* **II.** → *logement.*

HABITATION I. Au pr. 1. *Sens général :* appartement, chambre, chez-soi (fam.), demeure, domicile, gîte (fam.), home (fam.), logement, logis, maison, nid (fam.), résidence, retraite, séjour, toit (fam.). **2. De ville :** grand ensemble, H.L.M., immeuble, tour. *3. De campagne :* chalet, chartreuse, château, domaine, ferme, fermette, folie (vx), gentilhommière, logis, manoir, mas, métairie, moulin, pavillon, propriété, rendez-vous de chasse, villa. *4.* Cahute, case, gourbi, hutte, isba, roulotte, tente. → *cabane. 5. De prestige :* hôtel particulier, palace, palais. *6. Fam. ou non favorable :* galetas, trou, turne. **II. Par ext. 1. Relig. :** couvent, cure, doyenné, ermitage, presbytère. *2.* Abri, asile, établissement.

HABITÉ, E → *peuplé.*

HABITER Camper, coucher, crêcher (fam.), demeurer, s'établir, être domicilié, se fixer, gîter (fam.), hanter (fam.), loger, nicher (fam.), occuper, résider, rester, séjourner, vivre.

HABITUDE I. Au pr. 1. *Favorable ou neutre :* acclimatement, accoutumance, adaptation, aspect habituel, attitude familière, coutume, déformation (péj.), disposition, entraînement, manière d'être/de faire/de vivre, mode, mœurs, penchant, pli, pratique, règle, rite, seconde nature, tradition, us, usage, usance (vx). *2. Non favorable :* manie, marotte, routine, tic. **II.** → *relation.*

HABITUÉ, E Acclimaté à, accoutumé à, apprivoisé, au courant, au fait, coutumier de, dressé, éduqué, endurci, entraîné, façonné, fait à, familiarisé avec, familier de, formé, mis au pas (péj.)/au pli (fam.), plié à, rompu à, stylé.

HABITUEL, ELLE Courant, coutumier, familier, fréquent, machinal, normal, ordinaire, traditionnel, usité, usuel.

HABITUELLEMENT D'ordinaire *et les adv. en -ment dérivés des syn. de* HABITUEL.

HABITUER Acclimater, accoutumer, adapter, apprendre, apprivoiser, dresser, éduquer, endurcir, entraîner, façonner, faire à, familiariser, former, imiter, mettre au courant/au fait de, plier à, rompre, styler.

HÂBLER Amplifier, blaguer, cravater, exagérer, dire / faire / raconter des blagues / contes / craques (fam.) / galéjades/histoires, faire le malin, fanfaronner, galéjer (fam.), gasconner, mentir, se vanter. → *blaguer.*

HÂBLERIE Blague, bluff, bravade, braverie, broderie, charlatanerie, conte, crânerie, craque, exagération, fanfaronnade, farce, forfanterie, galéjade, gasconnade, histoire marseillaise, jactance, mensonge, menterie (vx), rodomontade, tromperie, vantardise, vanterie.

HÂBLEUR, EUSE adj. et n. **I. Neutre :** blagueur, brodeur, conteur, fabulateur, fanfaron, malin, menteur,

mythomane, vantard. **II. Fam. :** avaleur, bordelais, bravache, capitan (vx), casseur d'assiettes, charlatan, crâneur, craqueur, faiseur, falstaff, faraud, farceur, fendant, fendeur, fier-à-bras, galéjeur, gascon, fracasse, mâchefer, marius, marseillais, masseur (arg. scol.), massier, matador, matamore, méridional, olibrius, pourfendeur, rodomont, tranche-montagne, vendeur d'orviétan (vx).

HACHE I. Au pr. : cognée. **II. Hache de guerre :** francisque, tomahawk. **III. Par ext. :** aisseau, aissette, cochoir, doleau, doloire, hachereau, hachette, herminette, merlin, serpe, tille.

HACHÉ, E Fig. : abrupt, coupé, court, heurté, saccadé, sautillant.

HACHER I. Au pr. : couper, déchiqueter, découper, diviser, fendre, mettre en morceaux, trancher. **II. Par ext. :** détruire, ravager. **III. Fig. :** couper, entrecouper, interrompre. **IV. Loc. *Se faire hacher pour* →** *sacrifier (se).*

HACHICH, HACHISCH, HASCHICH, HASCHISCH Canabis, chanvre indien, kif, marijuana.

HACHIS Croquette, farce, godiveau, parmentier.

HAGARD, E I. Absent, délirant, dément, effaré, effrayé, égaré, épouvanté, fiévreux, fou, halluciné, horrifié, saisi, terrifié, terrorisé. **II.** → *sauvage.* **III.** → *troublé.*

HAGIOGRAPHIE I. Au pr. : histoire des saints, légende dorée. **II. Par ext.** → *histoire.*

HAIE I. Au pr. : bordure, bouchure, breuil, brise-vent, buisson, charmille, clôture, entourage, obstacle. **II. Par ext. :** cordon, file, rang, rangée.

HAILLON Chiffon, défroque, guenille, harde, loque, nippe, oripeau, penaille. → *vêtement.*

HAINE I. Au pr. 1. Acrimonie, animadversion, animosité, antipathie, aversion, détestation, exécration, fanatisme, férocité, fiel, fureur, hostilité, inimitié, intolérance, jalousie, malignité, malveillance, misanthropie, passion, querelle, rancœur, rancune, répugnance, répulsion, ressentiment, vengeance, venin. *2.* Racisme, xénophobie. **II. Par ext. :** abomination, acharnement, aigreur, colère, cruauté, dégoût, dissension, exaspération, éloignement, folie, horreur, persécution, rivalité.

HAÏR Abhorrer, abominer, avoir en aversion/en horreur/une dent (fam.), détester, exécrer, fuir, honnir, maudire, ne pouvoir sentir, prendre en grippe, répugner à, en vouloir à.

HAIRE I. Au pr. : cilice. **II. Par ext. :** macération, pénitence.

HAÏSSABLE Abominable, antipathique, déplaisant, détestable, exécrable, insupportable, maudit, méprisable, odieux, rebutant, repoussant, répugnant, réprouvé.

HÂLÉ, E Basané, bistré, boucané, bronzé, brûlé, bruni, cuivré, doré, mat.

HALEINE I. Au pr. : anhélation, essoufflement, expiration, respiration, souffle. **II. Par ext. 1.** Bouffée, brise, fumée, souffle, vent. **2.** Effluve, émanation, exhalaison, fumet, odeur, parfum. **III. Loc. 1. A perdre haleine :** à perdre le souffle, longuement, sans arrêt/discontinuer. **2. Être hors d'haleine :** essoufflé, haletant.

HALER → *tirer*.

HÂLER Boucaner, bronzer, brunir, noircir.

HALETANT, E I. Au pr. : époumoné, épuisé, essoufflé, hors d'haleine, pantelant, pantois (vx), suffoqué. **II. Par ext. :** bondissant, précipité, saccadé. **III. Fig. :** ardent, avide, cupide (péj.), désireux, impatient.

HALETER Être à bout de souffle/haletant *et les syn. de* HALETANT.

HALL I. → *vestibule*. **II.** → *salle*.

HALLE I. Entrepôt, hangar, magasin. **II.** Foire, marché couvert.

HALLEBARDE → *lance*.

HALLIER Breuil, buisson, épines, fourré, haie, ronce.

HALLUCINANT, E → *extraordinaire*.

HALLUCINATION I. Par ext. : aliénation, apparition, cauchemar, chimère, délire, démence, déraison, divagation, fantasmagorie, folie, illusion, mirage, phantasme, rêve, vision. **II. Fig. :** berlue (fam.), éblouissement, voix.

HALLUCINÉ, E I. Aliéné, bizarre, délirant, dément, égaré, hagard, visionnaire. **II.** Affolé, angoissé, déséquilibré, épouvanté, fou, horrifié, médusé, terrifié, terrorisé.

HALLUCINER → *éblouir*.

HALO → *lueur*, → *nimbe*.

HALTE Arrêt, escale, étape, interruption, pause, répit, repos, station, → *abri*.

HAMEAU Bourg, bourgade, localité, village.

HAMEÇON → *piège*.

HANAP Calice, coupe, cratère, pot, récipient, vase.

HANCHE Croupe, fémur, fesse, flanc, reins.

HANDICAPER → *désavantager*.

HANGAR Abri, appentis, chartil, dépendance, fenil, garage, grange, grenier, local, remise, resserre, toit.

HANTER I. → *fréquenter*. **II.** → *tourmenter*.

HANTISE → *obsession*.

HAPPER v. tr. et intr. Adhérer à, s'agriffer à, s'agripper à, s'attacher à, attraper, s'emparer de, gripper, mettre le grappin/harpon/la main sur, prendre, saisir.

HAQUENÉE I. Au pr. → *jument*. **II. Par ext.** → *cheval*.

HARA-KIRI (SE FAIRE) Se donner la mort, s'éventrer, se frapper, s'immoler, se percer le flanc, se poignarder, se sabrer, se sacrifier, se suicider, se transpercer.

HARANGUE I. Au pr. : allocution, appel, catilinaire, discours, dissertation (péj.), exhortation, exposé, homélie (relig.), oraison (vx), péroraison, philippique, plaidoyer, prêche (relig.), proclamation, prosopopée, sermon, speech, tirade, toast. **II. Par ext. Péj. :** réprimande, semonce.

HARASSÉ, E Abattu, abruti, à bout, accablé, anéanti, annihilé, brisé, claqué (fam.), crevé (fam.), échiné, épuisé, éreinté, excédé, exténué, fatigué, flapi (fam.), las, mort (fam.), moulu (fam.), rendu (fam.), rompu (fam.), tué (fam.), vaincu, vanné (fam.), vidé (fam.).

HARASSER → *fatiguer*.

HARCELER S'acharner, agacer, aiguillonner, assaillir, assiéger, asticoter (fam.), attaquer, braver, empoisonner (fam.), ennuyer, exciter, fatiguer, gêner, importuner, inquiéter, obséder, pourchasser, poursuivre, pousser à bout, presser, provoquer, relancer, secouer, talonner, taquiner, tarabuster, tirailler, tourmenter, tracasser, traquer.

HARDES I. → *vêtement*. **II.** → *haillon*.

HARDI, E I. Favorable ou neutre. 1. Quelqu'un : audacieux, aventureux, brave, casse-cou, courageux, décidé, déterminé, énergique, entreprenant, fier (vx), fougueux, impétueux, intrépide, mâle, osé, résolu, vaillant, vigoureux. **2. Quelque chose :** nouveau, original, osé. **II. Non favorable. 1. Au pr. :** arrogant, cavalier, culotté (fam.), effronté, impudent, indiscret, insolent, présomptueux, risque-tout, téméraire. **2. Relatif aux mœurs :** audacieux, gaillard, impudique, leste, osé, provocant.

HARDIESSE I. Favorable ou neutre. 1. Quelqu'un : assurance, audace, bravoure, cœur, courage, décision, détermination, énergie, esprit d'entreprise, fermeté, fougue, impétuosité, intrépidité, résolution, vaillance. **2. Quelque chose :** innovation, nouveauté, originalité. **II. Non favorable. 1. Quelqu'un :** aplomb, arrogance, audace, culot (fam.), effronterie, front, impudence, imprudence, indiscrétion, insolence, témérité, toupet. **2. *Relatif aux mœurs* :** impudicité, inconvenance, indécence, liberté, licence.

HAREM → *gynécée.*

HARENGÈRE Dame de la halle, dragon, gendarme, grenadier, grognasse (grossier), maritorne, mégère, poissarde, pouffiasse (grossier), rombière (grossier), tricoteuse (vx) virago.

HARGNE I. → *méchanceté.* **II.** → *colère.*

HARGNEUX, EUSE → *acariâtre.*

HARIDELLE → *cheval.*

HARMONIE I. Chœur, concert, musique. → *orchestre.* **II.** Accompagnement, accord, arrangement, cadence, combinaison, consonance, contrepoint, euphonie, mélodie, mouvement, nombre, rondeur, rythme. **III. Fig. 1. *Entre personnes* :** accord, adaptation, affinité, agencement, alliance, amitié, bon esprit, communion, conciliation, concordance, concorde, conformité, correspondance, entente, équilibre, paix, réconciliation (par ext.), sympathie, unanimité, union. **2. *Entre choses* :** balancement, beauté, cadence, cohérence, combinaison, consonance, économie des parties, élégance, ensemble, équilibre, eurythmie, grâce, homogénéité, nombre, ordre, organisation, pondération, proportion, régularité, rythme, symétrie, unité.

HARMONIEUX, EUSE Accordé, adapté, agréable, ajusté, balancé, beau, cadencé, cohérent, conforme, doux, élégant, équilibré, esthétique, euphonique, eurythmique, gracieux, homogène, juste, mélodieux, musical, nombreux, ordonné, organisé, pondéré, proportionné, régulier, rythmé, suave, symétrique.

HARMONISER Accommoder, accorder, adapter, agencer, ajuster, aménager, apprêter, approprier, arranger, assembler, assortir, classer, combiner, composer, concilier, construire, coordonner, disposer, équilibrer, faire concorder, grouper, mettre ensemble, ordonner, organiser, pacifier, ranger, régler, unifier.

HARNACHÉ, E Fig. → *vêtu.*

HARNACHEMENT I. Au pr. : attelage, bricole, joug, harnais. **II. Fig.** → *vêtement.*

HARNACHER Fig. → *vêtir.*

HARNAIS → *harnachement.*

HARO (CRIER) → *vilipender.*

HARPAGON → *avare.*

HARPAILLER → *injurier.*

HARPIE → *virago.*

HARPON Crampon, croc, crochet, dard, digon, foène, foëne, fouëne, grappin, harpeau, harpin.

HARPONNER → *prendre.*

HART → *corde.*

HASARD I. Au pr. 1. *Neutre ou non favorable* : accident, aléa, aventure, cas fortuit, circonstance, coïncidence, conjoncture, contingence coup de dés/de pot (arg.)/du sort, destin, déveine (fam.), fatalité, fortune, impondérable, imprévu, incertitude, indétermination, malchance, manque de pot (arg.), occasion, occurrence, rencontre, risque, sort. **2. *Favorable* :** aubaine, chance, coup de chance/de pot (arg.), fortune, veine (fam.). **II. Par ext.** → *danger.* **III. Loc. adv. 1. *Par hasard* :** d'aventure, par aventure / chance / raccroc, fortuitement. **2. *Au hasard* :** accidentellement, à l'improviste, aveuglément, à l'aveuglette, au petit bonheur, de façon/manière accidentelle/advectice/contingente / imprévisible / imprévue, inconsidérément, n'importe comment/où/quand, par raccroc.

HASARDÉ, E I. Aléatoire, audacieux, aventuré, chanceux, dangereux, exposé, fortuit, fou, gratuit, hardi, hasardeux, imprudent, incertain, misé, osé, périlleux, risqué, téméraire, tenté. **II. Vx** → *obscène.*

HASARDER I. Au pr. : aventurer, commettre, compromettre (péj.), se décider, émettre, essayer, exposer, jouer, jouer son va-tout, se lancer, risquer, risquer le paquet (fam.), tenter. **II. Par ext.** → *expérimenter.*

HASARDEUX, EUSE I. → *hardi.* **II.** → *hasardé.*

HASCHICH, HASCHISCH → *hachich.*

HASTE I. Au pr. : hampe. **II. Par ext. :** carreau, lance, javelot, pique.

HÂTE I. → *vitesse.* **II. Loc. *A la hâte, en hâte* :** à la diable, à fond de train (fam.), avec promptitude, hâtivement, précipitamment, vite, vivement.

HÂTER I. → *accélérer.* **II.** → *brusquer.*

HÂTER (SE) S'activer (fam.), s'agiter, courir, se dégrouiller (fam.), se dépêcher, s'empresser, faire diligence/fissa (arg.), se grouiller (fam.), se précipiter, se presser.

HÂTIF, IVE I. Favorable ou neutre : à la minute, avancé, immédiat, précoce, prématuré, pressé, rapide. **II. Non favorable :** à la va-vite, bâclé, gâché, saboté, torché (grossier).

HAUSSE Accroissement, augmentation, bond, croissance, crue, élévation, enchérissement, flambée/montée des prix, haussement, majoration, montée, poussée, progression, relèvement, revalorisation, valorisation.

HAUSSEMENT I. → *hausse.* **II.** Crue, élévation, soulèvement, surélévation. **III. Loc.** *Haussement d'épaules :* geste de dédain/de désintérêt/d'indifférence/de mépris, mouvement d'épaules.

HAUSSER I. Au pr. 1. *Une valeur :* accroître, augmenter, élever, enchérir, faire monter, majorer, monter, rehausser, relever, remonter, renchérir, revaloriser, surenchérir. **2.** *Une dimension :* agrandir, élever, enfler, exhausser. **3.** *Un objet :* dresser, hisser, lever, monter, porter haut, redresser, remonter, surélever, surhausser. **II. Par ext.** : élever, exalter, porter aux nues.

HAUT, E adj. **I. Au pr.** : culminant, dominant, dressé, élancé, élevé, grand, levé, long, perché, proéminent, surélevé. **II. Fig. 1.** *Favorable :* digne, éclatant, élevé, éminent, grand, fortuné, important, noble, remarquable, supérieur, suprême. **2.** *Non favorable :* arrogant, démesuré. → *dédaigneux.* **3.** *Neutre :* aigu, fort, grand, intense, relevé, vif. **4.** → *profond.* **5.** → *sonore.* **6.** → *vieux.* **III. Loc. 1.** *Haut fait :* acte courageux / éclatant/héroïque/méritoire, action d'éclat. **2.** *Haut mal :* épilepsie.

HAUT n. Apogée, cime, comble, couronnement, crête, dessus, faîte, flèche.

HAUTAIN, E → *dédaigneux.*

HAUT-DE-FORME Claque, gibus, huit-reflets, tube, tuyau de poêle (fam.).

HAUTESSE → *excellence.*

HAUTEUR I. Au pr. : altitude, dimension, élévation, étage, étiage, hypsométrie, niveau, profondeur (de l'eau), stature, taille. **II. Par ext.** : ballon, belvédère, butte, chaîne, colline, côte, coteau, crête, élévation, éminence, falaise, haut, ligne de partage des eaux, mamelon, mont, montagne, monticule, morne, motte, pic, piton, plateau, surplomb, talus, taupinière, tertre. **III. Fig.** → *dédain.*

HAUT-FOND Atterrissement, banc, récif.

HAUT-LE-CŒUR → *dégoût.*

HAUT-LE-CORPS → *tressaillement.*

HÂVE → *pâle.*

HAVIR → *rôtir.*

HAVRE → *port.*

HAVRESAC → *sac.*

HÉBERGER → *recevoir.*

HÉBÉTÉ, E → *stupide.*

HÉBÉTUDE → *engourdissement.*

HÉBRAÏQUE et **HÉBREU** n. et adj. → *israélite.*

HÉCATOMBE I. → *sacrifice.* **II.** → *carnage.*

HÉGÉMONIE → *supériorité.*

HEIMATLOS Apatride, étranger, personne déplacée, sans nationalité/patrie.

HÉLER → *interpeller.*

HÉMICYCLE → *amphithéâtre.*

HÉMISTICHE Césure, coupe, pause.

HÉMORRAGIE → *congestion.*

HÉRAUT → *messager.*

HERBAGE I. → *herbe.* **II.** → *pâturage.*

HERBE I. Au pr. : brome, chiendent, dactyle, fétuque, foin, folle avoine, fourrage, gazon, graminée, herbette, ivraie, laîche, ray-grass, regain, verdure, vert. **II. Par ext.** : **1.** Aromates, simples. **2.** Alpage, boulingrin, champ, herbage, pâturage, pelouse, prairie, pré, tapis vert, verdure.

HERBEUX, EUSE Enherbé, gazonneux, herbageux, herbé, herbifère, herbu, verdoyant, vert.

HERBIVORE I. Au pr. : ruminant. **II. Par ext.** : végétarien.

HERCULE, HERCULÉEN, ENNE → *fort.*

HÈRE → *homme.*

HÉRÉDITÉ Antécédents, ascendance, atavisme, caractère ancestral, héritage, legs, patrimoine, succession, transmissibilité, transmission.

HÉRÉSIE Apostasie, contre-vérité, dissidence, erreur, fausseté, hétérodoxie, impiété, réforme, reniement, révolte, sacrilège, schisme, séparation.

HÉRÉTIQUE Apostat, dissident, hérésiarque, hétérodoxe, impie, incroyant, infidèle, laps et relaps, réformateur, renégat, révolté, sacrilège, schismatique, séparé.

HÉRISSÉ, E I. Au pr. : déchevelé, dressé, ébouriffé, échevelé, hirsute, hispide, raide, rebroussé, rempli. **II. Par ext.** : chargé, couvert, entouré/farci/garni/plein/rempli/truffé de, épineux, protégé de/par. **III. Fig.** → *acariâtre.*

HÉRISSEMENT Chair de poule, frissonnement, horripilation.

HÉRITAGE I. Au pr. : douaire (vx), hoirie (vx), legs, mortaille (vx), succession. **II. Par ext. 1.** Bien, domaine, patrimoine, propriété. **2.** Atavisme, hérédité.

HÉRITER v. tr. et intr. Avoir en partage, échoir, recevoir, recueillir.

HÉRITIER, ÈRE I. Ayant cause, colicitant, dépositaire, donataire, hoir (vx), légataire. **II. Par ext. 1.** → *fils.* **2.** → *successeur.*

HERMAPHRODITE n. et adj. Amphigame (bot.), androgyne, androgynoïde, bisexué, gynandroïde.

HERMÉTIQUE I. → *secret.* **II.** → *obscur.*

HERNIE Descente, effort (fam.), étranglement, éventration, grosseur (fam.), tuméfaction, tumeur molle.

HÉROÏ-COMIQUE Bouffe, bouffon, burlesque, grotesque, macaronique, parodique.

HÉROÏQUE I. Chevaleresque, élevé, épique, homérique, noble, stoïque. **II. Par ext. 1.** → *généreux.* **2.** → *courageux.* **III. Fig. 1.** → *efficace.* **2.** → *extrême.*

HÉROÏSME I. → *générosité.* **II.** → *courage.*

HÉROS Brave, demi-dieu, géant, grand homme/personnage, lion, paladin, preux, surhomme.

HÉSITANT, E Ballotté, en balance, chancelant, confus, craintif, désorienté, douteux, embarrassé, empêché, flottant, fluctuant, incertain, indécis, indéterminé, irrésolu, oscillant, perplexe, scrupuleux, suspendu, timide, velléitaire.

HÉSITATION Atermoiement, balancement, barguignage, désarroi, doute, embarras, flottement, fluctuation, incertitude, indécision, indétermination, irrésolution, perplexité, résistance, réticence, scrupule, tâtonnement, tergiversation, vacillation.

HÉSITER Atermoyer, attendre, balancer, barboter, (fam.), barguigner, consulter (vx), délibérer, douter (vx), être embarrassé/empêtré (fam.)/incertain / indécis / indéterminé / irrésolu/ perplexe/réticent, flotter, lanterner (fam.), marchander, ne savoir que faire, osciller, patauger (fam.), reculer, résister, rester en suspens, se tâter, sourciller, tâtonner, temporiser, tergiverser, tortiller (fam.).

HÉTAÏRE → *prostituée.*

HÉTÉROCLITE → *irrégulier.*

HÉTÉRODOXE n. et adj. → *hérétique.*

HÉTÉROGÈNE Allogène, allothigène, amalgame, bigarré, composite, disparate, dissemblable, divers, étranger, hétéroclite, impur, mêlé, varié.

HÉTÉRONYME Nom de guerre, pseudonyme, sobriquet, surnom.

HEUR → *bonheur.*

HEURE I. → *moment.* **II.** → *occasion.* **III. Loc. Tout à l'heure. 1.** A l'instant, il y a peu. **2.** Dans un moment, d'ici peu.

HEUREUX, EUSE I. Quelqu'un : aisé, à l'aise, béat, benoît, bien aise, bienheureux, calme, chanceux, charmé, comblé, content, enchanté, en paix, euphorique, exaucé, favorisé, florissant, fortuné, gai, joyeux, nanti, optimiste, prospère, radieux, ravi, réjoui, repu, riche, sans souci, satisfait, tranquille, transporté, triomphant, veinard (fam.). **II. Par ext. 1.** → *favorable.* **2.** Beau, bien venu, équilibré, habile, harmonieux, juste, original, plaisant, réussi, trouvé.

HEURT I. Au pr. : abordage, accrochage, à-coup, aheurtement, cahot, carambolage, choc, collision, commotion, contact, coup, impact, percussion, rencontre, saccade, secousse, tamponnage, télescopage. **II. Fig. :** antagonisme, chicane, conflit, épreuve, friction, froissement, mésentente, obstacle, opposition, querelle.

HEURTÉ, E Fig. : abrupt, accidenté, décousu, désordonné, difficile, discordant, haché, inégal, interrompu, irrégulier, raboteux, rocailleux, rude, saccadé.

HEURTER I. V. tr. 1. Au pr. : choquer, cogner, coudoyer, emboutir, frapper, friser/froisser (la tôle), percuter, tamponner, télescoper. **2. Fig. :** blesser, contrarier, choquer, déplaire à, écorcher, faire de la peine, froisser, offenser, offusquer, scandaliser, vexer. **3. Par ext. :** affronter, attaquer, atteindre, combattre, étonner, frapper. **II. V. intr. :** achopper, buter, chopper, cogner, donner contre, porter, rencontrer, taper.

HEURTER (SE) I. V. pr. *Les formes pronom. possibles des syn. de* HEURTER. **II. V. récipr. :** s'accrocher, s'affronter, s'attraper, se combattre, s'entrechoquer.

HIATUS I. Cacophonie, heurtement. **II.** Espace, interruption, interstice. **III.** → *lacune.*

HIC → *difficulté.*

HIDEUX, EUSE → *laid.*

HIÉRARCHIE I. Au pr. : échelle, filière. **II. Par ext. 1.** Autorité, commandement, ordre, rang, subordination. **2.** Cadres supérieurs, chefs, élite, notabilité. **III. Fig. :** agencement, classement, classification, coordination, distribution, échelonnement, étagement, gradation, hiérarchisation, organisation, structure, système.

HIÉRARCHISER Agencer, classer, distribuer, échelonner, étager, graduer, mettre en ordre/en place, ordonner, organiser, poser, situer, structurer, subordonner, superposer.

HIÉRATIQUE I. → *sacré.* **II.** → *traditionnel.*

HIÉROGLYPHE I. Au pr. : hiérogramme, idéogramme. **II. Fig.** → *barbouillage.*

HILARANT, E → *risible.*

HILARE I. → *gai.* **II.** → *réjoui.*

HILARITÉ → *gaieté.*

HIPPODROME I. Au pr. : champ de courses. **II. Par ext. :** arène, cirque.

HIRSUTE, HISPIDE → *hérissé.*

HISSER → *lever.*

HISTOIRE I. Au pr. 1. Archéologie, chronologie, diplomatique, épigraphie, généalogie, heuristique, paléographie, préhistoire, protohistoire. **2.** Annales, archives, bible, biographie, commentaires, confessions, chroniques, chronologie, description, dit (vx), évangile, évocation, fastes, geste (vx), hagiographie, mémoires, nàrration, peinture, récit, relation, souvenir, version, vie. **3.** Anecdote, conte, écho, épisode, fable, historiette, légende, mythologie. **II. Par ext. III. Fig. 1.** → difficulté. **2.** → blague. **3.** Chicane, embarras, incident, querelle.

HISTORIEN, ENNE Annaliste, auteur, biographe, chroniqueur, chronologiste, écrivain, historiographe, mémorialiste, narrateur, spécialiste de l'histoire.

HISTORIER I. → peindre. **II.** → orner.

HISTORIQUE I. Adj. → réel. **II. Nom masc.** → récit.

HISTRION I. → bouffon. **II.** → plaisant.

HOBEREAU → noble.

HOCHER → remuer.

HOCHET I. → vanité. **II.** → bagatelle.

HOLDING → trust.

HOLOCAUSTE → sacrifice.

HOMÉLIE I. Au pr. : instruction, prêche, prône, sermon. **II. Par ext. :** abattage, allocution, discours, engueulade (fam.), remontrance, réprimande, semonce.

HOMÉRIQUE Audacieux, bruyant, épique, héroïque, inextinguible, inoubliable, mémorable, noble, sublime, valeureux.

HOMICIDE I. Nom masc. 1. Quelqu'un : assassin, criminel, meurtrier, tueur. **2. L'acte :** assassinat, crime, exécution, infanticide, liquidation physique, meurtre. **II. Adj. :** meurtrier, mortel.

HOMMAGE I. Au sing. → offrande. **II. Au pl.** → civilité, respect.

HOMMASSE Mâle, masculin.

HOMME I. L'espèce. 1. Anthropoïde, bimane, bipède (fam.), créature, créature ambidextre/douée de raison/intelligente, être humain, hominien, homo sapiens, humain, mortel. **2.** Espèce humaine, humanité, prochain, semblable, société. **II. L'individu. 1. Favorable ou neutre :** âme, corps, esprit, individu, monsieur, personnage, personne, quelqu'un, tête. **2. Partic. :** bras, citoyen, habitant, naturel, ouvrier, soldat, sujet. **3. Péj. ou arg. :** bonhomme, bougre, chrétien, coco, croquant, diable, drôle, gaillard, gazier, gonze, guignol, hère, lascar, luron, mec, moineau, oiseau, paroissien, piaf,

pierrot, pistolet, quidam, type, zèbre, zigoto, zigue. **III. Par ext. 1.** → amant. **2.** → époux. **IV. Loc. 1. Homme de bien :** brave/galant/honnête homme, gentilhomme, gentleman, homme d'honneur/de mérite. **2. Homme d'État** → politique. **3. Homme de lettres** → écrivain. **4. Homme de loi** → légiste. **5. Homme de paille** → intermédiaire. **6. Homme de qualité** → noble. **7. Homme lige** → vassal et partisan.

HOMOGÈNE Analogue, cohérent, de même espèce/genre/nature, équilibré, harmonieux, identique, parallèle, pareil, proportionné, régulier, uni, uniforme, semblable, similaire.

HOMOGÉNÉITÉ → harmonie.

HOMOLOGATION Acceptation, approbation, authentification, autorisation, confirmation, décision, enregistrement, entérinement, officialisation, ratification, sanction, validation.

HOMOLOGUE adj. et n. Analogue, comparable, concordant, conforme, congénère, correspondant, équivalent, frère, identique, pareil, semblable, similaire. → alter ego.

HOMOLOGUER Accepter, approuver, authentifier, autoriser, confirmer, décider, enregistrer, entériner, officialiser, ratifier, sanctionner, valider.

HOMOSEXUEL, LE → uranien, lesbienne.

HONGRE I. Au pr. : castré, châtré. **II. Par ext. :** castrat, eunuque.

HONNÊTE I. Quelqu'un. 1. Au pr. : brave, consciencieux, digne, droit, estimable, exact, fidèle, franc, honorable, incorruptible, intègre, irréprochable, juste, légal, licite, loyal, méritoire, moral, net, probe, propre, scrupuleux, vertueux. **2. Par ext. :** accompli, civil, comme il faut, convenable, correct, de bonne compagnie, décent, distingué, honorable, poli, rangé, réservé, sage, sérieux. **II. Quelque chose. 1. Au pr. :** avouable, beau, bien, bienséant, bon, convenable, décent, louable, moral, naturel, normal, raisonnable. **2. Par ext. :** catholique, convenable, décent, honorable, juste, mettable, moyen, passable, satisfaisant, suffisant. **III. Loc. Honnête homme :** accompli, gentleman, homme de bien.

HONNÊTETÉ I. Au pr. : conscience, dignité, droiture, exactitude, fidélité, franchise, incorruptibilité, intégrité, irréprochabilité, justice, loyauté, moralité, netteté, probité, scrupule, vertu. **II. Par ext. 1.** Amitié (vx), bienséance, bienveillance, civilité, correction, décence, délicatesse, distinction, honorabilité, politesse, qualité. **2.** Chasteté, décence, fidélité, mérite, modestie, morale, pudeur, pureté, sagesse, vertu.

HONNEUR I. Dignité, estime, fierté. **II.** Prérogative, privilège. **III.** Culte, dévotion, vénération. **IV.** → *décence.* **V.** → *honnêteté.* **VI.** → *gloire.* **VII.** → *respect.* **VIII. Au pl. :** apothéose, charge, distinction, égards, faveur, grade, hommage, ovation, poste, triomphe.

HONNIR → *vilipender.*

HONORABLE I. Quelqu'un : digne, distingué, estimable, méritant, noble (vx), respectable. **II. Quelque chose :** honorifique. → *honnête.*

HONORAIRES → *rétribution.*

HONORER Adorer, avoir/célébrer/ rendre un culte, déifier, encenser, estimer, glorifier, gratifier d'estime/de faveur/d'honneur, magnifier, respecter, révérer, saluer la mémoire, tenir en estime.

HONORER (S') S'enorgueillir, se faire gloire.

HONORIFIQUE Flatteur, honorable.

HONTE I. Neutre : confusion, crainte, embarras, gêne, humilité, pudeur, réserve, respect humain, retenue, timidité, vergogne (vx). **II. Non favorable 1.** Abaissement, abjection, affront, bassesse, dégradation, démérite, déshonneur, flétrissure, humiliation, ignominie, indignité, infamie, opprobre, scandale, turpitude, vilenie. **2.** Dégoût de soi, regrets, remords, repentir. **III. Loc. *Fausse honte* → *timidité.***

HONTEUX, EUSE I. Neutre. *Quelqu'un*. 1. *Au pr. :* camus (vx), capot (fam.), confus, consterné, contrit, déconfit, gêné, penaud, quinaud, repentant. **2. *Par ext. :*** caché, craintif, embarrassé, timide. **II. Non favorable. *Une action :*** abject, avilissant, bas, coupable, dégoûtant, dégradant, déshonorant, décœurant, ignoble, ignominieux, immoral, inavouable, infamant, infâme, lâche, méprisable, obscène, ordurier, sale, scandaleux, trivial.

HÔPITAL I. Au pr. : asile, clinique, hospice, hôtel-Dieu, lazaret, maison de retraite/de santé, maternité, policlinique, préventorium, refuge. **II. Par ext. :** *1.* Ambulance, antenne chirurgicale, dispensaire, infirmerie. **2.** Crèche, maternité. **3.** Sanatorium, solarium.

HORDE I. → *peuplade.* **II.** → *troupe.*

HORION → *coup.*

HORIZON I. Au pr. : champ, distance, étendue, panorama, paysage, perspective, vue. **II. Fig.** → *avenir.*

HORLOGE I. Au pr. : cadran, carillon, cartel, chronomètre, comtoise, coucou, jaquemart, pendule, régulateur, réveil, réveille-matin. **II.** Par ext. : cadran solaire, clepsydre, gnomon, sablier.

HORMIS → *excepté.*

HOROSCOPE → *prédiction.*

HORREUR I. Sentiment qu'on éprouve : aversion, cauchemar, dégoût, détestation, effroi, éloignement, épouvante, épouvantement, exécration, haine, peur, répugnance, répulsion, saisissement, terreur *et les suffixes de* PHOBIE *(ex. : hydrophobie).* **II. Un acte :** abjection, abomination, atrocité, crime, honte, ignominie, infamie, laideur, monstruosité, noirceur. **III. Au pl. *1. Dire des horreurs :*** calomnies, méchancetés, pis que pendre, vilenies. **2. *Chanter des horreurs :*** grossièretés, obscénités.

HORRIBLE I. → *affreux.* **II.** → *effrayant.* **III.** → *laid.*

HORRIPILATION → *hérissement.*

HORRIPILER Agacer, asticoter (fam.), énerver, exaspérer, faire sortir de ses gonds (fam.), impatienter, mettre hors de soi, prendre à contrepoil (fam.), à rebrousse-poil (fam.).

HORS I. Adv. Dehors. **II. Prép.** → *excepté.*

HORS-D'ŒUVRE I. Au pr. : amuse-gueule, crudités, kémia, zakouski. **II. Fig.** → *digression.*

HORS-LA-LOI → *bandit, maudit.*

HORTICULTURE → *jardinage.*

HOSPICE → *hôpital.*

HOSPITALIER, ÈRE Accueillant, affable, aimable, amène, avenant, charitable, empressé, généreux, ouvert, sympathique.

HOSTIE → *victime.*

HOSTILE → *défavorable.*

HOSTILITÉ I. → *guerre.* **II.** → *haine.*

HÔTE, HÔTESSE I. Celui qui accueille. 1. Amphitryon, maître de maison. **2.** Aubergiste, cabaretier, gargotier (fam.), gérant, hôtelier, logeur, propriétaire, restaurateur, taulier (arg.), tavernier (fam.), tenancier. **II. Celui qui est accueilli. 1.** → *convive.* **2.** → *pensionnaire.* **3.** → *habitant.*

HÔTEL I. → *maison.* **II.** → *immeuble.* **III.** Auberge, cambuse (péj.), caravansérail, crèche (fam.), garni, gîte, hôtellerie, logis, maison de passe (péj.), meublé, motel, palace, pension de famille, taule (arg.). **IV. Hôtel de ville :** mairie, maison commune/ de ville.

HÔTELIER → *hôte.*

HOTTE → *panier.*

HOUE Binette, bineuse, fossoir, hoyau, marre, tranche. → *bêche.*

HOULE → *vague.*

HOULETTE → *bâton.*

HOUPPE Aigrette, floche, freluche, houpette, huppe, pompon, touffe, toupet.

HOUPPELANDE Douillette, pelisse, robe de chambre.

HOUSEAUX → *guêtre.*

HOUSPILLER I. → *secouer.* **II.** → *maltraiter.* **III.** → *réprimander.*

HOUSSE → *enveloppe.*

HUÉE Bruit, chahut, charivari, cri, tollé.

HUER → *vilipender.*

HUGUENOT, OTTE n. et adj. → *protestant.*

HUILE I. Fig. → *personnalité.* **II. Loc. 1. Mettre de l'huile dans les rouages :** aider, faciliter, favoriser. **2. Jeter/mettre de l'huile sur le feu :** attiser, envenimer, exciter, inciter/pousser à la chicane/dispute. **3. Huile de coude :** effort, peine, soin, travail. **4. Faire tache d'huile** → *répandre (se).*

HUILER → *graisser.*

HUILEUX, EUSE → *gras.*

HUISSIER Acense (vx), appariteur, chaouch, garçon de bureau, gardien, introducteur, massier, portier, surveillant, tangente (arg.).

HULOTTE Chat-huant, chouette, corbeau de nuit, effraie, huette, strix.

HUMAIN I. Adj. : accessible, altruiste, bienfaisant, bienveillant, bon, charitable, clément, compatissant, doux, généreux, humanitaire, philanthrope, pitoyable, secourable, sensible. **II. Nom masc.** → *homme.*

HUMANISME Atticisme, classicisme, civilisation, culture, goût, hellénisme, sagesse, sapience, savoir.

HUMANITÉ I. → *bonté.* **II.** → *homme.*

HUMBLE I. → *modeste.* **II.** → *petit.*

HUMECTER I. Au pr. : abreuver, arroser, bassiner, délaver, emboire (vx), humidifier, imbiber, imprégner, mouiller. **II. Techn. :** bruir, humidier, hydrater, madéfier.

HUMER I. → *sentir.* **II.** → *avaler.*

HUMEUR I. Disposition d'esprit. 1. Favorable ou neutre : attitude, désir, envie, esprit, fantaisie, goût, gré, idée, manière d'être, naturel, prédilection, volonté. **2. Non favorable :** aigreur, bizarrerie, caprice, extravagance, fantaisie, folie, impatience, irrégularité, irritation, lubie, manie, mécontentement, misanthropie, passade, vertigo. → *fâcherie.* **II.** → *liquide.*

HUMIDE Aqueux, détrempé, embrumé, embué, fluide, frais, humecté, humidifié, hydraté, imbibé, imprégné, liquide, moite, mouillé, suintant.

HUMIDIFIER → *humecter.*

HUMIDITÉ I. Brouillard, brouillasse, bruine, brume, fraîcheur, moiteur, mouillure, rosée, serein. **II.** Degré hygrométrique, imprégnation, infiltration, saturation, suintement.

HUMILIATION I. On humilie ou on s'humilie : abaissement, aplatissement (fam.), confusion, dégradation, diminution, honte, mortification. **II. Ce qui humilie :** affront, avanie, blessure, camouflet, dégoût, gifle, honte, opprobre, outrage, vexation.

HUMILIER Abaisser, accabler, avilir, confondre, courber sous sa loi/ volonté, dégrader, donner son paquet (fam.), doucher (fam.), écraser, faire honte, gifler, mater, mettre plus bas que terre, mortifier, moucher (fam.), offenser, opprimer, rabaisser, rabattre, ravaler, souffleter, vexer.

HUMILIER (S') Baiser les pieds, courber le front, fléchir/plier/ployer le genou, lécher les bottes (fam.)/le cul (grossier), se mettre à plat ventre (fam.), se prosterner, ramper, *et les formes pronom. possibles des syn. de* HUMILIER.

HUMILITÉ I. Favorable ou neutre : componction, modestie, soumission, timidité. **II. Non favorable. 1.** Bassesse, obséquiosité, platitude, servilité **2.** Abaissement, obscurité. → *humiliation.* **III. Par ext. :** abnégation, déférence, douceur, effacement, réserve, respect, simplicité.

HUMORISTE Amuseur, caricaturiste, comique, fantaisiste, farceur, moqueur, pince-sans-rire, plaisantin, railleur, rieur.

HUMOUR → *esprit.*

HUPPE → *houppe.*

HUPPÉ, E → *riche.*

HURLER v. tr. et intr. → *crier.*

HURLUBERLU, E → *étourdi.*

HUTTE → *cabane.*

HYACINTHE Jacinthe.

HYBRIDE adj. et n. → *métis.*

HYDRATER → *humecter.*

HYGIÈNE Confort, diététique, grand air, propreté, régime, salubrité, santé, soin.

HYMEN → *mariage, virginité.*

HYMNE I. Nom masc. : air, chant, marche, musique, ode, stances. **II. Nom fém. :** antienne, cantique, chœur, choral, prose, psaume, séquence.

HYPERBOLE → *exagération.*

HYPERBOLIQUE I. → *excessif.* **II.** → *emphatique.*

HYPERBORÉEN, ENNE → *nordique.*

HYPERESTHÉSIE → *sensibilité.*

HYPNOTIQUE → *narcotique.*

HYPNOTISER I. → *endormir.* **II.** → *fasciner.*

HYPOCONDRE ou **HYPO-CONDRIAQUE** → *bilieux.*

HYPOCRISIE I. Le défaut : affectation, baiser de Judas, bigoterie, cafarderie, cafardise, cagotterie, cagotisme, chafouinerie (fam.), cautèle, déloyauté, dissimulation, duplicité, escobarderie, fausseté, félonie, flaterie, fourberie, jésuitisme, machiavélisme, papelardise, patelinage, pelotage, pharisaïsme, pruderie, pudibonderie, simulation, tartuferie. **II. L'acte :** cabotinage, comédie, double-jeu, faux-semblant, feinte, fraude, grimace, jonglerie, mascarade, mensonge, momerie, pantalonnade, simagrée, singerie, sournoiserie, trahison, tromperie.

HYPOCRITE Affecté, artificieux, baveux, bigot, cabot, cabotin, bafard, cagot, caméléon, captieux, cauteleux, chafouin (fam.), comédien, déloyal, dissimulateur, dissimulé, double-jeu, doucereux, escobar, fallacieux, faux, faux-derche (arg.), faux-jeton (fam.), félon, flatteur, fourbe, grimacier, imposteur, insidieux, jésuite, judas, matois, matou, menteur, mielleux, papelard, patelin, patte-pelu (vx) peloteur, pharisaïque, pharisien, prude, pudibond, renard, retors, sainte-nitouche, simulateur, sournois, spécieux, tartufe, tortueux, trompeur, visqueux.

HYPOGÉ, E Adj. Souterrain.

HYPOGÉE n. m. Cave, caveau, crypte, sépulture, souterrain, tombe, tombeau.

HYPOTHÈQUE Gage, privilège, sûreté → *garantie.*

HYPOTHÉQUER *Donner en* → *hypothèque, grever.*

HYPOTHÈSE I. → *supposition.* **II.** → *principe.*

HYPOTHÉTIQUE → *incertain*

HYSTÉRIE → *nervosité.*

HYSTÉRIQUE → *nerveux.*

IAMBE → *poème.*

ICI Céans, en cet endroit, en ce lieu.

ICI-BAS En ce monde, sur terre.

ICTÈRE Cholémie, hépatite, jaunisse.

IDÉAL n. **I. Favorable :** aspiration, canon, modèle, parangon, perfection, prototype, type. **II. Non favorable :** fumée, imagination, moulin à vent, rêve, utopie, viande creuse.

IDÉAL, E adj. Absolu, accompli, chimérique, élevé, exemplaire, illusoire, imaginaire, inaccessible, merveilleux, parfait, pur, rêvé, souverain, sublime, suprême, transcendant, utopique.

IDÉE I. Archétype, concept, connaissance, conscience, notion. **II.** → *ébauche.* **III.** → *invention.* **IV.** → *modèle.* **V.** Aperçu, avant-goût, conception, échantillon, élucubration (péj.), essai (∨x), exemple, image, intention, pensée, perspective, réflexion, vue. **VI.** → *opinion.* **VII. Loc. 1. Idée fixe :** chimère, dada favori, hantise, manie, marotte, monomanie, obsession. → *imagination.* **2. Avoir dans l'idée :** avoir dans la tête/l'intention.

IDENTIFIER → *reconnaître.*

IDENTIQUE → *semblable.*

IDÉOLOGIE → *opinion.*

IDIOME → *langue.*

IDIOT, E I. → *stupide.* **II.** → *bête.*

IDIOTISME → *expression.*

IDOLÂTRE → *païen.*

IDOLÂTRER → *aimer.*

IDOLÂTRIE I. → *religion.* **II.** → *attachement.*

IDOLE → *dieu.*

IDYLLE I. → *pastorale.* **II.** → *caprice.*

IGNARE n. et adj. → *ignorant.*

IGNIFUGE Anticombustible, incombustible, ininflammable, réfractaire.

IGNITION → *combustion.*

IGNOBLE I. → *bas.* **II.** → *dégoûtant.*

IGNOMINIE → *honte.*

IGNOMINIEUX, EUSE → *honteux.*

IGNORANCE Abrutissement, analphabétisme, ânerie, balourdise, bêtise, candeur, crasse, imbécillité, impéritie, impuissance, incapacité, incompétence, inconscience, inconséquence, inculture, inexpérience, ingénuité, innocence, insuffisance, lacune, méconnaissance, naïveté, nullité, obscurantisme, simplicité, sottise.

IGNORANT, E Abruti, aliboron (fam.), analphabète, âne, arriéré, balourd, baudet, béjaune, bête, bourrique (fam.), cancre, candide, croûte (fam.), étranger à, ganache (péj.), ignare, ignorantin, ignorantissime, illettré, impuissant, incapable, incompétent, inconscient, inculte, inexpérimenté, ingénu, inhabile, malhabile, non informé/initié, nul, primitif, profane, sans connaissance/instruction/savoir, sot.

IGNORÉ, E → *inconnu.*

ILLÉGAL, E, ILLÉGITIME, IRRÉGULIER, ÈRE → *défendu.*

ILLETTRÉ, E → *ignorant.*

ILLICITE → *défendu.*

ILLIMITÉ, E → *immense.*

ILLISIBLE Abracadabrant, entortillé, incompréhensible, indéchiffrable, inintelligible, obscur, sans queue ni tête.

ILLOGIQUE Aberrant, absurde, alogique, anormal, contradictoire, dément, déraisonnable, faux, incohérent, inconséquent, invraisemblable, irrationnel, paradoxal.

ILLUMINATION I. → *lumière.* II. → *inspiration.*

ILLUMINÉ, E Fig. I. → *inspiré.* II. → *visionnaire.*

ILLUMINER → *éclairer.*

ILLUSION I. Au pr. **1.** → *hallucination.* **2.** → *erreur.* II. Par ext. : amusement, charme, chimère, duperie, enchantement, fantasmagorie, fantôme, féerie, fiction, fumée, hochet, leurre, idée, imagination, irréalité, magie, manipulation, mirage, prestidigitation, prestige, reflet, rêve, rêverie, semblant, simulation, songe, tour de passe-passe, utopie, vanité, vision.

ILLUSIONNISTE Acrobate (par ext.), escamoteur, jongleur, magicien, manipulateur, physicien (vx), prestidigitateur.

ILLUSOIRE Chimérique, conventionnel, fabriqué, fantaisiste, faux, feint, fictif, imaginaire, imaginé, inexistant, inventé, irréel, mythique, romanesque, supposé, truqué, utopique, vain. → *trompeur.*

ILLUSTRATION I. Au pr. → *image.* II. Par ext. : célébrité, consécration, démonstration, éclat, exemple, gloire, glorification, grandeur, honneur, immortalité, lauriers, lumière, lustre, notoriété, phare, popularité, rayonnement, renom, renommée, réputation, splendeur.

ILLUSTRE Brillant, célèbre, connu, consacré, distingué, éclatant, fameux, glorieux, grand, honorable, immortel, légendaire, noble, notoire, populaire, renommé, réputé.

ILLUSTRER I. Clarifier, débrouiller, déchiffrer, démontrer, développer, éclairer, élucider, expliquer, informer, instruire, mettre en lumière, rendre intelligible, renseigner. → *éclaircir.* II. → *prouver.*

ÎLOT Par ext. : amas, assemblage, bloc, ensemble, groupe, pâté.

ILOTE I. → *bête.* II. → *ivrogne.*

ILOTISME I. → *bêtise.* II. → *ivresse.*

IMAGE I. Au pr. **1.** → *représentation.* **2.** Aquarelle, aquatinte, bois gravé, bosse, buste, caricature, chromo (péj.), croquis, décalcomanie, dessin, eau-forte, effigie, enseigne (par ext.), estampe, figure, figurine, forme, fresque, gouache, graphique, gravure, héliogravure, icône, illustration, litho, lithographie, médaillon, mine de plomb, miniature, nu, peinture, photo, plan (par ext.), planche, portrait, reflet, réplique, reproduction, schéma, sépia,

signe, statue, statuette, tableau, tête, tracé (par ext.), vignette, vue. **II. Par ext. 1.** Cinéma, télévision. **2.** Allégorie, cliché, comparaison, figure, métaphore, métonymie, parabole. **3.** → *idée.* **4.** → *ressemblance.* **5.** → *description.* **6.** → *symbole.* **7.** → *illusion.*

IMAGER Adorner, agrémenter, ajouter, broder, colorer, décorer, égayer, émailler, embellir, enjoliver, enluminer, enrichir, farder, fignoler, fleurir, garnir, historier, ornementer, parer, rehausser. → *orner.*

IMAGINAIRE Allégorique, chimérique, conventionnel, fabriqué, fabuleux, fantaisiste, fantasmagorique, fantastique, fantomatique, faux, feint, fictif, idéal, illusoire, imaginé, inexistant, inventé, irréel, légendaire, mensonger, mythique, prétendu, rêvé, romancé, romanesque, supposé, truqué, utopique, visionnaire.

IMAGINATION I. **Faculté de l'esprit. 1. Neutre :** conception, évasion, fantaisie, idée, improvisation, inspiration, invention, notion, rêverie, supposition. **2. Non favorable :** divagation, extravagance, puérilité, vaticination. **II. Objet représenté. 1.** → *illusion.* **2.** → *fable.*

IMAGINER Chercher, combiner, concevoir, conjecturer, construire, créer, découvrir, envisager, évoquer, fabriquer, se figurer, forger, former, gamberger (arg.), inventer, se représenter, rêver, songer, supposer, trouver.

IMBÉCILE → *bête.*

IMBÉCILLITÉ → *bêtise.*

IMBERBE Glabre, lisse, nu.

IMBIBER I. Au pr. **1.** : abreuver, arroser, bassiner, délaver, emboire (vx), humecter, humidifier, imprégner, mouiller. II. Techn. : bruire, humidier, hydrater, madéfier.

IMBIBER (S') Boire, pomper, *et les formes pronom. possibles des syn. de* IMBIBER.

IMBRIQUER → *insérer.*

IMBROGLIO I. Brouillamini, brouillement, confusion, désordre, embrouillamini, embrouillement, emmêlement, enchevêtrement, incertitude, obscurcissement, ombre, voile. II. → *intrigue.*

IMBU, E → *pénétré.*

IMITATEUR, TRICE Compilateur, contrefacteur (péj.), copieur, copiste, faussaire (péj.), mime, moutonnier (péj.), parodiste, pasticheur, plagiaire, simulateur, singe (péj.), suiveur.

IMITATION I. L'acte d'imiter : copiage, démarcage *ou* démarquage, esclavage, mime, servilité, simulation, singerie. **II. L'objet :** calque, caricature, charge, compilation, contrefaçon (péj.), copiage, copie, décalcage, démarcage *ou* démarquage, double, emprunt, fac-similé, image, parodie, pastiche, plagiat, répétition, reproduction, semblant, simulacre, toc (fam.).

IMITER Calquer, caricaturer, compiler, contrefaire, copier, décalquer, démarquer, emprunter, jouer, mimer, parodier, pasticher, picorer, piller (péj.), pirater (péj.), plagier, reproduire, simuler, singer (péj.).

IMMANQUABLE → *inévitable.*

IMMANQUABLEMENT A coup sûr, à tous les coups, pour sûr, inévitablement *et les adv. en -ment formés à partir des syn. de* INÉVITABLE.

IMMATRICULATION Enregistrement, identification, inscription, insertion, numéro matricule, repère.

IMMATRICULER Enregistrer, identifier, inscrire, insérer, marquer, numéroter, repérer.

IMMÉDIAT, E Direct, imminent, instantané, présent, prochain, prompt, subit, sur-le-champ.

IMMÉDIATEMENT → *aussitôt.*

IMMÉMORIAL, E → *vieux.*

IMMENSE Ample, colossal, cyclopéen, démesuré, effrayant, énorme, formidable, géant, gigantesque, grandiose, grandissime, gros, illimité, immensurable (vx), imposant, incommensurable, indéfini, infini, monumental, prodigieux, profond, vaste. → *grand.*

IMMENSITÉ Abîme, amplitude, espace, étendue, grandeur, infini, infinité, multitude, quantité.

IMMERGER → *plonger.*

IMMEUBLE Bâtiment, bien, bienfonds, building, caserne (péj.), construction, édifice, ensemble, fonds, grand ensemble, gratte-ciel, H.L.M., hôtel, local, maison, palace, palais, propriété. → *habitation.*

IMMIGRATION Arrivée, déplacement, entrée, exil, exode, gain de population, migration, mouvement, nomadisme, peuplement, venue.

IMMINENCE Approche, instance, point critique, proximité.

IMMINENT, E Critique, instant, menaçant, prochain, proche.

IMMISCER (S') → *intervenir.*

IMMOBILE I. Neutre : arrêté, calme, en repos, ferme, figé, fixe, immuable, impassible, inactif, inébranlable, inerte, insensible, invariable, planté, rivé, stable, stationnaire, statique, sur place, tranquille. **II. Non favorable. 1. *Quelqu'un :*** cloué, figé, interdit, interloqué, médusé, paralysé, pétrifié, sidéré, stupéfait, stupéfié, stupide. **2. *De l'eau :*** croupie, croupissante, dormante, gelée, stagnante. **3. *Un véhicule :*** arrêté, à l'arrêt, calé, en panne, grippé, stoppé.

IMMOBILISER I. Un véhicule : arrêter, bloquer, caler, stopper. **II. Un objet :** affirmir, assujettir, assurer, attacher, bloquer, clouer, coincer, ficher, fixer, maintenir immobile *et les syn. de* IMMOBILE, planter, retenir, river, solidifier, tenir, visser. **III. Fig. :** clouer, cristalliser, enchaîner, endormir, figer, fixer, freiner, geler, paralyser, pétrifier, scléroser.

IMMOBILITÉ Ankylose, calme, fixité, immobilisme, immuabilité, impassibilité, inactivité, inertie, paralysie, piétinement, repos, stabilité, stagnation.

IMMODÉRÉ, E → *excessif.*

IMMODESTE I. → *inconvenant.* **II.** → *obscène.*

IMMOLATION → *sacrifice.*

IMMOLER → *sacrifier.*

IMMONDE → *malpropre.*

IMMONDICE → *ordure.*

IMMORAL, E → *débauché.*

IMMORALITÉ Amoralité, corruption, cynisme, débauche, dépravation, dévergondage, dissolution, immoralisme, liberté des mœurs, libertinage, licence, lubricité, obscénité, stupre, vice.

IMMORTALISER Conserver, éterniser, fixer, pérenniser, perpétuer, rendre éternel/impérissable/inoubliable, transmettre.

IMMORTALITÉ I. Autre vie, éternité, survie, vie future. **II.** → *gloire.*

IMMORTEL, ELLE I. Adj. → *éternel.* **II. Nom :** académicien.

IMMUABLE → *durable.*

IMMUNISER I. → *inoculer.* **II.** → *garantir.*

IMMUNITÉ I. D'une charge : décharge, dispense, exemption, exonération, franchise, inamovibilité, inviolabilité, irresponsabilité, libération, liberté, prérogative, privilège. **II. Méd. :** accoutumance, mithridatisation, préservation, protection, vaccination.

IMMUTABILITÉ Constance, fixité, immuabilité, invariabilité, pérennité.

IMPACT I. But, choc, collision, coup, heurt. **II. Par ext. :** bruit, conséquence, retentissement.

IMPAIR → *maladresse.*

IMPALPABLE → *intouchable.*

IMPARFAIT, E Approximatif, avorté, défectueux, déficient, difforme, discutable, ébauché, embryonnaire, fautif, grossier, imprécis, inabouti, inachevé, incomplet, indigent, inégal, insuffisant, lacunaire, loupé (fam.), manqué, mauvais, médiocre, négligé, raté, restreint, rudimentaire, vague.

IMPARTIAL, E → *juste.*

IMPARTIALITÉ → *justice.*

IMPARTIR → *distribuer*

IMPASSE I. Au pr. : cul-de-sac, voie sans issue. **II. Fig.** : danger, difficulté, mauvais pas → *obstacle.*

IMPASSIBILITÉ Apathie, ataraxie, calme, constance, dureté, fermeté, flegme, froideur, immobilité, impartialité, impavidité, impénétrabilité, imperturbabilité, indifférence, insensibilité, intrépidité, philosophie, placidité, sang-froid, stoïcisme.

IMPASSIBLE Apathique, calme constant, décontracté, dur, ferme, flegmatique, froid, immobile, impartial, impavide, impénétrable, imperturbable, implacable, indifférent, inébranlable, inflexible, insensible, intrépide, marmoréen, philosophe, placide, relax (fam.), stoïque.

IMPATIENCE I. Au pr. : avidité, brusquerie, désir, empressement, fièvre, fougue, hâte, impétuosité, inquiétude, précipitation. **II. Par ext. 1.** Agacement, colère, énervement, exaspération, irascibilité, irritabilité, irritation. **2.** Supplice, torture.

IMPATIENT, E → *pressé.*

IMPATIENTER → *énerver.*

IMPATIENTER (S') Se départir de son calme, être sur des charbons ardents/sur le gril, perdre patience, ronger son frein, sortir de ses gonds, se mettre en colère *et les syn. de* COLÈRE, se tourmenter.

IMPATRONISER (S') → *introduire (s').*

IMPAVIDE → *intrépide.*

IMPAYABLE → *risible.*

IMPECCABLE I. → *irréprochable.* **II.** → *parfait.*

IMPEDIMENTUM I. → *bagage.* **II.** → *obstacle.*

IMPÉNÉTRABLE → *secret.*

IMPÉRATIF, IVE → *absolu.*

IMPERCEPTIBLE Atomique, faible, illisible, impalpable, impondérable, inaudible, indiscernable, infime, inodore, insaisissable, insensible, insignifiant, invisible, léger, microscopique, minime, minuscule, petit, subtil.

IMPERFECTION Défaut, défectuosité, démérite, difformité, faible, faiblesse, grossièreté, inachèvement, incomplétude, infirmité, insuffisance, lacune, loup, malfaçon, manque, péché mignon/véniel, petitesse, ridicule, tache, tare, travers, vice.

IMPÉRIALISME → *autorité.*

IMPÉRIEUX, EUSE I. Au pr. : absolu, altier, autoritaire, catégorique, contraignant, dictatorial, dominateur, formel, impératif, irrésistible, obligatoire, péremptoire, pressant, rigoureux, sérieux, strict, tranchant, tyrannique, urgent. **II. Par ext.** → *dédaigneux.*

IMPÉRISSABLE → *éternel.*

IMPÉRITIE I. → *incapacité.* **II.** → *maladresse.*

IMPERMÉABLE I. Adj. 1. Au pr. : étanche, hors d'eau. **2. Fig.** : impénétrable, inaccessible, insensible. → *indifférent.* **II. Nom** : caoutchouc, ciré, duffle-coat, gabardine, macfarlane, manteau de pluie, pèlerine, trench-coat, water-proof.

IMPERTINENT, E I. → *déplacé.* **II.** → *arrogant.* **III.** → *irrévérencieux.* **IV.** → *sot.*

IMPERTURBABLE → *impassible.*

IMPÉTRANT, ANTE Bénéficiaire, lauréat.

IMPÉTRER → *obtenir.*

IMPÉTUEUX, EUSE Ardent, bouillant, brusque, déchaîné, déferlant, effréné, emporté, endiablé, explosif, de feu, fier, fort, fougueux, frénétique, furieux, inflammable, pétulant, précipité, prompt, torrentueux, véhément, vertigineux, vif, violent, volcanique.

IMPÉTUOSITÉ Ardeur, bouillonnement, brusquerie, déchaînement, déferlement, élan, emballement, emportement, exaltation, feu, fierté, fièvre, flamme, force, fougue, frénésie, furie, hâte, impatience, pétulance, précipitation, promptitude, rush, tourbillon, transport, véhémence, violence, vivacité.

IMPIE → *incroyant.*

IMPIÉTÉ Agnosticisme, apostasie, athéisme, blasphème, froideur, hérésie, incrédulité, incroyance, indifférence, infidélité, inobservance, irréligion, libertinage, libre-pensée, paganisme, péché, profanation, sacrilège, scandale.

IMPITOYABLE, IMPLACABLE I. → *dur.* **II.** → *inflexible.*

IMPLANTER → *fixer, établir.*

IMPLEXE → *compliqué.*

IMPLICATION Accusation, conséquence, complicité, compromission, responsabilité.

IMPLICITE Allant de soi, convenu, sous-entendu, tacite.

IMPLIQUER I. Compromettre. **II.** → *comprendre (dans), renfermer.*

IMPLORER → *prier.*

IMPOLI, E Brutal, butor, cavalier, déplacé, désagréable, désinvolte, discourtois, effronté, galapiat (fam.), gougnafier (fam.), goujat, grossier, huron (fam.), impertinent, impudent, incivil, inconvenant, incorrect, indélicat, injurieux, insolent, irrespectueux, irrévérencieux, leste, malappris, mal élevé/embouché/léché (fam.) /poli, malhonnête, malotru, malséant, malsonnant, maroufle (vx), mufle, offensant, ordurier, ostrogot (fam.), paltoquet (fam.), pignouf (fam.), rude, rustique, sans-gêne.

IMPOLITESSE Brutalité, désinvolture, goujaterie, grossièreté, impertinence, incivilité, inconvenance, incorrection, indélicatesse, insolence, irrespect, irrévérence, malhonnêteté, mauvaise éducation, manque de savoir-vivre, muflerie, rusticité, sans-gêne.

IMPONDÉRABLE I. Nom → *hasard.* **II. Adj.** → *imperceptible.*

IMPORTANCE I. Au pr. : conséquence, considération, étendue, grandeur, gravité, intérêt, nécessité, poids, portée, puissance, valeur. **II. Par ext. 1.** → *influence.* **2.** → *orgueil.*

IMPORTANT, E adj. et n. **I. Au pr. :** appréciable, à prendre en considération / estime, capital, conséquent (pop.), considérable, coquet (fam.), corsé, crucial, décisif, de conséquence, de poids, d'importance, dominant, éminent, essentiel, étendu, fondamental, fort, grand, grave, gros, haut, incalculable, inestimable, influent, insigne, intéressant, le vif du débat/sujet, lourd, majeur, mémorable, nécessaire, notable, pierre angulaire, principal, substantiel, utile, valable. **II. Par ext. 1.** Urgent, pressé. **2.** → *affecté* et *orgueilleux.*

IMPORTER I. V. tr. : commercer, faire venir, introduire. **II. V. intr. 1.** Compter, entrer en ligne de compte. → *intéresser.* **2. Peu m'importe :** peu me chante/chaut.

IMPORTUN, E Accablant, agaçant, ardélion, bassinant (fam.), casse-pieds (fam.), collant (fam.), crampon (fam.), déplaisant, désagréable, de trop, embarrassant, embêtant, emmerdant (grossier), encombrant, énervant, ennuyeux, envahissant, étourdissant, excédant, fâcheux, fatigant, gênant, gêneur, gluant (fam.), hurluberlu (fam.), incommodant, incommode, indiscret, inopportun, insupportable, intempestif, intolérable, intrus, lantiponnant (fam.), malséant, messéant, mouche du coche (fam.), obsédant, officieux, pesant, plaie (fam.), pot de colle (fam.), raseur (fam.), rasoir (fam.), tannant (fam.), tuant (fam.).

IMPORTUNER I. → *tourmenter.* **II.** → *ennuyer.* **III.** → *gêner.*

IMPOSANT, E Auguste, colossal, considérable, digne, écrasant, élevé, énorme, étonnant, fantastique, formidable, grand, grandiose, grave, impressionnant, magistral, magnifique, majestueux, monumental, noble, notoire, olympien, pompeux (péj.), prudhommesque (péj.), respectable, solennel, stupéfiant, superbe.

IMPOSER I. → *prescrire.* **II.** → *obliger.* **III.** → *impressionner.* **IV. Loc. En imposer. 1.** → *tromper.* **2.** → *dominer.*

IMPOSER (S') → *introduire* (*s'*).

IMPOSITION → *impôt.*

IMPOSSIBILITÉ → *impuissance.*

IMPOSSIBLE I. Quelque chose : absurde, chimérique, contradictoire, difficile, épineux, fou, illusoire, impensable, impraticable, inabordable, inaccessible, inadmissible, inapplicable, incompatible, inconcevable, inconciliable, inexcusable, inexécutable, infaisable, insensé, insoluble, insupportable, irréalisable, utopique, vain. **II. Quelqu'un** → *difficile.*

IMPOSTEUR Charlatan, dupeur, esbroufeur, fallacieux, fourbe, mystificateur, perfide, simulateur, trompeur, usurpateur → *hâbleur hypocrite.*

IMPOSTURE I. → *hâblerie.* **II.** → *fausseté.* **III.** → *tromperie.*

IMPÔT Centimes additionnels, charge, contribution, corvée, cote, dîme, droit, fiscalité, gabelle, imposition, levée, patente, prestation, redevance, surtaxe, taille, taxation, taxe, tribut.

IMPOTENT, E → *infirme.*

IMPRATICABLE I. Au pr. : dangereux, difficile, impossible, inabordable, inaccessible, inapplicable, inexécutable, infranchissable, interdit, inutilisable, irréalisable, malaisé, obstrué. **II. Fig. :** infréquentable, insociable, insupportable, invivable.

IMPRÉCATION → *malédiction.*

IMPRÉCIS, E → *vague.*

IMPRÉGNÉ, E → *pénétré.*

IMPRÉGNER I. Au pr. : baigner, bassiner, détremper, humecter, imbiber, pénétrer, tremper. **II. Fig. :** animer, communiquer, déteindre sur, envahir, imprimer, inculquer, infuser, insuffler, marquer, pénétrer.

IMPRÉGNER (S') I. Au pr. : absorber, boire, s'imbiber, prendre l'eau. **II. Fig. :** acquérir, assimiler, apprendre.

IMPRENABLE A toute épreuve, inaccessible, inentamable, inexpugnable, invincible, invulnérable.

IMPRESSION I. → *édition.* **II.** → *effet.* **III.** → *sensation.* **IV.** → *opinion.* **V. Loc. Faire impression** → *impressionner.*

IMPRESSIONNABLE → *sensible.*

IMPRESSIONNANT, E Ahurissant, bouleversant, brillant, confondant, déroutant, effrayant, émouvant, étonnant, étourdissant, extraordinaire, formidable, frappant, imposant, incroyable, inimaginable, merveilleux, prodigieux, renversant, saisissant, sensationnel, spectaculaire, surprenant, troublant.

IMPRESSIONNER I. Au pr. : affecter, agir sur, bouleverser, éblouir, ébranler, émouvoir, étonner, faire impression, frapper, en imposer, influencer, intimider, parler à, toucher, troubler. **II. Non favorable** (fam.) : éclabousser, épater, esbroufer, jeter de la poudre aux yeux, en mettre plein la vue.

IMPRÉVISIBLE, IMPRÉVU, E → *inespéré.*

IMPRÉVOYANT, E Écervelé, étourdi, évaporé, imprudent, inconséquent, insouciant, irréfléchi, léger, négligent, tête de linotte/en l'air.

IMPRIMER I. Au pr. : composer, éditer, empreindre, estamper, estampiller, fixer, frapper, gaufrer, graver, marquer, mettre sous presse, publier, tirer. **II. Fig. :** animer, appliquer, communiquer, donner, imprégner, inculquer, inspirer, insuffler, marquer, pénétrer, transmettre.

IMPROBABLE → *aléatoire.*

IMPROBATION → *blâme.*

IMPRODUCTIF, IVE → *stérile.*

IMPROMPTU I. Adv. : à la fortune du pot (fam.), à l'improviste, au pied levé, de manière imprévisible/inopinée, sans crier gare, sans préparation, sur-le-champ. **II. Nom :** improvisation. **III. Adj. :** de premier jet, imaginé, improvisé, inventé.

IMPROPRE I. Quelque chose : inadéquat, inconvenant, incorrect, inexact, mal/peu approprié/propre à, saugrenu, vicieux. **II. Quelqu'un :** inapte, incapable, incompétent, mal/peu propre à, rebelle à.

IMPROUVER → *blâmer.*

IMPROVISATION, IMPROVISÉ, E → *impromptu.*

IMPROVISTE (À L') Au débotté/ dépourvu, inopinément, sans crier gare, subitement, tout à coup/à trac.

IMPRUDENCE Audace, bévue, étourderie, faute, hardiesse, imprévoyance, irréflexion, légèreté, maladresse, méprise, négligence, témérité.

IMPRUDENT, E I. Audacieux, aventureux, casse-cou, écervelé, étourdi, fautif, hasardeux, imprévoyant, inattentif, inconsidéré, insensé, irréfléchi, léger, maladroit, malavisé, négligent, présomptueux, risque-tout, téméraire. **II.** Dangereux, hasardé, hasardeux, osé, périlleux, risqué.

IMPUDENCE Aplomb, arrogance, audace, cœur, culot (fam.), cynisme, effronterie, front, grossièreté, hardiesse, impudeur, impudicité, inconvenance, indécence, indiscrétion, insolence, liberté, licence, outrecuidance, témérité, toupet.

IMPUDENT, E Arrogant, audacieux, culotté (fam.), cynique, déhonté, effronté, éhonté, grossier, hardi, impudique, inconvenant, indécent, indiscret, insolent, licencieux, outrecuidant, sans gêne/vergogne, téméraire.

IMPUDEUR → *impudence.*

IMPUDICITÉ → *lasciveté.*

IMPUDIQUE I. → *lascif.* **II.** → *obscène.*

IMPUISSANCE I. Au pr. : aboulie, affaiblissement, affaissement, ankylose, débilité, engourdissement, faiblesse, impossibilité, inaptitude, incapacité, incompétence, inhibition, insuffisance, invalidité, paralysie, torpeur. **II. Méd. :** agénésie, anaphrodisie, frigidité, incapacité, infécondité, stérilité.

IMPUISSANT, E I. Au pr. : aboulique, affaibli, ankylosé, débile, désarmé, engourdi, faible, impotent, improductif, inapte, incapable, incompétent, inefficace, infertile, inhibé, inopérant, insuffisant, invalide, neutralisé, paralysé. **II. Méd. :** eunuque, frigide (seul. fém.), infécond, stérile.

IMPULSIF, IVE → *spontané.*

IMPULSION → *mouvement.*

IMPUR, E I. Quelqu'un : abject, avilissant, bas, dégradant, déshonoré, dévoyé, honteux, immoral, impudique, indécent, indigne, infâme, infect, lascif, malhonnête, malpropre, obscène, pécheur, repoussant, sale, sensuel, trivial, trouble, vicieux, vil. **II. Quelque chose. 1. Neutre** → *mêlé.* **2. Non favorable :** avarié, bas, boueux, bourbeux, contaminé, corrompu, déshonnête, empesté, empuanti, falsifié, fangeux, frelaté, immonde, immoral, infect, insalubre, malsain, obscène, pollué, putride, sale, souillé, taré.

IMPURETÉ Abjection, bassesse, boue, corruption, déjection, déshonneur, faute, fornication, immondice, immoralité, imperfection, impudicité, indécence, indignité, infamie, infection, insalubrité, lasciveté, macule, malpropreté, noirceur, obscénité, péché, saleté, salissure, sensualité, souillure, stupre, tache, turpitude, vice.

IMPUTABLE Attribuable, dû.

IMPUTATION → *affectation.*

IMPUTER → *attribuer.*

INABORDABLE, INACCESSIBLE I. Au pr. : abrupt, à pic, hors d'atteinte, dangereux, élevé, escarpé, impénétrable. **II. Par ext. 1.** Cher, coûteux, exorbitant, hors de portée/prix. **2.** Incognoscible, inconnaissable, insondable. **III. Fig. 1.** Imperméable, indifférent, insensible. **2.** Bourru, brutal, distant, fier, insociable, insupportable, mal/peu gracieux, prétentieux, rébarbatif, revêche, rude.

INACCEPTABLE Inadmissible, insupportable, intolérable, irrecevable, récusable, refusable, révoltant.

INACHEVÉ, E → *imparfait.*

INACTIF, IVE I. Au pr. 1. Neutre :

chômeur, désoccupé, désœuvré, inoccupé, sans travail. **2.** *Non favorable :* croupissant, endormi, fainéant, oisif, paresseux. **II. Par ext.** → *inerte.*

INACTION et **INACTIVITÉ I.** Apathie, assoupissement, engourdissement, immobilité, indolence, inertie, lenteur, mollesse, torpeur. **II.** Croupissement, désœuvrement, fainéantise, oisiveté, paresse. **III.** Chômage, congé, marasme, ralentissement, stagnation, suspension. **IV.** Farniente, loisir, repos, sieste, sommeil, vacance, vacances, vacations (jurid.).

INADMISSIBLE → *intolérable.*

INADVERTANCE → *inattention.*

INANIMÉ, E → *mort.*

INAPAISABLE Implacable, incalmable, inextinguible, inguérissable, insatiable, perpétuel, persistant.

INAPTE → *impropre.*

INAPTITUDE → *incapacité.*

INATTAQUABLE Impeccable, imprenable, inaccessible, inaltérable, incorruptible, indestructible, intouchable, invincible, invulnérable, irréprochable, résistant, solide.

INATTENDU, E → *inespéré.*

INATTENTIF, IVE Absent, distrait, écervelé, étourdi, inappliqué, insoucieux, léger, négligent, oublieux.

INATTENTION Absence, dissipation, distraction, étourderie, évagation, faute, imprudence, inadvertance, inconséquence, incurie, indifférence, inobservation, insouciance, irréflexion, légèreté, manquement, mégarde, méprise, négligence, nonchalance, omission, oubli.

INAUGURATION Baptême, commencement, consécration, début, dédicace, étrenne, ouverture, première, sacre (vx).

INAUGURER Baptiser, célébrer l'achèvement/le commencement/le début, consacrer, dédicacer, étrenner, ouvrir.

INCALCULABLE I. Au pr. : considérable, démesuré, énorme, extraordinaire, illimité, immense, important, inappréciable, incommensurable, indéfini, infini, innombrable, insoluble. **II. Loc.** *Conséquence incalculable :* grave, imprévisible.

INCANDESCENT, E → *chaud.*

INCANTATION → *magie, chant.*

INCAPABLE I. Adj. : ignorant, imbécile, impropre, impuissant, inapte, incompétent, inepte, inhabile, inopérant, insuffisant, maladroit, malhabile, nul, vain, velléitaire. **II. Nom :** ganache, ignorant, imbécile, impuissant, lavette, mazette, médiocre, nullité, pauvre type, triste individu/sire, zéro.

INCAPACITÉ I. Au pr. : engourdissement, ignorance, imbécillité, impéritie, impuissance, inaptitude, incompétence, ineptie, infirmité, inhabileté, insuffisance, maladresse, nullité. **II. Méd. 1.** Invalidité. **2.** → *impuissance.* **III. Jurid. :** déchéance, interdiction, minorité.

INCARCÉRATION → *emprisonnement.*

INCARCÉRER → *emprisonner.*

INCARNER → *symboliser.*

INCARTADE I. → *écart.* **II.** → *avanie.*

INCENDIAIRE n. et adj. Bandit, brûleur, chauffeur (vx), criminel, pétroleur, pyromane.

INCENDIE I. Au pr. : brasier, brûlement (vx), combustion, conflagration, destruction par le feu, embrasement, feu, ignition, sinistre. **II. Fig. :** bouleversement, conflagration, guerre, révolution.

INCERTAIN, E Aléatoire, ambigu, aventureux, branlant, brouillé, chancelant, changeant, conditionnel, confus, conjectural, contestable, contingent, discutable, douteux, ébranlé, embarrassé, équivoque, éventuel, faible, falot, flottant, flou, fluctuant, fragile, hasardé, hésitant, hypothétique, ignoré, imprévu, improbable, inconnu, indécis, indéfini, indéterminé, indiscernable, instable, irrésolu, louche, nébuleux, obscur, oscillant, perplexe, peu sûr, précaire, présumé, prétendu, problématique, risqué, supposé, suspect, suspendu, vacillant, vague, vaporeux, variable, vaseux, versatile.

INCERTITUDE I. De quelque chose : ambiguïté, chance, contingence, embrouillement, équivoque, éventualité, faiblesse, fragilité, flottement, fluctuation, hasard, inconstance, obscurité, précarité, vague, variabilité. **II. De quelqu'un :** anxiété, ballottement, changement, crise, désarroi, doute, embarras, flottement, fluctuation, hésitation, indécision, indétermination, inquiétude, instabilité, irrésolution, oscillation, perplexité, scrupule, tâtonnement, tergiversation, versatilité.

INCESSAMMENT I. → *bientôt.* **II.** → *toujours.*

INCESSANT, E Constant, continu, continué, continuel, éternel, ininterrompu, intarissable, permanent, perpétuel, reconduit, sempiternel, suivi.

INCIDEMMENT Accessoirement, accidentellement, en passant, entre parenthèses, éventuellement, occasionnellement, par hasard.

INCIDENCE → *suite.*

INCIDENT I. Nom : accroc, anicroche, aventure, cas, chicane, circonstance, difficulté, dispute, embarras, ennui, entrefaite, épisode, événement, éventualité, obstacle, occasion,

occurrence, péripétie. **II. Adj. 1.**
→ *accessoire.* **2. Gram. :** incise.

INCIDENTER (vx) → *chicaner.*

INCINÉRATION Crémation, combustion, destruction par le feu.

INCINÉRER → *brûler.*

INCISER → *couper.*

INCISIF, IVE → *mordant.*

INCISION → *coupure.*

INCITER → *inviter.*

INCIVIL, E → *impoli.*

INCIVILITÉ → *impolitesse.*

INCLÉMENCE → *rigueur.*

INCLÉMENT, E → *rigoureux.*

INCLINAISON I. → *obliquité.* **II.** →
pente.

INCLINATION I. Au pr. → *inclinaison.* **II. Fig. 1.** Appétit, aspiration, attrait, désir, disposition, envie, faible, faiblesse, goût, instinct, penchant, pente, préférence, propension, tendance. **2.** → *attachement.*

INCLINER I. V. intr. : obliquer, pencher. **II. V. tr. 1. Au pr. :** abaisser, baisser, courber, fléchir, infléchir, obliquer, pencher, plier, ployer. **2. Fig. :** attirer, inciter, porter, pousser.

INCLINER (S') I. Se prosterner, saluer *et les formes pronom. possibles des syn. de* INCLINER. **II. Fig. 1.** → *humilier (s').* **2.** → *céder.*

INCLURE → *introduire.*

INCOERCIBLE → *irrésistible.*

INCOGNITO I. Adv. : à titre privé, discrètement, en cachette, secrètement. **II. Nom :** anonymat. **III. Adj.** → *anonyme.*

INCOHÉRENCE → *désordre.*

INCOMBER → *revenir.*

INCOMBUSTIBLE Anticombustible, ignifuge.

INCOMMENSURABLE → *immense.*

INCOMMODE → *importun.*

INCOMMODÉ, E Dérangé, embarrassé, empoisonné, étourdi, fatigué, gêné, importuné, indisposé, intoxiqué, malade, mal à l'aise, patraque (fam.), troublé.

INCOMMODER → *gêner.*

INCOMMODITÉ → *inconvénient.*

INCOMPARABLE → *distingué.*

INCOMPATIBLE Antinomique, antipathique, antithétique, autre, contradictoire, contraire, désassorti, discordant, dissonant, exclusif de, inconciliable, inharmonieux, opposé.

INCOMPRÉHENSIBLE → *inintelligible.*

INCONCEVABLE I. → *inintelligible.* **II.** → *invraisemblable.*

INCONCILIABLE → *incompatible.*

INCONGRU, E → *déplacé.*

INCONGRUITÉ I. Grossièreté, im-

pudicité, inconvenance, incorrection, indécence, liberté, licence, malpropreté, manque d'éducation/de tenue, mauvaise tenue, saleté. → *impolitesse.* **II.** → *vent.*

INCONNU, E Caché, clandestin, dissimulé, énigmatique, étranger, ignoré, impénétrable, inaccessible, inédit, inexpérimenté, inexploré, inouï, irrévélé, méconnu, mystérieux, nouveau, obscur, occulte, oublié, secret, ténébreux, voilé.

INCONSCIENT, E I. Nom → *subconscient.* **II. Adj.** → *insensé.*

INCONSÉQUENCE → *dérèglement.*

INCONSÉQUENT, E I. → *malavisé.* **II.** → *illogique.*

INCONSIDÉRÉ, E → *malavisé.*

INCONSISTANT, E → *mou.*

INCONSTANT, E → *changeant.*

INCONTESTABLE → *évident.*

INCONTESTABLEMENT → *évidemment.*

INCONTINENT, E I. Adj. → *excessif.* **II. Adv.** → *aussitôt.*

INCONVENANCE → *incongruité.*

INCONVENANT, E Choquant, déplacé, déshonnête, grossier, immodeste, impoli, importun, indécent, leste, libre, licencieux, mal élevé, malséant, messéant (vx). → *obscène.*

INCONVÉNIENT Aléa, danger, déplaisir, dérangement, désavantage, difficulté, ennui, gêne, incommodité, pierre d'achoppement, servitude.

INCORPORER → *associer.*

INCORRECT, E I. → *faux.* **II.** → *déplacé.*

INCORRECTION → *incongruité.*

INCORRIGIBLE Inamendable, indécrottable, récidiviste.

INCORRUPTIBLE → *probe.*

INCRÉDULE I. Défiant, dubitatif, perplexe, pyrrhonien, sceptique, soupçonneux. **II.** → *incroyant.*

INCRIMINER → *inculper.*

INCROYABLE I. Adj. → *invraisemblable.* **II.** Jeune beau, élégant, gandin, merveilleux, muscadin.

INCROYANT, E Agnostique, antireligieux, athée, esprit fort, incrédule, indévot, irréligieux, libertin (vx), libre penseur, mécréant, païen, profane. → *infidèle.*

INCRUSTER Damasquiner, orner, sertir.

INCRUSTER (S') Au pr. → *introduire (s').*

INCULPATION Accusation, charge, imputation.

INCULPÉ, E adj. et n. Accusé, chargé, prévenu, suspect.

INCULPER Accuser, arguer de (jurid.), charger, déférer au parquet/

au tribunal, dénoncer, déposer une plainte/s'élever contre, faire le procès de, incriminer, mettre en cause, se plaindre de, porter plainte, poursuivre.

INCULQUER → *imprimer.*

INCULTE I. → *stérile.* **II.** → *rude.*

INCURABLE adj. et n. Cas désespéré, condamné, fini, grabataire, handicapé physique, inguérissable, irrémédiable, irrévocable, malade chronique, perdu, valétudinaire.

INCURIE → *négligence.*

INCURSION I. Au pr. : course (vx), débarquement, débordement, déluge, descente, exploration, inondation, invasion, irruption, pointe, raid, razzia, reconnaissance, submersion. **II. Par ext. 1.** → *voyage.* **2.** → *intervention.*

INCURVÉ, E → *courbe.*

INDÉCENT, E I. → *obscène.* **II.** → *inconvenant.*

INDÉCHIFFRABLE I. → *illisible.* **II.** → *mystérieux.* **III.** → *obscur.*

INDÉCIS, E I. → *vague.* **II.** → *indéterminé.*

INDÉCISION → *indétermination.*

INDÉCROTTABLE → *incorrigible.*

INDÉFECTIBLE → *éternel, fidèle.*

INDÉFINI, E → *immense, vague.*

INDÉLÉBILE → *ineffaçable.*

INDÉLICATESSE → *vol.*

INDEMNE → *sauf.*

INDEMNITÉ Allocation, casuel, compensation, dédommagement, dommages et intérêts, dotation, émolument, liste civile, pécule, prestation, rémunération, rétribution, salaire, traitement.

INDÉNIABLE → *évident.*

INDÉPENDAMMENT → *outre.*

INDÉPENDANCE → *liberté.*

INDÉPENDANT, E → *libre.*

INDÉTERMINATION Embarras, hésitation, imprécision, incertitude, indécision, irrésolution, perplexité, scrupule.

INDÉTERMINÉ, E Embarrassé, hésitant, incertain, indécis, irrésolu, perplexe. → *vague.*

INDEX → *table.*

INDICATEUR, TRICE I. Nom → *espion.* **II. Adj. :** indicatif.

INDICATIF, IVE Approchant, approximatif, sans garantie.

INDICATION, INDICE Charge, dénonciation, piste. → *signe.*

INDICIBLE → *ineffable.*

INDIFFÉRENCE Apathie, calme, dégagement (vx), désintéressement, désinvolture, détachement, éloignement, flegme, froideur, impassibilité, incuriosité, indolence, insouciance, mollesse, neutralité, nonchalance, sérénité, tiédeur.

INDIFFÉRENT, E I. Ce qui est indifférent à quelqu'un. 1. → *égal.* **2.** → *insignifiant.* **II. Quelqu'un :** apathique, blasé, désintéressé, désinvolte, détaché, distant, égoïste, flegmatique, froid, glacé, impassible, imperméable, inaccessible, indolent, insensible, insouciant, neutre, nonchalant, passif, résigné, sourd, tiède, tolérant. → *incroyant.*

INDIGENCE → *pauvreté.*

INDIGÈNE n. et adj. Aborigène, autochtone, local, natif, naturel, originaire. → *habitant.*

INDIGENT, E → *pauvre.*

INDIGESTE I. Au pr. : inassimilable, lourd. **II. Fig.** → *pesant.*

INDIGNATION → *colère.*

INDIGNE Quelque chose : abominable, bas, déshonorant, exécrable, odieux, révoltant, trivial.

INDIGNÉ, E → *outré.*

INDIGNER → *irriter.*

INDIGNITÉ I. → *déchéance.* **II.** → *offense.*

INDIQUER Accuser, assigner, citer, découvrir, dénoncer, dénoter, désigner, déterminer, dévoiler, dire, divulguer, enseigner, exposer, faire connaître/savoir, fixer, guider, marquer, montrer, nommer, représenter, révéler, signaler, signifier, tracer.

INDIRECT, E Compliqué, coudé, courbé, de biais, détourné, dévié, digressif, évasif, médiat, oblique, sinueux.

INDISCIPLINABLE → *indocile.*

INDISCIPLINÉ, E → *indocile.*

INDISCIPLINE Contestation, désobéissance, désordre, fantaisie, indocilité, insoumission, insubordination, opiniâtreté, rébellion, refus d'obéissance, résistance, révolte.

INDISCRET, TE I. Quelque chose → *voyant.* **II. Quelqu'un :** casse-pieds (fam.), curieux, écouteur, espion, fâcheux (vx) fouinard, fouineur, fureteur, importun, inquisiteur, inquisitif, inquisitorial, intrus, touche-à-tout, voyeur.

INDISCUTABLE → *évident.*

INDISPENSABLE → *nécessaire.*

INDISPOSÉ, E I. Phys. → *fatigué.* **II. Par ext. :** agacé, choqué, contrarié, fâché, hostile, mécontent, prévenu, vexé.

INDISPOSER → *fatiguer, aigrir.*

INDISTINCT, E → *vague.*

INDIVIDU I. Particulier, personne, unité. **II.** → *homme, type.*

INDIVIDUALISME → *égoïsme.*

INDIVIDUALITÉ → *personnalité.*

INDIVIDUEL, ELLE Particulier, personnel, privé, propre, spécifique, unique.

INDOCILE Désobéissant, entêté, fermé, frondeur, indisciplinable, indiscipliné, indomptable, insoumis, insubordonné, passif, rebelle, récalcitrant, réfractaire, regimbant, regimbeur, rétif, révolté, rude, têtu, vicieux, volontaire.

INDOLENCE I. → *apathie.* II. → *paresse.* III. → *mollesse.*

INDOLENT, E I. → *mou.* II. → *paresseux.* III. → *apathique.* IV. → *insensible.*

INDOLORE → *insensible.*

INDOMPTABLE → *indocile.*

INDUBITABLE → *évident.*

INDUCTION I. Analogie, généralisation, inférence, ressemblance. II. Action, excitation, influx, production.

INDUIRE I. → *inférer.* II. → *inviter.* III. Loc. ***Induire en erreur*** → *tromper.*

INDULGENCE Bénignité, clémence, excuse, exemption, faveur, grâce, magnanimité, mansuétude, pardon, rémission, tolérance.

INDULGENT, E Bénin, compréhensif, doux, élastique (péj.), exorable, large, tolérant.

INDUSTRIE I. → *usine.* II. → *habileté.*

INDUSTRIEL Fabricant, manufacturier, P.D.G. (par ext.), usinier.

INDUSTRIEUX, EUSE I. → *capable.* II. → *habile.*

INÉBRANLABLE → *constant.*

INÉDIT, E → *nouveau.*

INEFFABLE I. Au pr. : extraordinaire, indicible, inénarrable, inexprimable, inracontable, irracontable. II. Par ext. *1.* → *risible.* *2.* Céleste, divin, sacré, sublime.

INEFFAÇABLE I. Au pr. : impérissable, inaltérable, indélébile. II. Par ext. : éternel, immortel.

INEFFICACE Anodin, improductif, inopérant, inutile, nul, platonique, stérile, vain.

INÉGAL, E I. → *irrégulier.* II. → *changeant.* III. → *différent.*

INÉGALITÉ → *différence.*

INÉLÉGANT, E I. Au pr. : balourd, grossier, laid, lourd, lourdaud, lourdingue (fam.), ridicule. II. Fig. : indélicat.

INÉLUCTABLE → *inévitable.*

INÉNARRABLE I. → *ineffable.* II. → *risible.*

INEPTE I. → *bête.* II. → *incapable.*

INEPTIE I. → *bêtise.* II. → *incapacité*

INÉPUISABLE Continu, durable, éternel, fécond, indéfini, intarissable. → *abondant.*

INERTE Abandonné, apathique, atone, dormant, flaccide, flasque, froid, immobile, improductif, inactif, insensible, latent, lent, mort, mou, passif, stagnant.

INERTIE I. → *inaction.* II. → *résistance.*

INESPÉRÉ, E Fortuit, imprévu, inattendu, inopiné, subit, surprenant.

INESTIMABLE I. Au pr. → *cher* II. Par ext. → *important.*

INÉVITABLE Assuré, certain, écrit, fatal, forcé, immanquable, imparable, inéluctable, inexorable, infaillible, logique, nécessaire, obligatoire, prédéterminé, sûr, vital.

INEXACT, E → *faux.*

INEXACTITUDE A peu près, contrefaçon, contresens, contrevérité, erreur, fausseté, faute, faux, faux-sens, imperfection, impropriété, incorrection, infidélité, mensonge, paralogisme.

INEXERCÉ, E Inexpérimenté, inhabile, maladroit. → *inexpérimenté.*

INEXISTANT, E I. → *nul.* II. → *imaginaire.*

INEXORABLE → *inflexible.*

INEXPÉRIENCE → *maladresse.*

INEXPÉRIMENTÉ, E Apprenti, apprenti-sorcier, béjaune (péj.), gauche, ignorant, incompétent, inexercé, inhabile, jeune, maladroit, malhabile, novice, profane.

INEXPLICABLE I. → *obscur.* II. → *mystérieux.*

INEXPLORÉ, E Ignoré, inconnu, nouveau, vierge.

INEXPRIMABLE → *ineffable.*

INEXPUGNABLE → *imprenable.*

INEXTENSIBLE Barré, borné, défini, fermé, fini, limité.

IN EXTENSO Complètement, d'un bout à l'autre, en entier, entièrement, intégralement, totalement.

INEXTINGUIBLE Ardent, continu, excessif, inassouvissable, insatiable, intarissable, invincible, violent.

INEXTIRPABLE Ancré, enraciné, fixé, invincible, tenace.

INEXTRICABLE Confus, désordonné, difficile, embrouillé, emmêlé, enchevêtré, entrecroisé, indéchiffrable, mêlé, obscur.

INFAILLIBLE → *inévitable.*

INFAILLIBLEMENT A coup sûr, à tous les coups *et les adv. en -ment dérivés des syn. de* INFAILLIBLE.

INFAMANT, E → *honteux.*

INFÂME I. → *bas.* II. → *honteux.* III. → *malpropre.*

INFAMIE I. → *honte.* II. → *injure.* III. → *horreur.*

INFANTILE → *enfantin.*

INFATIGABLE Costaud, dur, endurci, fort, inassouvi, incessant, increvable (fam.), indomptable, inlassable, invincible, résistant, solide, tenace, vigoureux, zélé.

INFATUATION → *orgueil.*

INFATUÉ, E Enflé, épris, gonflé, orgueilleux, vaniteux.

INFATUER (S') → *engouer (s').*

INFÉCOND, E → *stérile.*

INFÉCONDITÉ → *impuissance.*

INFECT, E I. → *dégoûtant.* **II.** → *mauvais.*

INFECTER I. Au pr. : contaminer, corrompre, empoisonner, gangrener, gâter, intoxiquer. → *abîmer.* **II. Par ext.** → *puer.*

INFECTION Altération, contagion, contamination, corruption, empoisonnement, gangrène, intoxication, pestilence, puanteur.

INFÉODER (S') → *soumettre (se).*

INFÉRER Arguer (vx), conclure, déduire, dégager, induire, raisonner, tirer.

INFÉRIEUR, E adj. → *bas.*

INFÉRIEUR n. Domestique, esclave, humble, petit, porte-pipe (fam.), second, subalterne, subordonné, sous-fifre (fam.), sous-ordre, sous-verge (fam.).

INFÉRIORITÉ Désavantage, dessous.

INFERNAL, E I. → *diabolique.* **II.** → *méchant.* **III.** → *intolérable.*

INFERTILE → *stérile.*

INFESTER → *ravager, abonder.*

INFIDÈLE I. Adj. : adultère, déloyal, félon, inexact, judas, malhonnête, parjure, perfide, renégat, scélérat, traître, trompeur. → *faux.* **II. Nom** : apostat, hérétique, schismastique. → *païen.*

INFIDÉLITÉ Déloyauté, félonie, inexactitude, manquement, parjure, perfidie, scélératesse, trahison, traîtrise.

INFILTRER (S') → *pénétrer.*

INFIME Bas, dernier, élémentaire, inférieur, insignifiant, menu, microscopique, minime, minuscule, modique, moindre, négligeable, nul, parcimonieux, petit, sommaire.

INFINI, E I. Adj. : absolu, continu, énorme, éternel, illimité, immense, incalculable, incommensurable, inconditionné, inépuisable, interminable, perdurable, perpétuel, sans bornes, universel. **II. Nom** → *immensité.*

INFINIMENT I. → *beaucoup.* **II.** → *très.*

INFINITÉ → *quantité.*

INFINITÉSIMAL, E Atomique, imperceptible, microscopique, minuscule, négligeable, voisin de zéro.

INFIRME adj. et n. **I.** Amputé, difforme, estropié, grabataire, gueule cassée, handicapé, impotent, invalide, malade, malbâti, mutilé, paralytique, stropiat, valétudinaire. **II.** → *faible.* **III.** → *incurable.*

INFIRMER Abolir, abroger, affaiblir, amoindrir, annuler, battre en brèche, briser, casser, défaire, ôter sa force/valeur, pulvériser, réfuter, rejeter, ruiner.

INFIRMERIE → *hôpital.*

INFIRMIÈRE I. Au pr. : aide-médicale, assistante, garde-malade, nurse, soignante. **II. Par ext. 1.** Fille/sœur de charité. **2.** Fille de salle.

INFIRMITÉ Atrophie, boiterie, cécité, débilité, défaut, diminution physique, faiblesse, handicap, impuissance, incapacité, invalidité, mutilation, surdité.

INFLAMMABLE I. Au pr. : combustible, ignifiable. **II. Fig.** → *impétueux.*

INFLAMMATION → *irritation.*

INFLÉCHI, E → *courbe.*

INFLÉCHIR → *fléchir.*

INFLEXIBLE Constant, dur, entêté, ferme, impitoyable, implacable, inébranlable, inexorable, intraitable, intransigeant, irréductible, invincible, persévérant, raide, sévère.

INFLEXION → *son.*

INFLIGER → *prescrire.*

INFLUENÇABLE → *flexible.*

INFLUENCE Action, aide, appui, ascendant, attirance, attraction, autorité, crédit, domination, effet, efficacité, empire, empreinte, emprise, fascination, force, importance, incitation, inspiration, intercession, mainmise, poids, pouvoir, prépondérance, prestige, puissance, suggestion, tyrannie (péj.).

INFLUENCER → *influer.*

INFLUENT, E Actif, autorisé, efficace, fort, important, le bras long (avoir), prépondérant, puissant.

INFLUENZA → *grippe.*

INFLUER (SUR) Agir/avoir de l'effet sur, cuisiner (fig. et fam.), déteindre sur, exercer, faire changer, influencer, modifier, peser/se répercuter sur, retourner, suggestionner, tourner.

INFORMATION I. → *recherche.* **II.** → *nouvelle.* **III.** → *renseignement.*

INFORME → *difforme.*

INFORMER Annoncer, apprendre, avertir, déclarer, donner avis, donner part (dipl.), écrire, enseigner, faire connaître/part de/savoir, instruire, mander, mettre au courant/au fait, notifier, porter à la connaissance, prévenir, publier, raconter, rapporter, rendre compte, renseigner, tenir au courant.

INFORMER (S') → *enquérir (s').*

INFORTUNE → *malheur.*

INFORTUNÉ, E → *misérable.*

INFRACTION → *violation.*

INFRANCHISSABLE Impassable, impraticable, insurmontable, invincible, rebelle.

INFRANGIBLE Dur, ferme, incassable, résistant, solide.

INFRÉQUENTÉ, E Abandonné, délaissé, dépeuplé, désert, désolé, écarté, inhabité, perdu, retiré, sauvage, solitaire, vierge.

INFRUCTUEUX, EUSE → *stérile.*

INFUS, E → *inné.*

INFUSER I. → *verser.* **II.** → *tremper.* **III.** → *transmettre.*

INFUSION → *tisane.*

INGAMBE I. → *dispos.* **II.** → *valide.*

INGÉNIER (S') → *essayer.*

INGÉNIEUX, EUSE Adroit, astucieux (fam.), capable, chercheur, délié, fin, habile, inventif, malin, sagace, spirituel, subtil.

INGÉNIOSITÉ → *habileté.*

INGÉNU, E → *simple.*

INGÉNUITÉ → *simplicité.*

INGÉRER → *avaler.*

INGÉRER (S') I. → *intervenir.* **II.** → *introduire (s').*

INGRAT, E I. Quelqu'un. 1. Au pr. : égoïste, oublieux. **2. Par ext. :** amer, désagréable, difficile, disgracieux, laid, mal fichu (fam.)/formé/foutu (vulg.)/tourné. **II. Quelque chose :** aride, caillouteux, désertique, difficile, infructueux, peu productif, sec, stérile.

INGRATITUDE Égoïsme, méconnaissance, oubli.

INGRÉDIENT Agrément, apport, assaisonnement, épice.

INGUÉRISSABLE → *incurable.*

INGURGITER → *avaler.*

INHABILE → *maladroit.*

INHABILETÉ → *maladresse.*

INHABITÉ, E Abandonné, délaissé, dépeuplé, désert, désertique, désolé, inoccupé, mort, sauvage, solitaire, vacant, vide, vierge.

INHALER Absorber, aspirer, avaler, inspirer, respirer.

INHÉRENCE → *adhérence.*

INHÉRENT, E Adhérent, aggloméré, agrégé, annexé, appartenant, associé, attaché, consécutif, indissoluble/inséparable de, intérieur, joint, lié.

INHIBER Défendre, empêcher, interdire, prohiber, proscrire.

INHIBITION → *défense.*

INHOSPITALIER, ÈRE I. Un lieu : inabordable, inaccessible, inaccueillant, inconfortable, ingrat, inhabitable, invivable, peu engageant, rude, sauvage, stérile. **II. Quelqu'un :** acrimonieux, désagréable, disgracieux, dur, inhumain, misanthrope, rébarbatif.

INHUMAIN, E Abominable, affreux, atroce, barbare, bestial, cauchemardesque, contrefait, cruel, dénaturé, diabolique, difforme, dur, épouvantable, féroce, immonde, infernal, luciférien, mauvais, méchant, impitoyable, insensible, monstrueux, odieux, sanguinaire, sans cœur/entrailles (fam.)/pitié, terrifiant.

INHUMANITÉ Atrocité, barbarie, bestialité, cruauté, dureté, férocité, insensibilité, monstruosité, sadisme, satanisme.

INHUMATION → *enterrement.*

INHUMER Enfouir, ensevelir, enterrer, mettre/porter en terre, rendre les derniers devoirs/honneurs.

INIMAGINABLE → *invraisemblable.*

INIMITABLE Achevé, impayable (fam.), incomparable, nonpareil, original, parfait, sans pareil, unique.

INIMITIÉ → *haine.*

ININTELLIGENT, E Abruti, arriéré, borné, bouché, étroit, fermé, idiot, innocent, lourd, obtus, opaque, pesant, rétréci, stupide. → *bête.*

ININTELLIGIBLE. Ambigu, confus, contradictoire, énigmatique, incompréhensible, inconcevable, mystérieux. → *obscur.*

ININTERROMPU, E → *continu.*

INIQUE → *injuste.*

INIQUITÉ I. → *injustice.* **II.** → *dérèglement.*

INITIAL, E Commençant, débutant, élémentaire, fondamental, originaire, original, premier, primitif, primordial, rudimentaire.

INITIALE Capitale, lettre d'antiphonaire/d'imprimerie, lettrine, majuscule.

INITIATEUR, TRICE adj. et n. **I. Au pr.** → *innovateur.* **II. Par ext.** → *maître.*

INITIATION I. → *réception.* **II.** → *instruction.*

INITIATIVE I. → *proposition.* **II.** → *décision.* **III. Loc. *Syndicat d'initiative* :** bureau/centre/office d'accueil/d'information/de renseignements/de tourisme.

INITIER I. → *recevoir.* **II.** → *instruire.*

INJECTER Administrer, infiltrer, infuser, inoculer, introduire.

INJONCTION Commandement, consigne, décret, diktat, édit, impératif, mandement, mise en demeure, ordre, prescription, sommation, ukase, ultimatum.

INJURE I. Un acte : affront, blessure, dommage, manquement, offense, outrage, tort. **II. Un propos :** engueulade (fam.), gros mots, grossièreté, imprécation, infamie, insulte, invective, mots, offense, paroles, pouilles, sottise, vilenie.

INJURIER Agonir, blesser, chanter pouilles, dire des injures, engueuler (fam.), harpailler, insulter, invectiver, maudire, offenser, outrager.

INJURIEUX, EUSE I. → *offensant.* **II.** → *injuste.*

INJUSTE Abusif, arbitraire, déloyal, faux, illégal, illégitime, immérité, inacceptable, inadmissible, indu, inique, injurieux (vx), injustifiable, injustifié, irrégulier, léonin, malfaisant, mal fondé, partial, sans fondement, scélérat, usurpé.

INJUSTICE Abus, arbitraire, déloyauté, erreur, favoritisme, illégalité, improbité, inégalité, iniquité, irrégularité, malveillance, noirceur, partialité, passe-droit, prévention, privilège, scélératesse, vice de forme.

INJUSTIFIABLE, INJUSTIFIÉ, E Fautif, gratuit, immotivé, indu, infâme, inqualifiable. → *injuste.*

INNÉ, E Atavique, congénital, héréditaire, infus, instinctif, natif (vx), naturel, originel, personnel. → *inhérent.*

INNOCENCE → *simplicité.*

INNOCENT, E I. Adj. 1. → *inoffensif.* **2.** → *simple.* **II. Nom** → *enfant.*

INNOCENTER → *excuser.*

INNOMBRABLE → *nombreux.*

INNOMMABLE → *dégoûtant.*

INNOVATEUR, TRICE adj. et n. Créateur, découvreur, fondateur, inaugurateur, initiateur, inventeur, novateur, pionnier, précurseur, promoteur, réformateur, rénovateur, restaurateur.

INNOVATION → *changement.*

INOBSERVANCE, INOBSERVATION → *violation.*

INOCCUPÉ, E I. → *inactif.* **II.** → *vacant.*

INOCULATION I. Immunisation, piqûre, sérothérapie, vaccination. **II.** Contagion, contamination, infestation, transmission.

INOCULER I. Immuniser, piquer, vacciner. **II. Par ext.** → *transmettre.*

INODORE I. Au pr. : fade, imperceptible, neutre, sans odeur. **II. Fig.** → *insignifiant.*

INOFFENSIF, IVE Anodin, bénin, bon, calme, désarmé, doux, fruste, impuissant, innocent, inodore, insignifiant, négligeable, neutralisé, pacifique, paisible, tranquille.

INONDATION I. Au pr. : débordement, submersion. **II. Fig. 1.** → *incursion.* **2.** → *multitude.*

INONDER Arroser, déborder, envahir, mouiller, noyer, occuper, recouvrir, se répandre, submerger.

INOPÉRANT, E → *inefficace.*

INOPINÉ, E → *inespéré.*

INOPINÉMENT → *soudain.*

INOPPORTUN, E Défavorable, déplacé, fâcheux, hors de propos/saison, intempestif, mal, malséant, mauvais, messéant, prématuré.

INOUBLIABLE Célèbre, fameux, frappant, glorieux, grandiose, gravé, historique, illustre, immortalisé, imprimé, ineffaçable, insigne, marqué, mémorable, perpétué, retentissant, saillant.

INOUÏ, E I. → *extraordinaire.* **II.** → *nouveau.*

IN-PACE → *cachot.*

INQUALIFIABLE Abject, abominable, bas, honteux, ignoble, inavouable, inconcevable, inconvenant, indigne, odieux, trivial.

INQUIET, ÈTE I. Au pr. → *remuant.* **II. Par ext. :** affolé, agité, alarmé, angoissé, anxieux, apeuré, atterré, craintif, crispé, effaré, effarouché, effrayé, embarrassé, ennuyé, épouvanté, mal à l'aise, peureux, préoccupé, sombre, soucieux, sur le qui-vive, tendu, terrifié, terrorisé, tourmenté, tracassé, transi, traqué, troublé.

INQUIÉTANT, E Affolant, agitant, alarmant, angoissant, atterrant, effarant, effarouchant, effrayant, grave, embarrassant, épouvantable, intimidant, menaçant, patibulaire, peu rassurant, préoccupant, sinistre, sombre, terrifiant, troublant.

INQUIÉTER Affoler, agiter, alarmer, alerter, angoisser, apeurer, donner le trac (fam.), effaroucher, effrayer, embarrasser, émotionner, ennuyer, épouvanter, faire peur, menacer, mettre mal à l'aise/en difficulté/sur le qui-vive, rendre craintif, réveiller, secouer, terrifier, terroriser, tourmenter, tracasser, traquer, troubler.

INQUIÉTUDE Affolement, agitation, alarme, alerte, angoisse, anxiété, crainte, effarement, effroi, émotion, ennui, malaise, peur, préoccupation, scrupule, souci, terreur, tourment, trac, transe, trouble.

INQUISITEUR, INQUISITIF, IVE → *indiscret.*

INQUISITION → *recherche.*

INQUISITORIAL, E → *indiscret.*

INSAISISSABLE → *imperceptible.*

INSALUBRE → *malsain.*

INSANITÉ → *sottise.*

INSATIABLE I. → *glouton.* **II.** → *intéressé.*

INSCRIPTION I. Affiche, déclaration, enregistrement, épigramme, épigraphe, épitaphe, exergue, graffiti, graffito, immatriculation, légende, mention, plaque, transcription. **II.** Adhésion.

INSCRIRE Afficher, consigner, coucher par écrit, écrire, enregistrer, graver, immatriculer, imprimer, marquer, matriculer, mentionner, noter, porter, reporter, transcrire.

INSCRIRE (S') I. → *adhérer.* **II. Loc. S'inscrire en faux** → *contredire.*

INSENSÉ, E Aberrant, absurde, affolé, aliéné, dément, déraisonnable, déséquilibré, détraqué, écervelé, excessif, extravagant, fêlé (fam.), fou, idiot, immodéré, inconscient, insane, irrationnel, irréfléchi, ridicule, saugrenu, sot, stupide. → *bête.*

INSENSIBILISATION Analgésie, anesthésie.

INSENSIBILISER Anesthésier, calmer, chloroformer, endormir, lénifier, soulager.

INSENSIBILITÉ I. → *apathie.* **II.** → *dureté.*

INSENSIBLE I. Quelqu'un. *1. Phys. :* anesthésié, apathique, endormi, engourdi, inanimé, indolent (méd.), indolore, léthargique, mort, neutre. *2. Moral :* aride, cruel, dur, égoïste, endurci, froid, impassible, imperturbable, impitoyable, implacable, indifférent, indolent, inexorable, inhumain, sec. **II. Quelque chose :** imperceptible, insignifiant, léger, négligeable, progressif.

INSÉPARABLE I. Au pr. : accouplé, agrégé, apparié, attaché, concomitant, conjoint, consubstantiel, dépendant, fixé, indissociable, indivis, indivisible, inhérent, insécable, joint, lié, marié, non isolable, noué, rivé, simultané, synchrone, soudé, uni. **II. Par ext. :** éternel, inévitable.

INSÉRER Emboîter, encadrer, encarter, encastrer, enchâsser, enchatonner, enter, entrelarder (fam.), greffer, imbriquer, implanter, incruster, intercaler, interfolier, mettre, sertir. → *introduire.*

INSIDIEUX, EUSE → *trompeur.*

INSIGNE I. Adj. → *remarquable.* **II. Nom :** badge, crachat (fam.), croix, décoration, écharpe, écusson, emblème, fourragère, gri-gri (fam.), hochet (péj.), livrée, marque, médaille, plaque, rosette, ruban, sceptre, signe distinctif, symbole, verge.

INSIGNIFIANT, E I. Quelqu'un : chétif, effacé, falot, frivole, futile, inconsistant, ordinaire, petit, piètre, quelconque, terne, vain. **II. Quelque chose :** anodin, banal, excusable, exigu, indifférent, infime, léger, menu, mesquin, mince, misérable, modique, négligeable, nul, ordinaire, quelconque, sans conséquence/importance/intérêt/portée/valeur, véniel.

INSINUATION I. Favorable ou neutre : allégation, avance, conciliation, introduction, persuasion, suggestion. **II. Non favorable :** accusation, allusion, attaque, calomnie, perfidie, propos, sous-entendu.

INSINUER I. → *introduire.* **II.** → *inspirer.* **III.** → *médire.*

INSINUER (S') → *introduire (s')*

INSIPIDE → *fade.*

INSISTANCE → *instance.*

INSISTER → *appuyer.*

INSOCIABLE → *sauvage.*

INSOLENCE → *arrogance.*

INSOLENT, E → *arrogant.*

INSOLITE I. → *étrange.* **II.** → *inusité.*

INSOLVABLE Décavé (fam.), démuni, endetté, en état de cessation de paiement, failli, impécunieux, indigent, obéré, ruiné, sans ressources.

INSOMNIE → *veille.*

INSONDABLE → *secret.*

INSOUCIANT, E I. Favorable ou neutre : bon vivant, insoucieux, optimiste, Roger-Bontemps, sans souci, va-comme-ça-peut (fam.)/je-te-pousse (fam.), vive-la-joie. **II. Non favorable :** apathique, étourdi, flegmatique, frivole, imprévoyant, indifférent, indolent, insoucieux, irresponsable, je-m'en-fichiste (fam.), je-m'en-foutiste (fam.), léger, négligent, nonchalant.

INSOUMIS n. **I.** Déserteur, mutin, objecteur de conscience, séditieux. **II.** Dissident, guérillero, maquisard, partisan, rebelle, réfractaire, résistant.

INSOUMIS, E adj. **I. Quelqu'un :** désobéissant, factieux, frondeur, indépendant, indiscipliné, indompté, insurgé, récalcitrant, rétif, révolté, sauvage, séditieux. **II. Un pays :** dissident, indépendant, rebelle, réfractaire, révolté, souverain.

INSOUMISSION Désobéissance, désertion, fronde, indiscipline, insubordination, mutinerie, rébellion, révolte, ruade, sédition.

INSOUTENABLE I. → *invraisemblable.* **II.** → *intolérable.*

INSPECTER → *examiner.*

INSPECTEUR Contrôleur, enquêteur, réviseur, vérificateur, visiteur.

INSPECTION → *visite.*

INSPIRATEUR, TRICE → *conseiller.*

INSPIRATION I. Au pr. : absorption, aspiration, inhalation, prise, respiration. **II. Fig. 1.** Délire, divination, enthousiasme, esprit (relig.), grâce, illumination, intuition, invention, muse, prophétie (relig.), révélation, souffle, talent, trouvaille, veine, verve. **2.** Conseil, exhortation, insinuation, instigation, motivation, persuasion, suggestion.

INSPIRÉ, E Enthousiaste, exalté, fanatique, illuminé, mystique, poète, prophète, visionnaire.

INSPIRER I. Au pr. : aspirer, avaler, inhaler, insuffler, introduire, priser, respirer. **II. Fig.** : allumer, aviver, commander, conseiller, déterminer, dicter, donner, émoustiller, encourager, enfiévrer, enflammer, imposer, imprimer, insinuer, instiguer, instiller, insuffler, persuader, souffler, suggérer.

INSTABILITÉ Balancement, ballottement, changement, déséquilibre, fluctuation, fragilité, inadaptation, incertitude, inconstance, mobilité, mouvance, nomadisme, oscillation, précarité, roulis, tangage, turbulence, variabilité, variation, versatilité, vicissitude.

INSTABLE I. → *changeant.* **II.** → *remuant.*

INSTALLATION I. De quelque chose : aménagement, arrangement, équipement, établissement, mise en place. **II. De quelqu'un** : intronisation, investiture, mise en place, nomination, passation des pouvoirs.

INSTALLER I. Au pr. : accommoder, aménager, arranger, camper, caser, disposer, équiper, établir, loger, mettre, placer, poser. **II. Par ext.** : nommer, introniser, investir.

INSTALLER (S') S'asseoir, camper, emménager, s'enraciner, s'établir, se fixer, se loger, pendre la crémaillère, prendre pied.

INSTANCE I. Effort, insistance, prière, requête, sollicitation. **II. Jurid. 1.** Action, procédure, procès, recours. **2.** Juridiction. **III. Par ext.** : attente, imminence, souffrance.

INSTANT n. → *moment.*

INSTANT, E adj. **I.** → *imminent.* **II.** → *pressant.*

INSTANTANÉ, E → *immédiat.*

INSTANTANÉMENT → *aussitôt.*

INSTAR (À L') A l'exemple/à l'imitation/à la manière de, comme.

INSTAURATION Constitution, établissement, fondation, mise en place, organisation.

INSTAURER → *établir.*

INSTIGATEUR, TRICE Agitateur, cause, cheville ouvrière, conseiller, dirigeant, excitateur, fauteur (péj.), incitateur, meneur, moteur, promoteur, protagoniste, responsable.

INSTIGATION → *inspiration.*

INSTIGUER → *inspirer.*

INSTILLER I. → *verser.* **II.** → *inspirer.*

INSTINCT I. → *disposition.* **II.** → *inclination.*

INSTITUER → *établir.*

INSTITUT I. → *académie.* **II.** Assemblée, association, centre, centre de recherche, collège, congrégation, corps savant, école, faculté, fondation, institution, laboratoire, organisme, société, université.

INSTITUTEUR Éducateur, enseignant, initiateur, instructeur, maître d'école, moniteur, pédagogue, précepteur, professeur.

INSTITUTION I. → *établissement.* **II.** → *institut.* **III.** → *règlement.* **IV.** → *école.*

INSTRUCTEUR Conseiller technique, entraîneur, manager, moniteur. → *instituteur*

INSTRUCTIF, IVE Bon, culturel, édifiant, éducatif, enrichissant, formateur, pédagogique, profitable.

INSTRUCTION I. Au pr. : apprentissage, dégrossissage (péj.), dressage (péj.), édification, éducation, endoctrinement (péj.), enrichissement, enseignement, formation, information, initiation, institution (vx), pédagogie, recyclage. **II. Par ext. 1.** Avertissement, avis, consigne, directive, leçon, mandat, mandement (relig.), mot d'ordre, ordre, recommandation. **2.** → *savoir.* **3. Jurid.** → *enquête, recherche.*

INSTRUIRE I. Mettre quelqu'un au courant : apprendre, avertir, aviser, donner connaissance, éclaircir de (vx), éclairer, édifier, expliquer, faire connaître/savoir, faire part de, fixer, informer, initier, renseigner, révéler. **II. Apporter une connaissance** : apprendre, catéchiser, dresser, éduquer, élever, endoctriner, enseigner, exercer, former, gouverner (vx), habituer, initier, inculquer, instituer (vx), mettre au courant/au fait de, nourrir, plier, préparer, rompre, styler. **III. Jurid.** : donner suite, enquêter, examiner.

INSTRUIRE (S') → *étudier.*

INSTRUIT, E Calé (fam.), cultivé, docte, éclairé, érudit, expérimenté, ferré (fam.), fort, fortiche (fam.), grosse tête (fam.), informé. → *savant.*

INSTRUMENT I. Au pr. : accessoire, appareil, bidule (fam.), chose (fam.), engin, machin (fam.), machine, matériel, outil, truc (fam.), ustensile. **II. Fig.** → *moyen.*

INSU (À L') A la dérobée, dans le dos, en cachette, en dessous, par-derrière, par surprise.

INSUBORDONNÉ, E → *indocile.*

INSUCCÈS Aléa, avortement, chute, déconvenue, défaite, échec, faillite, fiasco, four, infortune, mauvaise fortune, perte, pile (fam.), ratage, revers, ruine, tape, traverse, veste (fam.).

INSUFFISANCE → *incapacité.*

INSUFFISANT, E I. Quelque chose : congru (vx), court, défectueux, déficient, exigu, faible, imparfait, incomplet. **II. Quelqu'un :** déficient, faible, ignorant, inapte, incapable, inférieur, médiocre, pauvre.

INSUFFLER → *inspirer.*

INSULTE I. → *injure.* **II.** → *offense.*

INSULTER I. V. tr. : agonir, attaquer, blesser, harpailler, humilier, injurier, offenser, offusquer, outrager, porter atteinte à. **II. V. intr. :** blasphémer, braver.

INSUPPORTABLE I. Quelque chose → *intolérable.* **II. Quelqu'un** → *difficile.*

INSURGÉ, E n. et adj. Agitateur, émeutier, insoumis, meneur, mutin, rebelle, révolté, révolutionnaire.

INSURMONTABLE Impossible, inéluctable, infranchissable, insurpassable, invincible, irrésistible.

INSURRECTION Agitation, chouannerie, émeute, fronde, insoumission, jacquerie, levée de boucliers, mouvement insurrectionnel, mutinerie, rébellion, résistance à l'oppresseur, révolte, révolution, sédition, soulèvement, troubles.

INSURRECTIONNEL, ELLE I. Neutre : rebelle, révolutionnaire. **II. Non favorable :** séditieux.

INTACT, E I. → *entier.* **II.** → *pur.* **III.** → *probe.* **IV.** → *sauf.*

INTANGIBLE I. Au pr. → *intouchable.* **II. Par ext.** → *sacré.*

INTARISSABLE → *inépuisable.*

INTÉGRAL, E → *entier.*

INTÈGRE → *probe.*

INTÉGRER I. Assimiler, associer, comprendre, incorporer, réunir, unir. **II.** Entrer, être admis.

INTÉGRITÉ I. → *pureté.* **II.** → *probité.*

INTELLECT → *entendement.*

INTELLECTUEL, ELLE I. Adj. → *psychique.* **II. Nom. 1. Au sing. :** cérébral, clerc, grosse tête (fam.), mandarin. **2. Plur. :** intelligentsia.

INTELLIGENCE I. Au pr. : abstraction, âme, capacité, cerveau, clairvoyance, compréhension, conception, discernement, entendement, esprit, facultés, finesse, génie (par ext.), idée (fam.), ingéniosité, intellect,

jugement, lucidité, lumière, ouverture d'esprit, pénétration, pensée, perception, perspicacité, profondeur, raison, réflexion, sagacité, subtilité, tête, vivacité. **II. Par ext. 1.** → *complicité.* **2.** → *union.* **III. Loc. Être d'intelligence avec** → *entendre (s').*

INTELLIGENT, E Adroit, astucieux, capable, clairvoyant, compréhensif, éclairé, entendu, éveillé, fin, fort, habile, ingénieux, inventif, judicieux, lucide, malin, ouvert, pénétrant, pensant, perspicace, profond, raisonnable, sagace, sensé, subtil, vif.

INTELLIGIBLE Accessible, clair, compréhensible, concevable, concis, déchiffrable, distinct, évident, facile, limpide, lumineux, net, pénétrable, précis, visible.

INTELLIGIBILITÉ Accessibilité, clarté, compréhension, évidence, facilité, limpidité, luminosité.

INTEMPÉRANCE Abus, débauche, débord, débordement, dérèglement, excès, gloutonnerie, goinfrerie, gourmandise, incontinence, ivrognerie, laissér-aller, libertinage, vice, violence.

INTEMPÉRANT, E et **INTEMPÉRÉ, E** → *excessif.*

INTEMPÉRIE Dérèglement (vx), froid, mauvais temps, orage, pluie, tempête, vent.

INTEMPESTIF, IVE I. → *inopportun.* **II.** → *importun.*

INTENABLE → *intolérable.*

INTENDANCE I. → *administration.* **II.** → *direction.*

INTENSE → *extrême.*

INTENSIFIER → *augmenter.*

INTENSITÉ Accentuation, activité, acuité, aggravation, amplitude, augmentation, brillance, efficacité, exaspération, force, grandeur, paroxysme, puissance, renforcement, véhémence, violence, virulence.

INTENTER Actionner, attaquer, commencer, enter, entreprendre.

INTENTION I. → *volonté.* **II.** → *but.*

INTENTIONNEL, ELLE Arrêté, conscient, décidé, délibéré, prémédité, préparé, réfléchi, volontaire, voulu.

INTENTIONNELLEMENT → *volontairement.*

INTERCALER Ajouter, annexer, encarter, encartonner, enchâsser, glisser, insérer, interligner, interpoler, interposer, introduire, joindre.

INTERCÉDER → *intervenir.*

INTERCEPTER I. → *interrompre.* **II.** → *prendre.*

INTERCESSION → *entremise.*

INTERDÉPENDANCE Assistance mutuelle, dépendance réciproque, solidarité.

INTERDICTION I. → *défense.* **II.** → *déchéance.*

INTERDIRE I. → *défendre.* **II.** → *empêcher.* **III.** → *fermer.*

INTERDIT n. Anathème, censure, défense, inhibition, prohibition, tabou.

INTERDIT, E adj. **I. Quelque chose** → *défendu.* **II. Quelqu'un :** ahuri, capot (fam.), confondu, confus, court, déconcerté, déconfit, décontenancé, ébahi, ébaubi, embarrassé, épaté, étonné, foudroyé, interloqué, médusé, muet, pantois, penaud, pétrifié, renversé, sans voix, sidéré, stupéfait, stupide, surpris, tout chose (fam.), troublé.

INTÉRESSANT, E Alléchant, attachant, attirant, attrayant, avantageux, beau, bon, brillant, captivant, charmant, comique, curieux, désirable, dramatique, étonnant, fascinant, important, intrigant, palpitant, passionnant, piquant, plaisant, ravissant, remarquable.

INTÉRESSÉ, E I. Non favorable : avide, convoiteux, insatiable, mercenaire, vénal. → *avare.* **II. Neutre ou favorable :** attaché, attiré, captivé, concerné, ému, fasciné, intrigué, passionné, piqué, retenu, séduit, touché.

INTÉRESSER I. Au pr. : animer, s'appliquer à, attacher, captiver, chaloir (vx), concerner, émouvoir, faire à, importer, intriguer, passionner, piquer, regarder, toucher. **II. Par ext.** → *associer.*

INTÉRESSER (S') Aimer, avoir de la curiosité, cultiver, pratiquer, prendre à cœur/intérêt, se préoccuper de, se soucier de, suivre.

INTÉRÊT I. Au pr. (matériel) : agio, annuité, arrérages, commission, denier (vx), dividende, dommage, escompte, gain, loyer, prix, profit, rapport, rente, revenu, taux, usure. **II. Par ext. (moral). 1.** → *curiosité.* **2.** → *sympathie.*

INTÉRIEUR n. **I.** Dedans. **II.** → *maison.* **III. Fig. :** fond de l'âme/du cœur, intimité, sein.

INTÉRIEUR, E adj. Central, domestique, familial, inclus, interne, intime, intrinsèque, profond.

INTÉRIM Intervalle, remplacement, suppléance.

INTÉRIMAIRE I. Adj. → *passager.* **II. Nom** → *remplaçant.*

INTERLOCUTEUR, TRICE → *personnage.*

INTERLOPE → *suspect.*

INTERLOQUÉ, E → *interdit.*

INTERMÈDE I. Au pr. 1. → *divertissement.* **2.** → *saynète.* **II. Par ext.** → *intervalle.*

INTERMÉDIAIRE I. Nom. 1. → *entremise.* **2.** Agent, alter ego, ambassadeur, chargé d'affaires/de mission, commissionnaire, courtier, ducroire, entremetteur, entremise, facteur (vx), fondé de pouvoir, homme de paille (péj.), intercesseur, interprète, mandataire, maquignon (péj.), médiateur, médium, négociateur, plénipotentiaire, prête-nom, procureur, représentant, trafiquant, truchement, voyageur. **3.** → *transition.* **II. Adj.** → *mitoyen.*

INTERMINABLE → *long.*

INTERMITTENCE → *interruption.*

INTERMITTENT, E Clignotant, discontinu, inégal, interrompu, irrégulier, larvé, rémittent, saccadé, variable.

INTERNAT → *pension.*

INTERNATIONAL, E Cosmopolite, général, mondial, œcuménique, universel.

INTERNE I. Adj. → *intérieur.* **II. Nom. 1.** Pensionnaire, potache. **2.** Carabin (fam.), médecin.

INTERNÉ, E adj. et n. **I.** → *fou.* **II.** → *bagnard.*

INTERNER → *enfermer.*

INTERPELLATION → *sommation.*

INTERPELLER Apostropher, appeler, demander, s'enquérir, évoquer, héler, interroger, questionner, réclamer, requérir, sommer.

INTERPOLER et **INTERPOSER** → *intercaler.*

INTERPOSER (S') → *intervenir.*

INTERPOSITION Entremise, ingérence, intercalation, interpolation, intervention, médiation.

INTERPRÉTATION I. Au pr. : commentaire, exégèse, explication, glose, herméneutique, métaphrase, paraphrase, traduction, version. **II. Par ext.** → *jeu.*

INTERPRÈTE I. → *traducteur.* **II.** → *comédien.* **III.** → *porte-parole.*

INTERPRÉTER I. → *expliquer.* **II.** → *traduire.* **III.** → *jouer.*

INTERROGATION et **INTERROGATOIRE** Appel, colle (fam.), demande, épreuve, examen, information, interpellation, interview, question, questionnaire.

INTERROGER I. → *demander.* **II.** → *examiner.*

INTERROMPRE Abandonner, arrêter, barrer, briser, cesser, couper, déranger, discontinuer, entrecouper, hacher, finir, intercepter, mettre fin/un terme, proroger, rompre, suspendre, trancher, troubler.

INTERRUPTEUR, TRICE I. Quelqu'un : contestataire, contradicteur. **II. Électrique :** commutateur, disjoncteur, trembleur, va-et-vient.

INTERRUPTION Arrêt, cessation, coupure, discontinuation, discontinuité, halte, hiatus, intermède, intermission, intermittence, interstice, intervalle, lacune, panne, pause, relâche, rémission, répit, rupture, saut, solution de continuité, suspension, vacance, vacances, vacations (jurid.).

INTERSECTION Arête, bifurcation, carrefour, coupement, coupure, croisée, croisement, embranchement, fourche, ligne.

INTERSTICE I. → *espace*. **II.** → *fente*.

INTERVALLE I. Au pr. → *espace*. **II. Par ext.** : arrêt, entracte, intermède, moment, période, récréation, suspension. → *interruption*.

INTERVENIR I. Au pr. : agir, donner, s'entremêler, s'entremettre, entrer en action/en danse (fam.)/en jeu/en scène, fourrer/mettre son nez (fam.), s'immiscer, s'ingérer, intercéder, s'interposer, jouer, se mêler de, mettre la main à, négocier, opérer, parler pour, secourir. **II. Par ext.** → *produire (se)*.

INTERVENTION I. Au pr. : aide, appui, concours, entremise, immixtion, incursion, ingérence, intercession, interposition, interventionnisme, intrusion, médiation, ministère, office. **II. Par ext.** → *opération*.

INTERVERSION I. Au pr. : changement, extrapolation, métathèse, mutation, transposition. **II. Par ext.** : contrepèterie.

INTERVERTIR → *transposer*.

INTERVIEW I. → *conversation*. **II.** → *article*.

INTERVIEWER Enquêter, entretenir, interroger, questionner, tester.

INTESTIN Boyau, duodénum, hypogastre, transit, tripaille (fam.), tripe (fam.), tube digestif, viscère.

INTESTIN, E Loc. *Lutte/querelle intestine* : civil, intérieur, intime.

INTIMATION Appel, assignation, avertissement, convocation, déclaration, injonction, mise en demeure, sommation, ultimatum.

INTIME I. Adj. 1. → *intérieur*. **2.** → *étroit*. **II. Nom** → *ami*.

INTIMER → *notifier*.

INTIMIDER Apeurer, bluffer, désemparer, effaroucher, effrayer, émouvoir, faire peur/pression, gêner, glacer, en imposer à, impressionner, inhiber, inquiéter, menacer, paralyser, terroriser, troubler.

INTIMITÉ Abandon, amitié, attachement, camaraderie, commerce, confiance, contact, familiarité, fréquentation, liaison, liberté, naturel, secret, simplicité, union.

INTITULER (S') → *qualifier (se)*.

INTOLÉRABLE Accablant, aigu, atroce, désagréable, douloureux, ennuyeux, excédant, excessif, fatigant, gênant, horrible, importun, impossible, inadmissible, inconcevable, infernal, insoutenable, insupportable, odieux.

INTOLÉRANCE I. Au pr. : cabale, esprit de parti, étroitesse d'esprit/d'opinion/de pensée/de vue, fanatisme, fureur, haine, intransigeance, parti pris, rigidité, sectarisme, violence. **II. Méd.** : allergie, anaphylaxie, idiosyncrasie, sensibilisation.

INTOLÉRANT, E Autoritaire, enragé, étroit, exalté, fanatique, farouche, frénétique, furieux, intraitable, intransigeant, irréductible, rigide, rigoriste, sectaire, sévère, violent.

INTONATION → *son*.

INTOUCHABLE I. Adj. 1. Au pr. : immatériel, impalpable, intactile (philos.), intangible. **2. Par ext.** : immuable, sacro-saint, traditionnel. **II. Nom** : paria.

INTOXIQUER → *infecter*.

INTRAITABLE Acariâtre, désagréable, désobéissant, difficile, dur, entêté, entier, exigeant, farouche, fermé, fier, impitoyable, impossible, indomptable, inébranlable, inflexible, inhumain, intransigeant, irréductible, obstiné, opiniâtre, raide, revêche, tenace.

INTRANSIGEANT, E I. → *intolérant*. **II.** → *intraitable*.

INTRÉPIDE Audacieux, brave, courageux, crâne, déterminé, ferme, fier, généreux, hardi, impavide, imperturbable, inébranlable, osé, résolu, téméraire, vaillant, valeureux.

INTRÉPIDITÉ → *courage*.

INTRIGANT, E adj. et n. Arriviste, aventurier, condottiere, diplomate, faiseur, fin, habile, picaro, souple, subtil.

INTRIGUE I. Au pr. : affaire, agissement, brigue, complication, complot, conspiration, dessein, embarras, expédient, ligue, machiavélisme, machination, manège, manigance, manœuvre, menée, micmac (fam.), rouerie, stratagème, stratégie, tripotage. **II. Par ext. 1.** → *relation*. **2. Litt.** : action, affabulation, anecdote, découpage, fable, fabulation, histoire, imbroglio, intérêt, nœud, péripétie, scénario, sujet, synopsis, thème, trame.

INTRIGUER I. V. tr. → *embarrasser*. **II. V. intr.** : briguer, cabaler, comploter, conspirer, embarrasser (vx), machiner, manigancer, manœuvrer, ourdir, tramer, tresser, tripoter.

INTRINSÈQUE → *intérieur*.

INTRODUCTION I. Au pr. (action d'introduire). 1. Quelque chose : acclimatation, apparition, importation, infiltration, insertion, intromission, intrusion, irruption. **2. Quelqu'un :** admission, arrivée, avènement, entrée, installation, introduction, présentation, recommandation. **II. Par ext. 1.** Avant-propos, début, entrée en matière, exorde, exposition, ouverture, préface, préliminaire, prélude, présentation, protase. **2.** Apprentissage, initiation, préparation. **3. Méd. :** cathétérisme, intussusception.

INTRODUIRE I. Au pr. : conduire, couler, enfoncer, enfourner, engager, entrer, faire entrer/passer, ficher, fourrer, glisser, greffer, imbriquer, implanter, importer, inclure, incorporer, infiltrer, insérer, insinuer, insuffler, intercaler, mettre dans, passer, plonger, rentrer. **II. Par ext. 1.** Acclimater, adopter, cautionner, donner/fournir sa caution/sa garantie, garantir, incorporer, inculquer, lancer, ouvrir les portes, parrainer, patronner, pistonner (fam.), se porter garant, pousser, présenter, produire. **2.** → établir. **3. Techn. :** cuveler, infuser, injecter, inoculer, sonder.

INTRODUIRE (S') S'acclimater, se caser, se couler, entrer, s'établir, se faufiler, se fourrer (fam.), se glisser, s'immiscer, s'impatroniser, s'imposer, s'incruster, s'infiltrer, s'ingérer, s'insinuer, s'installer, s'introniser, se mêler/passer dans, resquiller.

INTROMISSION → introduction.

INTRONISER → établir.

INTROSPECTION Analyse, autocritique, bilan, examen de conscience, observation, psychanalyse, réflexion, regard intérieur, retour sur soi.

INTROUVABLE Caché, disparu, énigmatique, envolé, évanoui, inaccessible, indécouvrable, insoluble, invisible, perdu, précieux, rare, sans égal/pareil, secret, unique.

INTRUS, E → importun.

INTRUSION I. → introduction. **II.** → intervention.

INTUITION I. Au pr. : âme, cœur, connaissance, flair, instinct, sens, sentiment, tact. **II. Par ext.** → pressentiment.

INUSABLE → résistant.

INUSITÉ, E Anormal, bizarre, curieux, déconcertant, désuet, désusité (vx), étonnant, exceptionnel, extraordinaire, hardi, inaccoutumé, inhabituel, inouï, insolite, neuf, nouveau, original, osé, rare, singulier.

INUTILE Absurde, creux, en l'air, frivole, futile, improductif, inefficace, inemployable, infécond, infructueux, insignifiant, négligeable, nul, oiseux, perdu (vx), sans but/fonction/objet, stérile, superfétatoire, superflu, vain, vide.

INUTILEMENT En vain, pour des prunes (fam.), pour le roi de Prusse (fam.), pour rien, vainement.

INVALIDE n. et adj. → infirme.

INVALIDER → abolir.

INVARIABLE → durable.

INVASION → incursion.

INVECTIVE → injure.

INVECTIVER Attaquer, crier, déblatérer (fam.), déclamer, fulminer, pester, tempêter, tonner. → injurier.

INVENDABLE, INVENDU, E Bouillon (fam.), rossignol.

INVENTAIRE I. → liste. **II.** → dénombrement.

INVENTER I. Neutre ou favorable: s'aviser de, bâtir, chercher, composer, concevoir, créer, découvrir, échafauder, engendrer, fabriquer, forger, imaginer, improviser, supposer, trouver. **II. Non favorable :** affabuler, arranger, broder, conter, controuver (vx), fabriquer, fabuler, feindre, forger, insinuer, mentir. → hâbler.

INVENTIF, VE → ingénieux.

INVENTION I. Au pr. → découverte. **II. Par ext. (non favorable) :** affabulation, artifice, bourde, calomnie, chimère, combinaison, comédie, craque (fam.), duperie, expédient, fabrication, fabulation, fantaisie, feinte, fiction, fumisterie, galéjade, histoire, imagination, légende, mensonge, rêve, roman, saga, songe, tromperie.

INVENTORIER I. → dénombrer. **II.** → examiner.

INVERSÉ, E → opposé.

INVERSER → transposer.

INVERSION I. Au pr. : anastrophe, changement, déplacement, dérangement, hyperbate, interversion, renversement, retournement, transposition. **II.** Anomalie, anormalité, dépravation, désordre, homosexualité.

INVERTIR → renverser.

INVESTIGATEUR, TRICE n. et adj. Chercheur, curieux, enquêteur, scrutateur.

INVESTIGATION → recherche.

INVESTIR I. Au pr. (milit.) : assiéger, bloquer, boucler, cerner disposer autour, emprisonner, encercler, enfermer, envelopper, environner, fermer, prendre au piège. **II. Par ext. 1.** → installer. **2.** → pourvoir. **3.** → placer.

INVESTISSEMENT I. Aide, apport, engagement, financement, placement. **II.** Blocus, siège.

INVÉTÉRÉ, E → incorrigible.

INVINCIBLE → irrésistible.

INVIOLABLE → sacré.

INVISIBLE → imperceptible.

INVITATION Appel, convocation, demande, invite, signe.

INVITÉ, E → *convive.*

INVITER I. Favorable ou neutre : appeler, attirer, conseiller, convier, convoquer, demander, engager, faire asseoir, faire appel/signe, prier à/de, retenir à, solliciter, stimuler. **II. Non favorable :** appeler à, défier, engager, entraîner, exciter, exhorter, inciter, induire, mettre au défi, porter/pousser à, presser, provoquer, solliciter.

INVIVABLE → *difficile.*

INVOCATION Adjuration, appel, dédicace, demande, litanie, prière, protection, sollicitation, supplication.

INVOLONTAIRE Accidentel, automatique, convulsif, forcé, inconscient, instinctif, irréfléchi, machinal, mécanique, naturel, passif, réflexe, spontané.

INVOQUER I. → *évoquer.* **II.** → *prier.* **III.** → *prétexter.*

INVRAISEMBLABLE Bizarre, ébouriffant, étonnant, étrange, exceptionnel, exorbitant, extraordinaire, extravagant, fantastique, formidable, impensable, impossible, improbable, inconcevable, incroyable, inimaginable, insoutenable, paradoxal, renversant (fam.), rocambolesque.

INVRAISEMBLANCE Bizarrerie, contradiction, énormité, étrangeté, extravagance, impossibilité, improbabilité, paradoxe.

INVULNÉRABLE Par ext. 1. D'un être : costaud, dur, fort, imbattable, immortel, increvable, invincible, puissant, redoutable, résistant. **2. D'une chose :** → *imprenable.*

IRASCIBLE → *colère* (adj.).

IRE → *colère.*

IRISÉ, E Chromatisé, nacré, opalin.

IRONIE I. → *esprit.* **II.** → *raillerie.*

IRONIQUE Blagueur (fam.), caustique, goguenard, gouailleur, humoristique, moqueur, narquois, persifleur, railleur, sarcastique, voltairien.

IRONISER → *railler.*

IRRADIATION Diffusion, divergence, émission, propagation, radiation, rayonnement.

IRRADIER → *rayonner.*

IRRATIONNEL, ELLE → *illogique.*

IRRÉALISABLE → *impossible.*

IRRÉALITÉ → *invention.*

IRRECEVABLE Erroné, faux, impossible, inacceptable, inaccordable, inadmissible, injuste.

IRRÉCONCILIABLE Brouillé, divisé, ennemi, opposé.

IRRÉCUSABLE Clair, éclatant, évident, indiscutable, irréfragable, irréfutable.

IRRÉDUCTIBLE I. → *inflexible.* **II.** → *intraitable.*

IRRÉEL, ELLE → *imaginaire.*

IRRÉFLÉCHI, E Audacieux, capricant, capricieux, déraisonnable, écervelé, emballé, emporté, étourdi, imprévoyant, impulsif, inconsidéré, insensé, léger, machinal, mécanique. → *involontaire.*

IRRÉFRAGABLE et **IRRÉFUTABLE** Avéré, catégorique, certain, corroboré, démontré, établi, évident, exact, fixe, formel, incontestable, indiscutable, invincible, irrécusable, logique, notoire, péremptoire, positif, probant, prouvé, sûr, véridique, véritable, vrai.

IRRÉGULARITÉ Accident, altération, anomalie, aspérité, asymétrie, bizarrerie, bosse, caprice, creux, défaut, défectuosité, désordre, déviation, difformité, discontinuité, disproportion, dissymétrie, écart, erreur, étrangeté, excentricité, exception, faute, grain, illégalité, inégalité, intermittence, loufoquerie, manquement, monstruosité, particularité, passe-droit, perturbation, perversion, saillie, singularité, variabilité.

IRRÉGULIER Franc-tireur. → *insoumis.*

IRRÉGULIER, ÈRE Aberrant, accidentel, anomal, anormal, arbitraire, asymétrique, baroque, biscornu, bizarre, convulsif, décousu, déréglé, désordonné, difforme, discontinu, erratique, étonnant, extraordinaire, fautif, fortuit, hétéroclite, illégitime, inaccoutumé, incorrect, inégal, inhabituel, injuste, insolite, intermittent, interrompu, inusité, irrationnel, monstrueux, particulier, peccant, phénoménal, saccadé, singulier, syncopé, variable.

IRRÉLIGIEUX, EUSE → *incroyant.*

IRRÉMÉDIABLE Fatal, incurable, irréparable, nécessaire, perdu.

IRRÉMISSIBLE Impardonnable, inexcusable. → *irrémédiable.*

IRRÉPARABLE Définitif, funeste, malheureux, néfaste. → *irrémédiable.*

IRRÉPRÉHENSIBLE→*irréprochable.*

IRRÉPRESSIBLE → *irrésistible.*

IRRÉPROCHABLE Accompli, droit, honnête, impeccable, inattaquable, irrépréhensible, juste, moral, parfait, sans défaut/reproche/tare.

IRRÉSISTIBLE Capable, fort, envoûtant, évident, excessif, incoercible, indomptable, influent, invincible, irrépressible, irrévocable, séduisant, tenace, violent.

IRRÉSOLU, E Embarrassé, en suspens, entre le zist et le zest (fam.), flottant, fluctuant, hésitant, incertain, indécis, indéterminé, lanternier (fam.), mobile, perplexe, suspendu, vacillant, vague.

IRRÉSOLUTION → *indétermination.*

IRRESPECT → *irrévérence.*

IRRESPECTUEUX, EUSE → *irrévérencieux.*

IRRESPIRABLE → *mauvais.*

IRRÉVÉRENCE Audace, grossièreté, impertinence, impolitesse, incongruité, inconvenance, insolence, irrespect, maladresse, manque d'égards/de respect.

IRRÉVÉRENCIEUX, EUSE et **IRRÉVÉRENT, E** Audacieux, grossier, impertinent, impoli, incongru, inconvenant, injurieux, insolent, insultant, irrespectueux, maladroit, malappris, mal embouché, vulgaire.

IRRÉVERSIBLE, IRRÉVOCABLE Arrêté, décidé, définitif, fixe, formel, péremptoire, résolu, sans appel.

IRRIGATION → *arrosage.*

IRRIGUER → *arroser.*

IRRITABLE I. → *colère* (adj.). **II.** → *susceptible.*

IRRITANT, E I. Au pr. : agaçant, déplaisant, désagréable, énervant, enrageant, provocant, vexant. **II. Par ext. 1.** Acre, échauffant, suffocant. **2.** Excitant, stimulant.

IRRITATION I. → *colère.* **II.** Brûlure, démangeaison, exacerbation, exaspération, inflammation, prurit, rubéfaction, tourment. **III.** Exaltation, exaspération, excitation, surexcitation.

IRRITÉ, E A cran, agacé, aigri, blessé, contrarié, courroucé, crispé, énervé, enflammé, enragé, exaspéré, excédé, fâché, furibond, furieux, hérissé, horrifié, hors de soi, impatienté, indigné, nerveux, piqué, tanné, vexé.

IRRITER I. Au pr. : brûler, démanger, enflammer, envenimer, exacerber, exaspérer, rubéfier. **II. Fig. 1.** → *exciter.* **2.** Agacer, aigrir, blesser, contrarier, crisper, donner/taper sur les nerfs, énerver, exaspérer, excéder, fâcher, hérisser, horripiler, impatienter, indigner, jeter hors de soi/de ses gonds, mettre en colère/hors de soi, piquer, tourmenter.

IRRITER (S') Bouillir, se cabrer, s'émouvoir, s'emporter, se fâcher, s'impatienter, se mettre en colère, se monter, piquer une colère/rage/rogne (fam.), sortir de ses gonds.

IRRUPTION → *incursion.*

ISLAMIQUE Coranique, mahométan, musulman.

ISOLÉ, E I. → *écarté.* **II.** → *seul.*

ISOLEMENT I. De quelqu'un : abandon, claustration, cloître, délaissement, déréliction, éloignement, esseulement, exil, isolation, quarantaine, retranchement, séparation, solitude. **II. Par ext. 1.** Autarcie, séparatisme. **2.** Non-conformisme.

ISOLER → *écarter.*

ISRAÉLITE n. et adj. Hébraïque, hébreu, israélien, judaïque, juif, peuple élu, sémite, sémitique. *Pop. et péj. :* youpin, youtre.

ISSU, E → *né.*

ISSUE I. → *sortie.* **II.** → *résultat.*

ITÉRATIF, IVE Fréquent, fréquentatif, rabâché, recommencé, renouvelé, répété.

ITHOS → *galimatias.*

ITINÉRAIRE → *trajet.*

ITINÉRANT, E → *voyageur.*

IVOIRIN, E Albâtre, blanc, blanchâtre, chryséléphantin, opalin, porcelaine.

IVRAIE I. Au pr. : chiendent, herbe, ray-grass, vorge, zizanie. **II. Fig. :** chicane, dispute, méchanceté, mésentente.

IVRE I. Au pr. 1. *Neutre :* aviné, bu, gai, gris, grisé, imbriaque, pris de boisson. **2. *Fam. et arg. :*** brindezingue, cuit, dans les vignes du Seigneur, éméché, émoustillé, en goguette, entre deux vins, mort, noir, parti, pompette. **3. *Non favorable :*** blindé, bourré, cané, mûr, paf, pété, plein, poivré, rétamé, rond, schlass, soûl. **II. Par ext. :** exalté, transporté, troublé.

IVRESSE I. Au pr. 1. *Neutre :* boisson, crapule, débauche, dipsomanie, ébriété, enivrement, éthylisme, fumées de l'alcool/du vin, griserie, hébétude, intempérance, ivrognerie. **2. *Fam. et arg. :*** biture, cocarde, cuite, pistache, ribote, soulographie. **II. Fig. 1.** → *vertige.* **2.** Enchantement, enthousiasme, exaltation, extase, joie, volupté.

IVROGNE, IVROGNESSE I. Neutre : alcoolique, buveur, débauché, dipsomane, éthylique, intempérant. **II. Fam. et arg. :** biberon, boit-sans-soif, cuitard, éponge, lécheur, licheur, outre, pilier de bistrot/cabaret/café/estaminet, picoleur, pochard, poivrot, sac à vin, siffleur, soiffard, soûlard, soûlaud, soulographe, suppôt de Bacchus, téteur, tonneau, vide-bouteilles.

IVROGNERIE → *ivresse.*

JABOT I. Par ext. : cravate, dentelle.
II. → *estomac.*

JABOTER I. Non favorable.
1. Babiller, baratiner, bavarder, bonimenter, cailleter, caqueter, débiter, discourir, jabouiner, jacasser, jaspiller (arg.), jaspiner (arg.), papoter (fam.), parler, raconter. *2.* Baver, broder, cancaner, clabauder, colporter, commérer, débiner (fam.), déblatérer, faire battre des montagnes, faire des commérages/des histoires/des racontars, jaser, lantiponner (fam.), potiner, publier, répandre. **II. Favorable ou neutre :** s'abandonner, causer, converser, deviser, échanger, s'entretenir, faire la causette (fam.)/la conversation/un brin de causette (fam.).

JACASSE, JACASSEUR Babillard, baratineur (fam.), bavard, bon grelot (fam.), bonimenteur, bonne tapette (fam.), bruyant, cancanier, commère, concierge, discoureur, jaseur, loquace, parleur, phraseur, pipelet, prolixe, verbeux, volubile.

JACASSEMENT, JACASSERIE → *bavardage.*

JACASSER → *jaboter.*

JACHÈRE Brande, brousse, friche, garrigue, gâtine, lande, maquis, varenne.

JACINTHE Hyacinthe.

JACOBIN n. et adj. **I.** → *révolutionnaire.* **II. Par ext.** → *ultra.*

JACTANCE I. → *orgueil.* **II.** → *hâblerie.*

JADIS → *autrefois.*

JAILLIR Apparaître, bondir, couler, se dégager, se dresser, s'élancer, s'élever, fuser, gicler, partir, pointer, rejaillir, saillir, sortir, sourdre, surgir.

JAILLISSEMENT → *éruption.*

JALONNER → *tracer.*

JALOUSIE I. → *envie.* **II.** → *émulation.* **III.** → *volet.*

JALOUX, OUSE I. → *envieux.* **II.** → *désireux.*

JAMAIS (À, POUR) Définitivement, en aucun temps, éternellement, irrévocablement, pour toujours, sans retour.

JAMBE I. D'un homme. *1.* Membre inférieur. *2. Fam. :* échasses, flûtes, gambettes, gigot, gigues, guibolles, pattes, piliers, pinceaux, pincettes, poteaux, quilles. **II. D'un animal** → *patte.*

JAMBIÈRE → *guêtre.*

JANSÉNISTE n. et adj. Austère, étroit, moraliste, puritain, rigoureux.

JAPPEMENT → *aboi.*

JAPPER → *aboyer.*

JAQUETTE → *veste.*

JARDIN I. Au pr. : clos, closerie, courtil (vx), espace vert, jardinet, parc, potager, square, verger. **II. Par ext. :** éden, eldorado, paradis.

JARDINAGE Arboriculture, culture maraîchère, horticulture, maraîchage.

JARGON Argot, baragouin, bigorne (vx), charabia, dialecte, galimatias, gazouillis, javanais, langue verte, largonji, loucherbem, patagon, patois, pidgin, sabir.

JASER I. → *jaboter.* **II.** → *médire.*

JASPÉ, E → *marqueté.*

JATTE Bol, coupe, récipient, tasse.

JAUGER I. Au pr. 1. → *mesurer.*
2. → *évaluer.* **II. Fig.** → *juger.*

JAUNE Blond, chamois, citron, doré, fauve, flavescent, isabelle, kaki, ocre, safran, saure, topaze.

JAUNIR Blondir, dorer, javeler.

JAVELINE, JAVELOT → *trait.*

JÉRÉMIADE → *gémissement.*

JÉSUITISME → *hypocrisie.*

JET I. Au pr. 1. Coup, émission, éruption, jaillissement, lancement, projection, propulsion. **2.** → *pousse.* **3.** → *avion.* **II. Fig.** → *ébauche.*

JETÉE → *digue.*

JETER I. Abandonner, balancer, se débarrasser/se défaire de, détruire, dispenser, éjecter, émettre, éparpiller, envoyer, ficher (fam.), flanquer (fam.), joncher, lancer, mettre, parsemer, pousser, précipiter, projeter, rejeter, répandre, semer. **II. Loc. 1. Jeter bas/à terre** → *abattre.* **2. Jeter son dévolu sur** → *choisir.*

JETER (SE) I. → *élancer (s').* **II.** Aboutir, déboucher, se déverser, finir à/dans.

JEU I. → *plaisir.* **II.** → *jouet.* **III.** → *politique.* **IV.** → *interprétation.* **V.** → *assortiment.* **VI. Loc. 1. Jeu d'esprit** → *supposition.* **2. Jeu de mots :** anagramme, anastrophe, à-peu-près, calembour, contrepèterie, coq-à-l'âne, équivoque, mot d'esprit, mots croisés, plaisanterie, rébus, turlupinade. **3. Mettre en jeu** → *user de.*

JEUNE I. Adj. 1. Au pr. : adolescent, benjamin, cadet, jeunet, jeunot, junior, juvénile, nouveau, teenager (angl.), vert. **2. Par ext.** → *naïf.* **II. Nom :** J3, jeunes gens, jeunesse, moins de trente ans. **III. Loc. 1. Jeune fille** → *fille.* **2. Jeune homme :** adolescent, adonis, béjaune (péj.), blanc-bec (péj.), blondin, colombin (péj.), damoiseau, éphèbe, freluquet (péj.), garçon, gars, godelureau (péj.), minet (fam.), muguet (vx), play-boy.

JEÛNE I. Neutre : abstinence, carême, diète, grève de la faim, pénitence, privation, quatre-temps, ramadan, renoncement, restriction, vigile. **II. Favorable :** frugalité, modération, sobriété, tempérance. **III. Non favorable** → *manque.*

JEUNESSE Adolescence, juvénilité, printemps de la vie, verdeur, vingt ans.

JOAILLIER Bijoutier, orfèvre.

JOBARD, E → *naïf.*

JOCRISSE n. et adj. → *bête.*

JOIE I. → *gaieté.* **II.** — *plaisir.*

JOINDRE I. Quelque chose ou quelqu'un (au pr.) : aboucher, abouter, accoler, accoupler, ajointer, ajuster, allier, annexer, appointer, approcher, articuler, assembler, asso-

cier, attacher, brancher, braser, combiner, conjoindre, conjuguer, connecter, coudre, embrancher, enchaîner, entrelacer, épisser, greffer, incorporer, jumeler, lier, marier, rabouter, raccorder, rallier, rapporter, rapprocher, rassembler, rattacher, relier, réunir, souder, unir. **II. Par ext. 1.** → *aborder.* **2.** → *rejoindre.*

JOINT, JOINTURE Aboutage, articulation, assemblage, commissure, conjonction, conjugaison, contact, fente, jonction, raccord, rencontre, réunion, suture, union.

JOLI, E I. → *accorte.* **II.** → *agréable.* **III.** → *aimable.* **IV.** → *beau.* **V.** → *bien.* **VI.** → *élégant.*

JONC I. → *baguette.* **II.** → *bague.*

JONCHER → *recouvrir.*

JONCTION Bifurcation, carrefour, fourche. → *joint.*

JONGLEUR → *troubadour.*

JOUE Abajoue, bajoue, méplat, pommette.

JOUER I. V. intr. 1. → *amuser (s').* **2.** → *mouvoir (se).* **II. V. tr. 1.** Crier, faire du théâtre, interpréter, mettre en scène. → *représenter.* **2.** → *tromper.* **3.** → *spéculer.* **4.** → *hasarder.* **5.** → *railler.* **6.** → *feindre.* **7.** → *imiter.* **8. Jouer d'un instrument de musique :** gratter (péj.), pianoter, pincer, racler (péj.), sonner, souffler, toucher. **9. Jouer un morceau de musique :** attaquer, enlever, exécuter, interpréter, massacrer (péj.).

JOUER (SE) I. → *mépriser.* **II.** → *railler.* **III.** → *tromper.*

JOUET I. Au pr. → *bagatelle.* **II. Fig.** → *victime.*

JOUFFLU, E Bouffi, gonflé, mafflé, mafflu, poupard, poupin, rebondi.

JOUG Fig. → *subordination.*

JOUIR I. → *avoir, profiter de, régaler (se).* **II.** Connaître la volupté et les syn de volupté → *éjaculer.* **III. Arg. et grossier :** bander, bicher, s'éclater, s'envoyer en l'air, se faire briller/reluire, godailler, goder, partir, planer, prendre son fade/panard/pied. ***Partic.* 1. Femmes :** couler, juter, mouiller, ne plus se sentir pisser. **2. Hommes :** avoir la canne/gaule/trique, l'avoir au garde-à-vous/dure/en l'air/raide, etc. et → *accoupler (s')*

JOUIR DE I. → *posséder.* **II.** → *profiter de.* **III.** Déguster, goûter, se repaître, savourer. → *régaler (se).*

JOUISSANCE I. Possession, propriété, usage, usufruit. **II.** → *plaisir.*

JOUR I. Journée. **II. Par ext. 1.** → *lumière.* **2.** → *ouverture.* **3.** → *moyen.* **III. Au pl. 1.** → *vie.* **2.** → *époque.* **IV. Loc. 1. Point/pointe du jour** → *aube.* **2. Voir le jour** → *naître.*

JOURNAL I. Bulletin, canard (péj.), feuille, feuille de chou (péj.), gazette, hebdomadaire, illustré, magazine, organe, périodique, quotidien, revue. **II.** → *récit.* **III.** → *mémoires.*

JOURNALIER, ÈRE I. Nom → *travailleur.* **II. Adj.** ˙*1. Au pr.* : de chaque jour, diurnal, diurne, journal, quotidien. *2.* → *changeant.*

JOURNALISTE Bobardier (péj.), chroniqueur, commentateur, correspondant, courriétisre, critique, échotier, éditorialiste, envoyé spécial, feuilletoniste, feuilliste (péj.), folliculaire (péj.), gazetier (vx), informateur, journaleux (péj.), nouvelliste, pamphlétaire, pisse-copie (péj.), publiciste, rédacteur, reporter, salonnier.

JOURNÉE I. → *jour.* **II.** → *étape.* **III.** → *rétribution.*

JOUTE I. → *tournoi.* **II.** → *lutte.*

JOUTER → *lutter.*

JOUTEUR → *lutteur*

JOUVENCEAU → *jeune*

JOVIAL, E → *gai.*

JOVIALITÉ → *gaieté*

JOYAU I. Bijou, parure. **II.** → *beauté*

JOYEUX, EUSE → *gai.*

JUBILATION → *gaieté*

JUBILER → *réjouir (se)*

JUCHER → *percher.*

JUDAS I. → *infidèle.* **II.** → *ouverture.*

JUDICIAIRE Juridique, procédurier (péj.)

JUDICIEUX, EUSE → *bon*

JUGE I. Alcade (esp.), arbitre, cadi (arabe), gens de robe, guignol (arg.), héliaste, inquisiteur (péj.), justicier, magistrat, official (rel.), prévôt, rabin (péj.), viguier. **II.** Vengeur. **III.** → *censeur.*

JUGEMENT I. Arrêt, décision, décret, verdict. **II.** → *opinion.* **III.** → *censure.* **IV.** → *raison.*

JUGEOTE → *raison.*

JUGER Apprécier, arbitrer, conclure, considérer, coter, croire, décider, déterminer, dire, discerner, distinguer, estimer, évaluer, examiner, expertiser, jauger, mesurer, noter, penser, peser, porter une appréciation/un jugement, prononcer un arrêt/une sentence, sonder les reins et les cœurs, soupeser, statuer, trancher, trouver, voir.

JUGULER → *arrêter.*

JUIF, JUIVE n. et adj. → *israélite.*

JUMEAU, ELLE n. et adj. Besson, double, gémeau, menechme, pareil, sosie.

JUMELER → *joindre.*

JUMELLE → *lunette.*

JUMENT Cavale, haquenée, pouliche, poulinière.

JUPE Cotillon, cotte, jupon, paréo, tutu.

JUREMENT I. → *serment.* **II.** Blasphème, cri, exécration, imprécation, juron, outrage.

JURER I. → *affirmer.* **II.** → *décider* **III.** → *promettre.* **IV.** → *contraster.* **V.** Blasphémer, outrager, proférer des jurons, sacrer, tempêter.

JURIDICTION Autorité, circonscription, compétence, for (vx), judicature, ressort, territoire.

JURIDIQUE → *judiciaire.*

JURISCONSULTE → *légiste.*

JURISPRUDENCE → *loi*

JURISTE → *légiste*

JURON → *jurement.*

JUSANT → *marée.*

JUSQU'AU-BOUTISME → *extrémisme.*

JUSTE I. Au pr. : adéquat, approprié, bon, conforme, convenable, correct, droit, équitable, exact, fondé, honnête, impartial, intègre, justifiable, justifié, légitime, loyal, motivé, précis, propre, raisonnable. **II. Par ext.** → *vrai.* **III.** → *étroit.* **IV. Adv.** : exactement, précisément, tout à fait.

JUSTE MILIEU → *équilibre.*

JUSTESSE Authenticité, convenance, correction, exactitude, précision, propriété, raison, rectitude, vérité.

JUSTICE I. Droiture, équité, impartialité, intégrité, légalité. **II.** → *droit.* **III. Loc.** *Faire justice* → *punir.*

JUSTICIER, ÈRE Redresseur de torts, vengeur. → *juge.*

JUSTIFICATION I. Apologétique, apologie. → *éloge.* **II.** Affirmation, argument, confirmation, constatation, démonstration, établissement, gage, illustration (vx), motif, pierre de touche. → *preuve.*

JUSTIFIÉ, E → *juste.*

JUSTIFIER I. Absoudre, acquitter, admettre, alléguer, blanchir, couvrir, décharger, disculper, effacer, excuser, exempter, innocenter, laver, légitimer. **II.** Fonder, motiver. **III.** → *prouver*

JUTER → *couler, éjaculer.*

JUTEUX, EUSE I. → *fluide.* **II.** → *fructueux.*

JUVÉNILE Actif, ardent, bien allant, gai, jeune, pimpant, plein d'ardeur/d'entrain/de vie, vert, vif.

JUVÉNILITÉ Activité, allant, ardeur, entrain, gaieté, jeunesse, verdeur, vivacité.

JUXTAPOSER Adjoindre, ajouter, annexer, assembler, associer, combiner, jumeler, marier, rapprocher, rassembler, rattacher, relier, réunir, unir. → *joindre.*

JUXTAPOSITION → *adjonction.*

KAKI, E Brun, chamois, fauve, flavescent, grège, jaune, marron, ocre, saure.

KANDIAR → *poignard*.

KAYAK Canoë, canot, périssoire.

KEEPSAKE Album, livre-album, livre d'images, recueil.

KÉPI Casquette, chapska, coiffure, shako.

KERMESSE Festival, festivité, frairie, réjouissance. → *fête*.

KÉROSÈNE Carburant, pétrole.

KIBBOUTZ Exploitation/ferme collective.

KIDNAPPER I. Au pr. : enlever, faire disparaître, séquestrer. **II. Par ext.** → *voler*.

KIDNAPPING I. Au pr. : enlèvement/rapt d'enfant. **II. Par ext. :** enlèvement, rapt, ravissement (vx), séquestration, violence, voie de fait.

KIF Haschisch.

KINÉSITHÉRAPEUTE Masseur, soigneur.

KIOSQUE I. → *édicule*. **II.** → *pavillon*.

KITCHENETTE Coin cuisine, cuisine, office, petite cuisine.

KLAXON Avertisseur, signal sonore, trompe.

KLEPTOMANE → *voleur*.

KNOCK-OUT Assommé, étendu pour le compte, évanoui, groggy (par ext.), hors de combat, inconscient, K.-O.

KNOUT Bastonnade, fouet, verges.

KOBOLD, KORRIGAN → *génie*.

KRACH I. Au pr. : déconfiture, dépôt de bilan, faillite. **II. Par ext. :** banqueroute, chute, crise, culbute, débâcle, échec, fiasco, liquidation, marasme, ruine.

KRAK Bastide, château, citadelle, crac, ensemble fortifié, fort, forteresse, fortification, ouvrage fortifié, place forte.

KYRIELLE → *suite*.

KYSTE Corps étranger, grosseur, induration, ulcération. → *abcès*.

LÀ A cet endroit, à cette place, en ce lieu, ici.

LABEUR Activité, besogne, corvée, occupation, ouvrage, peine, tâche, travail.

LABILE Caduc, cassant, débile, défectueux, faible, fragile, frêle, périssable, piètre, précaire.

LABORATOIRE Arrière-boutique, atelier, cabinet, officine.

LABORIEUX, EUSE I. → *difficile.* **II.** → *pénible.* **III.** → *travailleur.*

LABOUR I. Au pr. : défonçage, façon, labourage. **II. Par ext.** → *terre.*

LABOURER I. Au pr. : défoncer, façonner, ouvrir, remuer, travailler. **II. Fig.** → *déchirer.*

LABOUREUR → *agriculteur* et *paysan.*

LABYRINTHE I. Au pr. : dédale, lacis, méandre. **II. Fig.** Complication, confusion, détours, écheveau, enchevêtrement, multiplicité, sinuosités.

LAC Bassin, chott, étang, lagune, marais, mare, pièce d'eau, réservoir.

LACER Attacher, ficeler, fixer, nouer, serrer.

LACÉRATION Déchiquetage, déchirement, destruction, dilacération, division, mise en lambeaux/morceaux/pièces.

LACÉRER → *déchirer.*

LACET I. → *corde.* **II.** → *filet.*

LÂCHE I. Capitulard (péj.), capon, cerf, couard, dégonflé, embusqué, foireux, froussard, jean-fesse (fam.), jean-foutre (péj.), péteux (fam.), peureux, pied-plat, pleutre, poltron, poule mouillée, pusillanime, rampant, timide, tremblant, trouillard, vil. **II.** Débandé, desserré, détendu, flaccide, flottant, relâché.

LÂCHÉ, E → *négligé.*

LÂCHER I. Au pr. : débander, décramponner, desserrer, détacher, détendre, filer, laisser aller, larguer, relâcher. **II. Par ext. 1.** → *dire.* **2.** → *accorder.* **3.** → *abandonner.* **4.** → *quitter.* **5.** → *distancer.* **III. Loc. Lâcher pied** → *reculer.*

LÂCHETÉ Couardise, foire, frousse, peur, poltronnerie, pusillanimité, trouille.

LACIS → *réseau.*

LACONIQUE → *court.*

LACS → *filet.*

LACUNE I. Déficience, desiderata, ignorance, insuffisance, manque, omission, oubli, suppression. **II.** Espace, fente, fissure, hiatus, interruption, méat, solution de continuité, trou.

LADRE I. → *avare.* **II.** → *lépreux.*

LADRERIE I. Au pr. : léproserie, maladrerie. **II. Fig. :** sordidité. → *avarice.*

LAGUNE → *étang.*

LAID, LAIDE I. Quelque chose. 1. Abominable, affreux, atroce, dégoûtant, déplaisant, désagréable, disgracieux, effrayant, effroyable, hideux, horrible, ignoble, inesthétique, informe, moche (fam.), monstrueux, repoussant, vilain. **2.** Bas, déshonnête, immoral, indigne, malhonnête, malséant, mauvais, obscène, sale, vil. **II. Quelqu'un :** défiguré, déformé, difforme, disgracié, disgracieux, enlaidi, hideux, inélégant, ingrat, mal bâti/fait/fichu/foutu.

LAIDERON Guenon, guenuche, maritorne, monstre, remède à l'amour. → *virago*.

LAINE → *poil*.

LAINEUX, EUSE Doux, duveteux, épais, isolant, poilu, velouté.

LAÏQUE, LAÏC n. et adj. Convers, lai, séculier.

LAISSER I. → *abandonner*. **II.** → *quitter*. **III.** → *confier*. **IV.** → *transmettre*. **V.** → *aliéner*. **VI.** *souffrir*. **VII.** Loc. *Ne pas laisser de* → *continuer*.

LAISSER-ALLER → *négligence*.

LAISSEZ-PASSER Coupe-file, passavant, passe-debout, passeport, permis, sauf-conduit, visa.

LAMBEAU → *morceau*.

LAMBIN, E → *lent*.

LAMBINER → *traîner*.

LAME I. Feuille, feuillet, lamelle, morceau, plaque. **II.** Baleine de corset, busc. **III.** → *épée*. **IV.** → *vague*. **V.** Loc. *Fine lame* → *ferrailleur*.

LAMENTABLE → *pitoyable*.

LAMENTATION → *gémissement*.

LAMENTER (SE) → *gémir*.

LAMPE → *lanterne*.

LAMPER → *boire*.

LAMPION → *lanterne*.

LANCE Dard, épieu, framée, hallebarde, haste (vx), javeline, javelot, pertuisane, pique, sagaie, sarisse.

LANCEMENT → *publication*.

LANCER I. Au pr. : catapulter, darder, lâcher, larguer, projeter. **II. Par ext. 1.** Déclencher, décocher, émettre, envoyer, exhaler, faire partir, répandre. **2.** → *introduire*. **3.** → *éditer*.

LANCER (SE) → *élancer (s')*.

LANCINANT,E → *piquant, ennuyeux*

LANDE Brande, brousse, friche, garrigue, gâtine, jachère, maquis, varenne.

LANGAGE → *langue*.

LANGE → *couche*.

LANGOUREUX, EUSE Alangui, amoureux, doucereux, languide, languissant, mourant, sentimental.

LANGUE Argot, dialecte, expression, idiolecte, idiome, langage, parler, parlure, patois, sabir, vocabulaire. → *jargon*.

LANGUEUR Abattement, accablement, adynamie, affaiblissement, alanguissement, anéantissement, apathie, assoupissement, atonie, consomption, découragement, dépérissement, dépression, ennui, épuisement, étisie, faiblesse, inactivité, indolence, léthargie, marasme, mollesse, morbidesse,

nonchalance, paresse, prostration, stagnation, torpeur.

LANGUIDE → *langoureux*.

LANGUIR I. Au pr. : s'en aller, décliner, dépérir, s'étioler. **II. Par ext. 1.** → *attendre*. **2.** → *souffrir*. **3.** Stagner, traîner, végéter.

LANGUISSANT, E I. → *langoureux*. **II.** → *fade*.

LANIÈRE → *courroie*.

LANTERNE I. Au pr. : falot, fanal, feu, lampe, lampion, lumière, phare, réverbère, veilleuse. **II. Par ext. 1.** → *bagatelle*. **2.** → *chanson*.

LANTERNER I. V. tr. → *tromper*. **II. V. intr. 1.** → *retarder*. **2.** → *traîner*.

LAPALISSADE → *vérité*.

LAPER → *boire*.

LAPIDAIRE → *court*.

LAPIDER I. → *tuer*. **II.** → *vilipender*.

LAPS, E (Vx) → *hérétique*.

LAPS → *espace*.

LAPSUS Contrepèterie, cuir, erreur, faute, liaison-mal-t-à-propos, pataquès, perle.

LAQUAIS → *serviteur*.

LAQUE → *résine*.

LAQUER → *peindre*.

LARCIN → *vol*.

LARD Bacon, couenne, crépine, lardon, panne.

LARDER I. → *percer*. **II.** → *emplir*. **III.** → *railler*.

LARES → *pénates*.

LARGE I. Adj. 1. → *grand*. **2.** → *indulgent*. **3.** → *généreux*. **II. Nom. 1.** → *mer*. **2.** → *largeur*. **III. Loc.** *Gagner/prendre le large* → *partir*.

LARGEMENT → *beaucoup*.

LARGESSE I. → *générosité*. **II.** → *don*.

LARGEUR I. Au pr. : ampleur, calibre, carrure, diamètre, dimension, empan, envergure, étendue, évasure, grandeur, grosseur, laize, large, lé, module, portée. **II. Par ext.** : indulgence, largesse, libéralisme, libéralité, ouverture d'esprit.

LARGUER → *lâcher*.

LARME Chagrin, eau (vx), émotion, gémissement, goutte, larmoiement, mal, perle, pleur, pleurnichement, pleurnicherie, sanglot, souffrance.

LARMOYANT, E → *émouvant*.

LARMOYER → *pleurer*.

LARRON → *voleur*.

LARVE Fig. I. → *fantoche*. **II.** → *ruine*.

LAS, LASSE → *fatigué*.

LASCAR → *gaillard*.

LASCIF, IVE Amoureux, charnel, concupiscent, débauché, érotique, immodeste, impudique, impur, indécent, léger, leste, libertin, libidineux, licencieux, lubrique, luxurieux, obscène, paillard, polisson, salace, sensuel, voluptueux.

LASCIVETÉ, LASCIVITÉ Concupiscence, débauche, érotisme, immodestie, impudicité, impureté, indécence, libertinage, licence, lubricité, luxure, obscénité, paillardise, polissonnerie, salacité, sensualité, volupté.

LASSER I. → *fatiguer.* **II.** → *ennuyer.*

LASSER (SE) → *décourager (se).*

LASSITUDE I. → *abattement.* **II.** → *fatigue.* **III.** → *ennui.* **IV.** → *découragement.*

LATENT, E → *secret.*

LATITUDE → *liberté.*

LATRINES → *water-closet.*

LAUDATEUR, TRICE → *louangeur.*

LAURIERS → *gloire.*

LAVAGE Ablution, bain, blanchiment, blanchissage, décantage, décantation, dégorgement, douche, lavement, lavure, lessive, lixiviation, nettoyage, purification, purgation.

LAVANDIÈRE → *laveuse.*

LAVEMENT I. Clystère, remède. **II.** → *lavage.*

LAVER I. Au pr. : abluer (vx), absterger, aiguayer, baigner, blanchir, débarbouiller, décrasser, décrotter, dégraisser, détacher, déterger, doucher, essanger, étuver, frotter, guéer, lessiver, lotionner, nettoyer, purifier, récurer, rincer. **II. Par ext. 1.** → *effacer.* **2.** → *excuser.*

LAVEUSE Blanchisseuse, buandière, lavandière, lessivière.

LAXATIF, IVE n. et adj. → *purge.*

LAYON → *sentier.*

LAZARET → *ladrerie.*

LAZZI → *plaisanterie.*

LEADER I. → *chef.* **II.** → *article.*

LÉCHER I. Licher, pourlécher, sucer. **II. Par ext. 1.** → *caresser.* **2.** → *parfaire.* **3.** → *cunnilinctus.*

LEÇON I. Au pr. : classe, conférence, cours, enseignement, instruction. **II. Par ext. 1.** → *avertissement.* **2.** → *texte.*

LECTEUR, TRICE I. Liseur. **II.** Pick-up.

LECTURE Déchiffrage, déchiffrement, décryptage, reconnaissance.

LÉGAL, E → *permis.*

LÉGAT Nonce, prélat, vicaire apostolique. → *ambassadeur.*

LÉGATAIRE → *héritier.*

LÉGATION → *mission.*

LÉGENDAIRE → *illustre.*

LÉGENDE I. Conte, fable, folklore, histoire, mythe, saga, tradition. **II.** → *inscription.*

LÉGER, ÈRE I. Aérien, allégé, délesté, éthéré, gracile, grêle, impalpable, impondérable, menu, subtil, vaporeux, volatil. **II.** → *dispos.* **III.** → *délicat.* **IV.** → *insignifiant.* **V.** *changeant.* **VI.** → *libre.* **VII.** → *frivole.* **VIII.** → *galant.*

LÉGÈREMENT I. A la légère, inconsidérément, sommairement. **II.** Frugalement, sobrement. **III.** Délicatement, doucement, en douceur, imperceptiblement.

LÉGION → *troupe, multitude*

LÉGIONNAIRE → *soldat.*

LÉGISLATEUR, LÉGISLATION Droit, loi, parlement, textes.

LÉGISTE Conseiller, député, homme de loi, jurisconsulte, juriste.

LÉGITIME I. Adj. → *permis.* **II.** → *juste* **III.** → *époux, épouse.*

LÉGITIMER → *permettre, excuser.*

LÉGITIMISME → *royaliste.*

LEGS → *don.*

LÉGUER → *transmettre.*

LEITMOTIV → *thème, refrain.*

LENDEMAIN → *avenir.*

LÉNIFIER → *adoucir.*

LENT, E Alangui, apathique, arriéré, balourd, calme, difficile, endormi, engourdi, épais, flâneur, flegmatique, flemmard, gnangnan (fam.), indécis, indolent, inerte, irrésolu, lambin, long, lourd, lourdaud, mollasse, mou, musard, nonchalant, paresseux, pataud, pénible, pesant, posé, retardataire, stagnant, tardif, temporisateur, traînant, traînard, tranquille.

LENTEMENT Doucement, insensiblement, mollo (fam.), piano.

LÈPRE → *maladie.*

LÉPREUX, EUSE I. Ladre, malade. **II.** Décrépit, ruiné.

LÉPROSERIE → *ladrerie.*

LESBIENNE I. Homosexuelle, invertie. **II. Litt :** sapho, tribade (péj.). **III. Arg. et grossier** bottine, brouteuse, gerbeuse, gouine, gougnasse, gougne, gougnotte, gousse, langue/ patte de velours, visiteuse, vrille, etc.

LÉSER I. → *blesser.* **II.** → *nuire.*

LÉSINE → *avarice.*

LÉSINER → *économiser.*

LÉSINEUR, EUSE → *avare.*

LÉSION → *dommage, blessure.*

LESSIVE → *purification* et *lavage.*

LESSIVER → *laver.*

LEST → *charge.*

LESTE → *dispos, impoli, libre.*

LESTER → *pourvoir.*

LÉTHARGIE → *assoupissement.*

LETTRE I. Billet, carte, correspondance, courrier, dépêche, deux/

quelques lignes, épître, message, missive, mot, pli. **II. Fam. :** babillarde, bafouille, billet doux, poulet, tartine. **III.** → *caractère.* **IV. Loc. *1. A la lettre :*** au mot, littéralement, mot à mot. **2. *Homme de lettres*** → *écrivain.* **V. Au pl. *1.*** → *correspondance.* **2.** → *littérature.* **3.** → *savoir.*

LETTRÉ, E adj. et n. → *savant.*

LETTRINE → *majuscule.*

LEURRE Appât, appeau, tromperie.

LEURRER → *tromper.*

LEVAIN → *ferment.*

LEVANT → *orient.*

LEVÉE → *digue.*

LEVER I. Au pr. : dresser, élever, enlever, guinder, haler, hausser, hisser, monter, redresser, relever. **II. Par ext. *1.*** → *tirer.* **2.** → *retrancher.* **3.** → *accumuler.* **4.** → *percevoir.* **5.** → *abolir.* **III. V. intr.** → *fermenter.* **IV. Loc. *1. Lever des troupes*** → enrôler. **2. *Lever le pied*** → *enfuir (s').*

LÈVRE I. Au pr. : babines, badigoinces (fam.), labre, lippe. **II. Par ext.** → *bord.*

LEVURE → *ferment.*

LEXIQUE → *dictionnaire.*

LÉZARDE → *fente.*

LIAISON I. Au pr. : accointance, affinité, alliance, association, attache, cohérence, cohésion, communication, connexion, connexité, contact, convenance, filiation, lien, rapport, union. **II. Par ext. *1.*** → *relation.* **2.** → *transition.*

LIANT, E → *sociable.*

LIARDER → *économiser.*

LIARDEUR, EUSE → *avare.*

LIBELLE Brochure, calotte (vx), diatribe, épigramme, factum, invective, pamphlet, pasquin, pasquinade, placard, satire.

LIBELLER → *écrire.*

LIBELLULE Demoiselle.

LIBÉRAL, E → *généreux.*

LIBÉRALITÉ I. → *générosité.* **II.** → *don.*

LIBÉRATEUR, TRICE n. et adj. Défenseur, émancipateur, rédempteur, sauveur.

LIBÉRATION Affranchissement, dégagement, délivrance, élargissement, émancipation, évacuation, rachat, rédemption.

LIBÉRER Affranchir, débarrasser, débloquer, décharger, défaire de, dégager, délier, délivrer, dépêtrer, désenchaîner, détacher, dételer, élargir, émanciper, évacuer, quitter de (vx), racheter, rédimer, relâcher, relaxer, soustraire à, tenir quitte.

LIBÉRER (SE) Dénoncer, prendre la tangente (fam.), rompre, secouer le joug, tirer son épingle du jeu (fam.), *et les formes pronom. possibles des syn. de* LIBÉRER.

LIBERTAIRE n. et adj. Anarchiste.

LIBERTÉ I. Autonomie, indépendance. **II.** Choix, droit, faculté, latitude, libre arbitre, licence, permission, possibilité, pouvoir. **III.** → abandon. **IV.** → *libération.* **V.** → intimité. **VI.** → *désinvolture.*

LIBERTIN, E n. et adj. **I.** → incroyant. **II.** → *libre.* **III. Par ext. *1. Neutre :*** épicurien, esthète, sardanapale, sybarite, voluptueux. ***2. Non favorable*** → débauché.

LIBERTINAGE → *débauche.*

LIBIDINEUX, EUSE → *lascif.*

LIBRE I. Au pr. : autonome, affranchi, aisé, déboutonné (fam.), décontracté (fam.), dégagé, délié, émancipé, exempt, franc, indépendant, souverain. **II. Par ext. *1.*** Cavalier, coquin, cru, décolleté, dégourdi, dessalé, égrillard, épicé, familier, folichon, gai, gaillard, gaulois, graveleux, grivois, grossier, guilleret, hardi, inconvenant, léger, leste, libertin, licencieux, obscène, osé, polisson, poivré, rabelaisien, raide, vert. **2.** → dégagé. **3.** → *vacant.* **4.** → *familier.* **III. Loc. *Libre penseur*** → incroyant.

LIBRETTISTE Parolier.

LICE Arène, carrière, champ de bataille, cirque, stade.

LICENCE I. → *liberté.* **II.** → permission.

LICENCIEMENT Congédiement, départ, destitution, lock-out, mise au chômage/à la porte, renvoi, révocation.

LICENCIER → *congédier.*

LICENCIEUX, EUSE → *libre.*

LICHER v. tr. et intr. **I.** → *lécher.* **II.** → *boire.*

LICITE → *permis.*

LIE I. → *sédiment.* **II.** → *rebut.*

LIEN I. → *attache.* **II.** → *liaison.* **III. Au pl.** → *prison.*

LIER I. → *attacher.* **II.** → *joindre.* **III.** → *obliger.*

LIESSE → *gaieté.*

LIEU I. Au pr. 1. Canton, coin, emplacement, endroit, localité, parage, part, place, point, position, poste, séjour, site, situation, théâtre. **2.** Matière, objet, occasion, sujet. **II. Par ext.** → *pays.* **III. Loc. *1. Avoir lieu*** → produire (se). ***2. Donner lieu*** → occasionner. ***3. Il y a lieu*** → falloir. ***4. Tenir lieu*** → remplacer. ***5. Lieu commun :*** bateau, topique. → poncif. ***6. Lieux d'aisances*** → water-closet.

LIGAMENT Attache, tendon.

LIGNAGE I. → *race.* **II.** → *parenté.*

LIGNE I. Au pr. : barre, droite, hachures, raie, rayure, segment, strie, trait. **II. Par ext. 1.** Contour, galbe, linéament, port, profil, silhouette, trait. **2. Techn.** : cordeau, simbleau. **3.** → *forme.* **4.** → *chemin.* **5.** Front, théâtre d'opérations. **6.** Chemin de fer, voie ferrée. **7.** → *lignée.* **8.** → *direction.* **9.** → *orthodoxie.*

LIGNÉE Descendance, dynastie, famille, généalogie, lignage, ligne, maison, race, sang, souche, suite, tronc.

LIGOTER → *attacher.*

LIGUE I. → *parti.* **II.** → *intrigue.* **III.** → *alliance.*

LIGUER → *unir.*

LILLIPUTIEN, ENNE n. et adj. → *nain.*

LIMAÇON Colimaçon, escargot, gastéropode, limace.

LIMBES → *enfer.*

LIMER I. → *parfaire.* **II.** → *revoir.*

LIMIER → *policier.*

LIMITE Borne, bout, confins, démarcation, extrémité, fin, frontière, ligne, marche, terme.

LIMITÉ, E Borné, étroit, fini, localisé, réduit.

LIMITER Arrêter, borner, cantonner, circonscrire, délimiter, localiser, réduire, restreindre.

LIMITER (SE) Se contenter de, s'en tenir à, *et les formes pron. possibles des syn. de* LIMITER.

LIMITROPHE → *proche.*

LIMOGER → *destituer.*

LIMON Alluvion, boue, bourbe, fange, glèbe, terre, vase.

LIMPIDE I. → *transparent.* **II.** → *clair.* **III.** → *intelligible.* **IV.** → *pur.*

LINCEUL Drap, linge, suaire, voile.

LINÉAMENT I. → *ligne.* **II.** → *ébauche.*

LINGUISTIQUE Dialectologie, étymologie, grammaire, lexicographie, lexicologie, morphologie, onomastique, philologie, phonétique, phonologie, science du langage, sémantique, sémiotique, stylistique, syntaxe, toponymie.

LINIMENT → *pommade.*

LINON Batiste, fil, lin, toile.

LINOTTE → *étourdi.*

LIPPE I. → *lèvre.* **II.** → *grimace.*

LIPPÉE → *festin.*

LIQUÉFIER → *fondre.*

LIQUEUR Alcool, boisson, digestif, spiritueux.

LIQUIDE I. Adj. → *fluide.* **II. Nom. 1.** Boisson. **2.** Humeur, liqueur.

LIQUIDER I. → *vendre.* **II.** → *détruire.*

LIRE I. Anonner (péj.), déchiffrer, épeler. **II.** Bouquiner, dévorer, dé-pouiller, feuilleter, parcourir. **III.** Deviner, expliquer. → *découvrir.*

LISÉRÉ → *lisière.*

LISEUR, EUSE n. et adj. Lecteur.

LISIÈRE Bande, bord, bordure, extrémité, frontière, limite, liséré, orée.

LISSE Doux, égal, glabre, glacé, laqué, lustré, poli, satiné, uni, verni.

LISSER → *polir.*

LISTE Bordereau, cadre, canon, catalogue, cédule, dénombrement, énumération, état, index, inventaire, kyrielle, martyrologe, mémoire, ménologe, nomenclature, relevé, répertoire, rôle, série, suite, tableau.

LIT I. Au pr. : couche, couchette, couette, divan, grabat (péj.), hamac. **II. Fam.** : dodo, carrée, châlit, goberge, paddock, page, pageot, pagne, pagnot, pieu, plume, plumard, pucier, schlof. **III. Par ext. 1.** → *canal.* **2.** → *couche.* **3.** → *mariage.*

LITANIES I. → *prière.* **II.** → *dénombrement.*

LITHOGRAPHIE → *image.*

LITIÈRE Basterne, brancard, chaise à porteurs, civière, filanzane, manchy, palanquin.

LITIGE → *contestation.*

LITIGIEUX, EUSE → *contestable.*

LITOTE Antiphrase, atténuation, diminution, euphémisme.

LITTÉRAIRE Par ext. → *artificiel.*

LITTÉRALEMENT A la lettre, au pied de la lettre, exactement, fidèlement, mot à mot, précisément.

LITTÉRATEUR → *écrivain.*

LITTÉRATURE Art d'écrire, belles-lettres, édition, expression/production littéraire, poésie, prose, roman, théâtre.

LITTORAL → *bord.*

LIVIDE → *pâle.*

LIVRE Album, atlas, bouquin, brochure, écrit, elzévir, fascicule, incunable, livraison, livret, opuscule, ouvrage, plaquette, publication, registre, tome, volume.

LIVRER Abandonner, céder, confier, délivrer, donner, engager, extrader, lâcher, porter, remettre, rendre, trahir.

LIVRER (SE) S'adonner *et les formes pronom. possibles des syn. de* LIVRER.

LIVRET I. → *cahier.* **II.** → *livre.*

LOCAL → *bâtiment.*

LOCALISER → *limiter.*

LOCALITÉ → *ville.*

LOCK-OUT → *licenciement.*

LOCOMOTIVE Automotrice, coucou, machine motrice.

LOCUTION → *expression.*

LOGE I. Box, cage, stalle. **II.** → cabane. **III.** → établissement. **IV.** → cellule. **V.** → pièce.

LOGEMENT I. Au pr. : appartement, demeure, domicile, garçonnière, gîte, habitation, logis, maison, pénates, pied-à-terre, résidence, séjour. **II. Par ext. :** habitat, urbanisme.

LOGER I. V. intr. → demeurer. **II. V. tr.** → placer.

LOGIQUE I. Nom. 1. Bon sens, dialectique, raison, raisonnement, sens commun. **2.** → nécessité. **II. Adj. :** cartésien, cohérent, conséquent, exact, géométrique, judicieux, juste, méthodique, naturel, nécessaire, raisonnable, rationnel, serré, suivi, vrai.

LOGIS I. → maison. **II.** → hôtel.

LOGOGRIPHE I. → énigme. **II.** → galimatias.

LOGOMACHIE → discussion.

LOI I. Au pr. 1. Code, droit, justice, législation. **2.** Arrêt, arrêté, constitution, décret, décret-loi, édit, ordonnance, sénatus-consulte. **II. Par ext. 1.** Obligation, prescription, principe, règle, règlement. **2.** → autorité.

LOINTAIN, E → éloigné.

LOINTAIN → éloignement.

LOISIBLE → permis.

LOISIR → inaction.

LONG, LONGUE I. Au pr. : allongé, barlong, étendu, oblong. **II.** Éternel, infini, interminable, longuet (fam.). **III. Par ext. 1.** → lent. **2.** → ennuyeux.

LONGANIMITÉ → patience.

LONGER I. Quelqu'un : aller le long, côtoyer, raser. **II. Quelque chose :** border, être/s'étendre le long.

LONGÉVITÉ Durée, macrobie.

LONGTEMPS, LONGUEMENT Beaucoup, en détail, lentement, minutieusement, tout au long.

LONGUEUR Durée, étendue, grandeur, lenteur.

LOPIN → morceau.

LOQUACITÉ I. → bavardage. **II.** → faconde.

LOQUE Chiffon, défroque, épave, fragment, guenille, haillon, lambeau, oripeau, penaillon.

LOQUETEUX, EUSE I. → déguenillé. **II.** → pauvre.

LORGNER I. → regarder. **II.** → vouloir.

LORGNETTE → lunette.

LORGNON Binocle, face-à-main, lunette, monocle, pince-nez.

LORSQUE → quand.

LOT I. → part. **II.** → destinée.

LOTERIE Hasard, jeu, sweepstake, tirage, tombola.

LOTIONNER → laver.

LOTIR → partager.

LOTISSEMENT → morceau.

LOUAGE Amodiation, bail, cession, ferme, location.

LOUANGE → éloge.

LOUANGER → louer.

LOUANGEUR, EUSE adj. et n. Adulateur, approbateur, caudataire, complimenteur, courtisan, dithyrambiste, encenseur, flagorneur, flatteur, glorificateur, laudateur, loueur, thuriféraire.

LOUCHE → ambigu, suspect.

LOUCHER I. Bigler. **II.** Guigner, lorgner. **III. Fig. :** → vouloir.

LOUER I. On loue quelque chose : affermer, amodier, arrêter, donner/prendre à louage/en location. **II. On loue quelque chose ou quelqu'un :** admirer, apothéoser, bénir, canoniser, caresser, célébrer, chanter les louanges, complimenter, couvrir de fleurs, déifier, diviniser, élever, encenser, enguirlander de fleurs, exalter, flagorner (péj.), flatter, glorifier, louanger, magnifier, passer la pommade (fam.), porter aux nues/au pinacle, préconiser, prôner, rehausser, relever, tresser des couronnes, vanter.

LOUPE I. → tumeur **II.** → gemme.

LOUPER → manquer.

LOURD, E I. Quelque chose. 1. Phys. → pesant. **2. Moral :** accablant, douloureux, dur, écrasant, grave, pénible. **II. Quelqu'un. 1.** → gros. **2.** → bête. **3.** → lent. **4.** → maladroit. **III. Par ext.** → indigeste.

LOURDAUD, E adj. et n. Balourd, butor, campagnard, cruche, cuistre, fruste, ganache, gauche, grossier, gougnafier, lent, maladroit, péquenaud, plouc.

LOURDERIE, LOURDEUR → stupidité.

LOUSTIC → gaillard, plaisant.

LOUVOYER → biaiser.

LOVELACE Don juan, séducteur.

LOVER → rouler.

LOYAL, E → vrai.

LOYAUTÉ → vérité.

LOYER I. Intérêt, prix, montant, taux, valeur. **II.** → récompense.

LUBIE → caprice.

LUBRICITÉ → lasciveté.

LUBRIQUE → lascif.

LUCARNE Imposte, œil-de-bœuf, ouverture, tabatière. → fenêtre.

LUCIDE I. → pénétrant. **II.** → intelligent.

LUCIDITÉ I. → intelligence. **II.** → pénétration.

LUCRE → *gain.*

LUEUR Aube, aurore, brasillement, clarté, éclair, éclat, étincelle, feu, flamme, illumination, lumière, nitescence, phosphorescence, rayon, scintillement, trace.

LUGUBRE → *triste.*

LUIRE Brasiller, briller, chatoyer, éblouir, éclairer, éclater, étinceler, flamboyer, fulgurer, jeter des feux, miroiter, papilloter, poudroyer, rayonner, reluire, resplendir, rutiler, scintiller.

LUISANT, E I. → *lumineux.* **II.** → *lustre.*

LUMIÈRE I. Au pr. → *lueur.* **II. Par ext. 1.** Jour, soleil, vie. **2.** Éclairage. → *lanterne.* **III. Fig. 1.** Beauté, génie, illumination, illustration, splendeur. → *gloire.* **2.** → *intelligence.*

LUMINESCENT, E → *phosphorescent.*

LUMINEUX, EUSE I. Au pr. : ardent, brillant, chatoyant, clair, éblouissant, éclatant, étincelant, flamboyant, fulgurant, phosphorescent, resplendissant, rutilant. **II. Par ext. 1.** Ensoleillé, gai, limpide, radieux. **2.** Frappant, génial. → *intelligible.*

LUNATIQUE → *capricieux.*

LUNCH → *collation.*

LUNETTE I. Jumelles, longue-vue, lorgnette, microscope, télescope. **II.** Besicles (vx), binocle, conserves (vx), face-à-main, lorgnon, pince-nez, verres.

LUPANAR Abbaye-des-s'offre-à-tous, baisodrome, baisoir, bob, bobinard, bocard, boîte, B.M.C. (milit.), bordeau (vx), bordel, bouge, boui-boui, bouic, bourdeau (vx), bousbir, boxon, bric, cabane, chose, clandé, claque, dictère (litt.), dictérion (litt.), grand numéro (vx), gynécée (par ext.), harem (par ext.), hôtel borgne/louche/de passe, maison close, de débauche/de passe/de plaisir, lanterne rouge (vx), mauvais lieu, mirodrome, quartier chaud/réservé (partic.), salon de plaisir/mondain, taule d'abattage, volière, etc.

LUPUS → *ulcération.*

LURON, ONNE → *gaillard.*

LUSTRATION → *purification.*

LUSTRE I. Au pr. : brillant, clinquant (péj.), eau, éclat, feu, fleur, fraîcheur, luisant, orient, poli, relief. **II. Par ext. :** gloire, illustration, magnificence, panache, prestige, splendeur.

LUSTRÉ, E Brillant, chatoyant, ciré, glacé, laqué, lissé, luisant, moiré, poli, satiné, vernissé.

LUSTRER Apprêter, calandrer, cirer, cylindrer, frotter, glacer, laquer, lisser, moirer, peaufiner (fam.), polir, satiner, vernir.

LUTH Cistre, guitare, mandoline, mandore, théorbe. → *lyre.*

LUTIN I. → *génie.* **II.** → *espiègle.*

LUTINER → *taquiner.*

LUTTE I. Boxe, catch, close-combat, combat, jiu-jitsu, judo, karaté, pancrace, pugilat. **II.** Antagonisme, compétition, concurrence, duel, escrime, joute, opposition, querelle, rivalité, tournoi. **III.** → *bataille.* **IV.** → *conflit.*

LUTTER Affronter, attaquer, batailler, se battre, combattre, se défendre, se démener, disputer de, s'efforcer, en découdre, s'escrimer, être aux prises, s'évertuer, ferrailler, guerroyer, se heurter, jouter, se mesurer à/avec, militer, résister, rivaliser, rompre des lances.

LUTTEUR, EUSE I. Antagoniste. **II.** Athlète, bateleur, hercule, jouteur.

LUXE I. Au pr. : apparat, éclat, faste, magnificence, opulence, pompe, splendeur, somptuosité, tralala (fam.). **II. Par ext. :** abondance, confort, débauche, excès, gaspillage, luxuriance, ostentation, profusion, richesse, superflu, superfluité, surabondance.

LUXER → *disloquer.*

LUXUEUX, EUSE Abondant, confortable, éclatant, fastueux, magnifique, opulent, pompeux, princier, riche, royal, somptueux, splendide.

LUXURE → *lascivité.*

LUXURIANT, E → *abondant.*

LUXURIEUX, EUSE → *lascif.*

LYCÉE Bahut, bazar, boîte, collège, cours, école, gymnase, institut, institution, pension.

LYCÉEN, ENNE → *élève.*

LYMPHATIQUE → *faible.*

LYMPHE Humeur, liqueur, sève.

LYNCHER Battre, écharper, frapper, prendre à partie, rosser, rouer de coups, supplicier, tuer.

LYPÉMANIE Abattement, chagrin, délire, folie, idées noires, mélancolie, tristesse.

LYRE I. Au pr. : cithare, harpe, heptacorde, pentacorde, tétracorde. **II.** → *poésie.*

LYRISME I. → *poésie.* **II.** → *luth.* **III. Par ext. :** *enthousiasme.*

MACABRE → *funèbre.*

MACADAMISAGE Empierrement, goudronnage, réfection, revêtement.

MACAQUE → *magot.*

MACARONIQUE → *héroï-comique.*

MACÉDOINE → *mélange.*

MACÉRER I. Au pr. → *tremper.* **II. Fig. :** crucifier, humilier, mater, mortifier.

MÂCHER I. Au pr. : broyer, chiquer, mâchonner, manger, mastiquer. **II. Fig.** → *préparer.*

MACHIAVÉLISME I. → *politique.* **II.** → *ruse.*

MACHIN → *truc.*

MACHINAL, E → *involontaire.*

MACHINATION → *menée.*

MACHINE I. → *appareil, locomotive.* **II.** → *moyen, ruse.*

MACHINISTE I. → *mécanicien.* **II.** → *chauffeur.*

MÂCHOIRE I. Au pr. : barres (de cheval), bouche, carnassière (de chat), clavier (arg.), dentition, dents, denture, ganache, mandibule (fam.), margoulette (fam.), maxillaire, râtelier (fam.), sous-barbe. **II. Fig.** → *bête.*

MÂCHONNER → *mâcher.*

MÂCHURER → *salir.*

MAÇONNER I. Au pr. : bâtir, cimenter, construire, édifier, élever, réparer, revêtir. **II. Par ext. :** boucher, condamner, fermer, murer, obstruer, sceller.

MACROBIE → *longévité.*

MACROCOSME → *univers.*

MACULER → *salir.*

MADONE → *vierge.*

MADRAS → *fichu.*

MADRÉ, E I. Au pr. → *marqueté.* **II. Par ext.** → *malin.*

MADRIER → *poutre.*

MADRIGAL → *galanterie.*

MAESTRIA → *habileté.*

MAESTRO → *musicien.*

MAFFLÉ, E MAFFLU, E → *joufflu.*

MAFIA, MAFFIA → *coterie.*

MAGASIN I. Lieu de vente : bazar, boutique, bric-à-brac, chantier, comptoir, débit, dépôt, échoppe, entrepôt, établissement, étal, fonds de commerce, halle, officine, pavillon, succursale. **II. Lieu de stockage :** arsenal, chai, dépôt, dock, entrepôt, manutention, réserve, resserre, silo.

MAGAZINE → *revue.*

MAGICIEN Alchimiste, astrologue, devin, enchanteur, envoûteur, mage, nécromancien, nécromant, psychopompe, sorcier, thaumaturge.

MAGICIENNE Alcine, armide, circé, diseuse de bonne aventure, fée, sirène, tireuse de cartes.

MAGIE Alchimie, apparition, archimagie, astrologie, cabale, charme, conjuration, diablerie, divination, enchantement, ensorcellement, envoûtement, évocation, fantasmagorie, fascination, goétie, grand'art, hermétisme, horoscope, incantation, maléfice, nécromancie, occultisme, philtre, pratique occulte/secrète, prestige, rite, sorcellerie, sort, sortilège, spiritisme, thaumaturgie, théurgie.

MAGIQUE → *surnaturel.*

MAGISTRAL, E → *parfait.*

MAGISTRAT → *juge.*

MAGMA → *mélange.*

MAGNANIMITÉ → *générosité.*

MAGNAT → *personnalité.*

MAGNÉTISER → *fasciner.*

MAGNIFICENCE I. → *lustre.* **II.** → *luxe.*

MAGNIFIER I. → *louer.* **II.** → *honorer.*

MAGNIFIQUE I. → *beau.* **II.** → *généreux.* **III.** → *emphatique.*

MAGOT → *trésor.*

MAGOT I. Crapoussin, macaque, monstre de laideur, nain, sapajou, singe. **II.** Bas de laine, crapaud, éconocroques (fam.), économies, épargne, trésor.

MAIGRE I. Amaigri, amenuisé, aminci, cachectique, carcan, carcasse, casse-croûte de clébard (fam.), cave, creusé, creux, débile, décavé, décharné, décollé, défait, désossé, desséché, diaphane, échalas, efflanqué, émacié, étique, étroit, famélique, fantôme, fluet, grande bringue (fam.), grêle, gringalet, haridelle, hâve, long comme un jour sans pain (fam.), maigrelet, maigrichon, maigriot, manche à balai (fam.), momie, planche à pain (fam.), sac d'os (fam.), sec, sécot, spectre, squelette, squelettique, tiré. **II.** → *pauvre.* **III.** → *stérile.*

MAIGREUR Amaigrissement, asarcie, atrophie, cachexie, consomption, dépérissement, dessèchement, émaciation, étisie, marasme.

MAIGRIR S'allonger, amaigrir, s'amaigrir, s'atrophier, se défaire, dépérir, s'émacier, fondre, mincir, se momifier, se ratatiner (fam.).

MAIL I. → *promenade.* **II.** Batte, hutinet, maillet, mailloche, maillotin, marteau, masse.

MAILLE I. Anneau, chaînon, maillon. **II.** Boucle, point.

MAILLET → *mail.*

MAILLON Anneau, chaînon, maille.

MAILLOT I. Chandail, gilet, pull-over, sweater, tricot. **II.** → *couche.*

MAIN I. Fam. : battoir, cuiller, dextre, empan, louche, menotte, paluche, patte, pince, pogne, poing, senestre. **II. Fig. 1.** Action, effet, œuvre. **2.** Aide, appui, autorité, main-forte. **III.** → *écriture.* **IV. Loc. 1. En sous-main** → *secrètement.* **2. Avoir la main heureuse** → *réussir.* **3. Donner la main** → *aider.* **4. Donner les mains** → *consentir.* **5. Forcer la main** → *obliger.* **6. Mettre la main** → *intervenir.* **7. Se faire la main** → *exercer (s').*

8. Main-d'œuvre → *travailleur.* **9. Main-forte** → *appui.*

MAINMISE I. → *influence.* **II.** → *confiscation.*

MAINT adj. et adv. **I.** → *beaucoup.* **II.** → *plusieurs.* **III.** → *nombreux.*

MAINTENANT Actuellement, à présent, aujourd'hui, de nos jours, d'ores et déjà, en ce moment, présentement.

MAINTENEUR → *gardien.*

MAINTENIR I. → *soutenir.* **II.** → *conserver.* **III.** → *retenir.*

MAINTENIR (SE) → *subsister.*

MAINTIEN Air, allure, attitude, comportement, conduite, contenance, dégaine (fam.), démarche, extérieur, façon, figure, ligne, manière, mine, port, posture, présentation, prestance, tenue, tournure.

MAIRIE Hôtel de ville, maison commune/de ville.

MAIS Cependant, en compensation, en revanche, néanmoins, par contre.

MAISON I. Appartement, chez-soi, couvert, demeure, domicile, habitacle, foyer, gîte, home, intérieur, lares, logement, logis, nid, pénates, résidence, séjour, toit. → *habitation.* **II.** → *immeuble.* **III.** Domestique (vx), ménage, standing, train de maison/de vie. **IV.** → *famille.* **V.** → *race.* **VI. Loc. 1. Maison centrale / d'arrêt / de force / de correction** → *prison.* **2. Maison de commerce** → *établissement.* **3. Maison de rapport** → *immeuble.* **4. Maison de santé** → *hôpital.*

MAISONNÉE → *famille.*

MAISONNETTE Cabane, cabanon, case, chaume, chaumière, chaumine, folie, gloriette, hutte, maison.

MAÎTRE I. → *propriétaire.* **II.** → *patron.* **III.** Barbacole (fam. et péj.), censeur, éducateur, enseignant, enseigneur (vx), gouverneur, initiateur, instituteur, magister, maître d'école, moniteur, pédagogue, pédant (péj.), pet de loup (péj.), pion (péj.), précepteur, préfet des études, professeur, régent (vx), universitaire. **IV.** → *artiste.* **V.** → *virtuose.* **VI.** → *gouvernant.* **VII.** → *arbitre.* **VIII. Adj.** → *principal.* **IX. Loc. 1. Maître de maison** → *hôte.* **2. Maître d'étude** → *surveillant.* **3. Maître queux** → *cuisinier.*

MAÎTRESSE I. → *amante.* **II.** Concubine, fil à la patte (fam.), liaison.

MAÎTRISE → *habileté.*

MAÎTRISER → *vaincre.*

MAÎTRISER (SE) → *vaincre (se).*

MAJESTÉ Beauté, dignité, éclat, excellence, gloire, grandeur, gravité, magnificence, pompe, prestige, souveraineté, splendeur, superbe.

MAJESTUEUX, EUSE → *imposant.*

MAJORATION → *hausse.*

MAJORER → *hausser.*

MAJORITÉ I. Age adulte, émancipation, maturité. **II.** Le commun, foule, la plupart, la pluralité, le plus grand nombre, masse, multitude.

MAJUSCULE Capitale, initiale, lettrine, miniature, sigle.

MAL → *mauvais.*

MAL I. Affliction, amertume, calamité, calice, croix, damnation, désolation, difficulté, douleur, ennui, épreuve, fiel, inconvénient, mortification, plaie, souffrance, tribulation, tristesse. **II.** Crime, défaut, faute, imperfection, insuffisance, malfaçon, méchanceté, péché, perversion, perversité, tare, vice. **III.** → *dommage.* **IV.** → *maladie.* **V.** → *malheur.* **VI.** → *peine.* **VII.** Loc. **1.** *Mal de mer* → *nausée.* **2.** *Mal du pays :* ennui, nostalgie, regret, spleen, vague à l'âme.

MALADE I. Nom. 1. Client, égrotant, grabataire, infirme, patient, valétudinaire. **2.** → *fou.* **II. Adj. 1.** *Au pr. :* abattu, alité, atteint, cacochyme, chétif, déprimé, dolent, égrotant, incommodé, indisposé, fatigué, fiévreux, maladif, mal en point, mal fichu, malingre, morbide, pâle, patraque, rachitique, souffrant, souffreteux. **2.** *Par ext. :* altéré, anormal, avarié, démoli, détraqué, en mauvais état, gâté, pourri, vicié.

MALADIE I. Affection, attaque, atteinte, crise, dérangement, épreuve, incommodité, indisposition, infirmité, mal, malaise, mal-être (vx), morbidité, rechute, récidive, traumatisme, trouble. **II.** Aboulie, absinthisme, achromatopsie, acné, acromégalie, actynomycose, adénite, adénome, adipose, adynamie, agraphie, aï, albinisme, alcoolisme, aliénation mentale, alopécie, amaurose, amblyopie, aménorrhée, amétropie, amnésie, amygdalite, anasarque, anévrisme, angine, ankylose, ankylostomiase, anthrax, aortite, aphasie, aphte, apoplexie, appendicite, artério-sclérose, artérite, arthrite, arthritisme, ascite, aspermatisme, aspermie, asthénie, asthme, astigmatisme, asystolie, ataxie, athérome, athrepsie, atonie intestinale/musculaire, atrophie, avitaminose, balanite, béribéri, blennorragie, blépharite, botulisme, boulimie, bradypepsie, bronchite, bronchopneumonie, brûlure, cachexie, caféisme, cancer, cardite, carie dentaire/des os, carnification, cataracte, catarrhe, cécité, charbon, chlorose, choléra, chorée, cirrhose, colibacillose, colite, coma, condylome, conges-

tion cérébrale/pulmonaire, conjonctivite, consomption, coqueluche, coryza, coxalgie, croup, cyanose, cystite, dartre, delirium tremens, démence, dermatose, diabète, diphtérie, duodénite, dysenterie, dysménorrhée, dyspepsie, éclampsie, écrouelles, echtyma, eczéma, éléphantiasis, embarras gastrique, embolie, emphysème, encéphalite, endocardite, endonéphrite, engorgement, engouement, entérite, épididymite, épilepsie, ergotisme, érysipèle, érythème, esquinancie, étisie, exanthème, exophtalmie, fibrome, fièvre, fièvre miliaire/puerpérale, filariose, fluxion de poitrine, folie, folliculite, furonculose, gale, gangrène, gastrite, gelure, gingivite, glaucome, gomme, gonorrhée, gourme, goutte, gravelle, grippe, helminthiase, hémolyse, hépatisme, hépatite, hernie, herpès, herpétisme, hydrargyrisme, hydropisie, hygroma, hyperchlorhydrie, hypocondrie, hypoglossite, hystérie, hystérite, ichtyose, ictère, iléus, impétigo, infarctus, influenza, insolation, intertrigo, iritis, jaunisse, kératite, laryngite, lèpre, leucophlegmasie, lichen, lithiase, lupus, lymphangite, lymphatisme, maladie bleue/de Parkinson/pédiculaire/du sommeil, malaria, manie, mastoïdite, mélancolie, méningite, mentagre, métrite, millet, muguet, mycose, myélite, myocardite, myopie, néphrite, névrite, névrose, nyctalopie, obstruction/occlusion intestinale, œdème, œsophagite, ophtalmie, orchite, oreillons, ostéite, ostéomalacie, ostéomyélite, otite, ovarite, ozène, paludisme, pancréatite, paramnésie, paratyphoïde, parotidite, pelade, pellagre, péricardite, périostite, péripneumonie, périsplénite, péritonite, pérityphlite, peste, pharyngite, pharyngo-laryngite, phlébite, phlegmasie, phosphorisme, phtiriase, pierre, pityriasis, pleurésie, pleurite, pleuropneumonie, plique, pneumonie, poliomyélite, porrigo, pourpre, presbytie, psittacose, psora, psoriasis, psychasténie, psychose, punaisie, purpura, pyélite, rachitisme, rage, ramollissement cérébral, rash, rétinite, rhinite, rhumatisme, rhume, roséole, rougeole, rubéole, salpingite, saturnisme, scarlatine, schizophrénie, scorbut, scrofule, sidérose, silicose, sinusite, spinaventosa, splénite, sporotrichose, stéatose, stomatite, synivite, syphilis, tabès, teigne, tétanos, thrombose, trachéite, trachome, trichinose, trichophytie, trombidiose, trophonévrose, trypanosomiase, tuberculose, typhlite, typho-bacillose, typhoïde, typhus, ulite, urétérite, vaginite, varicelle, variole, vérole (vulg.), vitiligo, vomitonegro, vulvite, vulvo-vaginite, xérodermie, zona.

MALADIF, IVE → *malade*.

MALADRESSE I. Défaut, gaucherie, impéritie, inexpérience, inhabileté, lourderie (vx), malhabileté. **II.** Anerie, balourdise, bêtise, bévue, boulette, bourde, brioche, erreur, étourderie, fausse manœuvre, faute, faux pas, gaffe, gaucherie, impair, imprudence, inadvertance, ineptie, naïveté, pas de clerc, pavé de l'ours, sottise.

MALADROIT, E I. Quelqu'un : andouille, ballot, balourd, butor, couenne, empaillé, empoté, emprunté, gaffeur, gauche, gnaf (fam.), godiche, godichon, gourde, inexpérimenté, inhabile, jocrisse, lourd, lourdaud, malavisé, malhabile, malitorne, manchot, massacreur, mazette, novice, pataud, propre à rien, sabot, saboteur, sabreur, savate, savetier. **II. Quelque chose :** faux, gauche, grossier, inconsidéré, lourd.

MALAISE Dérangement, embarras, empêchement, ennui, gêne, honte, incommodité, indisposition, inquiétude, mal, maladie, mal-être (vx), mésaise (vx), nausée, pesanteur, souffrance, timidité, tourment, tristesse, trouble, vapeur, vertige.

MALAISÉ, E → *difficile*.

MALANDRIN Bandit, brigand, canaille, chauffeur (vx), détrousseur, forban, malfaiteur, pendard, pillard, rôdeur, routier (vx), scélérat, truand, vagabond, vaurien. → *voleur*.

MALAPPRIS n. et adj. → *impoli*.

MALARIA Fièvre, paludisme.

MALAVISÉ, E Bavard, borné, cassepieds (fam.), étourdi, fâcheux, illogique, importun, imprudent, inconsidéré, inconséquent, inconsistant, indiscret, intrus, maladroit, sot. → *bête*.

MALAXER → *pétrir*.

MALBÂTI, E Bancal, bancroche (fam.), contrefait, déjeté, difforme, disgracieux, estropié, infirme, informe, laid, mal bâti/fait/fichu/foutu/tourné, monstrueux, tors.

MALCHANCE Accident, adversité, cerise (arg.), déveine, disgrâce, échec, fatalité, guigne, guignon, infortune, malédiction, malheur, mauvaise chance/fortune, mauvais sort, mésaventure, pépin, poisse, revers, sort, tuile.

MALCONTENT, E Choqué, contrarié, ennuyé, fâché, grognon, insatisfait, mal satisfait, mécontent.

MALDISANT, E → *médisant*.

MALDONNE → *erreur*.

MÂLE I. Au pr. : garçonnier, géniteur, hommasse (péj.), homme, masculin, reproducteur, viril. **II. Par ext. :** courageux, énergique, ferme, fort, hardi, noble, vigoureux. **III. Animaux :** bélier, bouc, bouquin, brocard, cerf, coq, étalon, jars, lièvre, malard, matou, sanglier, singe, taureau, verrat.

MALÉDICTION I. Au pr. : anathème, blâme, blasphème, condamnation, damnation, déprécation, excommunication, exécration, imprécation, jurement, réprobation, vœu. **II. Par ext.** → *malchance*.

MALÉFICE Charme, diablerie, enchantement, ensorcellement, envoûtement, fascination, influence, magie, malheur, mauvais œil, philtre, possession, sorcellerie, sort, sortilège.

MALÉFIQUE → *mauvais*.

MAL ÉLEVÉ, E → *impoli*.

MALENCONTRE → *mésaventure*.

MALENCONTREUX, EUSE Contrariant, déplorable, désagréable, désastreux, dommageable, ennuyeux, fâcheux, malheureux, malvenu, nuisible, pernicieux, regrettable, ruineux.

MALENTENDU Confusion, désaccord, dispute, équivoque, erreur, imbroglio, mécompte, méprise, quiproquo.

MALFAISANT, E → *mauvais*.

MAL FAIT, E → *malbâti*.

MALFAITEUR Apache, assassin, bandit, brigand, criminel, gangster, gredin, larron (vx), rôdeur, scélérat. → *voleur*.

MALFAMÉ, E Borgne (fam.), déconsidéré, diffamé, discrédité, louche, suspect.

MALFORMATION Anomalie, défaut, déformation, infirmité, monstruosité, vice.

MALGRACIEUX, EUSE Disgracieux, grossier, incivil, mal embouché, revêche, rogue, rude.

MALGRÉ I. Au mépris de : contre, en dépit de, n'en déplaise à, nonobstant. **II. Malgré tout :** absolument, quand même, tout de même.

MALGRÉ QUE Bien/en dépit que, quoique.

MALHABILE → *maladroit*.

MALHABILETÉ → *maladresse*.

MALHEUR Accident, adversité, affliction, calamité, cataclysme, catastrophe, chagrin, coup/cruauté du sort, désastre, détresse, deuil, disgrâce, douleur, échec, épreuve, fatalité, fléau, inconvénient, infortune, mal, malchance, malédiction, mauvaise fortune/passe, méchef (vx), mélasse, mésaventure, misère, orage, peine, perte, rafale, revers, ruine, traverse, tribulation.

MALHEUREUX, EUSE I. Quelqu'un : accablé, éprouvé, frappé, indigent, infortuné, malchanceux, misérable, miséreux, pauvre, piteux, pitoyable, triste. **II. Quelque chose.**

1. Affligeant, calamiteux, cruel, déplorable, désagréable, désastreux, difficile, dur, fâcheux, fatal, funeste, lamentable, maléfique, malencontreux, maudit, néfaste, noir, pénible, préjudiciable, regrettable, rude, satané, triste. *2.* Insignifiant, négligeable, pauvre, petit, vil.

MALHONNÊTE I. Adj. : déloyal, déshonnête, grossier, immoral, impoli, improbe, impudent, impudique, incivil, inconvenant, incorrect, indécent, indélicat, indigne, infidèle, injuste, laid, malappris, malpropre, méchant, tricheur, véreux, voleur. **II. Nom :** canaille, escroc, faisan, fripon, fripouille, trafiquant. → *voleur.*

MALHONNÊTETÉ Canaillerie, concussion, déloyauté, déshonnêteté, escroquerie, forfaiture, friponnerie, grossièreté, immoralité, impolitesse, improbité, impudeur, impudicité, incivilité, inconvenance, incorrection, indécence, indélicatesse, indignité, laideur, malpropreté, malversation, mauvaise foi, méchanceté, tricherie, tripotage, vol.

MALICE I. → *méchanceté.* **II.** → *plaisanterie.*

MALICIEUX I. → *mauvais.* **II.** → *malin.*

MALIGNITÉ → *méchanceté.*

MALIN, IGNE I. Sens affaibli : adroit, astucieux, combinard, débrouillard, dégourdi, déluré, farceur, ficelle, fin, finaud, fine mouche, futé, habile, madré, malicieux, matois, narquois, renard, roublard, roué, rusé, sac à malices, spirituel, trompeur, vieux routier. **II. Non favorable** → *mauvais.*

MALINGRE I. → *faible.* **II.** → *malade.*

MALINTENTIONNÉ, E → *malveillant.*

MALLE I. Bagage, caisse, cantine, chapelière, coffre, colis, mallette, marmotte, valise. **II.** → *coche.*

MALLÉABLE I. Au pr. : doux, ductile, élastique, extensible, façonnable, flexible, liant, mou, plastique, pliable, souple. **II. Fig. :** docile, doux, facile, gouvernable, maniable, obéissant.

MALMENER → *maltraiter.*

MALODORANT, E → *puant.*

MALOTRU Goujat, grossier, huron, impoli, mal élevé, mufle, rustre.

MAL PLACÉ, E → *déplacé.*

MALPLAISANT, E Agaçant, antipathique, blessant, contrariant, dégoûtant, déplaisant, désagréable, désobligeant, disgracieux, ennuyeux, fâcheux, gênant, irritant, laid, pénible, répugnant.

MAL POLI, E → *impoli.*

MAL PROPORTIONNÉ, E Démesuré, déséquilibré, disproportionné, inégal, maladroit.

MALPROPRE → *impropre.*

MALPROPRE I. Adj. et nom : cochon, crasseux, crotté, dégoûtant, encrassé, grossier, immonde, immoral, impur, inconvenant, indécent, infâme, infect, insalubre, maculé, malhonnête, morveux, négligé, obscène, ordurier, pollué, pouilleux, répugnant, sale, sordide, souillé. **II. Nom :** cochon, pouacre, pourceau, sagouin, salaud, saligaud, salope, souillon.

MALPROPRETÉ I. Au pr. : crasse, immondice, impureté, ordure, patine, saleté. **II. Par ext. :** cochonnerie, dégoûtation, grossièreté, immoralité, impureté, inconvenance, indécence, indélicatesse, infamie, malhonnêteté, obscénité, saleté, saloperie.

MALSAIN, E I. Au pr. 1. Quelqu'un → *malade.* **2. Quelque chose :** contagieux, impur, insalubre, nuisible, pestilentiel. **II. Par ext. :** dangereux, déplacé, faisandé, funeste, immoral, licencieux, pornographique, pourri.

MAL SATISFAIT, E Contrarié, ennuyé, fâché, grognon, insatisfait, malcontent, mécontent.

MALSÉANT, E Choquant, déplacé, déshonnête, discordant, grossier, immodeste, impoli, importun, incongru, inconvenant, indécent, leste, libre, licencieux, mal à propos, mal élevé, messéant (vx), saugrenu. → *obscène.*

MALSONNANT, E → *malséant.*

MALTRAITER Abîmer, accommoder, arranger, bafouer, battre bourrer, brimer, brutaliser, brusquer, critiquer, crosser, éreinter, étriller, faire un mauvais parti, frapper, houspiller, lapider, malmener, mâtiner (fam.), molester, ravauder, rudoyer, secouer, tarabuster, traîner sur la claie, traiter mal/sévèrement/de turc à More, tyranniser, vilipender, violenter.

MALVEILLANCE Agressivité, animosité, antipathie, calomnie, désobligeance, diffamation, haine, hostilité, indisposition, inimitié, malignité, mauvais esprit/vouloir, mauvaise volonté, méchanceté, médisance, rancune, ressentiment.

MALVEILLANT, E Agressif, aigre, antipathique, désobligeant, haineux, hostile, malévole (vx), malin, malintentionné, mauvais, méchant, rancunier, venimeux.

MALVERSATION Brigandage, concussion, corruption, déprédation, détournement, dilapidation, escroquerie, exaction, extorsion, forfaiture, fraude, infidélité, péculat, pillage, prévarication, rapine, simonie, trafic d'influence, tripatouillage, tripotage.

MAMELLE → *sein.*

MAMELON I. → *sein.* **II.** → *hauteur.* **III.** → *sommet.*

MANAGER Directeur, entraîneur, impresario.

MANANT I. → *paysan.* **II.** → *rustique.*

MANCHE I. Bras, emmanchure, entournure, manchette. **II.** Belle, partie, revanche.

MANCHETTE I. Poignet. **II.** Titre, vedette.

MANDAT I. → *procuration.* **II.** → *instruction.*

MANDATAIRE I. → *intermédiaire.* **II.** → *envoyé.*

MANDEMENT Avis, bref, bulle, écrit, édit, formule exécutoire, injonction, instruction, mandat, ordonnance, ordre, rescrit.

MANDER I. Appeler, assigner, citer, convoquer, ordonner. **II.** → *informer.*

MANDIBULE Bouche, mâchoire, maxillaire.

MANDUCATION I. Au pr. : absorption, déglutition, ingestion, insalivation, mastication, sustentation (vx) **II. Relig. :** communion, eucharistie.

MANÉCANTERIE Chœur, chorale, école, groupe, maîtrise.

MANÈGE I. Équit. : carrière, centre d'équitation, dressage, reprise. **II.** Chevaux de bois. **III.** Agissements, artifice, astuce, combinaison, complot, comportement, détours, hypocrisie, intrigue, machination, manigance, manœuvre, menées, micmac, moyens détournés, plan, ruse, trame, tripatouillage (fam.).

MANETTE Clef, levier, poignée.

MANGEABLE I. Au pr. : bon, comestible, possible. **II. Par ext. :** délectable, ragoûtant, sapide, savoureux, succulent.

MANGEAILLE → *nourriture.*

MANGEOIRE I. Au pr. : auge, crèche, râtelier. **II. Par ext. :** musette.

MANGER I. Au pr. : absorber, s'alimenter, avaler, consommer, ingérer, se nourrir, prendre, se refaire, se restaurer, se sustenter. **II. Animaux :** brouter, broyer, croquer, déglutir, dévorer, gober, grignoter, paître, pâturer, ronger, viander (vén.). **III. Par ext. 1.** Collationner, déguster, déjeuner, dîner, entamer, faire bonne chère/chère lie, festoyer, goûter, gruger (vx), mâcher, mastiquer, se mettre à table, se rassasier, se repaître, savourer, souper, **2. Manger mal ou peu :** chipoter, épinocher, grappiller, grignoter, mangeoter, pignocher, **IV. Fam. :** affûter ses meules, attaquer, bâfrer, becqueter, bouffer, se bourrer, boustifailler,

brichetonner, brifer, se caler les joues, casser la croûte/la graine, s'en coller dans le fusil, s'en coller/s'en foutre/s'en mettre jusqu'à la garde/jusqu'aux yeux/plein la gueule/plein la lampe/plein la panse/une ventrée, croustiller, croûter, débrider, s'empiffrer, s'emplir/se garnir/se remplir l'estomac/le jabot/la panse/le sac/le ventre, s'en donner jusqu'à la garde/par les babines, s'enfiler, s'enfoncer, engloutir, faire bombance/miam-miam/ripaille, gargoter (vx), se gaver, gnafrer, se goberger, gobichonner, godailler, se goinfrer, se gorger, grailler, gueuletonner, ingurgiter, s'en jeter derrière la cravate, jouer/travailler de la mâchoire/des mandibules, se lester, se mettre dans le buffet/le coffre/le cornet/l'estomac, le gésier/la gidouille/le gosier/le jabot/la panse/le sac/la sacoche/la tirelire/le ventre, se piffrer, se taper la cloche/une gnafrée/une goinfrée/une ventrée, tortiller. **V. Fig. 1.** → *consumer.* **2.** → *dépenser.* **3.** → *ronger.* **4.** → *ruiner.*

MANGER → *nourriture.*

MANIABLE I. Au pr. : ductile, flexible, malléable, mou, souple. **II. Par ext. 1. Quelque chose :** commode, pratique. **2. Quelqu'un :** docile, doux, facile, malléable, obéissant, souple, traitable.

MANIAQUE n. et adj. **I. Au pr. :** aliéné, dément, détraqué, fou, frénétique, furieux, lunatique, toqué. **II. Par ext. 1.** Bizarre, capricieux, fantaisiste, fantasque, obsédé, original, ridicule, singulier. **2.** Exigeant, méticuleux, pointilleux, vétilleux.

MANIE I. Au pr. : aliénation, délire, démence, égarement, folie, frénésie, furie, hantise, idée fixe, monomanie, obsession. **II. Par ext. :** bizarrerie, caprice, dada, démangeaison, épidémie, fantaisie, fièvre, frénésie, fureur, goût, habitude, maladie, manière, marotte, monomanie, péché mignon, rage, tic, toquade, turlutaine.

MANIEMENT I. Au pr. : emploi, manipulation, manœuvre, usage, utilisation. **II. Par ext. :** administration, direction, fonctionnement, gestion, gouvernement.

MANIER I. Au pr. 1. Neutre : avoir en main/entre les mains, façonner, malaxer, manipuler, manœuvrer, modeler, palper, pétrir, tâter, toucher, triturer. **2. Fam. ou péj. :** patiner (vx), patouiller, patrouiller, peloter, trifouiller, tripatouiller, tripoter. **II. Par ext. 1. On manie quelqu'un :** conduire, diriger, gouverner, manœuvrer, mener. **2. Des biens :** administrer, gérer, manipuler, mettre en œuvre. **3.** *Des idées :* agiter, traiter, user de, utiliser.

MANIER (SE) S'activer, s'agiter, courir, se dégrouiller, se dépêcher, s'empresser, faire diligence/fissa, se hâter, se grouiller, se précipiter, se presser, se remuer.

MANIÈRE I. → *façon.* **II.** → *sorte.* **III.** → *style.* **IV.** Loc. *Manière d'être* → *qualité.*

MANIÉRÉ, E → *précieux.*

MANIÉRISME → *préciosité.*

MANIFESTATION I. → *déclaration.* **II.** → *rassemblement.*

MANIFESTE adj. Avéré, certain, clair, criant, décidé, éclatant, évident, flagrant, formel, indéniable, indiscutable, indubitable, notoire, palpable, patent, positif, public.

MANIFESTE n. Adresse, avis, déclaration, proclamation, profession de foi.

MANIFESTER I. → *exprimer.* **II.** → *déclarer.* **III.** → *montrer (se).*

MANIGANCE Agissements, brigue, combinaison, combine, complot, cuisine, détour, diablerie, intrigue, machination, manège, manœuvre, menée, micmac, trame.

MANIGANCER Aménager, arranger, brasser, briguer, combiner, comploter, conspirer, cuisiner, intriguer, machiner, manœuvrer, mener, mijoter, monter, nouer, ourdir, préparer, tisser, tramer, tresser.

MANIPULER → *manier.*

MANNE I. → *affluence.* **II.** Banne, corbeille, panier, panière, vannerie.

MANŒUVRE I. **Nom fém. 1.** → *mouvement.* **2.** → *cordage.* **3.** → *agissements.* **4.** → *manège.* **II.** **Nom masc.** → *travailleur.*

MANŒUVRER I. → *manier.* **II.** → *conduire.* **III.** → *gouverner.*

MANŒUVRIER → *négociateur.*

MANOIR I. → *maison.* **II.** → *château.*

MANOMÈTRE Cadran, indicateur.

MANQUE I. Au pr. : absence, besoin, carence, crise, défaillance, défaut, déficience, déficit, dénuement, disette, embarras, imperfection, indigence, insuffisance, jeûne, lacune, omission, paupérisme, pauvreté, pénurie, privation. **II. Fig.** → *manquement.*

MANQUEMENT Carence, connerie (fam.), défaillance, défaut, délit, désobéissance, écart, erreur, faute, infraction, insubordination, irrégularité, manque, oubli, péché, violation.

MANQUÉ, E Fichu, foutu, loupé, perdu, raté.

MANQUER I. V. intr. 1. *Quelqu'un :* se dérober, disparaître, échouer, s'éclipser, être absent/disparu/manquant, faillir (vx), faire défaut/faute/faux bond, se soustraire. **2.** *On manque à une obligation :* déchoir, se dédire, déroger, s'écarter, enfreindre, fauter, forfaire, pécher contre, tomber, trahir. **3.** *On manque à la politesse* → *offenser.* **4.** *On manque d'être/de faire :* être sur le point/tout près de, faillir, penser, risquer. **5.** *On ne manque pas d'être :* laisser. **6.** *On ne manque pas d'aller/d'être/de faire :* négliger, omettre, oublier. **7.** *On manque la classe :* s'absenter, faire l'école buissonnière, sécher (fam.). **8.** *Quelque chose manque :* s'en falloir, faire défaut. **9.** *Le sol :* se dérober. **10.** *Le pied :* glisser. **II. V. tr. :** abîmer, esquinter, gâcher, laisser échapper, louper, mal exécuter/faire, perdre, rater.

MANSARDE Chambre de bonne, combles, galetas, grenier, solier (vx).

MANSUÉTUDE → *douceur.*

MANTEAU I. Au pr. : balandran (vx), burnous, caban, cache-misère (péj.), cache-poussière, cape, capote, casaque (vx), chape, chlamyde, cuir, douillette, gabardine, himation, houppelande, imperméable, limousine, macfarlane, mackintosh, mandille (vx), mante (vx), mantelet (vx), manteline (vx), paletot, pallium, pardessus, pardosse (fam.), pèlerine, pelisse, poncho, raglan, rotonde, saie, tabard, toge, trois-quarts, ulster, waterproof. **II. Fig. :** abri, couvert, couverture, enveloppe, gaze, masque, prétexte, semblant, voile. **III.** Loc. *Sous le manteau :* clandestinement, discrètement, en sous-main, frauduleusement, secrètement.

MANTILLE Carré, coiffure, dentelle, écharpe, fichu, voile.

MANUEL Abrégé, aide-mémoire, cours, livre, mémento, ouvrage, poly (fam.), polycopié, précis, recueil, traité.

MANUFACTURE → *usine.*

MANUFACTURER → *produire.*

MANUFACTURIER → *industriel.*

MANUSCRIT → *texte.*

MANUTENTION → *magasin.*

MAPPEMONDE → *carte.*

MAQUETTE I. → *ébauche.* **II.** → *modèle.*

MAQUIGNON I. → *trafiquant.* **II.** → *intermédiaire.*

MAQUIGNONNAGE Artifice, dissimulation, escroquerie, fraude, manœuvre, maquillage, marchandage, rouerie, trafic, tromperie.

MAQUIGNONNER → *trafiquer.*

MAQUILLER I. → *altérer.* **II.** → *déguiser.*

MAQUILLER (SE) → *farder (se).*

MAQUIS I. → *lande.* II. → *labyrinthe.* III. Insurrection, organisation, réseau de partisans, résistance.

MAQUISARD Franc-tireur, guérillero, partisan.

MARABOUT I. Cigogne à sac, leptopilus. II. Aigrette, garniture, plume. III. Koubba, mausolée, sanctuaire, tombeau. IV. Prêtre, sage, saint, thaumaturge, vénérable. V. **Par ext.** : sorcier.

MARAÎCHER, ÈRE adj. et n. I. Agriculteur, horticulteur, jardinier. II. **Loc.** *Culture maraîchère* → *jardinage.*

MARAIS I. Au pr. : claire, étang, fagne, mare, marécage, maremme, marigot, palud, palude, palus, polder. II. **Fig.** : bas-fond, boue, fange, marécage. III. Culture maraîchère, hortillonnage. → *jardinage.*

MARASME I. → *stagnation.* II. → *langueur.* III. → *maigreur.*

MARÂTRE I. Au pr. : belle-mère, petite mère. II. **Par ext.** (péj.) → *virago.*

MARAUD, E Bélître, bonhomme, canaille, chenapan, coquin, drôle, drôlesse, faquin, fripouille, garnement, goujat, grossier, maroufle, racaille, rastaquouère, rebut, sacripant, salopard. → *voleur.*

MARAUDAGE, MARAUDE → *vol.*

MARAUDER → *voler.*

MARAUDEUR, EUSE Chapardeur, fourrageur, fricoteur, pillard. → *voleur.*

MARBRE Albâtre, brocatelle, carrare, cipolin, dolomie, griotte, lumachelle, ophite, paros, pentelique, sarrancolin, serpentine, turquin.

MARBRÉ, E Bigarré, jaspé, marqueté, veiné.

MARC Alcool, brandevin, eau-de-vie.

MARCASSIN Bête noire, cochon, pourceau, sanglier.

MARCHAND, E Camelot, charlatan (péj.), chineur, colporteur, commerçant, fournisseur, négociant, porte-balle, revendeur, vendeur.

MARCHANDISE Article, camelote (péj.), denrée, fourniture, pacotille (péj.), produit, provenances.

MARCHE I. → *limite.* II. Allure, cheminement, déambulation, course, démarche, enjambées, erre (vx), flânerie, footing, foulées, locomotion, pas, train. III. Avancement, conduite, déplacement, développement, évolution, façon, fonctionnement, forme, progrès, progression, tour, tournure. IV. → *procédé.*

MARCHÉ I. Bazar, bourse, braderie, foirail, foire, halle, souk. II. →

convention. III. **Loc.** *A bon marché :* au juste prix, au rabais, en réclame/solde.

MARCHER I. Au pr. : aller, avancer, cheminer, déambuler, s'écouler, évoluer, flâner, fonctionner, progresser, se promener, venir. II. **Par ext.** → *prospérer.*

MARCHEUR, EUSE Chemineau, excursionniste, flâneur, passant, piéton, promeneur, trimardeur.

MARCOTTE → *bouture.*

MARE Étang, flache, flaque, pièce d'eau.

MARÉCAGE → *marais.*

MARÉCHAUSSÉE → *gendarmerie.*

MARÉE I. Au pr. : èbe, flot, flux, jusant, perdant. II. → *poisson.*

MARGE → *bord.*

MARGOULIN → *trafiquant.*

MARI → *époux.*

MARIAGE I. Alliance, conjungo (pop.), hymen, hyménée, lit, ménage, union. II. Célébration, cérémonie, cortège, épousailles, hymen, noce, sacrement.

MARIÉE Conjointe, épousée, jeune femme.

MARIER → *joindre.*

MARIER (SE) Contracter mariage/ une union, convoler, épouser, s'établir, faire une fin (fam.), s'unir à.

MARIN I. **Nom** : col bleu, loup de mer, marsouin, matelot, mathurin, moussaillon, mousse, navigateur, novice. II. **Adj.** : maritime, nautique, naval.

MARINIER → *batelier.*

MARINISME → *préciosité.*

MARIONNETTE → *pantin.*

MARITIME → *marin.*

MARIVAUDAGE → *préciosité.*

MARIVAUDER Baratiner (fam.), batifoler, conter fleurette, caqueter, papillonner, roucouler.

MARMAILLE → *enfant.*

MARMELADE → *confiture.*

MARMITON → *cuisinier.*

MARMONNER → *murmurer.*

MARMOT → *enfant.*

MARMOTTER, MARMONNER → *murmurer.*

MAROTTE → *manie.*

MARQUANT, E → *remarquable.*

MARQUE I. Attribut, cachet, caractère, coin, distinction, estampille, étiquette, façon, frappe, gage, griffe, indication, label, monogramme, note, sceau, sigle, signe, timbre. II. Empreinte, indice, repère, reste, tache, témoignage, trace.

MARQUÉ, E I. Grêlé, picoté. II.

→ *prononcé.* **III.** → *remarquable.*
IV. → *pénétré.*
MARQUER **I.** → *imprimer.* **II.**
→ *indiquer.* **III.** → *écrire.* **IV.** →
montrer. **V.** → *paraître.*
MARQUETÉ, E Bariolé, bigarré,
jaspé, madré, marbré, moucheté, ocellé,
piqueté, pommelé, taché, tacheté,
tavelé, tigré, truité, veiné, vergeté.
MARQUETERIE **I. Au pr. :** ébénis-
terie. **II. Fig.** → *mélange.*
MARRAINE Commère.
MARRON n. → *châtaigne.*
MARRON Adj. **I.** → *sauvage.* **II.** →
suspect, malhonnête.
MARTEAU **I.** Batte, mail, maillet,
mailloche, martel (vx), masse, mas-
sette. **II.** Heurtoir. **III.** → *fou.*
MARTELER **I. Au pr.** → *frapper.*
II. Fig. 1. → *tourmenter.* **2.** → *pro-*
noncer.
MARTIAL, E → *militaire.*
MARTINET → *fouet.*
MARTYR, E → *victime.*
MARTYRE → *supplice.*
MARXISME → *socialisme.*
MASCARADE **I.** Carnaval, chienlit,
défilé, déguisement, masque, mome-
rie. **II.** → *hypocrisie.*
MASCARET **I. Au pr. :** banc. **II.**
Fig. → *multitude.*
MASCOTTE → *fétiche.*
MASCULIN → *mâle.*
MASQUE **I.** Cagoule, déguisement,
domino, loup, touret de nez (vx),
travesti. **II.** → *visage.* **III.** → *man-*
teau.
MASQUER → *déguiser.* → *cacher.*
MASSACRANT, E → *revêche.*
MASSACRE → *carnage.*
MASSACRER → *tuer.* → *gâcher.*
MASSE **I.** → *amas.* **II.** → *totalité.*
III. → *poids.* **IV.** → *fonds.* **V.** →
multitude. **VI.** → *peuple.* **VII.** →
marteau. **VIII.** → *massue.* **IX.** →
bâton.
MASSER **I.** → *frictionner.* **II.** →
assembler.
MASSIF → *bosquet.*
MASSIF, IVE **I.** → *pesant.* **II.** →
gros.
MASSUE Bâton, casse-tête, gour-
din, masse, masse d'armes, matraque.
MASTIQUER → *mâcher.*
MASTOC → *pesant.*
MASTURBATION Onanisme, plai-
sir/pollution solitaire. **Arg. :** branlette,
veuve-poignet.
MASURE → *taudis.*
MAT, E **I.** → *terne.* **II.** → *sourd.*
MATAMORE → *hâbleur.*
MATASSIN Acrobate, bouffon,

clown, comédien, danseur, funam-
bule, paillasse, pitre.
MATCH → *compétition. rencontre.*
MATELAS Coite, couette, coussin,
grabat (péj.), paillasse, paillot.
MATELASSER → *rembourrer.*
MATELOT → *marin.*
MATER **I.** → *macérer.* **II.** →
vaincre. **III.** → *humilier.*
MATÉRIALISER Accomplir, concré-
tiser, dessiner, réaliser, rendre sen-
sible/visible, représenter, schémati-
ser.
MATÉRIALISTE → *réaliste.*
MATÉRIAU → *matière.*
MATÉRIEL, ELLE **I.** → *concret.*
II. → *réaliste.* **III.** → *sensuel.*
MATERNITÉ → *hôpital.*
MATHÉMATIQUE → *précis.*
MATIÈRE **I.** Corps, élément, étoffe,
matériau, solide, substance. **II.** Ar-
ticle, base, chapitre, chef, fable,
fond, fondement, motif, objet, point,
propos, sujet, texte, thème. **III.**
Cause, prétexte, sujet. **IV.** → *lieu.*
V. Loc. Matières fécales → *excré-*
ment.
MATIN **I.** Aube, aurore, crépuscule
du matin, lever du jour, matinée, petit
jour, point du jour. **II. Loc. :** au
chant du coq, de bon matin, de bonne
heure, dès potron-minet, tôt.
MATINAL, E Lève-tôt, matineux,
matutinal.
MÂTINÉ, E → *mêlé.*
MATINÉE → *matin.*
MATOIS, E → *malin, hypocrite.*
MATOISERIE → *ruse.*
MATRICE I. → *utérus* **II.** → *registre.*
MATRICULE I. → *liste.* **II.** → *registre.*
MATRIMONIAL, E → *nuptial.*
MATRONE **I.** → *femme.* **II.** Accoucheuse, sage-femme.
MAUDIRE Anathématiser, blâmer,
condamner, détester, s'emporter
contre, excommunier, exécrer, reje-
ter, réprouver, vouer aux gémonies.
MAUDIT, E I. Au pr. : bouc émis-
saire, damné, déchu, excommunié,
frappé d'interdit/d'ostracisme, galeux,
hors-la-loi, interdit, outlaw, rejeté,
repoussé, réprouvé. **II. Par ext.**
→ *détestable.*
MAUGRÉER → *murmurer.*
MAUSOLÉE → *tombe.*
MAUSSADE **I.** → *renfrogné.* **II.**
→ *triste.*
MAUVAIS, E I. Phys. : avarié,
contagieux, corrompu, dangereux,

délétère, détérioré, dommageable, empoisonné, hostile, insalubre, maléfique, malfaisant, malsain, méphitique, morbide, nauséabond, nocif, nuisible, pernicieux, pestilentiel, préjudiciable, toxique, vénéneux, venimeux. **II. Par ext.** : affreux, agressif, blâmable, caustique, chétif, corrompu, criminel, cruel, démoniaque, désagréable, déshonorant, détestable, diabolique, erroné, exécrable, fatal, fautif, fielleux, funeste, haïssable, horrible, immoral, infect, insuffisant, laid, malicieux, malin, manqué, méchant, médiocre, misérable, monstrueux, néfaste, noir, pervers, pitoyable, raté, sadique, satanique, scélérat, sévère, sinistre, sournois, venimeux, vicieux, vilain.

MAUVIETTE I. → *alouette.* **II.** → *gringalet.*

MAXIME Adage, aphorisme, apophtegme, dicton, dit, dogme, formule, moralité, on-dit, pensée, précepte, principe, proverbe, règle, sentence.

MAXIMUM I. Nom : limite, mieux, plafond, plus, sommet, summum, terme, totalité. **II. Loc.** *Au maximum* : au plus haut degré/point, le plus possible.

MÉANDRE → *sinuosité.*

MÉAT → *ouverture.*

MÉCANICIEN, ENNE Chauffeur, conducteur, garagiste, machiniste, mécano, ouvrier, spécialiste.

MÉCANIQUE adj. → *involontaire.*

MÉCANIQUE n. → *appareil.*

MÉCANISER I. Au pr. : automatiser, équiper, industrialiser, motoriser. **II. Par ext.** : rendre habituel/machinal/routinier, robotiser. **III. Fam. et fig.** → *taquiner.*

MÉCÈNE → *protecteur.*

MÉCHANCETÉ I. Le défaut : agressivité, causticité, cruauté, dépravation, dureté, envie, fiel, hargne, jalousie, malice, malignité, malveillance, mauvaiseté (vx), noirceur, perversité, rosserie, sadisme, scélératesse, vacherie (fam.), venin, vice. **II. L'acte** : calomnie, couleuvre (fam.), coup d'épingle, crasse, crosse (fam.), espièglerie, farce, gentillesse, malfaisance, médisance, mistoufle (fam.), noirceur, perfidie, saleté, saloperie (fam.), taquinerie, tour, tourment, vacherie (fam.).

MÉCHANT, E I. Au pr. : acariâtre, acerbe, acrimonieux, affreux, agressif, bourru, brutal, corrosif, criminel, cruel, dangereux, démoniaque, désagréable, désobligeant, diabolique, dur, félon, fielleux, haineux, hargneux, indigne, infernal, ingrat, injuste, insolent, insupportable, intraitable, jaloux, malfaisant, malicieux, malin, malintentionné, malveillant, maus-

sade, médisant, mordant, noir, nuisible, odieux, perfide, pervers, rossard, sans-cœur, satanique, scélérat, sinistre, turbulent, venimeux, vilain. **II. Fam.** : bouc, carcan, carne, chameau, charogne, chipie, choléra, coquin, démon, furie, gale, harpie, masque, mégère, méphistophélès, ogre, peste, poison, rosse, salaud, sale bête, satan, serpent, sorcière, suppôt de Satan, teigne, tison, vache, vipère. **III. Par ext.** : malheureux, mauvais, médiocre, misérable, nul, pauvre, petit, pitoyable, rien.

MÉCOMPTE I. → *déception.* **II.** → *erreur.*

MÉCONNAÎTRE Déprécier, ignorer, méjuger, se méprendre, mépriser, mésestimer, négliger, sous-estimer.

MÉCONNU, E → *inconnu.*

MÉCONTENT, E ↔ *malcontent.*

MÉCONTENTEMENT → *ennui.*

MÉCONTENTER → *fâcher.*

MÉCRÉANT, E → *incroyant.*

MÉDAILLE Décoration, monnaie, pièce, plaque, insigne, médaillon.

MÉDAILLON I. → *médaille.* **II.** → *tableau.* **III.** → *image.*

MÉDECIN I. Au pr. : accoucheur, auriste, cardiologue, chirurgien, clinicien, dermatologiste, généraliste, gynécologue, neurologue, oto-rhino-laryngologiste, oculiste, pédiatre, phlébologue, praticien, psychiatre, radiologue, stomatologiste, urologue. **II. Par ext.** : docteur, doctoresse, externe, interne, major, spécialiste. **III. Fam.** : carabin, esculape, la Faculté, toubib. **IV. Vx** : mire, physicien, thérapeute. **V. Péj.** : charlatan, docteur Knock, médicastre, morticole.

MÉDECINE I. → *purge.* **II.** La Faculté.

MÉDIATION Amodiation, arbitrage, bons offices, conciliation, entremise, intervention.

MÉDICAL, E Médicinal, thérapeutique.

MÉDICAMENT → *remède.*

MÉDICAMENTER → *soigner.*

MÉDICATION → *soins.*

MÉDICINAL, E Médical, thérapeutique.

MÉDIOCRE Assez bien, banal, bas, chétif, commun, étriqué, exigu, faible, humble, imparfait, inférieur, insignifiant, insuffisant, maigre, méchant, mesquin, mince, minime, modéré, modeste, modique, moyen, négligeable, ordinaire, pâle, passable, pauvre, petit, piètre, piteux, pitoyable, plat, quelconque, satisfaisant, suffisant, supportable, terne.

MÉDIRE Arranger, attaquer, babiller, baver sur, bêcher, cancaner, casser du sucre, clabauder, commérer, critiquer, croasser, dauber, débiner, déblatérer, déchirer, décrier, dénigrer, déshabiller, détracter, diffamer, dire des méchancetés/pis que pendre, éreinter, esquinter, gloser, habiller, jaser, mettre en capilotade/en pièces, nuire, potiner, ragoter, satiriser, taper, vilipender.

MÉDISANCE Anecdote, atrocité, bavardage, calomnie, cancan, caquetage, clabaudage, clabauderie, chronique, commentaire, commérage, coup de dent/de langue/de patte, dénigrement, détraction, diffamation, horreurs, méchanceté, on-dit, persiflage, potin, propos, racontage, racontar, ragot, venin.

MÉDISANT, E I. Diffamatoire. **II.** Caqueteur, détracteur, diffamateur, langue d'aspic/de serpent/venimeuse/de vipère/vjpérine, mauvaise/méchante langue.

MÉDITATIF, IVE I. → *pensif.* **II.** → *penseur.*

MÉDITATION I. → *attention.* **II.** → *pensée.*

MÉDITER I. V. intr. → *penser.* **II. V. tr.** → *projeter.*

MÉDUSÉ, E I. → *ébahi.* **II.** → *interdit.*

MEETING → *réunion.*

MÉFAIT → *faute.*

MÉFIANCE Défiance, doute, prévention, qui-vive, soupçon, suspicion, vigilance.

MÉFIANT, E I. Non favorable : chafouin, craintif, défiant, dissimulé, ombrageux, soupçonneux, timoré. **II. Neutre** → *prudent.*

MÉFIER (SE) Se défier, être/se tenir sur ses gardes, faire gaffe (fam.), se garder.

MÉGALOMANIE → *orgueil.*

MÉGARDE → *inattention.*

MÉGÈRE Carne, carogne, catin, chameau, charogne, chienne, chipie, commère, dame de la halle, diablesse, dragon, fourneau, furie, garce, gaupe, gendarme, grenadier, grognasse, harengère, harpie, hérisson, junon, maquerelle, maritorne, ménade, piegrièche, pisse-vinaigre, poison, poissarde, pouffiasse, rébecca, rombière, sibylle, sorcière, souillon, toupie, tricoteuse, trumeau, virago.

MÉJUGER → *mépriser.*

MÉLANCOLIE I. Au pr. : abattement, accablement, aliénation, amertume, angoisse, atrabile, cafard, chagrin, dépression, déréliction, désolation, humeur noire, hypocondrie, langueur, lypémanie, mal du pays, navrance, neurasthénie, noir, nostalgie, papillons noirs, peine, regret, spleen, tristesse, trouble, vague à l'âme.

II. Par ext. : brume, grisaille, nuage, ombre.

MÉLANCOLIQUE I. → *triste.* **II.** → *bilieux.*

MÉLANGE I. Neutre : accouplement, alliage, alliance, amalgame, amas, assemblage, association, assortiment, bariolage, bigarrure, brassage, combinaison, complexité, composé, composition, coupage, couplage, croisement, délayage, dosage, fusion, hétérogénéité, hybridation, imprégnation, incorporation, macédoine, magma, malaxage, mariage, marqueterie, métissage, mixtion, mixture, mosaïque, panachage, rapprochement, réunion, syncrétisme, tissu, tissure, union. **II. Non favorable :** bric-à-brac, brouillamini, cacophonie, chaos, cocktail, confusion, désordre, disparité, embrouillamini, emmêlement, enchevêtrement, entortillement, entrelacement, entremêlement, fatras, fouillis, fricassée, imbrication, imbroglio, margouillis, mêlé-cassis, mêlée, méli-mélo, micmac, pastis, patouillis, pêle-mêle, promiscuité, salade, salmigondis. **III. Litt. 1.** Centon, complication, habit d'arlequin, placage, potpourri, recueil, rhapsodie, ripopée. **2. Au pl. :** miscellanea, miscellanées, morceaux choisis, variétés.

MÉLANGER, MÊLER Abâtardir, accoupler, agglutiner, agiter, allier, amalgamer, assembler, associer, assortir, barioler, battre, brasser, brouiller, combiner, composer, confondre, couper, coupler, croiser, doser, embrouiller, emmêler, enchevêtrer, entrelacer, entrelarder, entremêler, fatiguer, fondre, fouetter, fusionner, incorporer, introduire, joindre, malaxer, manipuler, marier, mâtiner, mettre, mixtionner, panacher, rapprocher, réunir, saupoudrer, touiller, unir.

MÊLÉ, E I. Bâtard, bigarré, composite, impur, mâtiné, mixte. **II.** Embarrassé. **III.** Embroussaillé. **IV.** Les part. passés des syn. de MÊLER.

MÊLÉE → *bataille.*

MÉLI-MÉLO → *mélange.*

MELLIFLUE → *doucereux.*

MÉLODIE Accents, air, aria, ariette, cantabile, cantilène, chanson, chant, harmonie, lied, mélopée, pièce, poème, récitatif.

MÉLODIEUX, EUSE → *harmonieux.*

MÉLODRAME → *drame.*

MÉLOPÉE → *mélodie.*

MEMBRANE → *tissu.*

MEMBRE I. → *partie.* **II.** Actionnaire, adhérent, affilié, associé, correspondant, cotisant, fédéré, inscrit, recrue, sociétaire, soutien, sympathisant.

MÊME I. Adv. : aussi, de plus, encore, en outre, précisément, voire. **II. Pron.** *Le même* → *semblable.* **III. Loc. conj.** *De même que* → *comme.* **IV. Adj.** Analogue, égal, ejusdem farinae, équivalent, ex aequo, identique, pareil, semblable, similaire, tel.

MÉMENTO Agenda, aide-mémoire, almanach, bloc-notes, calepin, carnet, éphémérides, guide, guide-âne, pense-bête, vade-mecum. → *note.*

MÉMOIRE I. Au pr. : anamnèse, conservation, empreinte, recognition, remembrance (vx), réminiscence, ressouvenance, ressouvenir, savoir, souvenance, souvenir, trace. **II. Par ext.** *1.* → *rappel. 2.* → *commémoration. 3.* → *réputation.*

MÉMOIRE I. Au sing. *1.* → *liste. 2.* → *compte. 3.* → *traité. 4.* → *récit.* **II. Au pl. :** annales, autobiographie, chronique, commentaire, confession, essai, journal, mémorial, récit, révélations, souvenirs, voyages.

MÉMORABLE → *remarquable.*

MÉMORANDUM → *note.*

MÉMORIAL I. → *récit.* **II.** → *mémoires.*

MENAÇANT, E Agressif, comminatoire, dangereux, fulminant, grondant, imminent, inquiétant, sinistre.

MENACE I. Avertissement, bravade, chantage, commination, défi, fulmination, grondement, intimidation, provocation, réprimande, rodomontade, sommation, ultimatum. **II.** Danger, péril, point noir, spectre.

MENACER I. → *braver.* **II. Loc.** *Menacer de* → *présager.*

MÉNAGE I. → *économie.* **II.** → *famille.* **III.** → *maison.*

MÉNAGEMENT I. → *circonspection.* **II. Au pl.** → *égards.*

MÉNAGER I. Au pr. *1.* → *économiser. 2.* → *user de. 3.* → *préparer. 4.* → *procurer.* **II. Par ext.** *Ménager quelqu'un :* épargner, être indulgent, mettre des gants, pardonner à, prendre des précautions, respecter, traiter avec ménagement *et les syn. de* MÉNAGEMENT.

MENDIANT, E Chanteur des rues, chemineau, clochard, cloche, gueux, indigent, mendigot, miséreux, nécessiteux, parasite, pauvre, quémandeur, sabouleux, truand, vagabond.

MENDIER → *solliciter.*

MENÉE I. Agissement, complot, diablerie, intrigue, machination, manœuvre. **II.** Pratique, trame.

MENER I. Amener, emmener, promener, ramener, remener, remmener. → *conduire.* **II.** → *gouverner.* **III.** → *traiter.*

MÉNESTREL → *troubadour.*

MENEUR I. → *chef.* **II.** → *protagoniste.*

MENOTTE I. Au sing. → *main.* **II. Au pl. :** cabriolet, cadenas, poucettes.

MENSONGE I. Bourrage de crâne, contrevérité, craque, fausseté, menterie. → *hâblerie.* **II.** → *vanité.* **III.** → *invention.* **IV.** → *feinte.*

MENSONGER, ÈRE → *faux.*

MENSTRUATION, MENSTRUES Anglais (vulg.), affaires (fam.), époques, flux cataménial, indisposition, ménorrhée, mois, règles.

MENSURATION → *mesure.*

MENTAL, E → *psychique.*

MENTALITÉ Caractère, esprit, état d'esprit, moral, opinion publique, pensée.

MENTERIE → *mensonge.*

MENTEUR, EUSE I. Adj. → *faux.* **II. Nom** → *hâbleur.*

MENTION → *rappel.*

MENTIONNER I. → *citer.* **II.** → *inscrire.*

MENTIR Abuser, altérer/dissimuler/déguiser / fausser la vérité, dire / faire un mensonge, feindre, induire en erreur. → *hâbler.*

MENTOR → *conseiller.*

MENU n. I. Carte. **II.** Festin, mets, ordinaire, régal, repas.

MENU, E adj. Délicat, délié, fin, fluet, gracile, grêle, mièvre, mince, subtil, ténu. → *petit.*

MÉPHITIQUE I. → *puant.* **II.** → *mauvais.*

MÉPRENDRE (SE) → *tromper (se).*

MÉPRIS → *dédain.*

MÉPRISABLE → *vil.*

MÉPRISANT, E Arrogant, contempteur, dédaigneux, fat, fier, hautain, orgueilleux.

MÉPRISE I. → *malentendu.* **II.** → *inattention.*

MÉPRISER I. Quelqu'un → *dédaigner.* **II. Quelque chose :** braver, décrier, déprécier, dépriser, faire litière, fouler aux pieds, honnir, jongler avec, se jouer de, méconnaître, méjuger, se moquer de, narguer, rabaisser, ravaler, se rire de, tourner le dos.

MER I. Au pr. : eaux, flots, large, océan, onde. **II. Fam. :** baille, grande tasse. **III. Fig.** → *abondance.*

MERCANTI → *trafiquant.*

MERCENAIRE I. Au pr. : aventurier, condottiere, reître, soldat, stipendié. **II. Par ext. (adj.) :** avide, cupide, intéressé, vénal.

MERCI I. → *miséricorde.* **II. Loc.** *Être à la merci de.* → *dépendre.*

MERCURE Cinabre, hydrargyre, serpent de Mars, serpent vert, vif-argent.

MERCURIALE → *reproche.*

MERDE → *excrément.*

MÈRE I. Au pr. : maman, marâtre (péj.), mère poule. **II. Loc. Mère-grand** → *grand-mère.* **III. Par ext. :** cause, génitrice, matrice, origine, source.

MÉRITANT, E Bon, digne, estimable, honnête, méritoire, valeureux, vertueux.

MÉRITE → *qualité.*

MÉRITER I. Favorable : être digne de, gagner à. **II. Non favorable :** commander, demander, encourir, imposer, réclamer, valoir.

MÉRITOIRE → *méritant.*

MERVEILLE → *prodige.*

MERVEILLEUX I. → *surnaturel.* **II.** → *élégant.*

MERVEILLEUX, EUSE I. → *beau.* **II.** → *extraordinaire.*

MÉSAISE Besoin, difficulté, gêne, malaise. → *pauvreté.*

MÉSAVENTURE Accident, avarie, avaro (fam.), avatar (par ext.), déconvenue, incident, malchance, malencontre, malheur, méchef (vx), pépin (fam.), tuile (fam.), vicissitude.

MÉSENTENTE → *mésintelligence.*

MÉSESTIMER → *mépriser.*

MÉSINTELLIGENCE Brouille, brouillerie, désaccord, désunion, différend, discord (vx), discordant, discorde, dispute, dissension, dissentiment, dissidence, divergence, division, froid, incompatibilité, incompréhension, mésentente, nuage, orage, pique, querelle, rupture, tension, trouble, zizanie.

MESQUIN, E I. → *avare.* **II.** → *pauvre.* **III.** → *étroit.*

MESS → *réfectoire.*

MESSAGE I. → *lettre.* **II.** → *communication.*

MESSAGER, ÈRE I. Au pr. : agent, commissionnaire, coureur (vx), courrier, coursier, envoyé, estafette, exprès, facteur, héraut, mercure, porteur, saute-ruisseau, transporteur. **II. Par ext.** → *précurseur.*

MESSAGERIE Courrier, poste, transport.

MESSE I. Célébration, cérémonie, culte, obit, office, saint sacrifice, service divin. **II.** Chant, liturgie, musique, rite, rituel. **III.** Absoute, complies, laudes, matines, none, prime, salut, sexte, ténèbres, tierce, vêpres.

MESSÉANT, E → *inconvenant.*

MESURE I. Au pr. 1. Appréciation, calcul, mensuration, mesurage, métré. **2.** → *dimension.* **II. Par ext. 1.** → *rythme.* **2.** → *règle.* **3.** retenue. **4.** →

préparatif. **5. Loc. A mesure** → *proportion (à).*

MESURER I. Au pr. : arpenter, calibrer, chaîner, compter, corder, cuber, doser, jauger, métrer, sonder. **II. Par ext. 1.** → *évaluer.* **2.** → *proportionner.* **3.** → *régler.* **III. V. intr. :** avoir, développer, faire.

MESURER (SE) → *lutter.*

MÉSUSER Exagérer, méconnaître. → *abuser.*

MÉTAIRIE → *ferme.*

MÉTAMORPHOSE → *transformation.*

MÉTAMORPHOSER → *transformer.*

MÉTAPHORE I. → *image.* **II.** → *symbole.*

MÉTATHÈSE → *transposition.*

MÉTAYER, ÈRE → *fermier.*

MÉTÉORE Aérolithe, astéroïde, astre, bolide, comète, étoile filante, météorite.

MÉTÈQUE → *étranger.*

MÉTHODE Art, code, combinaison, démarche, discipline, dispositif, façon, formule, ligne de conduite, manière, marche à suivre, mode, moyen, ordre, organisation, pratique, procédé, procédure, recette, règle, rubrique (vx), secret, stratégie, système, tactique, technique, théorie, voie.

MÉTHODIQUE I. → *réglé.* **II.** → *logique.*

MÉTICULEUX, EUSE → *minutieux.*

MÉTIER I. → *profession.* **II.** → *appareil.*

MÉTIS, ISSE I. Animaux ou plantes : bâtard, corneau, corniaud, hybride, mâtiné, mulard, mule, mulet. **II. Hommes :** eurasien, mulâtre, octavon, quarteron, sang-mêlé, zambo.

MÉTISSAGE Croisement, hybridation, mélange.

MÈTRE → *rythme.*

MÉTROPOLE → *capitale.*

METS Bonne chère, brouet (péj.), chère, cuisine, fricot (fam.), menu, nourriture, plat, repas, soupe (fam.).

METTRE I. Au pr. : appliquer, apposer, appuyer, bouter (vx), camper, caser, coller, déposer, disposer, empiler, enfoncer, engager, établir, exposer, ficher (fam.), fixer, flanquer (fam.), fourrer (fam.), foutre (grossier), glisser, imposer, insérer, installer, introduire, loger, opposer, placer, planter, plonger, poser, poster, ranger, remettre, serrer. **II. Par ext.** → *vêtir.* **III. Loc. 1. Se mettre à** → *commencer.* **2. Se mettre à genoux** → *agenouiller (s').* **3. Mettre à la porte/dehors** → *congédier.* **4. Mettre devant/en avant** → *présenter.* **5. Mettre en cause** → *inculper.*

METTRE (SE) I. → *vêtir (se).*
II. Loc. 1. Se mettre en rapport → aboucher (s'). **2. Se mettre en quatre** → empresser (s'). **3. Se mettre dans** → occuper (s').

MEUBLE → *mobilier.*

MEUBLÉ → *hôtel.*

MEUBLER I. → *fournir.* **II.** → *orner.*

MEUGLER → *mugir.*

MEURT-DE-FAIM → *pauvre.*

MEURTRIER, ÈRE → *homicide.*

MEURTRIR I. Au pr. : battre, blesser, cabosser, cogner, contusionner, écraser, fouler, frapper, froisser, mâchurer, malmener, mettre en compote/en marmelade/un œil au beurre noir, pocher, rosser, taper. **II. Fig. :** faire de la peine, peiner, torturer, tourmenter.

MEURTRISSURE → *contusion.*

MEZZANINE entresol. → *balcon.*

MIASME → *émanation.*

MICMAC → *manigance.*

MICROBE I. Au pr. : amibe, bacille, bactérie, ferment, spirille, vibrion, virgule, virus. **II. Fig.** → *nain.*

MICROSCOPE → *lunette.*

MICROSCOPIQUE → *petit.*

MIDINETTE Apprentie, arpette, cousette, couturière, modiste, ouvrière, petite-main, trottin.

MIELLEUX, EUSE → *doucereux.*

MIETTE → *morceau.*

MIEUX → *plus.*

MIEUX (À QUI MIEUX) A bouche que veux-tu, à l'envi, tant et plus.

MIÈVRE I. → *joli.* **II.** → *affecté.* **III.** → *menu.*

MIÈVRERIE → *affectation.*

MIGNARD, E → *joli.*

MIGNARDISE → *minauderie.*

MIGNON, ONNE → *joli.*

MIGRATION → *émigration.*

MIJAURÉE → *pimbêche.*

MIJOTER I. V. intr. → *cuire.* **II. V. tr.** → *préparer.*

MILICE → *troupe.*

MILIEU I. Au pr. 1. → *centre.* **2.** Biotope, élément, espace, habitat, patrie, terrain. **3.** Ambiance, atmosphère, aura, cadre, climat, condition, décor, écologie, entourage, environnement, lieu, société, sphère. **II. Par ext.** → *monde.*

MILITAIRE I. Adj. : belliqueux, guerrier, martial, polémologique, soldatesque (péj.), stratégique, tactique. **II. Nom** → *soldat.* **III. Loc. Art militaire :** polémologie.

MILITANT I. → *partisan.* **II.** → *combattant.*

MILITARISME Bellicisme, caporalisme.

MILLE → *quantité.*

MILLÉNAIRE → *vieux.*

MILLIARD, MILLIER, MILLION → *quantité.*

MIME I. Nom fém. 1. Au pr. : jeu muet, mimique, pantomime. **2. Par ext. :** attitudes, contorsions, expression, gestes, gesticulation, manières, signes, singeries. **II. Nom masc. :** acteur/artiste/comédien muet, clown.

MIMER → *imiter.*

MIMIQUE → *geste.*

MINABLE → *misérable.*

MINAUDERIE Affectation, agacerie, chichi, coquetterie, façon, grâces, grimace, manières, mignardise, mine, simagrée, singerie.

MINAUDIER, ÈRE Affecté, enjôleur, gnangnan (fam.), grimacier, maniéré, mignard, poseur.

MINCE I. Neutre : allongé, délicat, délié, effilé, élancé, étroit, filiforme, fin, fluet, fragile, fuselé, gracile, grêle, maigre, menu, petit, svelte, ténu. **II. Non favorable :** insignifiant, médiocre, négligeable.

MINE I. Air, apparence, bouille (fam.), contenance, expression, extérieur, face, façon, figure, fiole (fam.), maintien, minois, physionomie, physique, teint, tête, visage. **II. Loc. Faire bonne/mauvaise mine** → *accueil.* **III.** Carrière, fosse, galerie, puits, souterrain. **IV.** Charbonnage, houillère. **V.** Filon, fonds, gisement. **VI.** Cartouche, engin, explosif, piège.

MINER I. Au pr. : affouiller, caver, creuser, éroder, fouiller, four, gratter, ronger, saper. **II. Fig. :** abattre, affaiblir, attaquer, brûler, consumer, corroder, défaire, désintégrer, détruire, diminuer, ruiner, user.

MINEUR, E → *petit.*

MINIATURE I. Au pr. : dessin, enluminure, peinture, portrait. **II. Loc. En miniature :** en abrégé, en raccourci, en réduction.

MINIME → *petit.*

MINIMISER → *réduire.*

MINISTÈRE I. Au pr. 1. Charge, emploi, fonction. **2.** Cabinet, conseil/corps ministériel/des ministres, département, gouvernement, maroquin, portefeuille. **II. Par ext.** → *entremise.*

MINISTÉRIEL, ELLE I. Exécutif, gouvernemental, officiel. **II. Loc. Officier ministériel :** avoué, commissaire-priseur, huissier, notaire.

MINISTRE I. Au pr. (vx) : exécutant, instrument, serviteur. **II.** Ecclésiastique, pasteur, prédicant. → *prêtre.*

MINOIS → *visage.*

MINUSCULE → *petit.*

MINUTE I. → *moment.* **II.** → *original.*

MINUTER → *écrire.*

MINUTIE I. → *bagatelle.* **II.** → *soin.*

MINUTIEUX, EUSE Appliqué, attentif, consciencieux, difficile, exact, exigeant, formaliste, maniaque, méticuleux, pointilleux, pointu, scrupuleux, soigneux, tatillon, vétilleux.

MIOCHE I. → *enfant.* **II.** → *bébé.*

MIRACLE → *prodige.*

MIRAGE I. Au pr. : image, mirement, phénomène, reflet. **II. Par ext. :** apparence, chimère, illusion, mensonge, rêve, rêverie, trompe-l'œil, tromperie, vision. **III. Fig. :** attrait, séduction.

MIRE I. Nom masc. : apothicaire. → *médecin.* **II. Nom fém. Loc.** *Point de mire* → *but.*

MIRER I. → *viser.* **II.** → *regarder.*

MIRIFIQUE → *extraordinaire.*

MIRLITON → *flûte.*

MIROBOLANT, E → *extraordinaire.*

MIROIR I. Au pr. : courtoisie, glace, psyché, réflecteur, rétroviseur, speculum, trumeau. **II. Fig.** → *représentation.*

MIROITER → *luire.*

MIS, E → *vêtu.*

MISANTHROPE Atrabilaire, bourru, chagrin, farouche, insociable, ours, sauvage, solitaire.

MISANTHROPIE Anthropophobie, apanthropie, aversion, haine.

MISCELLANEA, MISCELLANÉES → *mélanges.*

MISE I. Cave, enjeu, masse. **II.** → *vêtement.* **III. Loc.** *1. De mise* → *valable. 2. Mise bas* (vét.) **:** accouchement, agnelage, délivrance, part, parturition, poulinement, vêlage, vêlement. *3. Mise en demeure* → *injonction.*

MISER Allonger, caver, coucher, jouer, mettre, parier, placer, ponter, risquer.

MISÉRABLE I. Adj. *1. Quelque chose :* déplorable, fâcheux, honteux, insignifiant, lamentable, malheureux, mauvais, méchant, méprisable, mesquin, piètre, pitoyable, regrettable, triste, vil. *2. Quelqu'un :* besogneux, chétif, désespéré, indigent, infortuné, minable, miteux. → *pauvre.* **II. Nom :** bandit, claquedent, clochard, cloche, coquin, croquant, gueux, hère, marmiteux, miséreux, paria, pauvre diable/drille/type, pouilleux, purotin, sabouleux, traîne-misère, va-nu-pieds.

MISÈRE I. → *malheur.* **II.** → *pauvreté.* **III.** → *bagatelle.*

MISÉREUX, EUSE → *misérable.*

MISÉRICORDE I. Absolution, clémence, grâce, indulgence, merci, pardon, pitié, quartier. **II.** Selle, siège, tabouret.

MISÉRICORDIEUX, EUSE → *bon.*

MISSION I. Ambassade, besogne, charge, commission, délégation, députation, légation, mandat. **II.** Action, but, destination, fonction, rôle, vocation. **III.** → *occupation.* **IV.** Apostolat, évangélisation. **V. Loc.** *Chargé de mission* **:** délégué, député, émissaire, envoyé, exprès, mandataire, représentant.

MISSIVE → *lettre.*

MITAINE Gant, moufle.

MITEUX, EUSE → *misérable.*

MITIGER → *modérer.*

MITONNER I. V. intr. → *cuire.* **II. V. tr.** → *préparer.*

MITOYEN, ENNE Intermédiaire, médial, médian, moyen.

MITRAILLER → *tirer.*

MITRAILLETTE → *fusil.*

MIXTE → *mêlé.*

MIXTION → *mélange.*

MIXTIONNER → *mêler.*

MIXTURE → *mélange.*

MOBILE adj. **I.** → *mouvant.* **II.** → *changeant.*

MOBILE n. **I.** → *cause.* **II.** → *moteur.* **III.** → *soldat.*

MOBILIER Ameublement, équipement ménager, ménage, meubles.

MOCHE → *laid.*

MODALITÉ Circonstance, façon, manière, mode, moyen, particularité.

MODALITÉ I. → *qualité.* **·II. Au pl.** → *disposition.*

MODE → *qualité.*

MODE I. Couture, engouement, épidémie, fashion, goût, habitude, mœurs, pratique, snobisme, style, ton, usage, vague, vent, vogue. **II.** Convenance, façon, fantaisie, manière, volonté. **III.** → *vêtement.*

MODÈLE I. Archétype, canon, échantillon, étalon, exemple, formule, gabarit, idéal, idée, image, original, paradigme, parangon, précédent, prototype, référence, type. **II.** Carton, croquis, esquisse, étude, maquette, moule, patron, plan, spécimen, topo. **III.** Académie, mannequin, pose.

MODELER I. → *sculpter.* **II.** → *former.*

MODELER (SE) → *régler (se).*

MODÉRATION I. Circonspection, convenance, discrétion, douceur, frugalité, juste milieu, ménagement, mesure, modérantisme, réserve, retenue, sagesse, sobriété, tempérance. **II.** Adoucissement, mitigation, réduction.

MODÉRÉ, E I. Neutre : abstinent, continent, désuet, doux, économe, frugal, mesuré, modeste, moyen, raisonnable, sage, sobre, tempérant, tempéré. **II. Non favorable :** bas, faible, médiocre.

MODÉRER Adoucir, affaiblir, amortir, apaiser, arrêter, assouplir, atténuer, attiédir, borner, calmer, contenir, corriger, diminuer, estomper, éteindre, freiner, mesurer, mitiger, pallier, ralentir, régler, réprimer, tamiser, tempérer.

MODÉRER (SE) Déchanter, en rabattre, mettre de l'eau dans son vin, se retenir, se tenir à quatre *et les formes pronom. possibles des syn. de* MODÉRER.

MODERNE I. → *nouveau.* **II.** → *présent.*

MODESTE I. Quelqu'un : chaste, décent, discret, effacé, humble, prude, pudique, réservé. **II. Quelque chose :** médiocre, modéré, modique, moyen, pauvre, simple, uni.

MODESTIE I. → *retenue.* **II.** → *décence.*

MODICITÉ Exiguïté, modestie, petitesse.

MODIFICATION Adaptation, addition, aggravation, agrandissement, altération, changement, correction, dérogation, différence, extension, falsification, métamorphose, progression, ralentissement, rectification, refonte, remaniement, revision, transformation, variation.

MODIFIER → *changer.*

MODIQUE I. → *médiocre.* **II.** → *petit.*

MOELLE → *substance.*

MOELLEUX, EUSE I. Confortable, douillet, doux, élastique, mou, rembourré. **II.** Agréable, gracieux, souple. **III.** Gras, liquoreux, mollet, onctueux, savoureux, velouté.

MOELLON → *pierre.*

MŒURS I. Au pr. 1. → *habitude.* **2.** → *moralité.* **3.** → *naturel.* **II. Par ext.** → *caractère.*

MOFETTE, MOUFETTE Émanation, exhalaison, fumée, fumerolle, gaz, grisou.

MOI → *personnalité.*

MOINDRE → *petit.*

MOINE → *religieux.*

MOINEAU I. Au pr. : passereau, piaf, pierrot. **II. Fig.** → *gaillard.*

MOINS (AU) A tout le moins, du moins, pour le moins, tout au moins.

MOIRE → *reflet.*

MOIRER → *lustrer.*

MOÏSE → *berceau.*

MOISIR I. Au pr. → *pourrir.* **II. Fig.** → *attendre.*

MOISSONNER → *recueillir.*

MOITE → *humide.*

MOITEUR → *tiédeur.*

MÔLE Brise-lames, digue, embarcadère, jetée, musoir.

MOLÉCULE → *particule.*

MOLESTER I. → *tourmenter.* **II.** → *maltraiter.*

MOLASSE → *mou.*

MOLLESSE I. Au pr. 1. Non favorable : abattement, affaiblissement, apathie, atonie, cagnardise, indolence, langueur, nonchalance, paresse, somnolence. **2. Neutre ou favorable :** abandon, faiblesse, grâce, laisser-aller, morbidesse. **II. Par ext.** → *volupté.*

MOLLET, ETTE I. → *mou.* **II.** → *moelleux.*

MOLLETIÈRE → *guêtre.*

MOLLIR I. V. intr. → *faiblir.* **II. V. tr.** → *fléchir.*

MOMENT I. Date, époque, heure, instant, intervalle, jour, minute, saison, seconde, tournant. **II.** → *occasion.*

MOMENTANÉ, E → *passager.*

MÔMERIE I. → *mascarade.* **II.** → *comédie.* **III.** → *hypocrisie.*

MONACAL, E → *monastique.*

MONARCHISTE → *royaliste.*

MONARQUE → *roi.*

MONASTÈRE → *cloître.*

MONASTIQUE Claustral, conventuel, monacal, monial, régulier.

MONCEAU → *amas.*

MONDAIN Boulevardier (vx), homme du monde, snob.

MONDAIN, E I. → *terrestre.* **II.** Frivole, futile, léger.

MONDE I. Au pr. → *univers.* **II. Fig. 1.** → *assemblage.* **2.** → *multitude.* **3.** → *siècle.* **III. Par ext. :** aristocratie, beau/grand monde, faubourg Saint-Germain, gentry, gotha, gratin, haute société, milieu, société, tout-Paris, vieille France.

MONDIAL, E → *universel.*

MONITEUR, TRICE I. → *maître.* **II.** → *instructeur.*

MONITOIRE → *rescrit.*

MONNAIE → *argent.*

MONNAYER → *vendre.*

MONOCORDE → *monotone.*

MONOGRAMME → *signature.*

MONOGRAPHIE → *traité.*

MONOLOGUE I. Au pr. : aparté, discours, tirade. **II. Par ext. :** radotage, soliloque.

MONOMANIE → *manie.*

MONOPOLISER → *accaparer.*

MONOTONE Assoupissant, endormant, ennuyeux, monocorde, plat, traînant, triste, uniforme.

MONOTONIE → *tristesse.*

MONSIEUR I. → *homme.* II.
→ *personnalité.*

MONSTRE I. **Nom. 1.** → *phé-nomène.* **2.** → *scélérat.* II. **Adj.**
→ *monstrueux.*

MONSTRUEUX, EUSE I. **Neutre.**
1. → *gigantesque.* **2.** → *grand.* II.
Non favorable. 1. → *irrégulier.*
2. → *démesuré.* **3.** → *mauvais.*

MONSTRUOSITÉ I. → *malforma-tion.* II. → *grandeur.*

MONT Ballon, belvédère, butte,
chaîne, colline, cordillère, crêt, dent,
élévation, éminence, hauteur, ma-melon, massif, morne, montagne, ma-melon, massif, morne, montagne, ma-
piton, puy, serra, sierra, sommet.

MONTAGE → *assemblage.*

MONTAGNE → *mont.*

MONTAGNEUX, EUSE Accidenté,
élevé, escarpé, montagnard, mon-tueux, orographique.

MONTANT → *somme.*

MONTANT, E Ascendant, assur-gent, dressé, escarpé, vertical.

MONT-DE-PIÉTÉ I. Crédit muni-cipal. II. **Fam. :** clou, ma tante.

MONTÉE I. Ascension, escalade,
grimpée. II. Accroissement, aug-mentation, crue, envahissement, inva-sion. III. Côte, grimpette, pente,
raidillon, rampe. **IV.** → *escalier.*
V. Loc. *Montée des prix* → *hausse.*

MONTER I. **V. intr. 1. *Quelqu'un
monte :*** aller, s'élever, s'embarquer,
entrer, se guinder, se hisser, voler.
2. *Quelque chose monte* → *aug-menter.* II. **V. tr. 1. Au pr. :** escalader, gravir, grimper. **2. Par ext. :**
élever, exhausser, hausser, lever,
rehausser, relever, remonter, sur-élever, surhausser. **3. *Fig. :*** combiner,
constituer, établir, organiser, ourdir.
→ *préparer.*

MONTER (SE) → *valoir.*

MONTICULE → *hauteur.*

MONTRE I. → *étalage.* II. Chiqué,
démonstration, dépense, effet, étalage,
exhibition, mise en scène, ostentation,
parade. III. Bassinoire, bracelet-montre, chronographe, chronomètre,
coucou (fam.), montre-bracelet,
oignon, patraque (fam.), savonnette,
tocante (fam.).

MONTRER I. **Au pr. 1.** Arborer,
déballer, déployer, désigner, dévelop-per, étaler, exhiber, exposer, indiquer,
présenter, représenter. **2.** Découvrir,
dégager, dénuder, dessiner, donner,
faire/laisser deviner, manifester. II.
Fig. 1. Décrire, démasquer, dépeindre,
dévoiler, étaler, offrir, mettre dans,
peindre, raconter. **2.** Démontrer, dire,
écrire, établir, prouver, signaler, sou-ligner. **3.** Annoncer, attester, déceler,
dénoncer, dénoter, enseigner, exha-

ler, instruire, produire, témoigner.
4. Accuser, affecter, afficher, affir-mer, déclarer, faire briller/entendre/
voir, faire montre de, marquer, respirer.

MONTRER (SE) Apparaître, être,
paraître, surgir *et les formes pronom.
possibles des syn. de* MONTRER.

MONTUEUX, EUSE → *montagneux.*

MONTURE I. → *cheval.* II. As-semblage, montage.

MONUMENT I. → *bâtiment.* II.
→ *tombeau.* III. → *souvenir.*

MONUMENTAL, E → *gigantesque.*

MOQUER (SE) I. → *railler.* II.
→ *mépriser.*

MOQUERIE → *raillerie.*

MOQUEUR, EUSE I. → *hâbleur.*
II. → *taquin.*

MORAL, E I. → *probe.* II. →
psychique. III. → *mentalité.*

MORALE I. Devoir, éthique, hon-nêteté, probité, vertu. II. Admones-tation, leçon, parénèse (vx). III.
Réprimande. IV. Apologue, maxime,
moralité.

MORALITÉ I. → *morale.* II. Bonnes
mœurs, conscience, mœurs, sens
moral. III. Affabulation, conclusion,
enseignement, maxime, morale, sen-tence.

MORBIDE → *malsain.*

MORBIDESSE I. → *grâce.* II. →
mollesse.

MORCEAU I. Bloc, bouchée, bout,
bribe, chanteau, chicot, chiffon,
darne, débris, découpure, détail,
division, échantillon, éclat, élément,
entame, épave, fraction, fragment,
lambeau, lichette, lingot, loquette,
masse, membre, miette, motte, par-celle, part, particule, partie, pièce,
portion, quartier, quignon, relief,
retaille, rogaton, rognure, rondelle,
segment, tesson, tranche, tronçon.
II. Coin, lopin, lot, parcelle. III.
→ *passage.* IV. → *pièce.* V. **Loc.**
Morceaux choisis : analecte, an-thologie, chrestomathie, compilation.

MORCELER → *partager.*

MORDANT → *vivacité.*

MORDANT, E Acéré, acide, acri-monieux, aigre, aigu, amer, caustique,
effilé, incisif, mauvais, méchant,
moqueur, mordicant, piquant, poivré,
satirique, vif.

MORDICUS → *opiniâtrement.*

MORDRE I. **Au pr. :** broyer, croquer,
déchiqueter, déchirer, dilacérer, lacé-rer, mâchonner, mordiller, serrer.
II. **Par ext. :** attaquer, détruire,
entamer, ronger, user. III. **Fig.**
→ *comprendre.*

MORFILER → *aiguiser.*

MORFONDRE (SE) → *attendre.*

MORFONDU, E I. → *transi.*
II. → *fâché.*

MORGUE I. → *orgueil.* **II.** Amphithéâtre, dépositoire, institut médico-légal, salle de dissection.

MORGUER → *braver.*

MORIBOND, E Agonisant, crevard (fam. et péj.), mourant.

MORIGÉNER → *réprimander.*

MORNE → *triste.*

MOROSE I. → *renfrogné.* **II.** → *triste.*

MORS Filet, frein.

MORSURE → *blessure.*

MORT I. Nom fém. 1. Au pr. : anéantissement, décès, dernier sommeil/soupir, disparition, extinction, fin, grand voyage, malemort (vx), perte, nuit/repos/sommeil éternel (le), tombe, tombeau, trépas. **2.** La Camarde, la Faucheuse, la Parque. **3. Par ext.** → *ruine.* **II. Nom masc. :** cadavre, corps, de cujus, dépouille, esprit, macchab (fam.), macchabée (fam.), mânes, ombre, restes, restes mortels, trépassé, victime.

MORT, E adj. Décédé, défunt, disparu, feu, inanimé, passé, trépassé, tué.

MORTEL → *homme.*

MORTEL, ELLE I. Destructeur, fatal, létal, meurtrier, mortifère. **II.** → *fatal.* **III.** → *extrême.* **IV.** → *ennuyeux.*

MORTELLEMENT I. A mort, à la mort. **II.** A fond, extrêmement.

MORTIFICATION I. Au pr. : abstinence, ascèse, ascétisme, austérité, continence, jeûne, macération, pénitence. **II. Par ext. :** affront, camouflet, couleuvre, crève-cœur, déboire, dégoût, déplaisir, dragée, froissement, humiliation, pilule, soufflet, vexation.

MORTIFIER I. → *humilier.* **II.** → *affliger* **III.** → *macérer.*

MORTUAIRE → *funèbre.*

MOT I. Appellation, dénomination, expression, particule, terme, verbe, vocable. **II.** → *parole.* **III.** → *lettre.* **IV.** → *pensée.* **V. Loc. 1. Mot à mot :** à la lettre, littéralement, mot pour mot, textuellement. **2. Bon mot, jeu de mots, mot d'esprit, mot pour rire :** anecdote, bluette, boutade, calembour, concetti, concetto, contrepèterie, coq-à-l'âne, épigramme, gentillesse, plaisanterie, pointe, quolibet, saillie, trait.

MOTET → *cantique.*

MOTEUR I. Au pr. : appareil, engin, force motrice, machine, mécanique, moulin (fam.), principe actif. **II. Fig. :** agent, âme, animateur, cause, directeur, incitateur,

inspirateur, instigateur, meneur, mobile, motif, origine, principe, promoteur.

MOTIF I. Agent, attendu, cause, comment, considérant, excuse, explication, fin, finalité, impulsion, intention, mobile, motivation, occasion, origine, pourquoi, prétexte, principe, raison, sujet. **II.** Leitmotiv, matière, propos, thème.

MOTION → *proposition.*

MOTIVER → *occasionner.*

MOTRICE I. → *moteur.* **II.** → *locomotive.*

MOTUS Chut, paix, pas un mot, silence, taisez-vous.

MOU n. → *poumon.*

MOU, MOLLE adj. **I. Quelque chose. 1. Neutre :** amolli, cotonneux, détendu, doux, ductile, élastique, flasque, flexible, fangeux, lâche, malléable, maniable, moelleux, mollet, pâteux, plastique, ramolli, relâché, souple, tendre. **2. Non favorable :** avachi, flasque, mollasse, visqueux. **II. Quelqu'un :** abattu, aboulique, amorphe, apathique, atone, avachi, aveuli, bonasse, cagnard, chiffe, efféminé, emplâtre, endormi, faible, femmelette, flemmard, gnangnan (fam.), inconsistant, indolent, inerte, lâche, languissant, loche, lymphatique, mollasse, mollasson, moule (fam.), nonchalant, nouille (fam.), panade (fam.), soliveau (fam.), toton (fam.), toupie (fam.), velléitaire, veule, voluptueux.

MOUCHARD, E I. Quelqu'un : cafard (fam.), cafetière (fam.), capon (fam.), cuistre (fam.), délateur, dénonciateur, doulos (arg.), espion, faux-frère, indicateur, mouche, mouton (arg.), rapporteur, sycophante, traître. **II. Un appareil :** contrôleur, enregistreur, manomètre.

MOUCHE I. Fig. 1. → *espion.* **2.** → *mouchard.* **II. Loc. Mouche à miel** → *abeille.*

MOUCHETÉ → *marqueté.*

MOUDRE → *broyer.*

MOUE → *grimace.*

MOUFLE Gant, mitaine.

MOUILLÉ, E → *hum de.*

MOUILLER I. Au pr. : abreuver, arroser, asperger, baigner, délaver, détremper, doucher, éclabousser, emboire, embuer, humecter, humidifier, imbiber, inonder, laver, madéfier, oindre, rincer, saucer, saturer, transpercer, tremper. **II. Du vin :** baptiser, couper, diluer, mêler. **III. Mar. :** ancrer, desservir, donner fond, embosser, stopper.

MOUILLER (SE) I. Fig. : se compromettre, prendre des risques, tremper dans une affaire. **II. Au pr. :**

les formes pronom. possibles des syn. de MOUILLER.

MOUILLETTE → *quignon.*

MOULE I. Nom fém. (fig.) → *mou.* **II. Nom masc. :** banche, carcasse, caserel, chape, empreinte, évent, forme, gaufrier, gueuse, lingotière, matrice, mère, modèle, potée, surmoule, virole.

MOULER → *former.*

MOULU, E → *fatigué.*

MOURANT, E I. → *moribond.* **II.** → *langoureux.*

MOURIR I. Au pr. 1. S'en aller, cesser de vivre, décéder, se détruire, disparaître, s'endormir, s'éteindre, être emporté / enlevé / rappelé / ravi / tué, exhaler son âme, expirer, finir, partir, passer, passer le pas/dans l'autre monde/de vie à trépas, perdre la vie, périr, rendre l'âme/le dernier soupir/ l'esprit/son dernier souffle, succomber, se tarir, tomber, tomber au champ d'honneur, trépasser, trouver la mort, y rester. **2. Anim. ou péj. :** crever. **3. Poét. :** avoir vécu, descendre aux enfers/au tombeau/dans la tombe, s'endormir dans les bras de Dieu/ du Seigneur/de la mort, fermer les paupières/les yeux, finir/terminer ses jours/sa vie, paraître devant Dieu, payer le tribut à la nature. **4. Fam. :** aller ad patres/chez les taupes, s'en aller / partir / sortir entre quatre planches/les pieds devant, avaler sa chique/son bulletin de naissance/ son extrait de naissance, boire le bouillon d'onze heures, calancher, casser sa pipe, clamecer, champser, claquer, crever, cronir, dégeler, déposer le bilan, éteindre sa lampe/son gaz, faire couic/le grand voyage/ sa malle/son paquet/sa valise, lâcher la rampe/les pédales, laisser ses guêtres/ses houseaux, manger les mauves/les pissenlits par la racine, passer l'arme à gauche, perdre le goût du pain, ramasser ses outils. **II. Par ext. 1.** → *finir.* **2.** → *souffrir.*

MOUSQUET, MOUSQUETON → *fusil.*

MOUSSAILLON, MOUSSE → *marin.*

MOUSSE n. Bulles, crème, écume, flocon, floculation, neige, spumosité.

MOUSSE adj. → *émoussé.*

MOUSSON → *vent.*

MOUTON I. Au pr. : agneau, agnelle, antenais, bélier, bête à laine, brebis, broutart, ouaille, ovidé, ovin. **II. Fig. 1.** → *mouchard.* **2.** → *saleté.* **III. Loc. Peau de mouton. 1.** Basane. **2.** Canadienne, moumoute (fam.), paletot.

MOUTONNER → *friser.*

MOUTONNIER, ÈRE → *grégaire.*

MOUVANT, E Agité, animé, changeant, flottant, fluctueux, fluide, fugitif, instable, mobile, ondoyant, ondulant, onduleux, remuant.

MOUVEMENT I. D'une chose. 1. Action, agitation, balancement, ballant, ballottement, battement, bouillonnement, branle, branlement, brimbalement, cadence, cahotement, changement, chavirement, circulation, cours, course, déplacement, élan, évolution, flottement, fluctuation, flux, frémissement, frétillement, frisson, glissement, houle, impulsion, lancée, libration, marche, mobilité, navette, onde, ondoiement, ondulation, oscillation, pulsation, reflux, remous, rotation, roulis, tangage, tourbillon, tournoiement, trajectoire, transport, tremblement, trépidation, turbulence, vacillation, va-et-vient, vague, valse, vibration, vol. **2.** → *fermentation.* **3.** → *trouble.* **4.** → *variation.* **5.** → *rythme.* **6.** → *évolution.* **II. De quelqu'un. 1. Au pr. :** activité, agitation, course, ébats, évolutions, exercice, geste, marche, remuement. **2. Par ext. Mouvement de l'âme/du cœur :** affection, amour, compassion, comportement, conduite, effusion, élan, émoi, émotion, enthousiasme, envolée, impulsion, passion, réaction, réflexe, sentiment, tendance, transport.

MOUVOIR I. Quelque chose : actionner, agiter, animer, bouger, déclencher, déplacer, ébranler, faire agir/aller/marcher, manœuvrer, mettre en activité/action/branle/mouvement/ œuvre, pousser, propulser, secouer. **II. Quelqu'un :** émouvoir, exciter, inciter, porter, pousser.

MOUVOIR (SE) Aller, aller et venir, avancer, bouger, circuler, couler, courir, déambuler, se déplacer, fonctionner, jouer, glisser, marcher, se promener, se remuer, rouler, se traîner.

MOYEN n. **I. Au pr. :** biais, chemin, combinaison, demi-mesure, détour, expédient, façon, filon, fin, formule, instrument, intermédiaire, issue, joint, machine (vx), manière, marche à suivre, mesure, méthode, opération, ouverture, palliatif, plan, procédé, procédure, système, tactique, truc, voie. **II. Fig. :** béquille, marchepied, matériau, organe, outil, porte, tremplin, viatique. **III. Au pl. :** capacité, disposition, don, expédient, facilité, faculté, force, intelligence, mémoire, occasion, possibilité, pouvoir, prétexte, recette, ruse, stratagème, vivacité d'esprit. **IV. Loc. 1. Au moyen de :** à l'aide de, avec, grâce à, moyennant, par. **2. Par le moyen de :** canal, entremise, intermédiaire, instrument, truchement.

MOYEN, ENNE adj. **I. Au pr.** → *mitoyen.* **II. Par ext. 1.** Banal, commun, courant, faible, intermédiaire, juste, médiocre, modéré, modeste, modique, ordinaire, passable, quelconque, terne. **2.** Acceptable, correct, honnête, honorable, passable, tolérable.

MUCOSITÉ Glaire, humeur, morve, mouchure, mucus, pituité, sécrétion, suc, suint.

MUER → *transformer.*

MUET, MUETTE I. → *silencieux.* **II.** → *interdit.*

MUFLE I. → *museau.* **II.** → *impoli.*

MUGIR I. Au pr. : beugler, meugler. **II. Fig.** → *crier.*

MUID → *tonneau.*

MULÂTRE → *métis.*

MULE I. → *chausson.* **II.** → *métis.*

MULET → *métis.*

MULTIPLE I. → *varié.* **II.** → *nombreux.*

MULTIPLICITÉ → *multitude.*

MULTIPLIER Accroître, agrandir, amplifier, augmenter, centupler, cuber, décupler, doubler, entasser, exagérer, grossir, hausser, majorer, nonupler, octupler, propager, quadrupler, quintupler, répéter, reproduire, semer, septupler, sextupler, tripler, vingtupler.

MULTIPLIER (SE) Croître, engendrer, essaimer, foisonner, fourmiller, peupler, procréer, proliférer, se propager, provigner, pulluler, se reproduire.

MULTITUDE Abondance, affluence, afflux, amas, armée, avalanche, averse, cohue, concours, débordement, déluge, diversité, encombrement, essaim, fleuve, flopée, flot, foison, forêt, foule, foultitude (fam.), fourmilière, fourmillement, infinité, inondation, kyrielle, légion, mascaret, masse, mer, monde, multiplicité, nombre, nuée, peuple, pluralité, populace, potée (fam.), presse, pullulement, quantité, rassemblement, régiment, ribambelle, tapée (fam.), tas, torrent, tourbe, tourbillon, tripotée (fam.), troupe, troupeau, vulgaire.

MUNI, E → *fourni.*

MUNIFICENCE → *générosité.*

MUNIR → *fournir.*

MUNIR (SE) S'armer, s'équiper, se pourvoir, se précautionner, se prémunir, prendre.

MUR I. Brise-vent, cloison, clos, clôture, façade, garde-fou, muret, murette, parapet, paroi. **II.** Courtine, enceinte, fortification, muraille, rempart. **III.** → *obstacle.*

MÛR, E Décidé, disposé, paré, prêt, propre à, susceptible de.

MURAILLE I. → *mur.* **II.** → *rempart.*

MURER → *fermer.*

MÛRIR I. V. intr. 1. Au pr. : aoûter, dorer, s'épanouir, grandir, venir à maturité. **2. Fig. :** cuire, se faire. **II. V. tr. :** approfondir, combiner, concerter, digérer, étudier, méditer, mijoter, peser, préméditer, préparer, réfléchir, repenser, supputer.

MURMURE I. → *bruit.* **II.** → *rumeur.* **III.** → *gémissement.*

MURMURER I. V. intr. : bougonner, bourdonner, broncher, fredonner, geindre, gémir, grognasser, grogner, grognonner, grommeler, gronder, marmonner, marmotter, maronner, maugréer, se plaindre, protester, ragonner (fam.), râler (fam.), rogner, rognonner (fam.), ronchonner. **II. V. tr. :** chuchoter, dire, marmonner, marmotter, susurrer.

MUSARD, E → *frivole, paresseux.*

MUSARDER → *flâner.*

MUSCLE → *force.*

MUSCLÉ, E I. Au pr. : athlétique, musculeux. **II. Par ext. :** barabué, bien bâti/charpenté/constitué/découplé/fait, costaud, fort, mâle, puissant, râblé, robuste, solide, trapu, vigoureux, viril.

MUSE → *poésie.*

MUSEAU I. Au pr. : bouche, boutoir, groin, mufle, tête, truffe. **II. Fig.** → *visage.*

MUSÉE Cabinet, collection, conservatoire, galerie, glyptothèque, muséum, pinacothèque, protomothèque, salon.

MUSELER → *taire (faire)*

MUSER → *flâner.*

MUSETTE I. → *cornemuse.* **II.** → *bal.* **III.** → *gibecière.*

MUSÉUM → *musée.*

MUSICAL, E → *harmonieux.*

MUSICIEN, ENNE I. Artiste, chanteur, choriste, chef d'orchestre, compositeur, coryphée, croque-note (vx et péj.), exécutant, instrumentiste, joueur, maestro, maître de chapelle, mélomane, musicastre (péj.), musico (fam.), soliste, virtuose. **II. Au pl. :** clique, fanfare, jazz-band, maîtrise, orchestre, philharmonique, quatuor, quintette, trio.

MUSIQUE I. → *harmonie.* **II.** → *orchestre.*

MUSOIR → *môle.*

MUSQUÉ, E → *précieux.*

MUTATION → *changement.*

MUTILER Altérer, amoindrir, amputer, briser, casser, châtrer, circoncire, couper, déformer, dégrader, éborgner, écharper, émasculer, essoriller, estropier, léser, massacrer, raccourcir, rendre infirme, tronquer. → *blesser.*

MUTIN n. **I.** → *révolte.* **II.** → *insurgé.*

MUTIN, E Adj. → *espiègle.*

MUTINER (SE) → *révolter (se)*

MUTINERIE **I.** → *émeute.* **II.** → *révolte.*

MUTISME → *silence.*

MUTUEL, ELLE Bilatéral, partagé, réciproque, synallagmatique.

MUTUELLE → *syndicat.*

MYRIADE → *quantité.*

MYRMIDON → *nain.*

MYSTÈRE **I. Au pr.** : Arcane, énigme, magie, obscurité, inconnu, voile. → *secret.* **II. Par ext. 1.** → *vérité.* **2.** → *prudence.*

MYSTÉRIEUX, EUSE **I.** → *secret.* **II.** → *obscur.*

MYSTICISME Communication, contemplation, dévotion, extase, illuminisme, mysticité, oraison, sainteté, spiritualité, union à Dieu, vision.

MYSTIFICATION → *tromperie.*

MYSTIFIER → *tromper.*

MYSTIQUE **I. Adj. 1.** → *secret.* **2.** → *symbolique.* **3.** → *religieux.* **II. Nom fém.** → *foi.*

MYTHE, MYTHOLOGIE → *légende.*

MYTHOMANE → *hâbleur.*

NABAB Aisé, argenteux (pop.), boyard (fam.), calé (vx), capitaliste, cossu (fam.), cousu d'or (fam.), crésus (fam.), florissant, fortuné, galetteux (fam.), gros (fam.), heureux, huppé (fam.), milliardaire, millionnaire, milord (fam.), multimillionnaire, nanti, opulent, parvenu, pécunieux, ploutocrate (péj.), possédant, pourvu, prospère, renté, rentier, richard (péj.), riche, richissime, rupin (fam.), satrape (péj.).

NABOT → *nain*.

NACELLE I. Barque, canot, embarcation, esquif, nef (vx) → *bateau*. **II.** Cabine, cockpit, habitacle.

NACRÉ, E Chromatisé, irisé, moiré, opalin.

NAGER I. Baigner, flotter, naviguer, surnager, voguer. **II.** → *ramer*. **III.** Loc. *Nager dans l'opulence :* avoir du foin dans ses bottes, en avoir plein les poches, être riche *et les syn. de* RICHE, ne pas se moucher du coude, remuer l'argent à la pelle.

NAGUÈRE I. → *jadis*. **II.** Il y a peu, récemment.

NAÏADE Déesse, dryade, hamadryade, hyade, napée, neek ou nixe (german.), néréide, nymphe, océanide, oréade.

NAÏF, NAÏVE I. Favorable ou neutre. 1. → *naturel*. **2** → *simple*. **3.** → *spontané*. **II. Non favorable :** bonhomme, crédule, dupe, gille, gobe-mouches, gobeur, godiche, gogo, innocent, jeune (fam.), jobard, niais, pigeon, poire, simplet. → *bête*.

NAIN, NAINE adj. et n. **I. Au pr. :** lilliputien, myrmidon, pygmée. **II.**

Non favorable : avorton, bout d'homme, freluquet, gnome, homoncule, magot, microbe, nabot, pot à tabac, ragot, ragotin, rasemottes, tom-pouce.

NAISSANCE I. Au pr. : nativité, venue au monde. **II. Par ext. :** accouchement, apparition, ascendance, avènement, commencement, début, éclosion, état, extraction, extrance (vx), filiation, génération, genèse, jour, maison, nom, origine, parage (vx), source.

NAÎTRE I. Au pr. : venir au monde, voir le jour. **II. Par ext. 1.** → *venir de*. **2.** → *commencer*. **3.** Apparaître, éclore, s'élever, se former, se lever, paraître, percer, poindre, sourdre, surgir, survenir. **III.** Loc. *Faire naître :* allumer, amener, apporter, attirer, causer, créer, déterminer, donner lieu, engendrer, entraîner, éveiller, exciter, faire, fomenter, inspirer, motiver, occasionner, produire, provoquer, susciter.

NAÏVETÉ I. Favorable ou neutre : abandon, bonhomie, candeur, droiture, franchise, ingénuité, innocence, naturel, simplesse, simplicité. **II. Non favorable :** crédulité, niaiserie. → *bêtise*.

NANTI, E I. → *fourni*. **II.** Aisé, à l'aise, cossu (fam.), florissant, fortuné, heureux, muni, opulent, parvenu, possédant, pourvu, prospère, renté. → *riche*.

NANTIR DE Armer, assortir, fournir, garnir, meubler, munir, pourvoir, procurer.

NANTISSEMENT Aval, caution, cautionnement, couverture, dépôt, gage, garantie, hypothèque, privilège, sûreté.

NARCISSISME → *égoïsme.*

NARCOSE Par ext. : assoupissement, coma, engourdissement, hypnose, léthargie, sommeil, somnolence, sopor (méd.).

NARCOTIQUE n. et adj. **I.** Assommant, assoupissant, dormitif, hypnotique, sédatif, somnifère, soporatif, soporeux, soporifère, soporifique. **II.** Adoucissant, analgésique, anesthésique, antalgique, antipyrétique, antispasmodique, apaisant, balsamique, calmant, consolant, lénifiant, lénitif, parégorique, rafraîchissant, relaxant, reposant, vulnéraire → *drogue.*

NARGUER Affronter, aller au-devant de, attaquer, braver, défier, faire face à, se heurter à, jeter le gant, lutter contre, menacer, se mesurer à, se moquer de, morguer, offenser, s'opposer à, pisser au bénitier (grossier), provoquer, relever le défi, rencontrer.

NARINE Museau, naseau, nez, orifice nasal, trou de nez (fam.).

NARQUOIS, E I. Au pr. → *taquin.* **II. Par ext. 1.** → *hâbleur.* **2.** Farceur, ficelle, fin, finaud, fine mouche, futé, malicieux, matois, renard, roublard, roué, rusé, sac à malices (fam.). → *malin.*

NARRATION I. Composition française, dissertation, rédaction. **II.** Anecdote, compte rendu, exposé, exposition, factum (jurid. ou péj.), histoire, historiette, historique, journal, mémorial, nouvelle, rapport, récit, relation, tableau.

NARRER Conter, décrire, dire, exposer, faire un récit, raconter, rapporter, relater, retracer.

NASEAU → *narine.*

NASILLER → *parler.*

NASSE → *piège.*

NATIF, NATIVE I. Issu de, né, originaire de, venu de. **II. Vx :** congénital, infus, inné, naturel, personnel. → *inhérent.*

NATION Cité, collectivité, communauté, entité, État, gent, patrie, pays, peuple, population, puissance, race, république, royaume, territoire.

NATIONALISER Collectiviser, étatifier, étatiser, réquisitionner.

NATIONALISME Chauvinisme (péj.), civisme, patriotisme.

NATIONALISTE Chauvin (péj.), cocardier (péj.), patriotard (péj.), patriote, patriotique.

NATIVITÉ → *naissance.*

NATTE → *tresse.*

NATURALISATION Acclimatation, acclimatement, adoption, taxidermie.

NATURALISME → *réalisme.*

NATURALISTE Empailleur, taxidermiste.

NATURE I. → *univers.* **II.** → *essence.* **III.** → *genre.* **IV.** → *vérité.* **V. Par ext. :** caractère, carcasse (fam.), cœur, complexion, diathèse, disposition, esprit, état, génie, humeur, idiosyncrasie, inclination, naturel, pâte (fam.), penchant, personnalité, santé, tempérament, trempe, vitalité.

NATUREL, ELLE I. Nom. 1. → *nature.* **2.** Aborigène, habitant, indigène. **3.** → *aisance.* **II. Adj. 1.** → *aisé.* **2.** → *inné.* **3.** → *brut.* **4.** Authentique, commun, cru, direct, naïf, natif, nature, normal, propre, simple, spontané.

NAUFRAGE → *perte, ruine.*

NAUSÉABOND, E I. Abject, cochon (fam.), dégueulasse (grossier), dégoûtant, écœurant, grossier, horrible, ignoble, immangeable, immonde, infect, innommable, insupportable, malpropre, merdique (grossier), nauséeux, peu ragoûtant, rebutant, repoussant, sale, sordide. **II.** Empesté, empuanti, fétide, méphitique, nidoreux, pestilentiel, puant, punais.

NAUSÉE I. Au pr. : envie de rendre/vomir, haut-le-cœur, mal de cœur/de mer, soulèvement d'estomac, vomissement. **II. Par ext.** → *dégoût.* **III. Fig.** → *éloignement.*

NAUSÉEUX, EUSE → *nauséabond.*

NAUTONIER I. Au pr. : barreur, capitaine (par ext.), homme de barre, lamaneur, locman, nocher, pilote, timonier. **II. Par ext. :** conducteur, directeur, guide, mentor, responsable.

NAVETTE I. Bac, ferry-boat, va-et-vient. **II.** Allée et venue, balancement, branle, course, navigation, voyage.

NAVIGATION Batellerie, bornage, cabotage, longcours, manœuvre, marine.

NAVIGUER Bourlinguer, caboter, cingler, croiser, évoluer, faire route, fendre les flots, filer, nager, sillonner, voguer, voyager.

NAVIRE → *bateau.*

NAVRER I. Affecter, affliger, agacer, angoisser, assombrir, attrister, chagriner, consterner, contrarier, contrister, décevoir, déchirer, dépiter, désappointer, désenchanter, désespérer, désoler, endeuiller, endolorir, ennuyer, fâcher, faire de la peine, faire souffrir, fendre le cœur, gêner (vx), inquiéter, mécontenter, mortifier, oppresser, peiner, percer le cœur, rembrunir, torturer, tourmenter, tracasser, tuer (fig.). **II. Vx** → *blesser.*

NÉ, E Apparu, avenu, créé, descendu de, éclos, enfanté, engendré, formé, incarné, issu de, natif de, originaire de, sorti de, venu de.

NÉANMOINS Avec tout cela, cependant, en regard de, en tout cas, mais, malgré cela, malgré tout, n'empêche que, nonobstant (vx), pourtant, toujours est-il, toutefois.

NÉANT I. Nom. 1. Au pr. : espace infini, vacuité, vide. **2. Fig. :** bouffissure, boursouflure, chimère, enflure, erreur, fatuité, fragilité, frivolité, fumée, futilité, infatuation, illusion, inanité, inconsistance, insignifiance, inutilité, mensonge, prétention, vanité, vapeur, vent, vide. **II. Adv.** → *rien.*

NÉBULEUX, EUSE I. Au pr. : assombri, brumeux, chargé, couvert, embrumé, épais, nuageux, voilé. **II. Fig. :** abscons, abstrus, amphigourique, cabalistique, caché, complexe, compliqué, confus, difficile, diffus, douteux, énigmatique, en jus de boudin (fam.), entortillé, enveloppé, équivoque, ésotérique, filandreux, flou, fumeux, hermétique, impénétrable, incompréhensible, inexplicable, inextricable, inintelligible, insaisissable, louche, mystérieux, nuageux, obscur, secret, sibyllin, touffu, trouble, vague, vaseux, voilé.

NÉCESSAIRE I. Nom → *trousse.* **II. Adj. :** essentiel, impératif, important, indispensable, logique, précieux, primordial, utile. → *inévitable.*

NÉCESSITÉ I. Destin, déterminisme, fatalité, logique. **II.** → *besoin.* **III.** → *pauvreté.* **IV.** → *gêne.* **V.** → *devoir.* **VI.** → *obligation.*

NÉCESSITER I. Appeler, mériter, requérir. → *réclamer.* **II.** → *occasionner.* **III.** → *obliger.*

NÉCESSITEUX, EUSE Appauvri, besogneux, clochard, crève-la-faim (fam.), démuni, économiquement faible, famélique, fauché, gêné, gueux (péj.), humble, impécunieux, indigent, loqueteux, malheureux, marmiteux (fam.), mendiant, mendigot (fam.), meurt-de-faim, misérable, miséreux, nu, panné (fam.), paumé (fam.), pauvre, pouilleux (péj.), prolétaire, purée (fam.), purotin (fam.), va-nu-pieds.

NÉCROMANCIEN, ENNE I. → *devin.* **II.** → *magicien.*

NÉCROPOLE Catacombe, champ des morts/du repos, charnier, cimetière, colombarium, crypte, ossuaire.

NECTAR → *boisson.*

NEF → *nacelle.*

NÉFASTE Déplorable, dommageable, fâcheux, fatal, funeste, malheureux, mauvais, mortel.

NÉGATION I. Négative. **II. Par ext. :** annulation, condamnation, contradiction, contraire, nihilisme, refus.

NÉGLIGÉ, E I. Adj. 1. → *abandonné.* **2.** Débraillé, dépenaillé, lâché, peu soigné/soigneux, relâché. **II. Nom :** déshabillé, petite tenue, salopette, tenue d'intérieur.

NÉGLIGENCE I. → *abandon.* **II.** → *inattention.* **III.** → *paresse.*

NÉGLIGENT, E Insouciant, oublieux. → *paresseux.*

NÉGLIGER I. → *abandonner.* **II.** → *omettre.*

NÉGOCE → *commerce.*

NÉGOCIANT → *commerçant.*

NÉGOCIATEUR Agent, ambassadeur, arbitre, chargé d'affaires/de mission, conciliateur, délégué, député, diplomate, entremetteur, intermédiaire, manœuvrier, ministre plénipotentiaire, monsieur « bons offices » (fam.), parlementaire.

NÉGOCIATION I. Neutre : conversation, échange de vues, pourparler, tractation, transaction. **II. Non favorable :** marchandage.

NÉGOCIER I. → *traiter.* **II.** → *transmettre.* **III.** → *vendre.*

NÈGRE I. Au pr. : africain, créole, homme de couleur, mélanoderme, noir. **II. Fig.** → *associé.*

NEMROD → *chasseur.*

NÉOPHYTE → *novice.*

NÉPOTISME → *favoritisme.*

NERF I. Au pr. → *tendon.* **II. Par ext.** → *force.*

NERVEUX, EUSE I. Neutre ou non favorable : agité, brusque, émotif, énervé, excité, fébrile, hystérique, impatient, inquiet, irritable, névrosé. **II. Favorable** → *vif.*

NERVOSITÉ I. → *agitation.* **II.** Agacement, énervement, éréthisme, exaspération, fébrilité, surexcitation. **III. Par ext. :** hystérie, nervosisme, névrose, névrosisme.

NET, NETTE I. → *pur.* **II.** → *clair.* **III.** → *visible.* **IV.** → *vide.*

NETTOIEMENT, NETTOYAGE Assainissement, balayage, blanchiment, blanchissage, brossage, débarbouillage, décantation, décapage, décrassage, dégraissage, dérochage, époussetage, épurement, filtrage, fourbissage, lavage, lessivage, purification, ravalement, récurage, sablage, savonnage.

NETTOYER I. Approprier, assainir, astiquer, balayer, battre, bichonner (fam.), blanchir, bouchonner, briquer (fam.), brosser, cirer, curer, débarbouiller, décaper, décrasser, décrotter, dégraisser, dérocher, dérouiller, déterger, draguer, écurer, enlever la saleté, éplucher, épousseter, essuyer, étriller, faire la toilette, filtrer, fourbir, frotter, gratter, housser, laver, lessiver, monder, polir, purifier, purger, rapproprier, racler, ravaler, récurer, rincer, sabler, savonner, toiletter, torcher, torchonner, vanner, vidanger. **II.** → *débarrasser*.

NETTOYER (SE) S'ajuster, se coiffer, faire sa toilette/sa plume (fam.), procéder à ses ablutions *et les formes pronom. possibles des syn. de* NETTOYER.

NEUF, NEUVE I. → *nouveau*. **II.** → *novice*. **III.** → *original*.

NEURASTHÉNIE → *mélancolie*.

NEUTRALISER → *étouffer*.

NEUTRE → *indifférent*.

NEVEU Au pl. → *postérité*.

NÉVROSE, NÉVROSISME → *nervosité*.

NEZ I. Au pr. 1. Arg. : appendice, blair (fam.), blase (fam.), organe, reniflant, renifloir, pif (fam.), piton, tarin (fam.), trompe (fam.). **2. Du chien :** museau, truffe. **II. Par ext. 1.** → *visage*. **2.** → *odorat*. **3.** → *pénétration*. **III. Loc. 1. Montrer le nez** → *montrer (se)*. **2. Mettre le nez dehors** → *sortir*. **3. Fourrer/ mettre son nez** → *intervenir*. **4. Mener par le bout du nez** → *gouverner*.

NIAIS, E → *bête*.

NIAISERIE I. De quelqu'un. 1. → *bêtise*. **2.** → *simplicité*. **II. Une chose** → *bagatelle*.

NICHE Attrape, espièglerie, facétie, farce, malice, plaisanterie, tour. → *blague*.

NID I. Au pr. : aire, couvoir. **II. Fig.** → *maison*.

NIER I. Au pr. : contester, contredire, démonter, dénier, se défendre de, désavouer, disconvenir, s'inscrire en faux, mettre en doute. **II. Par ext.** → *refuser*.

NIGAUD, E adj. et n. → *bête*.

NIHILISME → *scepticisme*.

NIHILISTE adj. et n. → *révolutionnaire*.

NIMBE Aura, auréole, cercle, cerne, couronne, diadème, gloire, halo.

NIPPE → *vêtement*.

NIPPER → *vêtir*.

NIQUE (FAIRE LA) → *railler*.

NIRVÂNA → *paradis*.

NITOUCHE (SAINTE) → *patelin*.

NIVEAU I. Au pr. : cote, degré, étage, hauteur, palier, plan. **II. Fig. :** échelle, standing, train de vie.

NIVELER Aplanir, araser, combler, égaliser, unifier, uniformiser.

NOBLE n. et adj. **I.** Aristo (pop.), aristocrate, boyard, cavalier, chevalier, ci-devant (vx), écuyer, gentilhomme, gentillâtre (péj.), grand, hidalgo (esp.), hobereau (péj.), homme bien né/de condition/d'épée/de qualité/ titré, noblaillon (péj.), nobliau (péj.), patricien, seigneur. **II. Par ext. 1.** → *élevé*. **2.** → *généreux*. **3.** → *beau*.

NOBLESSE I. Au pr. : aristocratie, gentry, lignage, lignée, naissance, noblaillerie (péj.), qualité, sang bleu. **II. Par ext. 1.** → *élévation*. **2.** → *générosité*.

NOCE I. → *mariage*. **II.** → *festin*. **III.** → *débauche*.

NOCEUR → *débauché*.

NOCHER → *pilote*.

NOCIF, IVE → *mauvais*.

NŒUD I. Au pr. → *attache*. **II. Par ext. 1.** → *péripétie*. **2.** → *centre*. **3.** → *articulation*.

NOIR, E I. Nom → *nègre*. **II. Adj. 1.** → *obscur*. **2.** → *triste*. **3.** → *méchant*.

NOIRÂTRE Enfumé, hâlé, noiraud. → *basané* et *boucané*.

NOIRCEUR I. Au pr. → *obscurité*. **II. Fig.** → *méchanceté*.

NOIRCIR I. V. tr. → *dénigrer*. **II. V. intr.** → *élancer (s')*.

NOISE → *discussion*.

NOISETIER Coudre, coudrier.

NOLISER → *fréter*.

NOM I. Appellation, dénomination, désignation, label, marque, mot, patronyme, prénom, pseudonyme, sobriquet, surnom, terme, titre, vocable. **II. Gram. :** substantif. **III. Par ext.** → *réputation*.

NOMADE n. et adj. Ambulant, changeant, errant, forain, instable, mobile, vagabond. → *bohémien*.

NOMBRE I. Au pr. : chiffre, numéro, quantième. **II. Par ext. 1.** → *quantité*. **2.** → *harmonie*.

NOMBRER I. → *évaluer*. **II.** → *dénombrer*.

NOMBREUX, EUSE I. Fort, innombrable, multiple. → *abondant*. **II.** → *harmonieux*.

NOMBRIL Ombilic.

NOMENCLATURE → *liste*.

NOMINATION Affectation, choix, désignation, élévation, installation, mouvement, promotion, régularisation, titularisation.

NOMMER I. → *appeler*. **II.** → *affecter*. **III.** → *indiquer*. **IV.** → *choisir*.

NON-ACTIVITÉ Congé, disponibilité, inactivité, réserve, retraite.

NONCE Légat, prélat, vicaire apostolique. → *ambassadeur.*

NONCHALANCE, NONCHALOIR I. → *mollesse.* **II.** → *paresse.* **III.** → *indifférence.*

NONNE, NONNAIN Béguine, carmélite, congréganiste, dame, fille, mère, moniale, nonnette, novice, religieuse, sœur.

NONOBSTANT (vx) Au mépris de, contre, en dépit de, malgré, n'en déplaise à. → *cependant.*

NON-SENS Absurdité, contradiction, contresens, erreur, faute, galimatias. → *bêtise.*

NON-VALEUR Incapable, inconsistant, inexistant, lamentable, minable (fam.), nul, nullité, pauvre type, sans mérite, sans valeur, zéro.

NORD I. Arctique, borée, septentrion. **II.** Loc. **Perdre le nord. 1.** → *affoler (s').* **2.** → *tromper (se).*

NORDIQUE Arctique, boréal, hyperboréen, nordiste, septentrional.

NORMAL, E Aisé, arrêté, calculé, décidé, déterminé, exact, fixé, inné, mesuré, méthodique, naturel, ordonné, organisé, ponctuel, raisonnable, rationnel, rangé, régulier, systématique.

NORMALISATION Alignement, automatisation, codification, division du travail, formulation, rationalisation, spécialisation, stakhanovisme, standardisation, taylorisation, taylorisme.

NORMALISER Aligner, automatiser, codifier, conformer à, mesurer, mettre aux normes *et les syn. de* NORME, modeler, réglementer, tracer. → *fixer.*

NORME Arrêté, canon, charte, code, cote, convention, coutume, formule, ligne, loi, mesure, ordre, précepte, prescription, protocole, règle, règlement. → *principe.*

NOSTALGIE Ennui, mal du pays, spleen. → *regret.*

NOTABILITÉ I. Au pr. : figure, grand, monsieur, notable, personnage, personnalité, puissant, quelqu'un, sommité, vedette. **II. Fam. :** baron, bonze, gros, gros bonnet, grosse légume, huile, huile lourde, important, légume, lumière, magnat (péj.), mandarin, manitou, pontife, satrape (péj.).

NOTABLE I. Adj. : brillant, considérable, distingué, éclatant, émérite, épatant (fam.), étonnant, extraordinaire, formidable, frappant, glorieux, important, insigne, marquant, marqué, mémorable, parfait, particulier, rare, remarquable, saillant, saisissant, signalé, supérieur. **II. Nom** → *notabilité.*

NOTAIRE Officier ministériel, tabellion.

NOTATION → *pensée.*

NOTE I. A titre privé. 1. → *addition.* **2.** Analyse, annotation, aperçu, apostille, appréciation, avertissement, commentaire, compte rendu, critique, esquisse, explication, exposé, glose, introduction, mémento, mémorandum, observation, pièces, post-scriptum, préface, rapport, récit, réflexion, relation, remarque, renvoi, scolie, topo. **II. A titre public ou officiel :** annonce, avertissement, avis, communication, communiqué, déclaration, indication, information, lettre, message, notification, nouvelle, ordre, proclamation, publication, renseignement.

NOTER I. Au pr. : consigner, copier, écrire, enregistrer, inscrire, marginer, marquer, relever. **II. Par ext. 1.** Apprécier, classer, coter, distribuer/donner une note, jauger, juger, voir. **2.** → *observer.*

NOTICE I. → *abrégé.* **II.** → *préface.*

NOTIFIER Annoncer, aviser, communiquer, déclarer, dénoncer, faire connaître/part de/savoir, informer, intimer, mander, ordonner, rendre compte, signifier, transmettre.

NOTION I. Au sing. 1. → *idée.* **2.** → *abstraction.* **II. Au pl. 1.** Clartés, compétence, connaissances, éléments, rudiments, teinture, vernis. **2.** → *traité.*

NOTOIRE → *manifeste.*

NOTORIÉTÉ → *réputation.*

NOUÉ, E → *ratatiné.*

NOUER I. → *attacher.* **II.** → *préparer.*

NOURRAIN → *fretin.*

NOURRI, E Fig. → *riche.*

NOURRICE Berceuse, bonne d'enfant, nounou, nurse.

NOURRICIER, ÈRE → *nourrissant.*

NOURRIR I. Au pr. 1. Quelqu'un : alimenter, allaiter, donner à manger, élever, entretenir, faire manger, gaver (fam.), gorger (fam.), rassasier, ravitailler, régaler (fam.), restaurer, soutenir, sustenter. **2. Un animal :** alimenter, élever, embecquer, engaver, engraisser, entretenir, faire paître, paître, repaître. **II. Fig. 1.** Alimenter, couver, entretenir, exciter, fomenter. **2.** → *instruire.*

NOURRIR (SE) → *manger.*

NOURRISSANT, E Généreux, nourricier, nutritif, riche, roboratif, solide, substantiel.

NOURRISSON → *bébé.*

NOURRITURE I. Des hommes : aliment, allaitement, becquée (fam.), bouffe (vulg.), boustifaille (fam.), chère, croûte (fam.), cuisine, fripe (arg.), mangeaille (fam.), manger (pop.), manne, mets, pain, pitance, provende (fam.), ration, repas, soupe (pop.), subsistance, substance, tambouille (péj. et fam.), vie, vivre.

II. Des animaux : aliment, bacade, becquée, curée (vén.), pâtée, pâture, ration.

NOUVEAU, ELLE I. Au pr. : à la page/mode, dans le vent, dernier, dernier cri, différent, frais, in (fam.), inaccoutumé, inconnu, inédit, inhabituel, inouï, insolite, inusité, jeune, moderne, neuf, original, récent, ultra moderne, up to date, vert. **II. Par ext. 1.** → *second.* **2.** → *novice.* **III. Loc. 1. De nouveau :** derechef, encore. **2. Homme nouveau** → *parvenu.*

NOUVEAUTÉ Actualité, changement, curiosité, fraîcheur, innovation, jeunesse, mode, originalité, primeur.

NOUVELLE I. Anecdote, annonce, bobard (péj.), bruit, canard (péj.), canular (péj.), écho, fable, information, rubrique, rumeur, tuyau (fam.), vent. **II.** → *roman.*

NOUVELLEMENT Depuis peu, récemment.

NOUVELLISTE → *journaliste.*

NOVATEUR, TRICE n. et adj. → *innovateur.*

NOVICE I. Adj. : candide (par ext.), commençant, débutant, inexpérimenté, jeune, neuf, nouveau. **II. Nom :** apprenti, béjaune (péj.), bizut (arg. scol.), blanc-bec (péj.), bleu, bleusaille, conscrit, débutant, écolier, jeune, néophyte.

NOYAU I. → *centre.* **II.** → *origine.* **III.** → *groupe.*

NOYER I. Quelqu'un → *tuer.* **II. Quelque chose** → *inonder.*

NOYER (SE) I. Au pr. : s'asphyxier par immersion, boire à la grande tasse (pop.), couler, disparaître, s'enfoncer, s'étouffer, périr. **II. Fig.** → *perdre (se).*

NU, E I. Au pr. : à poil (fam.), découvert, dénudé, déplumé (fam.), dépouillé (fam.), déshabillé, dévêtu, dévoilé, en costume d'Adam (fam.), en petit Saint-Jean (fam.), impudique (péj.), *in naturalibus,* le cul/le derrière/les fesses à l'air/au vent, tout nu, sans voiles. **II. Par ext. 1.** Abandonné, dégarni, désert, vide. **2.** Blanc, net, pur. **3.** → *pauvre.* **III. Loc. A nu :** à découvert, tel quel, tel qu'il/elle est. **IV. Nom :** académie, beauté, modèle, nudité, plastique, peinture, sculpture, sujet, tableau.

NUAGE I. Au pr. : brume, brouillard, cirrus, cumulus, nébulosité, nimbus, nue, nuée, stratus, vapeurs,

voile. **II. Par ext. 1.** → *obscurité.* **2.** → *mésintelligence.* **3.** → *ennui.*

NUAGEUX, EUSE → *obscur.*

NUANCE I. Au pr. → *couleur.* **II. Fig.** → *différence.*

NUANCÉ, E → *varié.*

NUANCER I. Au pr. : assortir, bigarrer, dégrader des couleurs, graduer, moduler, nuer (vx). **II. Par ext. :** atténuer, mesurer, modérer, pondérer.

NUBILE Adolescent, fait, forme, mariable, pubère.

NUBILITÉ → *puberté.*

NUDISME Naturisme.

NUDITÉ → *nu.*

NUE, NUÉE → *nuage.*

NUIRE I. A quelqu'un : attenter à, blesser, calomnier, compromettre, contrarier, déconsidérer, défavoriser, désavantager, désobliger, desservir, discréditer, faire du mal/tort, gêner, léser, médire, parler à tort et à travers/contre, porter atteinte/préjudice/tort, préjudicier, violer les droits. **II. A quelque chose :** déparer, endommager, faire mauvais effet, jurer, ruiner.

NUISIBLE Contraire, dangereux, défavorable, désavantageux, dommageable, ennemi, funeste, hostile, insalubre, maléfique, malfaisant, malsain, mauvais, néfaste, nocif, pernicieux, préjudiciable. → *mauvais.*

NUIT → *obscurité.*

NUL, NULLE I. Adj. indéf. : aucun, néant, négatif, personne, rien, zéro. **II. Adj. qual. 1. Quelque chose :** aboli, annulé, caduc, infime, inexistant, invalidé, lettre morte, non avenu, périmé, prescrit, sans effet/valeur, suranné, tombé en désuétude. **2. Quelqu'un :** incapable, inconsistant, inexistant, lamentable, minable (fam.), non-valeur, nullité, pauvre type, sans mérite/valeur, zéro. → *ignorant.*

NULLITÉ → *nul.*

NUMÉRAIRE → *argent.*

NUMÉROTER Chiffrer, coter, folioter, paginer.

NUPTIAL, E Conjugal, hyménéal, matrimonial.

NURSE I. → *gouvernante.* **II.** → *nourrice.*

NUTRITIF, IVE → *nourrissant.*

NYMPHE I. Au pr. : déesse, dryade, hamadryade, hyade, naïade, napée, neek ou nixe (german.), néréide, océanide, oréade. **II. Par ext.** → *fille.* **III.** Chrysalide.

OBÉDIENCE → *obéissance*.

OBÉIR I. Neutre : accepter, admettre, céder, se conformer à, courber la tête/le dos/l'échine (péj.), écouter, être obéissant, fléchir, s'incliner, s'inféoder, observer, obtempérer, plier, se ranger à, rompre, se soumettre, suivre. **II. Non favorable** → *subir*.

OBÉISSANCE Allégeance, assujettissement, dépendance, discipline, docilité, esprit de subordination, fidélité, joug, obédience, observance (relig.), servilité, soumission, subordination, sujétion.

OBÉISSANT, E Assujetti, attaché, discipliné, docile, doux, fidèle, flexible, gouvernable, malléable, maniable, sage, soumis, souple.

OBÉRER Charger, endetter, grever.

OBÉSITÉ → *grosseur*

OBJECTER V. tr. et intr. **I.** → *répondre*. **II.** → *prétexter*.

OBJECTIF I. Nom → *but*. **II. Adj. 1.** → *réel*. **2.** → *vrai*.

OBJECTION Antithèse, contestation, contradiction, contrepartie, contrepied, critique, difficulté, discussion, obstacle, opposition, protestation, réfutation, remarque, réplique, réponse, représentation, reproche.

OBJET I. Au pr. (matériel) : chose, corps, outil, ustensile. → *bibelot*. **II.** Cause, concept, sujet, thème. **III.** → *but*.

OBJURGATION → *reproche*.

OBLATION → *offrande*.

OBLIGATION I. Neutre : charge, dette, engagement, lien, nécessité. → *devoir*. **II. Favorable** → *gratitude*.

III. Non favorable : assujettissement, astreinte, condamnation, contrainte, enchaînement, exigence, force, violence.

OBLIGATOIRE De commande, forcé, indispensable, inévitable, nécessaire, obligé, ordonné.

OBLIGÉ, E I. Neutre : dû, engagé, immanquable, lié, nécessaire, obligatoire, tenu. **II. Favorable (de quelqu'un) :** débiteur, redevable. **III. Non favorable :** assujetti, astreint, condamné, contraint, enchaîné, forcé, requis, violenté.

OBLIGEANT, E → *serviable*.

OBLIGEANCE → *amabilité*.

OBLIGER I. Neutre : engager, lier. **II. Favorable** → *aider*. **III. Non favorable :** assujettir, astreindre, atteler, condamner, contraindre, enchaîner, exiger, forcer, forcer la main, imposer, réduire à, violenter.

OBLIQUE → *indirect*.

OBLIQUEMENT De biais, en crabe, en diagonale/écharpe/travers.

OBLIQUER → *détourner (se)*.

OBLIQUITÉ Déclinaison, inclinaison, infléchissement, pente.

OBLITÉRER → *effacer*.

OBLONG, UE → *long*.

OBNUBILÉ, E → *obsédé*.

OBNUBILER → *obscurcir*.

OBOLE → *secours*.

OBOMBRER I. → *obscurcir*. **II.** → *ombrager*.

OBREPTICE Dissimulé, furtif, inventé, mensonger, omis, subreptice.

OBSCÈNE Blessant, cochon (fam.), croustillant, croustilleux, cru, cynique, dégoûtant, dégueulasse (vulg.), déshonnête, épicé, frelaté, gaulois, gras, graveleux, grivois, grossier, immonde, immoral, impudique, impur, inconvenant, indécent, lascif, libre, licencieux, lubrique, malpropre, offensant, ollé-ollé, ordurier, osé, pimenté, poivré, polisson, pornographique, provocant, salace, sale, salé, scabreux, scandaleux, scatologique, trivial.

OBSCÉNITÉ Cochonnerie (fam.), cynisme, gravelure, grivoiserie, grossièreté, immoralité, impudicité, impureté, inconvenance, indécence, licence, malpropreté, polissonnerie, pornographie.

OBSCUR, E I. Au pr. : assombri, crépusculaire, foncé, nocturne, noir, obscurci, occulté, ombreux, opaque, profond, sombre, ténébreux, terni. **II. Fig. 1.** Abscons, abstrus, amphigourique, apocalyptique, brumeux, cabalistique, caché, complexe, compliqué, confus, difficile, diffus, douteux, emberlificoté (fam.), embrouillé, enchevêtré, énigmatique, en jus de boudin, entortillé, enveloppé, équivoque, ésotérique, filandreux, flou, fumeux, hermétique, impénétrable, incompréhensible, inexplicable, inextricable, inintelligible, insaisissable, louche, mystérieux, nébuleux, nuageux, secret, sibyllin, touffu, trouble, vague, vaseux, voilé. **2.** → *inconnu.* **3.** *Le temps :* assombri, brumeux, chargé, couvert, embrumé, épais, nébuleux, nuageux, voilé.

OBSCURATION → *obscurcissement.*

OBSCURCIR I. Au pr. : abaisser/baisser/diminuer la lumière, assombrir, cacher, couvrir, éclipser, enténébrer, foncer, noircir, obombrer, obnubiler (vx), occulter, offusquer (vx), opacifier, ternir, voiler. **II. Fig. :** attrister, éclipser, effacer, enterrer, faire disparaître/pâlir, troubler.

OBSCURCISSEMENT Assombrissement, aveuglement, noircissement, obscuration, occultation, offuscation.

OBSCURITÉ I. Au pr. : noirceur, nuit, ombre, opacité, ténèbres. **II. Fig. 1.** Confusion. → *mystère.* **2.** → *bassesse.*

OBSÉCRATION → *prière.*

OBSÉDÉ, E Assiégé, braqué, charmé (vx), envoûté, hanté, harcelé, maniaque, obnubilé, persécuté, polarisé, tourmenté, *et les mots formés avec le suffixe -mane, ex. : opiomane.*

OBSÉDER I. → *assiéger.* **II.** → *tourmenter.*

OBSÈQUES → *enterrement.*

OBSÉQUIEUX, EUSE → *servile.*

OBSERVATION I. Analyse, étude, examen, introspection, scrutation. → *expérience.* **II.** Observance (relig.). → *obéissance.* **III.** → *remarque.* **IV.** → *reproche.* **V. Au pl.** → *pensées.*

OBSERVER I. Accomplir, s'acquitter de, se conformer à, être fidèle à, exécuter, faire, garder, pratiquer, remplir, rendre, respecter, satisfaire à, suivre, tenir. **II.** Dévisager, épier, étudier, examiner, fixer, suivre du regard, surveiller. → *regarder.*

OBSESSION Assujettissement, cauchemar, complexe, crainte, hallucination, hantise, idée fixe, manie, monomanie, phobie, préoccupation, psychose, scrupule, souci, tentation, vision.

OBSOLÈTE → *désuet.*

OBSTACLE I. Au pr. : barrage, barricade, barrière, cloison, défense, digue, écluse, écran, mur, rideau, séparation. **II. Fig. :** achoppement, accord, adversité, anicroche, aria, blocage, contrariété, contretemps, défense, difficulté, écueil, embarras, empêchement, encombre, ennui, entrave, frein, gêne, hourvari (vx), impasse, impedimenta, interdiction, obstruction, opposition, pierre d'achoppement, rémora (vx), résistance, restriction, traverse, tribulations.

OBSTINATION Acharnement, aheurtement (vx), assiduité, constance, entêtement, exclusive, fermeté, insistance, opiniâtreté, parti pris, persévérance, persistance, préjugé, résolution, ténacité.

OBSTINÉ, E → *têtu.*

OBSTINER (S') → *continuer.*

OBSTRUCTION → *résistance.*

OBSTRUER Barrer, bloquer, embarrasser, embouteiller, encombrer, encrasser, engorger, fermer, opiler (méd.) → *boucher.*

OBTEMPÉRER → *obéir.*

OBTENIR I. Au pr. : accrocher (fam.), acheter, acquérir, arracher, attraper, avoir, capter, conquérir, décrocher (fam.), emporter, enlever, extorquer (péj.), faire, gagner, impétrer (jurid.), forcer, prendre, se procurer, recevoir, recueillir, remporter, soutirer (péj.). **II. Par ext.** → *produire.*

OBTURER → *boucher.*

OBTUS, E I. Au pr. → *émoussé.* **II. Par ext.** → *inintelligent.*

OBVIER → *parer.*

OCCASION I. Cas, chance, circonstance, coïncidence, conjoncture, événement, éventualité, facilité, hasard, incidence, moment, occurrence, opportunité, possibilité, rencontre, temps. **II.** → *lieu.* **III.** Affaire, article usagé/sacrifié, aubaine, rossignol (péj.), seconde main, solde.

OCCASIONNER Amener, appeler, apporter, attirer, causer, créer, déchaîner, déclencher, déterminer, donner/ fournir lieu/occasion, engendrer, entraîner, être la cause de, faire, motiver, nécessiter, porter, prêter à, procurer, produire, provoquer, susciter, traîner.

OCCIDENT Couchant, ouest, ponant (vx).

OCCLUSION I. → *fermeture*. **II. Méd.** → *opilation*.

OCCULTE → *secret*.

OCCULTER → *cacher*.

OCCULTISME Cartomancie, chiromancie, divination, ésotérisme, gnose, grand art, hermétisme, illumination, illuminisme, kabbale, magie, messe noire, nécromancie, psychagogie, psychomancie, radiesthésie, sciences occultes, sorcellerie, spiritisme, télépathie, théosophie, théurgie.

OCCUPATION Activité, affaire, apaisement, assujettissement, besogne, carrière, charge, emploi, engagement, fonction, loisirs, métier, mission, ouvrage, passe-temps, profession, service, travail.

OCCUPÉ, E Absorbé, accablé, accaparé, actif, affairé, assujetti, chargé, écrasé, employé, engagé, pris, tenu.

OCCUPER I. Au pr. 1. → *prendre*. **2.** → *tenir*. **3.** → *demeurer*. **II. Fig. :** absorber, accabler, accaparer, atteler à, captiver, condamner, employer, envahir, obliger, prendre.

OCCUPER (S') S'absorber, s'acharner, s'adonner, agir, s'appliquer, s'attacher, s'atteler, se consacrer, s'employer, s'entremettre, s'escrimer, étudier, faire, se mêler de, se mettre à/ dans, travailler, vaquer, veiller.

OCCURRENCE → *cas*.

OCÉAN → *mer*.

OCELLÉ, E → *marqueté*.

OCTROYER → *accorder*.

OCULISTE Ophtalmologiste, ophtalmologue, spécialiste de la vue/des yeux.

ODEUR I. Neutre ou favorable : arôme, bouquet, effluence, effluve, émanation, empyreume, exhalaison, fragrance, fumet, haleine, parfum, senteur, trace (vén.), vent (vén.). **II. Non favorable :** relent, remugle. → *puanteur*.

ODIEUX, EUSE → *haïssable*.

ODORANT, E Aromatique, capiteux, effluent, embaumé, fleurant, fragrant, odoriférant, odorifère, odorifique, parfumé, suave, suffocant (péj.).

ODORAT Flair, front subtil (vén.), nez, odoration, olfaction.

ODORER → *sentir*.

ODORIFÉRANT, E → *odorant*.

ODYSSÉE → *voyage*.

ŒIL I. Au pr. (arg.) : billes, châsses, globe oculaire, globules, mirettes, quinquets. **II. Par ext. 1.** Prunelle, pupille, vision, vue. → *regard*. **2.** → *ouverture*. **3.** Bourgeon, bouton, excroissance, marcotte, nœud, pousse. **III. Loc. 1. A l'œil** : gratis, gratuitement, pour rien. **2. Avoir à l'œil** → *surveiller*.

ŒILLADE → *regard*.

ŒILLÈRE Fig. : → *préjugé*.

ŒUF I. Au pr. : 1. Germe, lente, oosphère, ovocyte, ovotide, ovule. **2.** Coque, coquille. **II. Fig.** → *origine*.

ŒUVRE I. → *action*. **II.** → *ouvrage*. **III.** → *travail*.

ŒUVRER → *travailler*.

OFFENSANT, E Amer, blessant, désagréable, dur, impertinent, infamant, injurieux, insultant, outrageant, outrageux, sanglant, vexant.

OFFENSE Affront, atteinte, avanie, blessure, camouflet, couleuvre (fam.), coup, démenti, impertinence, indignité, infamie, injure, insolence, insulte, outrage.

OFFENSER Atteindre dans sa dignité/ son honneur, blesser, choquer, être inconvenant/incorrect envers, faire affront/offense, froisser, humilier, injurier, insulter, manquer à, offusquer, outrager, piquer au vif, vexer.

OFFENSER (S') Se blesser, se choquer, se draper dans sa dignité, se fâcher, se formaliser, se froisser, se gendarmer, se hérisser, se piquer, se scandaliser, se vexer.

OFFENSIVE → *attaque*.

OFFICE I. → *emploi*. **II.** → *devoir*. **III.** → *organisme*. **IV.** → *service*. **V. Nom** → *cuisine*. **VI. Loc. Bons offices** → *service*.

OFFICIEL, ELLE Administratif, admis, authentique, autorisé, connu, consacré, de notoriété publique, force de loi, notoire, officieux, public, réel, solennel.

OFFICIEUX, EUSE I. → *serviable*. **II.** → *officiel*.

OFFRANDE Aumône, cadeau, charité, denier, don, donation, holocauste, hommage, oblation, participation, présent, quote-part, sacrifice.

OFFRE Avance, démarche, enchère, ouverture, pollicitation (jurid.), promesse, proposition, soumission, surenchère.

OFFRIR Avancer, dédier, donner, faire une offre/ouverture/proposition, présenter, proposer, soumettre, soumissionner. → *montrer*.

OFFRIR (S') I. Se donner satisfaction, se payer. **II.** S'exhiber → *paraître*. **III.** Se dévouer, s'exposer, s'immoler, se proposer, se sacrifier, se soumettre, se vouer.

OFFUSQUER I. → *obscurcir.* **II.** → *cacher.* **III.** → *éblouir.* **IV.** → *choquer.*

OFFUSQUER (S') → *offenser (s').*

OGIVE → *cintre.*

OGRE, OGRESSE I. Au pr. : anthropophage, croquemitaine, géant, goule, lamie, loup-garou, père filant, père Fouettard, vampire. **II. Par ext.** → *bâfreur.*

OIGNON I. Bulbe, échalote. **II.** Cor au pied, durillon, induration, œil-de-perdrix. **III.** → *montre.*

OINDRE I. → *graisser.* **II.** → *frictionner.* **III.** → *sacrer.*

OISEAU I. Au pr. : gibier à plumes, oiselet, oisillon, volaille, volatile. **II. Par ext.** → *bête.*

OISEUX, EUSE I. → *inactif.* **II.** → *inutile.*

OISIF, IVE → *inactif.*

OISILLON → *oiseau.*

OISIVETÉ Farniente, paresse. → *inaction.*

OLFACTION → *odorat.*

OLIBRIUS I. → *hâbleur.* **II.** → *original.*

OLIGARCHIE Argyrocratie, aristocratie, ploutocratie, synarchie.

OLYMPE → *ciel.*

OLYMPIEN, ENNE I. → *imposant.* **II.** → *tranquille.*

OMBILIC Nombril.

OMBRAGE I. → *ombre.* **II.** → *jalousie.*

OMBRAGER I. Couvrir, obombrer, ombrer, protéger. **II.** → *cacher.*

OMBRAGEUX, EUSE I. → *méfiant.* **II.** → *susceptible.*

OMBRE I. Au pr. 1. Couvert, ombrage, pénombre. **2.** → *obscurité.* **II. Par ext. 1.** → *apparence.* **2.** → *fantôme.*

OMBRELLE En-cas, parasol.

OMBRER → *ombrager.*

OMETTRE Abandonner, laisser, manquer de, négliger, oublier, passer, sauter, taire.

OMISSION Abandon, absence, bourdon (typo.), faute, inattention, lacune, manque, négligence, oubli, paralipse, prétérition, prétermission, réticence.

OMNIPOTENCE → *autorité.*

OMNIPOTENT, E → *puissant.*

OMNISCIENCE → *savoir.*

OMNISCIENT, E → *savant.*

ONAGRE → *âne.*

ONCTION → *douceur.*

ONCTUEUX, EUSE I. Au pr. → *gras.* **II. Par ext.** → *doux.*

ONDE I. Eau, flots, vague. **II.** → *fluide.*

ONDÉE → *pluie.*

ONDOYANT, E I. → *ondulé.* **II.** → *changeant.* **III.** → *varié.*

ONDOYER I. → *flotter.* **II.** → *baptiser.*

ONDULÉ, E Ondoyant, ondulant, ondulatoire, onduleux, serpentant, sinueux.

ONDULER I. → *friser.* **II.** → *flotter.*

ONÉREUX, EUSE → *cher.*

ONGLE Ergot, griffe, main (vén.), serre.

ONGUENT I. → *pommade.* **II.** → *parfum.*

OPACITÉ → *obscurité.*

OPAQUE → *obscur.*

OPÉRA Drame lyrique, grand opéra, opéra-bouffe, opéra-comique, opérette, oratorio, vaudeville.

OPÉRATEUR Par ext. → *guérisseur.*

OPÉRATION I. → *action.* **II.** → *entreprise.* **III.** → *compte.* **IV.** Ablation, amputation, intervention. **V.** → *expédition.*

OPÉRER → *agir.*

OPHTALMOLOGISTE → *oculiste.*

OPILATION Constipation, oblitération, obstruction, occlusion.

OPILER → *boucher.*

OPINER I. Délibérer, donner son avis/opinion, voter. **II. Loc. *Opiner du bonnet/du chef*** → *consentir.*

OPINIÂTRE → *têtu.*

OPINIÂTREMENT Avec entêtement, farouchement, fermement, mordicus, obstinément.

OPINIÂTRETÉ I. → *obstination.* **II.** → *fermeté.* **III.** → *persévérance.*

OPINION I. Au pr. : appréciation, avis, estime, façon/manière de penser/voir, idée, jugement, oracle, pensée, point de vue, position, principe, sens, sentiment, thèse. **II.** → *foi.* **III. Par ext. :** couleur, doctrine, idées; idéologie.

OPPORTUN, E → *convenable.*

OPPOSANT adj. et n. → *ennemi.*

OPPOSÉ, E I. Adj. : adverse, affronté, antagoniste, antithétique, contradictoire, contraire, divergent, en face, ennemi, incompatible, inconciliable, inverse, symétrique. **II. Nom :** antipode, antithèse, antonyme, contraire, contrepartie, encontre, opposite, rebours, symétrique. **III. Loc. *A l'opposé.* 1.** Au contraire, en revanche, par contre. **2.** En face.

OPPOSER I. → *dire.* **II.** → *mettre.* **III.** → *comparer.* **IV.** → *prétexter.*

OPPOSER (S') I. S'affronter, braver, contrarier, désobéir, se dresser/s'élever contre, empêcher, lutter, mettre son veto, refuser. → *résister.* **II.** Être en opposition, s'exclure, se heurter, répugner.

OPPOSITE I. → *opposé*. **II. Loc.**
A l'opposite : en face/vis-à-vis de.

OPPOSITION I. Antagonisme, anti-
climax, antinomie, antipathie, antithèse, antonymie, combat, conflit,
contradiction, contraste, défiance,
désaccord, différence, discordance,
disparate, dispute, dissemblance, dissension, dissidence, dissimilitude, dissonance, divergence, duel, heurt,
hostilité, incompatibilité, lutte, protestation, réaction, refus, réfutation,
réplique, riposte, rivalité, veto. **II.** →
obstacle. **III.** → *résistance*.

OPPRESSER I. → *charger*. **II.** →
presser. **III.** → *écraser*.

OPPRESSEUR Despote, dictateur,
dominateur, envahisseur, occupant,
persécuteur, potentat, tortionnaire,
tout-puissant, tyran, usurpateur.

OPPRIMER → *oppresser*.

OPPROBRE → *honte*.

OPTER → *choisir*.

OPTIMISTE adj. et n. → *insouciant*.

OPTION I. Alternative, dilemme. →
choix. **II.** → *préférence*.

OPTIQUE → *vue*.

OPULENCE → *affluence*,

OPULENT, E → *riche*.

OPUSCULE → *livre*.

OR → *richesse*.

ORACLE I. → *prédiction*. **II.** →
vérité. **III.** → *opinion*.

ORAGE I. Au pr. → *bourrasque*.
II. Par ext. 1. → *malheur*. **2.** →
mésintelligence. **3.** → *trouble*.

ORAGEUX, EUSE Fig. → *troublé*.

ORAISON I. → *prière*. **II.** → *discours*. **III. Oraison funèbre** →
éloge.

ORAL, E → *verbal*.

ORATEUR Avocat, baratineur (péj.),
causeur, cicéron, conférencier, deba-
teur, déclamateur (péj.), discoureur
(péj.), foudre d'éloquence, harangueur
(péj.), logographe (vx et péj.), parleur,
prédicant, prédicateur, rhéteur (péj.),
tribun.

ORATOIRE → *église*.

ORATORIO → *opéra*.

ORBE → *rond*.

ORBITE I. → *rond*. **II.** → *sphère*.

ORCHESTRE Clique, ensemble, fanfare, formation, groupe, harmonie,
jazz, lyre, musique, nouba, octuor,
orphéon, quatuor, quintette, septuor,
sextuor, trio.

ORCHESTRER I. Au pr. : arranger,
harmoniser, instrumenter. **II. Fig. :**
amplifier, clamer, divulguer, faire
savoir, répandre.

ORDINAIRE I. Adj. 1. Accoutumé,
coutumier, familier, habituel, invétéré,
traditionnel. **2.** → *commun*. **3.** →

moyen. **II. Nom :** alimentation,
chère, cuisine, menu, pitance, ration,
repas, table.

ORDINAIREMENT A l'accoutumée,
à/d'/pour l'ordinaire, communément,
de coutume, généralement, le plus
souvent, d'habitude, habituellement,
usuellement, volontiers.

ORDONNANCE I. → *ordre*. **II.** →
jugement. **III.** → *règlement*.

ORDONNÉ, E → *réglé*.

ORDONNER I. → *agencer*. **II.** →
commander.

ORDRE I. Agencement, alignement,
arrangement, assemblage, classement,
classification, disposition, distribution,
économie, ordonnance, ordonnance-
ment, plan, structure, succession,
suite, symétrie, système. **II.** → *règle*.
III. Discipline, harmonie, hiérarchie,
méthode, morale, organisation, paix,
police, subordination, tranquillité.
IV. → *classe*. **V.** → *genre*. **VI.** →
rang. **VII.** → *congrégation*. **VIII.** →
corporation. **IX.** → *instruction*. **X.** →
commandement. **XI. Loc. 1. Donner
ordre** → *pourvoir*. **2. Ordre du jour** →
programme.

ORDURE Balayures, bourre, bourrier,
caca, chiure, crasse, débris, déchets,
détritus, excrément, fange, fient,
fiente, fumier, gadoue, gringuenaude,
immondices, impureté, malpropreté,
margouillis, merde, nettoyure, poussière, rebut, résidu, saleté, salissure,
saloperie, sanie, scorie, vidure.

ORDURIER, ÈRE → *obscène*.

ORÉE → *bord*.

OREILLE I. Esgourde (arg.), feuille
(arg.), ouïe. **II.** → *poignée*.

OREILLER Chevet, coussin, polochon, traversin.

ORFÈVRE Bijoutier, joaillier.

ORGANE I. → *sens*. **II.** → *journal,
revue*. **III.** → *sexe*.

ORGANISATION I. → *agencement*.
II. → *organisme*.

ORGANISER → *Régler, préparer*

ORGANISME Administration, bureau, constitution, corps, ensemble,
établissement, formation, office, organisation, service.

ORGASME *Mâle* **:** éjaculation.
Génér: jouissance, spasme, volupté.
Fam: épectase, extase, feu d'artifice, grandes orgues, grand frisson,
paradis, petite mort, secousse, septième ciel, etc. → *jouir*.

ORGELET Chalaze, chalazion, compère-loriot, grain d'orge, hordéole.

ORGIE → *débauche, profusion*

ORGUEIL Amour-propre, arrogance,
dédain, estime de soi, fatuité, fierté,
gloriole, hauteur, immodestie, impor-

tance, infatuation, jactance, mégalomanie, morgue, ostentation, outrecuidance, pose, présomption, prétention, raideur, suffisance, superbe, supériorité, vanité.

ORGUEILLEUX, EUSE Altier, arrogant, avantageux, content de soi, crâneur, dédaigneux, faraud, fat, fier, flambard, glorieux, gobeur, hautain, important, infatué, m'as-tu-vu, méprisant, ostentatoire, outrecuidant, paon, pénétré de soi, plastronneur, plein de soi, poseur, présomptueux, prétentieux, puant, satisfait de soi, sourcilleux, suffisant, superbe, vain, vaniteux.

ORIENT I. Est, levant. **II.** → *lustre.*

ORIENTER → *diriger.*

ORIENTER (S') → *retrouver (se).*

ORIFICE → *ouverture.*

ORIGINAIRE Aborigène, autochtone, indigène, issu de, natif, naturel, né à/de, d'origine, originel, sorti/venu de.

ORIGINAL, E I. Adj. 1. Au pr. : différent, distinct, distinctif, inaccoutumé, incomparable, inédit, initial, insolite, jamais vu, neuf, nouveau, originel, premier, primitif, princeps, sans précédent, singulier, spécifique, unique, vierge, virginal. **2. Par ext. :** amusant, bizarre, braque, cocasse, curieux, déconcertant, drolatique, drôle, étonnant, étrange, excentrique, exceptionnel, extraordinaire, extravagant, fantasque, hardi, indépendant, non-conformiste, maniaque, paradoxal, particulier, personnel, piquant, pittoresque, plaisant, rare, remarquable, spécial, surprenant. **II. Nom. 1.** Acte authentique, minute. **2.** → *texte.* **3.** Prototype. → *modèle.* **4.** Bohème, chinois, excentrique, fantaisiste, maniaque, numéro, olibrius, personnage, phénomène, type.

ORIGINALITÉ I. Favorable ou neutre : cachet, chic, drôlerie, fraîcheur, hardiesse, indépendance, non-conformisme, nouveauté, personnalité, piquant, pittoresque. **II. Non favorable :** bizarrerie, cocasserie, étrangeté, excentricité, extravagance, manie, paradoxe, singularité.

ORIGINE I. Base, berceau, cause, début, départ, embryon, enfance, fondement, genèse, germe, motif, nid, noyau, œuf, point de départ, prédéterminant, principe, racine, raison, semence, source. → *commencement.* **II.** → *naissance.* **III. Gram. :** dérivation, étymologie.

ORIGINEL, ELLE → *originaire.*

ORIPEAU → *loque.*

ORNEMENT Accessoire, affiquet, affûtiaux (fam.), agrément, ajustement, apprêt, atour, bijou, broderie, chamarrure, décoration, détail, enjolivement, enjolivure, enrichissement, falbala, fanfreluche, figure, fioriture, fleur, garniture, motif, ornementation, parement, parure, tapisserie.

ORNER Adorner, agrémenter, ajouter, barder, broder, chamarrer, colorer, décorer, disposer, égayer, émailler, embellir, empanacher, enjoliver, enluminer, enrichir, farder, fignoler, fleurir, garnir, habiller, historier, imager, meubler, ornementer, ourler, parer, passementer, pomponner, rehausser, revêtir, tapisser.

ORNIÈRE I. Au pr. → *trace.* **II. Fig.** → *routine.*

ORPHELIN, INE I. Nom : pupille. **II. Adj.** (fig.) : abandonné *et les part. passés possibles des syn. de* ABANDONNER, frustré/privé de.

ORPHÉON I. → *orchestre.* **II.** → *chœur.*

ORTHODOXE → *vrai.*

ORTHODOXIE I. Au pr. → *vérité.* **II. Par ext. :** conformisme, doctrine, ligne, règle.

ORTHOGRAPHIER → *écrire.*

OS Par ext. : ossements. → *carcasse.*

OSCILLATION I. Au pr. : nutation, vibration. → *balancement.* **II. Fig.** → *variation.*

OSCILLER I. Au pr. → *balancer.* **II. Fig.** → *hésiter.*

OSÉ, E I. → *hardi.* **II.** → *hasardé.*

OSER S'aventurer, s'aviser de, entreprendre, se hasarder, se lancer, se permettre, prendre son courage à deux mains, se résigner, y aller (fam.). → *hasarder.*

OSSATURE → *carcasse.*

OSSEMENTS → *os, restes.*

OSSUAIRE → *cimetière.*

OSTENSIBLE → *visible.*

OSTENTATION I. → *montre.* **II.** → *orgueil.*

OSTRACISER I. → *bannir.* **II.** → *éliminer.*

OTAGE → *prisonnier.* → *garant.*

ÔTER I. → *tirer.* **II.** → *prendre.* **III.** → *quitter.* **IV.** → *retrancher.*

OUAILLE I. Au pr. → *brebis.* **II. Par ext.** → *fidèle.*

OUBLI I. Au pr. 1. Amnésie. **2.** → *omission.* **II. Par ext. 1.** → *pardon.* **2.** → *ingratitude.*

OUBLIÉ, E → *inconnu.*

OUBLIER Désapprendre, manquer, négliger, omettre. → *abandonner.*

OUBLIER (S') → *abandonner (s').*

OUBLIETTES → *cellule.*

OUBLIEUX, EUSE → *ingrat.*

OUEST → *occident.*

OUI Assurément, bien, bien sûr, certainement, certes, d'ac (fam.), dame, évidemment, à merveille, optime, oui-da, parfait, parfaitement.

OUÏE → *oreille.*

OUÏES Branchies.

OUÏR → *entendre.*

OURAGAN I. Au pr. → *bourrasque.*
II. Fig. → *trouble.*

OURDIR I. Au pr. : tisser, tramer, tresser. **II. Fig.** : aménager, arranger, brasser, combiner, comploter, conspirer, machiner, manigancer, monter, nouer, préparer, tisser, tramer, tresser.

OURS Par ext. → *sauvage.*

OUTIL → *instrument.*

OUTILLAGE Cheptel, équipement, instruments, machine, matériel, outils.

OUTILLER → *pourvoir.*

OUTLAW → *maudit.*

OUTRAGE I. → *offense.* **II.** → *dommage.*

OUTRAGEANT, E, OUTRAGEUX, EUSE → *offensant.*

OUTRANCE I. → *excès.* **II. Loc. A outrance :** outre mesure.

OUTRE, EN OUTRE, OUTRE CELA De/en plus, indépendamment, par-dessus le marché.

OUTRÉ, E I. → *excessif.* **II.** Beau d'indignation, indigné, le souffle coupé, offensé, révolté, scandalisé, suffoqué.

OUTRECUIDANCE I. → *arrogance.* **II.** → *orgueil.*

OUTRECUIDANT, E n. et adj. **I.** → *arrogant.* **II.** → *orgueilleux.*

OUTRE-MESURE A outrance.

OUTREPASSER → *dépasser.*

OUTRER v. tr. et intr. → *exagérer.*

OUTSIDER → *concurrent.*

OUVERT, E I. Au pr. : béant, libre. **II. Fig. 1.** → *franc.* **2.** → *intelligent.*

OUVERTURE I. Au pr. : ajour, baie, bouche, brèche, châssis, chatière, croisée, dégagement, échappée, embrasure, entrée, évent, excavation, fenêtre, fente, gorge, goulot, gueulard, gueule, guichet, hublot, issue, jour, judas, lucarne, lumière, lunette, méat (méd.), œil, orifice, passage, percée, pertuis, porte, regard, sabord, sortie, soupirail, trou, trouée, vasistas, vue. **II. Par ext. 1.** → *commencement.* **2.** → *prélude,* **3.** → *offre.* **4.** → *moyen.* **III. Loc. Ouverture d'esprit :** largeur d'esprit.

OUVRAGE I. → *travail.* **II.** → *livre.* **III.** Chef-d'œuvre, composition, création, essai, étude, œuvre, production, produit. **IV. Milit.** : bastille, bastion, blockhaus, citadelle, défense, dehors, fort, fortification, fortin, redoute, rempart.

OUVRAGER, OUVRER → *travailler.*

OUVRIER I. → *artisan.* **II.** → *travailleur.*

OUVRIR I. Crocheter, déboucher, déboutonner, débrider, décacheter, déclore (vx), défoncer, déverrouiller, ébraser, écarquiller, écarter, éclore, élargir, enfoncer, entrebâiller, entrouvrir, épanouir, évaser, fendre, forcer, frayer, inciser, percer, tirer. **II.** → *étendre.* **III.** → *commencer.* **IV.** Aérer. **V.** Creuser, crevasser, éventrer, trouer.

OUVRIR (S') → *confier (se)*

OUVROIR → *atelier.*

OVALE I. Adj. : courbe, ellipsoïde, oblong, ové, oviforme. **II. Nom :** ellipse, ove.

OVALISER → *agrandir.*

OVATION → *acclamation.*

OVATIONNER Faire une ovation. → *acclamer.*

OVIN, E Ovidé → *mouton*

OVULE Embryon, germe, œuf.

OXYDER Brûler, détériorer, détruire, ronger, rouiller.

PACAGE → *pâturage*.

PACIFIER Adoucir, apaiser, arranger, calmer, retenir, tranquilliser.

PACIFIQUE, PACIFISTE → *paisible*.

PACOTILLE → *marchandise*.

PACTE I. → *convention*. **II.** → *traité*.

PACTISER I. → *entendre (s')*. **II.** → *composer*.

PAGAILLE → *désordre*.

PAGE I. → *feuille*. **II.** → *passage*.

PAGINER → *coter*.

PAIE I. → *rétribution*. **II.** → *paiement*.

PAIEMENT I. Au pr. : appointements, attribution, cachet, commission, émoluments, honoraires, indemnité, jeton, paie, salaire, solde, solution (jurid.), traitement, versement. **II. Fig.** → *récompense*.

PAÏEN, ENNE n. et adj. Agnostique, athée, gentil, hérétique, idolâtre, impie, incrédule, incroyant, infidèle, irréligieux, mécréant.

PAILLARD, E → *lascif*.

PAILLARDISE → *lascivité*.

PAILLASSE I. Nom fém. → *matelas*. **II. Nom masc.** → *clown*.

PAILLE (HOMME DE) → *intermédiaire*.

PAIN I. Au pr. : baguette, boule, bricheton, couronne, flûte, miche, pistolet. **II. Par ext. 1.** Aliment, nourriture, pitance. **2.** Brique, lingot.

PAIR → *égal*.

PAIRE → *couple*.

PAISIBLE Aimable, béat, calme, doux, modéré, pacifique, pacifiste, pantouflard (péj.), placide, quiet, serein, tranquille.

PAÎTRE I. V. tr. → *nourrir*. **II. V. intr. :** brouter, gagner (vx), herbeiller, manger, pacager, pâturer, viander (vén.).

PAIX I. Nom. 1. Au pr. : apaisement, béatitude, bonheur, calme, concorde, entente, fraternité, harmonie, repos, sérénité, silence, tranquillité, union. **2. Par ext. :** accord, armistice, conciliation, entente, pacification, pacte, réconciliation, traité. **II. Interj. :** bouche close/cousue, chut, motus (fam.), silence.

PALABRE I. → *discussion*. **II.** → *discours*.

PALABRER I. → *discuter*. **II.** → *discourir*.

PALACE → *hôtel*.

PALADIN → *chevalier*.

PALAIS Casino, castel, château, demeure, palace. → *immeuble*.

PÂLE I. Au pr. : blafard, blanchâtre, blême, bleu, décoloré, exsangue, hâve, incolore, livide, opalin, pâlot, plombé, terne, terreux, vert. **II. Par ext.** → *malade*.

PALEFRENIER Garçon d'écurie, lad, valet.

PALEFROI Cheval, coursier, destrier, monture.

PALETOT → *manteau*.

PALIER I. Au pr. : carré, étage, repos. **II. Par ext.** → *phase*.

PALINGÉNÉSIE → *renaissance*.

PALINODIE → *rétractation*.

PALIS I. → *pieu*. **II.** → *clôture*.

PALISSADE → *clôture.*

PALLADIUM → *garantie.*

PALLIATIF → *remède.*

PALLIER I. → *cacher.* **II.** → *modérer.* **III.** → *pourvoir à.*

PALOMBE → *pigeon.*

PALPABLE I. → *sensible.* **II.** → *manifeste.*

PALPER → *toucher.*

PALPITANT, E → *intéressant.*

PALPITER → *trembler.*

PÂMER (SE) I. Au pr. → *évanouir (s').* **II. Fig.** → *enthousiasmer (s').*

PÂMOISON → *évanouissement.*

PAMPHLET I. → *satire.* **II.** → *libellé*

PAMPHLÉTAIRE → *journaliste.*

PAN I. → *partie.* **II.** → *flanc.*

PANACÉE → *remède.*

PANACHE I. → *plumet.* **II.** → *lustre.* **III. Loc. 1. Faire panache** → *culbuter.* **2. Avoir du panache** → *allure.*

PANACHÉ, E I. → *bariolé.* **II.** → *mêlé.*

PANACHER → *mêler.*

PANCARTE I. → *affiche.* **II.** → *écriteau.*

PANCRACE → *lutte.*

PANDÉMIQUE → *épidémique.*

PANÉGYRIQUE → *éloge.*

PANETIÈRE → *gibecière.*

PANIER I. Le contenant : banne, bannette, banneton, bourriche, cabas, corbeille, corbillon, hotte, manne, mannequin, mannette, paneton, panière. **II. Le contenu :** panerée. **III. Loc. 1. Dessus du panier** → *choix.* **2. Panier à salade :** voiture cellulaire.

PANIQUE → *épouvante.*

PANNE I. Au pr. : barde, couenne, lard. **II.** Accident, accroc, arrêt, incident, interruption. **III. Loc. Mettre en panne** → *stopper.*

PANNEAU I. → *écriteau.* **II.** → *filet.*

PANORAMA → *vue.*

PANSE → *abdomen, bedaine.*

PANSER → *soigner.*

PANTAGRUÉLIQUE → *abondant.*

PANTALON I. → *culotte.* **II.** → *pantin.*

PANTALONNADE I. → *fuite.* **II.** → *feinte.* **III.** → *subterfuge.*

PANTELANT, E I. → *essoufflé.* **II.** → *ému.*

PANTELER → *respirer.*

PANTIN I. Au pr. : arlequin, bamboche, burattino, clown, fantoche, guignol, jouet, joujou, mannequin, margotin, marionnette, pantalon, polichinelle, poupée, pupazzo. **II. Par ext. :** fantôme, girouette, rigolo, saltimbanque, sauteur, toton, toupie, zéro.

PANTOIS → *interdit.*

PANTOMIME I. → *mime.* **II.** → *geste.*

PANTOUFLARD, E I. → *sédentaire.* **II.** → *paisible.*

PANTOUFLE → *chausson.*

PAON I. Au pr. : oiseau de Junon. **II. Fig.** → *orgueilleux.*

PAONNER Étaler, faire la roue, parader, se pavaner, poser.

PAPAL, E Par ext. : intégriste, papalin (péj.), papimane (péj.), papiste, ultramontain.

PAPE Chef de l'Église, évêque universel, pasteur suprême, Saint-Père, Sa Sainteté, serviteur des serviteurs du Christ, souverain pontife, successeur de saint Pierre, Très Saint-Père, vicaire de Jésus-Christ.

PAPELARD, E → *patelin.*

PAPELARDISE → *hypocrisie*

PAPIER I. Non favorable : papelard, paperasse. **II. Par ext.** → *article.* **III. Loc. Papier-monnaie :** argent, billet, espèces, numéraire, ticket (arg.).

PAPILLONNER S'agiter, se débattre, se démener, flirter, folâtrer, marivauder, voler, voltiger.

PAPILLOTANT, E Agité, clignotant, flottant, instable, mobile, mouvant.

PAPILLOTE Bigoudi.

PAPILLOTER I. → *luire.* **II.** → *vaciller.* **III.** → *ciller.*

PAPOTAGE Bavardage, cancan, caquetage, commérage, jasement, ragot, verbiage.

PAPOTER Babiller, bavarder, cancaner, caqueter, commérer, faire des commérages/ragots.

PAQUEBOT → *bateau.*

PAQUET I. Au pr. : balle, ballot, balluchon, barda, bouchon de linge, colis, paquetage, tapon. → *bagage.* **II. Fig. 1.** Masse, pile, quantité, tas. **2.** → *bêtise.* **III. Loc. 1. Mettre/risquer le paquet :** aller à fond, attaquer, faire le nécessaire, hasarder, risquer. **2. Faire son paquet** (fam.) → *mourir.* **3. Donner son paquet** → *humilier.*

PAQUETAGE → *bagage.*

PARABOLE Allégorie, apologue, fable, histoire, image, morale, récit, symbole.

PARACHEVER I. → *finir.* **II.** → *parfaire.*

PARADE I. → *revue.* **II.** → *montre.* **III.** Argument, en-cas, esquive, feinte, garniture, moyen, précaution, prévention, protection, sécurité. **IV. Loc. *Faire parade*** → *parer (se).*

PARADER → *montrer (se).*

PARADIGME → *exemple.*

PARADIS I. Au pr. : Brahma-Loke, céleste séjour, champs Élysées, ciel, éden, élysée, Jérusalem céleste, monde meilleur, nirvâna, oasis, olympe sein de Dieu, Valhalla. **II. Par ext. :** balcon, dernières galeries, pigeonnier, poulailler.

PARADISIAQUE Bienheureux, céleste, délectable, divin, heureux, parfait.

PARADOXAL, E → *invraisemblable.*

PARADOXE Antithèse, bizarrerie, boutade, contradiction, contraire, énormité.

PARAGE I. → *lieu.* **II.** → *naissance.*

PARAGRAPHE → *partie.*

PARAÎTRE I. Au pr. : apparaître, s'avérer, avoir l'air/l'aspect, se manifester, marquer, se montrer, s'offrir, sembler, sentir, simuler, passer pour, percer, poindre, pointer, se présenter. **II. Par ext.** → *distinguer (se).* **III. Loc. *Faire paraître* :** éditer, publier.

PARALLÈLE I. Adj. → *semblable.* **II. Nom** → *rapprochement.*

PARALOGISME → *sophisme.*

PARALYSÉ, E n. et adj. **I.** → *engourdi.* **II.** → *paralytique.*

PARALYSER I. → *engourdir.* **II.** → *arrêter.* **III.** → *empêcher.* **IV.** → *pétrifier.*

PARALYSIE I. Au pr. : ankylose, catalepsie, hémiplégie, induration, insensibilisation, paraplégie, parésie. **II. Par ext. :** arrêt, blocage, engourdissement, entrave, immobilisme, neutralisation, obstruction, ralentissement, sclérose, stagnation.

PARALYTIQUE Estropié, grabataire, hémiplégique, impotent, infirme, paralysé, paraplégique, perclus.

PARANGON → *exemple.*

PARAPET Abri, balustrade, garde-corps/fou, mur, muraille, muret, murette.

PARAPHE Apostille, griffe, seing (vx), signature, visa.

PARAPHRASE I. → *développement.* **II.** → *explication.*

PARAPHRASER Amplifier, commenter, développer, éclaircir, expliquer, gloser.

PARAPLUIE En-cas, en-tout-cas, pépin, riflard, tom-pouce.

PARASITE I. Adj. → *superflu.* **II. Nom** (fig.) **:** écornifleur, pillard, pique-assiette.

PARASOL Abri, en-cas, en-tout-cas, ombrelle.

PARAVENT Fig. : abri, bouclier, prétexte.

PARC I. → *jardin.* **II.** → *pâturage.* **III. Loc. *Parc zoologique* :** jardin d'acclimatation, ménagerie, zoo.

PARCELLE I. → *morceau.* **II.** → *partie.*

PARCE QUE A cause que (fam.), attendu que, car, d'autant que, en effet, puisque, vu que.

PARCHEMIN I. → *diplôme.* **II.** → *titre.*

PARCIMONIE I. → *économie.* **II.** → *avarice.*

PARCiMONIEUX, EUSE I. Favorable → *économe.* **II. Non favorable** → *avare.*

PARCOURIR I. Au pr. : battre, couvrir, sillonner. **II. Par ext. 1.** → *lire.* **2.** → *regarder.*

PARCOURS → *trajet.*

PARDESSUS → *manteau.*

PARDON I. Abolition (vx), absolution, acquittement, amnistie, grâce, indulgence, jubilé (relig.), miséricorde, oubli, remise, rémission. **II. 1.** → *fête.* **2.** → *pèlerinage.* **III. Par ext.** → *excuse.*

PARDONNER I. → *excuser.* **II.** → *souffrir.* **III.** → *ménager.*

PAREIL, EILLE Adéquat, comparable, égal, équivalent, identique, jumeau, même, parallèle, semblable, synonyme, tel.

PAREMENT I. → *ornement.* **II.** → *revers.* **III.** → *surface.*

PARENT Agnat (jurid.), allié, ancêtre, apparenté, cognat (jurid.), collatéral, consanguin, cousin, frère, germain, mère, oncle, père, proche, tante, utérin.

PARENTÉ I. Au pr. : affinité, alliance, apparentement, consanguinité, famille, parentage (vx), parentèle (vx et péj.). **II. Par ext.** → *rapport.*

PARENTHÈSE → *digression.*

PARER I. On pare quelqu'un ou quelque chose : adoniser, adorner, afistoler, apprêter, arranger, attifer, bichonner, embellir, endimancher, garnir, orner, pomponner, poupiner. **II. On pare un coup :** conjurer, détourner, esquiver, éviter, faire face à, obvier à, prévenir.

PARER (SE) I. *Les formes pronom. possibles des syn. de PARER.* **II.** Faire étalage/montre/parade de.

PARÉSIE → *paralysie.*

PARESSE Cosse (fam.), fainéantise, flemme (fam.), indolence, inertie, lenteur, lourdeur, mollesse, négligence, nonchalance, oisiveté.

PARESSEUX, EUSE n. et adj.
Cancre, clampin, cossard, fainéant,
feignant (fam.), flemmard, indolent,
lézard, momie, négligent, nonchalant,
rossard.

PARFAIRE Arranger, châtier, ciseler,
enjoliver, fignoler, finir, lécher, limer,
parachever, perler, polir, raboter,
raffiner, revoir, soigner.

PARFAIT, E I. Adj. : absolu, accompli, achevé, bien, complet, consommé,
déterminé, excellent, fameux, fieffé,
fini, franc, hors ligne, idéal, impeccable,
incomparable, inimitable, irréprochable, magistral, merveilleux, modèle, pommé, renforcé, sacré, supérieur, très bien. → bon. **II. Adv.**
→ oui.

PARFOIS → quelquefois.

PARFUM I. Substance : aromate,
baume, eau, essence, extrait, huile,
onguent. **II.** Arôme, bouquet, fumet,
fragrance. → odeur.

**PARFUMER I. On parfume quel-
qu'un** → oindre. **II. Quelqu'un
ou quelque chose parfume l'air :**
aromatiser, dégager, embaumer, exhaler, fleurer, imprégner, répandre.

PARI → gageure.

PARIA I. → misérable. **II.** →
maudit.

PARIER → gager.

PARITÉ I. → égalité. **II.** → rapprochement.

PARJURE → infidèle.

PARLANT, E Bavard, éloquent,
expressif, exubérant, loquace, vivant.

PARLEMENT Assemblée, chambre,
représentation nationale.

PARLEMENTAIRE I. → envoyé.
II. → député.

PARLEMENTER Agiter, argumenter,
débattre, discuter, négocier, traiter.

**PARLER I. V. tr. On parle une
langue.** 1. Neutre : employer, s'exprimer, pratiquer. 2. Non favorable :
bafouiller, baragouiner, écorcher, jar-
gonner. **II. V. intr. 1. Au pr.** Avec
des nuances fam. ou péj. : articuler,
bafouiller, bêler, chevroter, débiter,
déblatérer, dégoiser, dire, giberner,
gueuler, jacter, jaser, murmurer, nasiller, proférer/prononcer des mots/
paroles, rabâcher, radoter, soliloquer.
2. Par ext. On parle avec quelqu'un
ou en public : bavarder, causer, confabuler, conférer, consulter, converser,
déclamer, deviser, dialoguer, discourir, discuter, s'entretenir, s'expliquer, haranguer, improviser, pérorer
(péj.), porter/prendre la parole. **III.
Loc. 1. Parler de :** faire allusion à,
toucher à, traiter de. **2. Parler pour**
→ intervenir. **IV. Nom. 1.** → langue.
2. → parole.

PARLEUR Baratineur (fam.), causeur, discoureur, diseur, harangueur,
jaseur, loquace, orateur, péroreur,
phraseur (péj.), pie (péj.), prolixe,
verbeux.

PARLOTE → conversation.

PARMI → entre.

PARODIE A la manière de, caricature, charge, glose, imitation, pastiche,
travestissement.

PARODIER Caricaturer, charger,
contrefaire, imiter, pasticher, travestir.

PAROI Cloison, face, galandage,
galandis, mur, muraille, séparation.

PAROISSE Circonscription, commune, église, feux, hameau, village.

**PAROISSIEN, ENNE I. Quel-
qu'un. 1. Neutre :** fidèle, ouaille.
2. Non favorable → individu.
II. Eucologe, livre d'heures/de messe/
de prières, missel.

PAROLE I. Apophtegme, assurance,
circonlocution, compliment, discours,
élocution, éloquence, engagement,
expression, grossièreté, injure, langage, mot, outrage, parabole, parler,
promesse, propos, sentence, verbe,
voix. → foi. **II. Loc. 1. Donner sa
parole** → promettre. **2. Porter/
prendre la parole** → parler.

PAROLIER Auteur, chansonnier, librettiste, poète.

PARONYME Doublet, homonyme.

PAROXYSME Accès, au plus fort,
comble, crise, exacerbation, maximum,
recrudescence, redoublement, sommet, summum.

PARPAILLOT, OTE n. et adj.
I. Au pr. (péj.) : calviniste, protestant.
II. Par ext. : agnostique, anticlérical,
athée, impie, incrédule, incroyant,
indifférent, infidèle, irréligieux, mécréant, non pratiquant.

PARPAING Aggloméré, bloc, brique,
hourdis, moellon, pierre.

PARQUER → enfermer.

PARQUET I. → tribunal. **II.** →
plancher.

PARRAIN I. Au pr. : compère,
témoin, tuteur. **II. Par ext. :** caution,
garant, introducteur.

PARRAINAGE Auspice, caution,
garantie, patronage, protection, tutelle.

PARRAINER → appuyer.

PARSEMÉ, E → semé.

PARSEMER I. → semer. **II.** →
recouvrir.

PART I. Au pr. 1. Contingent, lot,
lotissement, partage, prorata, quotité.
2. → partie. **3.** → portion. **4.** → lieu.
II. Loc. 1. A part → excepté. **2.
D'autre part** → plus (de). **3. Faire
part** → informer. **4. Avoir/prendre
part** → participer.

PARTAGE I. → distribution. **II.**
→ part.

PARTAGÉ, E I. Par ext. : commun, mutuel, réciproque. **II. Fig. :** brisé, déchiré, divisé, écartelé.

PARTAGER I. Au pr. : attribuer, couper, débiter, découper, dédoubler, démembrer, départager, départir, dépecer, dispenser, distribuer, diviser, donner, fractionner, fragmenter, lotir, morceler, partir (vx), scinder, sectionner, séparer, subdiviser. **II. Fig. :** aider, associer, communiquer, compatir, entrer dans les peines/les soucis, épouser, éprouver, mettre en commun, participer, prendre part.

PARTANCE Départ, embarquement, sous pression.

PARTANT Ainsi, donc, en conséquence, par conséquent.

PARTENAIRE Acolyte, adjoint, affidé, aide, allié, alter ego, ami, associé, coéquipier, collègue, compagnon, complice (péj.), copain (fam.), correspondant, second.

PARTERRE I. Corbeille, massif, pelouse, planche, plate-bande. **II.** → *public.*

PARTI I. Brigue, cabale, camp, clan, coalition, faction, faisceau, groupe, ligue, phalange, rassemblement, secte. **II.** → *intrigue.* **III.** → *troupe.* **IV.** → *résolution.* **V.** → *profit.* **VI.** → *profession* **VII.** → *fiancé*

PARTIAL, E Abusif, arbitraire, déloyal, faux, illégal, illégitime, influencé, injuste, irrégulier, partisan, passionné, préconçu, prévenu, scélérat, tendancieux.

PARTIALITÉ Abus, arbitraire, déloyauté, injustice, irrégularité, parti pris, préférence, préjugé, prévention, scélératesse.

PARTICIPATION I. L'acte : adhésion, aide, appui, collaboration, complicité (péj.), concours, connivence (péj.), contribution, coopération, engagement, part, partage, soutien. **II. L'objet :** apport, commandite, contribution, mise de fonds, part, souscription. **III. Par ext. :** actionnariat.

PARTICIPER I. On participe à : adhérer, aider, apporter, appuyer, assister, s'associer, avoir intérêt/part, collaborer, concourir, contribuer, coopérer, encourager, s'engager, entrer dans la danse (fam.)/le jeu, être de, être complice/de connivence (péj.), être intéressé, figurer, fournir, s'immiscer, se joindre, se mêler, se mettre de la partie, partager, soutenir, tremper dans (péj.). **II. On participe de :** tenir.

PARTICULARISÉ, E Circonstancié, défini, détaillé, déterminé, distingué, fixé, individualisé, singularisé, spécialisé, spécifié.

PARTICULARISER → *fixer.*

PARTICULARISME Attitude, coutume, originalité, propriété. → *particularité.*

PARTICULARITÉ Anecdote, anomalie, attribut, caractéristique, circonstance, différence, exception, individualité, modalité, propre, propriété, spécialité, trait.

PARTICULE I. Atome, corpuscule, molécule, · poudre, poussière. **II. Gram. :** affixe, mot, préfixe, suffixe.

PARTICULIER, ÈRE I. Adj. 1. Caractéristique, distinct, distinctif, extraordinaire, original, propre à, remarquable, singulier, spécial. **2.** → *individuel.* **II. Nom. 1.** → *individu.* **2.** → *homme.* **III. Loc. 1. En particulier** → *particulièrement.* **2. Cas particulier :** circonstance. **3. Point particulier :** précis.

PARTICULIÈREMENT Éminemment, en particulier,· notamment, principalement, singulièrement, spécialement, surtout.

PARTIE I. Au pr. : bout, branche, bribe, compartiment, côté, division, élément, embranchement, fraction, membre, morceau, pan, parcelle, part, particule, pièce, portion, rameau, ramification, secteur, subdivision, tranche, tronçon. **II. D'une œuvre :** acte, alinéa, article, chant, chapitre, division, époque, morceau, mouvement (mus.), paragraphe, passage, point, scène, section, titre. **III.** → *divertissement.* **IV.** → *rencontre.* **V.** → *profession.* **VI.** → *qualité.* **VII.** → *plaideur.*

PARTIEL, ELLE Fragmentaire, incomplet, relatif.

PARTI PRIS → *préjugé.*

PARTIR I. Au pr. : abandonner, s'en aller, se barrer (fam.), brûler la politesse (péj.), se carapater (fam.), se cavaler (fam.), changer de place, débarrasser le plancher (fam.), se débiner (fam.), décamper, décaniller (fam.), se défiler, déguerpir, déloger, démarrer, déménager (fam.), se dérober, disparaître, s'ébranler, s'échapper, s'éclipser, s'éloigner, émigrer, ficher/foutre (grossier) le camp, filer, filer à l'anglaise (fam.), fuir, gagner/prendre le large/la porte/la sortie, mettre les bouts (arg.)/les voiles (fam.), prendre congé/ses jambes à son cou/le large/la porte/la poudre d'escampette (fam.)/ses cliques et ses claques (fam.), se retirer, s'en retourner, se sauver, se séparer, se tailler (fam.), se tirer (fam.), tirer sa révérence (fam.), se trotter (fam.). **II.** → *sortir.* **III.** → *commencer.*

PARTISAN, E I. Adj. → *partial.* **II. Nom. 1.** Adepte, adhérent, affidé, affilié, allié, ami, disciple, fanatique (péj.), féal, fidèle, homme lige, militant, propagandiste, prosélyte, recrue, satellite, sectateur, séide, séquelle (péj.), supporter, suppôt (péj.). **2.** → *insoumis.*

PARURE I. → *ajustement.* **II.** → *ornement.*

PARVENIR I. → *arriver.* **II.** → *venir.* **III. Fig.** → *réussir.*

PARVENU, E n. et adj. Agioteur, arriviste, figaro, homme arrivé/nouveau, nouveau riche.

PARVIS → *place.*

PAS I. Nom. 1. Par ext. : enjambée, foulée, marche. **2. Du cheval :** appui. **3.** → *trace.* **4.** → *passage.* **5.** → *défilé.* **6.** → *détroit.* **7.** → *seuil.* **8. Fig. :** avance, essai, étape, jalon, progrès. **II. Loc. 1. Avoir/prendre le pas sur :** avantage, droit, préséance. **2. Faux pas :** chute, écart, erreur, faiblesse, faute, glissade. **3. Pas de clerc** → *bêtise.* **III. Adv. :** aucunement, goutte (vx), mie (vx), mot, point, rien.

PASQUIN → *bouffon.*

PASSABLE Acceptable, admissible, assez bien/bon, correct, médiocre, mettable, moyen, possible, potable, suffisant, supportable.

PASSADE Amourette, aventure, béquin, caprice, fantaisie, flirt, galanterie, liaison, passionnette.

PASSAGE I. Au pr. : allée, artère, avenue, boyau, chemin, chenal, col, communication, corridor, couloir, dégagement, détroit, galerie, gorge, goulet, lieu, ouverture, pas, passe, passée (vén.), rue, seuil, trouée, venelle, voie. **II. Fig. :** circonstance, conjoncture, moment, passe. **III.** Alinéa, endroit, extrait, fragment, morceau, page, paragraphe, strophe. **IV.** → *transition.*

PASSAGER, ÈRE I. Adj. : court, de courte durée, éphémère, fragile, fugitif, fuyard, incertain, intérimaire, momentané, précaire, provisoire, temporaire, transitoire. **II. Nom** → *voyageur.*

PASSANT, E I. Nom : flâneur, promeneur. **II. Adj. :** fréquenté, passager.

PASSAVANT, PASSE Acquit-à-caution, passe-debout, laissez-passer, octroi, permis.

PASSE I. Nom masc. : clef, passe-partout, rossignol. **II. Nom fém.** → *passage.* **III. Loc. Être en passe de :** état, position, situation, sur le point.

PASSE-DROIT I. → *privilège.* **II.** → *injustice.*

PASSÉ I. Nom : histoire, temps anciens/révolus, tradition. → *autrefois.* **II. Prép. :** après, au-delà de.

III. Adj. 1. Accompli, ancien, antécédent, défunt, mort, révolu. **2.** Abîmé, altéré, amorti, avachi, décoloré, déformé, défraîchi, délabré, délavé, démodé, désuet, esquinté, fané, fatigué, flétri, gâté, pâli, pisseux, ridé, séché, terni, usagé, usé, vieilli, vieux.

PASSEMENT, PASSEMENTERIE Agrément, aiguillette, brandebourg, broderie, chamarrure, chenille, cordon, cordonnet, crépine, crête, croquet, dentelle, dragonne, embrasse, épaulette, feston, filet, frange, galon, ganse, garniture, gland, guipure, lézarde, macramé, pampille, passepoil, picot, résille, ruban, soutache, torsade, tresse.

PASSE-PARTOUT I. → *passe.* **II.** Scie.

PASSE-PASSE I. Au pr. : attrape, escamotage, ficelle, fourberie, illusion, magie, tour, tromperie, truc. **II. Par ext.** → *passe-droit.*

PASSEPORT Autorisation, laissez-passer, sauf-conduit, visa.

PASSER I. V. intr. 1. Au pr. : aller, changer, circuler, courir, défiler, dépasser, disparaître, se dissiper, s'écouler, s'effacer, s'enfuir, s'envoler, s'évanouir, s'évaporer, évoluer, fuir, marcher, se rendre à. **2. Fig. :** accepter, cacher, concéder, couler/glisser sur, écarter, excuser, négliger, omettre, pardonner, permettre, taire, tolérer. **3. Par ext.** → *mourir et les formes pronom. possibles des syn. de* FLÉTRIR. **4. En passer par** → *soumettre (se).* **II. V. tr. 1. Au pr. :** enjamber, escalader, franchir, sauter, traverser. **2. Fig. :** cribler, filtrer, tamiser. **III. Loc. 1. Passer le temps/la vie :** consumer, couler, employer, gaspiller (péj.), occuper, perdre (péj.), traîner (péj.). **2. Passer un examen :** subir. **3. Passer un mot :** laisser, omettre, oublier, sauter. **4. Passer les limites :** combler, exagérer, excéder, outrepasser, outrer. **5. Passer l'entendement** → *confondre.* **6. Faire passer :** acheminer, convoyer, donner, faire parvenir, remettre, transmettre, transporter. **7. Passer un vêtement :** enfiler, mettre. **8. Passer une maladie :** amener, communiquer. **9. Passer par les armes** → *fusiller.*

PASSER (SE) I. Quelque chose se passe : advenir, arriver, avoir lieu, se dérouler, s'écouler, se produire. **II.** *Les formes pronom. possibles des syn. de* PASSER. **III. On se passe de quelque chose :** s'abstenir, se dispenser de, éviter, se garder de, s'interdire de, négliger de, se priver de, se refuser à, renoncer à, se retenir de.

PASSEREAU Accenteur, alouette, becfigue, bec-fin, bergeronnette, bouvreuil, bruant, calao, chardonneret, colibri, corbeau, corneille, cotinga, étourneau, fauvette, fourmilier, fournier, geai, gobe-mouche, grimpereau, grive, gros-bec, hirondelle, jacamar, jaseur, linot, linotte, loriot, ménure, merle, mésange, moineau, momot, moucherolle, ortolan, paradisier, passeriforme, passerine, pie, pie-grièche, pinson, pipit, proyer, rémiz, roitelet, rossignol, rouge-gorge, séleucide, sittelle, tisserin, traquet, troglodyte, troupiale, tyran, verdier.

PASSERELLE → *pont*.

PASSE-TEMPS Agrément, amusement, délassement, distraction, divertissement, jeu, occupation, plaisir, récréation.

PASSEUR → *batelier*.

PASSIBLE → *susceptible*.

PASSIF, IVE → *inerte*.

PASSIM Çà et là, en différents endroits.

PASSION I. Neutre ou favorable : admiration, adoration, adulation, affection, amour, appétit, ardeur, béguin, chaleur, culte, élan, emballement, enthousiasme, flamme, goût, inclination, passade, penchant, sentiment, trouble, vénération. **II. Non favorable :** ambition, avarice, avidité, caprice, convoitise, délire, désir, éréthisme, exaltation, excitation, emportement, ensorcellement, envoûtement, faible, fanatisme, fièvre, folie, frénésie, fureur, furie, habitude, haine, maladie, manie, rage, tarentule, ver rongeur, vice. **III. Litt. :** animation, chaleur, émotion, feu, flamme, lyrisme, pathétique, sensibilité, vie.

PASSIONNANT, E Affolant, attachant, beau, brûlant, captivant, délirant, dramatique, électrisant, émouvant, empoignant, enivrant, excitant, intéressant.

PASSIONNÉ, E → *enthousiaste*.

PASSIONNÉMENT Beaucoup, follement, à la folie/fureur, furieusement.

PASSIONNER Animer, attacher, captiver, électriser, empoigner, enfiévrer, enflammer, enivrer, enthousiasmer, exalter, exciter, intéresser.

PASSIONNER (SE) Aimer, s'emballer, s'embraser, s'enflammer, s'engouer, s'enivrer, s'enticher, s'éprendre, prendre feu, raffoler.

PASSIVITÉ → *inaction*.

PASSOIRE Couloire, crible, filtre, passe-thé, tamis.

PASTÈQUE Melon d'eau/d'Espagne.

PASTEUR I. → *berger*. **II.** → *prêtre*.

PASTEURISATION → *assainissement*.

PASTEURISER Aseptiser, stériliser.

PASTICHE I. → *imitation*. **II.** → *parodie*.

PASTICHER → *imiter*.

PASTILLE Bonbon, boule, cachet, comprimé, gélule, tablette.

PASTORAL, E Bucolique, champêtre, paysan, rural, rustique.

PASTORALE Bergerette, bergerie, bucolique, églogue, idylle, moutonnerie (péj.), pastourelle.

PASTOUREAU → *berger*.

PATACHE I. → *coche*. **II.** → *voiture*.

PATAQUÈS → *lapsus*.

PATATE I. Pomme de terre. **II. Loc.** (fam.). ***En avoir gros sur la patate :*** sur le cœur/l'estomac.

PATATRAS Pan, patapouf, vlan.

PATAUD, E → *gauche*.

PATAUGER I. Au pr. : barboter, s'enliser, gadouiller, patouiller, patrouiller, piétiner. **II. Fig.** s'embarrasser, s'embrouiller, s'empêtrer, nager, se perdre.

PÂTE Par ext. : barbotine, bouillie, colle, mortier.

PÂTÉ I. → *tache*. **II.** Amas, assemblage, ensemble, groupe, îlot. **III. Cuis. :** bouchée à la reine, croustade, friand, godiveau, hachis, mousse de foie, rissole, terrine, tourte, vol-au-vent.

PÂTÉE → *nourriture*.

PATELIN, INE Archipatelin, benoît, bonhomme, chafouin, chattemite, doucereux, faux, flatteur, insinuant, melliflue, mielleux, onctueux, papelard, patelineur, patte-pelu, peloteur, rusé, sainte-nitouche, tartufe, trompeur. → *hypocrite*.

PATELIN I. → *village*. **II.** → *pays*.

PATELINAGE I. → *fausseté*. **II.** → *hypocrisie*.

PATELINER → *amadouer*.

PATENÔTRE Chapelet, oraison dominicale, pater, pater noster, prière.

PATENT, E → *manifeste*.

PATENTE I. Autorisation, brevet, commission, diplôme, lettres patentes, licence. **II.** Contribution, impôt.

PATENTÉ, E → *attitré*.

PATÈRE Crochet, portemanteau.

PATERNE → *doucereux*.

PATERNEL, ELLE → *protecteur*.

PÂTEUX, EUSE I. → *épais*. **II.** → *embarrassé*.

PATHÉTIQUE I. Adj. → *émouvant*. **II. Nom :** éloquence, émotion, pathos.

PATHOLOGIQUE Maladif, morbide.

PATHOS I. → *éloquence*. **II.** → *galimatias*.

PATIBULAIRE → *inquiétant*.

PATIENCE I. Calme, constance, courage, douceur, endurance, flegme, indulgence, lenteur, longanimité, longueur de temps, pas à pas, persévérance, petit à petit, persistance, résignation, sang-froid, tranquillité. **II.** Réussite, tour de cartes.

PATIENT, E I. Adj. : calme, constant, débonnaire, doux, endurant, flegmatique, indulgent, inlassable, longanime, persévérant, résigné. **II. Nom :** client, malade, sujet.

PATIENTER → attendre.

PATIN Raquette, semelle, socque.

PATINE I. Au pr. : concrétion, crasse, croûte, dépôt, oxydation, vert-de-gris. **II. Par ext. :** ancienneté, antiquité, marque.

PÂTIR → souffrir.

PÂTIS Friche, herbage, lande, pacage, pâquis, parc, parcours. → pâturage.

PÂTISSERIE I. Biscuiterie, confiserie, salon de thé. **II.** Baba, beignet, biscuit, bouchée, bretzel, brioche, cake, casse-museau, chanoinesse, chausson, chou à la crème, cornet, craquelin, croissant, croquignole, dariole, éclair, feuilletage, feuilleté, flan, galette, gâteau, gaufre, gimblette, macaron, madeleine, marquise, meringue, merveille, mille-feuille, moka, oublie, pain d'épices, petit four, pièce montée, plaisir, profiterole, raton, religieuse, saint-honoré, savarin, talmouse, tarte, vitelot.

PÂTISSIER, ÈRE Confiseur, mitron, patronnet, traiteur.

PÂTISSON Artichaut de Jérusalem, bonnet de prêtre, courge.

PATOIS → langue.

PATOUILLER → patauger, manier.

PÂTOUR → berger.

PATRAQUE → malade.

PÂTRE → berger.

PATRIARCAL, E Ancestral, ancien, antique, familial, paternel, simple, traditionnel, vertueux.

PATRIARCHE → vieillard.

PATRICIEN, ENNE n. et adj. → noble.

PATRIE Cité, communauté, Etat, nation, pays.

PATRIMOINE Apanage, bien, domaine, fortune, héritage, legs, propriété, succession.

PATRIOTE Chauvin, cocardier, nationaliste, patriotard, patriotique.

PATRIOTISME Chauvinisme, civisme, nationalisme.

PATRISTIQUE Patrologie.

PATRON, ONNE I. Au pr. : bourgeois, directeur, employeur, maître, négrier (péj.), singe (péj.). **II. Par ext. 1.** → protecteur. **2.** → chef.

PATRON → modèle.

PATRONAGE I. Appui, auspice, égide, invocation, parrainage, protection, recommandation, secours, support, vocable. **II.** Club, garderie, gymnase.

PATRONNER I. → introduire. **II.** → protéger.

PATROUILLER I. → patauger. **II.** Exercer une surveillance, parcourir, surveiller.

PATTE I. Au pr. : jambe, pied, pince, serre. **II. Par ext. 1.** → main. **2.** → habileté. **III. Loc. Patte-d'oie 1.** → carrefour. **2.** → ride.

PÂTURAGE Alpage, champ, champeau, embouche, friche, gagnage, herbage, lande, pacage, passage, pâquis, parc, parcours, pasquier, pâtis, pâture, prairie, pré, viandis (vén.).

PÂTURE I. → nourriture. **II.** → pâturage.

PÂTURER v. intr. et tr. → paître.

PAUPÉRISME Appauvrissement, dénuement, manque, misère. → pauvreté.

PAUSE I. Au pr. : abattement, arrêt, entracte, halte, interclasse, interruption, intervalle, mi-temps, récréation, suspension. **II. Par ext. 1.** → repos. **2.** → silence.

PAUVRE adj. et n. **I. Au pr. Quelqu'un :** appauvri, besogneux, clochard, crève-la-faim, démuni, économiquement faible, famélique, fauché, gêné, gueux, humble, impécunieux, indigent, loqueteux, malheureux, marmiteux, mendiant, mendigot, meurt-de-faim, misérable, miséreux, nécessiteux, nu, panné, pouilleux, prolétaire, purée, purotin, va-nu-pieds. **II. Par ext. 1. Un événement :** déplorable, malheureux, pitoyable. **2. Un sol :** aride, chétif, ingrat, maigre, modeste, sec, stérile. **3. Un aspect :** congru, décharné, dénué, dépourvu, maigre, mesquin, minable, miteux, nu, privé, râpé, rikiki (fam.), sec, squelettique. **III. Loc. 1. Pauvre d'esprit** → simple. **2. Pauvre diable/drille/ hère/type** → misérable.

PAUVRETÉ I. Au pr. De quelqu'un : besoin, débine (fam.), crotte (fam.), dèche, défaut, dénuement, détresse, disette, embarras, gêne, gueuserie (péj.), impécuniosité, indigence, malheur, manque, misère, mistoufle, mouise, mouscaille, nécessité, panade, panne, paupérisme, pénurie, pétrin, pouillerie (péj.), privation, purée (fam.), ruine. **II. Par ext. 1.** Aridité, défaut, disette, faiblesse, maigreur, manque, médiocrité, pénurie, stérilité. **2.** Banalité, platitude.

PAVAGE et **PAVEMENT** → pavé.

PAVANER (SE) Faire le beau/de l'épate (fam.)/la roue, se montrer, se panader, paonner, parader, poser, se rengorger.

PAVÉ I. Au pr. : carreau, dalle, galet, pierre. **II. Par ext. 1.** Assemblage de piêrres, carrelage, dallage, pavage, pavement, revêtement. **2.** → *rue.* **3.** → *route.*

PAVER Carreler, couvrir, daller, recouvrir, revêtir.

PAVILLON I. → *drapeau.* **II.** → *tente.* **III.** Abri, aile, belvédère, bungalow, chalet, chartreuse, cottage, fermette, folie, gloriette, habitation, kiosque, maison, rotonde, villa.

PAVOISER → *orner.*

PAVOT Coquelicot, œillette, olivette

PAYANT, E I. Onéreux, coûteux **II.** Avantageux, fructueux, juteux (fam) profitable, valable

PAYE ou **PAIE I.** → *paiement.* **II.** → *rétribution.*

PAYEMENT → *paiement.*

PAYER I. On donne à quelqu'un une valeur en espèces ou en nature. 1. Favorable ou neutre : appointer, arroser (fam.), contenter, défrayer, désintéresser, indemniser, récompenser, rembourser, rémunérer, rétribuer, satisfaire. **2. Non favorable :** acheter, arroser, corrompre, soudoyer, stipendier. **II. On paie une somme :** acquitter, avancer, casquer (fam.), cracher (fam.), débourser, décaisser, dépenser, dépocher (fam.), donner, éclairer (arg.), se fendre (fam.), financer, les lâcher (fam.), se libérer, liquider, mandater, ordonnancer, régler, remettre, solder, souscrire, verser. **III. Par ext. :** faire un cadeau, offrir, régaler. **IV. Fig. 1.** → *récompenser.* **2.** → *punir.*

PAYER (SE) I. → *offrir (s').* **II.** → *contenter (se).*

PAYEUR Trésorier.

PAYS I. Au pr. : bled (fam.), bord, bourg, bourgade, campagne, ciel, cité, climat, clocher (fam.), coin, commune, contrée, cru, empire, endroit, Etat, foyer, lieu, nation, origine, parage, paroisse, patelin (fam.), patrie, peuple, plage, province, région, rivage, royaume, sol, terre, territoire, terroir, trou (fam. et péj.), zone. **II. Par ext. :** compatriote, concitoyen,

PAYSAGE I. Au pr. : campagne, décor, site, vue. **II.** Bergerie, bucolique, peinture/scène champêtre/pastorale/rustique, verdure.

PAYSAN, ANNE I. Nom. 1. Neutre : agriculteur, campagnard, cultivateur, contadin (vx), éleveur, fellah, fermier, homme de la campagne/des champs, jacques (vx), koulak, laboureur, manant (vx), moujik, rural, terrien, vilain (vx), villageois. **2. Non favorable ou argot :** bouseux, cambrousard, cambrousier, croquant, cul-terreux, glaiseux, ped-

zouille, péquenot, pétrousquin, rustaud, rustre. **II. Adj. :** campagnard, frugal, grossier, rural, rustique, simple, terrien.

PÉAN → *hymne.*

PEAU I. Au pr. 1. Derme, épiderme, tégument. **2.** Couenne, croupon, cuir. **3.** Écorce, épicarpe, pelure. **II. Par ext. :** agnelin, basane, bisquain, chagrin, chamois, chevreau, chevrotin, cosse, crocodile, fourrure, galuchat, lézard, maroquin, parchemin, pécari, porc, serpent, vélin, velot.

PECCADILLE → *faute.*

PÊCHE → *poisson.*

PÉCHÉ I. Au pr. : avarice, colère, envie, gourmandise, luxure, orgueil, paresse. **II. Par ext. :** attentat, chute, coulpe (vx), crime, errement, faute, impénitence, imperfection, impiété, impureté, mal, manquement, offense, peccadille, sacrilège, scandale, stupre, transgression, vice.

PÉCHER Broncher (fam.), chuter, clocher (fam.), commettre une faute/ un péché, faillir, manquer, offenser, tomber.

PÊCHER Fig. → *trouver.*

PÊCHEUR, EUSE Marin, morutier, sardinier, terre-neuvas.

PÉCORE I. Au pr. : animal, bête, cheptel vif. **II. Fig.** (péj.) : oie, outarde, pecque, péronnelle, pie-grièche, pimbèche, pintade.→ *bête.*

PÉCULAT → *malversation.*

PÉCULE → *économie.*

PÉCUNIEUX, EUSE → *riche.*

PÉDAGOGIE → *instruction.*

PÉDAGOGIQUE Didactique, éducateur, formateur, scolaire.

PÉDAGOGUE I. Au pr. → *maître.* **II. Péj.** → *pédant.*

PÉDALE I. Au pr. : levier, manivelle, palonnier, pédalier. **II. Loc. Perdre les pédales :** esprit, fil, moyens, sang-froid. **III.** Cyclisme.

PÉDANT, E I. Nom : baderne, bas-bleu, bel esprit, bonze, censeur, cuistre, fat, faux savant, grammatiste, grimaud, magister, paon, pédagogue, pontife, poseur, régent, savantasse. **II. Adj. :** affecté, dogmatique, fat, magistral, pédantesque, pontifiant, poseur, solennel, sot, suffisant. → *bête.*

PÉDANTISME Affectation, cuistrerie, dogmatisme, fatuité, pédanterie, pose, sottise, suffisance → *prétention*

PÉDÉRASTE → *uranien.*

PÈGRE → *populace.*

PEIGNER I. Arranger, brosser, coiffer, démêler, testonner (vx). **II.** Carder, houpper. **III. Fig.** → *soigner.*

PEIGNER (SE) I. Au pr. : *les formes pronom. possibles des syn. de* PEIGNER. **II. Fig.** → *battre (se).*

PEINDRE I. Un tableau. 1. Neutre : brosser, camper, croquer, exécuter une peinture et les syn. de PEINTURE, figurer, peinturer, portraire, portraiturer, représenter. **2. Non favorable :** barbouiller, barioler, peinturlurer. torcher. **II. Une surface quelconque :** badigeonner, bronzer, graniter, laquer, repeindre, ripoliner, vernir. **III. Fig. 1. Non favorable :** farder, maquiller, travestir. **2. Neutre :** conter, décrire, dépeindre, dessiner, exprimer, faire apparaître/voir, montrer, raconter, représenter, traduire.

PEINDRE (SE) → montrer (se).

PEINE I. Châtiment, condamnation, correction, expiation, pénalité, punition, sanction, supplice. **II.** Chagrin, collier de misère, crève-cœur, croix, déplaisir, difficulté, douleur, embarras, épreuve, mal, malheur, souci, souffrance, tourment, tracas. **III.** Abattement, affliction, agonie (vx), amertume, angoisse, anxiété, désolation, détresse, douleur, ennui (vx), gêne, inquiétude, malheur, misère, tristesse. **IV.** Labeur, tâche, travail, tribulation. **V. Relig. :** dam, damnation, enfer, pénitence, purgatoire. **VI Loc. A/ sous peine de :** astreinte, contrainte, menace, obligation.

PEINER I. V. tr. : affecter, affliger, attrister, chagriner, déplaire, désobliger, fâcher, meurtrir. **II. V. intr. :** s'appliquer, s'efforcer, s'évertuer, se fatiguer, gémir, trimer.

PEINTRE I. En bâtiment : badigeonneur. **II.** Animalier, aquarelliste, artiste, enlumineur, fresquiste, miniaturiste, orientaliste, pastelliste, paysagiste, portraitiste, rapin (fam.). **III. Péj. :** barbouilleur, pompier. **IV.** Classique, cubiste, expressionniste, fauviste, impressionniste, intimiste, nabi, naïf, naturaliste, non-figuratif, pointilliste, préraphaélite, réaliste, romantique, surréaliste, symboliste, tachiste.

PEINTURE I. Au pr. : badigeon, barbouille (péj.), ravalement, recouvrement, revêtement. **II.** Aquarelle, barbouillage (péj.), crayon, croûte (péj.), décor, détrempe, diptyque, ébauche, enluminure, esquisse, estampe, étude, fresque, fusain, gouache, gribouillage (péj.), lavis, maquette, mine de plomb, pastel, plafond, pochade, polyptyque, retable, sanguine, sépia, sgraffite, tableau, toile, trumeau. **III.** Académie, allégorie, bataille, bambochade, bergerie, caricature, fresque, genre, intérieur, marine, maternité, nature morte, nu, panorama, paysage, portrait, sous-bois, verdure, vue. **IV.** Classicisme, cubisme, dadaïsme, divisionnisme, expressionnisme, fauvisme, futurisme, impressionnisme,

modern style, naturalisme, pointillisme, préraphaélisme, romantisme, réalisme, surréalisme, tachisme.

PEINTURLURER Barbouiller, colorer, colorier. → peindre.

PÉJORATIF, IVE → défavorable.

PELADE Alopécie, calvitie (par ext.), dermatose, ophiase, teigne.

PELAGE Fourrure, livrée, manteau, mantelure, peau, poil, robe, toison.

PÉLARGONIUM Géranium.

PELÉ, E Chauve, dégarni, démuni, dépouillé, épilé, épluché, nu, râpé, teigneux (péj.), tondu, usé.

PÊLE-MÊLE n. et adv. **I.** → désordre. **II.** → mélange.

PELER v. tr. et intr. Bretauder, dépouiller, écorcer, éplucher, gratter, ôter, râper, raser, tondre.

PÈLERIN, E I. Au pr. : dévot, fidèle. **II. Par ext. :** excursionniste, touriste, visiteur, voyageur. **III. Fig. et péj.** → individu.

PÈLERINAGE I. Au pr. : culte, dévotion, jubilé, pardon, sanctuaire. **II. Par ext.** → voyage.

PÈLERINE, PELISSE Cape, capuchon, fourrure, houppelande, veste. → manteau.

PELLE → bêche.

PELLETERIE → peau.

PELLICULE I. Enveloppe, lamelle. → peau. **II.** Bande, cliché, film.

PELLUCIDE Translucide, transparent.

PELOTAGE Batifolage, caresse, flirt, galanterie.

PELOTE I. Boule, manoque, maton, peloton, sphère. **II.** Balle. **III. Loc. 1. Faire sa pelote** → économiser. **2. Faire la pelote** (arg. milit.) : être brimé/puni, tourner en rond.

PELOTER I. Au pr. : bobiner, enrouler, rouler. **II.** Batifoler, caresser, chatouiller, chiffonner, lutiner, patiner (vx), tripoter. **III. Fig.** → flatter.

PELOTEUR, EUSE adj. et n. **Fig. :** enjôleur, flagorneur, flatteur, minaudier. → hypocrite.

PELOTON I. → pelote. **II.** → groupe. **III.** → troupe.

PELOTONNER (SE) → replier (se).

PELOUSE → prairie.

PELU, E, PELUCHÉ, E, PELUCHEUX, EUSE → poilu.

PELURE → peau.

PÉNALISATION, PÉNALITÉ → punition.

PÉNATES I. Au pr. : dieux de la cité/domestiques/du foyer/lares/protecteurs/tutélaires. **II. Par ext. :** abri, demeure, foyer, habitation, logis, maison, refuge, résidence.

PENAUD, E Confus, contrit, déconcerté, déconfit, embarrassé, gêné, honteux, humilié, interdit, l'oreille basse, pantois, piteux.

PENCHANT I. Au pr. : colline, côte, coteau, déclin, déclivité, inclinaison, obliquité, pente, thalweg, versant. **II. Fig. 1. Favorable :** affection, amour, aptitude, attrait, désir, disposition, faible, faiblesse, facilité, génie, goût, habitude, impulsion, inclination, instinct, nature, passion, sympathie, tendre, tendresse, vocation. **2. Non favorable :** défaut, prédisposition, propension, vice.

PENCHER I. V. tr. → *abaisser.* **II. V. intr. :** avoir du dévers, chanceler, se coucher, décliner, descendre, déverser, être en oblique/surplomb, obliquer, perdre l'équilibre.

PENCHER (SE) → *abaisser (s').*

PENDABLE Abominable, condamnable, coupable, damnable, détestable, grave, impardonnable, inexcusable, inqualifiable, laid, mauvais, méchant, répréhensible, sérieux.

PENDANT, E I. Adj. 1. Jurid. : en cours, en instance. **2.** Affaissé, affalé, avachi, ballant, fatigué, flasque. **II. Nom. 1.** Boucle, dormeuse, girandole, pendentif, pendeloque, sautoir. **2.** Accord, contrepartie, égal, semblable, symétrie, symétrique. **III. Prép. :** au cours de, au milieu de, cependant, dans, de, durant, en.

PENDANT QUE Au moment où, cependant que, lorsque, quand, tandis que.

PENDARD, E → *vaurien.*

PENDELOQUE, PENDENTIF → *pendant.*

PENDERIE Armoire, cabinet, garde-robe, meuble, placard.

PENDILLER, PENDOUILLER, PENDRE I. V. intr. : appendre, brandiller, être avachi/suspendu, flotter, retomber, tomber, traîner. **II. V. tr. 1. Au pr. :** brancher, lanterner, mettre à la lanterne, étrangler. **2.** Accrocher, attacher, fixer, suspendre.

PENDULE I. Nom masc. : balancier, régulateur. **II. Nom fém. :** cartel, comtoise, horloge, pendulette, régulateur.

PÊNE Ardillon, cheville, gâche, gâchette, serrure, verrou.

PÉNÉTRABLE Abordable, accessible, clair, compréhensible, devinable, facile, intelligible, passable, perméable, saisissable.

PÉNÉTRANT, E I. Acéré, aigu, aiguisé, coupant, tranchant. **II. Fig. :** aigu, astucieux (fam.), clair, clairvoyant, délicat, délié, divinateur, éclairé, fin, fort, habile, intelligent, lucide, mordant, ouvert, perçant, perspicace, profond, spirituel, subtil, vif.

PÉNÉTRATION Acuité, astuce, clairvoyance, délicatesse, divination, finesse, flair, habileté, intelligence, lucidité, mordant, nez, ouverture d'esprit, perspicacité, profondeur, psychologie, sagacité, subtilité, vivacité.

PÉNÉTRÉ, E I. Quelqu'un est pénétré de quelque chose : confit (péj.), convaincu, imbu, imprégné, marqué, plein, rempli, trempé. **II. Un secret est pénétré :** compris, découvert, deviné.

PÉNÉTRER I. V. intr. : accéder, aller, s'aventurer, avoir accès, se couler, s'embarquer, s'enfoncer, s'engager, entrer, envahir, se faufiler, fendre, forcer, se glisser, s'infiltrer, s'insinuer, s'introduire, se loger, mordre sur, passer, plonger. **II. V. tr. 1. Au pr.** Pénétrer quelque chose : atteindre, baigner, imbiber, imprégner, infiltrer, inonder, passer, percer, transpercer, traverser, tremper, visiter. **2. Fig.** Pénétrer quelqu'un : émouvoir, toucher, transir. **3. Fig.** On pénètre une idée : apercevoir, approfondir, comprendre, connaître, découvrir, démêler, deviner, entendre, mettre au jour, percevoir, pressentir, réfléchir, saisir, scruter, sentir, sonder.

PÉNÉTRER (SE) I. Absorber, boire. **II.** Se combiner, se comprendre, se mêler.

PÉNIBLE I. Phys. : ardu, assujettissant, astreignant, cassant (fam.), contraignant, difficile, difficultueux, dur, éreintant, fatigant, ingrat, laborieux, tuant. **II. Par ext. Moral :** affligeant, amer, angoissant, âpre, atroce, attristant, cruel, déplorable, désolant, douloureux, dur, embarrassant, ennuyeux, épineux, funeste, gênant, grave, lamentable, lourd, mauvais, mortel, navrant, pesant, poignant, rude, tendu, torturant, tourmenté, triste.

PÉNICHE Chaland, embarcation. → *bateau.*

PÉNINSULE Avancée, langue, presqu'île

PÉNIS → *sexe, zizi*

PÉNITENCE I. Ascétisme, austérité, contrition, discipline, expiation, jeûne, macération, mortification, regret, repentir, résipiscence, satisfaction. **II.** Confession. **III.** → *punition*

PÉNITENCIER I. → *bagne.* **II.** → *prison.*

PÉNITENT, E n. et adj. Ascète, contrit, flagellant, jeûneur, marri, pèlerin, repentant.

PENNE Aile, aileron, empennage, plume, rectrice, rémige.

PÉNOMBRE Clair-obscur, demi-jour, ombre.

PENSANT, E → *pensif.*

PENSÉE I. Au pr. 1. Phil. : âme, cœur, compréhension, entendement, esprit, facultés mentales, imagination, intellect, intelligence, penser, raison, sentiment. **2.** Avis, concept, conception, contemplation, dessein, élucubration (péj.), idée, intention, méditation, opinion, point de vue, préoccupation, projet, raisonnement, réflexion, rêverie, souvenir, spéculation. **II. Par ext. 1. Au sing. :** adage, aphorisme, apophtegme, axiome, devise, dicton, dit, ébauche, esquisse, jugement, maxime, mot, parole, plan, propos, proverbe, représentation, sentence, vérité. **2. Au pl. :** considérations, méditations, notations, notes, observations, propos, remarques, souvenirs.

PENSER v. I. V. intr. 1. Cogiter, comprendre, se concentrer, contempler, délibérer, envisager, examiner, se faire un jugement/une opinion, juger, méditer, peser, raisonner, se recueillir, réfléchir, se représenter, rêver, rouler dans sa tête (fam.), ruminer (fam.), songer, spéculer, voir. **2.** Évoquer, imaginer, rappeler, se souvenir. **3.** S'aviser de, faire attention à, prendre garde à, se préoccuper de, prévoir. **II. V. tr. :** admettre, concevoir, croire, estimer, imaginer, juger, présumer, projeter, supposer, soupçonner. **III. Loc. Penser suivi de l'inf. 1.** Croire, espérer, se flatter de. **2.** Faillir, manquer. **3.** Avoir l'intention/en projet/en vue, compter, projeter.

PENSER n. → *pensée.*

PENSEUR Contemplateur, contemplatif, méditatif, moraliste, philosophe.

PENSIF, IVE Absent, absorbé, abstrait, contemplatif, méditatif, occupé, préoccupé, rêveur, songeur, soucieux.

PENSION I. Collège, cours, école, institution, internat, lycée, maison d'éducation, pensionnat. **II.** Allocation, bourse, dotation, retraite, revenu, subside. **III. Loc. Pension de famille** → *hôtel.*

PENSIONNAIRE I. Acteur, actionnaire, comédien, sociétaire. **II.** Élève, hôte, interne, pupille.

PENSIONNER Arrenter (par ext.), entretenir, octroyer, pourvoir, renter, retraiter, subventionner.

PENSUM → *punition.*

PENTE I. Au pr. : abrupt, côte, déclivité, descente, dévers, escarpement, glacis, grimpette, inclinaison, montée, obliquité, penchant, raidillon, rampe, talus, thalweg, versant. **II. Fig. :** entraînement, inclination, propension, tendance. → *penchant.*

PÉNULTIÈME Avant-dernier.

PÉNURIE I. → *manque.* **II.** → *pauvreté.*

PÉPIE → *soif.*

PÉPIEMENT Chant, cri, gazouillement, gazouillis, ramage.

PÉPIER Chanter, crier, gazouiller, jacasser, piauler.

PÉPINIÈRE I. Au pr. : arboriculture, horticulture, sylviculture. **II. Loc. Mettre en pépinière :** en jauge. **III. Fig. :** couvent, école, mine, origine, séminaire, source.

PÉPINIÉRISTE Arboriculteur, arboriste, horticulteur, jardinier, sylviculteur.

PÉQUENAUD, AUDE et PÉQUENOT → *paysan.*

PERÇANT, E I. Au pr. : aigu, aiguisé, pénétrant, piquant, pointu. **II. Fig. 1. Yeux perçants :** brillants, mobiles, vifs. **2. Son perçant :** aigu, bruyant, clairet, criard, déchirant, éclatant, fort, strident, violent. **3. Froid perçant :** aigre, aigu, mortel, pénétrant, vif. **4. Esprit perçant :** éveillé, intelligent, lucide, pénétrant, perspicace, vif.

PERCÉE I. Au pr. : brèche, chemin, clairière, déchirure, éclaircie, orne, ouverture, passage, sentier, trouée. **II. Milit. :** avance, bousculade, enfoncement, irruption, raid.

PERCEPTIBLE Audible, clair, évident, → *visible.*

PERCEPTION I. Collecte, levée, recouvrement, rentrée. **II.** Recette. **III.** Affection, conception, discernement, entendement, idée, impression, intelligence, sens, sensation.

PERCER I. V. tr. 1. Au pr. : blesser, creuser, crever, cribler, darder (vx), déchirer, embrocher, empaler, encorner, enferrer, enfiler, enfoncer, enfourcher, entamer, excaver, éventrer, forer, larder, ouvrir, pénétrer, perforer, piquer, poinçonner, pointer, sonder, tarauder, transpercer, traverser, tremper, trouer, vriller. **2. Fig. Quelqu'un :** comprendre, déceler, découvrir, développer, pénétrer, prévoir, saisir. **II. V. intr. 1. Quelque chose perce :** s'ébruiter, se déceler, s'éventer, filtrer, se manifester, se montrer, se répandre, transpirer. → *paraître.* **2. Quelqu'un perce** → *réussir.* **III. Loc. Percer le cœur** → *affliger.*

PERCEUSE Chignole, foreuse, fraiseuse, taraud, taraudeuse, tarière, vilebrequin, vrille.

PERCEVABLE → *visible.*

PERCEVOIR I. → *voir.* **II.** → *entendre.* **III.** Apercevoir, appréhender, concevoir, découvrir, deviner, discerner, distinguer, éprouver, flairer, prendre connaissance, remarquer, saisir, sentir. **IV.** Empocher, encaisser, lever, prélever, prendre, ramasser, recouvrir, recueillir, retirer, soutirer/tirer de l'argent, toucher.

PERCHE I. Au pr. : balise, bâton, bouille, croc, échalas, écoperche, gaffe, gaule, houssine, latte, perchis, rame, rouable. **II. Par ext. 1.** Girafe, micro. **2.** Juchoir, perchoir. **III. Fig.** → *géant.*

PERCHER I. V. intr. : brancher, demeurer, jucher, loger, nicher, se poser. **II. V. tr. :** accrocher, placer, poser, suspendre.

PERCHIS → *perche.*

PERCHOIR Abri, juchoir, poulailler, volière.

PERCLUS, E Ankylosé, engourdi, gourd, impotent, inactif, inerte, infirme, lourd, paralysé, paralytique, raide, roide, souffrant, souffreteux.

PERCOLATEUR Cafetière, filtre.

PERCUSSION Choc, coup, heurt, impulsion.

PERCUTER → *heurter.*

PERDANT n. Jusant, reflux.

PERDANT, E adj. et n. Battu, vaincu.

PERDITION → *perte.*

PERDRE I. Sens passif : s'affaiblir, aliéner, s'amortir, s'appauvrir, s'atrophier, dégénérer, démériter, se démunir, se dépouiller, déposer, échouer, être en deuil/privé de, maigrir, manquer de, quitter, renoncer. **II. Sens actif. 1. Neutre :** adirer (jurid.), égarer, laisser traîner, oublier, paumer (fam.). **2. Non favorable :** causer un dommage, désorienter, détruire, dissiper, fausser, gâcher, galvauder, gaspiller, gâter, ruiner. **III. Par ext. :** être percé, fuir. **IV. Fig. Perdre quelqu'un :** corrompre, damner, débaucher, déconsidérer, décrier, démolir, déshonorer, désorienter, détourner, dévoyer, disqualifier, égarer, fourvoyer. **V. Loc. 1. Perdre du terrain :** battre en retraite, céder, fuir, reculer. **2. Perdre son temps :** s'amuser, baguenauder, batifoler, lézarder, musarder, paresser, traîner. **3. Perdre la tête :** s'affoler, perdre les pédales (fam.). **4. Perdre l'esprit** → *déraisonner.* **5. Perdre l'estime :** démériter, être en disgrâce, s'user. **6. Perdre de vue :** laisser tomber, oublier, rompre.

PERDRE (SE) I. Au pr. → *disparaître.* **II. Par ext. 1.** S'altérer, décroître, diminuer, faiblir, se relâcher. **2.** Se cacher, se couler, se dérober. **3. Un bruit :** s'amortir, s'étouffer, mourir. **4. Un bateau :** s'abîmer, couler, s'enfoncer, s'engloutir, sombrer. **5. Un fleuve :** se jeter. **III. Fig. Quelqu'un. 1. Neutre :** s'abîmer, s'absorber, s'anéantir, se fondre, se sacrifier. **2. Non favorable :** se corrompre, se débaucher, se dévoyer, s'embarrasser, s'embrouiller, se fourvoyer, se noyer.

PERDU, E I. Un lieu : désert, détourné, écarté, éloigné, isolé, lointain, **II. Quelque chose :** abîmé, disparu, égaré, endommagé, gâché, gâté, inutile. **III. Un animal :** égaré, errant, haret (chat). **IV. Quelqu'un. 1. Neutre :** absent, dépaysé, distrait, égaré, plongé dans ses pensées. **2. Non favorable :** condamné, cuit (fam.), désespéré, fichu (fam.), fini, flambé (fam.), foutu (fam.), frappé à mort, frit (fam.), mort. **V. Loc. Perdu de débauche, fille perdue :** corrompu, débauché.

PERDURABLE → *éternel.*

PÈRE I. Au pr. : auteur, géniteur, papa, paternel (fam.), vieux (arg.). **II. Par ext. 1.** Aïeul, ancêtre, ascendant, chef, origine, patriarche, souche, tige. **2.** → *protecteur.* **3.** Créateur, Dieu, fondateur, inventeur. **III. Loc. 1. Père conscrit :** édile, sénateur. **2. Saint-Père** → *pape.* **3. Père de l'Église** → *théologien.*

PÉRÉGRIN, E adj. et n. Étranger, excursionniste, nomade, passager, pèlerin, touriste, voyageur.

PÉRÉGRINATION → *voyage.*

PÉRÉGRINER → *voyager.*

PÉREMPTION → *prescription.*

PÉREMPTOIRE → *tranchant.*

PÉRENNITÉ → *éternité.*

PÉRÉQUATION → *répartition.*

PERFECTIBLE Améliorable, amendable, corrigible.

PERFECTION I. Achèvement, consommation, couronnement, épanouissement, excellence, fin, fleur, maturité, parachèvement, précellence. **II.** Absolu, beau, bien, bonté, idéal, nec plus ultra, qualité, summum. **III. Quelqu'un** → *phénix.*

PERFECTIONNEMENT Achèvement, affinement, amélioration, avancement, correction, couronnement, polissage, progrès, retouche.

PERFECTIONNER → *améliorer.*

PERFIDE I. → *infidèle.* **II.** → *rusé.*

PERFIDIE I. → *infidélité.* **II.** → *ruse.*

PERFORER → *percer.*

PERFORMANCE Exploit, record, succès.

PÉRICLITER → *décliner.*

PÉRIL → *danger.*

PÉRILLEUX, EUSE I. Au pr. : alarmant, critique, dangereux, difficile, hasardeux, menaçant, risqué. **II. Fig. :** audacieux, aventureux, brûlant, délicat, osé, scabreux.

PÉRIMÉ, E → *désuet.*

PÉRIMÈTRE Bord, circonférence, contour, distance, enceinte, extérieur, limite, périphérie, pourtour, tour.

PÉRIODE I. Nom masc. : apogée, comble, degré, maximum, paroxysme, point culminant, summum, zénith. **II. Nom fém. 1.** Age, consécution, cycle, durée, époque, ère, étape, intervalle, phase. **2.** Balancement, couplet, éloquence, morceau, phrase.

PÉRIODIQUE I. Nom → *revue.* **II. Adj.** → *réglé.*

PÉRIPATÉTICIEN n. et adj. Aristotélicien, philosophe.

PÉRIPATÉTICIENNE → *prostituée.*

PÉRIPATÉTISME Aristotélisme, doctrine/philosophie/théories d'Aristote.

PÉRIPÉTIE Avatar, catastrophe, coup de théâtre, crise, dénouement, épisode, événement, incident, nœud, trouble.

PÉRIPHÉRIE I. → *périmètre.* **II.** Alentour, banlieue, environs, faubourg, zone.

PÉRIPHRASE Ambages, circonlocution, circuit de paroles, détour, discours, euphémisme, précautions oratoires, tour.

PÉRIPLE Circumnavigation, expédition, exploration, tour, tournée, voyage.

PÉRIR → *mourir.*

PÉRISSABLE Caduc, corruptible, court, éphémère, fragile, fugace, incertain, instable, mortel, passager, précaire.

PÉRISSOIRE Canoë, canot, embarcation. → *bateau.*

PÉRISTYLE Colonnade, galerie, façade, portique, vestibule.

PERLE I. Par ext. : boule, goutte, grain. **II. Fig.** → *phénix.*

PERLER I. V. tr. : exécuter/faire à la perfection, parfaire, soigner. **II. V. intr. :** apparaître, dégouliner (fam.), dégoutter, s'écouler, emperler, goutter, suinter.

PERMANENCE I. Constance, continuité, durabilité, éternité, fixité, identité, invariabilité, invariance, pérennité, stabilité. **II.** Bureau, local, salle, service, siège.

PERMANENT, E → *durable.*

PERMÉABLE → *pénétrable.*

PERMETTRE I. On permet quelque chose : accepter, accorder, acquiescer, admettre, agréer, approuver, autoriser, concéder, consentir, dispenser, donner, endurer, habiliter, laisser, passer, souffrir, supporter, tolérer. **II. Quelque chose permet quelque chose :** aider à, autoriser, comporter, laisser place à, rendre possible.

PERMETTRE (SE) S'accorder, s'aviser de, dire, s'enhardir à, faire, oser, prendre la liberté de.

PERMIS → *permission.*

PERMIS, E Accordé, admis, admissible, agréé, autorisé, consenti, dans les formes/les mœurs/les normes/l'ordre/les règles, légal, légitime, libre, licite, loisible, possible, régulier, toléré.

PERMISSION I. Acceptation, accord, acquiescement, adhésion, agrément, approbation, autorisation, aveu, concession, consentement, dispense, droit, habilitation, latitude, liberté, licence, loisir, permis, possibilité, tolérance. **II.** Campos, congé.

PERMUTATION → *change.*

PERMUTER v. tr. et intr. → *changer.*

PERNICIEUX, EUSE → *mauvais.*

PÉRONNELLE → *pécore.*

PÉRORAISON → *conclusion.*

PÉRORER → *discourir.*

PERPENDICULAIRE I. Adj. : normal, orthogonal, vertical. **II. Nom :** apothème, hauteur, médiatrice.

PERPÉTRER → *commettre.*

PERPÉTUEL, ELLE I. → *éternel.* **II.** Constant, continuel, fréquent, habituel, incessant, permanent.

PERPÉTUELLEMENT Sans arrêt/cesse/trêve, souvent, toujours, *et les adv. en -ment dérivés des syn. de* PERPÉTUEL.

PERPÉTUER Continuer, éterniser, faire durer, immortaliser, maintenir, reproduire, transmettre.

PERPÉTUER (SE) Durer, se reproduire, rester, survivre *et les formes pronom. possibles des syn. de* PERPÉTUER.

PERPÉTUITÉ I. Durée indéfinie, pérennité, perpétuation. **II. Loc. A perpétuité :** à perpète (arg.), définitivement, irrévocablement, éternellement, pour toujours.

PERPLEXE → *indéterminé.*

PERPLEXITÉ → *indétermination.*

PERQUISITION Descente de police, enquête, fouille, investigation, recherche, reconnaissance, visite domiciliaire.

PERQUISITIONNER Descendre, enquêter, fouiller, rechercher, visiter.

PERRON Degré, entrée, escalier, montoir, seuil.

PERRUQUE Cheveux, coiffure, moumoute (fam.), postiche, tignasse (par. ext. et péj.).

PERRUQUIER Coiffeur, figaro, merlan (péj.).

PERS, E Glauque, olivâtre, verdâtre. → *vert.*

PERSÉCUTER → *tourmenter.*

PERSÉCUTEUR, TRICE I. Adj. : cruel, importun, incommode, intolérant. **II. Nom :** despote, oppresseur, tyran.

PERSÉVÉRANCE Acharnement, attachement, constance, continuité,

courage, endurance, énergie, entêtement, esprit de suite, fermeté, fidélité,
fixité, insistance, maintenance, obstination, opiniâtreté, patience, persistance, ténacité, volonté.

PERSÉVÉRANT, E Acharné, attaché,
buté (péj.), constant, courageux,
endurant, énergique, entêté, ferme,
fidèle, fixe, obstiné, opiniâtre, patient,
persistant, tenace, têtu, volontaire.

PERSÉVÉRER → *continuer.*

PERSIENNE → *volet.*

PERSIFLAGE → *raillerie.*

PERSIFLER → *railler.*

PERSISTANT, E I. Quelqu'un →
persévérant. **II. Quelque chose :**
constant, continu, durable, fixe,
indélébile, permanent, perpétuel, soutenu.

PERSISTER I. → *continuer.* **II.**
→ *subsister.*

PERSONNAGE I. → *homme.* **II.**
→ *personnalité.* **III. Non favorable :**
citoyen, coco, individu, paroissien,
zèbre, zigoto. **IV. De théâtre :**
arlequin, barbon, bouffon, capitan,
comédien, comparse, coquette, héroïne, héros, ingénue, interlocuteur,
jeune premier, paillasse, protagoniste,
rôle.

PERSONNALITÉ I. Phil. 1. Être,
individualité, moi, nature, soi. **2.**
Caractère, constitution, originalité,
personnage, personne, tempérament.
II. Au pr. 1. Figure, grand, monsieur,
notabilité, notable, personnage, puissant, quelqu'un, sommité, vedette.
2. Fam. : baron, bonze, gros bonnet,
grosse légume, huile, huile lourde,
important, légume, lumière, magnat
(péj.), mandarin, manitou, pontife,
satrape. **III. Par ext. :** égocentrisme,
égoïsme, entêtement, narcissisme,
volonté.

PERSONNE I. Corps, créature, être,
homme, individu, mortel, particulier,
quidam. **II. Au pl.** → *gens.*

PERSONNEL n. Aide, domesticité,
domestique, journalier, main-d'œuvre,
ouvrier, valetaille (péj.).

PERSONNEL, ELLE adj. **I.** → *individuel.* **II.** → *original.* **III.** → *égoïste.*

PERSONNIFIER → *symboliser.*

PERSPECTIVE I. Au pr. → *vue.*
II. Fig. → *probabilité.*

PERSPICACE Clair, clairvoyant, débrouillard, éveillé, fin, intelligent,
lucide, pénétrant, perçant, sagace,
subtil.

PERSPICACITÉ Acuité, clairvoyance,
discernement, finesse, flair, habileté,
intelligence, jugement, lucidité, pénétration, sagacité, subtilité.

PERSPICUITÉ Clarté, netteté.

PERSUADER Amadouer, catéchiser,
conduire à, convaincre, décider, déter-

miner, dire à, entraîner, exciter, exhorter, faire croire/entendre à, gagner,
inculquer, insinuer, inspirer, prêcher,
savoir prendre, séduire, toucher,
vaincre.

PERSUASIF, IVE Convaincant, éloquent.

PERSUASION I. → *croyance.*
II. → *inspiration.*

PERTE I. On perd quelqu'un :
deuil, éloignement, mort, privation,
séparation. **II. On perd quelque
chose. 1.** Amission (jurid.), déchéance,
déficit, dégât, dommage, préjudice,
privation, sinistre. **2. Au jeu** (fam.) :
culotte, frottée, lessivage, lessive,
raclée. **3. D'une qualité :** altération,
déchéance, discrédit. **4. De connaissance :** évanouissement, syncope.
III. Le fait de perdre. 1. Coulage,
déchet, déperdition, fuite, gâchage,
gaspillage. **2.** Défaite, insuccès.
IV. Par ext. : anéantissement,
damnation, décadence, dégénérescence, dégradation, dépérissement,
extinction, naufrage, ruine, perdition.

PERTINACITÉ Entêtement, obstination, opiniâtreté, ténacité.

PERTINENT, E Approprié, à propos,
bienséant, congru, convaincant, convenable, correct, dans l'ordre, judicieux, juste, séant.

PERTUIS I. → *ouverture.* **II.** →
détroit.

PERTUISANE Hallebarde, lance.

PERTURBATEUR, TRICE Agitateur,
contestataire, émeutier, révolutionnaire, séditieux, trublion.

PERTURBATION I. → *dérangement.* **II.** → *trouble.*

PERTURBER → *troubler.*

PERVERS, E I. → *méchant.* **II.** →
vicieux.

PERVERSION Abjection, altération,
anomalie, avilissement, corruption,
débauche, dégradation, dépravation,
détraquement, dérangement, dérèglement, égarement, folie, méchanceté,
perversité, pervertissement, stupre,
vice.

PERVERSITÉ Malice, malignité, perfidie. → *perversion.*

PERVERTIR Altérer, changer, corrompre, débaucher, dégénérer, dénaturer, dépraver, déranger, détériorer,
détraquer, dévoyer, empoisonner, encanailler, fausser, gâter, séduire,
troubler, vicier.

PESANT, E I. Au pr. : lourd, massif,
mastoc, pondéreux. **II. Fig. 1. Phys. :**
alourdi, appesanti, indigeste, lourd.
2. D'esprit → *bête.* **III. Par ext.
1.** Encombrant, épais, gros, grossier,
important, surchargé. **2.** Désagréable,
douloureux, ennuyeux, importun.

PESANTEUR I. Au pr. : attraction, gravitation, gravité, poids. **II. Par ext. 1. Phys.** : engourdissement, lourdeur, malaise. **2. D'esprit :** lenteur. → *bêtise.*

PESÉE I. Au pr. : pesage. **II. Fig.** : approfondissement, examen.

PESER I. V. tr. 1. Au pr. : soupeser, tarer, trébucher (vx). **2. Par ext. :** apprécier, approfondir, balancer, calculer, comparer, considérer, déterminer, estimer, étudier, évaluer, examiner, juger. **II. V. intr. 1. Peser ou faire peser contre/sur :** accabler, alourdir, aggraver, appesantir, appuyer, assombrir, charger, grever, incomber, opprimer, pousser, retomber. **2. On pèse sur les intentions de quelqu'un :** exercer une influence, influencer, intimider. **3. Quelque chose pèse à quelqu'un :** coûter, dégoûter, ennuyer, étouffer, fatiguer, importuner, peiner.

PESSIMISTE Alarmiste, atrabilaire, bilieux, broyeur de noir, cassandre, chouette (fam.), craintif, défaitiste, désespéré, hypocondre, inquiet, maussade, mélancolique, neurasthénique, paniquard (fam.), sombre.

PESTE I. Au pr. : choléra, pétéchie. **II. Fig.** → *méchant.*

PESTER Fulminer, fumer (fam.), grogner, invectiver, jurer, maudire, maugréer.

PESTIFÉRÉ, E adj. et n. **I. Par ext. :** brebis galeuse, galeux. **II. Fig.** → *maudit.*

PESTILENCE → *infection.*

PESTILENTIEL, ELLE I. Au pr. : pestifère, pestilent. **II. Par ext. :** contagieux, corrupteur, dégoûtant, délétère, épidémique, fétide, infect, malsain, méphitique, pernicieux, puant, putride, vicié.

PET → *vent.*

PÉTALE → *feuille.*

PÉTARADE I. Au pr. → *vent.* **II. Par ext. :** bruit, canonnade, déflagration, détonation, explosion.

PÉTARD I. Fig. : bruit, scandale, sensation. **II. Arg. 1.** Pistolet, revolver. → *arme.* **2.** Arrière-train, cul, derrière, fessier, malle, miches, popotin.

PÉTER I. Au pr. : débourrer (grossier), faire un vent *et les syn. de* VENT, se soulager, venter, vesser. **II. Par ext. 1.** Casser, crever, se détraquer, éclater, exploser, pétiller, se rompre, sauter. **2.** Échouer, faire long feu, louper, rater.

PÉTILLANT, E Fig. : agile, brillant, chatoyant, enflammé, éveillé, intelligent, léger, leste.

PÉTILLER I. Au pr. : crépiter, décrépiter, péter. **II. Fig. :** briller, chatoyer, étinceler, flamboyer, jaillir, scintiller.

PETIT, E I. Adj. 1. Au pr. : chétif, court, courtaud, délicat, écrasé, exigu, menu, microscopique, minuscule. **2. Par ext. :** dérisoire, étriqué, étroit, faible, humble, imperceptible, infime, infinitésimal, léger, maigre, malheureux, méchant, mineur, minime, modique, moindre, rikiki (fam.), sommaire, succinct. **3. Non favorable :** bas, borné, étroit, mesquin, piètre, vil. **4. Favorable :** coquet, douillet, gentil, joli. **II. Nom. 1. Favorable ou neutre** → *enfant.* **2. Non favorable :** avorton, bout d'homme, crapoussin, criquet, demi-portion, extrait, gnome, gringalet, marmouset, microbe, miniature, minus, myrmidon, nabot, nain, puce, pygmée. **3. Au pl. :** couvée, portée, progéniture, ventrée. **III. Loc. 1. Petit à petit** → *progressivement.* **2. Petite main** → *midinette.* **3. Petit nom :** diminutif, nom de baptême, prénom. **4. Petits soins** → *égards.*

PETITEMENT Bassement, chichement, mesquinement, odieusement, parcimonieusement, vilement *et les adv. en -ment dérivés des syn. de* PETIT.

PETITESSE I. Au pr. : étroitesse, exiguïté, modicité. **II. Par ext. :** bassesse, défaut, faiblesse, ladrerie, lésinerie, médiocrité, mesquinerie, saleté, vilenie.

PÉTITION Demande, instance, placet, prière, réclamation, requête, sollicitation, supplique.

PÉTOCHE → *peur.*

PÉTRI, E I. Broyé, façonné, foulé, malaxé, mélangé, modelé. **II. Loc. Pétri d'orgueil :** bouffi, gonflé, puant, rempli.

PÉTRIFIÉ, E I. → *ébahi.* **II.** → *interdit.*

PÉTRIFIER I. Au pr. : changer en pierre, durcir, fossiliser, lapidifier. **II. Fig. :** clouer, ébahir, effrayer, épouvanter, étonner, figer, fixer, geler, glacer, méduser, paralyser, river, saisir, stupéfier, terrifier, transir.

PÉTRIR I. Au pr. : brasser, fraiser, fraser, malaxer. **II. Par ext. :** broyer, gâcher, mélanger. **III. Fig. :** assouplir, éduquer, façonner, former, manier, manipuler, modeler.

PÉTROLE Bitume liquide, huile, huile de pierre, hydrocarbure, kérosène, naphte, or noir.

PÉTROLEUR, EUSE n. et adj. Brûleur, incendiaire.

PÉTULANCE Ardeur, brio, chaleur, exubérance, fougue, furia, impétuosité, promptitude, turbulence, vitalité, vivacité.

PÉTULANT, E I. → *impétueux.* II. → *turbulent.*

PEU I. Brin, doigt, filet, goutte, grain, guère, larme, lueur, miette, nuage, pointe, soupçon, tantinet. II. **Loc.** *1. De peu :* de justesse, de près. *2. Peu à peu :* doucement, graduellement, insensiblement, de jour en jour, lentement, à mesure, petit à petit, progressivement. *3. Peu de chose :* bagatelle, misère, rien. *4. Dans peu :* bientôt, dans un proche avenir, incessamment. *5. A peu près :* environ.

PEUPLADE Ethnie, groupe, horde, race, tribu. → *peuple.*

PEUPLE I. **Favorable ou neutre :** foule, masse, monde ouvrier, multitude, paysannat, prolétariat. II. **Non favorable :** canaille, commun, plèbe, populace, populaire, populo, roture, tourbe, troupeau, vulgaire. III. **Par ext.** *1.* → *nation. 2. Relig. :* fidèles, troupeau, ouailles.

PEUPLÉ, E Fourni, fréquenté, habité, populaire, populeux, surpeuplé, vivant.

PEUPLER I. → *remplir.* II. → *multiplier.*

PEUPLIER Grisard, liard, tremble, ypréau.

PEUR I. Affolement, affres, alarme, alerte, angoisse, appréhension, aversion, couardise, crainte, effroi, épouvante, foire (fam.), frayeur, frisson, frousse, hantise, inquiétude, lâcheté, malepeur (vx), panique, pétoche (fam.), phobie, pusillanimité, répulsion, saisissement, souleur (vx), terreur, trac, trouble, trouille (fam.), venette (fam.), vesse (fam.). II. **Loc.** *1. Avoir peur* → *craindre. 2. Faire peur :* apeurer, effaroucher, effrayer, épeurer, épouvanter, intimider, menacer.

PEUREUX, EUSE adj. et n. couard, craintif, dégonflé, foireux, froussard, lâche, ombrageux, péteux, poltron, pusillanime, trouillard.

PEUT-ÊTRE Possible, probablement

PHALANGE I. → *parti.* II. → *troupe*

PHALLUS → *sexe.*

PHANTASME → *vision.*

PHARAMINEUX, EUSE → *extraordinaire.*

PHARE Balise, fanal, feu, lanterne, sémaphore.

PHARISAÏQUE → *hypocrite.*

PHARISAÏSME → *hypocrisie.*

PHARISIEN, ENNE n. et adj. Faux dévot, faux jeton (fam.). → *hypocrite.*

PHARMACIEN, ENNE Apothicaire, pharmacopole, potard.

PHASE Apparence, aspect, avatar, changement, degré, échelon, étape, forme, palier, partie, période, stade, succession, transition.

PHÉBUS I. → *soleil.* II. → *enthousiasme.* III. → *galimatias.*

PHÉNIX Aigle, as, fleur, génie, idéal, modèle, nec plus ultra, parangon, perfection, perle, prodige, reine, roi, trésor.

PHÉNOMÉNAL, E → *extraordinaire.*

PHÉNOMÈNE I. **Quelque chose.** *1. Au pr. :* apparence, épiphénomène, fait, manifestation. *2.* Merveille, miracle, prodige. II. **Quelqu'un.** *1. Favorable* → *phénix. 2. Non favorable :* excentrique, original. *3. Méd. :* monstre. III. **Loc.** *Phénomène sismique :* catastrophe, séisme, tremblement de terre.

PHILANTHROPE n. et adj. Bienfaisant, bienfaiteur de l'humanité, bon, charitable, donnant, généreux, humanitariste, large, libéral, ouvert.

PHILANTHROPIE Amour, bienfaisance, charité, générosité, humanité, largesse, libéralité, ouverture.

PHILIPPIQUE → *satire.*

PHILISTIN, E n. et adj. → *profane.*

PHILOLOGIE Critique, érudition, grammaire comparée, linguistique.

PHILOSOPHE I. **Nom.** *1.* → *sage. 2.* → *penseur.* II. **Adj.** *1. Au pr. :* philosophique. *2. Par ext. :* calme, ferme, impavide, indulgent, optimiste, réfléchi, résigné, retiré, sage, satisfait, sérieux, stoïque, tranquille.

PHILOSOPHER Discuter, étudier, méditer, raisonner, spéculer.

PHILOSOPHIE I. **Au pr. :** dialectique, épistémologie, esthétique, éthique, logique, métaphysique, méthodologie, morale, ontologie, téléologie, théologie. II. **Les théories.** *1.* Doctrine, école, idée, pensée, principe, système, théorie. *2.* Académie, agnosticisme, animalisme, aristotélisme, associationnisme, atomisme, bouddhisme, brahmanisme, cartésianisme, christianisme, confucianisme, conceptualisme, criticisme, cynisme, déterminisme, dogmatisme, dualisme, dynamisme, éclectisme, éléatisme, empirisme, épicurisme, essentialisme, eudémonisme, évolutionnisme, existentialisme, fatalisme, fidéisme, finalisme, formalisme, gnosticisme, hédonisme, hégélianisme, humanisme, humanitarisme, hylozoïsme, idéalisme, idéologie, immanentisme, immatérialisme, indéterminisme, individualisme, intellectualisme, kantisme, marxisme, matérialisme, mécanisme, monadisme, monisme, mysticisme, naturalisme, néocriticisme, néo-platonisme, néo-thomisme, nihilisme, nominalisme, optimisme, palingénésie, pancalisme, panlogisme, panthéisme, péripatétisme, personnalisme, pessimisme, phénoménisme, phénoménologie, platonisme, pluralisme, positivisme, pragmatisme, probabilisme, pyrrhonisme, pythagorisme, rationalisme, réalisme, relativisme, scepticisme, scolastique, scotisme, sensualisme, socratique, solipsisme, sophisme, spiritualisme, spinozisme, stoïcisme, structuralisme, subjectivisme, substantialisme, symbolisme, syncrétisme, taoïsme, thomisme, transcendantalisme, utilitarisme, vitalisme, volontarisme, yogi, zen. **III. Par ext.** : calme, égalité d'humeur, équanimité, raison, résignation, sagesse.

PHILOSOPHIQUE → *philosophe.*

PHILTRE Aphrodisiaque, boisson magique, charme, breuvage, décoction, infusion, magie, sorcellerie.

PHLEGMON → *abcès.*

PHLOGISTIQUE I. Nom : calcination, combustion, comburation. **II. Adj.** : combustible, comburant.

PHOBIE → *peur.*

PHOCÉEN, ENNE Marseillais, massaliote, phocidien.

PHONIQUE Acoustique, audible, sonore, vocal.

PHONO et **PHONOGRAPHE** Chaîne acoustique, électrophone, machine parlante, pick-up, tourne-disque.

PHOQUE Chien/lion/loup/veau marin, cystiphore, moine, otarie.

PHOSPHORESCENCE Brasillement, fluorescence, luminescence, photoluminescence, radiation.

PHOSPHORESCENT, E Brasillant, brillant, étincelant, fluorescent, luisant, luminescent, lumineux, photogène.

PHOTOGRAPHIE Cliché, daguerréotype, diapositive, épreuve, image, instantané, photocopie, photogramme, photomaton, portrait, pose, tirage.

PHRASE I. Au pr. : discours, énoncé, formule, lexie, locution, période, proposition, sentence, syntagme, tirade. **II. Par ext.** : bavardage, circonlocution, circonvolution, cliché, enflure, phraséologie.

PHRASÉOLOGIE I. Au pr. : style, terminologie, vocabulaire. **II. Par ext.** (péj.) : bavardage, belles/bonnes paroles, boniment, chimère, creux, emphase, enflure, ithos, logorrhée, pathos, pompe, utopie, vide.

PHRASEUR n. et adj. Babillard, baratineur (fam.), bavard, bonimenteur, déclamateur, parleur, pie (fam.), rhéteur.

PHTISIE Consomption (vx), étisie, mal de poitrine (pop.), tuberculose.

PHTISIQUE adj. et n. Consomptif, poitrinaire, tuberculeux.

PHYSIONOMIE Air, apparence, aspect, attitude, caractère, contenance, expression, face, faciès, figure, manière, masque, mimique, mine, physique, traits, visage.

PHYSIQUE I. Adj. : charnel, corporel, matériel, naturel, organique, physiologique, réel, sexuel (par ext.), somatique. **II. Nom masc. 1.** → *physionomie.* **2.** → *mine.* **III. Nom fém.** : acoustique, aérodynamique, aérologie, astrophysique, biophysique, calorimétrie, cinématique, cryoscopie, dioptrique, dynamique, électricité, électrodynamique, électromagnétisme, électronique, hydraulique, hydrodynamique, hydrostatique, magnétisme, mécanique, mécanique ondulatoire, optique, optométrie, statique, thermodynamique.

PIAFFER → *piétiner.*

PIAILLER → *crier.*

PIANOTER I. → *jouer.* **II.** → *frapper.*

PIAULER → *crier.*

PIC I. → *mont.* **II.** → *sommet.* **III. Loc. A pic. 1.** → *escarpé.* **2.** → *propos (à).*

PICAILLON Argent, braise (arg.), fortune, monnaie.

PICHENETTE → *chiquenaude.*

PICHET → *pot.*

PICKPOCKET → *voleur.*

PICK-UP → *phonographe.*

PICORER I. Au pr. 1. → *manger.* **2.** → *marauder.* **II. Fig.** → *imiter.*

PICOTÉ, E I. → *piqué.* **II.** → *marqué.*

PICOTEMENT Chatouillement, démangeaison, fourmillement, fourmis, mordication (vx), prurigo, prurit.

PICOTER I. Au pr. → *piquer.* **II. Fig.** → *taquiner.*

PIE Fig. : avocat, avocat sans cause, babillard, bavard, jacasseur, phraseur.

PIÈCE I. D'un appartement : alcôve, antichambre, billard, boudoir, cabinet, carrée (fam.), chambre, cuisine, débarras, dépense, êtres, fumoir, galerie, galetas, hall, jardin d'hiver, lingerie, living-room, loge, mansarde, office, piaule (fam.), réduit, resserre, salle, salle à manger, salle de bains, salle de séjour, salon, souillarde, turne (arg.), toilettes, turne (fam.), water-closet, W.-C. **II. De tissu** : coupe, coupon. **III. De monnaie** : écu, jaunet, louis, napoléon, thune (arg.). **IV. De vin** → *tonneau.* **V. D'eau** : bassin, canal, étang, lac, miroir, vivier. **VI. D'artillerie** : bombarde, bouche à feu, canon, caronade, couleuvrine, crapouillot, émerillon, faucon, mortier, obusier, pierrier. **VII. Spectacle** : ballet, comédie, dit, drame, farce, féerie, fête, film, impromptu, intermède, mystère, opéra, opéra-bouffe, opérette, pantomime, pastorale, saynète, sotie, tragédie, tragi-comédie. **VIII. De musique :** cantate, caprice, composition, concerto, exercice, fugue, lied, morceau, ouverture, sérénade, sonate, suite, symphonie. **IX. De vers →** *poème.* **X. Par ext. 1.** → *partie.* **2.** → *morceau.* **3.** → *gratification.* **4.** Document, note, preuve, titre.

PIED I. De l'animal → *patte.* **II. De l'homme** (fam.) : arpion, fumeron, latte, nougat, panard, patte, paturon, pince, pinceau, ripaton. **III. Par ext. 1.** Assise, bas, base, chevet, fondement. **2.** Anapeste, choriambe, dactyle, ïambe, mètre, spondée, syllabe, tribraque, trochée.

PIED-À-TERRE Appartement, garçonnière, halte, logement, relais.

PIÉDESTAL Base, piédouche, plinthe, scabellon, socle, support.

PIED-PLAT I. → *lâche.* **II.** → *vaurien.*

PIÈGE I. Au pr. : amorce, appât, appeau, arbalète, attrape, chatière, chausse-trappe, collet, dardière, filet, gluau, glu, hameçon, hausse-pied, lacet, lacs, miroir à alouettes, mésangette, moquette, nasse, panneau, pas-de-loup, piège à loup, pipeaux, ratière, reginglette, souricière, taupière, trappe, traquenard, traquet, trébuchet. **II. Fig. :** artifice, attrape-nigaud, chausse-trappe, écueil, embûche, embuscade, feinte, guêpier, guet-apens, leurre, machine, panneau, ruse, souricière, traquenard.

PIERRE I. Au pr. : caillasse, cailloux, dalle, galet, gemme, gravier, minéral, moellon, palet, parpaing, pavé, pierraille, roc, roche, rocher. **II. 1. A bâtir :** ardoise, cliquart, coquillart, granit, grès, lambourde, liais, marbre, meulière, porphyre, travertin, tuf, tuffeau. **2. Précieuse :** agate, aigue-marine, alabandine, améthyste, béryl, brillant, calcédoine, chrysolithe, chrysoprase, corindon, cornaline, diamant, émeraude, escarboucle, girasol, grenat, hépatite, hyacinthe, jacinthe, jade, jargon, jaspe, lapis-lazuli, lazulite, malachite, onyx, outremer, péridot, quartz, rubis, sanguine, saphir, spinelle, topaze, tourmaline, turquoise, zircon. **3. Reconstituée :** aventurine, doublet, happelourde, strass. **4. Industr. :** bauxite, gypse, minerai, pechblende, périgueux. **5.** Aérolithe, bolide, météorite. **6. Méd. :** bézoard, calcul, concrétion, gravier, hippolithe.

PIERREUX, EUSE Caillouteux, graveleux, rocailleux, rocheux.

PIERROT I. Au pr. : masque, pantin. **II. Par ext. 1.** Moineau, oiseau.

2. Drôle, homme, individu, niais, zig, zigoto.

PIETÀ Mater dolorosa, Vierge aux douleurs/aux sept douleurs/douloureuse.

PIÉTAILLE I. Biffe (arg.), fantassin, infanterie. **II.** Foule, multitude, peuple, piétons.

PIÉTÉ I. → *religion.* **II.** → *respect.*

PIÉTINER I. V. intr. : s'agiter, frapper/taper du pied, patauger, piaffer, piler du poivre (fam.), trépigner. **II. V. tr. :** fouler, marcher sur.

PIÉTON Biffin (arg.), fantassin, piétaille.

PIÈTRE Chétif, dérisoire, faible, insignifiant, médiocre, mesquin, minable, misérable, miteux, pauvre, petit, ridicule, sans valeur, singulier, triste.

PIEU I. Au pr. : bâton, échalas, épieu, pal, palis, pilot, pilotis, piquet, poteau, rame. **II. Arg.** → *lit.*

PIEUX, EUSE I. Favorable : croyant, dévot, édifiant, fervent, mystique, religieux, respectueux, zélé. **II. Non favorable :** bigot, cafard, cagot, hypocrite, tartufe. **III. Loc.** *Vœu pieux :* hypocrite, inutile, utopique, vain.

PIF Fam. → *nez.*

PIGEON I. Au pr. : biset, colombe, goura, palombe, palonne, ramier, tourtereau, tourterelle. **II. Fig. :** dupe, gogo, naïf, niais, poire, sot.

PIGEONNIER I. Au pr. : colombier, fuie, volet, volière. **II. Par ext. 1.** Grenier, mansarde. **2.** Théâtre, paradis, poulailler.

PIGMENT Couleur, grain, pigmentation, tache.

PIGMENTÉ, E Agrémenté, coloré, fleuri, orné, tacheté.

PIGNADE Pinède.

PIGNOCHER I. Faire le/la difficile, grappiller, manger sans appétit, mordiller, picorer. **II.** Bricoler, lécher. **III.** → *peindre.*

PIGNON → *comble.*

PIGNOUF I. → *avare.* **II.** Grossier, malappris, mal élevé, rustre. **III. Péj.** → *paysan.*

PILASTRE Antre, colonne, montant, pile, pilier, soutènement, soutien, support.

PILE I. Au pr. → *amas.* **II. Fig. 1.** → *insuccès.* **2.** → *volée.*

PILER I. Broyer, concasser, corroyer, pulvériser, triturer. **II. Loc. Piler du poivre** → *piétiner.*

PILIER I. Au pr. → *colonne.* **II. Fig. :** défenseur, soutien.

PILLAGE Brigandage, concussion, curée, déprédation, détournement, exaction, malversation, maraudage, maraude, pillerie, plagiat, rapine, razzia, sac, saccage, saccagement, volerie.

PILLARD, E Brigand, corsaire, détrousseur, écumeur, maraudeur, pandour, pilleur, pirate, plagiaire, ravisseur, routier (vx), saccageur, sangsue, usurpateur, voleur.

PILLER I. Au pr. : assaillir, butiner (vx), dépouiller, dérober, détrousser, dévaliser, écrémer, écumer, marauder, pirater, prendre, ravager, ravir, saccager, usurper, voler. **II. Fig.** → *imiter.*

PILON I. Broyeur. **II.** Dame, demoiselle, hie. **III.** Jambe de bois.

PILONNER Bombarder, cogner, écraser, frapper, marteler.

PILORI I. Au pr. : carcan, poteau. **II. Par ext.** : mépris, vindicte. **III. Loc.** *Clouer/mettre au pilori* : flétrir, signaler à l'indignation/au mépris/à la vindicte.

PILOTAGE Conduite, direction, guidage, lamanage, navigation, téléguidage.

PILOTE I. Au pr. : barreur, capitaine au long cours, homme de barre, lamaneur, locman, nautonier, nocher, timonier. **II. Par ext.** : conducteur, directeur, guide, mentor, responsable.

PILOTER I. → *conduire.* **II.** → *diriger.*

PILOTIS → *pieu.*

PILULE I. Au pr. : bol, boule, boulette, dragée, globule, grain, granule, granulé, ovule. **II.** Désagrément, échec, mortification.

PIMBÊCHE Bêcheuse, caillette, chichiteuse, chipie, mijaurée, pécore, perruche, pie-grièche.

PIMENT I. Au pr. : aromate, assaisonnement, paprika, poivron. **II. Par ext. 1.** Intérêt, saveur, sel. **2.** Charme, chien, sex-appeal.

PIMENTÉ, E → *obscène.*

PIMENTER I. Au pr. : assaisonner, épicer, relever. **II. Fig.** : agrémenter, ajouter, charger.

PIMPANT, E I. → *alerte.* **II.** → *juvénile.* **III.** → *élégant.*

PINACLE I. Apogée, comble, faîte, haut, sommet. **II. Loc.** *Porter au pinacle* → *louer.*

PINACOTHÈQUE Collection, galerie, musée.

PINAILLER Chercher la petite bête, ergoter, pignocher, ratiociner.

PINARD → *vin.*

PINCE I. Barre à mine, bercelle, brucelles, davier, forceps, levier, pied-de-biche, rossignol, tenailles. **II.** Fronce, pli. **III.** → *patte.*

PINCÉ, E Par ext. I. → *étudié.* **II.** → *mince.*

PINCEAU I. Au pr. : blaireau,

brosse, pied-de-biche, queue-de-morue. **II. Par ext. 1.** → *touffe.* **2.** → *style.*

PINCE-NEZ Besicle, binocle, lorgnon.

PINCER I. Au pr. → *presser.* **II. Par ext.** → *piquer.* **III. Fig.** → *prendre.*

PINCE-SANS-RIRE → *plaisant.*

PINCETTE I. Au sing. : pince, tenaille. **II. Au pl.** → *pique-feu.*

PINDARIQUE Ampoulé, emphatique.

PINÈDE Bois/forêt/plantation de pins, pignada, pignade, pineraie.

PINGOUIN Guillemot, macareux, manchot, mergule.

PING-PONG Tennis de table.

PINGRE adj. et n. → *avare.*

PINTE Chope, chopine, demi, fillette, roquille, setier.

PINTER v. tr. et intr. Boire, s'imbiber, ingurgiter, picoler, pomper, téter. → *enivrer (s').*

PIOCHE Bigot, houe, pic, piémontaise, piolet.

PIOCHER I. Au pr. : creuser, fouiller, fouir. **II. Fig. 1.** Besogner, bûcher, chiader (fam.), étudier, peiner, travailler. **2.** → *prendre.*

PIONNIER Bâtisseur, créateur, défricheur, promoteur, protagoniste, squatter.

PIOT → *vin.*

PIPE Bouffarde, brûle-gueule, cachotte, calumet, chibouque, cigarette, houka, jacob, kalioun, narguilé.

PIPEAU I. → *flûte.* **II.** → *piège.*

PIPELET → *portier.*

PIPE-LINE Canal, canalisation, conduite, oléoduc, tube, tuyau.

PIPER I. V. intr. 1. Au pr. : crier, frouer, glousser, pépier, piauler. **2. Loc.** *Ne pas piper* → *taire (se).* **II. V. tr.** : attraper, leurrer, prendre, séduire, tromper, truquer.

PIPERIE Duperie, fourberie, leurre, perfidie, tromperie, truquage. → *piège.*

PIPETTE Compte-gouttes, tâte-vin.

PIPEUR, EUSE, ERESSE n. et adj. Filou, fourbe, tricheur. → *voleur.*

PIPI Urine, pisse.

PIQUANT I. Au pr. : aiguille, aiguillon, ardillon, épine, pointe. → *pique.* **II. Par ext. 1. De quelqu'un** : agrément, beauté, charme, enjouement, finesse, sex-appeal. **2. De quelque chose** : assaisonnement, condiment, intérêt, mordant, pittoresque, sel.

PIQUANT, E I. Au pr. : acéré, perforant, pointu. **II. Fig. 1. Un froid** → *vif.* **2. Un propos** : acerbe, acide, aigre, amer, caustique, malicieux, moqueur, mordant, satirique, vexant. **3.** *Une douleur :* aigu, cuisant, douloureux, lancinant, poignant, térébrant. **4.** *Favorable :* agréable, amusant, beau, bon, charmant, curieux, enjoué, excitant, fin, inattendu, intéressant, joli, mutin, plaisant, pittoresque, spirituel, vif.

PIQUE I. Au pr. : dard, esponton, hallebarde, lance, pertuisane. **II. Par ext.** : aigreur, allusion, blessure, brouille, brouillerie, dépit, invective, méchanceté, mésintelligence, mot, parole.

PIQUÉ, E I. Entamé, mangé aux vers, percé, picoté, piqueté, rongé, troué, vermoulu. **II.** Vexé. **III.** Acide, aigre, corrompu, gâté, tourné. **IV.** Cinglé, dérangé, fou, timbré, toqué.

PIQUE-ASSIETTE Écornifleur, écumeur de tables, parasite.

PIQUE-FEU Fourgon, pincettes, ringard, tisonnier.

PIQUE-NIQUE Déjeuner sur l'herbe, partie de campagne, repas en plein air, surprise-partie.

PIQUER I. Au pr. : aiguillonner, darder, enfoncer, éperonner, larder, percer. **II. Par ext. 1.** Attaquer, mordre, ronger, trouer. **2. Méd. :** immuniser, vacciner. **3.** Moucheter, parsemer, piqueter, tacheter. **4.** Attacher, fixer, capitonner, contrepointer, coudre, épingler, faufiler. **5.** Brûler, cuire, démanger, gratter, picoter, pincer, poindre (vx), saisir. **III. Fig. 1. Non favorable :** agacer, aigrir, atteindre, blesser, critiquer, égratigner, ennuyer, fâcher, froisser, irriter, offenser, taquiner, vexer. **2. Favorable :** chatouiller, éveiller, exciter, impressionner, intéresser, intriguer. **IV. Fam. 1.** → *voler.* **2.** *Piquer un coupable :* arrêter, coincer, cueillir, pincer, prendre, saisir. **V. Loc. Piquer des deux :** aller, s'élancer, foncer.

PIQUER (SE) I. → *pourrir.* **II.** Se fâcher, se formaliser, se froisser, s'offenser, s'offusquer, prendre la mouche. **III.** S'opiniâtrer, prendre à cœur/au sérieux. **IV.** Affecter, se glorifier de, prétendre, se vanter.

PIQUET → *pieu.*

PIQUETÉ, E Marqueté, piqué, tacheté.

PIQUETER I. Borner, jalonner, marquer, tracer. **II.** → *piquer.*

PIQUETTE I. Au pr. : boisson, boite, buvande, criquet, halbi, kéfir, poiré. **II. Non favorable :** bibine, gnognote, petite bière, vinasse. **III. Fam. :** déculottée, dérouillée, frottée, leçon, pile, rossée, rouste, volée.

PIRATE I. Au pr. : boucanier, corsaire, écumeur, flibustier, forban. **II. Fig.** : bandit, escroc, filou, requin. → *voleur.*

PIRATER I. Au pr. → *piller.* **II.** → *imiter.*

PIRE adj. et adv. Pis, plus mal/mauvais *et les syn. de* MAUVAIS.

PIROGUE Canoë, canot, embarcation, pinasse, yole. → *bateau.*

PIROUETTE I. Au pr. : moulinet, toton, toupie. **II. Par ext.** : acrobatie, cabriole, galipette, saut, saut périlleux. **III. Fig.** : changement, faux-semblant, retournement, revirement, tour de passe-passe, volteface.

PIS → *pire.*

PIS Mamelle, tétine.

PISCINE Baignoire, bain, bassin, pièce d'eau, réservoir, thermes.

PISSE Eau, urine, pipi, pissat.

PISSENLIT Dent-de-lion, fausse chicorée.

PISSER I. V. intr. 1. Au pr. : faire/tomber de l'eau (pop.), faire pipi, pissoter, uriner. **2. Par ext. :** couler, fuir, suinter. **II. V. tr. 1. Au pr. :** évacuer, faire, perdre. **2. Fig. :** compiler, produire, rédiger.

PISTE I. → *trace.* **II.** → *sentier.* **III.** → *chemin.*

PISTER Dépister, épier, filer, guetter, prendre en chasse/filature, rechercher, suivre, surveiller.

PISTOLET Arme, browning, calibre (arg.), feu (arg.), flingue (arg.), parabellum, pétard (arg.), revolver, rigolo (arg.).

PISTON Fig. : appui, coup de brosse/de pinceau/de pouce, intervention, parrainage, patronage, protection, recommandation, soutien.

PISTONNER Appuyer, intervenir, parrainer, patronner, pousser, protéger, recommander, soutenir.

PITANCE Casse-croûte, nourriture, pâtée, rata, ration, subsistance.

PITEUX, EUSE → *pitoyable.*

PITIÉ I. Favorable ou neutre : apitoiement, attendrissement, bonté, charité, cœur, commisération, compassion, compréhension, humanité, indulgence, mansuétude, miséricorde, sensibilité, sympathie. **II. Par ext. :** grâce, merci. **III. Non favorable :** dédain, mépris.

PITON I. Au pr. : aiguille, éminence, pic, sommet. **II. Fam.** → *nez.*

PITOYABLE I. Favorable : compatissant, généreux, humain, indulgent, miséricordieux. → *bon.* **II. Non favorable :** catastrophique, décourageant, déplorable, douloureux, funeste, lamentable, mal, malheureux, mauvais, médiocre, méprisable, minable, misérable, moche, navrant, pauvre, piteux, triste. **III. Par ext. :** attendrissant, émouvant, larmoyant.

PITRE Acrobate, baladin, bateleur, bouffon, clown, comédien, comique, escamoteur, gugus, jocrisse, paillasse, pasquin, plaisant, rigolo, saltimbanque, singe, zig, zigomard, zigoto.

PITRERIE Acrobatie, bouffonnerie, clownerie, comédie, facétie, grimace, joyeuseté, pasquinade, plaisanterie, singerie, sottise, tour, turlupinade.

PITTORESQUE I. Adj. *Par ext. :* accidenté, beau, captivant, charmant, coloré, enchanteur, folklorique, intéressant, original, piquant, typique. **II. Nom :** caractère, coloris, couleur locale, folklore, originalité.

PIVOT I. Au pr. : axe, tourillon. **II. Par ext. :** appui, base, centre, origine, racine, soutien, support. **III. Fig. :** cheville ouvrière, instigateur, organisateur, responsable.

PIVOTER → *tourner.*

PLACAGE I. *L'action de plaquer :* application, garnissage, revêtement. **II.** *Le matériau :* garniture, revêtement. **III. Fig.** → *abandon.*

PLACARD I. Armoire, buffet, penderie. **II.** Affiche, avis, écriteau, feuille, libellé, pancarte.

PLACE I. Agora, esplanade, forum, parvis, placette, rond-point, square. **II. Milit. :** citadelle, forteresse. **III.** Emplacement, endroit, espace, lieu, terrain. **IV.** Charge, condition, dignité, emploi, fonction, métier, position, poste, rang, situation. **V.** Agencement, arrangement, installation. **VI.** Étiquette, protocole. **VII.** Fauteuil, siège.

PLACEMENT Investissement, mise de fonds.

PLACENTA Arrière-faix, cotylédon, délivrance, délivre.

PLACER I. Au pr. : abouter, adosser, agencer, ajuster, aposter, appliquer, arranger, asseoir, bouter, camper, caser, charger, classer, coucher, déposer, disposer, dresser, échelonner, élever, ériger, établir, exposer, flanquer, ficher, fixer, fourrer, installer, interposer, localiser, loger, mettre, nicher, ordonner, planter, poser, ranger, remiser, serrer, situer. **II. Par ext. 1.** *Quelqu'un dans un emploi, à un rang :* attacher à, caser, constituer, instituer, mettre. **2.** *Quelque chose à une fonction :* assigner, fonder. **3.** *De l'argent :* investir, mettre, prêter, risquer. **4.** → *vendre.*

PLACET → *requête.*

PLACIDE Calme, décontracté, doux, flegmatique, froid, imperturbable, indifférent, modéré, pacifique, paisible, quiet, serein, tranquille.

PLACIDITÉ Calme, douceur, flegme, froideur, indifférence, modération, quiétude, sang-froid, sérénité.

PLACIER, ÈRE Commis voyageur, courtier, démarcheur, démonstrateur, représentant, vendeur, voyageur.

PLAFOND I. Au pr. : plancher. **II. Par ext. :** caisson, lambris, soffite, solive, voûte.

PLAFONNER I. V. tr. : garnir. **II. V. intr. :** atteindre la limite, culminer, marquer le pas.

PLAGE Bain/bord de mer, côte, grève, marine (vx).

PLAGIAIRE Compilateur, contrefacteur, copiste, écumeur, imitateur, larron, pillard, pilleur, usurpateur.

PLAGIAT Calque, compilation, contrefaçon, copie, démarquage, emprunt, imitation, larcin, pastiche, pillage, usurpation.

PLAID Couverture, poncho, tartan.

PLAIDER I. V. intr. : défendre/introduire une cause/une instance/une procédure/un procès, intenter un procès. **II. V. tr. :** défendre, soutenir.

PLAIDEUR, EUSE Accusateur, chicaneur (péj.), contestant, défenseur, demandeur, partie, plaignant.

PLAIDOIRIE Action, défense, plaid (vx), plaidoyer.

PLAIDOYER Apologie, défense, éloge, justification. → *plaidoirie.*

PLAIE I. → *blessure.* **II.** → *maladie.*

PLAIGNANT, E → *plaideur.*

PLAIN, PLAINE → *égal.*

PLAINDRE I. Au pr. : s'apitoyer, s'attendrir, compatir, prendre en pitié. **II. Par ext.** → *regretter.*

PLAINDRE (SE) I. → *gémir.* **II.** → *inculper.*

PLAINE Bassin, campagne, champ, champagne, étendue, nappe, pampa, pénéplaine, rase campagne, steppe, surface, toundra, vallée.

PLAINTE I. → *gémissement.* **II.** → *reproche.* **III. Loc.** *Porter plainte* → *inculper.*

PLAINTIF, IVE Dolent, geignant, geignard, gémissant, larmoyant, plaignard, pleurard, pleurnichant, pleurnichard, pleurnicheur.

PLAIRE Aller, agréer, attirer, botter, captiver, chanter, charmer, chatouiller, complaire, contenter, convenir, dire, enchanter, exciter, faire plaisir, fasciner, flatter, gagner, intéresser, parler, ravir, réjouir, revenir, satisfaire, séduire, sourire.

PLAIRE (SE) Aimer, s'amuser, s'appliquer, se complaire, se délecter, se divertir, se donner; être à l'aise, goûter, s'intéresser, se trouver bien *et les formes pronom. possibles des syn. de* PLAIRE.

PLAISANCE Agrément, amusement, divertissement, loisir, luxe, plaisir.

PLAISANT, E I. Adj. : agréable, aimable, amusant, attirant, attrayant, badin, beau, bon, captivant, charmant, comique, curieux, divertissant, drôle, engageant, excitant, facétieux, falot (vx), folâtre, folichon (fam.), enchanteur, gai, gentil, goguenard, gracieux, intéressant, joli, joyeux, piquant, récréatif, rigolo (fam.), risible, séduisant, spirituel, sympathique. **II. Nom** : baladin, blagueur, bon vivant, bouffon, boute-en-train, clown, comique, facétieux, farceur, fumiste, gaillard, histrion, impertinent, loustic, moqueur, pasquin, pince-sans-rire, pitre, plaisantin, polichinelle, railleur, rigolo, saltimbanque, turlupin, zigoto.

PLAISANTER I. V. intr. : s'amuser, badiner, batifoler, blaguer, bouffonner, charrier (fam.), folâtrer, galéjer (fam.), se gausser, mentir, rire. **II. V. tr.** : asticoter (fam.), blaguer, charrier, chiner, se moquer, railler, taquiner, tourner en ridicule, turlupiner.

PLAISANTERIE Amusoire, attrape, badinage, badinerie, bagatelle, bateau, bêtise, bon mot, bourde, boutade, calembour, calembredaine, canular, charge, clownerie, comédie, espièglerie, facétie, farce, gaillardise, galéjade, gaudriole (fam.), gauloiserie, gausse, gentillesse, goguenardise, gouaillerie, hâblerie, joyeuseté, lazzi, malice, moquerie, mot pour rire, mystification, niche, pasquinade, pièce, pirouette, pitrerie, poisson d'avril, quolibet, raillerie, saillie, satire, taquinerie, tour, turlupinade.

PLAISANTIN → *plaisant.*

PLAISIR I. Au pr. 1. Agrément, aise, bien-être, bonheur, charme, complaisance, contentement, délectation, délices, distraction, divertissement, ébats, épicurisme, euphorie, félicité, gaieté, hédonisme, joie, jouissance; passe-temps, plaisance (vx), récréation, régal, réjouissance, satisfaction, volupté. **2.** Concupiscence, lasciveté, libido, luxure, sensualité. **II. Loc. 1. Faire plaisir à** : amitié, bienfait, faveur, grâce, service. **2. Prendre plaisir à** → *aimer.*

PLAN I. Hauteur, niveau, perspective. **II.** Canevas, carte, carton, coupe, crayon, croquis, dessin, diagramme, ébauche, élévation, épure, esquisse, ichnographie, levé, maquette, modèle, schéma, schème. **III.** Batterie, calcul, combinaison, dessein, disposition, entreprise, idée,

organisation, planning, projet, stratégie, tactique. **IV.** Cadre, carcasse, charpente, économie, ordre, squelette. **V. D'un avion** : aile, empennage, voilure.

PLAN, PLANE Aplani, égal, nivelé, plat, uni.

PLANCHE I. Au pr. : ais, bardeau, chanlatte, dosse, douelle, douve, latte, madrier, palplanche, parquet, planchette, sapine, volige. **II. Par ext. 1.** → *image.* **2. Au pl.** : balle, scène, spectacle, théâtre, tréteaux. **3.** Corbeille, massif, parterre, plate-bande.

PLANCHER I. Au pr. : parquet, plafond (vx). **II. Par ext.** : échafaud, échafaudage, estrade, plateforme, platelage.

PLANER I. Au pr. → *voler.* **II. Fig.** : superviser, survoler, voir.

PLANÈTE Astre, étoile.

PLANIFIER Calculer, diriger, établir, faire des calculs/projets, orchestrer, organiser, prévoir, projeter, tirer des plans.

PLANISPHÈRE Carte, géorama, mappemonde, mercator, projection plane.

PLANT I. → *tige.* **II.** → *plantation.*

PLANTATION I. L'action : boisement, peuplement, plantage (vx), reboisement, repiquage. **II. Le lieu** : amandaie, bananeraie, boulaie, buissaie, caféière, cannaie, câprière, cerisaie, charmille, charmoie, châtaigneraie, chênaie, cotonnerie, coudraie, figuerie, fraisière, frênaie, hêtraie, mûreraie, noiseraie, olivaie, oliveraie, olivette, orangerie, ormaie, oseraie, palmeraie, peupleraie, pignada, pignade, pinède, platanaie, poivrière, pommeraie, potager, prunelaie, roseraie, safranière, sapinière, saulaie, tremblaie, vanillerie, verger, vigne, vignoble.

PLANTE Arbre, arbuste, céréale, graminée, herbe, légumineuse, liane, simple, végétal.

PLANTER I. Au pr. : boiser, cultiver, ensemencer, peupler, reboiser, repeupler, repiquer, semer. **II. Par ext. 1.** Enfoncer, faire entrer, ficher, fixer, implanter, introduire, mettre. **2.** Aposter, arborer, camper, dresser, élever, poser. **III. Loc. Planter là** : abandonner, laisser, plaquer, quitter.

PLANTER (SE) S'arrêter, se dresser, se poster.

PLANTON Ordonnance, sentinelle, soldat.

PLANTUREUX, EUSE Abondant, copieux, corsé, dodu, gras, fécond, fertile, luxuriant, opulent, prospère, riche.

PLAQUE I. → *lame.* **II.** → *inscription.*

PLAQUER I. Au pr. : aplatir, appliquer, coller, contre-plaquer. **II. Fam. :** abandonner, balancer, lâcher, laisser choir/tomber, planter là, quitter.

PLAQUETTE Brochure, livraison, livret, revue.

PLASTICITÉ I. De quelque chose : malléabilité, mollesse, souplesse. **II. De quelqu'un →** *docilité*.

PLASTIQUE I. Nom : forme, modelage, modelé, sculpture, statuaire. **II. Adj. :** flexible, malléable, mou, sculptural.

PLASTRONNER v. tr. et intr. → *poser*.

PLASTRONNEUR → *orgueilleux*.

PLAT I. Mets, morceau, pièce, spécialité. **II.** Compotier, légumier, ravier, vaisselle.

PLAT, E I. Au pr. *1.* Égal, plain, ras, uni. *2.* Aplati, camard, camus, dégonflé, écaché, mince. **II. Fig.** *1.* Banal, décoloré, fade, froid, médiocre, mesquin, pauvre. *2.* Bas, servile, vil.

PLATEAU Par ext. : planches, scène, théâtre, tréteaux.

PLATE-BANDE Ados, corbeille, massif, parterre, planche.

PLATE-FORME I. Au pr. : balcon, belvédère, échafaud, estrade, étage, galerie, palier, plancher, terrasse. **II. Milit. :** banquette, barbette. **III. Par ext. :** plateau, wagon plat. **IV. Fig. →** *programme*.

PLATITUDE I. De quelqu'un : aplatissement, avilissement, bassesse, courbette, grossièreté, humilité, insipidité, obséquiosité, petitesse, sottise, vilenie. **II. De quelque chose :** banalité, fadaise, fadeur, lieu commun, médiocrité, truisme.

PLATONICIEN, ENNE n. et adj. Essentialiste, idéaliste. → *platonique*.

PLATONIQUE I. Au pr. : idéaliste, platonicien. **II. Par ext. :** chaste, éthéré, formel, idéal, pur, théorique.

PLATONISME Essentialisme, idéalisme.

PLÂTRAS Débris, décharge, décombres, gravats.

PLÂTRÉ, E Artificiel, couvert, déguisé, dissimulé, fardé, faux, feint, simulé.

PLÂTRER I. Au pr. : couvrir, enduire, garnir, sceller. **II. Agr. :** amender. **III. Fig. →** *déguiser*.

PLÂTRER (SE) → *farder (se)*.

PLAUSIBILITÉ Acceptabilité, admissibilité, apparence, possibilité, probabilité, recevabilité, vraisemblance.

PLAUSIBLE Acceptable, admissible, apparent, concevable, crédible, croyable, pensable, possible, probable, recevable, vraisemblable.

PLÈBE I. Au pr. : foule, peuple, population, prolétariat. **II. Non favorable :** populace, populo, racaille.

PLÉBÉIEN, ENNE I. Nom : prolétaire. **II. Adj. :** ordinaire, populaire.

PLÉBISCITE Appel au peuple/à l'opinion publique, consultation populaire, référendum, vote.

PLÉIADE Foule, grand nombre, groupe, multitude, phalange.

PLEIN, PLEINE I. Au pr. : bondé, bourré, comble, complet, couvert, débordant, ras, rempli, saturé. **II. Par ext. :** abondant, ample, arrondi, dense, dodu, étoffé, gras, gros, massif, plantureux, potelé, rebondi, replet, rond. **III. Non favorable.** *1.* ivre. *2.* **Plein de soi :** bouffi, égoïste, enflé, enivré, infatué, orgueilleux. *3.* Bourré, gavé, regorgeant, repu. **IV.** Entier, total, tout.

PLEINEMENT Absolument, beaucoup, tout à fait, très *et les adv. en* -ment *dérivés des syn. de* PLEIN.

PLÉNIER, ÈRE Complet, entier, total.

PLÉNITUDE I. Abondance, ampleur, contentement, intégrité, satiété, satisfaction, saturation, totalité. **II.** Age mûr, épanouissement, force de l'âge, maturité.

PLÉONASME Battologie, cheville, datisme, périssologie, redondance, répétition, tautologie.

PLÉTHORE Abondance, engorgement, excès, réplétion, saturation, surabondance, surplus.

PLEUR → *pleurs*.

PLEURARD, E, PLEURANT, E → *pleureur*.

PLEURER I. V. intr. *1.* Gémir, répandre/verser des larmes, sangloter. *2.* **Fam. et péj. :** brailler, braire, chialer, chigner, crier, hurler, larmoyer, pleurnicher, vagir. *3.* **Fig. :** s'apitoyer, se lamenter. **II. V. tr. :** déplorer, plaindre, regretter.

PLEUREUR, EUSE n. et adj. Braillard (péj.), chagrin, geignant, geignard, gémissant, larmoyant, pleurant, pleurard, pleurnichant, pleurnichard, pleurnicheur, vagissant.

PLEURS Cris, gémissements, hurlements, lamentations, plaintes, sanglots, vagissements.

PLEUTRE n. et adj. → *lâche*.

PLEUVOIR I. Au pr. : bruiner, couler, dégringoler (fam.), flotter (fam.), pisser (fam.), pleuvasser, pleuviner, pleuvoter, pluviner, tomber. **II. Fig. :** abonder, pulluler.

PLI I. Au pr. : bouillon, couture, fronce, froncis, godage, godet, godron, ourlet, pince, rabat, relevé, rempli, repli, retroussis, troussis.

II. Par ext. *1. De terrain :* accident, anticlinal, arête, cuvette, dépression, dôme, éminence, plissement, sinuosité, synclinal, thalweg. *2. Du corps :* bourrelet, commissure, fanon, fronce, pliure, poche, repli, ride, saignée. **III. Fig.** *1.* → *lettre.* *2.* → *habitude.*

PLIABLE I. Au pr. : flexible, pliant, souple. **II. Fig.** → *pliant.*

PLIANT, PLIANTE Accommodant, complaisant, docile, facile, faible (péj.), flexible, malléable, maniable, mou, obéissant, souple.

PLIE Carrelet.

PLIER I. V. tr. *1. Au pr. Quelque chose :* abaisser, arquer, corner, couder, courber, doubler, enrouler, fausser, fermer, fléchir, infléchir, plisser, ployer, recourber, rouler, tordre. *2. Fig. Quelqu'un :* accoutumer, assouplir, assujettir, discipliner, dompter, enchaîner, exercer, façonner, opprimer. **II. V. intr. :** abandonner, s'affaisser, céder, faiblir, fléchir, lâcher, mollir, reculer, renoncer.

PLIER (SE) Fig. : s'abaisser, abdiquer, s'accommoder, s'adapter, s'assujettir, céder, se conformer, se courber, se former, s'habituer, s'incliner, se prêter, se rendre, se résigner, se soumettre.

PLISSÉ, E I. Quelque chose. *1. Neutre :* doublé, fraisé, froncé, ondulé, plié, ruché. *2. Non favorable :* chiffonné, fripé, froissé, grimaçant, grippé. **II. La peau :** froncé, parcheminé, raviné, ridé.

PLISSEMENT → *pli.*

PLISSER I. V. tr. : doubler, fraiser, froncer, plier, rucher. **II. V. intr. :** faire/prendre des plis, gondoler, onduler.

PLOMB I. Au pr. : saturne. **II. Par ext.** *1.* Balle, charge, chevrotine, cendre, cendrée, dragée, grenaille, menuise, pruneau (fam.). *2.* Sceau. *3.* Coupe-circuit, fusible.

PLOMBÉ, E → *pâle.*

PLONGEON I. Au pr. : chute, immersion, saut. **II. Fig.** *1.* Révérence, salut. *2.* Chute, disgrâce, disparition, échec, faillite, mort.

PLONGER I. V. tr. : baigner, enfoncer, enfouir, immerger, introduire, jeter, mettre, noyer, précipiter, tremper. **II. V. intr. :** descendre, disparaître, piquer, sauter.

PLONGER (SE) S'abîmer, s'absorber, s'abstraire, apprendre, s'enfouir, entrer, se livrer, se perdre.

PLOUTOCRATE → *riche.*

PLOUTOCRATIE Oligarchie, synarchie, timocratie.

PLOYER I. V. tr. : accoutumer, assujettir, courber, fléchir, plier. **II.**

V. intr. : céder, faiblir, fléchir, s'incliner.

PLUIE I. Au pr. : abat, abattée (fam.), avalanche, averse, brouillasse, bruine, cataracte, crachin, déluge, eau, flotte, giboulée, goutte, grain, lavasse (vx), nielle, ondée, orage, saucée (fam.). **II. Fig. :** abondance, arrosement, avalanche, débordement, déluge, multitude, nuée, pléiade, quantité.

PLUMAGE Livrée, manteau, pennage, plumes.

PLUME I. Au pr. : duvet, pennage, penne, plumage, rectrice, rémige, tectrice. **II. Par ext.** *1.* Aigrette, casoar, panache, plumet, touffe. *2.* → *écriture.* *3.* → *écrivain.* *4.* → *style.* *5.* → *cheveux.*

PLUMEAU Balai, balayette, houssoir, plumail, plumard.

PLUMER Déplumer, dépouiller, enlever, ôter.

PLUMET Aigrette, casoar, garniture, houppe, houppette, ornement, panache, touffe, toupet.

PLUMITIF I. → *employé.* **II.** → *écrivain.*

PLUPART (LA) → *majorité.*

PLURALITÉ I. Diversité, multiplicité. **II.** → *majorité.*

PLUS I. Davantage, encore, mieux, principalement, surtout, sur toute chose. **II. Loc.** *1. En plus :* en prime, par-dessus le marché. *2. De plus :* au demeurant, au reste, aussi, au surplus, d'ailleurs, d'autre part, du reste, encore, en route, et puis, outre cela, par-dessus le marché. *3. Au plus :* au maximum.

PLUSIEURS adj. et pron. indéf. Aucuns, d'aucuns, beaucoup, certains, différents, divers, maint, quelques.

PLUS-VALUE Accroissement, amélioration, augmentation, excédent, gain, valorisation.

PLUTÔT De préférence, préférablement.

PLUVIEUX, EUSE Brouillasseux (fam.), bruineux, humide.

PNEU, PNEUMATIQUE I. Bandage, boudin (arg.), boyau. **II.** Bleu, dépêche, exprès, petit bleu, télégramme.

POCHADE → *tableau.*

POCHARD, E → *ivrogne.*

POCHARDER → *enivrer (s').*

POCHE I. Au pr. : bourse, gousset, pochette. **II. Par ext.** *1.* Emballage, sac, sachet, sacoche. *2. Anat. :* bourse, cavité, jabot, saillie. *3.* Apostème, apostume, bouffissure, enflure, gonflement, renflement, repli.

POCHER I. → *meurtrir*. II. → *peindre*. III. Faire cuire, plonger/saisir dans l'eau/l'huile bouillante.

PODAGRE n. et adj. I. Au pr. : goutteux, rhumatisant. II. Par ext. : boiteux, impotent, infirme.

PODOMÈTRE Compte-pas, odomètre.

POÊLE I. Dais, drap, pallium, voile. II. Appareil de chauffage, fourneau, godin, mirus, salamandre. III. Vx : chambre.

POÊLE Creuset, patelle, plaque, poêlon.

POÈME Acrostiche, à-propos, ballade, bergerie, blason, bouquet, bouts-rimés, bucolique, cantate, cantilène, cantique, canzone, centon, chanson, chanson de geste/de toile, chant, comédie, complainte, dialogue, distique, dithyrambe, dizain, douzain, églogue, élégie, épigramme, épithalame, épître, épopée, fable, fabliau, geste, haïkaï, héroïde, huitain, hymne, iambe, idylle, impromptu, lai, lied, macaronée, madrigal, nome, ode, odelette, œuvre, opéra, ouvrage, palinod, palinodie, pantoum, pastourelle, pièce, poésie, priapée, psaume, quatrain, rhapsodie, romance, rondeau, rotruenge, satire, satyre, septain, sille, sirvente, sizain, sonnet, stance, stichomythie, strophe, tenson, tercet, thrène, tragédie, trilogie, triolet, vilanelle, virelai.

POÉSIE I. Lyrisme. II. Inspiration, muse. III. Art, beauté, charme, envoûtement. IV. Cadence, mesure, métrique, musique, prosodie, rythme, versification. V. → *poème*.

POÊTE I. Au pr. : aède, auteur, barde, chanteur, chantre, écrivain, félibre, jongleur, ménestrel, minnesinger, rhapsode, scalde. II. Par ext. 1. *Favorable :* amant/favori/nourrisson des Muses/du Parnasse, fils/enfant/favori d'Apollon, héros/maître/nourrisson du Pinde, prophète, voyant. 2. *Fam. ou non favorable :* cigale, mâche-laurier, métromane, poétereau, rimailleur, rimeur, versificateur.

POÉTIQUE Beau, idéal, imagé, imaginatif, lyrique, noble, sensible, sentimental, sublime, touchant.

POÉTISER → *embellir*.

POGROM Carnage, destruction, émeute, extermination, génocide, liquidation, massacre, meurtre, razzia.

POIDS I. Au pr. 1. Densité, lourdeur, masse, pesanteur, poussée, pression. 2. As, carat, centi/déca/déci/hecto/kilo/milligramme, drachme, étalon, grain, gramme, livre, marc, mine, once, quintal, scrupule, sicle, statère, talent, tonne. 3. Jauge, tare, titre. II.

Par ext. : bloc, charge, chargement, faix, fardeau, masse, surcharge. III. Fig. 1. → *importance*. 2. → *souci*.

POIGNANT, E Douloureux, dramatique, émouvant, empoignant, impressionnant, navrant, passionnant, piquant, prenant.

POIGNARD Acier, baïonnette, couteau, criss, fer, kandjar, lame, navaja, stylet, surin (arg.).

POIGNARDER Assassiner, blesser, darder (vx), égorger, frapper, larder, meurtrir (vx), saigner, suriner (arg.), tuer.

POIGNE I. Au pr. : main, pogne (fam.), poing, prise. II. Par ext. : autorité, brutalité, énergie, fermeté.

POIGNÉE I. Au pr. : bec-de-cane, béquille, bouton de porte, crémone, espagnolette, manette, pied-de-biche. II. Par ext. → *groupe*. III. Loc. *Poignée de main :* salut, shake-hand.

POIL I. Barbe, bourre, chevelure, cheveu, cil, crin, duvet, fourrure, jarre, laine, moustache, pelage, soie, sourcil, toison, vibrisse. II. Loc. 1. *A poil* → *nu*. 2. *Au poil* → *bien*.

POILU I. Adj. : barbu, chevelu, moustachu, pelu, peluché, pelucheux, pileux, pubescent, velu, villeux. II. Nom : briscard, combattant, pioupiou, soldat, vétéran.

POINÇON I. Au pr. : alène, ciseau, coin, épissoir, mandrin, marprime, matrice, pointeau, style, stylet, tamponnoir. II. Par ext. : estampille, garantie, griffe, marque.

POINDRE I. V. intr. : paraître, pointer, sortir, surgir. → *pousser*. II. V. tr. → *piquer*.

POING → *main*.

POINT I. Au pr. 1. Abscisse, centre, convergence, coordonnée, cote, emplacement, endroit, foyer, hauteur, lieu, ordonnée, origine, position, repère, situation, sommet, source. 2. *Astron. :* aphélie, apogée, apside, nadir, nœud, périgée, périhélie, zénith. II. Fig. 1. Aspect, côté, face, manière, opinion, optique, perspective, sens. 2. Commencement, début, départ, instant, moment. 3. État, situation. 4. Apogée, comble, degré, faîte, intensité, période, sommet, summum. 5. Broderie, couture, dentelle, tapisserie, tricot. 6. Marque, note, signe. 7. *D'un discours :* article, chef, cœur, disposition, essentiel, matière, nœud, question, sujet. 8. Brûlure, coup, douleur, piqûre. III. Loc. 1. *De point en point :* entièrement, exactement, textuellement, totalement. 2. *Point par point :* méthodiquement, minutieusement. 3. *Le point du jour :*

aube, crépuscule. **4. A point :** à propos, juste, opportunément.

POINT → *pas.*

POINT DE VUE I. → *vue.* **II.** → *opinion.*

POINTAGE Contrôle, enregistrement, vérification.

POINTE I. Objet. *1*. Clou, poinçon, rivet, semence. **2.** Ardillon, barbelé, chardon, cuspide, épine, mucron, picot, piquant. **II.** Aiguille, bec, bout, cap, cime, extrémité, flèche, pic, point culminant, sommet, sommité. **III.** Cache-cœur, carré, châle, couche, fichu, foulard. **IV. Fig. *1*.** Avant-garde. **2.** Allusion, épigramme, gaillardise, ironie, jeu d'esprit/de mots, moquerie, pique, pointillerie (vx), quolibet, raillerie, trait d'esprit. **3.** Soupçon, trace.

POINTEAU Poinçon, régulateur, soupape.

POINTER I. Contrôler, enregistrer, marquer, noter, vérifier. **II.** Braquer, contre-pointer, diriger, orienter, régler, viser. **III.** Apparaître, arriver, paraître, venir. **IV.** → *percer.* **V.** → *voler.*

POINTILLÉ (Vx) Argutie, bisbille, chicane, contestation, minutie, picoterie, pointillerie, querelle, sornette.

POINTILLER v. tr. et intr. **I.** Dessiner/ graver/marquer/peindre avec des points. **II. Vx** → *chicaner.*

POINTILLEUX, EUSE Chatouilleux, chinois (fam.), difficile, exigeant, formaliste, irascible, maniaque, minutieux, susceptible, vétilleux.

POINTU, E I. Au pr. : acéré, acuminé, affiné, affûté, aigu, appointé, effilé, piquant, subulé. **II. Fig. :** acide, aigre, vif. → *pointilleux.*

POINTURE Dimension, forme, grandeur, modèle, taille.

POIRE I. Au pr. : bergamote, besi, blanquette, bon-chrétien, catillac, crassane, cuisse-madame, doyenné, duchesse, hâtiveau, liard, louise-bonne, madeleine, marquise, mignonne, mouille-bouche, muscadelle, passe-crassane, rousselet, saint-germain, toute-bonne, william. **II. Fig. :** dupe, imbécile, naïf, pigeon, sot. → *bête.*

POIREAU I. Fam. : mérite agricole **II. Loc. *Faire le poireau*** → *attendre*

POIREAUTER, POIROTER → *attendre.*

POISON I. Au pr. : aconitine, appât, apprêt, acqua-toffana, arsenic, bouillon d'onze heures (fam.), ciguë, curare, gobbe, mort-aux-rats, narcotique, poudre de succession, strychnine, toxine, toxique, vénéfice, venin, virus. **II. Fig. :** mégère, peste, saleté, saloperie (vulg.), venin. → *virago.*

POISSARD, ARDE n. et adj. Bas, commun, grossier, truand, populacier, vulgaire.

POISSE Déveine, ennui, gêne, guigne, guignon, malchance, misère.

POISSER I. Couvrir, encrasser, enduire, engluer, salir. **II. Arg. :** arrêter, attraper, mettre sous les verrous, prendre.

POISSEUX, EUSE Agglutinant, collant, gluant, gras, salé, visqueux.

POISSON I. Alevin, blanchaille, fretin, friture, marée, menuaille, menuise, pêche. **II.** Able, ablette, aiglefin, aiguillat, alose, amie, ammodyte, anchois, ange-de-mer, anguille, bar, barbeau, barbillon, barbue, baudroie, bécard, black-bass, blennie, bouffi, brème, brochet, brocheton, cabillaud, cabot, calicobat, capelan, capitaine, carassin, carpe, carrelet, chabot, chevesme, chimère, chondrostome, coffre, colin, congre, corégone, cotte, cyprin, dorade, éperlan, épinoche, épinochette, espadon, esturgeon, exocet, féra, flet, flétan, gade, gardèche, gardon, girelle, gobie, gonnelle, goujon, gourami, grémille, griset, grondin, gymnote, haddock, hareng, harenguet, hippocampe, labre, lamproie, lavaret, limande, loche, loricaire, lotte, loup, lubin, lune, macroure, maigre, maillet, maquereau, melanocetus, mendole, merlan, merluche, merlus, mérou, meunier, milan, morue, muge, mulet, mulle, murène, omble, ombre, ombrine, orphie, pagel, pagre, pastenague, pégase, pélamide, pèlerin, perche, picarel, pilote, piranha, plie, poisson-chat, polyptère, raie, rascasse, rémora, requin, rouget, roussette, sandre, sar, sardine, saumon, scalaire, scare, scie, sciène, scorpène, serran, silure, sole, sphyrème, sprat, squatine, sterlet, surmulet, syngnathe, tacaud, tanche, tarpon, tétrodon, thon, torpille, touille, tourd, tranchoir, trigle, truite, turbot, turbotin, uranoscope, vairon, vandoise, vive, zancle, zée.

POISSONNAILLE Fretin, menuaille, menuise, nourrain.

POITRINAIRE n. et adj. Cachectique, phtisique, tuberculeux.

POITRINE Buste, caisse (fam.), carrure, cœur, coffre, corsage, décolleté, gorge, mamelle, poitrail, poumon, sein, thorax, torse.

POIVRÉ, E I. Assaisonné, épicé, relevé. **II. Fig. :** fort, gaulois, grivois, grossier, licencieux, piquant, salé.

POIVROT, OTE → *ivrogne.*

POIX Calfat, colle, galipot, goudron, ligneul.

POKER Dés, zanzi.

PÔLE Axe, bout, sommet.

POLÉMIQUE Apologétique, controverse, débat, discussion, dispute, guerre.

POLI, E I. Affable, aimable, amène, beau, bien élevé, bienséant, cérémonieux (péj.), châtié, civil, civilisé, complaisant, convenable, correct, courtois, décent, diplomate, éduqué, galant, gracieux, honnête, obséquieux (péj.), policé, raffiné, respectueux, révérencieux. **II.** Astiqué, brillant, briqué, calamistré, clair, étincelant, frotté, lisse, luisant, lustré, uni, verni.

POLICÉ, E I. Quelqu'un : civilisé, dégrossi, éduqué, formé, poli, raffiné. **II. Quelque chose :** organisé, réglementé.

POLICER Adoucir, civiliser, corriger, éduquer, former, organiser, polir, raffiner, réglementer.

POLICIER Ange gardien, agent de police, argousin, arguo, barbouze, bourgeois, bourre, bourrique, cogne, commissaire, C.R.S., détective, espion, flic, gardien de la paix, hirondelle, inspecteur, limier, policeman, poulet, roussin, sbire, vache.

POLICLINIQUE → *hôpital.*

POLIR I. Au pr. : adoucir, aléser, aplanir, astiquer, brunir, débrutir, doucir, dresser, égaliser, égriser, fourbir, frotter, glacer, gratteler, gréser, limer, lisser, lustrer, planer, poncer, raboter, ragréer, roder. **II. Par ext. :** aiguiser, châtier, ciseler, corriger, fignoler, finir, former, lécher, limer, parachever, parfaire, perfectionner, soigner. **III. Fig. :** adoucir, affiner, apprivoiser, assouplir, civiliser, cultiver, débarbouiller, dégrossir, dérouiller (fam.), éduquer, épurer, former, orner.

POLISSAGE → *polissure.*

POLISSON, ONNE I. Nom : galapiat, galopin, gamin, vaurien. **II. Adj. :** canaille, coquin, débauché, dissipé, égrillard, espiègle, gaillard, galant, gaulois, libertin, libre, licencieux, paillard.

POLISSONNER I. Badiner, gaudrioler (fam.), plaisanter. **II.** Marauder, vagabonder.

POLISSONNERIE Badinage, bouffonnerie, dévergondage (péj.), espièglerie, gaillardise, galanterie, gauloiserie, libertinage, liberté, licence, paillardise, plaisanterie, puérilité, sottise.

POLISSURE Brunissage, éclaircissage, finissage, finition, grésage, polissage, ponçage, rectification.

POLITESSE Affabilité, amabilité, aménité, bonnes manières, bon ton, cérémonial, civilité, complaisance, convenance, correction, courtoisie, décence, déférence, distinction, éducation, égards, galanterie, gracieuseté, honnêteté, savoir-vivre, tact, urbanité, usage.

POLITICIEN, ENNE Gouvernant, homme d'État/public, politicard (péj.), politique.

POLITIQUE I. Nom masc. → *politicien.* **II. Nom fém. 1. Au pr. :** affaires publiques, choses de l'État, État, gouvernement, pouvoir. **2. Par ext. :** adresse, calcul, diplomatie, finesse, habileté, jeu, machiavélisme (péj.), manège (péj.), négociation, patience, prudence, ruse (péj.), sagesse, savoir-faire, souplesse, stratégie, tactique, temporisation, tractation. **3. Formes :** anarchie, aristocratie, autocratie, bonapartisme, césarisme, démagogie (péj.), démocratie, dictature, fascisme, fédéralisme, féodalisme, féodalité, hitlérisme, monarchie constitutionnelle/de droit divin, nazisme, ochlocratie, oligarchie, ploutocratie, république. **4. Doctrines :** absolutisme, anarchisme, collectivisme, étatisme, individualisme, libéralisme, malthusianisme, marxisme, monarchisme, nationalisme, national-socialisme, paupérisme, royalisme, socialisme, totalitarisme. **III. Adj. Par ext. :** adroit, avisé, calculateur, diplomate, fin, habile, machiavélique (péj.), manœuvrier, négociateur, patient, prudent, renard (péj.), rusé, sage, souple.

POLLUER Corrompre, dénaturer, gâter, profaner, salir, souiller, tarer, violer.

POLLUTION Corruption, dénaturation, profanation, salissement, souillure.

POLOCHON Oreiller, traversin.

POLTRON, ONNE n. et adj. Capon, couard, foireux, froussard, lâche, péteux, peureux, pleutre, pusillanime, timide.

POLYPE → *tumeur.*

POMMADE I. Au pr. : baume, cold-cream, crème, embrocation, lanoline, liniment, onguent, pâte, populeum, uve (vx), vaseline. **II. Par ext. :** brillantine, cosmétique, gomina. **III. Fig. :** compliment, flagornerie, flatterie.

POMMADER Brillantiner, cosmétiquer, enduire, farder, gominer, graisser, lisser.

POMME I. Au pr. : api, calville, canada, capendu, châtaigne, fenouillette, golden, rambour, reine-des-reinettes, reinette, teint-frais-normand, winter-banana. **II. Par ext. :** boule, pommeau, pommette. **III. Fig. :** figure, frimousse, tête.

POMME DE TERRE Cartoufle, hollande, marjolaine, parmentière, patate, princesse, quarantaine, saucisse, topinambour, truffe blanche/rouge, vitelotte.

POMMELER (SE) Se marqueter, moutonner, se tacheter.

POMPE → *luxe.*

POMPER I. → *tirer.* **II.** → *absorber.* **III.** → *boire.* **IV. Fig.** → *épuiser.*

POMPETTE → *ivre.*

POMPEUX, EUSE → *emphatique.*

POMPIER I. Nom : soldat du feu. **II. Adj.** (péj.) → *suranné.*

POMPONNER Astiquer, attifer, bichonner, bouchonner, farder, orner, parer, soigner, toiletter.

PONANT Couchant, occident, ouest.

PONCEAU I. Arche, passerelle, pontil (vx). **II.** → *pavot.*

PONCER Astiquer, décaper, frotter, laquer, polir.

PONCIF Banalité, cliché, idée reçue, lieu commun, truisme, vieille lune, vieillerie.

PONCTUALITÉ Assiduité, exactitude, fidélité, minutie, régularité, sérieux.

PONCTUATION Accent, crochet, deux points, guillemet, parenthèse, point, point virgule, point d'exclamation/d'interrogation/de suspension, tiret, virgule.

PONCTUEL, ELLE Assidu, exact, fidèle, minutieux, réglé, régulier, religieux, scrupuleux, sérieux.

PONCTUER Accentuer, diviser, indiquer, insister, marquer, scander, séparer, souligner.

PONDÉRATION → *équilibre.*

PONDÉRER I. → *équilibrer.* **II.** → *calmer.*

PONDÉREUX, EUSE Dense, lourd, pesant.

PONDRE Fig. → *composer.*

PONT I. Appontement, aqueduc, passerelle, ponceau, pontil (vx), viaduc, wharf. **II. D'un bateau :** bau, bordage, bordé, dunette, embelle, gaillard, passavent, spardeck, superstructure, tillac.

PONTER Gager, jouer, mettre au jeu, miser, parier, placer, risquer.

PONTIFE I. Relig. : bonze, évêque, grand prêtre, hiérophante, pape, pasteur, prélat, vicaire. **II. Par ext.** (péj.) : baderne, mandarin, m'as-tu-vu (fam.), pédant, poseur.

PONTIFIANT, E Doctoral, empesé, emphatique, emprunté, majestueux, pédant, prétentieux, solennel.

PONTIFIER Discourir, parader, se pavaner, poser, présider, prôner, se rengorger, trôner.

POOL Communauté, consortium, entente, groupement, Marché commun.

POPOTE I. Cuisine, mangeaille, menu, repas, soupe. **II. Par ext. :** ménage. **III.** Bouillon, cantine, carré, foyer, mess, restaurant. **IV. Adj. :** casanier, mesquin, pot-au-feu, terre à terre.

POPOTIN Arg. - › *fessier*

POPULACE Basse pègre, canaille, écume, foule, lie, masse, multitude, pègre, peuple, plèbe, populaire, populo, prolétariat, racaille, tourbe, vulgaire.

POPULACIER, ÈRE Bas, commun, faubourien, ordinaire, plébéien, populaire, vil, vulgaire.

POPULAIRE I. Favorable ou neutre : aimé, apprécié, commun, connu, considéré, démocrate, démocratique, estimé, prisé, public, recherché, répandu. **II. Non favorable** → *populacier.* **III. Litt. :** populiste.

POPULARISER Faire connaître, propager, répandre, vulgariser.

POPULARITÉ Audience, célébrité, considération, éclat, estime, faveur, gloire, illustration, notoriété, renom, renommée, réputation, sympathie, vogue.

POPULATION → *peuple.*

POPULEUX, EUSE Dense, fourmillant, grouillant, nombreux, peuplé.

POPULISTE → *populaire.*

PORC I. Au pr. : coche, cochon, cochonnet, goret, marcassin, pécari, phacochère, porcelet, porcin, pourceau, sanglier, solitaire, suidé, truie, verrat. **II. Par ext.** → *charcuterie.* **III. Fig. :** débauché, dégoûtant, glouton, gras, gros, grossier, obscène, ordurier, sale.

PORCELAINE Par ext. I. Bibelot, vaisselle. **II.** Biscuit, chine, saxe, sèvres.

PORCELET → *porc.*

PORC-ÉPIC Fig. → *revêche.*

PORCHE Abri, auvent, avant-corps, entrée, hall, portail, portique, vestibule.

PORCHERIE Abri, étable, soue, toit.

PORCIN, E → *porc.*

PORE Fissure, interstice, intervalle, orifice, ouverture, stomate, trou.

POREUX, EUSE Fissuré, ouvert, percé, perméable, spongieux.

PORION Agent de maîtrise, chef de chantier, contremaître, gueule noire (fam.), mineur, surveillant.

PORNOGRAPHIE Grossièreté, immoralité, impudicité, indécence, licence, littérature obscène/vulgaire, obscénité.

PORNOGRAPHIQUE → *obscène.*

POROSITÉ Perméabilité.

PORT I. Géogr. : cluse, col, pas, passage, passe. **II.** Air, allure, aspect, contenance, dégaine (fam.), démarche, ligne, maintien, manière, prestance, représentation, touche, tournure. **III.** Abri, anse, bassin, cale sèche/de radoub, darse, dock, débarcadère, embarcadère, escale, havre, hivernage, quai, relâche, wharf. **IV.** Affranchissement, taxe, transport.

PORTAIL → *porte.*

PORTATIF, IVE Commode, léger, mobile, petit, portable, transportable.

PORTE I. Au pr. : accès, barrière, dégagement, entrée, guichet, herse, huis, introduction, issue, ouverture, porche, portail, portière, portillon, poterne, propylée, seuil, sortie, trappe. **II. Fig. :** accès, échappatoire, introduction, issue, moyen. **III. Loc. 1.** *Jeter/mettre à la porte :* chasser, congédier, éconduire, expulser, jeter/ mettre dehors, renvoyer. **2.** *Prendre la porte* → *partir.*

PORTÉ, E Attiré, conduit, déterminé, disposé, enclin, encouragé, engagé, entraîné, excité, incité, induit, invité, poussé, provoqué, sujet.

PORTE-BAGAGES Filet, galerie, sacoche.

PORTE-BALLE Camelot, colporteur, coltineur, commis-voyageur, marchand ambulant/forain, portefaix, porteur.

PORTE-BONHEUR Fétiche, gri-gri, mascotte, porte-chance/veine.

PORTÉE . I. Chattée, chiennée, cochonnée, couvée (par ext.), famille, fruit, nichée, petits, produits, progéniture. **II.** Aptitude, étendue, force, niveau. **III.** Action, conséquence, effet, importance, suite. **IV.** Charge, entretoise, largeur, résistance.

PORTEFAIX Coltineur, crocheteur, faquin (vx), fort des halles, porteur. → *porte-balle.*

PORTEFEUILLE I. Au pr. : cartable, carton, classeur, enveloppe, étui, porte-documents/lettres, serviette. **II. Par ext. :** charge, département, fonction, maroquin, ministère.

PORTE-MONNAIE Aumônière, bourse, crapaud (fam.), gousset, portefeuille, réticule.

PORTE-PAROLE Alter ego, entremetteur, fondé de pouvoir, interprète, organe, représentant, truchement.

PORTER I. V. tr. 1. *Un fardeau :* coltiner, soutenir, supporter, tenir, transporter, trimbaler, véhiculer. **2.** *Une décoration :* arborer, avoir, exhiber. **3.** *D'un lieu à un autre :* apporter, exporter, importer, rapporter. **4.** *Un fruit :* engendrer, produire. **5.** *Un sentiment :* attacher à, exprimer, manifester, présenter. **6.** *Quelque chose à son terme :* achever, finir, parachever, parfaire, pousser. **7.** → *soutenir.* **8.** → *occasionner.* **9.** → montrer. **10.** → *promouvoir* →

11. → *inviter* **12.** → *inscrire.* **II. V. intr. 1.** Appuyer, peser, poser, reposer sur. **2. Par ext. :** accrocher, frapper, heurter, toucher. **3.** Atteindre son but, faire de l'effet, toucher. **III. Loc. 1.** *Porter sur les nerfs* → *agacer.* **2.** *Porter à la tête :* enivrer, entêter, étourdir, griser, soûler. **3.** *Porter à la connaissance* → informer. **4.** *Porter plainte* → inculper.

PORTER (SE) I. Vers un but : aller, courir, se diriger, s'élancer, se lancer, se précipiter, se transporter. **II. A une candidature :** se présenter, répondre à. **III. Les regards, les soupçons :** chercher, graviter, s'orienter. **IV. A des excès :** se livrer.

PORTEUR I. D'un message : commissionnaire, courrier, coursier, estafette, facteur, livreur, messager, télégraphiste. **II. De colis :** coltineur, commissionnaire, coolie, crocheteur, débardeur, déchargeur, déménageur, docker, faquin (vx), fort des halles, laptot, manutentionnaire, nervi (vx), portefaix, sherpa.

PORTIER, ÈRE I. Au pr. : chasseur, concierge, gardien, huissier, suisse, tourier, tourière, veilleur. **II. Péj. :** cerbère, chasse-chien, dragon, pipelet, pipelette.

PORTIÈRE I. Rideau, tapisserie, tenture, vitrage. **II.** → *porte.*

PORTION Bout, division, dose, fraction, fragment, lopin, lot, morceau, parcelle, part, partie, pièce, quartier, ration, section, tranche, tronçon.

PORTIQUE Colonnade, galerie, narthex, péristyle, pœcile, porche, porte.

PORTRAIRE → *peindre.*

PORTRAIT I. Au pr. : autoportrait, buste, crayon, croquis, effigie, image, peinture, photo, photographie, silhouette, tableau. **II. Par ext. 1.** Figure, visage. **2.** Description, représentation, ressemblance.

PORTRAITURER → *peindre.*

POSE I. Au pr. De quelque chose : application, coffrage, mise en place. **II. Par ext. De quelqu'un. 1.** Attitude, position. **2.** Non favorable : affectation, façons, manières, prétentions, recherche, snobisme.

POSÉ, E Calme, froid, grave, lent, modéré, mûr, muri, pondéré, prudent, rassis, réfléchi, sage, sérieux.

POSER I. V. tr. 1. Au pr. : apposer, appuyer, asseoir, bâtir, camper, disposer, dresser, établir, étaler, étendre, fixer, fonder, installer, jeter, mettre, placer, planter, poster. **2. Fig. :** affirmer, avancer, énoncer, établir, évoquer, faire admettre, formuler, soulever, soutenir, supposer. **II. V. intr. 1. Neutre :** être appuyé, reposer. → *porter*. **2. Non favorable :** crâner, se contorsionner, coqueter, se croire, se draper, faire le beau/le malin/le mariole (fam.)/la roue/le zouave, se pavaner, plastronner, se rengorger.

POSER (SE) I. Au pr. : atterrir, se jucher, se nicher, se percher. **II. Fig. :** s'affirmer, se donner pour, s'ériger en, s'imposer comme.

POSEUR, EUSE n. et adj. Affecté, fat, maniéré, m'as-tu-vu, minaudier, pédant, prétentieux, snob. → *orgueilleux*.

POSITIF, IVE I. → *évident*. **II.** → *réel*. **III.** → *réaliste*.

POSITION I. Au pr. : assiette, coordonnées, disposition, emplacement, exposition, gisement, inclinaison, lieu, orientation, place, point, site, situation. **II. De quelqu'un. 1.** Aplomb, assiette, attitude, équilibre, mouvement, pose, posture, station. **2.** Emploi, établissement, état, fonction, métier, occupation, situation. **3.** Attitude, engagement, idée, opinion, parti, profession de foi, résolution.

POSITIVEMENT Matériellement, précisément, réellement, véritablement, vraiment.

POSITIVISME Agnosticisme, relativisme.

POSSÉDÉ, E n. et adj. **I.** → *énergumène*. **II.** → *furieux*.

POSSÉDER I. → *avoir*. **II.** → *jouir*. **III.** → *connaître*.

POSSÉDER (SE) → *vaincre (se)*.

POSSESSEUR → *propriétaire*.

POSSESSION I. Le fait de posséder : acquisition, appartenance, appropriation, détention, disposition, installation, jouissance, maîtrise, occupation, propriété, richesse, usage. **II. L'objet :** avoir, bien, colonie, conquête, domaine, douaire (vx), établissement, fief, immeuble, propriété, territoire.

POSSIBILITÉ I. De quelque chose : alternative, cas, chance, crédibilité, éventualité, vraisemblance. **II. Pour quelqu'un :** droit, facilité, faculté, liberté, licence, loisir, moyen, occasion, pouvoir.

POSSIBLE Acceptable, accessible, admissible, buvable (fam.), commode, contingent, convenable, éventuel, facile, faisable, futur, permis, praticable, prévisible, probable, réalisable, sortable, supportable, virtuel, vraisemblable.

POSTE I. Auberge, étape, relais. **II.** Courrier, P.T.T.

POSTE I. Affût, avant-poste, observatoire, préside, vigie. **II.** Charge, emploi, fonction, responsabilité. **III. Loc. 1. Poste de pilotage :** gouvernes, habitacle. **2. Poste d'essence :** distributeur, pompe, station-service. **3. Poste de secours :** ambulance, antenne chirurgicale. **4. Poste de radio, de télévision :** appareil, récepteur.

POSTER Aposter, embusquer, établir, installer, loger, mettre à l'affût/en place/en poste, placer, planter.

POSTÉRIEUR I. Adj. : consécutif, futur, posthume, ultérieur. **II. Nom** → *derrière*.

POSTÉRITÉ I. Descendance, descendants, enfants, famille, fils, génération future, héritiers, lignée, neveux, race, rejetons, successeurs. **II.** Avenir, futur, immortalité, mémoire.

POSTHUME Outre-tombe.

POSTICHE I. Adj. : ajouté, artificiel, factice, faux, rapporté. **II. Nom masc. :** chichi, mouche, moumoute (fam.), perruque. **III. Nom fém. :** baliverne, boniment, mensonge, plaisanterie.

POSTILLON I. Cocher, conducteur. **II.** Salive.

POSTULANT Aspirant, candidat, demandeur, impétrant, poursuivant, prétendant, quémandeur (péj.), solliciteur, tapeur (péj.).

POSTULAT Convention, hypothèse, principe.

POSTULER → *solliciter*.

POSTURE → *position*.

POT Cruche, marmite, pichet, potiche, récipient, ustensile, vase.

POTABLE I. Au pr. : bon, buvable, pur, sain. **II. Fam. :** acceptable, passable, possible, recevable, valable.

POTAGE Au pr. : bisque, bouillon, consommé, eau de vaisselle (péj.), julienne, lavasse (péj.), lavure (péj.), minestrone, oille (vx), pot (vx), soupe, velouté.

POT-AU-FEU Bœuf gros sel/bouilli, bouillon gras, oille (vx), pot, potbouille (vx), soupe.

POTEAU → *pieu*.

POTELÉ, E Charnu, dodu, gras, grassouillet, gros, plein, poupard, poupin, rebondi, rembourré, rempli, replet, rond, rondelet.

POTENCE → *gibet*.

POTENTAT → *roi*.

POTENTIEL → *force*.

POTICHE Cache-pot, vase.

POTIN I. → *médisance*. **II.** → *tapage*.

POTINER → *médire*.

POTION → *remède*.

POTIRON → *courge*.

POT-POURRI → *mélange*.

POU Grenadier, lécanie, mélophage, morpion, psoque, tique, toto.

POUACRE adj. et n. **I.** Dégoûtant, écœurant, malpropre, puant, répugnant, sale, vilain. **II.** → *avare.*

POUCE I. Au pr. : doigt, gros orteil. **II. Loc. 1. Donner un coup de pouce** → *aider, exagérer.* **2. Mettre les pouces** → *céder.* **3. Sur le pouce** : à la hâte, en vitesse, rapidement.

POUCETTES → *menottes.*

POUDRE I. → *poussière.* **II. Loc. 1. Jeter de la poudre aux yeux** → *impressionner.* **2. Mettre en poudre** → *détruire.*

POUDRER Couvrir, enfariner, farder, garnir, recouvrir, saupoudrer.

POUDREUSE I. Coiffeuse, table à toilette. **II.** Pulvérisateur, soufreuse.

POUDREUX, EUSE Cendreux, poussiéreux, sablonneux.

POUFFER → *rire.*

POUILLES I. → *injures.* **II. Loc. Chanter pouilles** : engueuler (fam.), gronder, injurier, invectiver, quereller, réprimander.

POUILLEUX, EUSE → *misérable.*

POULAIN → *cheval.*

POULE I. Au pr. 1. Cocotte (fam.), gallinacée, géline (vx), poularde, poulet, poulette. **2. Poule sauvage** : faisane, gelinotte, perdrix, pintade. **3. Poule d'eau** : foulque, gallinule, porphyrion, sultane. **II. Fig.** : cocotte, fille. → *prostituée.* **III.** Compétition, enjeu, jeu, mise.

POULET I. Au pr. : chapon, coq, poulette, poussin. → *poule.* **II. Fig.** → *lettre.*

POULICHE → *jument.*

POULS I. Au pr. : battements du cœur. **II. Loc. Tâter le pouls** → *sonder.*

POUMON I. Par ext. : bronches, poitrine. **II. Arg.** : éponges. **III. Boucherie** : foie blanc, mou.

POUPARD, E I. Nom → *bébé.* **II. Adj.** : charnu, coloré, dodu, frais, gras, grassouillet, gros, joufflu, plein, potelé, poupin, rebondi, rembourré, rempli, replet, rond, rondelet.

POUPÉE I. Au pr. : baigneur, bébé, poupard, poupon. **II. Par ext.** : figurine, mannequin. **III. Fig. 1.** Pansement. **2.** Étoupe, filasse. **3. Techn.** : mâchoire, mandrin.

POUPIN, INE → *poupard.*

POUPON → *bébé.*

POUR I. A la place de, au prix de, contre, en échange de, moyennant. **II.** Comme, en fait/en guise/en manière/en tant que. **III.** En ce qui est de, quant à. **IV.** A destination/en direction de, vers. **V.** Pendant. **VI.** A, à l'égard de, en faveur de,

envers. **VII. Loc. 1. Remède pour** : contre. **2. Être pour** : en faveur du/côté/du parti de. **VIII. Suivi de l'inf.** : afin de, à l'effet de, de manière à, en vue de.

POURBOIRE → *gratification.*

POURCEAU → *porc.*

POURCENTAGE Intérêt, marge, rapport, tantième, taux.

POURCHASSER → *poursuivre.*

POURFENDEUR → *bravache.*

POURLÉCHER → *lécher.*

POURLÉCHER (SE) → *régaler (se).*

POURPARLER Conférence, conversation, échange de vues, négociation, tractation.

POURPOINT Casaque, justaucorps.

POURPRE I. Adj. → *rouge.* **II. Nom. 1.** → *rougeur.* **2.** Cardinalat, dignité cardinalice/impériale/souveraine/suprême, royauté.

POURQUOI I. Adv. interrog. : à quel propos/sujet, pour quelle cause/raison, pour quel motif, dans quelle intention. **II. Loc. conj.** : aussi, c'est pour cela/ce motif/cette raison, c'est pourquoi, conséquemment, en conséquence, subséquemment (vx).

POURRI, E I. Au pr. : abîmé, altéré, avarié, corrompu, croupi, décomposé, détérioré, faisandé, gâté, moisi, piqué, putréfié, putride, rance. **II. Fig.** : compromis, contaminé, corrompu, dégradé, dévalorisé, dévalué, gangrené, malsain, perdu, taré, vil.

POURRIR I. V. intr. : s'abîmer, s'altérer, s'avarier, chancir, se corrompre, croupir, se décomposer, se détériorer, se faisander, se gâter, moisir, se piquer, se putréfier, rancir, tomber en pourriture *et les syn. de* POURRITURE, tourner. **II. V. tr.** : abîmer, avarier, contaminer, désagréger, gâter, infecter, ronger.

POURRITURE I. Au pr. : altération, contamination, corruption, décomposition, désagrégation, destruction, détérioration, moisissement, moisissure, pourrissement, putréfaction, rancissement, rancissure. **II. Par ext. 1. Au pr. et fig.** : carie, gangrène. **2. Fig.** : concussion, corruption.

POURSUITE I. Au pr. : chasse, course, pourchas (vx), quête, recherche. **II. Jurid.** : accusation, action, assignation, démarche, intimation, procédure, procès. **III. Par ext.** : continuation, reprise.

POURSUIVRE I. Au pr. : chasser, courir, donner la chasse, être aux trousses (fam.), foncer sur, forcer, harceler, importuner, pourchasser, presser, relancer, serrer, suivre, talonner, traquer. **II. Fig. 1. Non favorable** : aboyer/s'acharner contre, accuser, actionner contre, hanter, obséder, persécuter, tourmenter. **2. Favorable ou neutre :** aspirer à, briguer, prétendre à, rechercher, solliciter. **III. Par ext. :** aller, conduire/ mener à son terme, continuer, passer outre/ son chemin, persévérer, pousser, soutenir l'effort.

POURSUIVRE (SE) Continuer, durer *et les formes pronom. possibles des syn. de* POURSUIVRE.

POURTANT Cependant, mais, néanmoins, pour autant, toutefois.

POURTOUR Bord, ceinture, cercle, circonférence, circuit, contour, extérieur, périmètre, périphérie, tour.

POURVOI Action, appel, pétition, recours, requête, revision, supplique.

POURVOIR I. V. intr. : assurer, entretenir, faire face, parer, subvenir, suffire. **II. V. tr. :** alimenter, approvisionner, armer, assortir, donner, doter, douer, équiper, établir, fournir, garnir, gratifier, mettre en possession, munir, nantir, orner, procurer, subvenir, suppléer.

POURVOIR (SE) I. S'approvisionner, se monter, se munir. **II.** Avoir recours, se porter, recourir.

POURVOYEUR, EUSE Alimentateur, commanditaire, fournisseur, servant.

POURVU QUE A condition de/que, à supposer/espérons/il suffit que, si.

POUSSE Bourgeon, branche, brin, brout, germe, jet, recru, rejet, rejeton, scion, talle, turion.

POUSSE-CAFÉ Alcool, armagnac, cognac, digestif, eau-de-vie, liqueur, marc, rhum, tafia.

POUSSÉE I. Au pr. : bourrade, coup, élan, épaulée, impulsion, pression, propulsion. **II. Par ext. 1. De la foule :** bousculade, cohue, presse. **2. Méd. :** accès, aggravation, augmentation, crise, éruption, montée. **3. Archit. :** charge, masse, pesée, poids, résistance.

POUSSER I. V. tr. 1. Au pr. : abaisser, baisser, balayer, bourrer, bousculer, bouter, chasser, culbuter, éloigner, enfoncer, heurter, jeter hors, lancer, projeter, propulser, refouler, rejeter, renvoyer, repousser, souffler. **2. Fig. :** aider, aiguillonner, animer, attirer, conduire, conseiller, contraindre, décider, déterminer, diriger, disposer, embarquer, emporter, encourager, engager, entraîner, exciter, faire agir, favoriser, inciter, incliner, induire, instiguer, inviter, porter, solliciter, stimuler, tenter. **3. Une action :** accentuer, accroître, approfondir, augmenter, développer, faire durer, forcer, prolonger. **4. Le feu :** attiser, augmenter, forcer. **5. Un cri :** crier, émettre, faire, jeter, proférer. **6. Un soupir :** exhaler, lâcher. **II. V. intr. 1.** Aller, avancer, se porter. **2.** Croître, se développer, grandir, pointer, pulluler, sortir, venir.

POUSSER (SE) Avancer, conquérir, se lancer, se mettre en avant/en vedette.

POUSSIÈRE Balayure, cendre, débris, détritus, ordures, pollen (bot.), poudre (vx), restes.

POUSSIÉREUX, EUSE I. Au pr. : gris, poudreux, sale. **II. Par ext. :** ancien, archaïque, démodé, vétuste, vieilli, vieillot, vieux, vieux jeu.

POUSSIF, IVE Asthmatique, catharreux, dyspnéique, époumoné, essoufflé, haletant, palpitant, pantelant.

POUSSIN → *poulet.*

POUTRE I. Vx : jument, pouliche. **II.** Ais, arbalétrier, bastaing, chantignolle, chevron, colombage, contrefiche, corbeau, corniche, coyau, croisillon, décharge, entrait, entretoise, étançon, faîtage, ferme, flèche, jambage, jambe, jambette, lambourde, linteau, longeron, madrier, panne, poinçon, poitrail, poteau, potelet, sablière, solive, tasseau, tournisse.

POUVOIR Être apte/à même de/à portée de/capable/en mesure/en situation/susceptible de, avoir la capacité/le droit/la latitude/la licence/la permission/la possibilité de, savoir.

POUVOIR I. Qualité de quelqu'un : aptitude, art, ascendant, autorité, capacité, charme, crédit, don, empire, faculté, habileté, influence, maîtrise, possession, possibilité, puissance, valeur. **II. De faire quelque chose :** droit, latitude, liberté, licence, permission, possibilité. **III. Jurid. :** attribution, capacité, commission, délégation, droit, juridiction, mandat, mission, procuration. **IV. Sous le pouvoir de :** coupe, dépendance, disposition, férule, influence, main, patte. **V. Polit. :** administration, autorité, commandement, État, gouvernement, puissance, régime.

PRAIRIE Alpage, champ, herbage, lande, noue, pacage, pampa, pâtis, pâturage, pâture, savane, steppe, toundra.

PRATICABLE → *possible.*

PRATICIEN, ENNE Clinicien, chirurgien, exécutant, médecin traitant.

PRATIQUE I. Adj. : adapté, applicable, astucieux (fam.), commode, efficace, exécutable, facile, faisable, ingénieux, logeable, maniable, positif, possible, pragmatique, praticable, profitable, réalisable, réaliste, utile, utilisable, utilitaire. **II. Nom fém. 1.** Achalandage, acheteur, acquéreur, client, clientèle, fidèle, fréquentation, habitué. **2. *Relig.*** *Les personnes :* assistance, fidèle, ouaille, paroissien, pratiquant. **3. *Relig.*** *Le fait de pratiquer :* culte, dévotion, exercice, observance. **4.** Accomplissement, acte, action, agissement, application, conduite, connaissance, coutume, exécution, exercice, expérimentation, expérience, façon d'agir, familiarisation, familiarité, habitude, mode, procédé, procédure, routine, savoir, savoir-faire, usage, vogue.

PRATIQUER I. On pratique quelque chose : accomplir, adopter, connaître, employer, s'entraîner à, éprouver, exécuter, exercer, expérimenter, faire, jouer, se livrer à, procéder à, utiliser. **II. Par ext. 1.** Ménager, ouvrir. **2.** Garder, mettre en application/en œuvre/en pratique, observer, suivre. **3.** Fréquenter, hanter, visiter, voir.

PRÉ → *prairie.*

PRÉALABLE I. Adj. : antérieur, premier, primitif. **II. Nom :** antécédent, condition préalable, préavis, précaution, préliminaire. → *préambule.* **III. Loc.** *Au préalable :* d'abord, auparavant, avant, préalablement.

PRÉAMBULE Avant-propos, avertissement, avis, commencement, début, entrée en matière, exorde, exposition, introduction, liminaire, préface, préliminaire, prélude, prolégomène, prologue.

PRÉAU Abri, cour, couvert, gymnase.

PRÉAVIS Avertissement, congé, délai, signification.

PRÉBENDE Bénéfice, part/portion congrue, profit, revenu, royalties.

PRÉBENDIER Par ext. → *profiteur.*

PRÉCAIRE Aléatoire, chancelant, court, éphémère, fragile, incertain, instable, passager.

PRÉCARITÉ Fragilité, incertitude, instabilité.

PRÉCAUTION I. Au pr. : action préventive, disposition, filtrage, garantie, mesure, prophylaxie, vérification. **II. La manière d'agir :** attention, circonspection, diplomatie, discrétion, économie, ménagement, prévoyance, prudence, réserve.

PRÉCAUTIONNER (SE) S'armer, s'assurer, se garder, se garder à carreau (fam.), se mettre en garde, se prémunir, veiller au grain (fam.).

PRÉCAUTIONNEUX, EUSE I. → *prudent.* **II.** Attentif, minutieux, prévenant, soigneux.

PRÉCÉDEMMENT Antérieurement, auparavant, ci-devant (vx).

PRÉCÉDENT, E I. Adj. : antécédent, antérieur, citérieur, devancier, précurseur, prédécesseur. **II. Nom :** analogie, exemple, fait analogue/antérieur, référence.

PRÉCÉDER Annoncer, dépasser, devancer, diriger, distancer, marcher devant, passer, placer devant, prendre les devants/le pas, prévenir.

PRÉCEPTE Aphorisme, apophtegme, commandement, conseil, dogme, enseignement, formule, instruction, leçon, loi, maxime, morale, opinion, prescription, principe, proposition, recette, recommandation, règle.

PRÉCEPTEUR, TRICE Éducateur, gouvernante, gouverneur (vx), instituteur, instructeur, maître, pédagogue, préfet des études, professeur, régent (vx), répétiteur.

PRÊCHE Discours, homélie, instruction, prône, sermon.

PRÊCHER Annoncer, catéchiser, conseiller, enseigner, évangéliser, exhorter, instruire, moraliser, préconiser, prôner, prononcer un sermon, recommander, remontrer, sermonner.

PRÊCHEUR Orateur, prédicant, prédicateur, sermonnaire (péj.).

PRÉCIEUX, EUSE I. Quelque chose : avantageux, beau, bon, cher, inappréciable, inestimable, introuvable, parfait, rare, riche, utile. **II. Quelqu'un. 1. *Favorable* :** compétent, efficace, important, utile. **2.** Affecté, difficile, efféminé, emprunté, maniéré. **III. Litt. :** affecté, affété, choisi, emphatique, galant, maniéré, mignard, recherché.

PRÉCIOSITÉ Affectation, afféterie, concetti, cultisme, entortillage, euphuisme, galanterie, gongorisme, manière, maniérisme, marinisme, marivaudage, mignardise, raffinement, recherche, subtilité.

PRÉCIPICE I. Au pr. : abîme, anfractuosité, cavité, crevasse, gouffre. **II. Fig. :** catastrophe, danger, désastre, malheur, ruine.

PRÉCIPITAMMENT A boule vue (vx), à la va-vite, à vau-de-route (vx), brusquement, dare-dare, en courant, en vitesse, à fond de train, rapidement, vite.

PRÉCIPITATION I. Affolement, brusquerie, empressement, fougue, frénésie, impatience, impétuosité, irréflexion, légèreté, pagaïe, panique, presse, promptitude, rapidité, soudaineté, violence, vitesse, vivacité. **II.** Brouillard, chute d'eau/de grêle/ de neige/de pluie. **III. Chimie :** floculation.

PRÉCIPITER I. Au pr. : anéantir, faire tomber, jeter, pousser, ruiner. **II. Par ext. :** accélérer, avancer, bâcler, bousculer, brusquer, dépêcher, expédier, forcer, hâter, pousser, presser, trousser.

PRÉCIPITER (SE) S'abattre, accourir, s'agiter, assaillir, courir, se dépêcher, dévaler, s'élancer, embrasser, s'empresser, s'engouffrer, entrer, foncer, fondre, se hâter, se lancer, piquer une tête, piquer/tomber sur.

PRÉCIS, E Abrégé, absolu, bref, catégorique, certain, clair, concis, congru, court, défini, détaillé, déterminé, développé, distinct, exact, explicite, exprès, fixe, formel, fort, franc, géométrique, juste, mathématique, net, particulier, pile, ponctuel, raccourci, ramassé, réduit, résumé, rigoureux, serré, sommaire, sonnant, tapant.

PRÉCIS Abrégé, aide-mémoire, analyse, code, codex, compendium, épitomé, résumé, sommaire, vade-mecum.

PRÉCISER Abréger, clarifier, définir, détailler, déterminer, distinguer, donner corps, énoncer, établir, expliciter, expliquer, fixer, particulariser, raccourcir, ramasser, réduire, résumer, serrer, souligner, spécifier.

PRÉCISER (SE) Se caractériser, se dessiner *et les formes pronom. possibles des syn. de* PRÉCISER.

PRÉCISION I. Au sing. : caractérisation, clarté, concision, définition, détermination, exactitude, justesse, mesure, netteté, rigueur, sûreté. **II. Au pl. :** constat, compte rendu, détails, développement, explication, faits, information, procès-verbal, rapport.

PRÉCOCE → *hâtif.*

PRÉCONÇU, E Anticipé, préétabli, préjugé.

PRÉCONISER I. → *louer.* **II.** → *recommander.*

PRÉCURSEUR Ancêtre, annonciateur, avant-coureur, devancier, fourrier, initiateur, inventeur, messager, prophète.

PRÉDATEUR Destructeur, nuisible, pillard.

PRÉDÉCESSEUR I. Au sing. → *précurseur.* **II. Au pl.** → *ancêtres.*

PRÉDESTINATION → *vocation.*

PRÉDESTINÉ, E → *voué.*

PRÉDESTINER Appeler, décider, destiner, distinguer, élire, fixer d'avance, marquer, protéger, réserver, vouer.

PRÉDICANT I. → *ministre.* **II.** → *prédicateur.* **III.** → *orateur.*

PRÉDICAT → *attribut.*

PRÉDICATEUR Apôtre, doctrinaire, missionnaire, orateur sacré, prêcheur, prédicant, sermonnaire.

PRÉDICATION → *sermon.*

PRÉDICTION Annonce, augure, avenir, bonne aventure (pop.), conjecture, divination, horoscope, oracle, présage, prévision, promesse, pronostic, prophétie, vaticination.

PRÉDILECTION Affection, faiblesse, faveur, goût, préférence.

PRÉDIRE Annoncer, augurer, conjecturer, deviner, dévoiler, dire l'avenir/la bonne aventure, présager, prévoir, promettre, pronostiquer, prophétiser, vaticiner.

PRÉDISPOSER Amadouer, amener, incliner, mettre en condition/en disposition, préparer.

PRÉDISPOSITION Aptitude, atavisme, condition, disposition, hérédité, inclination, penchant, tendance, terrain favorable.

PRÉDOMINANCE Avantage, dessus, précellence, prééminence, préexcellence, préférence, prépondérance, primauté, supériorité, suprématie.

PRÉDOMINER Avoir l'avantage/la prédominance *et les syn. de* PRÉDOMINANCE, être le plus important *et les syn. de* IMPORTANT, l'emporter sur, exceller, prévaloir, régner.

PRÉÉMINENCE → *prédominance.*

PRÉEMPTION Préférence, priorité, privilège.

PRÉEXCELLENCE Précellence. → *prédominance.*

PRÉEXISTENCE Antériorité.

PRÉFACE Argument, avant-propos, avertissement, avis/discours préliminaire, exorde, introduction, liminaire, notice, préambule, préliminaire, présentation, prodrome (vx), proème (vx), prolégomènes.

PRÉFECTURE Chef-lieu, département.

PRÉFÉRABLE Meilleur, mieux, supérieur.

PRÉFÉRABLEMENT De/par préférence, plutôt.

PRÉFÉRÉ, E Attitré, choisi, chouchou (fam.), favori, privilégié.

PRÉFÉRENCE I. Pour quelqu'un : acception, affection, attirance, choix, faible, faiblesse, favoritisme, partialité, prédilection. **II. Pour quelque chose :** avantage, choix, option, privilège.

PRÉFÉRER Adopter, aimer mieux, avoir une préférence *et les syn. de* PRÉFÉRENCE, chérir, choisir, considérer comme meilleur, distinguer, estimer le plus, incliner/pencher en faveur de/pour.

PRÉFIGURER → *présager.*

PRÉHISTOIRE Archéologie, paléo-lithique, protohistoire, mésolithique, néolithique.

PRÉHISTORIQUE Par ext. (fam.) : ancien, antédiluvien, démodé, su-ranné.

PRÉJUDICE Atteinte, dam, désagré-ment, désavantage, détriment, dom-mage, injustice, lésion, mal, tort.

PRÉJUDICIABLE Attentatoire, dom-mageable, funeste, malfaisant, mal-heureux, nocif, nuisible.

PRÉJUDICIER Blesser, nuire, porter préjudice *et les syn. de* PRÉJUDICE.

PRÉJUGÉ A priori, erreur, idée pré-conçue/toute faite, jugement pré-conçu/téméraire, œillère, opinion pré-conçue/toute faite, parti pris, passion, préconception, préoccupation (vx), prévention, supposition.

PRÉJUGER v. tr. et intr. → *présager.*

PRÉLART Bâche, toile.

PRÉLASSER (SE) S'abandonner, se camper, se carrer, se détendre, se goberger (fam.), se laisser aller, pontifier, se relaxer, se reposer, trôner, se vautrer (péj.).

PRÉLAT Archevêque, cardinal, di-gnitaire, évêque, monseigneur, mon-signor, pontife, prince de l'Église, protonotaire apostolique, vicaire gé-néral.

PRÉLÈVEMENT I. Au pr. : coupe, ponction, prise. **II. Fig.** : contribu-tion, dîme, impôt, retenue, saisie, soustraction.

PRÉLEVER Couper, détacher, enlever, extraire, imposer, lever, ôter, percevoir, prendre, retenir, retrancher, rogner, saisir, soustraire.

PRÉLIMINAIRE Avant-propos, aver-tissement, avis, commencement, con-tacts, essai, exorde, introduction, jalon, liminaire, préambule, préface, prélude, présentation, prodrome (vx).

PRÉLUDE I. Au pr. : ouverture, prologue. **II. Par ext.** → *prélimi-naire.* **III. Fig.** : annonce, avant-coureur, avant-goût, commencement, lever.

PRÉLUDER Annoncer, commencer, essayer, s'exercer, improviser, se préparer.

PRÉMATURÉ, E I. Anticipé, avancé, avant terme. **II.** Hâtif, précoce, rapide.

PRÉMÉDITER Calculer, étudier, mé-diter, préparer, projeter, réfléchir.

PRÉMICES Avant-goût, commence-ment, début, genèse, origine, primeur, principe.

PREMIER, ÈRE I. Adj. 1. Au pr. : antérieur, initial, liminaire, originaire, original, originel, préoriginal, prime, primitif, principe, prochain. **2. Par ext. :** capital, dominant, en tête,

indispensable, meilleur, nécessaire, prépondérant, primordial, principal, supérieur. **II. Nom. 1.** Aîné, ancêtre, auteur, initiateur, introducteur, inven-teur, pionnier, premier-né, promoteur. **2. Arg. :** cacique, major.

PREMIÈREMENT D'abord, avant tout, avant toute chose, en premier, en premier lieu, primo.

PRÉMISSE Affirmation, axiome, com-mencement, hypothèse, proposition.

PRÉMONITION → *pressentiment.*

PRÉMUNIR Armer, avertir, garantir, munir, préserver, protéger.

PRÉMUNIR (SE) Se garder, se garer, se précautionner *et les formes pronom. possibles des syn. de* PRÉMUNIR.

PRENANT, E Fig. : attachant, capti-vant, charmant, émouvant, intéres-sant, passionnant, pathétique.

PRENDRE I. Au pr. 1. Neutre : atteindre, attraper, étreindre, saisir, tenir. **2. Par ext. Non favorable :** accaparer, agripper, s'approprier, ar-racher, s'attribuer, aveindre (vx), confisquer, écumer, embarquer (fam.), s'emparer de, empoigner, emporter, enlever, intercepter, ôter, rafler, ra-masser, ratiboiser (fam.), ratisser (fam.), ravir, retirer, souffler (fam.), soutirer. → *voler.* **II. Prendre quel-que chose de :** extraire, ôter, puiser, sortir, tirer. **III. Milit. :** capturer, conquérir, enlever, envahir, forcer, occuper, réduire. **IV. On prend quelqu'un. 1. Au pr. :** accrocher, agrafer, appréhender, arrêter, s'assurer de, attraper, avoir, capturer, ceinturer, choper (fam.), coincer (fam.), col-leter, crocher, cueillir, s'emparer de, faire, harponner, mettre la main au collet/dessus, piger (fam.), pincer (fam.), piper (fam.), piquer (fam.), poisser (fam.), se saisir de, surprendre. **2. Par ext. :** amadouer, apprivoiser, entortiller, persuader, séduire. **V. On prend une nourriture, un remède :** absorber, avaler, boire, consommer *et les syn. de* ABSORBER. **VI.** → *choisir.* **VII.** → *vêtir.* **VIII.** → *con-tracter.* **IX.** → *percevoir.* **X.** → *geler.* **XI.** → *regarder.* **XII.** → *occuper.* **XIII. Loc. 1. Prendre bien :** s'accom-moder. **2. Prendre mal :** se fâcher, interpréter de travers. **3. Prendre à tâche** → *entreprendre.* **4. Prendre langue :** s'aboucher. → *parler.* **5. Prendre part** → *participer.* **6. Prendre sur soi :** se dominer. → *charger (se).* **7. Prendre pour un autre :** confondre, croire, se mé-prendre, regarder comme, se tromper. **8. Prendre pour aide :** s'adjoindre, s'associer, s'attacher, embaucher, em-ployer, engager, retenir. **9. Prendre une direction :** s'embarquer, emprunter, s'engager. **10. Prendre un air :** adopter, affecter, se donner, se mettre à avoir, pratiquer. **11. Prendre un emploi :** embrasser, entrer dans.

PRENDRE À (SE) Se mettre à. → *commencer.*

PRENEUR, EUSE n. et adj. Acheteur, acquéreur, cheptelier, fermier, locataire.

PRÉNOM Nom de baptême, petit nom.

PRÉNUPTIAL, E Anténuptial.

PRÉOCCUPATION Agitation, angoisse, cassement de tête, difficulté, ennui, inquiétude, obsession, occupation, peine, soin, sollicitude, souci, tourment, tracas.

PRÉOCCUPÉ, E Absorbé, abstrait, anxieux, attentif, distrait, inquiet, méditatif, occupé, pensif, songeur, soucieux.

PRÉOCCUPER Absorber, agiter, attacher, chiffonner, donner du souci *et les syn. de* SOUCI, ennuyer, hanter, inquiéter, obséder, tourmenter, tracasser, travailler, trotter dans la tête.

PRÉOCCUPER (SE) Considérer, s'inquiéter de, s'intéresser à, s'occuper de, penser à.

PRÉPARATIF Appareil (vx), apprêt, arrangement, branle-bas, dispositif, disposition, précaution, préparation.

PRÉPARATION I. De quelque chose : apprêt, assaisonnement, composition, confection, façon. **II. Par ext. :** acheminement, arrangement, art, ébauche, esquisse, étude, introduction, organisation, plan, projet. **III. De quelqu'un :** apprentissage, éducation, formation, instruction, stage.

PRÉPARER I. Préparer quelque chose. 1. Au pr. : accommoder, apprêter, arranger, disposer, dresser, mettre, organiser. **2. Cuisine :** assaisonner, barder, brider, cuire, cuisiner, farcir, fricoter, mijoter, mitonner, parer, plumer, truffer, vider. **3. La terre :** amender, ameublir, bêcher, cultiver, déchaumer, défricher, façonner, fumer, herser, labourer, rouler. **II. Fig. 1. Favorable ou neutre :** aplanir, calculer, combiner, concerter, concevoir, déblayer, ébaucher, échafauder, élaborer, étudier, faciliter, former, frayer, goupiller (fam.), mâcher (fam.), méditer, ménager, munir, nourrir, organiser, prédisposer, projeter. **2. Non favorable :** conspirer, couver, machiner, monter, nouer, ourdir, préméditer, tramer. **3. Un examen :** bachoter (péj.), chiader, piocher, potasser, travailler. **4. Quelque chose prépare quelque chose :** annoncer, faciliter, présager, produire, provoquer, rendre possible. **5. On prépare**

quelque chose pour quelqu'un : destiner, réserver. **6. On prépare un effet :** amener, ménager, mettre en scène. **7. Préparer quelqu'un :** aguerrir, éduquer, entraîner, former, instruire, rendre capable de/prêt à.

PRÉPARER (SE) I. Quelqu'un. 1. S'apprêter, se cuirasser, se disposer, se mettre en demeure/en état/en mesure de. **2.** Faire sa toilette, s'habiller, se parer. **II. Quelque chose. 1.** Être imminent, menacer. **2.** Les formes pronom. possibles des syn. de PRÉPARER.

PRÉPONDÉRANCE Autorité, domination, hégémonie, maîtrise, pouvoir, prédominance, prééminence, préséance, primauté, supériorité, suprématie.

PRÉPONDÉRANT, E Dirigeant, dominant, influent, maître, prédominant, prééminent, premier, supérieur.

PRÉPOSÉ, E n. et adj. → *employé.*

PRÉPOSER Charger, commettre, confier, constituer, déléguer, employer, installer, mettre à la tête de/en fonctions.

PRÉPOTENCE Pouvoir absolu, puissance. → *prépondérance.*

PRÉROGATIVE Attribut, attribution, avantage, don, droit, faculté, honneur, juridiction, pouvoir, préséance, privilège.

PRÈS I. Adv. : à côté, adjacent, à deux pas, à petite distance, à proximité, attenant, aux abords, avoisinant, contigu, contre, en contact, limitrophe, mitoyen, proche, touchant, voisin. **II. Loc. adv. De près :** à bout portant, à brûle-pourpoint, à ras, avec soin, bord à bord. **III. Loc. prép. Près de. 1.** Aux abords de, au bord de, à côté de, à deux doigts/pas de, auprès de, autour de, avec, contre, joignant, jouxte, proche de, voisin de. **2.** Sur le point de. **IV. Loc. 1. A peu près :** approximativement, approchant, assez, bien, comme qui dirait (fam.), dans les, environ, pas tout à fait, presque. **2. A peu de chose(s) près :** à un cheveu, presque. **3. A cela près :** excepté, mis à part, sauf.

PRÉSAGE Annonce, augure, auspices, avant-coureur, avant-goût, avertissement, avis, conjecture, marque, menace, message, porte-bonheur/malheur, prédiction, préfiguration, prélude, prodrome, promesse, pronostic, prophétie, signe, symptôme.

PRÉSAGER I. Quelque chose ou quelqu'un présage : annoncer, augurer, avertir, marquer, menacer, porter bonheur/malheur, préfigurer, préluder, promettre. **II. Quelqu'un présage :** conjecturer, flairer, prédire, pressentir, présumer, prévoir, pronostiquer, prophétiser.

PRESBYTÈRE Cure, maison curiale.

PRESCIENCE → *prévision.*

PRESCRIPTION I. Jurid. : péremption/ **II.** Arrêté, commandement, décision, décret, disposition, édit, indication, indiction, instruction, ordonnance, ordre, précepte, promulgation, recommandation, règle.

PRESCRIRE Arrêter, commander, décider, décréter, dicter, disposer, donner ordre, édicter, enjoindre, fixer, imposer, indiquer, infliger, ordonner, réclamer, recommander, requérir, vouloir.

PRÉSÉANCE Pas. → *prérogative.*

PRÉSENCE I. Au pr. 1. Essence, existence. **2.** Assiduité, régularité. **3.** Assistance. **II. Loc. En présence de :** à la/en face de, devant, pardevant (vx), vis-à-vis de.

PRÉSENT n. **I.** → *don.* **II.** Actualité, réalité.

PRÉSENT (À) loc. → *présentement.*

PRÉSENT, E adj. Actuel, contemporain, courant, immédiat, moderne.

PRÉSENTABLE Acceptable, convenable, digne, sortable (fam.).

PRÉSENTATION I. → *exposition.* **II.** → *préface.*

PRÉSENTEMENT Actuellement, à présent, aujourd'hui, de nos jours, de notre temps, en ce moment, maintenant.

PRÉSENTER I. V. intr. *Loc. Présenter bien/mal :* avoir l'air, marquer. **II. V. tr. 1. On présente quelqu'un :** faire admettre/agréer/ connaître, introduire. **2. On présente quelque chose :** aligner, amener, arranger, avancer, dessiner, diriger, disposer, exhiber, exposer, faire voir, fournir, mettre en avant/en devanture/ en évidence/en valeur, montrer, offrir, produire, proposer, servir, soumettre, tendre, tourner vers.

PRÉSENTER (SE) I. On se présente. 1. Au pr. : arriver, comparaître, se faire connaître, paraître. **2. Se présenter à un examen :** passer, subir. **3. A une candidature :** se porter. **II. Quelque chose se présente :** apparaître, s'offrir, survenir, tomber, traverser *et les formes pronom. possibles des syn. de* PRÉSENTER.

PRÉSERVATIF → *remède.*

PRÉSERVATION Abri, conservation, défense, épargne, garantie, garde, maintien, protection, sauvegarde.

PRÉSERVER Abriter, assurer, conserver, défendre, épargner, éviter, exempter, garantir, garder, garer, maintenir, parer, prémunir, protéger, sauvegarder, sauver, soustraire.

PRÉSIDENCE Autorité, conduite, conseil, direction, gestion, magistrature suprême, tutelle.

PRÉSIDENT, E Chef, conseiller, directeur, magistrat, tuteur.

PRÉSIDER v. intr. et tr. Conduire, diriger, gérer, occuper la place d'honneur/le premier rang, régler, siéger, veiller à.

PRÉSOMPTION I. → *orgueil.* **II.** Attente, conjecture, hypothèse, jugement, opinion, préjugé, pressentiment, prévision, supposition. **III.** Charge, indice.

PRÉSOMPTUEUX, EUSE Ambitieux, arrogant, audacieux, avantageux, content de soi, fat, fier, hardi, imprudent, infatué, irréfléchi, optimiste, orgueilleux, outrecuidant, péteux (fam.), prétentieux, suffisant, superbe, téméraire, vain, vaniteux, vantard.

PRESQUE A demi, à peu près, approximativement, comme, environ, peu s'en faut, quasi, quasiment.

PRESQU'ÎLE Péninsule.

PRESSANT, E Ardent, chaleureux, chaud, contraignant, excitant, impératif, impérieux, important, insistant, instant, nécessaire, pressé, puissant, rapide, suppliant, tourmentant, urgent.

PRESSE I. Affluence, concours, foule, multitude. **II.** Calandre, fouloir, laminoir, pressoir, vis. **III.** → *journal.* **IV.** Empressement, hâte.

PRESSÉ, E I. → *pressant.* **II.** → *court.* **III.** Alerte, diligent, empressé, impatient, prompt, rapide, vif.

PRESSENTIMENT I. Non favorable : appréhension, crainte, prémonition, signe avant-coureur/prémonitoire. **II. Favorable ou neutre :** avant-goût, avertissement, divination, espérance, espoir, idée, impression, intuition, présage, présomption, sentiment.

PRESSENTIR I. Non favorable : appréhender, s'attendre à, craindre, se douter de, flairer, soupçonner, subodorer. **II. Favorable ou neutre. 1. Au pr. :** augurer, deviner, entrevoir, espérer, pénétrer, prévoir, repérer, sentir. **2. Loc.** *Laisser pressentir :* annoncer, présager. **3. Par ext.** *Pressentir quelqu'un :* contacter, interroger, sonder, tâter, toucher.

PRESSER I. Au pr. 1. Appliquer, appuyer, broyer, comprimer, écraser, embrasser, entasser, épreindre (vx), étreindre, exprimer, fouler, froisser, oppresser, peser, plomber, pressurer, resserrer, serrer, taller, tasser. **2. La main, le bras :** caresser, masser, pétrir, serrer, toucher. **II. Fig. 1.** *Presser quelqu'un :* accabler, aiguillonner, assaillir, assiéger, attaquer, bousculer, brusquer, conseiller, contraindre, engager, exciter, faire pression/violence, harceler, hâter, inciter, insister auprès, inviter, obliger, persécuter, poursuivre, pousser, talonner, tourmenter. **2. Presser une affaire :** accélérer, activer, chauffer, dépêcher, forcer, précipiter.

PRESSER (SE) I. Se blottir, s'embrasser. **II.** Aller vite, courir, se dépêcher. **III.** *Les formes pronom. possibles des syn. de* PRESSER.

PRESSION I. Au pr. : compression, constriction, effort, force, impression (vx), impulsion, poussée. **II. Par ext. 1.** Attouchement, caresse, étreinte, serrement. **2.** Action, chantage, contrainte, empire, influence, intimidation, menace.

PRESSOIR I. Au pr. : fouloir, maillotin, moulin à huile. **II. Par ext. :** cave, cellier, hangar, toit. **III. Fig. :** exploitation, oppression, pressurage.

PRESSURER I. Au pr. → *presser*. **II. Fig. :** écraser, épuiser, exploiter, faire cracher/suer, imposer, maltraiter, opprimer, saigner.

PRESTANCE Air, allure, aspect, contenance, démarche, maintien, manières, mine, physique, port, taille, tournure.

PRESTATION I. Aide, allocation, apport, charge, fourniture, imposition, impôt, indemnité, obligation, prêt, redevance. **II.** Cérémonie, formalité.

PRESTE Adroit, agile, aisé, alerte, diligent, dispos, éveillé, habile, léger, leste, prompt, rapide, vif.

PRESTESSE Adresse, agilité, aisance, alacrité, diligence, habileté, légèreté, promptitude, rapidité, vitesse, vivacité.

PRESTIDIGITATEUR, TRICE Acrobate, artiste, escamoteur, illusionniste, jongleur, magicien, manipulateur, truqueur.

PRESTIDIGITATION Escamotage, illusion, jonglerie, magie, passe-passe, tour, truc, truquage.

PRESTIGE I. → *magie*. **II. →** *illusion*. **III. →** *influence*. **IV. →** *lustre*.

PRESTIGIEUX, EUSE Admirable, éblouissant, étonnant, extraordinaire, fascinant, formidable, glorieux, honoré, magique, merveilleux, miraculeux, prodigieux, renommé, renversant.

PRESTO A toute allure/biture (fam.)/ vitesse, à fond de train (fam.), illico, prestement, rapidement, vite.

PRÉSUMÉ, E Hypothétique, présomptif, supposé.

PRÉSUMER Augurer, attendre, s'attendre à, conjecturer, préjuger, présager, pressentir, présupposer, prétendre, prévoir, soupçonner, supposer.

PRÉSUPPOSER → *supposer*.

PRÊT I. Au pr. : aide, avance, bourse, crédit, dépannage, emprunt, facilité, prime, subvention. **II. Milit. :** paie, solde, traitement.

PRÊT, E → *mûr*.

PRÉTENDANT, E n. et adj. **I.** Aspirant, candidat, impétrant, postulant, solliciteur. **II.** Amant, amateur, amoureux, courtisan, épouseur, fiancé, futur (pop.), poursuivant, prétendu (vx), promis, soupirant.

PRÉTENDRE I. Affirmer, alléguer, avancer, déclarer, dire, garantir, présumer, soutenir. **II.** Demander, entendre, exiger, réclamer, revendiquer, vouloir. **III.** Ambitionner, aspirer à, se flatter de, lorgner, tendre à/vers, viser à.

PRÉTENDU, E I. Apparent, faux, soi-disant, supposé. **II. Vx →** *fiancé*.

PRÊTE-NOM Homme de paille (péj.), intermédiaire, mandataire, représentant, taxi (péj.).

PRÉTENTIEUX, EUSE I. → *orgueilleux*. **II. →** *présomptueux*.

PRÉTENTION I. Favorable ou neutre. 1. Condition, exigence, revendication. **2.** Ambition, désir, dessein, espérance, visée. **II. Non favorable :** affectation, apprêt, arrogance, bouffissure, crânerie, embarras, emphase, fatuité, forfanterie, orgueil, pose, présomption, vanité, vantardise, vanterie.

PRÊTER I. Au pr. : allouer, avancer, fournir, mettre à la disposition, octroyer, procurer. **II. Par ext. :** attribuer, donner, imputer, proposer, supposer.

PRÊTER (SE) I. On se prête à → *consentir* **II. Quelque chose se prête à →** *correspondre*.

PRÉTÉRIT I. Au pr. : passé. **II. Par ext. :** aoriste, imparfait, parfait.

PRÉTÉRITION I. Omission, oubli. **II. Rhétor. :** paralipse, prétermission.

PRÊTEUR, EUSE n. et adj. Bailleur, commanditaire, **→** *usurier*.

PRÉTEXTE Allégation, apparence, argument, cause, couleur, couvert, couverture, échappatoire, excuse, faux-fuyant, faux-semblant, lieu, manteau, matière, mot, ombre, raison, refuite, semblant, subterfuge, supposition, voile.

PRÉTEXTER Alléguer, arguer de, s'autoriser de, exciper de, avancer, faire croire, invoquer, mettre en avant, objecter, opposer, prendre pour prétexte *et les syn. de* PRÉTEXTE, simuler, supposer.

PRÉTOIRE Aréopage, banc des accusés, cour, parquet, salle d'audience, tribunal.

PRÊTRE I. Au pr. : clerc, desservant, ecclésiastique, ministre du culte, pontife. **II. Christianisme. 1.** Abbé, archiprêtre, aumônier, chanoine, chapelain, coadjuteur, confesseur, curé, directeur de conscience, doyen, ecclésiastique, ministre, padre, papas, pasteur, pénitencier, père, pope, révérend, vicaire. **2. Péj.** : capelan, curaillon, corbeau, prédicant, prestolet, ratichon, sermonnaire. **III. Judaïsme** : lévite, ministre, rabbin. **IV. Islam. Par ext.** : iman, mollah, muezzin, mufti. **V. Religions d'Asie** : bonze, brahmane, lama, talapoin. **VI. Religions de l'Antiquité** : aruspice, augure, barde, corybante, curète, druide, épulon, eubage, flamine, galle, hiérogramme, hiérophante, luperque, mage, mystagogue, ovate, pontife, quindecemvir, sacrificateur, salien, saronide, septemvir, victimaire.

PRÊTRESSE Bacchante, druidesse, pythie, pythonisse, vestale.

PRÊTRISE État/ministère ecclésiastique/religieux, ordre, sacerdoce.

PREUVE I. Affirmation, argument, confirmation, constatation, conviction, critère, critérium, démonstration, établissement, gage, illustration (vx), justification, motif, pierre de touche. **II.** Charge, corps du délit, document, empreinte, fait, indice, marque, signe, témoignage, trace. **III.** Épreuve judiciaire, jugement de Dieu, ordalie.

PREUX adj. et n. Brave, courageux, vaillant, valeureux. → *chevalier*.

PRÉVALOIR Avoir l'avantage, dominer, l'emporter, prédominer, primer, supplanter, surpasser, triompher.

PRÉVALOIR (SE) I. Neutre ou favorable : alléguer, faire valoir, tirer avantage/parti. **II. Non favorable** : se draper dans, s'enorgueillir, faire grand bruit/grand cas de, se flatter, se glorifier, se targuer, tirer vanité, triompher.

PRÉVARICATION I. → *trahison*. **II.** → *malversation*.

PRÉVENANCES → *égards*.

PRÉVENANT, E Affable, agréable, aimable, attentionné, avenant, complaisant, courtois, déférent, empressé, gentil, obligeant, poli, serviable.

PRÉVENIR I. Au pr. 1. Neutre : détourner, devancer, empêcher, éviter, obvier à, parer, précéder, préserver. **2. Non favorable** : indisposer, influencer. **II. Par ext.** : alerter, annoncer, avertir, aviser, crier cassecou (fam.), dire, donner avis, faire savoir, informer, instruire, mettre au courant/en garde.

PRÉVENTION I. Antipathie, défiance, grippe, parti pris. → *préjugé*. **II.** Arrestation, détention, emprisonnement, garde à vue.

PRÉVENU, E adj. et n. Accusé, cité, inculpé, intimé (vx).

PRÉVISION I. L'action de prévoir : clairvoyance, connaissance, divination, prescience, pressentiment, prévoyance. **II. Ce qu'on prévoit. 1. Au pr.** : calcul, conjecture, croyance, hypothèse, probabilité, pronostic, supposition. **2. Par ext.** : attente, espérance, prédiction, présage, prophétie.

PRÉVOIR Anticiper, s'attendre à, augurer, calculer, conjecturer, décider, deviner, entrevoir, flairer, imaginer, organiser, penser à tout, percer l'avenir, prédire, préparer, présager, pressentir, pronostiquer, prophétiser.

PRÉVOYANCE Attention, clairvoyance, diligence, perspicacité, précaution, prudence, sagesse.

PRÉVOYANT, E Attentionné, avisé, clairvoyant, diligent, inspiré, perspicace, précautionneux, prudent, sage.

PRIER I. Au pr. : adorer, s'adresser à, s'agenouiller, crier vers, invoquer. **II. Par ext. 1.** Adjurer, appeler, conjurer, demander, implorer, insister, presser, réclamer, requérir, solliciter, supplier. **2.** Convier, inviter.

PRIÈRE I. Au pr. : acte, cri, demande, déprécation, dévotion, éjaculation, élévation, intercession, invocation, litanie, méditation, mouvement de l'âme, neuvaine, obsécration, oraison, oraison jaculatoire, orémus, patenôtre. **II. Formes** : absoute, angélus, ave, bénédicité, bréviaire, canon, chapelet, confiteor, credo, de profundis, doxologie, grâces, heures, libera, mémento, messe, offertoire, oraison dominicale, pater, préface, salutation angélique, salve Regina. **III. Par ext. 1.** Adjuration, appel, conjuration, imploration, instance, requête, supplication, supplique. **2.** Invitation, sollicitation.

PRIEUR Abbé, bénéficier, doyen, supérieur.

PRIEURÉ Abbaye, bénéfice, cloître, couvent, doyenné, église, monastère, moutier.

PRIMAIRE Élémentaire, premier, primitif. → *simple*.

PRIMAUTÉ → *supériorité*.

PRIME adj. → *premier*.

PRIME n. **I.** → *gratification*. **II.** → *récompense*.

PRIMER I. V. intr. : dominer, l'emporter, gagner sur, prévaloir. **II. V. tr.** → *surpasser*.

PRIMESAUTIER, ÈRE → *spontané*.

PRIMEUR I. Au sing. : commencement, étrenne, fraîcheur, nouveauté. **II. Au pl.** → *prémices*.

PRIMITIF, IVE adj. et n. **I.** Ancien, archaïque, archéen. **II.** Brut, initial, originaire, original, originel, premier, primaire. **III.** Élémentaire, fruste, grossier, inculte, naïf, naturel, rudimentaire, rustique, rustre, simple.

PRIMORDIAL, E I. Premier, primitif. **II.** Capital, essentiel, important, indispensable, initial, liminaire, nécessaire, obligatoire, premier. → *principal.*

PRINCE I. Au pr. 1. Chef d'État, empereur, majesté, monarque, roi, souverain. **2.** Altesse, archiduc, cardinal, dauphin, diadoque, évêque, grand-duc, hospodar, infant, kronprinz, landgrave, maharadjah, margrave, monseigneur, Monsieur, rajah, rhingrave, sultan. **II. Par ext. :** maître, seigneur.

PRINCEPS Original, premier.

PRINCESSE Altesse, archiduchesse, dauphine, grande-duchesse, infante, Madame, Mademoiselle, rani, sultane.

PRINCIER, ÈRE Fastueux, luxueux, somptueux.

PRINCIPAL, E I. Adj. : capital, cardinal, central, décisif, dominant, élémentaire, essentiel, fondamental, grand, important, indispensable, maître, maîtresse, prédominant, primordial, sérieux, vital, vrai. **II. Nom. 1.** Base, but, centre, chef, cheville, clé, clou, corps, fait, fonds, gros, point, quintessence, substance, tout, vif. **2.** Directeur, proviseur, régent (vx).

PRINCIPALEMENT Avant tout, particulièrement, singulièrement, surtout, tout d'abord.

PRINCIPE I. Au pr. 1. Agent, âme, archétype, auteur, axe, cause, centre, commencement, créateur, début, départ, esprit, essence, facteur, ferment, fondement, idée, origine, pierre angulaire, raison, source. **2.** Abc, axiome, base, convention, définition, doctrine, donnée, élément, hypothèse, postulat, prémisse, rudiment. **II. Par ext. 1.** Dogme, loi, maxime, norme, opinion, précepte, règle, système, théorie. **2.** Catéchisme, morale, philosophie, religion.

PRINTANIER, ÈRE Clair, frais, gai, jeune, neuf, nouveau, vernal, vif.

PRINTEMPS I. Au pr. : renouveau. **II. Fig.** → *jeunesse.*

PRIORITÉ Antériorité, avantage, précellence, préemption, primauté, primeur, privilège.

PRIS, E → *occupé.*

PRISABLE Aimable, appréciable, estimable, respectable.

PRISE I. Au pr. : butin, capture, conquête, proie. **II.** Enlèvement, occupation. **III.** Coagulation, durcissement, solidification. **IV. Loc. 1.** *Prise de bec :* dispute, querelle. **2.** *Prise de tabac :* pincée. **3.** *Avoir prise :* action, barre, emprise, moyen. **4.** *Être aux prises* → *lutter.*

PRISER I. Apprécier, donner du prix, estimer, faire cas. **II. Du tabac :** aspirer, humer, prendre.

PRISME I. Parallélépipède, polyèdre. **II.** Dispersion, réfraction, spectre.

PRISON I. Au pr. : cachot, cellule, centrale, centre/établissement pénitentiaire, chambre de sûreté, chartre (vx), dépôt, fers, forteresse, geôle, maison d'arrêt/centrale/de correction/de force/de justice/pénitentiaire/de redressement, salle de police, pénitencier. **II. Arg. :** ballon, bloc, boîte, cage, clou, gnouf, taule, trou, violon. **III.** Ergastule, in-pace, latomie, plomb. **IV.** Détention, emprisonnement, prévention, réclusion.

PRISONNIER, ÈRE I. Au pr. : captif, détenu, interné. **II. Par ext. :** esclave, otage, séquestré. **III. Arg. :** taulard.

PRIVATION I. Au pr. : absence, défaut, manque, perte, restriction, suppression, vide. **II. Par ext. 1. Favorable ou neutre :** abstinence, ascétisme, continence, dépouillement, jeûne, macération, renoncement, sacrifice. **2. Non favorable :** besoin, gêne, indigence, insuffisance, misère, pauvreté.

PRIVAUTÉ I. Familiarité, liberté, sans-gêne. **II.** → *Caresse.*

PRIVÉ, E I. Individuel, intime, libre, particulier, personnel. **II. Loc. A titre privé :** incognito, officieux. **III. Vx :** apprivoisé, domestique. **IV.** Appauvri, déchu, démuni, dénué, dépossédé, dépouillé, dépourvu, déshérité, frustré, sevré.

PRIVER I. Quelqu'un de sa liberté : asservir, assujettir, ôter. **II. Quelqu'un de quelque chose :** appauvrir, démunir, déposséder, dépouiller, déshériter, enlever, frustrer, ravir, sevrer, spolier, voler. **III. Par ext. :** empêcher, interdire.

PRIVER (SE) S'abstenir, se faire faute de, renoncer à *et les formes pronom. possibles des syn. de* PRIVER.

PRIVILÈGE Attribution, avantage, bénéfice, concession, droit, exemption, faveur, franchise, honneur, immunité, indult (relig.), monopole, passe-droit, pouvoir, préférence, prérogative.

PRIVILÉGIÉ, E Avantagé, choisi, élu, favori, favorisé, fortuné, heureux, gâté, nanti, pourvu, préféré, riche.

PRIX I. Au pr. 1. Cotation, cote, cours, coût, estimation, évaluation, montant, taux, valeur. **2.** Coupe, couronne, diplôme, médaille, oscar, récompense. **II. Par ext. :** addition, bordereau, devis, étiquette, facture, mercuriale, tarif.

PROBABILITÉ Apparence, chance, conjecture, plausibilité, possibilité, prévisibilité, vraisemblance.

PROBABLE Apparent, plausible, possible, prévisible, vraisemblable.

PROBANT, E Certain, concluant, convaincant, décisif, démonstratif, éloquent, évident, indéniable, indiscutable, logique, péremptoire, sans réplique.

PROBE Comme il faut, délicat, digne, droit, fidèle, honnête, incorruptible, intact, intègre, juste, loyal, moral, pur, respectable, vertueux.

PROBITÉ Conscience, délicatesse, droiture, fidélité, honnêteté, incorruptibilité, intégrité, justice, loyauté, morale, prud'homie (vx), rectitude, vertu.

PROBLÉMATIQUE Aléatoire, ambigu, chanceux (fam.), conjectural, difficile, douteux, équivoque, hypothétique, incertain, suspect.

PROBLÈME Difficulté, question.

PROCÉDÉ I. Neutre : allure, attitude, comportement, conduite, dispositif, façon, formule, manière, marche, méthode, moyen, pratique, procédure, recette, secret, truc. **II. Non favorable. _1. Sing. ou pl. :_** artifice, bric-à-brac, cliché, convention, ficelle. _2. Pl. :_ agissements, errements.

PROCÉDER I. Au pr. _1._ Agir, se conduire. _2._ Avancer, débuter, marcher, opérer. **II. Procéder de :** découler, dépendre, dériver, émaner, s'ensuivre, partir, provenir, tirer son origine, venir. **III. Procéder à :** célébrer, faire, réaliser.

PROCÉDURE I. Au pr. : action, instance, instruction, poursuite, procès. **II. Par ext. _1._** Chicane, complication, querelle. _2._ Paperasserie.

PROCÉDURIER, ÈRE → _processif._

PROCÈS I. Affaire, audience, cas, cause, débats, litige, litispendance. → _procédure._ **II. Loc. _On fait le procès de :_** accuser, attaquer, condamner, critiquer, mettre en cause, vitupérer.

PROCESSIF, IVE Chicaneur, chicanier, mauvais coucheur (fam.), procédurier.

PROCESSION Cérémonie, cortège, défilé, file, marche, pardon, queue, suite, théorie, va-et-vient.

PROCESSUS Développement, évolution, fonction, marche, mécanisme, procès, progrès, prolongement, suite.

PROCÈS-VERBAL I. Au pr. : acte, compte rendu, constat, rapport, relation. **II. Par ext. :** amende, contravention.

PROCHAIN Autrui, les autres.

PROCHAIN, E I. Dans l'espace : adjacent, attenant, avoisinant, circonvoisin, contigu, environnant, joignant, limitrophe, proche, rapproché, voisin. **II. Dans le temps :** immédiat, imminent, proche, rapproché.

PROCHE I. Adj. → _prochain._ **II.** → _parent._ **III. Adv. et péj.** → _près._

PROCLAMATION I. Ban (vx), déclaration, décret, dénonciation, divulgation, édit, publication, rescrit. **II.** Appel, manifeste, profession de foi, programme.

PROCLAMER Affirmer, annoncer, chanter (péj.), clamer, confesser, crier, déclarer, dénoncer, dévoiler, divulguer, ébruiter, énoncer, professer, prononcer, publier, reconnaître, révéler.

PROCRÉATEUR → _parent._

PROCRÉATION Accouchement, enfantement, formation, génération, mise au jour/au monde, parturition, production, reproduction.

PROCRÉER Accoucher, créer, donner le jour, enfanter, engendrer, former, mettre au jour/au monde, produire.

PROCURATEUR Gouverneur, magistrat, proconsul.

PROCURATION Mandat, pouvoir.

PROCURER I. Quelqu'un procure : assurer, donner, envoyer, faire obtenir, fournir, livrer, ménager, moyenner (vx), munir, nantir, pourvoir, prêter, trouver. **II. Quelque chose procure :** attirer, causer, faire arriver, mériter, occasionner, offrir, produire, provoquer, valoir.

PROCURER (SE) Acquérir, se concilier, conquérir, se ménager, obtenir, quérir, racoler, recruter _et les formes pronom. possibles des syn. de_ PROCURER.

PROCUREUR n. Accusateur public (vx), avocat général, magistrat, ministère public, substitut.

PROCUREUR, EUSE adj. et n. (vx) Entremetteur, entremetteuse, intermédiaire, proxénète.

PRODIGALITÉ I. Au pr. : bonté, désintéressement, générosité, largesse, libéralité. **II. Par ext. :** abondance, dépense, dissipation, exagération, excès, gâchis, gaspillage, luxe, orgie, profusion, somptuosité, surabondance.

PRODIGE I. Quelque chose. _1._ Merveille, miracle, phénomène, signe. _2._ Chef-d'œuvre. **II. Quelqu'un :** génie, phénomène, virtuose.

PRODIGIEUX, EUSE Admirable, colossal, confondant, considérable, épatant, époustouflant, étonnant, extraordinaire, fabuleux, faramineux (fam.), génial, gigantesque, magique, merveilleux, miraculeux, mirobolant, monstre, monstrueux, phénoménal, prestigieux, renversant, surnaturel, surprenant.

PRODIGUE I. Nom. *Non favorable :* bourreau d'argent (fam.), dilapidateur, dissipateur, gaspilleur, mange-tout (vx), panier percé (fam.). **II. Adj. 1.** *Favorable ou neutre :* bon, charitable, désintéressé, généreux, large, libéral. **2.** *Non favorable :* dépensier, désordonné. **III. Loc.** *Prodigue en :* abondant, fécond, fertile, prolixe.

PRODIGUER I. Non favorable : consumer, dilapider, dissiper, gâcher, gaspiller, jeter à pleines mains. **II. Favorable ou neutre. 1.** *Quelqu'un prodigue :* accorder, dépenser, déployer, distribuer, donner, épancher, exposer, montrer, répandre, sacrifier, verser. **2.** *Quelque chose prodigue :* abonder en, donner à profusion, regorger de.

PRODIGUER (SE) Se consacrer, se dépenser, se dévouer *et les formes pronom. possibles des syn. de* PRODIGUER.

PRODROME I. Avant-coureur, message, messager, signe, symptôme. → *préliminaire.* **II.** → *préface.*

PRODUCTEUR, TRICE I. Au pr. : auteur, créateur, initiateur, inventeur. **II. Par ext. :** agriculteur, cultivateur, éleveur, fournisseur, industriel.

PRODUCTIF, IVE Créateur, fécond, fertile, fructueux. → *profitable.*

PRODUCTION I. L'action de produire : apparition, création, éclosion, enfantement, fabrication, génération, genèse, mise en chantier/en œuvre, venue. **II. Ce qui est produit. 1.** Écrit, film, œuvre, ouvrage, pièce. **2.** Croît, fruit, produit, rendement, résultat. **3.** Activité, besogne, ouvrage, travail. **4.** Exhibition, performance, spectacle. **5.** Dégagement, émission, formation.

PRODUCTIVITÉ → *rendement.*

PRODUIRE I. Au pr. 1. *Un document :* déposer, exhiber, fournir, montrer, présenter. **2.** *Un argument :* administrer, alléguer, apporter, invoquer, mettre en avant. **3.** *Un témoin :* citer, faire venir, introduire. **II. Par ext. 1.** *Quelqu'un ou quelque chose produit :* amener, apporter, causer, composer, concevoir, confectionner, créer, cultiver, déterminer, donner le jour/naissance/la vie, élaborer, enfanter, engendrer, fabriquer, faire, faire fructifier/naître/venir, forger, manufacturer, obtenir, occasionner, préparer, provoquer, sortir, tirer de. **2.** *Quelque chose produit :* abonder en, donner, fournir, fructifier, porter, rapporter, rendre. **3.** *Quelque chose produit sur quelqu'un :* agir, exercer, frapper, marquer, provoquer. **4.** *Techn. :* dégager, émettre, exhaler, former.

PRODUIRE (SE) I. On se produit : apparaître, se donner en spectacle, s'exhiber, se mettre en avant/en vedette, se montrer. **II. Quelque chose se produit :** s'accomplir, advenir, arriver, avoir lieu, se dérouler, échoir, intervenir, s'offrir, s'opérer, se passer, se présenter, surgir, survenir, se tenir, tomber.

PRODUIT I. Au pr. : bénéfice, fruit, gain, production, profit, rapport, recette, récolte, rendement, rente, résultat, revenu, usufruit. **II. Par ext. 1.** Aliment, denrée, marchandise. **2.** Enfant, progéniture, race, rejeton. **III. Fig. :** conséquence, effet, résultat, suite.

PROÉMINENCE Mamelon, saillie.

PROÉMINENT, E Apparent, arrondi, ballonné, bossu, en avant, en relief, gonflé, gros, haut, renflé, saillant, turgescent, turgide, vultueux.

PROFANATION Abus, avilissement, blasphème, dégradation, irrespect, irrévérence, outrage, pollution, sacrilège, vandalisme, violation.

PROFANE adj. et n. **I. Au pr. :** laïc, mondain, temporel. **II. Par ext. 1.** *Neutre :* étranger, ignorant, novice. **2.** *Non favorable :* béotien, bourgeois, philistin.

PROFANER Avilir, dégrader, dépraver, polluer, salir, souiller, violer.

PROFÉRER I. Articuler, déclarer, dire, émettre, exprimer, jeter, pousser, prononcer. **II. Péj. :** blasphémer, cracher, débagouler, exhaler, vomir.

PROFESSER I. → *déclarer.* **II.** → *pratiquer.* **III.** → *enseigner.*

PROFESSEUR → *maître.*

PROFESSION I. Art, carrière, charge, emploi, état, fonction, gagne-pain, métier, occupation, parti (vx), partie, qualité, situation, spécialité. **II.** Affirmation, confession, credo, déclaration, manifeste. → *proclamation.*

PROFIL I. Au pr. : contour, ligne, linéament. **II. Par ext. 1.** Aspect, silhouette. **2.** Figure, portrait, visage.

PROFILER Caréner, découper, dessiner, projeter, représenter, tracer.

PROFILER (SE) Apparaître, se découper, se dessiner, paraître, se projeter, se silhouetter.

PROFIT I. Acquêt, aubaine, avantage, bénéfice, bien, butin, casuel, émolument, enrichissement, faveur, fruit, gain, intérêt, parti, prébende, progrès, récolte, revenant-bon, surplus, traitement, utilité. **II. Fam. :** gâteau, gratte, pelote, resquille, tour de bâton. **III. Loc.** *Au profit de :* au bénéfice/en faveur/à l'intention/dans l'intérêt/dans l'utilité de.

PROFITABLE Assimilable, avantageux, bon, efficace, fructueux, juteux (fam.), lucratif, payant, productif, rémunérateur, rentable, salutaire, utile.

PROFITER I. On profite de quelque chose : bénéficier de, exploiter, jouir de, se servir de, spéculer sur, tirer parti de, utiliser. **II. On profite en :** s'accroître, apprendre, avancer, croître, grandir, grossir, progresser, prospérer. **III. Par ext.** → rapporter.

PROFITEUR, EUSE Accapareur, agioteur, exploiteur, fricoteur, maltôtier (vx), prébendier, prévaricateur, spéculateur, trafiquant, usurier.

PROFOND, E I. Au pr. : bas, creux, encaissé, enfoncé, grand, lointain. **II. Par ext. :** caverneux, épais, grave, gros, obscur, sépulcral. **III. Fig. :** abstrait, abstrus, aigu, ardent, beau, calé (fam.), complet, difficile, élevé, ésotérique, essentiel, éthéré, extatique, extrême, foncier, fort, grand, haut, immense, impénétrable, intelligent, intense, intérieur, intime, métaphysique, mystérieux, pénétrant, perspicace, puissant, savant, secret.

PROFONDEUR I. Au pr. : dimension, distance, étendue, importance, mesure. **II. Par ext. :** abysse, creux, enfoncement, épaisseur, fond, hauteur, largeur, lointain, longueur, perspective. **III. Fig. :** abstraction, acuité, ardeur, beauté, difficulté, élévation, ésotérisme, extase, extrémité, force, grandeur, hauteur, immensité, impénétrabilité, intelligence, intensité, intériorité, intimité, mystère, pénétration, perspicacité, plénitude, puissance, science, secret.

PROFUS, E → abondant.

PROFUSION I. Abondance, débauche, débordement, démesure, encombrement, étalage, excès, flot, foison, foisonnement, foule, largesse, libéralité, luxe, luxuriance, masse, multiplicité, orgie, prodigalité, pullulement, superflu, superfluité, surabondance. **II. Loc. A profusion :** à foison, à gogo (fam.), en pagaille (fam.), à vomir (péj.).

PROGÉNITURE Descendance, enfants, famille, fils, génération, géniture, héritier, petit, produit, race, rejeton.

PROGRAMME I. Au pr. : affiche, annonce, ordre du jour, prospectus. **II. Par ext. :** calendrier, dessein, emploi du temps, planification, planning, plate-forme, projet.

PROGRÈS I. Au pr. : accroissement, aggravation (péj.), amélioration, amendement (vx), approfondissement, ascension, augmentation, avancement, cheminement, croissance, développement, essor, évolution, gain, marche, maturation, montée, mouvement, perfectionnement, procès, processus, progression, propagation. **II.** Civilisation, marche en avant, modernisme, technique.

PROGRESSER I. Au pr. : aller, avancer, cheminer, marcher. **II. Par ext. :** s'accroître, s'améliorer, s'amender, croître, se développer, s'étendre, être en/faire des progrès et les syn. de PROGRÈS, évoluer, gagner, monter, mûrir, se perfectionner. **III. Péj. :** s'aggraver, empirer.

PROGRESSIF, IVE Adapté, ascendant, calculé, croissant, graduel, modéré, modulé, normalisé, régulier, rythmé, tempéré.

PROGRESSION Accroissement, acheminement, ascendance, ascension, augmentation, avance, courant, cours, croissance, développement, évolution, gradation, marche, mouvement, raison (math.), succession, suite. → progrès.

PROGRESSIVEMENT Doucement, graduellement, petit à petit, peu à peu.

PROHIBÉ, E Censuré, défendu, en contrebande, illégal, illicite, interdit, tabou.

PROHIBER Censurer, condamner, défendre, empêcher, exclure, inhiber, interdire, proscrire.

PROHIBITIF, IVE I. Au pr. : dirimant. **II. Par ext. :** abusif, arbitraire, exagéré, excessif.

PROHIBITION Censure, condamnation, défense, inhibition, interdiction, proscription.

PROIE I. Au pr. : butin, capture, dépouille, prise. **II. Par ext. :** esclave, jouet, pâture, victime.

PROJECTEUR Phare, réflecteur, scialytique, spot, sunlight.

PROJECTILE Au pr. : balle, bombe, boulet, cartouche, dragée (arg.), fusée, mitraille, obus, pruneau (arg.), roquette, torpille.

PROJET I. Au pr. : canevas, carton, dessin, devis, ébauche, esquisse, étude, maquette, plan, planning, programme, schéma, topo (fam.). **II. Par ext. 1. Neutre :** but, calcul, conseil (vx), dessein, entreprise, idée, intention, pensée, résolution, spéculation, vue. **2. Non favorable :** combinaison, complot, conspiration, machination, préméditation, utopie.

PROJETER I. Au pr. : éjecter, envoyer, expulser, jeter, lancer. **II. Fig. :** cracher, vomir. **III.** Comploter, conspirer, ébaucher, esquisser, étudier, faire/former des projets et les syn. de PROJET, gamberger (arg.), méditer, penser, préméditer, préparer, tirer des plans, tirer des plans sur la comète (fam.).

PROLAPSUS Abaissement, chute, descente, distension, ptôse, relâchement.

PROLÉGOMÈNES Introduction, préface, prémisses, principes, propositions.

PROLEPSE Anticipation, objection, prénotion, réfutation.

PROLÉTAIRE Indigent, ouvrier, pauvre, paysan, plébéien, salarié, travailleur.

PROLÉTARIAT → *peuple.*

PROLIFÉRER Apparaître, engendrer, envahir, foisonner, se multiplier, procréer, produire, pulluler, se reproduire.

PROLIFIQUE Envahissant, fécond, fertile, foisonnant, générateur, productif, prolifère, reproducteur.

PROLIXE Bavard, diffus, expansif, exubérant, long, loquace, oiseux, rasoir (fam.), verbeux.

PROLIXITÉ Bavardage, diffusion, exubérance, faconde, longueur, loquacité.

PROLOGUE I. → *préface.* **II.** → *préliminaire.* **III.** → *prélude.*

PROLONGATION Allongement, augmentation, continuation, délai, prorogation, suite, sursis.

PROLONGEMENT Accroissement, allongement, appendice, conséquence, continuation, développement, extension, rebondissement, suite.

PROLONGER Accroître, allonger, augmenter, continuer, développer, étendre, éterniser, faire durer/traîner, poursuivre, pousser, proroger.

PROMENADE I. L'acte. 1. *Au pr. :* circuit, course, croisière, échappée, errance, excursion, flânerie, randonnée, tour, voyage. **2.** *Fam. :* balade, déambulation, vadrouille, virée. **II. Le lieu :** allée, avenue, boulevard, cours, galerie, jardin, mail, parc, promenoir.

PROMENER I. → *mener.* **II.** → *porter.* **III.** → *retarder.* **IV.** → *tromper.*

PROMENER (SE) Se balader (fam.), cheminer, circuler, déambuler, errer, marcher, prendre l'air, sortir, voyager.

PROMENEUR, EUSE Flâneur, marcheur, passant.

PROMENOIR Arcades, cloître, clos, déambulatoire, galerie, préau. → *promenade.*

PROMESSE I. Au pr. 1. *Neutre :* assurance, déclaration, engagement, foi, protestation, serment, vœu. **2.** *Non favorable :* serment d'ivrogne, surenchère. **II. Jurid. :** billet, contrat, convention, engagement, pollicitation, sous-seing privé. **III. Par ext.**

1. Fiançailles. **2.** Annonce, espérance, signe, vent.

PROMETTEUR, EUSE Aguichant, aguicheur, encourageant, engageant.

PROMETTRE I. Au pr. : assurer, certifier, donner sa parole, s'engager, jurer, s'obliger. **II. Par ext. 1.** Affirmer, assurer, faire briller/espérer/miroiter. **2.** Annoncer, laisser prévoir, prédire, présager, vouer.

PROMIS, E Fiancé.

PROMISCUITÉ Assemblage, confusion, familiarité, mélange, mitoyenneté, pêle-mêle, voisinage.

PROMONTOIRE Avancée, belvédère, cap, éminence, falaise, hauteur, pointe, saillie.

PROMOTEUR, TRICE Animateur, auteur, cause, centre, créateur, excitateur, initiateur, innovateur, inspirateur, instigateur, organisateur, pionnier, point de départ, protagoniste, réalisateur.

PROMOTION I. Au pr. : accession, avancement, élévation, émancipation, mouvement, nomination. **II. Par ext. :** année, classe, cuvée (fam.).

PROMOUVOIR I. Bombarder (fam.), élever, ériger, faire avancer, mettre en avant, nommer, porter, pousser. **II.** Animer, encourager, favoriser, provoquer, soutenir.

PROMPT, E I. Favorable ou neutre : actif, adroit, agile, allègre, avisé, bref, court, diligent, empressé, fougueux, immédiat, impétueux, leste, pétulant, preste, rapide, soudain, vif. **II. Non favorable :** brusque, coléreux, emporté, expéditif, hâtif, impérieux, irascible, ombrageux, soupe au lait (fam.), susceptible.

PROMPTEMENT A fond de train (fam.), presto (fam.), vite *et les adv. dérivés des syn.* de PROMPT.

PROMPTITUDE Activité, agilité, célérité, dextérité, diligence, empressement, fougue, hâte, impétuosité, pétulance, prestesse, rapidité, vitesse, vivacité.

PROMULGUER Décréter, divulguer, édicter, émettre, faire connaître/savoir, publier.

PRÔNE Discours, enseignement, homélie, prêche, sermon.

PRÔNER Affirmer, assurer, célébrer, faire connaître, louer, prêcher, préconiser, proclamer, publier, vanter.

PRONOM Démonstratif, indéfini, interrogatif, personnel, possessif, relatif, substitut.

PRONONCÉ, E I. Accentué, accusé, marqué, souligné, visible. **II.** Arrêté, ferme, formel, irréversible, irrévocable, résolu.

PRONONCER I. Au pr. : articuler, dire, émettre, énoncer, exprimer, formuler, proférer. **II.** Affirmer, arrêter, déclarer, décréter, formuler, infliger, juger, ordonner, rendre. **III. De façon particulière. 1. Favorable ou neutre :** accentuer, appuyer, chuchoter, débiter, déclamer, détacher, détailler, faire sentir/sonner, marquer, marteler, réciter, scander. **2. Non favorable :** avaler ses mots, bafouiller, balbutier, bégayer, bléser, bredouiller, chuinter, escamoter ses mots, grasseyer, mâchonner, manger ses mots, nasiller, nasonner, zézayer, zozoter.

PRONONCER (SE) Choisir, conclure à, se décider, se déterminer, se résoudre *et les formes pronom. possibles des syn. de* PRONONCER.

PRONONCIATION I. Favorable ou neutre : accent, accentuation, articulation, débit, élocution, façon/manière de prononcer *et les syn. de* PRONONCER, iotacisme, lambdacisme, phrasé, prononcé, rhotacisme, sigmatisme. **II. Non favorable :** balbutiement, bégaiement, blésement, blésité, bredouillement, chuintement, grasseyement, lallation, nasillement, nasonnement, zézaiement.

PRONOSTIC Annonce, apparence, conjecture, jugement, prédiction, présage, prévision, prophétie, signe.

PRONOSTIQUER Annoncer, conjecturer, juger, prédire, présager, prévoir, prophétiser.

PRONUNCIAMIENTO Coup d'État, manifeste, proclamation, putsch, rébellion, sédition.

PROPAGANDE Battage (péj.), bla-bla-bla (péj.), bourrage de crâne (péj.), campagne, croisade, endoctrinement, persuasion, propagation, prosélytisme, publicité, tam-tam (fam.).

PROPAGANDISTE → *propagateur.*

PROPAGATEUR, TRICE Apôtre, doctrinaire, évangélisateur, missionnaire, propagandiste, prosélyte, rabatteur.

PROPAGATION I. Neutre : augmentation, communication, circulation, développement, diffusion, dissémination, expansion, extension, marche, mise en mouvement, multiplication, progrès, progression, rayonnement, reproduction. **II. Non favorable :** aggravation, contagion, contamination, épidémie, invasion, irradiation, transmission. **III.** Apostolat, propagande, prosélytisme.

PROPAGER Colporter, communiquer, diffuser, disséminer, divulguer, enseigner, faire accepter/connaître/courir/savoir, multiplier, populariser, prêcher, prôner, publier, répandre, reproduire.

PROPAGER (SE) S'accréditer, augmenter, circuler, courir, déferler, s'étendre, gagner, irradier *et les formes pronom. possibles des syn. de* PROPAGER.

PROPENSION Disposition, inclination, naturel, penchant, pente, tempérament, tendance.

PROPHÈTE Augure, devin, nabi, pythonisse, vaticinateur, voyant.

PROPHÉTIE Annonce, conjecture, divination, inspiration, oracle, prédiction, prévision, vaticination.

PROPHÉTIQUE Annonciateur, avant-coureur, conjectural, divinateur, inspiré, préliminaire.

PROPHÉTISER Annoncer, conjecturer, deviner, faire des oracles, prédire, prévoir, vaticiner.

PROPHYLACTIQUE Antiseptique, assainissant, hygiénique, préservatif, préventif, protecteur.

PROPHYLAXIE Antisepsie, asepsie, assainissement, hygiène, précaution, préservation, prévention, protection.

PROPICE Amical, à-propos, beau, bénin, bien, bien disposé, bienfaisant, bienséant, bon, convenable, favorable, opportun, propitiatoire, propre, salutaire, utile.

PROPORTION I. Accord, analogie, beauté, comparaison, convenance, correspondance, dimension, dose, équilibre, eurythmie, harmonie, justesse, mesure, pourcentage, rapport, régularité, symétrie. **II. Loc. 1. A proportion de :** à l'avenant, à raison, proportionnellement, suivant. **2. En proportion de :** au prorata, en comparaison, en raison, eu égard, relativement, selon, suivant.

PROPORTIONNÉ, E I. Quelqu'un : assorti, beau, bien balancé/baraqué (fam.) /bâti /fait /fichu (fam.) /foutu (fam.)/moulé/pris/roulé (fam.) /taillé, convenable, en harmonie, équilibré, harmonieux, mesuré, pondéré, régulier. **II. Quelque chose :** au prorata, corrélatif, en rapport, logique, symétrique.

PROPORTIONNEL, ELLE Au prorata, en rapport, relatif.

PROPORTIONNER Accommoder, approprier, assortir, calculer, doser, établir, mélanger, mesurer, mettre en état, préparer, rapporter, répartir.

PROPOS I. Au pr. : but, dessein, intention, pensée, résolution. **II. Par ext. 1.** Matière, objet, sujet, thème. **2.** Badinage, badinerie, bagatelle, baliverne, balourdise, banalité, baratin (fam.), bavardage, bêtise, bla-bla-bla, blague, boniment, boutade, bruit, cajolerie, calembredaine, calomnie, chanson, cochonnerie, commentaire, commérage, conversation, discours, douceurs, enjôlerie, entretien, fadaise, faribole, gaillardise, galanterie, gaudriole, gauloiserie, grivoiserie, histoire, insanité, insinuation, médisance, obscénité, papotage, parole, phrase, polissonnerie, qu'en-dira-t-on, saleté, sottise, trait, turlutaine, vantardise, vanterie, vilenie. **III. Loc. 1. A propos de :** à l'occasion de, concernant, relatif à. **2. A tout propos :** à chaque instant, à tous les coups, à tout bout de champ. **3. Mal à propos :** à contretemps, de façon/manière inopportune/intempestive, hors de saison, sans raison/sujet. **4. Bien à propos :** à point, à point nommé, à temps, au poil (fam.), comme marée en carême, opportunément, pile. **5. Être à propos de/que :** bon, convenable, expédient, juste, opportun.

PROPOSER Avancer, conseiller, faire une proposition *et les syn. de* PROPOSITION, mettre en avant, offrir, présenter, soumettre.

PROPOSER (SE) I. → *projeter.* **II.** *Les formes pronom. possibles des syn. de* PROPOSER.

PROPOSITION I. Au pr. : marché, offre, ouverture, ultimatum (péj.). **II. Jurid. :** loi, motion, projet, résolution. **III. Par ext. 1.** Dessein, intention. **2.** Conseil, initiative. **IV. Logique :** affirmation, allégation, aphorisme, assertion, axiome, conclusion, conversion, corollaire, démonstration, expression, hypothèse, jugement, maxime, négation, paradoxe, postulat, précepte, prémisse, principe, théorème, thèse.

PROPRE I. Adj. 1. Adéquat, ad hoc, approprié, apte, bon, capable, congru, convenable, de nature à, étudié/fait pour, habile à, idoine, juste, prévu. **2.** Distinctif, exclusif, individuel, intrinsèque, particulier, personnel, spécial, spécifique. **3.** A la lettre, littéral, même, textuel. **4.** Astiqué, blanc, blanchi, briqué (fam.) calamistré (fam.), clair, correct, débarbouillé, décent, décrassé, décrotté, élégant, entretenu, essuyé, frais, frotté, gratté, immaculé, lavé, lessivé, présentable, pur, récuré, rincé, savonné, soigné, tenu. **II. Nom :** apanage, distinction, particularité, propriété, qualité, signe, spécificité.

PROPREMENT A propos, bien, convenablement, correctement, en fait, exactement, pratiquement, précisément, soigneusement, stricto sensu, véritablement.

PROPRETÉ I. Au pr. : clarté, décence, élégance, fraîcheur, netteté, pureté. **II. Par ext. 1.** Hygiène, soin, toilette. **2.** Ménage, nettoyage, récurage.

PROPRIÉTAIRE Actionnaire, bailleur, capitaliste, détenteur, hôte, locateur (vx), logeur, maître, possesseur, probloque (fam.), proprio (fam.), vautour (péj.).

PROPRIÉTÉ I. L'acte : jouissance, possession, usage. **II. Au pr. :** avoir, bien, bien-fonds, capital, domaine, exploitation, ferme, habitation, héritage, immeuble, maison, monopole, patrimoine, terre, titre. **III.** Attribut, caractère, essence, faculté, nature, particularité, pouvoir, puissance, qualité, vertu. **IV.** Adéquation, congruité, convenance, efficacité, exactitude, justesse, véridicité, vérité.

PROPULSION Effort, élan, force, poussée.

PRORATA Proportion, quote-part, quotité.

PROROGATION Ajournement, délai, moratoire, prolongation, renouvellement, renvoi, sursis, suspension.

PROROGER Accorder un délai/une prorogation *et les syn. de* PROROGATION, ajourner, atermoyer, faire durer/traîner, prolonger, remettre, renvoyer, repousser, retarder, suspendre.

PROSAÏQUE Banal, bas, commun, grossier, matériel, ordinaire, simple, terre à terre, trivial, vulgaire.

PROSATEUR → *écrivain.*

PROSCRIPTION Bannissement, élimination, éviction, exil, expulsion, interdiction, interdit, ostracisme, répression.

PROSCRIRE I. Au pr. : bannir, chasser, éliminer, éloigner, exiler, expulser, faire disparaître, frapper de proscription *et les syn. de* PROSCRIPTION, refouler, rejeter. **II. Par ext. :** abolir, censurer, condamner, défendre, frapper d'interdit, interdire, mettre à l'index, prohiber, rejeter.

PROSÉLYTE I. Au pr. : adepte, catéchumène, converti, initié, néophyte, nouveau venu. **II. Par ext. :** apôtre, disciple, fidèle, missionnaire, partisan, sectateur, zélateur.

PROSÉLYTISME → *zèle.*

PROSODIE Déclamation, mélodie, métrique, règles, versification.

PROSOPOPÉE → *discours.*

PROSPECTER Chercher, enquêter, étudier, examiner, parcourir, rechercher.

PROSPECTUS Affiche, annonce, avertissement, avis, brochure, dépliant, feuille, imprimé, papillon, programme, publicité, réclame, tract.

PROSPÈRE Arrivé, beau, heureux, florissant, fortuné, nanti, pourvu, riche.

PROSPÉRER Avancer, croître, se développer, s'enrichir, s'étendre, faire ses affaires/son beurre (fam.), fleurir, marcher, se multiplier, progresser, réussir.

PROSPÉRITÉ I. Abondance, aisance, béatitude, bénédiction, bien-être, bonheur, chance, félicité, fortune, réussite, richesse, santé, succès, veine (fam.). **II.** Accroissement/augmentation des richesses, activité, développement, essor, pléthore, progrès

PROSTERNATION → révérence

PROSTERNÉ, E I. Au pr. : agenouillé, baissé, courbé, incliné. **II. Fig.** Contrit, modeste, pieux, repentant, soumis, suppliant → servile.

PROSTERNER (SE) I. S'agenouiller, s'allonger, se coucher, se courber, s'étendre, fléchir le genou, s'incliner, se jeter à terre. **II.** S'abaisser, adorer, s'aplatir, faire amende honorable, flagorner, s'humilier

PROSTITUÉE I. Belle-de-nuit, cocotte, courtisane, créature, croqueuse, dégrafée, demi-mondaine, dictériade, femme/fille encartée/de joie/légère/de mauvaise vie/de mauvaises mœurs/publique/de rien/soumise, fleur de macadam/trottoir, geisha (partic.), hétaïre, horizontale, linge, marchande d'amour/d'illusion, moukère (partic.), pallage, péripatéticienne, professionnelle, racoleuse, ribaude, sirène. **II. Arg. et/ou péj.** : amazone, bagasse, bordille, bourrin, cagnasse, catin, chabraque, coureuse, crevette, éponge, frangine, gagneuse, garce, gaupe, goton (vx), gouge, grue, maquerelle, marcheuse, marmite, ménesse, morue, moulin, paillasse, peau, pétasse, pierreuse, poufiasse, poule, putain, putasse, pute, roulure, souris, tabouret, tapin, tapineuse, taxi, traînée, tréteau, tripasse, turfeuse, volaille, etc.

PROSTITUER Abaisser, avilir, corrompre, débaucher, dégrader, déshonorer, dévoyer, galvauder, livrer, mettre à l'encan, vendre

PROSTITUTION Asperges, asphalte, bitume, commerce/métier/trafic de ses charmes/de son corps, macadam, pain de fesses/des Jules, proxénétisme, racolage, retape, ruban, tapin, trottoir, turf, etc

PROSTRATION I. Abattement, accablement, anéantissement, dépression, épuisement, faiblesse, hébétude, inactivité, langueur, léthargie. **II.** → prosternation.

PROTAGONISTE Acteur, animateur, boute-en-train, initiateur, instigateur, interlocuteur, interprète, meneur, pionnier, promoteur.

PROTECTEUR, TRICE I. Nom : aide, ange gardien, appui, asile, bienfaiteur, champion, chevalier servant, défenseur, gardien, mécène, patron, père, providence, soutien, support, tuteur. **II. Adj. 1. Favorable** : tutélaire. **2. Non favorable** : condescendant, dédaigneux.

PROTECTION I. L'action. 1. Au pr. : aide, appui, assistance, conservation, couverture, défense, garantie, garde, sauvegarde, secours, soutien, support, tutelle. **2. Relig.** : auspice, bénédiction, égide, invocation, patronage. **3. Méd.** : immunisation, immunité, prophylaxie. **4.** → encouragement. **II. Ce qui protège** : abri, armure, asile, bastion, blindage, bouclier, boulevard, capuchon, carapace, cloche, clôture, couvercle, couverture, cuirasse, écran, enveloppe, fortifications, fourreau, gaine, garde-corps, garde-fou, glacis, grillage, grille, masque, ombre, paravent, plastron, rempart, rideau, soutien, tablier.

PROTÉGÉ, E Client, créature (péj.), favori, pistonné.

PROTÉGER I. Au pr. : abriter, accompagner, aider, armer, assister, assurer, blinder, convoyer, couvrir, cuirasser, défendre, escorter, flanquer, fortifier, garantir, munir, ombrager, parer, préserver, sauvegarder, veiller à. **II. Par ext.** : appuyer, encourager, favoriser, patronner, pistonner (fam.), recommander, soutenir.

PROTÉGER (SE) Être en garde contre, se garer, se mettre à couvert, parer à, prendre garde à, et les formes pronom. possibles des syn. de PROTÉGER.

PROTÉIFORME → changeant.

PROTESTANT, E n. et adj. Anglican, baptiste, calviniste, conformiste, évangélique, évangéliste, huguenot, luthérien, méthodiste, momier, parpaillot, piétiste, presbytérien, puritain, quaker, réformé, réfugié, religionnaire.

PROTESTATION I. Au pr. : assurance, déclaration, démonstration, promesse, témoignage. **II. Par ext.** : appel, clameur, contre-pied, coup de gueule (fam.), cri, criaillerie, dénégation, désapprobation, gueulement (fam.), murmure, objection, plainte, réclamation, refus, réprobation.

PROTESTER I. V. tr. : affirmer, assurer, promettre. **II. V. intr.** : arguer, attaquer, clabauder, contester, criailler, crier après/contre, désapprouver, dire, s'exclamer, se gendarmer, grogner, gueuler, s'indigner, marmonner, marmotter, murmurer, objecter, s'opposer, se plaindre de, râler (fam.), se rebeller, se rebiffer, réclamer, se récrier, récriminer, récuser, regimber, résister, ronchonner, rouscailler (fam.), rouspéter (fam.), ruer dans les brancards, tenir tête.

PROTOCOLE I. Accord, acte, concordat, convention, formulaire, procès-verbal, résolution, traité. **II.** Bienséance, cérémonial, cérémonies, convenances, décorum, étiquette, formes, ordonnance, préséance, règlement, règles, rite.

PROTOHISTOIRE → *préhistoire.*

PROTOTYPE Archétype, étalon, premier exemplaire, princeps, modèle, original, type.

PROTUBÉRANCE I. Au pr. : apophyse, apostume, bosse, excroissance, gibbosité, saillie, tubérosité. **II. Par ext. :** élévation, éminence, mamelon, monticule, piton, tertre.

PROU I. Vx : amplement, beaucoup, suffisamment. **II. Loc. *Peu ou prou :*** plus ou moins.

PROUESSE I. Bravoure, vaillance. **II.** → *exploit.*

PROUVÉ, E Avéré, confirmé, constaté, évident.

PROUVER I. Au pr. *On prouve quelque chose :* démontrer, établir, faire apparaître/comprendre/croire/reconnaître/voir comme vrai, illustrer, justifier, montrer. **II. Par ext. *Quelque chose ou quelqu'un prouve quelque chose :*** affirmer, annoncer, attester, confirmer, corroborer, déceler, faire foi, faire/laisser voir, indiquer, manifester, marquer, révéler, témoigner.

PROVENANCE Commencement, fondement, origine, principe, racine, source.

PROVENIR Découler, dériver, descendre, émaner, être issu, naître, partir, procéder, remonter, résulter, sortir, tenir, tirer, venir.

PROVERBE I. Adage, aphorisme, dicton, maxime, pensée, sentence. **II.** Saynète, scène, pièce.

PROVERBIAL, E Connu, gnomique, sentencieux, traditionnel, typique, universel.

PROVIDENCE I. Bonté, Ciel, Créateur, destin, Dieu, divinité, protecteur, secours. **II.** Aide, appui, protection, secours, support.

PROVIDENTIEL, ELLE Bon, divin, heureux, opportun, protecteur, salutaire.

PROVINCE Circonscription/division administrative/territoriale, État, généralité, gouvernement, marche, pays, région.

PROVISEUR Directeur, principal, supérieur.

PROVISION I. Au pr. 1. Amas, approvisionnement, avance, dépôt, en-cas, fourniture, munition (vx), réserve, réunion, stock. **2.** Aliments, denrée, provende, ravitaillement, viatique, victuailles, vivres. **II. Par ext. 1. Jurid. :** acompte, allocation, avance, caution, dépôt, garantie. **2. Au pl. :** commissions, courses.

PROVISOIRE → *passager.*

PROVOCANT, E I. Au pr. : agressif, batailleur, belliqueux, irritant, querelleur. **II. Par ext. :** agaçant, aguichant, coquet, effronté, excitant, hardi.

PROVOCATEUR, TRICE Agitateur, agresseur, excitateur, fauteur, meneur.

PROVOCATION Agression, appel, attaque, défi, excitation, incitation, menace.

PROVOQUER I. Au pr. *On provoque quelqu'un à :* amener, disposer, encourager, entraîner, exciter, inciter, instiguer, porter, pousser, préparer, solliciter. **II. Par ext. 1. Non favorable :** agacer, aiguillonner, appeler, attaquer, braver, défier, harceler, irriter, narguer. **2. Un désir :** allumer, aguicher. **III. *Quelque chose ou quelqu'un provoque quelque chose :*** amener, animer, appeler, apporter, attirer, causer, créer, déchaîner, déclencher, donner lieu, enflammer, éveiller, exciter, faire naître/passer, favoriser, inspirer, occasionner, produire, promouvoir, soulever, susciter.

PROXÉNÈTE *Masc. :* barbeau, barbillon, barbiquet, bizet, entremetteur, hareng, jules, julot, mac, maquereau, marlou, protecteur, souteneur, tôlier. ***Fém. :*** abbesse, appareilleuse (vx), célestine, dame Claude, macette, madame, maquerelle, marchande à la toilette (vx), matrone, pourvoyeuse, procureuse, sous/mac/maîtresse/maquerelle, tôlière, vieille.

PROXIMITÉ I. Dans l'espace : alentours, contact, confins, contiguïté, environs, voisinage. **II. Dans le temps :** approche, imminence, rapprochement. **III. Par ext. :** degré, parenté. **IV. Loc. adv. *A proximité :*** auprès, aux alentours/environs, près de, proche.

PRUDE I. Neutre : chaste, honnête, modeste, pudique. **II. Non favorable :** bégueule, chaisière, chameau/dragon de vertu, chipie, collet monté, cul bénit, pudibond, puritain.

PRUDENCE I. Au pr. : attention, circonspection, discernement, doigté, ménagement, politique, précaution, prévoyance, prud'homie (vx), réflexion, sagesse. **II. Par ext. 1.** → *mystère.* **2.** Cautèle, dissimulation, faux-semblant, machiavélisme.

PRUDENT, E I. Au pr. : attentif, averti, avisé, calme, circonspect, défiant, discret, expérimenté, habile, mesuré, précautionneux, prévoyant, prud'homme, réfléchi, réservé, sage, sérieux. **II. Par ext.** *Non favorable :* inconsistant, neutre, pusillanime, timoré. **III. Loc.** *Il serait prudent :* bon, de circonstance, sage.

PRUD'HOMIE → *prudence.*

PRUD'HOMME → *prudent.*

PRUNE Agen, diaprée rouge, ente, impériale, madeleine, mignonne, mirabelle, perdrigon, précoce de Tours, pruneau, prune de Monsieur, quetsche, reine-claude, sainte-catherine.

PRUNELLE Œil, pupille, regard.

PRURIT I. Au pr. : chatouillement, démangeaison, picotement. **II. Fig.** → *désir.*

PSALMODIE Chant, plain-chant, psaume.

PSALMODIER I. → *prononcer.* **II.** → *chanter.*

PSALMODIQUE Monocorde, monotone, uniforme.

PSAUME Antienne, cantique, chant sacré, complies, heures, laudes, matines, office, poème, vêpres, verset.

PSEUDO → *faux.*

PSEUDONYME Cryptonyme, hétéronyme, nom de guerre/de plume/de théâtre, surnom.

PSYCHÉ Glace, miroir.

PSYCHIQUE Intellectuel, mental, moral, psychologique, spirituel.

PSYCHOLOGIE I. → *pénétration.* **II.** → *caractère.*

PSYCHOLOGIQUE → *psychique.*

PSYCHOSE Confusion mentale, délire, démence, folie, hallucination, manie, mélancolie, obsession, paranoïa, ramollissement cérébral, schizophrénie.

PUANT, E I. Au pr. : dégoûtant, empesté, empuanti, fétide, infect, méphitique, nauséabond, nidoreux, pestilentiel, punais. **II. Fig. 1.** Impudent, honteux. **2.** → *orgueilleux.*

PUANTEUR Empyreume, fétidité, infection, mauvaise odeur, odeur fétide/infecte/repoussante, pestilence, relent, remugle.

PUBÈRE Adolescent, nubile, pubescent.

PUBERTÉ Adolescence, âge ingrat, formation, nubilité, pubescence.

PUBESCENT, E I. Duveté, duveteux, poilu, velu. **II.** → *pubère.*

PUBLIC n. m. **I.** Assemblée, assistance, audience, auditeurs, auditoire, chambrée, foule, galerie, parterre, salle, spectateurs. **II. Loc.** *En public* → *publiquement.*

PUBLIC, IQUE adj. **I. Un lieu :** banal, collectif, communal, communautaire, fréquenté, ouvert, populaire, vicinal. **II. Quelque chose :** affiché, annoncé, célèbre, colporté, commun, communiqué, dévoilé, divulgué, ébruité, évident, exposé, mani-

feste, national, notoire, officiel, ostensible, propagé, publié, reconnu, renommé, répandu, révélé, universel, vulgarisé. **III. Jurid. :** authentique. **IV. Loc.** *Fille publique* → *prostituée.*

PUBLICATION I. Annonce, ban, dénonciation, divulgation, proclamation, promulgation. **II.** Apparition, édition, lancement, parution, reproduction, sortie. **III.** Collection, écrit, livraison, ouvrage.

PUBLICISTE → *journaliste.*

PUBLICITÉ Affichage, annonce, battage, boom (fam.), bourrage de crâne (péj.), bruit, lancement, propagande, réclame, renommée, retentissement, slogan, tam-tam (fam.).

PUBLIER I. Au pr. : afficher, annoncer, battre le tambour (fam.), carillonner, célébrer, chanter, claironner (fam.), clamer, communiquer, corner, crier sur les toits (fam.), déclarer, découvrir, dénoncer, dire, divulguer, ébruiter, édicter, emboucher la trompette (fam.), émettre, étaler, exprimer, faire connaître, lancer, louer, manifester, mettre en pleine lumière, prêcher, préconiser, proclamer, promulguer, prôner, rendre public, répandre, trompeter (fam.), vanter. **II. Par ext. :** écrire, éditer, faire, faire paraître, imprimer, sortir.

PUBLIQUEMENT Au grand jour, devant tout le monde, en public, manifestement, notoirement, officiellement, ostensiblement, tout haut, universellement.

PUCEAU, PUCELLE → *vierge.*

PUDEUR I. Au pr. : bienséance, chasteté, décence, délicatesse, discrétion, honnêteté, modestie, pudicité, réserve, respect, retenue, sagesse. **II. Par ext. :** confusion, embarras, honte.

PUDIBOND, E Prude, timide. → *pudique.*

PUDIBONDERIE → *hypocrisie.*

PUDICITÉ → *décence.*

PUDIQUE I. Favorable : chaste, décent, délicat, discret, honnête, modeste, réservé, retenu, sage. **II. Non favorable** *hypocrite.*

PUER I. V. intr. 1. Empester, empuantir, exhaler/répandre une odeur désagréable / fétide / nauséabonde / répugnante, sentir mauvais. **2. Arg. :** chlinguer, cocoter, cogner, fouetter, gazouiller, prendre à la gorge, taper, trouilloter, tuer les mouches. **II. V. tr. :** empoisonner, sentir.

PUÉRIL, E Enfantin, infantile, frivole, futile, mièvre, niais, vain.

PUÉRILITÉ Badinerie, baliverne, enfantillage, frivolité, futilité, mièvrerie, niaiserie, vanité.

PUGILAT I. Au pr. : boxe, catch, judo, lutte, pancrace. **II. Par ext. :** bagarre, peignée, rixe.

PUGILISTE Athlète, boxeur, catcheur, judoka, lutteur.

PUGNACE Accrocheur, agressif, bagarreur, combatif, lutteur, querelleur, vindicatif.

PUÎNÉ, E Cadet, junior.

PUIS I. Alors, après, ensuite. **II. Loc. Et puis :** au/du reste, d'ailleurs, de plus, en outre.

PUISARD Bétoire, égout, fosse, puits perdu.

PUISER I. Au pr. : baqueter, pomper, prendre, pucher, tirer. **II. Fig. :** emprunter, glaner.

PUISQUE Attendu que, car, comme, dès l'instant où, dès lors que, du moment que, étant donné que, parce que, pour la raison que, vu que.

PUISSANCE I. De quelque chose : capacité, efficacité, énergie, faculté, force, intensité, possibilité, pouvoir. **II. De quelqu'un, physique :** vigueur, virilité. **III. Par ext. 1.** Autorité, bras séculier, dépendance, domination, droit, empire, grandeur, influence, loi, omnipotence, prépondérance, prépotence, souveraineté, toute-puissance. **2.** Couronne, empire, État, nation, pays. **3.** → *qualité*.

PUISSANT, E I. Au pr. : capable, considérable, efficace, énergique, fort, grand, haut, influent, intense, omnipotent, prépondérant, prépotent, redoutable, riche, souverain, tout-puissant. **II. Par ext. 1.** Éloquent, profond, violent. **2.** Vigoureux, viril. **3.** → *gros*. **III. Nom** → *personnalité*.

PUITS I. Au pr. : aven, buse, cavité, citerne, excavation, fontaine, gouffre, oubliette, source, trou. **II. Loc. Puits de science :** abîme, mine.

PULL-OVER Chandail, maillot, tricot.

PULLULER I. → *abonder*. **II.** → *multiplier (se)*.

PULMONAIRE adj. et n. Phtisique, tuberculeux.

PULPE Bouillie, chair, tourteau.

PULVÉRISATION I. Au pr. : atomisation, évaporation, sublimation, volatilisation. **II. Fig. :** anéantissement, désagrégation, destruction, éclatement, émiettement, éparpillement.

PULVÉRISER I. Au pr. : broyer, désagréger, écraser, effriter, égruger, émier (vx), émietter, moudre, piler, porphyriser, réduire, triturer. **II. Par ext. :** atomiser, projeter, volatiliser. **III. Fig. :** anéantir, battre, bousiller (fam.), briser, détruire, écarbouiller (fam.), écrabouiller (fam.), mettre/réduire en bouillie/cendres/charpie/miettes/morceaux.

PUNCH Efficacité, énergie, force, riposte, vigueur, vitalité.

PUNIR I. Battre, châtier, condamner, corriger, faire payer, flétrir, frapper, infliger une peine/sanction, réprimer, sanctionner, sévir. **II. Arg. 1. Scol. :** coller, consigner, mettre en colle. **2. Milit. :** ficher / foutre / mettre dedans/la paille au cul.

PUNITION I. Au pr. : châtiment, condamnation, correction, expiation, leçon, peine, pénalisation, pénalité, pénitence, répression, sanction. **II. Par ext. :** calamité, fléau. **III. Genres de punitions. 1.** Coup, fouet, fustigation, garcette, knout, question (vx), schlague, supplice, torture. **2.** Arrêt, emprisonnement, internement, prison. **3.** Bonnet d'âne, coin, colle, consigne, devoir supplémentaire, fessée, gifle, lignes, martinet, pain sec, pensum, piquet, privation de dessert/de sortie, retenue. **4.** Gage.

PUPILLE I. Enfant, fils adoptif, orphelin. **II.** → *prunelle*.

PUR, E I. Au pr. Quelque chose : absolu, affiné, blanc, complet, inaltéré, naturel, net, parfait, propre, purifié, simple. **II. Par ext. 1. Moral :** angélique, archangélique, authentique, beau, candide, chaste, continent, délicat, désintéressé, droit, franc, honnête, immaculé, impeccable, innocent, intact, intègre, pudique, sage, saint, vertueux, vierge, virginal. **2. Un sentiment :** aérien, ailé, clair, éthéré, idéal, immatériel, limpide, platonique, séraphique. **3. Un son :** argentin, clair, cristallin. **4. Un langage :** châtié, correct, élégant. **5.** Assaini, filtré, raffiné, rectifié, tamisé.

PURÉE I. Au pr. : bouillie, coulis, estoufade, garbure. **II. Fig. :** débine, dèche, misère, mistoufle, mouise, mouscaille, panade, pauvreté.

PUREMENT Exclusivement, seulement, simplement, uniquement.

PURETÉ I. Au pr. : authenticité, blancheur, clarté, correction, fraîcheur, limpidité, netteté, propreté. **II. Par ext. :** candeur, chasteté, continence, délicatesse, droiture, honnêteté, ingénuité, innocence, perfection, pudeur, vertu, virginité. **III. Fig. :** calme, sérénité. **IV. Du style :** adéquation, correction, élégance, propriété, purisme.

PURGATIF → *purge*.

PURGATIF, IVE Apéritif (vx), cathartique, dépuratif, drastique, évacuant, évacuatif, hydragogue, laxatif, minoratif.

PURGATION → *purge*.

PURGATOIRE Expiation, purification.

PURGE I. Au pr. : aloès, armoise, calomel, casse, catharsis, citrate de magnésie, coloquinte, croton, eau-de-vie allemande, ellébore, épurge, euphorbe, globulaire, gratiole, jalap, laxatif, limonade purgative, médecine, médicinier, nerprun, purgatif, purgation, rhubarbe, ricin, scammonée, séné, sulfate de soude, sureau. **II. Par ext.** → *purification.*

PURGER → *purifier.*

PURIFICATION I. Ablution, affinage, assainissement, clarification, défécation, dépuration, désinfection, élimination, épuration, épurement, lessive, lustration, nettoyage, purge. **II. Relig.** : baptême, chandeleur, présentation.

PURIFIER Absterger, affiner, assainir, balayer, clarifier, débarrasser, déféquer, dégager, dégorger, dépurer, désinfecter, déterger, épurer, filtrer, fumiger, laver, lessiver, nettoyer, purger, raffiner, rectifier.

PURIN → *engrais, fumier.*

PURISME I. → *pureté.* **II.** Affectation, afféterie, pointillisme, préciosité, rigorisme.

PURITAIN, AINE n. et ad. **I.** → *protestant.* **II.** Austère, chaste, étroit, intransigeant, janséniste, prude, pudibond, pur, rigoriste, sectaire.

PUROTIN → *pauvre.*

PURPURIN, E Garance, pourpre, pourprin, rouge.

PUR-SANG → *cheval*

PUS Boue, collection, ichor, sanie.

PUSILLANIME Capon, couard, craintif, faible, froussard, lâche, peureux, pleutre, poltron, prudent, sans-cœur, timide, timoré, trembleur, trouillard (fam.).

PUSTULE Abcès, adénite, apostème, apostume, bouton, bube, bubon, chancre, clou, confluence, dépôt, écrouelle (vx), élevure (vx), éruption, furoncle, grosseur, kyste, phlegmon, scrofule, tourniole, tumeur.

PUTATIF, IVE Estimé, présumé, supposé.

PUTE, PUTAIN → *prostituée.*

PUTRÉFACTION → *pourriture.*

PUTRÉFIABLE → *putrescible.*

PUTRÉFIER (SE) → *pourrir.*

PUTRESCIBLE Corruptible, pourrissable, putréfiable.

PUTRIDE Putrescent. → *pourri.*

PUTSCH Coup d'État, coup de main, pronunciamiento, soulèvement.

PYGMÉE I. Au pr. : négrille. **II. Par ext.** → *nain.*

PYLÔNE → *colonne.*

PYRAMIDAL, E I. → gigantesque. **II.** → extraordinaire

PYRRHONISME Doute, scepticisme.

PYTHIE, PYTHONISSE → *devin.*

QUADRAGÉNAIRE n. et adj. Homme dans la force de l'âge/en pleine force/fait/mûr, quarantaine (fam.).

QUADRAGÉSIME Carême.

QUADRANGLE, QUADRANGULAIRE → *quadrilatère*.

QUADRATURE Loc. *Quadrature du cercle :* contradiction, faux problème, gageure, impossibilité.

QUADRILATÈRE Carré, losange, parallélogramme, quadrangle, quadrangulaire, rectangle, trapèze.

QUADRILLAGE → *investissement.*

QUADRILLE I. Nom fém. : carrousel, équipe, peloton, reprise, troupe. **II. Nom masc. :** branle, cancan, contredanse, cotillon, figure.

QUADRILLER I. Carreler **II.** → *investir.*

QUADRUPLER Par ext. : accroître, augmenter, développer, donner de l'expansion/extension/importance, multiplier, multiplier par quatre, valoriser.

QUAI I. Au pr. : appontement, débarcadère, dock, embarcadère, levée, môle, wharf. **II. Par ext. :** plateforme, trottoir.

QUAKER, ERESSE n. et adj. **Par ext. :** fanatique, protestant, puritain, rigoriste, sectaire.

QUALIFICATIF, IVE n. et adj. Adjectif, attribut, caractéristique, désignation, épithète, qualité.

QUALIFICATION I. Au pr. : appellation, dénomination, désignation, épithète, nom, qualité, titre. **II. Par ext. :** aptitude, compétence, confirmation, expérience, garantie, habileté, savoir-faire, tour de main.

QUALIFIÉ, E Apte, autorisé, capable, certifié, compétent, confirmé, diplômé, expérimenté, garanti, habile.

QUALIFIER I. Appeler, dénommer, désigner, déterminer, intituler, nommer, traiter de. **II.** Autoriser, confirmer, homologuer, garantir.

QUALIFIER (SE) Se classer, se distinguer, *et les formes pronom. possibles des syn.* de QUALIFIER.

QUALITÉ I. De quelque chose : acabit (fam.), aloi, attribut, calibre, caractère, catégorie, choix, espèce, essence, marque, propriété. **II. De quelqu'un. 1.** Aptitude, avantage, bourre (fam.), calibre (fam.), capacité, caractère, compétence, disposition, don, faculté, mérite, nature, particularité, spécialité, talent, valeur, vertu. **2.** Condition, fonction, grandeur, noblesse, nom, qualification, titre, vertu.

QUAND Alors que, au moment où/que, encore que, lorsque.

QUANT À A propos de, de son côté, pour ce qui est de, pour sa part, relativement à.

QUANTIÈME Date, jour.

QUANTIFIER Appliquer/attribuer/donner une quantité/valeur, chiffrer, mesurer.

QUANTITÉ I. Au pr. : capacité, charge, contenance, débit, dépense, dose, durée, extension, grandeur, longueur, masse, mesure, nombre, poids, quotité, somme, surface, unité, valeur, volume. **II. Par ext. 1. Petite quantité :** bout, bribe, brin, doigt, goutte, grain, nuage, parcelle, pincée, poignée, point, pouce, rien, soupçon. **2.** *Grande quantité :* abondance, accumulation, affluence, armée, arsenal, avalanche, averse, bénédiction, bloc, chiée (grossier), collection, concours, contingent, débauche, déboulée, déluge, encombrement, ensemble, entassement, essaim, fleuve, flopée (pop.), flot, foison, forêt, foule, foultitude (fam.), fourmillement, grêle, immensité, jonchée, kyrielle, légion, luxe, masse, mer, mille, milliard, milliasse, million, moisson, monceau, monde, montagne, myriade, muflée (fam.), multiplicité, multitude, myriade, nombre, nuée, pluie, potée, pullulement, régiment, renfort, ribambelle, série, tapée (fam.), tas, traînée, tripotée.

QUARANTAINE Boycottage, interdit, mise à l'écart/l'index, ostracisme, proscription.

QUART I. Gobelet, récipient, timbale. **II.** Garde, service, veille.

QUARTAUT Barrique, fût, futaille, tonneau, tonnelet.

QUARTIER I. Au pr. : fraction, morceau, partie, pièce, portion, tranche. **II. De lune :** croissant, phase. **III.** Échéance, terme, trimestre. **IV.** Camp, campement, cantonnement, caserne, casernement. **V.** Arrondissement, district, faubourg, ghetto, médina, mellah, région, secteur. **VI. Vén. :** gîte, tanière. **VII. Loc.** *Pas de quartier :* grâce, ménagement, merci, miséricorde, pitié, vie sauve.

QUARTZ Améthyste, aventurine, cristal de roche/hyalin, gneiss, granit, grès, jaspe, micaschiste, œil de chat, quartzite, sable, silice.

QUASI I. Nom : cuisse/tranche de veau. **II. Adv. :** à peu près, comme, pour ainsi dire, presque.

QUATRAIN Couplet, épigramme, impromptu, pièce, poème, strophe.

QUATRE (SE METTRE EN) S'agiter, se décarcasser, se démancher, se démener, se dépenser, se donner du mal/de la peine/du tintouin, s'écarteler, s'employer, se remuer.

QUATUOR Ensemble, formation, orchestre, quartette.

QUELCONQUE Banal, commun, courant, insignifiant, médiocre, n'importe lequel, ordinaire, plat, vague.

QUELQUE I. Adj. 1. *Au sing. Devant un nom (quelque aventure) :* certain. **2.** *Au pl. :* divers, un certain nombre, un groupe, plusieurs, une poignée, une quantité. **II. Adv. 1.** *Devant un adj. (quelque grands que soient) :* pour, si. **2.** *Devant un nombre :* dans les, environ.

QUELQUEFOIS Parfois, rarement, de temps à autre, de temps en temps.

QUÉMANDAGE Demande, mendicité, sollicitation.

QUÉMANDER v. tr. et intr. Demander, importuner, mendier, quêter, rechercher, solliciter, taper.

QUÉMANDEUR, EUSE Demandeur, importun, mendiant, mendigot, quêteur, quêteux, solliciteur, tapeur.

QU'EN-DIRA-T-ON Anecdote, bavardage, bruit, calomnie, cancan, chronique, clabaudage, commérage, médisance, potin, ragot, rumeur.

QUERELLE Affaire, algarade, altercation, attaque, bagarre, bataille, batterie (vx), bisbille, brouille, chamaillerie, chambard, charivari, combat, chicane, contestation, débat, démêlé, désaccord, différend, discorde, dispute, dissension, division, échauffourée, émeute, empoignade, esclandre, grabuge, guerre, noise, plaid (vx), prise de bec, rixe, tempête, tracasserie.

QUERELLER Attaquer, attraper, batailler, chamailler, chanter pouilles, chercher chicane/noise/des poux/querelle, chicaner, chipoter, disputer, gourmander, gronder, houspiller, réprimander, tancer.

QUERELLER (SE) Se battre, discuter, s'empoigner, se prendre aux cheveux, *et les formes pronom. possibles des syn. de* QUERELLER.

QUERELLEUR, EUSE n. et adj. Agressif, batailleur, boute-feu, casseur, chamailleur, chicaneur, chicanier, criard, difficile, discutailleur, discuteur, disputeur, ferrailleur, hargneux, hutin (vx), mauvais coucheur, mauvaise tête, pie-grièche, tracassier.

QUERIR Chercher, se procurer, rechercher, solliciter.

QUESTEUR Administrateur, censeur, économe, intendant, trésorier.

QUESTION I. Vx : épreuve, géhenne, gêne, supplice, torture. **II.** Charade, colle (fam.), demande, devinette, énigme, épreuve, examen, information, interrogation. **III.** Affaire, article, chapitre, controverse, délibération, difficulté, discussion, interpellation, matière, point, problème, sujet.

QUESTIONNAIRE Consultation, déclaration, enquête, formulaire, sondage, test.

QUESTIONNER Consulter, cuisiner (fam.), demander, s'enquérir, enquêter, éprouver, interroger, interviewer, mettre sur la sellette (fam.), poser des questions, scruter, sonder, tâter, tester.

QUESTURE Administration, économat, intendance.

QUÊTE I. Collecte, ramassage. **II.** Enquête, recherche.

QUÊTER I. Vén. : chasser, chercher, suivre. **II.** Demander, mendier, quémander, rechercher, réclamer, solliciter.

QUEUE I. Au pr. 1. D'un animal : appendice caudal, balai, couette, fouet. **2. Bot. :** pédicule, pédoncule, pétiole, tige. **II. Par ext. (d'un vêtement) :** pan, traîne. **III. Fig. :** arrière, bout, coda, conclusion, dénouement, fin, sortie. **IV. D'une casserole :** manche. **V.** Attente, file, foule.

QUIBUS Argent, espèces, fortune, moyens.

QUICONQUE I. N'importe qui, qui que ce soit. **II. Loc. Mieux que quiconque :** personne.

QUIDAM Homme, individu, personne.

QUIET, ÈTE Apaisé, béat, benoît, calme, coi, paisible, rasséréné, rassuré, reposé, serein, tranquille.

QUIÉTUDE Accalmie, apaisement, assurance (vx), ataraxie, béatitude, bien-être, bonace, calme, douceur, paix, rassérénement, repos, sérénité, tranquillité.

QUINAUD, E Confus, décontenancé, dépité, embarrassé, honteux, surpris. → *bête.*

QUINCAILLE (vx) et **QUINCAILLE-RIE I.** Billon, petite monnaie. **II.** Décolletage, ferblanterie, taillanderie. **III. Péj. :** clinquant, pacotille.

QUINCONCE I. Assemblage, dispositif, échiquier, quatre-coins. **II.** Allée, place, square.

QUINQUET I. Godet, lampe, lumignon, veilleuse. **II.** → *yeux.*

QUINTESSENCE I. Au pr. : alcool, essence, extrait. **II. Par ext. :** meilleur, moelle, nec plus ultra, principal, raffinement, substantifique moelle, suc.

QUINTESSENCIÉ, E Affecté, alambiqué, baroque, compliqué, contorsionné, précieux, raffiné, recherché, sophistiqué, subtil.

QUINTESSENCIER Distiller, purifier, raffiner, sophistiquer, subtiliser.

QUINTETTE Ensemble, formation, orchestre.

QUINTEUX, EUSE Acariâtre, atrabilaire, bizarre, braque, cacochyme, capricant, capricieux, changeant, difficile, fantasque, inégal, instable, lunatique, rétif.

QUIPROQUO Bêtise, bévue, brouil-lamini, chassé-croisé, coq-à-l'âne, erreur, gaffe, imbroglio, intrigue, malentendu, méprise.

QUITTANCE Acquit, apurement, décharge, libération, quitus, récépissé, reçu.

QUITTE Débarrassé, dégagé, délivré, dispensé, exempté, libéré, libre.

QUITTER I. Vx : abandonner, céder, laisser. **II. On quitte une activité. 1. Neutre :** abandonner, abdiquer, changer, délaisser, se démettre de, dételer, lâcher, laisser, partir, résigner, se séparer de. **2. Non favorable :** abjurer, apostasier, renier, rompre, sacrifier. **III. On quitte un lieu :** s'absenter, s'en aller, changer, déguerpir, déloger, démarrer, déménager, déserter, s'éloigner, émigrer, s'enfuir, évacuer, s'évader, s'expatrier, fuir, lever le siège, partir, passer, sortir, vider les lieux. **IV. On quitte un vêtement :** se débarrasser/défaire/dépouiller de, se dénuder, se déshabiller, se dévêtir, enlever, se mettre à poil (fam.), ôter, tomber (fam.). **V. Loc. Quitter la terre/ le monde/la vie :** disparaître, partir. → *mourir.*

QUITUS Acquit, décharge, quittance, récépissé, reçu.

QUI VIVE Interj. : halte, qui va là.

QUI-VIVE Nom : affût, aguets, alarme, alerte, éveil, guet, signal, veille.

QUOI I. Laquelle, lequel, lesquelles, lesquels, quel, quelle, quels. **II. 1. De quoi :** dont. **2. Faute de quoi, sans quoi :** autrement, sinon. **3. Il y a de quoi :** lieu, matière, motif, raison, sujet. **4. Il a de quoi :** avoir, biens, capital, fortune, ressources, revenus. → *richesse.* **III. Interj. :** comment, tiens, vous dites.

QUOIQUE Bien/encore/malgré que, pour, tout.

QUOLIBET Apostrophe, brocard, huée, lardon (vx), pique, plaisanterie, pointe, raillerie.

QUORUM Majorité, nombre.

QUOTA, QUOTE-PART Allocation, attribution, cens, contingent, contribution, cotation, cote, cotisation, écot, fraction, imposition, impôt, lot, montant, part, portion, pourcentage, quantité, quotité, répartition.

QUOTIDIEN, ENNE I. Adj. 1. Au pr. : de chaque jour, journalier. **2. Par ext. :** accoutumé, banal, continuel, fréquent, habituel, normal, ordinaire, réitéré. **II. Nom** → *journal.*

QUOTITÉ → *quota.*

RABÂCHAGE → *radotage.*

RABÂCHER v. tr. et intr. → *répéter.*

RABAIS Baisse, bonification, diminution, escompte, remise, ristourne, tant pour cent.

RABAISSER I. → *abaisser.* II. → *baisser.*

RABATTEUR, EUSE → *propagandiste.*

RABATTRE I. → *abaisser.* II. → *baisser.* III. → *diminuer.* IV. → *repousser.* V. **Loc. En rabattre** → *modérer (se).*

RABIBOCHER I. → *réparer.* II. → *réconcilier.*

RÂBLÉ, E → *ramassé.*

RABOT Bouvet, colombe, doucine, feuilleret, gorget, guillaume, guimbarde, mouchette, riflard, tarabiscot, varlope.

RABOTER I. **Au pr. :** aplanir, corroyer, dégauchir, polir, varloper. II. **Fig. :** châtier, corriger, parachever, polir, revoir.

RABOTEUX, EUSE → *rude.*

RABOUGRI, E → *ratatiné.*

RABROUER → *repousser.*

RACAILLE → *populace.*

RACCOMMODAGE Rafistolage (fam.), rapiéçage, ravaudage, réparation, reprise, rhabillage, stoppage.

RACCOMMODEMENT Accommodement, accord, fraternisation, réconciliation, rapatriage (vx), rapprochement, replâtrage.

RACCOMMODER I. **Au pr. :** raccoutrer, rafistoler (fam.), rapetasser, rapiécer, rapiéceter, ravauder, remmailler, rentraire, réparer, repriser, resarcir, restaurer, retaper, stopper. II. **Fig.** → *réconcilier.*

RACCORD, RACCORDEMENT → *joint, transition.*

RACCORDER → *joindre, unir.*

RACCOURCI Traverse, abrégé

RACCOURCIR → *diminuer.*

RACE Ancêtres, ascendance, branche, classe, couche, couvée (fam.), descendance, dynastie, engeance, espèce, estoc (vx), extraction, extrance, famille, filiation, fils, génération, gent, graine, hérédité, héritiers, lignage, ligne, lignée, maison, origine, parage (vx), parentage (vx), postérité, rejetons, sang, sorte, souche, tige.

RACHAT I. **Au pr. :** recouvrement, réemption, réméré. II. **Par ext. :** délivrance, expiation, rédemption, salut.

RACHETER v. tr. I. → *libérer.* II. → *réparer.*

RACHETER (SE) v. pr. Se libérer, se rattraper, se rédimer, se réhabiliter. → *réparer.*

RACINE I. **Au pr. :** bulbe, caïeu, chevelu, estoc, griffe, oignon, pivot, radicelle, radicule, rhizome, souche, stolon, tubercule. II. **Fig.** → *origine.*

RACLÉE Bastonnade, correction, danse, déculottée, dégelée, dérouillée, fessée, fricassée, frottée, peignée, pile, plumée, rossée, roulée, secouée, tannée, tatouille, torniole, tournée, trempe, tripotée, valse, volée.

RACLER I. **Au pr. :** curer, enlever, frotter, gratter, nettoyer, râper, râtisser, riper, ruginer. II. **Fig.** → *jouer.*

RACOLER Embrigader, engager, enrégimenter, enrôler, incorporer, lever des troupes, mobiliser, recruter.

RACONTAR **I.** → *médisance.* **II.** → *roman.*

RACONTER Conter, débiter, décrire, détailler, développer, dire, expliquer, exposer, narrer, peindre, rapporter, réciter, relater, rendre compte, retracer, tracer.

RADIER Barrer, biffer, caviarder, démarquer, détruire, effacer, faire disparaître, faire une croix, gommer, gratter, laver, raturer, rayer, sabrer, supprimer.

RADIEUX, EUSE **I.** Beau, brillant, éclatant, ensoleillé, épanoui, étincelant, heureux, joyeux, lumineux, radiant, rayonnant. **II.** Content, ravi, satisfait.

RADOTAGE Gâtisme, rabâchage, rabâcherie (vx), répétition, verbiage.

RADOTER → *déraisonner.*

RAFALE **I. Mar. :** bourrasque, coup de chien/de tabac/de vent, grain, risée, tempête, tornade, tourbillon, trombe. **II.** → *décharge.*

RAFFERMIR → *affermir.*

RAFFINÉ, E Affecté (péj.), affiné, alambiqué (péj.), aristocratique, connaisseur, délicat, distingué, élégant, fin, gracieux, parfait, précieux, pur, quintessencié, recherché, subtil, subtilisé (vx).

RAFFINEMENT → *finesse, affectation.*

RAFFOLER → *goûter*

RAFFUT → *tapage.*

RAFISTOLER → *réparer.*

RAFRAÎCHIR **I.** → *refroidir.* **II.** Ravaler, raviver. → *réparer.* **III.** → *tailler.*

RAFRAÎCHIR (SE) → *boire.*

RAGAILLARDIR → *réconforter.*

RAGE **I. Au pr. :** hydrophobie (vx). **II. Par ext. 1.** → *fureur.* **2.** → *manie.* **III. Loc. *Faire rage*** → *sévir.*

RAGER Bisquer, écumer, endêver, enrager, être en colère/en fureur/en rogne, fumer (fam.), râler, rogner, ronchonner, se ronger les poings, rouspéter.

RAGEUR, EUSE → *colère.*

RAGOT **I.** → *médisance.* **II.** → *nain.*

RAGOÛT Blanquette, brussoles, capilotade, cassoulet, chipolata, civet, compote, fricassée, fricot, galimafrée, gibelotte, haricot de mouton, hochepot, miroton, navarin, olla-podrida, ragougnasse (péj.), rata, ratatouille, salmigondis, salmis, salpicon.

RAGOÛTANT, E Affriolant, agréable, alléchant, appétissant, engageant, friand, savoureux, séduisant, succulent, tentant.

RAIDE **I. Au pr. :** droit, empesé, ferme, inflexible, rigide, roide, sec, tendu. **II. Par ext. 1.** Affecté, ankylosé, contracté, engourdi, guindé, solennel. **2.** → *escarpé.* **3.** → *rude.* **4.** → *excessif.* **5.** → *libre.*

RAIDEUR **I. Au pr. :** ankylose, engourdissement, rigidité, tension. **II. Fig.** → *affectation.*

RAIDILLON → *montée.*

RAIDIR Abraquer, bander, contracter, souquer, tendre, tirer.

RAIE Bande, ligne, rayure, trait, vergeture, zébrure.

RAILLER S'amuser de, bafouer, berner, blaguer, brocarder, charrier, chiner, cribler/larder/fusiller de brocards/d'épigrammes, dauber, draper (vx), s'égayer, entreprendre, faire des gorges chaudes/la figue/la nique, faire marcher, se ficher, se foutre, fronder, gaber (vx), se gaudir (vx), se gausser, se goberger, goguenarder (vx), gouailler, ironiser, jouer, mettre en boîte, montrer du doigt, moquer, nasarder, se payer la tête, persifler, plaisanter, ridiculiser, rire, satiriser, vilipender

RAILLERIE **I.** Au pr. : dérision, gouaillerie, humour, ironie, malice, moquerie, persiflage, risée, sarcasme, satire. **II. Par ext.** → *brocard.*

RAINURE Adent, coche, coupure, cran, crevasse, échancrure, encoche, entaille, entaillure, entamure, faille, fente, feuillure, hoche, lioube, mortaise, raie, rayure, sillon.

RAISON **I.** → *entendement.* **II.** Bon goût, bon sens, juste milieu, modération, philosophie, pondération, sagesse. **III.** → *raisonnement.* **IV.** → *cause.* **V.** Dédommagement, réparation, satisfaction.

RAISONNABLE **I.** Intelligent, judicieux, pensant, rationnel, sage. **II.** Acceptable, bon, convenable, fondé, honnête, juste, légitime, logique, modéré, naturel, normal, sensé.

RAISONNEMENT **I.** → *raison.* **II.** Analyse, argument, déduction, démonstration, dialectique, dilemme, échafaudage, induction, inférence, sorite, syllogisme, synthèse.

RAISONNER **I. V. intr. :** argumenter, calculer, discuter, disputer, penser, philosopher, ratiociner, sophistiquer. **II. V. tr. 1. *Quelque chose :*** calculer, éprouver, examiner. **2. *Quelqu'un* →** admonester.

RAJEUNIR → *renouveler.*

RÂLE Râlement. → *agonie.*

RALENTIR v. tr. et intr. → *modérer.*

RÂLER **I.** → *protester.* **II.** → *rager.*

RALLIER **I.** → *assembler.* **II.** → *rejoindre.*

RALLONGER Accroître, allonger, ajouter, augmenter, déployer, détirer, développer, étendre, étirer, prolonger, proroger, tendre, tirer.

RAMAGE Chant, gazouillement, gazouillis, pépiement.

RAMAS Amas, bric-à-brac, fatras, ramassis, ravaudage, ravauderie, rhapsodie.

RAMASSÉ, E I. Blotti, lové, pelotonné, recroquevillé, replié, tapi. **II.** Courtaud, massif, mastoc, râblé, râblu, trapu.

RAMASSER I. Amasser, assembler, capter, capturer, collectionner, prendre, rafler, rassembler, récolter, recueillir, relever, réunir. **II.** → *resserrer.*

RAMASSER (SE) → *replier (se).*

RAMASSIS I. → *amas.* **II.** → *ramas.*

RAME I. Aviron, godille, pagaie. **II.** → *perche.* **III.** Convoi, train.

RAMEAU I. → *branche.* **II.** → *corne* **III.** → *ramification.*

RAMÉE → *branche.*

RAMENER I. → *mener.* **II.** → *réduire.* **III.** → *rétablir.*

RAMER Canoter, godiller, nager, pagayer.

RAMIER I. Au pr. : biset, colombe, goura, palombe, palonne, pigeon, pigeonneau, tourtereau, tourterelle. **II. Fig.** → *paresseux.*

RAMIFICATION Bout, branche, bribe, compartiment, côté, division, élément, embranchement, fraction, membre, morceau, pan, parcelle, part, partie, pièce, portion, rameau, secteur, subdivision, tranche, tronçon.

RAMIFIER (SE) → *séparer (se).*

RAMOLLI, E → *mou, stupide.*

RAMPE Balustrade, garde-fou → *montée.*

RAMPER I. Se couler, glisser, s'introduire. **II.** → *flatter.*

RAMURE I. → branche. **II.** → *cor.*

RANCARD → *rendez-vous.*

RANCART → *rebut.*

RANCŒUR → *ressentiment.*

RANÇONNER → *dépouiller.*

RANCUNE → *ressentiment.*

RANCUNIER, ÈRE Malveillant, rancuneux, vindicatif.

RANDONNÉE → *tour, promenade.*

RANG Caste, catégorie, classe, condition, degré, échelon, étage, état, file, haie, lieu, ligne, liste, ordre, place, queue, rangée, situation, volée.

RANGÉ, E → *réglé.*

RANGÉE → *rang.*

RANGER Aligner, arranger, caser, classer, disposer, distribuer, échelonner, garer, grouper, mettre en ordre/place/rang, ordonner, placer, séparer, sérier, serrer.

RANIMER Animer, augmenter, encourager, exalter, exciter, raffermir, ravigoter, raviver, réchauffer, régénérer, rehausser, relever, remonter, rénover, ressusciter, rétablir, retaper, retremper, réveiller, revigorer, revivifier, vivifier.

RAPACITÉ Ambition, avidité, banditisme, convoitise, cruauté, cupidité, désir insatiable, goinfrerie, vampirisme. → *avarice.*

RÂPÉ, E → *usé.*

RAPETASSER → *raccommoder.*

RAPETISSER → *diminuer.*

RÂPEUX, EUSE → *rude*

RAPIDE I. Nom masc. → *cascade.* **II. Adj. : 1.** Actif, agile, alerte, cursif, diligent, empressé, enlevé, expéditif, fulgurant, immédiat, leste, pressé, preste, prompt, véloce, vif → *vite.* **2.** Bâclé, hâtif, précipité, sommaire.

RAPIDITÉ Agilité, célérité, diligence, hâte, précipitation, presse, prestesse, promptitude, vélocité, vitesse, vivacité.

RAPIÉCER → *raccommoder.*

RAPINE Brigandage, déprédation, exaction, gain illicite, pillage. → *vol.*

RAPPEL I. Au pr. : appel, évocation, commémoration, mémento, mémoire, mention, souvenance, souvenir. **II.** → *acclamation.* **III.** Mobilisation. **IV. Loc. Battre le rappel. 1. Au pr. :** amasser, appeler, assembler, concentrer, grouper, lever, masser, mobiliser, racoler, rallier, ramasser, rassembler, réunir. **2. Par ext. :** chercher, se rappeler, se souvenir.

RAPPELER I. Commémorer, évoquer, mentionner, retracer. **II.** → *destituer.* **III.** → *acclamer.* **IV.** → *recouvrer.* **V.** → *ressembler à.*

RAPPELER (SE) Se recorder (vx), se remembrer (vx), se remémorer, se rementevoir (vx), remettre, retenir, revoir, se souvenir.

RAPPORT I. Accord, affinité, analogie, concomitance, concordance, connexion, connexité, convenance, corrélation, correspondance, dépendance, harmonie, liaison, lien, parenté, pertinence, proportion, rapprochement, relation, ressemblance, similitude, trait. **II.** → *bénéfice.* **III.** Alliance, commerce, communication, contact, fréquentation, intelligence, union. **IV.** Analyse, bulletin, compte rendu, description, exposé, procès-verbal, récit, relation, témoignage, topo. **V. Au pl.** → *accouplement.*

RAPPORTER I. Au pr. : apporter, ramener, remettre à sa place, rendre. → *porter.* **II. Par ext. 1.** → *joindre.* **2.** → *raconter.* **3.** → *dénoncer.*

4. → *répéter.* **5.** → *citer.* **6.** → *diriger.*
7. → *produire.* **8.** → *abolir.*

RAPPORTER (SE) I. En croire, se fier à, se référer, s'en remettre, se reposer sur. **II.** → *ressembler.*

RAPPORTEUR, EUSE → *mouchard.*

RAPPROCHEMENT I. Au pr. : amalgame, assemblage, comparaison, parallèle, parangon, parité, proximité, rapport, recoupement, réunion. **II. Par ext.** → *réconciliation.*

RAPPROCHER Accoler, amalgamer, approcher, assimiler, attirer, avancer, comparer, grouper, joindre, lier, presser, rapporter, réunir, serrer, unir.

RAPT → *enlèvement.*

RARE Accidentel, clair, clairsemé, curieux, difficile, distingué, étrange, exceptionnel, extraordinaire, inaccoutumé, inconnu, introuvable, inusité, précieux, remarquable, unique.

RARÉFACTION Amoindrissement, appauvrissement, déperdition, diminution, disparition, dispersion, dissémination, éclaircissement, épuisement, rarescence, rareté, tarissement.

RARÉFIER → *réduire.*

RARETÉ I. Curiosité, phénomène. **II.** Défaut, disette, insuffisance, manque, pénurie.

RAS, E → *égal.*

RASER I. → *peler.* **II.** → *démolir.* **III.** → *effleurer.* **IV.** → *ennuyer.*

RASEUR, RASOIR Agaçant, ardélion (vx), assommant, bassinant, casse-pieds (fam.), collant, crampon, de trop, embarrassant, embêtant, emmerdant (grossier), encombrant, énervant, ennuyeux, envahissant, étourdissant, excédant, fâcheux, fatigant, gênant, gêneur, gluant, hurluberlu, importun, indiscret, inopportun, insupportable, intrus, lantiponant (fam.), mouche du coche, obsédant, officieux, pesant, plaie, pot de colle, tannant, tuant.

RASSASIÉ, E Assouvi, bourré, contenté, dégoûté, gavé, gorgé, le ventre plein, repu, satisfait, saturé, soûl, sursaturé.

RASSASIER Apaiser, assouvir, bourrer, calmer, gaver, gorger, saturer, soûler.

RASSEMBLEMENT Affluence, agglomération, assemblée, association, attroupement, bande, concentration, concours, foule, groupement, manifestation, masse, meeting, multitude, parti, ralliement, rencontre, réunion, troupe.

RASSEMBLER → *assembler.*

RASSÉRÉNER → *tranquilliser.*

RASSIS, E → *posé.*

RASSURER → *tranquilliser.*

RATATINÉ, E Desséché, flétri, noué, pelotonné, rabougri, racorni, ramassé, recroquevillé, replié, ridé, tassé.

RATATOUILLE → *ragoût.*

RATÉ Bon à rien, fruit sec, traîne-savate.

RATER I. → *manquer.* **II.** → *échouer.*

RATIFIER → *confirmer.*

RATION Bout, division, dose, fraction, fragment, lot, morceau, part, partie, pièce, portion, quartier, tranche.

RATIONALISATION Automatisation, division du travail, planification, normalisation, spécialisation, stakhanovisme, standardisation, taylorisation, taylorisme.

RATIONNEL, ELLE Cartésien, cohérent, conséquent, exact, géométrique, judicieux, juste, logique, méthodique, naturel, nécessaire, raisonnable, serré, suivi, vrai.

RATIONNER → *réduire.*

RATTRAPER I. → *rejoindre.* **II.** → *réparer.*

RATTRAPER (SE) I. Se racheter, se réhabiliter, réparer, se reprendre, se ressaisir, se retourner. **II.** Se dédommager, gagner, prendre sa revanche, se raccrocher, se racquitter (vx), s'y retrouver, se revancher (vx), se sauver, s'en sortir, s'en tirer.

RATURER → *effacer.*

RAUQUE Enroué, éraillé, guttural, de mêlé-cass, de rogomme.

RAVAGE Atteinte, avarie, casse, catastrophe, dégât, dégradation, déprédation, détérioration, dommage, grief (vx), mal, perte, préjudice, sinistre, tort.

RAVAGER Anéantir, bouleverser, désoler, détruire, dévaster, dévorer, endommager, fourrager, gâter, infester, piller, ruiner, saccager.

RAVALER I. → *abaisser.* **II.** → *nettoyer.*

RAVAUDAGE → *raccommodage.*

RAVAUDER → *raccommoder.*

RAVI, E → *content.*

RAVIGOTER → *réconforter.*

RAVIN Lit de rivière/torrent, ravine, val, vallée, vallon.

RAVINER → *creuser.*

RAVIR I. → *enlever.* **II.** → *prendre.* **III.** → *charmer.* **IV.** → *transporter.*

RAVISER (SE) Se dédire, changer d'avis, revenir sur sa décision/parole/promesse.

RAVISSANT, E Agréable, aimable, amène, attirant, beau, captivant, charmant, enchanteur, enivrant, ensorcelant, fascinant, gracieux, grisant, intéressant, joli, merveilleux, piquant, séduisant.

RAVISSEMENT I. → *enlèvement.* **II.** → *transport.*

RAVITAILLER → *pourvoir.*

RAVIVER I. → *rafraîchir.* **II.** → *ranimer.*

RAYER → *effacer.*

RAYON I. Jet, rai, trait. **II.** Apparence, lueur, lumière. **III.** Degré, étagère, planche, rayonnage, tablette. **IV.** Étalage, éventaire, stand.

RAYONNANT, E I. → *radieux.* **II.** En étoile, radié, rayonné.

RAYONNEMENT I. → *lustre.* **II.** → *propagation.*

RAYONNER I. Se développer, éclater, irradier, se propager. **II.** → *luire.*

RAZZIA I. → *incursion.* **II.** → *pillage.*

RÉACTION → *réflexe.*

RÉACTIONNAIRE n. et adj. Conservateur, immobiliste, obscurantiste, rétrograde.

RÉAGIR → *résister.*

RÉALISABLE Accessible, facile, faisable, permis, possible, praticable, prévisible, probable, virtuel.

RÉALISATION Accomplissement, création, effet, exécution, œuvre, production.

RÉALISER I. Au pr. : accomplir, achever, actualiser, atteindre, combler, commettre, concrétiser, consommer, effectuer, exécuter, faire, opérer, pratiquer, procéder à, remplir. **II. Par ext. 1.** Brader, liquider, solder, vendre. **2.** → *entendre.*

RÉALISME Crudité, matérialisme, naturalisme, opportunisme, positivisme, pragmatisme, tranche de vie, utilitarisme, vérisme.

RÉALISTE Cru, matérialiste, naturaliste, opportuniste, positif, pragmatique, terre à terre, utilitaire.

RÉALITÉ I. Certitude, exactitude, réalisme, vérité. **II.** Chose, être, évidence, existence, monde, nature, objet, réel. **III. Loc. En réalité :** au fond, en fait, en effet, réellement.

RÉBARBATIF, IVE → *revêche.*

REBATTU, E Banal, commun, connu, éculé, fatigué, réchauffé, ressassé, trivial, usé, vulgaire.

REBELLE adj. et n. **I.** → *indocile.* **II.** → *insoumis.* **III.** → *révolté.*

REBELLER (SE) → *révolter (se).*

RÉBELLION → *révolte.*

REBIFFER (SE) → *résister.*

REBONDI, E Abondant, adipeux, bien en chair, bouffi, charnu, corpulent, dodu, épais, empâté, fort, gras, grasset (vx), grassouillet, gros, obèse, pansu, plantureux, plein, potelé, replet, rond, rondouillard, ventru.

REBONDIR I. → *sauter.* **II.** → *recommencer.*

REBOURS I. → *opposé.* **II. Loc. A/au rebours :** à contre-pied, à contre-poil, à contresens, à l'encontre de, à l'inverse de, à l'opposé de, à rebrousse-poil, au contraire de.

REBOUTEUR → *guérisseur.*

REBROUSSÉ, E → *hérissé.*

REBUFFADE → *refus.*

RÉBUS I. Au pr. : charade, devinette, énigme, logogriphe, mots croisés. **II. Fig. :** mystère, secret.

REBUT I. Au pr. → *refus.* **II. Par ext. :** balayure, bas-fond, déchet, écume, excrément, fond du panier, lie, menu fretin, ordure, quantité négligeable, racaille, rancart, reste, rogaton, rognure.

REBUTANT, E I. → *ennuyeux.* **II.** → *repoussant.*

REBUTER I. → *repousser.* **II.** → *décourager.*

RÉCALCITRANT, E Désobéissant, entêté, fermé, frondeur, indisciplinable, indiscipliné, indocile, indomptable, insoumis, insubordonné, intraitable, opiniâtre, rebelle, réfractaire, regimbant, regimbeur, révolté, rétif, rude, têtu, vicieux, volontaire.

RÉCAPITULER → *résumer.*

RECELER I. → *cacher.* **II.** → *contenir.*

RÉCENT, E → *nouveau.*

RÉCÉPISSÉ → *reçu.*

RÉCEPTACLE → *récipient.*

RÉCEPTION I. Au pr. : admission, initiation, intronisation, investiture. **II.** Accueil, hospitalité. → *abord.* **III.** Bridge, cérémonie, cinq-à-sept, cocktail, déjeuner, diffa, dîner, five o'clock (tea), gala, garden-party, raout ou rout, soirée, surprise-partie, thé, veillée.

RECETTE I. Fruit, gain, produit, profit. → *bénéfice.* **II.** → *méthode.* **III.** → *procédé.*

RECEVOIR I. Au pr. 1. Favorable ou neutre : acquérir, encaisser, obtenir, percevoir, prendre, tirer. → *toucher.* **2. Non favorable :** attraper, avaler, boire, écoper, embourser, empocher, encaisser, éprouver, essuyer, prendre, récolter, souffrir, subir, trinquer. **II. Par ext. 1.** Accueillir, admettre, donner l'hospitalité/ une réception *et les syn. de* RÉCEPTION, traiter. **2.** Donner audience. **3.** Agréer, reconnaître.

RÉCHAUFFER → *ranimer.*

RÊCHE → *rude.*

RECHERCHE I. Au pr. 1. Battue, chasse, exploration, fouille, investigation, poursuite, quête. **2. Jurid. :** enquête, information, inquisition (vx), instruction. **3.** Étude, examen, expérience, expérimentation, observation, spéculation, tâtonnement. **II. Par ext.** → *affectation.* **III.** → *préciosité.*

RÉCIPROQUE → *mutuel.*

RÉCIT I. Anecdote, compte rendu, dit (vx), exposé, exposition, factum (jurid. ou péj.), histoire, historiette, historique, journal, mémoires, mémorial, narration, nouvelle, périple, rapport, relation, tableau. **II.** Annales, chronique, conte, légende, mythe, odyssée, roman. **III.** → *fable.*

RÉCITAL Aubade, audition, sérénade → *concert.*

RÉCITATIF → *mélodie.*

RÉCITER → *prononcer.*

RÉCLAMATION Appel, clameur, cri, demande, doléance, exigence, pétition, plainte, prétention, protestation, récrimination, requête, revendication.

RÉCLAME Affichage, annonce, battage, boom (fam.), bourrage de crâne (péj.), bruit, lancement, propagande, renommée, retentissement, slogan, tam-tam (fam.).

RÉCLAMER I. V. tr. 1. Appeler, avoir besoin, commander, demander, exiger, mériter, nécessiter, rendre nécessaire, requérir, supposer, vouloir. **2.** Contester, prétendre, répéter (jurid.), revendiquer. **3.** → *solliciter.* **II. V. intr. :** aboyer, gémir, se plaindre, protester, râler, se récrier, récriminer.

RÉCLAMER (SE) En appeler, invoquer, se recommander.

RECOIN I. Au pr. → *coin.* **II. Fig. :** pli, repli, secret.

RÉCOLER Collationner, comparer, contrôler, éprouver, étalonner, repasser, revoir, s'assurer de, se rendre compte de, tester, voir.

RÉCOLLECTION → *recueillement.*

RÉCOLTER → *recueillir.*

RECOMMANDABLE → *estimable.*

RECOMMANDATION I. → *appui.* **II.** → *instruction.* **III.** Avis, avertissement, conseil.

RECOMMANDER I. → *appuyer.* **II.** → *demander.* **III.** Avertir, conseiller, dire, exhorter, prêcher, préconiser, prôner.

RECOMMENCER I. V. tr. → *refaire.* **II. V. intr. :** se ranimer, se raviver, rebiffer, rebondir, se réchauffer, récidiver, redoubler, refaire, refleurir, réitérer, remettre, renaître, renouveler, rentamer, repartir, répéter, repiquer, reprendre, se réveiller, revenir.

RÉCOMPENSE I. Au pr. : bénéfice, compensation, dédommagement, gratification, loyer, paiement, pourboire, prime, prix, rémunération, rétribution, salaire, tribut. **II. Par ext. :** accessit,

citation, couronne, décoration, diplôme, médaille, mention, oscar, prix, satisfecit.

RÉCOMPENSER I. → *dédommager.* **II.** Citer, couronner, décorer, distinguer, payer, reconnaître.

RÉCONCILIATION Accommodement, accord, fraternisation, raccommodement, rapatriage (vx), rapprochement, ˉreplâtrage.

RÉCONCILIER Accorder, concilier, rabibocher, raccommoder, rapapilloter (fam.), rapatrier (vx), rapprocher, réunir.

RÉCONCILIER (SE) Se pardonner, se rajuster, se remettre bien ensemble, renouer, reprendre ses relations, revenir *et les formes pron. possibles des syn. de* RÉCONCILIER.

RECONDUIRE I. Neutre : accompagner, conduire, escorter, raccompagner, ramener. **II. Non favorable :** chasser, éconduire, expulser, mettre à la porte. **III. Par ext.** → *renouveler.*

RÉCONFORT I. → *aide.* **II.** → *soulagement.*

RÉCONFORTANT, E I. Adoucissant, apaisant, calmant, consolant, consolateur, consolatif, consolatoire, lénitif. **II.** Analeptique, cordial, corroborant, excitant, fortifiant, reconstituant, remontant, roboratif, stimulant, tonique.

RÉCONFORTER Aider, conforter, consoler, ragaillardir, ranimer, ravigoter, raviver, refaire, relever le courage/les forces/le moral, remettre, remonter, réparer, requinquer, restaurer, rétablir, retaper, revigorer, soutenir, stimuler, sustenter.

RECONNAISSANCE I. Au pr. : découverte, examen, exploration, inspection, investigation, observation, recherche, recognition. **II. Par ext. 1.** → *gratitude.* **2.** → *reçu.*

RECONNAÎTRE I. Au pr. : connaître, constater, distinguer, identifier, remettre, retrouver, trouver, vérifier. **II. Par ext. 1.** → *examiner.* **2.** → *convenir.* **3.** → *soumettre (se).* **4.** → *récompenser.*

RECONNAÎTRE (SE) → *retrouver (se).*

RECONQUÉRIR → *recouvrer.*

RECONSIDÉRER → *revoir.*

RECONSTITUANT n. et adj. → *réconfortant.*

RECONSTITUER → *rétablir.*

RECONSTRUIRE → *rétablir.*

RECORD → *performance.*

RECOUPEMENT Comparaison, liaison, parallèle, parangon, rapport, rapprochement.

RECOUPER (SE) S'accorder, aller, concorder, se conformer, convenir, correspondre, être conforme à/en conformité/en harmonie/en rapport/ en symétrie, faire pendant, s'harmoniser, se rapporter, se référer, répondre, représenter, ressembler, rimer (fam.), satisfaire, synchroniser.

RECOURIR → *user.*

RECOURS I. → *ressource.* **II.** Appel, demande, pourvoi, requête. **III. Loc.** *Avoir recours* → *user.*

RECOUVRER I. Rattraper, ravoir, reconquérir, récupérer, regagner, reprendre, ressaisir, retrouver. **II.** Encaisser, percevoir, recevoir, toucher.

RECOUVRIR Appliquer, cacher, coiffer, couvrir, dissimuler, enduire, enrober, ensevelir, envelopper, étendre, habiller, joncher, masquer, parsemer, paver, revêtir, tapisser, voiler.

RECOUVRIR (SE) Chevaucher, s'imbriquer, se superposer, *et les formes pron. possibles des syn. de* RECOUVRIR.

RÉCRÉATION I. → *divertissement.* **II.** → *repos.* **III.** → *pause.*

RÉCRÉER → *distraire.*

RÉCRIER (SE) I. → *crier.* **II.** → *protester.* **III.** → *enthousiasmer (s').*

RÉCRIMINATION → *reproche.*

RÉCRIMINER → *répondre.*

RECROQUEVILLER (SE) I. → *resserrer (se).* **II.** → *replier (se).*

RECRU, E adj. Accablé, assommé, avachi, brisé, claqué (fam.), courbatu, courbaturé, crevé (fam.), échiné (fam.), épuisé, éreinté (fam.), esquinté (fam.), excédé, exténué, fatigué, flapi (fam.), fourbu, harassé, las, mort (fam.), moulu, pompé (fam.), rendu, rompu, roué de fatigue, surentraîné, sur les dents (fam.), surmené, vanné (fam.), vaseux (fam.), vermoulu (fam.), vidé (fam.).

RECRUDESCENCE Accroissement, augmentation, hausse, progrès, redoublement, regain, renforcement, reprise.

RECRUE n. f. **I.** → *soldat.* **II.** → *membre.*

RECRUTER Embrigader, engager, enrégimenter, enrôler, incorporer, lever des troupes, mobiliser, racoler.

RECTIFIER Amender, changer, corriger, modifier, redresser, réformer, rétablir, revoir.

RECTITUDE Droiture, exactitude, fermeté, honnêteté, justesse, justice, logique, rigueur.

REÇU Acquit, bulletin, état, décharge, quittance, quitus, récépissé, reconnaissance.

RECUEIL I. → *collection.* **II.** Album, anthologie, atlas, bouquin, brochure, catalogue, code, écrit, fascicule, florilège, herbier, livraison, livre, livret, manuel, opuscule, ouvrage, plaquette, publication, registre, répertoire, tome, volume.

RECUEILLEMENT I. Adoration, contemplation, ferveur, méditation, piété, recollection, retraite. **II.** Application, componction, concentration, réflexion.

RECUEILLIR Acquérir, amasser, assembler, avoir, capter, colliger, cueillir, effruiter, engranger, gagner, glaner, grappiller, hériter, lever, moissonner, obtenir, percevoir, prendre, quêter, ramasser, rassembler, recevoir, récolter, retirer, réunir, tirer, toucher.

RECUEILLIR (SE) I. → *penser.* **II.** → *renfermer (se).* **III.** → *absorber (s').*

RECUL I. Reculade, reculement, repoussement, retrait, rétrogradation, rétrogression. **II.** Décrochage, repli, retraite. **III.** Reflux. **IV.** Éloignement, régression, retard. **V.** → *distance.*

RECULÉ, E → *éloigné.*

RECULER I. V. tr. 1. Décaler, déplacer, repousser. **2.** Accroître, agrandir, étendre. **3.** Ajourner, différer, retarder. **II. V. intr. :** abandonner, battre en retraite, caler, caner (fam.), céder, culer, décrocher, faire machine/ marche arrière, flancher, fléchir, foirer (fam.), lâcher pied, perdre du terrain, refluer, refouler, régresser, se rejeter, se replier, rétrograder, rompre.

RÉCUPÉRER I. → *recouvrer.* **II.** → *remettre (se).*

RÉCURER Approprier, assainir, astiquer, balayer, battre, bichonner (fam.), blanchir, bouchonner, briquer (fam.), brosser, cirer, curer, débarbouiller, débarrasser, décaper, décrasser, décrotter, dégraisser, dérocher, dérouiller, déterger, écurer, enlever la crasse/ la saleté, étriller, faire le ménage, fourbir, frotter, housser, laver, lessiver, monder, purifier, rapproprier, racler, ravaler, savonner, toiletter, torcher, torchonner, vanner.

RÉCUSER I. → *refuser.* **II.** → *repousser.*

RÉDACTEUR, TRICE I. → *journaliste.* **II.** → *secrétaire.*

RÉDACTION I. Composition, écriture, établissement, formule, libellé. **II.** Composition française, dissertation, narration. → *récit.*

REDDITION → *capitulation.*

RÉDEMPTION Délivrance, expiation, rachat, salut.

REDEVABLE Assujetti, débiteur, imposable, obligé, tributaire.

REDEVANCE → *charge.*

RÉDIGER → *écrire.*

REDINGOTE I. Lévite. → *manteau.* **II.** → *habit.*

REDIRE I. → *répéter.* II. Loc. *Trouver à redire* → *critiquer.*

REDITE, REDONDANCE I. → *répétition.* II. → *pléonasme.* III. → *superfluité.*

REDONDANT, E I. → *diffus.* II. → *superflu.*

REDONNER Dégorger, rembourser, remettre, rendre, rendre gorge, repasser (fam.), restituer, rétrocéder.

REDOUBLEMENT Accroissement, agrandissement, aggravation, augmentation, amplification, crise, croissance, développement, exacerbation, grossissement, intensification. → *paroxysme.*

REDOUBLER → *augmenter.*

REDOUTABLE → *terrible.*

REDOUTER S'alarmer, appréhender, avoir peur, être effrayé, être épouvanté, trembler.

REDRESSER I. → *rectifier.* II. → *punir.* III. → *lever.*

RÉDUCTION I. Au pr. : abrégé, accourcissement, allègement, amenuisement, amoindrissement, atténuation, compression, diminutif, diminution, miniature, raccourcissement, remise, rapetissement, resserrement, restriction, rétrécissement. II. Par ext. 1. Pacification, soumission. 2. → *abaissement.*

RÉDUIRE I. Au pr. : abaisser, abréger, accourcir, affaiblir, amoindrir, amortir, atténuer, baisser, changer, comprimer, condenser, diminuer, écorner, écourter, fondre, minimer, minimiser, modérer, rabaisser, raccourcir, ramener, rapetisser, raréfier, rationner, renfermer, resserrer, restreindre. II. Par ext. 1. → *économiser.* 2. → *vaincre.*

RÉDUIT Bouge, cabane, cabine, cabinet, cagibi, cahute, cellule, chambrette, galetas, loge, logette, mansarde, niche, retraite, souillarde, soupente.

RÉEL, RÉELLE Actuel, admis, assuré, authentique, certain, concret, démontré, effectif, établi, exact, fondé, historique, incontestable, incontesté, indiscutable, indubitable, juste, objectif, palpable, patent, positif, réalisé, reçu, sérieux, sincère, solide, tangible, véridique, véritable, visible, vrai.

RÉELLEMENT Bel et bien, bonnement, certainement, dans le fait, de fait, effectivement, efficacement, en effet, en fait, en réalité, objectivement, véritablement, vraiment.

RÉEXPÉDIER → *retourner.*

REFAIRE I. Au pr. : rajuster, recommencer, reconstruire, recréer, récrire, réédifier, refondre, reformer, réitérer, renouveler, réparer, répéter, reprendre, reproduire, restaurer, rétablir. II. Fig.

1. → *réconforter.* **2.** → *tromper.* **3.** → *voler.*

RÉFECTOIRE Cambuse, cantine, mess, popote, salle à manger.

RÉFÉRENCE I. → *renvoi.* II. → *attestation.*

RÉFÉRENDUM Consultation, élection, plébiscite, scrutin, suffrage, votation, vote, voix.

RÉFÉRER v. tr. et intr. → *attribuer.*

RÉFÉRER (SE) → *rapporter (s'en).*

RÉFLÉCHI, E I. → *posé.* II. → *prudent.*

RÉFLÉCHIR I. → *renvoyer.* II. → *penser.*

REFLET I. Au pr. : chatoiement, moire, réflexion. II. Par ext. → *représentation.*

REFLÉTER I. → *renvoyer.* II. → *représenter.*

RÉFLEXE I. Automatisme, mouvement, réaction. II. Coup d'œil, présence d'esprit, sang-froid.

RÉFLEXION I. Diffusion, rayonnement, reflet, réverbération. II. → *attention.* III. → *idée.* IV. → *pensée.* V. → *remarque.*

REFLUER I. → *répandre (se).* II. → *reculer.*

REFONDRE → *refaire.*

RÉFORME → *changement.*

RÉFORMER I. → *corriger.* II. → *retrancher.*

REFOULER I. → *repousser.* II. → *chasser.* III. → *renfermer.*

RÉFRACTAIRE → *indocile.*

REFRAIN Antienne, chanson, chant, leitmotiv, rengaine, répétition, ritournelle, scie.

REFRÉNER → *réprimer.*

RÉFRIGÉRATEUR Chambre froide, congélateur, conservateur, Frigidaire (marque), frigorifère, frigorifique, frigorigène, glacière.

RÉFRIGÉRER → *frigorifier.*

REFROIDIR Au pr. : attiédir, congeler, frapper, frigorifier, glacer, rafraîchir, réfrigérer, tiédir.

REFUGE I. → *abri.* II. → *fuite.* III. → *ressource.*

REFUS Déni, fin de non-recevoir, négation, rebuffade, rebut, rejet, renvoi, veto.

REFUSÉ, E Ajourné, battu, blackboulé, collé, recalé, retapé, retoqué.

REFUSER I. → *refusé.* II. Débouter, décliner, dédaigner, défendre, dénier, écarter, éconduire, éloigner, exclure, évincer, récuser, remercier, renvoyer, repousser.

RÉFUTER Aller à l'encontre, confondre, contester, contredire, démentir, désavouer, s'inscrire en faux, opposer, répondre.

REGAIN → *recrudescence.*

RÉGAL I. → *divertissement.* **II.** → *festin.* **III.** → *plaisir.*

RÉGALER I. → *réjouir.* **II.** → *fêter.* **III.** → *maltraiter.*

RÉGALER (SE) Se délecter, déguster, faire bombance *et les syn. de* BOMBANCE, festiner, festoyer, fricoter, se gargariser, se goberger, jouir, se pourlécher, savourer, se taper la cloche.

REGARD I. Coup d'œil, œillade, yeux. → *œil.* **II. Loc. 1. Attirer le regard :** attention. **2. Au regard de :** en comparaison de. **3. En regard** → *vis-à-vis.*

REGARDANT, E → *avare.*

REGARDER I. Admirer, attacher son regard, aviser, bigler (fam.), considérer, contempler, couver des yeux/du regard, dévisager, dévorer des yeux, envisager, examiner, fixer, guigner, inspecter, jeter les yeux, lorgner, mater (arg.), mirer, observer, parcourir, promener les yeux/le regard, reluquer, remarquer, scruter, toiser, voir. **II.** → *concerner.* **III. Loc. Regarder comme :** compter, considérer, estimer, juger, prendre, présumer, réputer.

RÉGÉNÉRATION → *renaissance.*

RÉGÉNÉRER → *corriger.*

RÉGENT I. → *maître.* **II.** → *pédant.*

RÉGENTER Administrer, commander, conduire, diriger, dominer, gérer, gouverner, manier, manœuvrer, mener, piloter, régir, régner, tyranniser (péj.).

RÉGIE I. → *administration.* **II.** → *direction.*

REGIMBER I. → *ruer.* **II.** → *résister.*

REGIMBEUR, EUSE n. et adj. → *indocile.*

RÉGIME I. → *administration.* **II.** → *direction.* **III.** → *gouvernement.* **IV.** Conduite, cure, diète, jeûne, règle.

RÉGIMENT I. → *troupe.* **II.** → *multitude.*

RÉGION Bled (fam.), campagne, coin, contrée, endroit, lieu, nation, origine, parage, patelin (fam.), pays, province, rivage, royaume, sol, terre, territoire, terroir, zone.

RÉGIR Diriger, gérer. → *gouverner.*

REGISTRE Écritures, grand livre, journal, livre, matrice, matricule, répertoire.

RÈGLE I. Canon, commandement, convention, coutume, formule, gouverne, ligne, loi, mesure, norme, ordre, précepte, prescription, théorie. → *principe.* **II.** → *protocole.* **III.** → *règlement.* **IV.** → *exemple.* **V.** Alidade, carrelet, comparateur, compas, équerre, sauterelle, té, vernier.

RÉGLÉ, E I. Quelque chose : arrêté, calculé, décidé, déterminé, fixé, normal, systématique, uniforme. **II. Quelqu'un :** exact, mesuré, méthodique, ordonné, organisé, ponctuel, rangé, régulier, sage.

RÈGLEMENT I. Arrêté, canon, charte, code, consigne, constitution, décret, discipline, édit, institution, loi, mandement, ordonnance, prescription, règle, réglementation, statut. **II.** Accord, arbitrage, arrangement, convention, protocole. **III.** Arrêté, liquidation, paiement, solde. **IV. Relig. :** observance.

RÉGLER I. Ajuster, aligner, conformer à, diriger, mesurer, modeler, modérer, tracer, tirer. **II.** → *décider.* **III.** → *finir.* **IV.** → *payer.* **V.** Codifier, normaliser, réglementer. → *fixer.*

RÉGLER (SE) Se conformer, se soumettre *et les formes pronom. possibles des syn. de* RÉGLER.

RÈGNE I. Dynastie, empire, époque, gouvernement, monarchie, pouvoir, souveraineté. **II.** Monde, royaume, univers.

RÉGNER I. → *gouverner.* **II.** → *être.*

REGORGER I. → *vomir.* **II.** → *abonder.* **III.** → *répandre (se).*

RÉGRESSION → *recul.*

REGRET I. Doléance, lamentation, mal du pays, nostalgie, plainte, soupir. **II.** Attrition, componction, contrition, désespoir, peine, pénitence, remords, repentance, repentir, résipiscence, ver rongeur. **III.** Déception.

REGRETTABLE → *fâcheux.*

REGRETTER I. Avoir du déplaisir/du regret, geindre, se lamenter, s'en mordre les doigts/les poings/les pouces, pleurer, se repentir. **II.** Déplorer, désapprouver, plaindre.

RÉGULARITÉ I. De quelque chose : authenticité, concordance, congruence, convenance, correction, fidélité, justesse, précision, rigueur, véracité, véridicité, vérité. **II. De quelqu'un :** application, assiduité, attention, conscience professionnelle, correction, exactitude, minutie, ponctualité, scrupule, sincérité, soin.

RÉGULIER n. → *religieux.*

RÉGULIER, ÈRE adj. **I.** → *réglé.* **II.** → *exact.*

RÉHABILITER → *rétablir.*

REHAUSSER I. Au pr. → *hausser.* **II. Fig. 1.** Augmenter, ranimer, relever. **2.** → *assaisonner.* **3.** Échampir, embellir, ennoblir, faire ressortir/valoir, mettre en valeur, réchampir, relever. **4.** → *louer.*

REIN n. m. Lombes, râble, rognon.

REINS n. m. pl. **I.** Bas du dos, croupe, dos. **II. Par ext.** → *derrière.*

RÉINTÉGRER I. → *rétablir.* II. → *revenir.*

RÉITÉRER I. → *refaire.* II. → *répéter.*

REÎTRE → *soudard.*

REJAILLIR I. → *jaillir.* II. → *retomber.*

REJET I. → *pousse.* II. → *enjambement.* III. → *refus.*

REJETER I. → *jeter.* II. → *repousser.* III. → *reporter.*

REJETER (SE) → *reculer.*

REJETON I. → *pousse.* II. → *fils.* III. → *postérité.*

REJOINDRE Atteindre, attraper, gagner, joindre, rallier, rattraper, regagner, retrouver, tomber dans.

RÉJOUI, E Bon vivant, boute-en-train, content, épanoui, gai, guilleret, heureux, hilare, joyeux, riant, rieur, Roger-Bontemps, vive-la-joie *et les part. passés possibles des syn. de* RÉJOUIR.

RÉJOUIR Amuser, charmer, contenter, dérider, dilater/épanouir le cœur, divertir, ébaudir (vx), égayer, enchanter, ensoleiller, faire plaisir, illuminer, mettre en joie, plaire, ravir, rendre joyeux.

RÉJOUIR (SE) S'applaudir, avoir la fierté, boire du petit lait (fam.), se délecter, être heureux, exulter, se féliciter, se frotter les mains, se gaudir (vx), jubiler, rire, triompher, *et les formes pron. possibles des syn. de* RÉJOUIR.

RÉJOUISSANCE Agape, amusement, distraction, divertissement, ébaudissement (vx), fête, jubilation, liesse, noce, partie, plaisir.

RÉJOUISSANT, E → *gai.*

RELÂCHE I. → *repos.* II. Loc. adv. **Sans relâche** → *toujours.*

RELÂCHÉ, E I. **Neutre :** affaibli, commode, facile, libéré, libre, mitigé. II. **Non favorable :** amoral, débauché, dissolu, immoral, inappliqué, inattentif, libertin, négligeant.

RELÂCHEMENT I. → *repos.* II. → *négligence.*

RELÂCHER I. Au pr. 1. *On relâche une chose :* décontracter, desserrer, détendre, lâcher. → *diminuer.* 2. *Quelqu'un :* élargir, libérer, relaxer. II. Par ext. : adoucir, ramollir, tempérer. III. Mar. : accoster, faire escale. → *toucher.*

RELÂCHER (SE) S'amollir, diminuer, faiblir, se laisser aller, se négliger, se perdre.

RELAIS Halte, mansion (vx), poste. → *hôtel.*

RELANCER → *poursuivre.*

RELAPS, E → *hérétique.*

RELATER → *raconter.*

RELATION I. **Quelque chose.** *1.* → *histoire.* *2.* Compte rendu, procès-verbal, rapport, témoignage, version. → *récit.* *3.* Analogie, appartenance, connexion, corrélation, dépendance, liaison, lien, rapport. II. **Entre personnes.** *1.* → *ami.* *2.* Accointance, attache, bonne/mauvaise intelligence, bons/mauvais termes, commerce, communication, contact, correspondance, fréquentation, habitude, liaison, lien, rapport, société. *3.* Amour, commerce, flirt, intrigue, liaison, marivaudage, rapport, union.

RELAXER → *relâcher.*

RELAYER → *remplacer.*

RELÉGATION Bannissement, déportation, exil, interdiction de séjour, internement, transportation.

RELÉGUER I. **Quelque chose :** abandonner, écarter, jeter, mettre au rebut/au rancart. II. **Quelqu'un :** assigner à résidence, bannir, confiner, déporter, exiler, interdire de séjour, interner, transporter.

RELENT Empyreume, fétidité, infection, mauvaise odeur, odeur fétide/infecte/repoussante, pestilence, puanteur, remugle. → *odeur.*

RELEVÉ Bordereau, compte, dépouillement, extrait, facture, sommaire.

RELEVÉ, E I. **Au pr. :** accru, augmenté, élevé, haussé. II. **Par ext. :** emphatique (péj.), héroïque, magnifique, noble, pompeux (péj.), soutenu, sublime, transcendant.

RELÈVEMENT I. → *hausse.* II. Redressement, rétablissement.

RELEVER v. tr. et intr. I. Écarter, recoquiller, remonter, retrousser, soulever, .trousser. → *lever.* II. → *ramasser.* III. → *hausser.* IV. → *rétablir.* V. → *assaisonner.* VI. → *corriger.* VII. → *rehausser.* VIII. → *noter.* IX. → *louer.* X. → *réprimander.* XI. → *souligner.* XII. → *libérer.* XIII. → *remplacer.* XIV. → *rétablir (se).* XV. → *dépendre.*

RELIEF I. Au sing. 1. → *forme.* 2. → *bosse.* 3. → *lustre.* II. Au pl. → *reste.*

RELIER I. → *joindre.* II. → *unir.*

RELIGIEUSE Abbesse, augustine, béguine, bonne sœur, capucine, carmélite, clarisse, congréganiste, converse, dame, dominicaine, fille, franciscaine, mère, moniale, nonnain, nonne, nonnette, novice, postulante, professe, sœur, trinitaire, visitandine.

RELIGIEUX, EUSE I. Adj. 1. *Au pr. :* croyant, dévot, dévotieux, juste, mystique, pieux, pratiquant, spirituel. 2. Par ext. → *ponctuel.* 3. Claustral, conventuel, monastique, sacré. II. **Nom masc. :** abbé, anachorète, augustin, barnabite, bénédictin, bernardin, capucin, carme, cénobite, chanoine, chartreux, cistercien, clerc, cloîtrier, congréganiste, convers, dominicain, ermite, franciscain, frater (fam.), frère, frocard (péj.), jésuite, lazariste, mariste, monial, moine, novice, oblat, oratorien, penaillon (vx et péj.), père, prémontré, prieur, procureur, profès, provincial, récollet, régulier, révérend, supérieur, trappiste. **RELIGION I. Au pr. 1.** Adoration, attachement, croyance, culte, dévotion, doctrine, dogme, ferveur, foi, mysticisme, piété, pratique, zèle. **2. Péj. :** religiosité. **3.** Déisme, idolâtrie, panthéisme, théisme. **II. Par ext.** → *opinion.*

RELIGIONNAIRE → *protestant.*

RELIGIOSITÉ → *religion.*

RELIQUAIRE Châsse, coffret, fierte.

RELIQUAT, RELIQUE → *reste.*

RELUIRE Brasiller, briller, chatoyer, éblouir, éclairer, éclater, étinceler, flamboyer, fulgurer, jeter des feux, miroiter, poudroyer, rayonner, resplendir, rutiler, scintiller.

RELUISANT, E → *brillant.*

RELUQUER → *regarder.*

RÉMANENCE → *survivance.*

REMANIER → *revoir.*

REMARQUABLE Brillant, considérable, distingué, éclatant, émérite, épatant, étonnant, extraordinaire, formidable, frappant, glorieux, important, insigne, marquant, marqué, mémorable, notable, parfait, particulier, rare, saillant, saisissant, signalé, supérieur.

REMARQUE Allusion, annotation, aperçu, commentaire, considération, critique, note, objection, observation, pensée, réflexion, remontrance, réprimande, reproche.

REMARQUER I. → *regarder.* **II.** → *voir.*

REMBARRER → *repousser.*

REMBLAI → *talus.*

REMBLAYER Boucher, combler, hausser.

REMBOURRER Bourrer, capitonner, garnir, matelasser.

REMBOURSER Amortir, couvrir, défrayer, dépenser, indemniser, payer, redonner, rendre.

REMBRUNI, E Assombri, contrarié, peiné. → *triste.*

REMÈDE I. Au pr. : acupuncture, antidote, bain, baume, bouillon, calmant, cataplasme, compresse, confection, cure, diète, douche, drogue, électuaire, emplâtre, émulsion, enveloppement, épithème, friction, fumigation, gargarisme, grog, implantation, infusion, inhalation, injection, instillation, insufflation, lavage, lavement, massage, médecine, médicament, médication, mithridate, onguent, orviétan, palliatif, panacée, pansement, pansement gastrique, perfusion, piqûre, placebo, pommade, ponction, potion, préparatif, préparation, préservatif, purgation, purge, rayons, rééducation, régime, relaxation, respiration artificielle, révulsif, saignée, scarification, sérum, sinapisme, spécialité, spécifique, suralimentation, thériaque, tisane, topique, transfusion, ventouse, vésicatoire. **II. Fig. :** expédient, moyen, ressource, solution.

REMÉDIER Arranger, corriger, guérir, obvier, pallier, parer, pourvoir, préserver, réparer, sauver.

REMÉMORER Évoquer, rappeler, redire, repasser, ressasser.

REMENER Remmener. → *ramener.*

REMERCIEMENT Action de grâces, ex-voto, merci, témoignage de reconnaissance.

REMERCIER I. Au pr. : bénir, dédommager (par ext.), dire merci, gratifier, louer, rendre grâce, savoir gré, témoigner de la reconnaissance. **II. Fig. :** balancer (fam.), casser aux gages, chasser, congédier, débarquer (fam.), destituer, donner sa bénédiction/campos/congé/ses huit jours/son compte/son congé/son exeat, écarter, éconduire, éloigner, emballer (fam.), envoyer/faire paître (fam.)/valser (fam.), envoyer dinguer (fam.)/péter (fam.), expédier, ficher/flanquer/foutre (grossier)/jeter/mettre à la porte, licencier, liquider, remercier, renvoyer, révoquer, sacquer, se séparer de, vider (fam.).

REMETTRE I. Au pr. : ramener, rapporter, réintégrer, replacer. → *rétablir.* **II. Par ext. 1.** Commettre, confier, consigner, délivrer, déposer, donner, faire tenir, laisser, livrer, passer, poster, recommander. **2.** Rendre, restituer, retourner. → *redonner.* **3.** Abandonner, se dessaisir de. **4.** Se rappeler, reconnaître, se ressouvenir, se souvenir. **5.** Mettre, redresser, relever, rétablir. **6.** Raccommoder, réduire, remboîter, replacer. **7.** Accorder, concilier, rabibocher (fam.), raccommoder, rapapilloter (fam.), rapatrier (vx), rapprocher, réconcilier, réunir. **8.** Absoudre, pardonner. **9.** Ajourner, atermoyer, attendre, différer, donner un délai, renvoyer, reporter, retarder, surseoir, suspendre. **10.** Allonger, exagérer, rajouter.

REMETTRE (SE) I. Aller mieux, entrer/être en convalescence, guérir, se ranimer, recouvrer/retrouver la santé, se relever, se rétablir. **II.** Se calmer, retrouver ses esprits/son calme/son sang-froid, se tranquilliser. **III. Loc. S'en remettre à quelqu'un :** s'abandonner, se confier, déférer à, donner mandat/procuration, en appeler, faire confiance à, se fier à, s'en rapporter à, se reposer sur. **IV.** *Les formes pronom. possibles des syn. de* REMETTRE.

RÉMINISCENCE Mémoire, remembrance (vx), ressouvenance, ressouvenir, résurgence, souvenance, souvenir, trace.

REMISE I. Au pr. : attribution, délivrance, dépôt, don, livraison. **II. Par ext. 1.** Bonification, cadeau, commission, déduction, diminution, escompte, guelte, prime, rabais, réduction, sou du franc. **2.** Absolution, amnistie, grâce, merci, pardon. **3.** Ajournement, atermoiement, délai, renvoi, retardement, sursis, suspension. **III.** Abri, cabane, chartil, débarras, garage, hangar, local, resserre.

REMISER I. Au pr. : caser, garer, ranger, serrer. **II. Par ext. :** remettre, repousser.

RÉMISSION I. Abolition (vx), absolution, acquittement, amnistie, indulgence, jubilé (relig.), miséricorde, oubli, pardon. → *remise*. **II.** → *repos*.

REMMENER Emmener, enlever, ramener, rapporter, remener, retirer, tirer.

REMONTANT Analeptique, cordial, corroborant, digestif, excitant, fortifiant, réconfortant, reconstituant, roboratif, stimulant, tonique.

REMONTER I. Aider, conforter, consoler, électriser, galvaniser, raffermir, ragaillardir, ranimer, ravigoter, raviver, réconforter, refaire, relever le courage/les forces/le moral, remettre, réparer, requinquer (fam.), restaurer, rétablir, réparer, revigorer, soutenir, stimuler, sustenter. **II.** Élever, exhausser, hausser, relever. **III.** Ajuster, mettre en état, monter, réparer.

REMONTRANCE I. → *reproche*. **II. Loc. *Faire une remontrance*** → *réprimander*.

REMONTRER → *reprocher*.

REMORDS Attrition, componction, conscience, contrition, désespoir, peine, pénitence, repentance, repentir, reproche, résipiscence, ver rongeur.

REMORQUER → *traîner*.

REMOUS I. Agitation, balancement, ballottement, battement, branle, branlement, cadence, cahotement, fluctuation, frémissement, frisson, houle, impulsion, mouvement, onde, ondoiement, ondulation, oscillation, pulsation, roulis, tangage, tourbillon, tournoiement, va-et-vient, vague, valse, vibration. **II.** → *fermentation*. **III.** → *trouble*. **IV.** → *rythme*. **V.** → *variation*. **VI.** → *évolution*.

REMPAILLER Canner, empailler, garnir, pailler, réparer.

REMPART I. Au pr. : avant-mur, banquette, bastion, berme, boulevard, enceinte, escarpe, escarpement, forteresse, fortification, glacis, mur, muraille, parapet. **II. Fig. :** bouclier, cuirasse. → *protection*.

REMPLAÇANT, E Adjoint, agent, aide, alter ego, doublure, intérimaire, lieutenant, relève, représentant, substitut, successeur, suppléant.

REMPLACEMENT I. De quelqu'un ou quelque chose : changement, commutation, échange, intérim, rechange, relève, roulement, subrogation, substitution, succession, suppléance. **II. Une chose :** ersatz, succédané.

REMPLACER Changer, commuter, détrôner (fam.), doubler, échanger, enlever, relayer, relever, renouveler, représenter, servir de, subroger, substituer, succéder, supplanter, suppléer, tenir lieu de/place de.

REMPLACER (SE) Alterner, *et les formes pronom. possibles des syn. de* REMPLACER.

REMPLI, E I. Au pr. : bondé, bourré, comble, complet, débordant, empli, employé, farci, garni, gavé, gorgé, muni, occupé, plein, ras, rassasié, repu, saturé. **II. Fig. :** bouffi, enflé, enivré, gonflé, imbu, infatué, pénétré, pétri.

REMPLIR I. Au pr. : bonder, bourrer, charger, combler, couvrir, embarquer, embourrer, emplir, encombrer, envahir, farcir, garnir, gonfler, insérer, meubler, occuper, peupler, se répandre dans, saturer, truffer. **II. Par ext. 1.** Abreuver, gorger, inonder. **2.** Animer, enflammer, enfler, enivrer, gonfler. **3.** Baigner, envahir, parfumer. **4.** Acquitter, exécuter, exercer, faire, fonctionner, observer, réaliser, répondre à, satisfaire à, tenir.

REMPLISSAGE Fig. : boursouflure, creux, cheville, délayage, fioriture, inutilité, pléonasme, redondance, superfluité, vide.

REMPLUMER (SE) I. Se ragaillardir, se ravigoter, se relever, se remettre, se remonter, réparer ses forces, se requinquer (fam.), se rétablir, se retaper (fam.), se revigorer. **II.** Engraisser, forcir, grossir, reprendre du poil de la bête (fam.).

REMPORTER Accrocher (fam.), acquérir, arracher, attraper, avoir, capter, conquérir, décrocher (fam.), emporter, enlever, faire, gagner, obtenir, prendre, recueillir, soutirer (péj.).

REMUANT, E Actif, agile, agité, animé, déchaîné, déluré, éveillé, excité, fougueux, frétillant, fringant, guilleret, ingambe, instable, leste, mobile, nerveux, pétulant, prompt, rapide, sautillant, trépignant, turbulent, vif, vivant.

REMUE-MÉNAGE Activité, affairement, affolement, agitation, alarme, animation, billebaude (vx), bouillonnement, branle-bas, bruit, chambardement (fam.), changement, dérangement, désordre, effervescence, excitation, flux et reflux, grouillement, hâte, incohérence, mouvement, orage, précipitation, remous, remuement, secousse, tempête, tohu-bohu, tourbillon, tourmente, trouble, tumulte, turbulence, va-et-vient.

REMUEMENT → remue-ménage.

REMUER I. V. tr. 1. Au pr. : agiter, balancer, ballotter, brandiller, brandir, brasser, bercer, déplacer, déranger, ébranler, secouer. **2. Une partie du corps :** battre, branler, ciller, cligner, dodeliner, hocher, rouler, tortiller. **3.** Brouiller, fatiguer, malaxer, pétrir, touiller, tourner, travailler. **4.** Bouleverser, effondrer, fouiller, mouver, retourner. **5. Fig. :** atteindre, attendrir, bouleverser, ébranler, émouvoir, exciter, pénétrer, toucher, troubler. **II. V. intr. :** s'agiter, se balancer, bouger, broncher, chanceler, ciller, se dandiner, se décarcasser, se démancher (fam.), se démener, se dépenser, s'évertuer, fourmiller, frétiller, frissonner, flotter, gambiller, gesticuler, gigoter, grouiller, se manier, ondoyer, onduler, osciller, se répandre, sauter, sursauter, tanguer, se tortiller, trembler, trépider, vaciller.

REMUGLE Relent. → odeur.

RÉMUNÉRATEUR, TRICE Avantageux, bon, fructueux, juteux (fam.), lucratif, payant, productif, profitable, rentable.

RÉMUNÉRATION Avantage, appointement, bénéfice, casuel, commission, dédommagement, émolument, gages, gain, gratification, honoraires, indemnité, intérêt, loyer, paie, pige, prêt, prime, récompense, rétribution, salaire, solde.

RÉMUNÉRER Dédommager, récompenser, rétribuer. → payer.

RENÂCLER I. Au pr. : aspirer, renifler. **II. Fig. :** rechigner, renauder, répugner à.

RENAISSANCE I. Palingénésie, printemps, progrès, réapparition, régénération, renouveau, renouvellement, résurrection, retour, réveil. **II.** Quattrocento.

RENAÎTRE → revivre.

RENARD, E I. Au pr. : fennec, goupil (fam.). **II. Fig. 1.** → malin. **2.** → hypocrite.

RENARDER Amorcer, duper, leurrer, ruser, tromper.

RENAUDER → renâcler.

RENCHÉRI, E I. Au pr. : accru, augmenté, grossi, haussé, intensifié. **II. Fig. :** altier, arrogant, condescendant, dédaigneux, distant, fier, haut, hautain, impérieux, insolent, méprisant, moqueur, orgueilleux, protecteur, rogue, superbe, supérieur.

RENCHÉRIR I. Au pr. : ajouter, aller sur, augmenter, dépasser, enchérir, hausser, majorer, monter, rajouter, rehausser, relever, remonter, revaloriser, surenchérir. **II. Par ext. :** amplifier, bluffer, broder, charger, donner le coup de pouce (fam.), dramatiser, enfler, en remettre, exagérer, faire valoir, forcer, galéjer, grandir, grossir, hâbler, ne pas y aller de main morte (fam.), outrer, pousser, rajouter, surfaire, se vanter.

RENCOGNER Coincer, pousser/repousser dans un coin, serrer.

RENCONTRE I. Au pr. 1. De quelque chose : coïncidence, concours, conjonction, conjoncture, croisement, hasard, occasion, occurrence. **2. De personnes :** confrontation, entrevue, rendez-vous, réunion. **II. Par ext. 1.** Attaque, bataille, choc, combat, échauffourée, engagement, heurt. **2.** Affaire d'honneur, duel. **3.** Choc, collision, tamponnement, télescopage. **4.** Compétition, épreuve, match, partie. **5.** Aventure, cas, circonstance, événement, éventualité, fait, hypothèse, matière, possibilité, situation. **6. Loc.** A la rencontre : au-devant.

RENCONTRER I. Au pr. : apercevoir, coudoyer, croiser, être mis en présence de, tomber sur. **II. Par ext. 1.** S'aboucher, contacter, faire la connaissance de, joindre, prendre rendez-vous, toucher, voir. **2.** Atteindre, parvenir à, toucher. **3.** Achopper, buter, chopper, cogner, donner contre, heurter, porter, taper.

RENDEMENT Bénéfice, effet, efficacité, gain, production, productivité, produit, profit, rapport, revenu.

RENDEZ-VOUS I. Au pr. : assignation, audience, entrevue, jour, rancart (fam.). **II. Par ext. Péj. :** dépotoir, réceptacle.

RENDRE I. Au pr. 1. → redonner. **2.** → remettre. **3.** → livrer. **II. Par ext. 1.** → produire. **2.** → exprimer. **3.** → renvoyer. **4.** → vomir. **III. Loc. 1. Rendre compte** → raconter. **2. Rendre l'âme** → mourir. **3. Rendre la pareille** → répondre.

RENDU, E Accablé, assommé, avachi, brisé, claqué (fam.), courbatu, courbaturé, crevé (fam.), échiné (fam.), épuisé, éreinté (fam.), esquinté (fam.), excédé, exténué, fatigué, flapi (fam.), fourbu, harassé, las, mort (fam.), moulu, pompé (fam.), recru, rompu, roué de fatigue, surentraîné, sur les dents (fam.), surmené, vanné (fam.), vaseux (fam.), vermoulu (fam.), vidé (fam.).

RÊNE Bride, bridon, guide.

RENÉGAT, E Apostat, déloyal, félon, hérétique, infidèle, judas, parjure, perfide, schismatique, traître, transfuge. → *païen.*

RENFERMÉ, E → *secret.*

RENFERMER I. Au pr. 1. *On enferme quelque chose ou quelqu'un :* boucler, calfeutrer, chambrer, claquemurer, claustrer, cloîtrer, coffrer (fam.), confiner, consigner, détenir, emballer, emmurer, emprisonner, encercler, encoffrer, enfermer, enserrer, entourer, faire entrer, interner, murer, parquer, séquestrer, serrer, verrouiller. **2.** *Quelque chose renferme quelque chose :* comporter, comprendre, contenir, emporter, impliquer, receler. **II. Par ext. 1.** Ravaler, refouler, renfoncer, réprimer. **2.** → *réduire.*

RENFERMER (SE) Se concentrer, se replier sur soi, *et les formes pronom. possibles des syn. de* RENFERMER.

RENFLÉ, E I. Au pr. : ballonné, bombé, bouffant, bouffi, boursouflé, cloqué, congestionné, dilaté, distendu, empâté, enflé, épais, gibbeux, gondolé, gonflé, gros, hypertrophié, mafflu, mamelu, météorisé, obèse, rebondi, rond, soufflé, tuméfié, tumescent, turgescent, turgide, ventru, vultueux. **II. Fig.** → *emphatique.*

RENFLEMENT → *bosse.*

RENFONCEMENT Alcôve, anfractuosité, antre, cave, caveau, caverne, cavité, coin, cratère, creux, crevasse, crypte, dépression, doline, embrasure, encoignure, enfonçure, excavation, fosse, gouffre, grotte, loge, niche, poche, trou.

RENFONCER I. → *enfoncer.* **II.** → *renfermer.*

RENFORCÉ, E → *parfait.*

RENFORCER I. Au pr. : armer, blinder, couvrir, cuirasser, défendre, enforcir, équiper, flanquer, fortifier, garantir, munir, parer, préserver, protéger, sauvegarder. **II. Par ext. 1.** Aider, appuyer, assurer, conforter, réconforter, tremper. **2.** Affermir, ajouter, consolider, étayer, grossir. **3.** Accentuer, agrandir, enfler, exalter.

RENFORT → *aide.*

RENFROGNÉ, E Acariâtre, boudeur, bourru, chagrin, grincheux, maussade, morose, rabat-joie, rechigné, revêche.

RENGAINE Antienne, aria, banalité, chanson, dada, leitmotiv, rabâchage, redite, refrain, répétition, scie, tube (fam.).

RENGORGER (SE) Faire le beau/ l'important/la roue. → *poser.*

RENIER Abandonner, abjurer, apostasier, se convertir, désavouer, méconnaître, nier, se parjurer (péj.), renoncer, retourner sa veste, se rétracter.

RENIFLER I. Au pr. 1. V. intr. : aspirer, s'ébrouer, renâcler. **2. V. tr. :** flairer, priser, sentir. **II. Fig.** → *répugner à.*

RENOM → *renommée.*

RENOMMÉ, E adj. Célèbre, connu, estimé, illustre, réputé, vanté.

RENOMMÉE n. Célébrité, considération, gloire, honneur, mémoire, nom, notoriété, popularité, postérité, publicité, renom, réputation, rumeur/ voix publique, vogue.

RENONCEMENT I. Abandon, abstinence, concession, désappropriation, désistement, renonciation, résignation (jurid.). **II.** Abnégation, altruisme, délaissement (vx), dépouillement, désintéressement, détachement, sacrifice.

RENONCER I. V. intr. : abandonner, abdiquer, abjurer, s'abstenir, céder, cesser, changer, se défaire de, se délier, se démettre, démissionner, en démordre, se départir, déposer, se dépouiller, se désaccoutumer, se dessaisir, se détacher, dételer (fam.), se détourner, dire adieu, divorcer (fig.), s'écarter, jeter le manche après la cognée (fam.), laisser, se passer de, perdre, se priver de, quitter, remettre, renier, répudier, résigner, se retirer, sacrifier. **II. V. tr.** → *renier.*

RENONCIATION Abandon, abdication, abjuration, abstention, apostasie, démission, sacrifice.

RENONCULE Bassinet, bouton-d'argent/d'or, douve, ficaire, grenouillette.

RENOUER Rattacher, refaire, rejoindre, reprendre. → *réconcilier (se).*

RENOUVEAU → *renaissance.*

RENOUVELER I. Bouleverser, chambarder (fam.), chambouler (fam.) changer, convertir, corriger, innover, métamorphoser, modifier, muer, rectifier, refondre, réformer, remanier, rénover, révolutionner, toucher à, transfigurer, transformer, transmuer, transposer. **II.** Donner une impulsion/ une vigueur nouvelle, rajeunir, ranimer, raviver, recommencer, redoubler, régénérer, réveiller. **III.** Proroger, reconduire. **IV.** Faire de nouveau, refaire, réitérer, répéter. **V.** Renouer, ressusciter (fig.), rétablir. **VI.** → *remplacer.*

RENOUVELER (SE) → *recommencer.*

RENOUVELLEMENT Accroissement, changement, prorogation, recommencement, reconduction, régénération, remplacement, renouveau, rénovation, rétablissement, transformation → *renaissance.*

RÉNOVATION Àmélioration, changement, réforme, régénération, renouvellement, réparation, restauration, résurrection (fig.), transformation. → *renouvellement.*

RÉNOVER → *renouveler.*

RENSEIGNEMENT I. Au pr. : avis, communication, confidence, donnée, éclaircissement, indication, indice, information, lumière, nouvelle, précision, révélation, tuyau (fam.). **II. Par ext. :** document, dossier, fiche, sommier.

RENSEIGNER Avertir, dire, édifier, fixer, informer, instruire, moucharder (fam. et péj.), rencarder (arg. et péj.), tuyauter (fam.).

RENTABLE → *rémunérateur.*

RENTAMER → *recommencer.*

RENTE Arrérages, intérêt, produit, revenu, viager.

RENTIER → *riche.*

RENTRÉE I. → *retour.* **II.** Encaissement, perception, recette, recouvrement.

RENTRER I. → *revenir.* **II.** Cacher, escamoter, rengainer. **III. Loc. Rentrer sa colère/sa haine/ses larmes/ sa rage :** avaler, dissimuler, refouler.

RENVERSANT, E → *surprenant.*

RENVERSÉ, E → *surpris.*

RENVERSEMENT I. Au pr. : exstrophie (méd.), interversion, retournement, révolution, transposition. **II. Par ext. :** anéantissement, bouleversement, chambardement (fam.), chamboulement (fam.), chute, écroulement, ruine.

RENVERSER I. Au pr. 1. Intervertir, inverser, invertir, révolutionner, saccager, subvertir, transposer, troubler. **2. Fam. :** chambarder, chambouler. **3.** Bousculer, démonter, désarçonner, envoyer au tapis (fam.), étendre, mettre sens dessus dessous, terrasser. **II. Par ext. 1.** Abattre, basculer, briser, broyer, culbuter, déboulonner (fam.), défaire, démolir, détrôner, détruire, enfoncer, foudroyer, jeter bas, ruiner, saper, vaincre. **2.** → *répandre.* **3.** Coucher, incliner, pencher.

RENVIER Enchérir, miser au-dessus.

RENVOI I. Jurid. : ajournement, annulation, cassation, destitution, dissolution, infirmation, invalidation, péremption d'instance, réhabilitation, relaxe, remise, report, rescision, résiliation, résolution, révocation, sursis. **II.** Congé, congédiement, destitution, exclusion, exil, expulsion, licenciement, mise à pied, révocation. **III.** Annotation, appel de note, apostille, astérisque, avertissement, lettrine,

marque, modification, référence. **IV.** Éructation, rapport (vx), régurgitation, rot (fam.).

RENVOYER I. Au pr. : balayer (fam.), casser aux gages, chasser, congédier, débarquer (fam.), se défaire de, destituer, disgracier, donner sa bénédiction (fam.)/congé/ses huit jours/son compte/son congé/son exeat/son paquet (fam.), écarter, éconduire, éloigner, emballer (fam.), envoyer promener, envoyer/faire paître (fam.)/valser, envoyer dinguer (fam.)/ péter (fam.), exclure, expédier, ficher/ flanquer/foutre (grossier)/jeter/mettre à la porte/dehors, licencier, liquider, mettre à pied, remercier, révoquer, sacquer (fam.), vider (fam.). **II.** Refuser, rendre, retourner. **III.** Faire écho, réfléchir, refléter, rendre, répercuter, reproduire, transmettre. **IV.** Relancer. **V.** Ajourner, différer, remettre, retarder.

REPAIRE I. Aire, antre, bauge, breuil, fort, gîte, nid, refuge, ressui, retraite, soue, tanière, terrier, trou. **II.** Abri, asile, cache, cachette, lieu sûr, refuge, retraite.

REPAÎTRE I. → *manger.* **II.** → *nourrir.*

REPAÎTRE (SE) I. → *manger.* **II.** → *jouir de.*

RÉPANDRE I. Au pr. 1. Arroser, couvrir, déverser, disperser, disséminer, ensemencer, épandre, éparpiller, épartir (vx), essaimer, étendre, jeter, joncher, parsemer, passer, paver, semer, verser. **2.** Dégager, développer, diffuser, éclairer, embaumer, émettre, exhaler, fleurer, parfumer. **II. Par ext. 1.** Accorder, dispenser, distribuer, donner, épancher. **2.** Distiller, faire régner, jeter, provoquer. **3.** Colporter, diffuser, dire, divulguer, ébruiter, étendre, éventer, généraliser, lancer, populariser, propager, publier. → *médire.*

RÉPANDRE (SE) I. Au pr. 1. Un liquide : couler, courir, déborder, découler, dégorger, dégouliner (fam.), se déverser, s'échapper, s'écouler, émaner, s'épancher, s'épandre, s'extravaser, filer, filtrer, fluer, fuir, gagner, gicler, jaillir, refluer, rouler, ruisseler, sourdre, suinter. **2. Un gaz :** se dégager, emplir. **3. Des personnes, des choses :** abonder, envahir, pulluler, se reproduire. **II. Fig. 1.** S'accréditer, circuler, courir, s'étendre, faire tache d'huile, gagner, se propager, voler. **2.** Déborder, éclater. **3.** Fréquenter, hanter, se montrer, sortir.

RÉPANDU, E I. Diffus, épars, étendu, profus. **II.** Commun, connu, dominant, public.

RÉPARATION I. Au pr. : amélioration, bouchement, consolidation, raccommodage, radoub, réfection, remontage, replâtrage, reprise, ressemelage, restauration. **II. Par ext. 1.** Amende honorable, excuse, expiation, rachat, raison, redressement, rétractation, satisfaction. **2.** Compensation, dédommagement, désintéressement, dommages et intérêts, indemnité.

RÉPARER I. Au pr. : améliorer, arranger, bricoler (fam.), consolider, dépanner, moderniser, obturer, rabibocher (fam.), rabobiner (fam.), raccommoder, raccoutrer, radouber, rafistoler, rafraîchir, ragréer, rajuster, rapetasser, rapiécer, rarranger (fam.), ravauder, recarreler, recoudre, recrépir, redresser, refaire, réfectionner, relever, remanier, remettre à neuf, remodeler, remonter, rempiéter, rénover, replâtrer, reprendre, repriser, ressemeler, restaurer, rétablir, retaper, réviser, rhabiller, stopper. **II. Par ext. 1.** Compenser, corriger, couvrir, dédommager, effacer, expier, indemniser, payer, racheter, rattraper, remédier à, suppléer à. **2.** Redresser les torts, venger.

REPARTIE Boutade, drôlerie, mot, pique, réplique, réponse, riposte, saillie, trait.

REPARTIR I. → *répondre.* **II.** → *retourner.* **III.** → *recommencer.*

RÉPARTIR I. Allotir, assigner, attribuer, classer, départir, dispenser, disposer, distribuer, diviser, donner, impartir, lotir, octroyer, ordonner, partager, prodiguer, proportionner à, ranger, rationner, répandre, semer. **II.** Disperser, disséminer, échelonner, étaler.

RÉPARTITION I. Assiette, attribution, coéquation, contingent, contingentement, diffusion, distribution, don, partage, péréquation, quote-part, ration. **II.** Agencement, aménagement, classement, classification, disposition, distribution, ordonnance, ordre, rang, rangement.

REPAS Agape, banquet, bombance (fam.), bonne chère, bribe, casse-croûte, Cène (relig.), chère lie (vx), collation, croustille, croûte (fam.), déjeuner, dîner, dînette, en-cas, festin, gala, gaudeamus (vx), gogaille (vx), goûter, graille (fam. et péj.), graillon (péj.), gueuleton (fam.), lippée (fam.), lunch, mangeaille (péj.), manger (fam.), mangerie (fam.), médianoche, menu, nourriture, ordinaire, panier, pique-nique, pitance, plat, réfection, régal, réjouissance, repue (vx), réveillon, ripaille, sandwich, soupe, souper.

REPASSER I. Retourner, revenir. **II.** Affiler, affûter, donner du fil/du tranchant, émorfiler, émoudre. **III.** Défriper, lisser, mettre en forme.

IV. Refiler, remettre. **V.** Évoquer, remémorer, se remettre en mémoire, retracer. **VI.** Apprendre, étudier, potasser (fam.), relire, répéter, reviser, revoir.

REPÊCHER Fig. : aider, dépanner, donner un coup de main/de piston (fam.)/de pouce, donner la main à, sauver, secourir, sortir/tirer d'affaire/d'un mauvais pas, soutenir, tendre la main à, venir à l'aide/à la rescousse/au secours.

REPENSER Considérer, penser, remâcher, repasser, ressasser, revenir.

REPENTIR Attrition, componction, confession, confiteor, contrition, douleur, mea-culpa, regret, remords, repentance, résipiscence.

RÉPERCUSSION Choc, contrecoup, incidence, réflexion, renvoi, retentissement. → *suite.*

RÉPERCUTER Faire écho, réfléchir, refléter, rendre, renvoyer, reproduire, transmettre.

REPÈRE Empreinte, indice, jalon, marque, piquet, taquet, trace.

REPÉRER I. Au pr. : borner, jalonner, marquer, piqueter. **II. Par ext. :** apercevoir, comprendre, déceler, déchiffrer, découvrir, dégoter (fam.), dénicher, dépister, détecter, déterrer, deviner, discerner, éventer, lire, pénétrer, percer, remarquer, saisir, trouver, voir.

RÉPERTOIRE Bordereau, catalogue, dénombrement, énumération, état, index, inventaire, liste, mémoire, nomenclature, relevé, rôle, série, suite, table, tableau.

RÉPÉTER I. Au pr. : bourdonner (fam.), dire à nouveau, exprimer, faire écho/chorus, inculquer, itérer (vx), prêcher, rabâcher, raconter, radoter, rapporter, rebattre, recorder (vx), redire, réitérer, rendre, revenir sur, seriner. **II. Par ext. 1.** Apprendre, bachoter (péj.), étudier, potasser (fam.), repasser, reviser, revoir. **2.** Copier, emprunter, imiter, rajuster, recommencer, refaire, renouveler, reprendre, reproduire, restaurer, rétablir. **3.** Multiplier, réfléchir, reproduire.

RÉPÉTER (SE) → *recommencer.*

RÉPÉTITION I. Au pr. 1. Écho, rabâchage, rabâcherie, radotage, redite, redondance, refrain, rengaine, reprise, scie. **2.** Fréquence, rechute, récidive, recommencement, réitération, retour. **3.** Leçon, cours, révision. **4.** → *reproduction.* **II. Litt. :** accumulation, allitération, anaphore, antanaclase, assonance, battologie, cadence, doublon, homéotéleute, métabole, paronomase, périssologie, pléonasme, redoublement, réduplication, tautologie.

REPEUPLER I. Regarnir, réensemencer, replanter. **II.** Aleviner, empoissonner. **III.** Alimenter, approvisionner, assortir, fournir, garnir, munir, nantir, pourvoir, procurer, réapprovisionner, réassortir, suppléer.

REPIQUAGE Boisement, plantage (vx), plantation, peuplement, reboisement, transplantation.

REPIQUER → replanter, recommencer

RÉPIT I. → délai. **II.** → repos.

REPLACER → rétablir.

REPLANTER Mettre en terre, planter, repiquer, transplanter.

REPLET, ÈTE Abondant, adipeux, bien en chair, bouffi, charnu, corpulent, courtaud, dodu, épais, empâté, fort, gras, grasset (vx), grassouillet, gros, obèse, onctueux, pansu, plantureux, plein, potelé, rebondi, rond, rondelet, rondouillard, ventru.

RÉPLÉTION Abondance, excès, plénitude, pléthore, satiété, surabondance, surcharge.

REPLI I. De terrain : accident, anticlinal, arête, cuvette, dépression, dôme, éminence, plissement, sinuosité, synclinal, thalweg, vallon. **II. Du corps :** bourrelet, commissure, fanon, fronce, pliure, poche, ride, saignée. **III.** Cachette, coin, recoin, trou. **IV.** Décrochage, recul, reculade, reculement, reflux, retraite.

REPLIER (SE) I. Se blottir, se courber, se pelotonner, se ramasser, se recroqueviller, se tordre, se tortiller. **II.** Se recueillir, réfléchir, se renfermer. **III.** Battre en retraite, capituler, lâcher, reculer, rétrograder. → abandonner.

RÉPLIQUE I. Boutade, critique, objection, repartie, riposte. **II.** Discussion, observation, protestation. **III.** Copie, double, doublure, duplicata, fac-similé, faux, image, imitation, jumeau, pareil, répétition, représentation.

RÉPLIQUER → répondre.

RÉPONDANT Caution, endosseur, garant, otage, parrain, responsable.

RÉPONDRE I. V. tr. : dire, donner la réplique/son paquet (fam. et péj.), objecter, payer de retour, prendre sa revanche, raisonner, récriminer, réfuter, rembarrer, rendre la monnaie de sa pièce, rendre la pareille, repartir, répliquer, rétorquer, se revancher (vx), riposter, river son clou (fam.). **II. V. intr. 1.** S'accorder, concorder, correspondre, satisfaire. **2.** Affirmer, assurer, attester, certifier, déclarer, garantir, promettre, protester, soutenir. **III. 1. Répondre à :** obéir, produire, réagir. **2. Répondre de :** couvrir, s'engager, garantir.

RÉPONDRE (SE) I. Correspondre, être en rapport de symétrie, être à l'unisson. **II.** Échanger, et les formes pronom. possibles des syn. de RÉPONDRE.

RÉPONSE I. Au pr. : objection, repartie, réplique, riposte. **II. Par ext. :** apologie, explication, justification, oracle, récrimination, rescrit, rétorsion, solution, verdict.

REPORTAGE → article.

REPORTER n. → journaliste.

REPORTER v. **I.** Attribuer, rapporter, rejeter, retourner, reverser. **II.** Décalquer, transposer. **III.** Attendre, remettre, renvoyer. **IV.** → porter. **V.** → transporter.

REPORTER (SE) I. Se référer, revenir, se transporter. **II.** Les formes pronom. possibles des syn. de REPORTER.

REPOS I. Arrêt, campos, cessation, cesse, congé, délassement, détente, entracte, étape, halte, immobilité, inaction, inactivité, inertie, jour chômé/férié, loisir, méridienne, pause, récréation, relâche, relâchement, rémission, répit, retraite, semaine anglaise, sieste, trêve, vacances. **II.** → sommeil. **III.** Accalmie, bonace, calme, paix, quiétude, silence, tranquillité. **IV.** Coupe, interruption. → palier.

REPOSANT, E Adoucissant, apaisant, calmant, consolant, délassant, distrayant, lénifiant, lénitif, relaxant, sédatif. → bon.

REPOSÉ, E Détendu, en forme, frais, et les part. passés des syn. de REPOSER.

REPOSER I. Au pr. : s'appuyer sur, avoir pour base/fondement, dépendre de, être basé/établi/fondé sur. → poser. **II. Par ext. 1.** → dormir. **2.** → trouver (se). **3.** → reposer (se).

REPOSER (SE) I. S'abandonner, s'arrêter, se délasser, dételer (fam.), se détendre, se laisser aller, se mettre au vert (fam.), récupérer (fam.), se relaxer, reprendre haleine, souffler. **II. Loc. Se reposer sur :** se fier à, se rapporter à, se référer à, s'en remettre à.

REPOUSSANT, E Abject, affreux, antipathique, désagréable, difforme, effrayant, effroyable, exécrable, fétide, hideux, horrible, infect, laid, monstrueux, odieux, puant, rébarbatif, rebutant, répugnant, répulsif. → dégoûtant.

REPOUSSER I. Au pr. : bannir, blackbouler, bouter (vx), chasser, culbuter, écarter, éconduire, emballer (fam.), envoyer au diable (fam.)/ bouler (fam.)/promener, évincer, rabattre, rabrouer, rebuter, rechasser, récuser, refouler, refuser, rejeter, rembarrer, renvoyer, répudier. → pousser. **II. Par ext. 1.** Abandonner, décliner, dire non, éliminer, exclure, mettre son veto, objecter, récuser, réfuter, rejeter. **2.** Dégoûter, déplaire, écœurer, exécrer, mépriser, rebuter, répugner.

RÉPRÉHENSIBLE Accusable, blâmable, condamnable, coupable, critiquable, déplorable, punissable, reprochable.

REPRENDRE I. Au pr. 1. → *retirer.* **2.** → *recouvrer.* **3.** Remmancher (fam.), renouer. → *réparer.* **4.** → *continuer.* **II. Par ext. 1.** → *résumer.* **2.** → *revoir.* **3.** → *réprimander.* **4.** → *recommencer.* **5.** → *rétablir (se).*

REPRENDRE (SE) I. Se corriger, se défaire de, se guérir de, réagir, se rétracter. **II.** → *recommencer.*

REPRÉSAILLE I. Au pr. : châtiment, œil pour œil dent pour dent, punition, réparation, rétorsion, riposte, talion. **II. Par ext. :** colère, némésis, ressentiment, revanche, vendetta, vengeance.

REPRÉSENTANT I. Agent, correspondant, délégué, envoyé, mandataire, missionnaire (vx), porte-parole, prête-nom, truchement. **II.** Avocat, avoué, conseil, défenseur. **III.** → *député.* **IV.** → *envoyé.* **V.** Ambassadeur, chargé d'affaires, consul, député, diplomate, haut-commissaire, légat, ministre, nonce, persona grata, résident. **VI.** Commis voyageur, courtier, démarcheur, intermédiaire, placier, visiteur, voyageur de commerce. **VII.** Échantillon, individu, modèle, type.

REPRÉSENTATION I. Au pr. 1. Allégorie, copie, description, dessin, diagramme, effigie, emblème, figure, graphique, image, imitation, plan, portrait, reproduction, schéma, symbole, traduction. **2.** → *spectacle.* **II. Fig. 1.** Écho, miroir, reflet. **2.** Admonestation, avertissement, blâme, doléance, objection, objurgation, observation, remontrance, reproche, semonce, sermon. **3.** Délégation, mandat.

REPRÉSENTER I. Au pr. 1. → *montrer.* **2.** Désigner, dessiner, évoquer, exhiber, exprimer, figurer, indiquer, symboliser. **3.** Copier, imiter, refléter, rendre, reproduire, simuler. **4.** Peindre, photographier, portraire, portraiturer. **5.** Décrire, dépeindre, tracer. **II. Par ext. 1.** Donner, incarner, interpréter, jouer, mettre en scène, mimer, personnifier. **2.** → *reprocher.* **3.** → *remplacer.*

RÉPRESSION → *punition.*

RÉPRIMANDE → *reproche.*

RÉPRIMANDER I. Au pr. : admonester, avertir, blâmer, catéchiser, censurer, chapitrer, condamner, corriger, critiquer, désapprouver, désavouer, dire son fait, donner un avertissement/un blâme/un coup de semonce, faire une réprimande/un reproche *et les syn. de* REPROCHE, flageller, flétrir, fustiger, gourmander, gronder, houspiller, improuver, incriminer, infliger une réprimande/un reproche *et les syn. de* REPROCHE, moraliser, morigéner, quereller, redresser, relever, reprendre, réprouver, semoncer, sermonner, stigmatiser, tancer, trouver à redire, vitupérer. **II. Arg. ou fam. :** arranger, attraper, chanter pouilles, crier, disputer, donner une danse/un galop/un savon, donner sur les doigts/sur les ongles, emballer, engueuler, enguirlander, enlever, faire la fête/la guerre à, laver la tête, mettre au pas, moucher, remettre à sa place, sabouler, savonner, secouer, secouer les poux/les puces, sonner les cloches, tirer les oreilles.

RÉPRIMER Arrêter, brider, calmer, châtier, commander, comprimer, contenir, contraindre, empêcher, étouffer, mettre le holà, modérer, refouler, refréner, retenir, sévir. → *punir.*

REPRIS DE JUSTICE Condamné, interdit de séjour, récidiviste.

REPRISE I. → *répétition.* **II.** Continuation, poursuite, recommencement. **III.** Raccommodage. → *réparation.* **IV.** Amélioration, amendement, correctif, correction, modification, rectification, refonte, remaniement, retouche, révision. **V.** Round.

REPRISER Raccommoder, raccoutrer, rafistoler (fam.), rapetasser, rapiécer, rapiéceter, ravauder, remmailler, rentraire, réparer, repriser, resarcir, restaurer, retaper, stopper.

RÉPROBATION Accusation, anathème, attaque, avertissement, blâme, censure, condamnation, critique, désapprobation, grief, improbation, malédiction, mise à l'écart/à l'index/en quarantaine, objurgation, punition, remontrance, répréhension, réprimande, réprobation, semonce, tollé, vitupération. → *reproche.*

REPROCHE Admonestation, blâme, censure, critique, désapprobation, engueulade (fam.), grief, mercuriale, objurgation, observation, plainte, récrimination, remarque, remontrance, réprimande, réquisitoire, semonce. → *réprobation.*

REPROCHER Accuser de, blâmer, censurer, condamner, critiquer, désapprouver, désavouer, faire grief, faire honte, faire reproche de *et les syn. de* REPROCHE, improuver, imputer à faute, incriminer, jeter au nez (fam.), jeter la pierre, remontrer, reprendre, représenter, réprouver, stigmatiser, taxer de, trouver à redire. → *réprimander.*

REPRODUCTION I. Au pr. 1. Fécondation, génération, multiplication, peuplement, repeuplement. **2.** Calque, copie, double, doublure, duplicata, duplication, imitation, photocopie, polycopie, répétition, réplique. **II. Par ext. 1.** → *représentation.* **3.** → *publication.*

REPRODUIRE I. Au pr. 1. Engendrer, féconder, multiplier, produire, renouveler, repeupler. **2.** Calquer, copier, décalquer, démarquer, emprunter, jouer, mimer, pasticher, plagier. → *imiter.* **II. Par ext. 1.** → *renvoyer.* **2.** → *refaire.* **3.** → *représenter.*

REPRODUIRE (SE) I. Engendrer, multiplier, se perpétuer, procréer, proliférer, se propager, repeupler. **II.** → *recommencer.*

RÉPROUVÉ, E Bouc émissaire, damné, déchu, excommunié, frappé d'interdit/d'ostracisme, galeux, hors-la-loi, interdit, maudit, mis en quarantaine, outlaw, rejeté, repoussé.

RÉPROUVER I. → *blâmer.* **II.** → *maudire.* **III.** → *reprocher.*

REPU, E Assouvi, bourré (fam.), dégoûté, le ventre plein (fam.), rassasié, saturé, soûl, sursaturé.

RÉPUBLIQUE Démocratie, État, gouvernement, nation.

RÉPUDIATION → *divorce.*

RÉPUDIER → *repousser.*

RÉPUGNANCE Antipathie, aversion, dégoût, détestation, écœurement, éloignement, exécration, haine, haut-le-cœur, horreur, nausée, peur, répulsion.

RÉPUGNANT Abject, affreux, cochon (fam.), crasseux, décourageant, dégoûtant, dégueulasse (fam.), déplaisant, désagréable, écœurant, exécrable, fétide, gras, grivois, grossier, honteux, horrible, ignoble, immangeable, immonde, immoral, incongru, inconvenant, indécent, infâme, infect, innommable, inqualifiable, insupportable, laid, licencieux, maculé, malhonnête, malpropre, merdique (grossier), nauséabond, nauséeux, obscène, odieux, ordurier, peu ragoûtant, porno (fam.), pornographique, puant, rebutant, repoussant, révoltant, sale, sordide.

RÉPUGNER I. Dégoûter, déplaire, faire horreur, inspirer de la répugnance *et les syn. de* RÉPUGNANCE, rebuter. **II.** S'élever contre, être en opposition, s'opposer, rechigner, refuser, renâcler, renifler (fam.). **III.** → *repousser.*

RÉPULSION → *répugnance.*

RÉPUTATION Autorité, célébrité, considération, crédit, estime, gloire, honneur, lustre, mémoire, nom, noto-

riété, popularité, prestige, renom, renommée, vogue.

RÉPUTER Compter, considérer, estimer, juger, prendre, présumer, regarder comme.

REQUÉRIR I. Appeler, avoir besoin, commander, demander, exiger, mériter, nécessiter, réclamer, rendre nécessaire, supposer, vouloir. **II.** Adresser/faire/formuler/présenter une requête *et les syn. de* REQUÊTE, commander, dire, enjoindre, exiger, exprimer un désir/une requête/un souhait/un vœu, implorer, mander, ordonner, postuler, prier, réclamer, solliciter, souhaiter, vouloir.

REQUÊTE Appel, demande, démarche, imploration, instance, invitation, invocation, pétition, placet (vx), pourvoi, prière, quête (vx), réquisition, réquisitoire, sollicitation, supplication, supplique.

REQUIN I. Au pr. : aiguillat, chien de mer, griset, lamie, maillet, marteau, orque, squale. **II. Fig. 1.** → *bandit.* **2.** → *voleur.*

RÉQUISITION I. Blocage, embargo, mainmise. **II.** → *requête.*

RÉQUISITOIRE Par ext.. : admonestation, blâme, censure, critique, désapprobation, engueulade (fam.), mercuriale, objurgation, observation, plainte, récrimination, remarque, remontrance, réprimande, reproche, semonce.

RESCAPÉ, E Indemne, miraculé, sain et sauf, sauf, sauvé, survivant, tiré d'affaires.

RESCINDER Annuler, casser, déclarer de nul effet/nul et non avenu.

RESCOUSSE Aide, appoint, appui, assistance, collaboration, concours, coup d'épaule, égide, intervention, main-forte, secours, soutien, support.

RESCRIT Bref, bulle, constitution, décrétale, encyclique, mandement, monitoire, réponse.

RÉSEAU I. Au pr. : entrelacement, entrelacs, filet, lacs, résille, réticule, tissu. **II. Fig. :** complication, confusion, enchevêtrement, labyrinthe, lacis.

RÉSECTION Ablation, amputation, suppression.

RÉSÉQUER Amputer, couper, enlever, sectionner, supprimer, trancher.

RÉSERVE I. → *restriction.* **II.** Accumulation, amas, approvisionnement, avance, dépôt, disponibilités, économies, en-cas, épargne, fourniture, matelas (fam.), munition (vx), provision, ravitaillement, stock, viatique, victuailles, vivres, volant. **III.** Boutique, dépôt, entrepôt, établissement, magasin, resserre, silo. **IV.** → *réservoir.* **V.** Bienséance, calme, chasteté, circonspection, componction, congruité, convenance, correction, décence, délicatesse, dignité, discrétion, froideur, gravité, honnêteté (vx), honte (par ext.), maîtrise de soi, ménagement, mesure, modération, modestie, politesse, prudence, pruderie (péj.), pudeur, pudibonderie (péj.), pudicité, quant-à-soi, respect, retenue, révérence, sagesse, sobriété, tact, tempérance, tenue, vertu. **VI. Loc.** *A la réserve de :* abstraction faite de, à l'exception de, à l'exclusion de, à part, à telle chose près, excepté, exclusivement, fors (vx), hormis, hors, non compris, sauf, sinon.

RÉSERVÉ, E Calme, chaste, circonspect, contenu, convenable, correct, décent, délicat, digne, discret, distant, froid, grave, honnête (vx), maître de soi, mesuré, modéré, modeste, poli, pondéré, prude (péj.), prudent, pudibond (péj.), pudique, retenu, sage, secret, silencieux, simple, sobre, tempérant.

RÉSERVÉ (ÊTRE) Échoir, être destiné/dévolu/donné en partage, revenir à *et les formes pronom. possibles des syn. de* RÉSERVER.

RÉSERVER I. Destiner, garder, prédestiner, vouer. **II.** Conserver, économiser, entretenir, garantir, garder, maintenir, ménager, préserver, protéger, retenir, sauvegarder, sauver, soigner, tenir en état. **III.** → *arrêter*.

RÉSERVOIR I. Barrage, étang, lac artificiel, plan d'eau, réserve, retenue. **II.** Château d'eau, citerne, cuve, timbre. **III.** Gazomètre, silo. **IV.** Aquarium, vivier.

RÉSIDENCE Adresse, demeure, domicile, logement, maison, séjour, siège. → *habitation*.

RÉSIDER I. Au pr. 1 → *demeurer.* **2.** → *habiter.* **II. Par ext. 1.** → *consister.* **2.** Occuper, siéger, tenir.

RÉSIDU I. Boue, copeau, fond, lie, limaille, sédiment, tartre. **II.** → *débris.* **III.** → *déchet.* **IV.** → *excrément.* **V.** → *ordure.* **VI.** Cadmie, calamine, cendre, mâchefer, scorie. **VII.** Bagasse, bran, grignons, marc, pulpes. **VIII.** → *reste.*

RÉSIGNATION I. Favorable ou neutre : abandon, abnégation, altruisme, constance, délaissement (vx), dépouillement, désintéressement, détachement, patience, philosophie, renonciation, sacrifice, soumission. **II. Non favorable :** apathie, démission, désespérance, fatalisme.

RÉSIGNÉ, E → *soumis.*

RÉSIGNER Abandonner, abdiquer, se démettre, démissionner, se désister, quitter, renoncer.

RÉSIGNER (SE) S'abandonner, accepter, s'accommoder, céder, consentir, s'incliner, passer par, se plier, se résoudre, se soumettre.

RÉSILIER Abandonner, abolir, abroger, anéantir, annuler, casser, détruire, effacer, éteindre, faire cesser/disparaître, faire table rase, infirmer, invalider, prescrire, rapporter, rescinder, résoudre, révoquer, supprimer.

RÉSILLE → *réseau.*

RÉSINE Arcanson, baume, cire végétale, colophane, galipot, gemme, gomme, laque, térébenthine, vernis.

RÉSIPISCENCE Attrition, componction, contrition, désespoir, pénitence, regret, remords, repentance, repentir, ver rongeur.

RÉSISTANCE I. Favorable ou neutre. 1. Dureté, endurance, fermeté, force, rénitence (méd.), solidité, ténacité. **2.** Accroc, difficulté, obstacle, opposition, réaction, refus. **3.** Défense, insurrection, lutte. **II. Non favorable :** désobéissance, entêtement, force d'inertie, inertie, mutinerie, obstruction, opiniâtreté, opposition, rébellion, regimbement, réluctance, sédition.

RÉSISTANT, E adj. **I. Favorable ou neutre. 1. Au pr. :** endurant, increvable (fam.), fort, nerveux, robuste, rustique, solide, tenace, vivace. **2. Par ext. :** dur, inusable, rénitent (méd.). **II. Non favorable :** coriace, désobéissant, dur, opiniâtre, rebelle, têtu.

RÉSISTANT n. F.F.I., franc-tireur, F.T.P., insoumis, maquisard, partisan, patriote.

RÉSISTER I. Au pr. : s'arc-bouter, se cabrer, contester, contrarier, contrecarrer, se débattre, se défendre, se dresser, faire face, s'insurger, lutter, s'obstiner, s'opposer, se mutiner, se piéter (vx), protester, se raidir, réagir, se rebeller, se rebiffer, récalcitrer (fam.), rechigner, refuser, se refuser à, regimber, renâcler, répondre, repousser, se révolter, rouspéter, ruer dans les brancards (fam.), tenir, tenir bon/ferme, tenir tête. **II. Par ext. :** souffrir, soutenir, supporter, survivre, tenir le coup.

RÉSOLU, E I. Résous. **II. 1. Quelqu'un :** assuré, audacieux, brave, carré, constant, convaincu, courageux, crâne, décidé, déterminé, énergique, ferme, fixé, franc, hardi, net, opiniâtre, tranchant. **2. Quelque chose :** arrêté, choisi, conclu, convenu, décidé, décisif, décrété, délibéré, entendu, fixé, irrévocable, jugé, ordonné, prononcé, réglé, tranché, vu.

RÉSOLUMENT Courageusement, décidément, délibérément, de pied ferme, énergiquement, fermement, franchement, hardiment, *et les adv. en*

-ment formés à partir des syn. de RÉSOLU.

RÉSOLUTION I. Au pr. 1. Décomposition, division, réduction, séparation, transformation. **2.** Abolition, diminution, disparition, relâchement, résorption. **3.** Annulation, destruction, dissolution, rédhibition, rescision, résiliation, révocation. **4.** Analyse, opération, résultat, solution. **5.** Achèvement, bout, clef, coda, conclusion, épilogue, extrémité, fin, queue, terme. **II. Par ext. 1.** But, choix, conseil (vx), désir, dessein, détermination, disposition, exigence, intention, pacte, parti, projet, propos, proposition, souhait, vœu, volition, volonté. **2.** Audace, caractère, constance, courage, cran, décision, détermination, énergie, entêtement (péj.), fermeté, force d'âme, hardiesse, initiative, obstination, opiniâtreté (péj.), ressort, ténacité, volonté, vouloir.

RÉSONANCE I. Au pr. : écho, retentissement, réverbération, son, sonorité. **II. Fig.** → réputation.

RÉSONNANT, E Ample, assourdissant, bruyant, carillonnant, éclatant, fort, gros, haut, plein, retentissant, sonore, vibrant.

RÉSONNER Bruire, faire du bruit, faire écho, rebondir, renvoyer, retentir, tinter, vibrer.

RÉSOUDRE I. Au pr. 1. → dissoudre. **2.** → abolir. **3.** Analyser, calculer, dénouer, deviner, en finir, faire disparaître, solutionner, trancher, trouver, vider. **II. Par ext.** → décider.

RÉSOUDRE (SE) I. Adopter un parti/une solution, conclure, décider, s'exécuter, finir par, se hasarder à, pourvoir à, prendre parti, prendre son parti, en venir à. **II.** Les formes pronom. possibles des syn. de RÉSOUDRE.

RESPECT I. Au sing. 1. Considération, courtoisie, déférence, égard, estime, honneur, révérence, vénération. **2.** Affection, culte, piété. **3.** Amour-propre, pudeur, réserve. **II. Au plur. :** civilités, devoirs, hommages, salutations.

RESPECTABLE Auguste, considéré, correct, digne, estimable, grave, honnête, honorable, majestueux, méritant, noble, parfait, prestigieux, sacré, vénérable, vertueux.

RESPECTER I. Au pr. : adorer, avoir/célébrer/rendre un culte, avoir des égards envers/pour, estimer, glorifier, honorer, magnifier, révérer, saluer la mémoire, tenir en estime, vénérer. **II. Par ext. :** conserver, épargner, garder, obéir à, observer.

RESPECTUEUX, EUSE Attentionné, déférent, humble, pieux, poli, soumis. → attentif.

RESPIRATION Anhélation, aspiration, expiration, haleine, inhalation, souffle.

RESPIRER I. Au pr. : anhéler, s'ébrouer, exhaler, expirer, haleter, inhaler, inspirer, panteler, pousser (vét.), souffler, soupirer. → aspirer. **II. Fig. 1.** → vivre. **2.** → montrer.

RESPLENDIR Brasiller, briller, chatoyer, éblouir, éclairer, éclater, étinceler, flamboyer, fulgurer, jeter des feux, luire, miroiter, poudroyer, rayonner, reluire, rutiler, scintiller.

RESPLENDISSANT, E → beau.

RESPONSABILITÉ Culpabilité, imputabilité.

RESPONSABLE I. Adj. 1. Comptable. → garant. **2.** Condamnable, coupable, fautif, pendable, punissable, répréhensible. **II. Nom** → envoyé.

RESQUILLER Écornifler, se faufiler, tricher. → tromper.

RESSAISIR (SE) I. → retrouver (se). **II.** → rattraper (se).

RESSASSER → répéter.

RESSAUT → saillie.

RESSEMBLANCE I. Accord, affinité, analogie, association, communauté, comparaison, conformité, connexion, contiguïté, convenance, correspondance, harmonie, homologie, lien, parenté, relation, similitude, voisinage. **II.** Apparence, image, imitation, réplique, semblance (vx).

RESSEMBLANT, E → semblable.

RESSEMBLER S'apparenter, approcher de, avoir des traits communs/un rapport à/avec, confiner à, correspondre, être la copie/l'image/le portrait/la réplique de, participer de, procéder de, rappeler, se rapporter à, se rapprocher de, tenir de, tirer sur.

RESSENTIMENT Aigreur, animosité, colère, dégoût, dent (fam.), haine, hostilité, rancœur, rancune, vindicte.

RESSENTIR → sentir.

RESSENTIR (SE) → sentir (se).

RESSERRE → réserve.

RESSERREMENT Astriction, constriction, contraction, crispation, étranglement, rétrécissement.

RESSERRÉ, E Encaissé, étranglé, étroit.

RESSERRER I. Au pr. → serrer. **II. Par ext. 1.** Abréger, amoindrir, comprimer, condenser, contracter, crisper, diminuer, étrangler, étrécir, étriquer, rétrécir. **2.** Presser, rapprocher, refermer, tasser. **3.** → résumer.

RESSERRER (SE) Se ratatiner, se recroqueviller, se retirer, se rétracter, et les formes pronom. possibles des syn. de RESSERRER.

RESSORT I. Par ext. 1. → moteur. **2.** → moyen. **3.** Ardeur, audace,

bravoure, cœur, courage, cran, crânerie, décision, dynamisme, endurance,
énergie, fermeté, force, hardiesse,
héroïsme, impétuosité, intrépidité, résolution, vaillance, valeur, volonté,
zèle. **II. Loc. *Être du ressort de.***
1. Attribution, autorité, compétence,
domaine, pouvoir. ***2.*** → *sphère.*

RESSORTIR I. Avancer, déborder,
dépasser, mordre sur, passer, saillir.
II. Par ext. *1.* Dépendre de. →*résulter.*
2. Apparaître, apparoir (vx ou jurid.),
s'avérer, être avéré, se révéler.

RESSORTIR À → *dépendre.*

RESSORTISSANT I. Assujetti, justi-
ciable. **II.** Aborigène, autochtone,
citoyen, contadin, habitant, indigène,
natif, naturel.

RESSOURCE I. Au sing. *1.* Arme,
atout, connaissance, excuse, expédient, moyen, planche de salut,
recours, refuge, remède, ressort,
secours. ***2.*** Façon, méthode, procédé,
système, truc. **II. Au pl. *1.*** → *faculté.*
2. Argent, avantage, bourse, casuel,
dotation, économies, fabrique (vx et
relig.), finances, fonds, fortune, fruit,
gain, indemnité, intérêt, pension,
portion congrue (vx et relig.), prébende (par ext.), rapport, recette,
rente, rentrée, retraite, richesse, salaire,
usufruit.

RESSOUVENIR (SE) → *rappeler
(se).*

RESSUSCITER I. V. tr. → *rétablir.*
II. V. intr. → *revivre.*

RESSUYER Éponger, étancher, sécher.

RESTANT → *reste.*

RESTAURANT Auberge, bouillon
(vx), brasserie, buffet, buvette, cabaret,
cantine, crémerie (fam.), feu de bois,
gargote (péj.), grillade, grill-room,
hostellerie, hôtellerie, mess, popote,
relais, restauration, restoroute, rôtisserie, self-service, taverne.

RESTAURATEUR, TRICE Aubergiste, gargotier (péj.), hôte, hôtelier,
marchand de soupe (péj.), rôtisseur,
traiteur.

RESTAURATION I. → *renaissance.*
II. Amélioration, embellissement, re-
construction, réfection, réparation.
III. Hôtellerie.

RESTAURER I. Alimenter, donner à
manger, entretenir, faire manger,
nourrir, rassasier, soutenir, sustenter.
II. → *réparer.* **III.** → *rétablir.* **IV.** →
réconforter.

RESTE I. Au sing. : complément,
demeurant, différence, excédent, excès,
reliquat, résidu, solde, soulte, surplus.
II. Au pl. *1.* Déblai, débris, décharge,
décombres, démolitions, éboulis,
épave, gravats, gravois, miettes,
plâtras, restant, vestiges. ***2.*** Cadavre,

cendres, mort, ossements, poussière,
reliques. ***3.*** Arlequin (pop.), desserte
(vx), reliefs, reliquats, rogatons.
III. Loc. *1. Au/du reste :* d'ailleurs,
de plus, et puis. ***2. Tout le reste :***
bataclan, et cetera, toutim, tremblement. → *bazar.*

RESTER I. → *demeurer.* **II.** → *subsister.*

RESTITUER I. → *redonner.* **II.** →
rétablir.

RESTREINDRE Borner, cantonner,
circonscrire, délimiter, limiter, localiser,
réduire.

RESTRICTIF, IVE Diminutif, limitatif,
prohibitif, répressif.

RESTRICTION I. → *réduction.*
II. Économie, empêchement, épargne,
parcimonie, rationnement, réserve,
réticence.

RÉSULTAT Aboutissement, achèvement, bilan, but, conclusion, conséquence, contrecoup, décision, dénouement, effet, événement, fin, fruit,
issue, portée, produit, quotient, résul-
tante, réussite, solution, somme,
succès, suite, terminaison.

RÉSULTER I. Découler, dépendre,
s'ensuivre, entraîner, être issu, naître,
procéder, provenir, ressortir, venir de.
II. Loc. *Il résulte de :* apparaître,
apparoir (vx ou jurid.), se déduire, se
dégager, impliquer, ressortir, tenir.

RÉSUMÉ I. Adj. : abrégé, amoindri,
bref, concis, court, cursif, diminué,
écourté, laconique, lapidaire, limité,
raccourci, rapetissé, réduit, resserré,
restreint, simplifié, sommaire, succinct.
II. Nom masc. : abrégé, abréviation,
aide-mémoire, analyse, aperçu, argument, bréviaire, compendium, digest,
diminutif, éléments, épitomé, esquisse,
extrait, manuel, notice, plan, précis,
promptuaire, raccourci, récapitulation,
réduction, rudiment, schéma, sommaire, somme, synopsis, topo (fam.).

RÉSUMER Abréger, analyser, condenser, diminuer, écourter, préciser,
ramasser, récapituler, réduire, reprendre, resserrer, synthétiser.

RÉSURRECTION → *renaissance.*

RÉTABLIR I. Au pr. : ramener,
reconstituer, reconstruire, refaire, relever, remettre, réparer, replacer, restaurer, restituer. **II. Par ext. *1.***
Réhabiliter, réinstaller, réintégrer. ***2.***
Améliorer, arranger, guérir, ranimer,
réconforter, rendre la santé, sauver.

RÉTABLIR (SE) Guérir, recouvrer la
santé, se relever, se remettre, reprendre
des forces, ressusciter, en revenir, s'en
tirer, et les formes pronom. possibles
des syn. de RÉTABLIR.

RÉTABLISSEMENT Amélioration,
convalescence, guérison, recouvre-

ment, relèvement, remise. → *restauration*.

RETAPER I. → *réparer*. **II.** → *réconforter*.

RETARD I. Au pr. : ajournement, atermoiement, manœuvre dilatoire, retardement, temporisation. **II. Par ext. 1.** Lenteur, piétinement, ralentissement. **2.** Décalage, délai, remise. **III. Loc. En retard. 1.** Arriéré, sous-développé. **2.** Archaïque, démodé, périmé. **3.** A la bourre (fam.), à la queue, à la traîne, en arrière.

RETARDATAIRE I. → *retard*. **II.** → *retardé*.

RETARDÉ, E Ajourné, arriéré, attardé, débile, débile mental, demeuré, diminué, handicapé, idiot, inadapté, inintelligent, reculé, retardataire, retenu, tardif, taré.

RETARDEMENT → *retard*.

RETARDER Ajourner, arrêter, arriérer (vx), atermoyer, attendre, décaler, différer, éloigner, faire traîner, prolonger, promener, proroger, ralentir, reculer, remettre, renvoyer, reporter, repousser, surseoir à, temporiser, traîner.

RETENIR I. Au pr. 1. Conserver, détenir, garder, maintenir, réserver. **2.** Confisquer, déduire, précompter, prélever, rabattre, saisir. → *retrancher*. **3.** Accrocher, amarrer, arrêter, attacher, brider, clouer, coincer, comprimer, consigner, contenir, contraindre, emprisonner, enchaîner, endiguer, fixer, freiner, immobiliser, modérer, ralentir, serrer la vis (fam.), tenir, tenir de court/en brassières (fam.)/en lisière/en tutelle. **II. Par ext.** → *rappeler* (se). **III. Loc. Retenir ses larmes :** dévorer, étouffer, ravaler, réprimer.

RETENIR (SE) → *modérer (se)*.

RETENTIR Faire écho, rebondir, renvoyer, résonner, tinter, vibrer.

RETENTISSANT, E I. Au pr. : ample, assourdissant, bruyant, carillonnant, éclatant, fort, gros, haut, plein, résonnant, sonore, vibrant. **II. Par ext. :** célèbre, connu, éclatant, éminent, fameux, fracassant, illustre, légendaire, notoire, renommé, réputé, sensationnel, terrible (fam.), tonitruant. → *extraordinaire*.

RETENTISSEMENT Bruit, publicité. → *succès*.

RETENU, E adj. I. Au pr. : calme, chaste, circonspect, contenu, convenable, correct, décent, délicat, digne, discret, distant, froid, grave, honnête (vx), maître de soi, mesuré, modéré, modeste, poli, pondéré, prude (péj.), prudent, pudibond (péj.), pudique, réservé, sage, secret, silencieux, simple, sobre, tempérant. **II. Par ext. :** collé (fam.), consigné, puni.

RETENUE n. **I.** Bienséance, calme, chasteté, circonspection, componction, congruité, convenance, correction, décence, délicatesse, dignité, discrétion, froideur, gravité, honnêteté (vx), honte (par ext.), maîtrise de soi, ménagement, mesure, modération, modestie, politesse, prudence, pruderie (péj.), pudeur, pudibonderie (péj.), pudicité, quant-à-soi, réserve, respect, révérence, sagesse, sobriété, tact, tempérance, tenue, vertu. **II.** Barrage, étang, lac artificiel, plan d'eau, réserve, réservoir. **III.** Colle (fam.), consigne, punition.

RÉTICENCE I. → *silence*. **II.** → *sous-entendu*. **III.** → *restriction*.

RÉTICULE I. Aumônière, porte-monnaie, sac. **II.** → *réseau*.

RÉTIF, IVE Désobéissant, difficile, entêté, frondeur, hargneux, indisciplinable, indiscipliné, indocile, indomptable, insoumis, insubordonné, passif, quinteux, rebelle, récalcitrant, rêche, réfractaire, regimbant, regimbeur, révolté, rude, têtu, vicieux, volontaire.

RETIRÉ, E A l'écart, désert, détourné, écarté, éloigné, isolé, perdu, secret, solitaire.

RETIRER I. Au pr. → *tirer*. **II. Par ext. 1.** Percevoir, reprendre, soustraire, soutirer, toucher. → *prendre*. **2.** Enlever, extraire, ôter, quitter.

RETIRER (SE) I. S'enterrer, faire retraite. → *partir*. **II.** → *renoncer*. **III.** → *resserrer (se)*. **IV.** *Les formes pronom. possibles des syn. de* RETIRER.

RETOMBER I. Au pr. → *tomber*. **II. Par ext. 1.** Rechuter, récidiver, recommencer. **2.** Se rabattre, redescendre, rejaillir, ricocher. → *pendre*.

RÉTORQUER → *répondre*.

RETORS, ORSE Artificieux, astucieux, cauteleux, chafouin, combinard, ficelle, fin, finaud, fine mouche, futé, madré, malin, matois, renard, roublard, roué, rusé, sac à malices, trompeur, vieux routier. → *hypocrite*.

RÉTORSION I. → *réponse*. **II.** → *vengeance*.

RETOUCHER → *revoir*.

RETOUR I. Au pr. 1. → *tour*. **2.** Changement, réapparition, recommencement, regain, renaissance, renouveau, renouvellement, répétition, rentrée, réveil, rythme. **II. Par ext. 1.** Alternance, évolution, fluctuation, nutation, oscillation, retournement, variation. **2.** → *ruse*. **3.** Échange, réciprocité, rétroaction, ricochet. **III. Loc. Payer de retour** → *répondre*.

RETOURNEMENT I. Au pr. : conversion. **II. Par ext. 1.** Cabriole, changement, reniement, renversement. **2.** → *variation*.

RETOURNER I. V. intr. : aller, s'éloigner, rentrer, repartir, revenir. → *partir.* **II. V. tr. 1.** Bêcher, fouiller, labourer, remuer, verser (vx). **2.** Bouleverser, émouvoir, troubler. **3.** Faire retour, réexpédier, refuser, renvoyer. **4.** Regagner, rejoindre, réintégrer. **5.** → *transformer.*

RETOURNER (SE) I. → *rattraper (se).* **II.** *Les formes pronom. possibles des syn. de* RETOURNER.

RETRACER I. Conter, débiter, décrire, détailler, développer, dire, expliquer, exposer, narrer, peindre, raconter, rapporter, réciter, relater, rendre compte, tracer. **II.** Commémorer, évoquer, faire revivre, mentionner, rappeler.

RÉTRACTATION Abandon, abjuration, annulation, changement d'opinion, désaveu, palinodie, reniement, réparation d'honneur, retournement, retournement de veste (fam.).

RÉTRACTER (SE) I. Au pr. : se ratatiner, se recroqueviller, se resserrer, se retirer. **II. Par ext.** : annuler, se contredire, déclarer forfait, se dédire, se délier, se démentir, se désavouer, se désister, manquer à sa parole, se raviser, reprendre sa parole, revenir sur, révoquer.

RETRAIT I. Décrochage, décrochement, éloignement, évacuation, recul, reculade, reculement, reflux, régression, repli, retraite, rétrogradation, rétrogression. **II.** → *abolition.*

RETRAITE I. → *recul.* **II.** → *abri.* **III.** → *solitude.* **IV.** → *revenu.* **V. Loc. *Battre en retraite* →** *reculer.*

RETRANCHEMENT I. Au pr. 1. Coupe, déduction, défalcation, diminution, réfaction, soustraction, suppression. **2.** Épuration, exclusion, excommunication. **3.** Élagage, taille. **4.** Ablation, amputation, résection, sectionnement. **5.** Abréviation, aphérèse, élimination. **II. Par ext.** : abri, barricade, bastion, circonvallation, contrevallation, défense, fortification, ligne, tranchée.

RETRANCHER I. Au pr. 1. Couper, décompter, déduire, défalquer, démembrer, distraire, élaguer, émonder, enlever, exclure, expurger, imputer, lever, ôter, prélever, prendre, rabattre, retenir, retirer, rogner, séparer, soustraire, supprimer, tirer. **2.** Amputer, mutiler, réséquer. **II. Par ext. 1.** Abréger, accourcir, biffer, châtier, corriger, purger, tronquer. **2.** Censurer, épurer, exclure, excommunier, ostraciser, réformer.

RETRANCHER (SE) I. Se défendre, se fortifier, se mettre à l'abri, se protéger, se rabattre, se retirer. **II.** *Les formes pronom. possibles des syn. de* RETRANCHER.

RÉTRÉCI, E I. Au pr. : contracté, diminué, étranglé, étréci, étroit, exigu, resserré. **II. Fig.** : borné, étriqué, inintelligent. → *bête.*

RÉTRÉCIR I. V. tr. : contracter, diminuer, étrangler, étrécir, reprendre, resserrer. **II. V. intr.** : dessécher, grésiller, raccourcir, racornir, se ratatiner (fam.), se resserrer, se retirer.

RÉTRÉCISSEMENT Contraction, contracture, diminution, étranglement, raccourcissement, racornissement, resserrement.

RETREMPER Encourager, exalter, exciter, fortifier, raffermir, ranimer, ravigoter, raviver, réchauffer, relever, remonter, ressusciter, rétablir, retaper, réveiller, revigorer, revivifier, vivifier.

RÉTRIBUER → *payer.*

RÉTRIBUTION I. Au pr. : appointements, cachet, commission, courtage, droits d'auteur, émoluments, fixe, gages, gain, gratification, honoraires, indemnité, jeton de présence, jour, journée, liste civile, mensualité, mois, paie, paye, paiement, pige, pourboire, prêt, salaire, semaine, solde, traitement, vacation. → *rémunération.* **II. Par ext.** → *récompense.*

RÉTROACTIF, IVE Antérieur, passé, récapitulatif, rétrospectif.

RÉTROCÉDER Redonner, rembourser, remettre, rendre, restituer.

RÉTROGRADATION → *recul.*

RÉTROGRADE Arriéré, conservateur, immobiliste, obscurantiste, réactionnaire.

RÉTROGRADER I. Au pr. → *reculer.* **II. Par ext.** → *baisser.*

RETROUSSER Écarter, rebiquer (fam.), recoquiller, relever, remonter, soulever, trousser. → *lever.*

RETROUVER I. Au pr. 1. Reconquérir, recouvrer, récupérer, regagner, reprendre, ressaisir. **2.** Atteindre, attraper, gagner, joindre, rallier, rattraper, regagner, rejoindre, tomber sur. **II. Par ext.** : distinguer, identifier, reconnaître, remettre, trouver.

RETROUVER (SE) I. S'orienter, se reconnaître. **II.** Se redresser, se remettre, se reprendre, se ressaisir. **III.** *Les formes pronom. possibles des syn. de* RETROUVER.

RETS → *filet.*

RÉUNION I. De choses. 1. Accumulation, adjonction, agglomération, agrégation, amalgame, annexion, assemblage, combinaison, concentration, confusion, conjonction, convergence, entassement, groupement, incorporation, jonction, mélange, rapprochement, rassemblement, rattachement, synthèse, union. **2.** Accord, adhérence, alliance, enchaînement,

fusion, liaison, mariage, rencontre.
3. Amas, bloc, bouquet, chapelet,
choix, collection, couple, ensemble,
faisceau, gerbe, groupe, masse, salade
(fam.), tas. **II. De personnes.**
1. Assemblée, assise, assistance,
auditoire, carrefour, cénacle, comice,
comité, commission, compagnie, concours, conférence, confrérie, congrégation, congrès, conseil, consistoire,
débat, groupe, groupement, meeting,
rassemblement, rencontre, rendez-
vous, séance de travail, symposium,
table ronde. **2.** Colonie, communauté,
confédération, fédération, population,
société, syndicat. **3.** Aréopage, chapitre, concile, consistoire, états géné-
raux, sénat, synode. **4.** Bal, bridge,
cinq-à-sept, cocktail, fête, raout *ou*
rout (angl.), réception, sauterie,
soirée, surprise-partie, thé. **5.** *Non
favorable :* chœur, clan, clique,
coalition, complot, conciliabule, coterie, quarteron, ramas, ramassis.

RÉUNIR I. Des choses. 1. Accumuler, additionner, agencer, amasser,
entasser, mélanger, mêler, raccorder,
rassembler, recomposer, relier, rejoindre, unir. **2.** Agglomérer, agglutiner, agréger, amalgamer, annexer,
assembler, bloquer, combiner, concentrer, conglober, conglomérer, con-
glutiner, épingler, fondre, grouper,
intégrer, joindre, rapprocher, rejoindre.
3. Accoupler, adjoindre, appareiller,
apparier, faire adhérer, mettre ensemble. **4.** Canaliser, capter, centraliser, classer, codifier, collectionner,
colliger, cumuler, recueillir. **5.** Concilier, confondre, englober. **II. Des
personnes :** aboucher, assembler,
associer, convoquer, grouper, inviter,
rassembler.

RÉUNIR (SE) I. Des choses :
s'associer, concourir, confluer, se
fondre, fusionner. **II. Des personnes :** s'attabler, se rencontrer, se
retrouver. **III.** *Les formes pronom.
possibles des syn. de* RÉUNIR.

RÉUSSIR I. Quelque chose :
s'acclimater, s'accomplir, avancer,
bien tourner, fleurir, fructifier, marcher,
plaire, prendre, prospérer. **II. Quelqu'un :** aboutir, achever, arriver, avoir
la main heureuse/du succès, bien
marcher, briller, faire carrière, faire du/
son chemin, faire florès/fortune, finir
par, gagner, mener à bien, parvenir,
percer, triompher, venir à bout.

RÉUSSITE I. Bonheur, chance,
gain, triomphe, veine, victoire. →
succès. **II.** Patience (jeu).

REVALORISATION Accroissement,
augmentation, bond, élévation, enchérissement, hausse, haussement, majoration, montée des prix, progression,
relèvement, valorisation.

REVALORISER Accroître, augmenter,
élever, faire monter, enchérir, hausser,
majorer, monter, réévaluer, rehausser,
relever, remonter, renchérir, surenchérir.

REVANCHE I. Compensation, consolation, dédommagement, réparation,
retour. **II.** Châtiment, némésis, œil
pour œil dent pour dent, punition,
représaille, ressentiment, rétorsion,
riposte, talion, vendetta, vengeance.
III. Loc. *En revanche :* à côté, au
contraire, en contrepartie, en outre,
en récompense, en retour, inverse-
ment, mais, par contre.

REVANCHER (SE) Châtier, corriger,
laver, punir, redresser, réparer, riposter,
sévir, se venger, vider une querelle.

RÊVASSER → *rêver.*

RÊVE I. Au pr. : onirisme, songe,
vision. **II. Par ext. 1.** Rêvasserie,
rêverie, songerie. **2.** Cauchemar, phantasme. **3.** Ambition, espérance. →
désir. **4.** Conception, idée, imagination. **5.** Château en Espagne, chimère,
fiction, illusion, mirage, utopie.

REVÊCHE I. Quelque chose :
rêche, rude. **II. Quelqu'un :** abrupt,
acariâtre, âcre, aigre, âpre, bourru,
difficile, dur, hargneux, intraitable,
massacrant, porc-épic, quinteux, rébarbatif, rebours (vx), rêche, renfrogné,
rogue, rude.

RÉVEIL I. → *horloge.* **II.** → *renaissance.*

RÉVEILLE-MATIN → *horloge.*

RÉVEILLER I. Éveiller, sonner le
branle-bas (fig. et fam.), tirer du
sommeil. **II.** → *ranimer.*

RÉVEILLON → *repas.*

RÉVÉLATEUR, TRICE Accusateur,
caractéristique, déterminant, distinctif,
essentiel, particulier, personnel, propre,
saillant, significatif, spécifique, symptomatique, typique.

RÉVÉLATION Aveu, confidence,
déclaration, divulgation, indiscrétion,
initiation, instruction, mise au courant/
au parfum (fam.).

RÉVÉLER I. Au pr. 1. Arborer,
déballer, déployer, désigner, développer, étaler, exhiber, exposer, indiquer,
présenter, représenter. **2.** Découvrir,
dégager, dénuder, dessiner, donner,
faire/laisser deviner, manifester. **3.**
Apprendre, avouer, confesser, confier,
déceler, déclarer, découvrir, dénoncer,
dévoiler, dire, divulguer, exposer,
laisser percer/voir, lever le voile,
mettre au jour, montrer, s'ouvrir, percer
à jour, publier, trahir (péj.), vendre la
mèche (fam.). **4.** Apercevoir, comprendre, discerner, reconnaître, remarquer, repérer, saisir, voir. **II. Fig. 1.**
Décrire, démasquer, dépeindre, dévoiler, évoquer, offrir, mettre dans,

peindre, raconter. **2.** Démontrer, dire, écrire, établir, prouver, signaler, souligner. **3.** Annoncer, attester, déceler, dénoncer, dénoter, enseigner, exhaler, instruire, produire, témoigner. **4.** Accuser, affecter, afficher, affirmer, déclarer, faire briller/entendre/montrer de/voir, marquer, respirer.

RÉVÉLER (SE) Apparaître, être, paraître, ressortir, surgir *et les formes pronom. possibles des syn. de* RÉVÉLER.

REVENANT Apparition, double, ectoplasme, esprit, fantôme, ombre, spectre, vision.

REVENANT-BON → *bénéfice.*

REVENDEUR, EUSE → *marchand.*

REVENDICATION Adjuration, appel, conjuration, demande, démarche, desiderata, désir, doléance, exigence, imploration, instance, interpellation, interrogation, pétition, placet, plainte, prétention, prière, protestation, question, quête (vx), réclamation, recours, récrimination, requête, sollicitation, sommation, souhait, supplique, vœu, volonté.

REVENDIQUER Adresser/faire/former/formuler/présenter une revendication *et les syn. de* REVENDICATION, briguer, demander, désirer, dire, enjoindre, exiger, exprimer un désir/une revendication/un souhait, implorer, imposer, insister, interpeller, interroger, mander, mendier (péj.), ordonner, pétitionner, se plaindre, postuler, prescrire, présenter un cahier de doléances/un placet/une requête/une revendication/une supplique, prétendre à, prier, protester, quémander, questionner, quêter (vx), rechercher, réclamer, récriminer, requérir, solliciter, sommer, souhaiter, supplier, vouloir.

REVENIR I. Au pr. : faire demi-tour, se rabattre, rallier, se ramener (fam.), rappliquer (fam.), rebrousser chemin, reculer, refluer, regagner, réintégrer, rejoindre, rentrer, reparaître, repasser, retourner, retourner en arrière/sur ses pas. **II. Par ext. 1.** S'occuper de, se remettre à, reprendre, retourner à. → *recommencer.* **2.** → *revoir.* **3.** Afférer, incomber, retomber sur. **III. Loc. 1. *Revenir sur sa parole :*** annuler, se contredire, déclarer forfait, se dédire, se délier, se démentir, se désavouer, se désister, manquer à sa parole, se raviser, reprendre sa parole, se rétracter. **2. *Revenir sur quelque chose*** → *répéter.* **3. *Revenir de loin*** → *rétablir (se).* **4. *Revenir à quelqu'un*** → *plaire.* **5. *Revenir à tel prix*** → *valoir.* **6. *Revenir à de meilleurs sentiments :*** s'amender, se convertir. → *réconcilier (se).*

REVENU Arrérages, avantage, bénéfice, casuel, commende (relig. et vx), dividende, dotation, fermage, fruit, gain, intérêt, loyer, mense (vx), pension, prébende, produit, profit, rapport, recette, redevance, rente, rentrée, royalties, salaire, tontine, usufruit, viager.

RÊVER I. Au pr. : faire des rêves. **II. Par ext. :** bayer, bayer aux corneilles (fam.), béer, être dans les nuages (fam.), être distrait, rêvasser, songer. **III. Fig. 1.** Ambitionner, aspirer à, convoiter, désirer, rechercher, souhaiter. → *vouloir.* **2.** Forger, imaginer, méditer, projeter, réfléchir. → *penser.* **3. *Non favorable :*** divaguer. → *déraisonner.*

RÉVERBÉRATION Diffusion, rayonnement, reflet, réflexion.

RÉVERBÉRER Diffuser, faire écho, réfléchir, refléter, rendre, renvoyer, répercuter, reproduire, transmettre.

RÉVÉRENCE I. Au pr. 1. Considération, courtoisie, déférence, égard, estime, honneur, respect, vénération. **2.** Affection, culte, piété. **3.** Amour-propre, pudeur, réserve. **II. Par ext. :** courbette, hommage, inclination de tête, plongeon (fam.), salamalec (péj.), salut.

RÉVÉRENCIEUX, EUSE Cérémonieux, déférent, humble, obséquieux (péj.), poli, respectueux.

RÉVÉRER Adorer, avoir/célébrer/rendre un culte, déifier, encenser, estimer, glorifier, gratifier d'estime/de faveur/d'honneur, honorer, magnifier, respecter, saluer la mémoire, tenir en estime.

RÊVERIE I. → *rêve.* **II.** → *illusion.*

REVERS I. Derrière, dos, doublure, envers, parement, pile, repli, retroussis, verso. **II.** Accident, aventure fâcheuse, déboire, déception, désillusion, échec, épreuve, infortune, insuccès, malchance, malheur, orage, traverse, vicissitude. → *défaite.*

REVERSER → *rembourser.*

REVÊTEMENT Asphaltage, boisage, chape, chemise, crépi, cuirasse, enduit, enveloppe, parement, protection.

REVÊTIR I. → *vêtir.* **II.** → *recouvrir.* **III.** → *orner.* **IV.** → *pourvoir.*

REVÊTU I. → *vêtu.* **II.** Armé, blindé, couvert, cuirassé, défendu, flanqué, fortifié, garanti, muni, paré, préservé, protégé.

RÊVEUR, EUSE Absent, absorbé, abstrait, contemplatif, dans les nuages (fam.), méditatif, occupé, pensif, préoccupé, songeur, soucieux.

REVIGORER Aider, conforter, consoler, ragaillardir, ranimer, ravigoter, raviver, réconforter, refaire, relever le courage/les forces/ le moral, remettre, remonter, réparer, requinquer (fam.), restaurer, rétablir, retaper, soutenir, stimuler, sustenter.

REVIREMENT Cabriole, palinodie, pirouette, retournement, volte-face. → *changement.*

REVISER I. → *revoir.* **II.** → *réparer.* **III.** → *répéter.*

REVISEUR Censeur, correcteur, corrigeur.

REVISION I. → *vérification.* **II.** → *amélioration.*

REVIVIFIER Animer, augmenter, encourager, exalter, exciter, raffermir, ranimer, ravigoter, raviver, réchauffer, rehausser, relever, remonter, ressusciter, rétablir, retaper, retremper, réveiller, revigorer, vivifier.

REVIVRE I. Au pr. : renaître, se renouveler, respirer, ressusciter. **II. Fig. :** évoquer. → *rappeler (se).*

RÉVOCATION I. Abolition, abrogation, annulation, contrordre, dédit. **II. De quelqu'un :** congédiement, destitution, licenciement, renvoi, suspension.

REVOIR I. Au pr. : examiner, reconsidérer, revenir sur, reviser. **II. Par ext. 1.** Châtier, corriger, fatiguer, limer, polir, raboter, raccommoder, rapetasser, rapiécer, ravauder, rectifier, réformer, remanier, reprendre, retoucher. **2.** → *rappeler (se).* **3.** → *répéter.*

RÉVOLTANT, E Bouleversant, choquant, criant, dégoûtant, indigne.

RÉVOLTE Action, agitation, chouannerie, contestation, désobéissance, dissidence, ébullition, effervescence, émeute, faction, fermentation, feu, guerre civile, insoumission, insubordination, insurrection, jacquerie, lutte, mouvement, mutinerie, opposition, putsch, rébellion, résistance, révolution, rouspétance (fam.), sécession, sédition, soulèvement, violence.

RÉVOLTÉ, E I. Activiste, agitateur, contestataire, dissident, émeutier, factieux, insoumis, insurgé, meneur, mutin, rebelle, réfractaire, révolutionnaire, séditieux. **II.** → *outré.*

RÉVOLTER Choquer, dégoûter, écœurer, fâcher, indigner, soulever.

RÉVOLTER (SE) I. Au pr. : entrer en lutte, s'insurger, se mutiner, se rebeller, résister, se soulever. **II. Par ext. :** se cabrer, contester, crier au scandale, désobéir, se dresser/ s'élever contre, être rempli d'indignation, se fâcher, s'indigner, refuser, regimber, renâcler.

RÉVOLU, E Accompli, achevé, déroulé, écoulé, fini, passé, sonné (fam.), terminé.

RÉVOLUTION I. Au pr. : circuit, courbe, cycle, rotation. **II. Par ext.**

1. Bouleversement, cataclysme, chambardement, changement, convulsion, incendie, renversement, tourmente. **2.** → *révolte.*

RÉVOLUTIONNAIRE Activiste, agitateur, anarchiste, communard, contestataire, insurgé, jacobin, militant, novateur, rebelle, républicain (vx), séditieux, terroriste. → *révolté.*

RÉVOLUTIONNER I. Agiter, bouleverser, chambarder, changer, remplacer. → *renverser.* **II.** → *émouvoir.*

REVOLVER → *pistolet.*

RÉVOQUER I. Casser, débarquer (fam.), débouter, déchoir, dégommer (fam.), dégoter (fam.), démettre de, démissionner, dénuer de, déplacer, déposer, dépouiller, destituer, détrôner, faire sauter (fam.), limoger, mettre en disponibilité, priver, rappeler, relever de ses fonctions, suspendre. **II.** → *abolir.* **III. Loc. Révoquer en doute :** contester, douter de, mettre en doute, nier, rejeter, suspecter.

REVUE I. Catalogue, cens, compte, dénombrement, détail, énumération, état, évaluation, inventaire, liste, litanie, recensement, rôle, statistique. **II.** Défilé, parade, prise d'armes. **III.** → *spectacle.* **IV.** Annales, bulletin, cahier, digest, gazette, hebdomadaire, illustré, journal, livraison, magazine, mensuel, organe, périodique, publication.

RHABILLER → *réparer.*

RHAPSODE → *poète.*

RHAPSODIE I. → *mélange.* **II.** → *ramas.*

RHÉTEUR → *orateur.*

RHÉTORIQUE → *éloquence.*

RHUM Alcool, eau-de-vie, ratafia, tafia.

RHUMATISME Arthrite, arthrose, douleurs, goutte, lumbago, polyarthrite.

RHUME Catarrhe, coryza, coup de froid, enchifrènement (fam.), grippe, refroidissement, rhinite, toux.

RIANT, E I. → *réjoui.* **II.** → *gracieux.*

RIBAMBELLE → *suite.*

RIBAUD, E I. → *vaurien.* **II.** → *prostituée.*

RIBOTE Godaille (vx), noce, orgie. → *débauche.*

RICANEMENT → *raillerie.*

RICANER → *rire.*

RICANEUR, EUSE Contempteur, méprisant, moqueur.

RICHE I. Quelqu'un : aisé, argenteux (pop.), boyard (fam.), calé (vx), capitaliste, cossu (fam.), cousu d'or (fam.), crésus, florissant, fortuné, galetteux (fam.), gros (fam.), heureux, huppé (fam.), milliardaire, million-

naire, milord (fam.), multimillionnaire, nanti, opulent, parvenu, pécunieux, ploutocrate (péj.), possédant,
pourvu, prospère, renté, rentier, richard (péj.), richissime, rupin (fam.),
satrape (péj.). **II. Quelque chose.**
1. → *fertile.* **2.** Abondant, copieux,
éclatant, fastueux, luxueux, magnifique, nourri, plantureux, somptueux.
→ *beau.* **3.** Raffiné, nourrissant, succulent.

RICHESSE I. Au pr. 1. Argent,
moyens, or, pactole, ressources,
trésor. **2.** Aisance, avoir, biens,
fortune, opulence, prospérité. **II. Par
ext. 1.** Abondance, apparat, beauté,
confort, débauche (par ext.), éclat,
excès, faste, luxe, majesté, magnificence, opulence, pompe, profusion,
somptuosité, splendeur, surabondance. **2.** → *fertilité.*

RICOCHER → *sauter.*

RICOCHET I. Au pr. → *saut.* **II.
Fig. :** choc en retour, conséquence,
éclaboussure, effet, rebondissement,
retour. → *suite.*

RICTUS → *grimace.*

RIDE I. Au pr. : creux, ligne, patte-
d'oie, pli, raie, sillon. **II. Par ext. :**
fente, gerçure, inégalité, onde, plissement, rainure, rayure, strie.

**RIDÉ, E I. Quelque chose. 1.
Neutre :** doublé, fraisé, froncé,
ondulé, plié, plissé, ruché. **2. Non
favorable :** chiffonné, fripé, froissé,
grimaçant, grippé. **II. La peau :**
froncé, parcheminé, raviné.

RIDEAU I. Banne, brise-bise, cantonnière, ciel de lit, courtine, custode
(relig.), draperie, étoffe, moustiquaire,
portière, store, tenture, toile, voilage,
voile. **II.** Écran, ligne, obstacle, tablier.

RIDER I. Au pr. : froncer, marquer,
plisser, raviner, sillonner. **II. Fig. 1.**
Convulser, crisper. **2.** Flétrir, ravager.
3. Rabougrir, ratatiner.

RIDICULE I. Adj. : absurde, amusant, bête, bizarre, bouffon, burlesque,
caricatural, cocasse, comique, dérisoire, drôle, funambulesque, incroyable, insensé, grotesque, loufoque,
prudhommesque, saugrenu, sot. →
risible. **II. Nom masc. 1. Quelqu'un :** bouffon, galantin, gandin,
jocrisse, m'as-tu-vu, mijaürée, pecque,
plaisantin, précieux, rigolo (fam.).
→ *plaisant.* **2. Un comportement :**
défaut, imperfection, travers.

RIDICULISER Affubler, bafouer, brocarder, caricaturer, chansonner, dégrader, draper, habiller, moquer, railler, rire de, tourner en dérision/en
ridicule.

RIEN I. Adv. : aucunement, goutte
(vx), mie (vx), pas, point. **II.**

Interj. : bernique (fam.), des clous
(fam.), des nèfles (fam.), macache
(fam.), néant, non, oualou (fam.),
peau de zébi (fam.). **III. Nom masc.
1.** Absence, inanité, néant, peu de
chose, vide, zéro. **2.** → *bagatelle.*

RIEUR, RIEUSE Bon vivant, boute-
en-train, content, enjoué, épanoui,
gai, guilleret, heureux, hilare, joyeux,
réjoui, riant, Roger-Bontemps, vive-
la-joie.

RIGIDE I. Au pr. : dur, empesé,
engoncé, inflexible, guindé, raide.
II. Fig. : ascétique, austère, étroit,
grave, implacable, inhumain, insensible, janséniste, puritain, rigoriste,
rigoureux, sec, sévère, spartiate.

RIGIDITÉ I. Au pr. : consistance,
dureté, raideur, résistance, solidité.
II. Fig. : ascétisme, austérité, gravité,
implacabilité, inclémence, inflexibilité,
insensibilité, jansénisme, puritanisme,
rigorisme, rigueur, rudesse, sécheresse,
sévérité.

RIGOLADE → *divertissement.*

RIGOLE Canal, caniveau, cassis,
coupure, fossé, goulotte, ruisseau,
ruisselet, ruisson, saignée.

RIGOLER I. → *badiner.* **II.** → *plaisanter.* **III.** → *rire.*

RIGOLO, OTE I. Amusant, comique,
drôle, marrant (fam.), plaisant, poilant
(fam.), torboyautant (fam.), tordant.
→ *risible.* **II.** → *plaisant.*

RIGORISME → *rigidité.*

RIGOUREUSEMENT Absolument,
âprement, étroitement, exactement,
formellement, logiquement, mathé-
matiquement, précisément, scrupu-
leusement, strictement, totalement,
*et les adv. en -ment formés à partir
des syn. de* RIGOUREUX.

**RIGOUREUX, EUSE I. Quel-
qu'un.** → *rigide.* **II. Quelque chose.
1. Neutre :** certain, exact, géométrique, implacable, juste, logique,
mathématique, méticuleux, nécessaire, ponctuel, précis, serré, strict.
2. Non favorable : âpre, cruel, draconien, excessif, froid, glacial, inclément, rude, sévère.

RIGUEUR I. Non favorable. 1.
Âpreté, cruauté, dureté, inclémence.
2. Frimas, froid, intempérie. **3.** →
rigidité. **II. Favorable ou neutre :**
fermeté, rectitude. → *précision.*

RIME I. → *consonance.* **II.** → *vers.*

RIMER I. → *composer.* **II.** → *correspondre.*

RIMEUR → *poète.*

RINCÉE → *pluie.*

RINCER I. → *mouiller.* **II.** → *laver.*

RING Estrade, planches, podium.

RIPAILLE Bâfre, bâfrée, bamboche,
bombance, bombe, ribote. → *festin.*

RIPAILLER I. → *festoyer*. II. → *manger*.

RIPOPÉE → *mélange*.

RIPOSTE I. → *réponse*. II. → *vengeance*.

RIPOSTER → *répondre*.

RIQUIQUI I. **Nom masc. 1.** Alcool, brandevin, eau-de-vie, esprit-de-vin, mêlé, mêlé-cass (pop.), mêlé-cassis, tord-boyaux (fam.). **2.** Auriculaire, petit doigt. II. **Adj. :** étriqué, mesquin, minable, parcimonieux, pauvre. → *petit*.

RIRE v. intr. **I. Au pr. :** se bidonner (fam.), se boyauter (fam.), se dérider, se désopiler, se dilater la rate (fam.), éclater de rire, s'esclaffer, se fendre la pêche (fam.)/la pipe (fam.)/la poire (fam.)/la pomme (fam.), glousser, se gondoler (fam.), se marrer (fam.), pleurer de rire, se poiler (fam.), pouffer, rigoler (fam.), rioter (vx), sourire, se tirebouchonner, se tordre. **II. Par ext. 1.** S'amuser, se divertir, s'égayer, s'en payer (fam.), prendre du bon temps, se réjouir, rigoler. **2.** Badiner, baratiner (fam.), jouer, plaisanter. **III. Loc.** *Rire de quelqu'un :* brocarder, dédaigner, mépriser, se moquer, narguer, nasarder (vx), railler, ridiculiser, tourner en ridicule.

RIRE n. **I. Au pr. :** éclat, enjouement, fou rire, hilarité, rigolade (fam.). → *gaieté*. **II. Par ext. :** raillerie, ricanement, rictus, ris, risée, risette, sourire, souris.

RISÉE I. → *rire*. II. → *raillerie*. III. → *rafale*.

RISIBLE Amusant, bidonnant (fam.), bouffon, boyautant (fam.), cocasse, comique, crevant (fam.), désopilant, drolatique, drôle, exhilarant, farce, fou, gondolant (fam.), gonflant (fam.), hilarant, impayable, ineffable, inénarrable, marrant (fam.), plaisant, ridicule, rigolo (fam.), roulant (fam.), tordant (fam.), transpoil (fam.).

RISQUE I. → *danger*. II. → *hasard*.

RISQUÉ, E I. Aléatoire, audacieux, aventureux, chanceux, dangereux, exposé, fou, gratuit, hardi, hasardé, hasardeux, imprudent, incertain, misé, osé, périlleux, téméraire, tenté. II. Scabreux. → *obscène*.

RISQUER I. **Au pr. :** affronter, aventurer, braver, commettre, compromettre (péj.), courir le· hasard/le risque *et les syn. de* RISQUE, se décider, défier, émettre, engager, entreprendre, éprouver, essayer, exposer, friser, frôler, hasarder, jouer, jouer gros jeu/son va-tout, se lancer, mettre en danger/en jeu, risquer le paquet (fam.), tenter. II. **Par ext.** → *expérimenter*.

RISQUE-TOUT → *hardi*.

RISSOLER Cuire, dorer, gratiner, mijoter, rôtir.

RISTOURNE Bonification, déduction, diminution, escompte, guelte, prime, quelque chose (fam.), rabais, réduction, remise, sou du franc, tant pour cent.

RIT, RITE I. **Au pr. 1.** → *cérémonie*. **2.** → *protocole*. II. **Par ext.** → *habitude*.

RITOURNELLE Antienne, chanson, chant, leitmotiv, rabâchage (péj.), refrain, rengaine, répétition, scie.

RITUEL n. I. **Au pr. :** pénitentiel, pontifical, processionnal, sacramentaire. II. **Par ext. 1.** → *rite*. **2.** Livre, recueil. → *collection*.

RITUEL, ELLE adj. → *traditionnel*.

RIVAGE I. → *bord*. II. → *pays*.

RIVAL, E I. **Au pr. :** adversaire, antagoniste, combattant, compétiteur, concurrent, égal, émulateur, émule, ennemi, opposant. II. **Par ext.** → *amant*.

RIVALISER I. → *égaler*. II. → *lutter*.

RIVALITÉ Antagonisme, combat, compétition, concours, concurrence, conflit, émulation, jalousie, joute, lutte, opposition, tournoi.

RIVE → *bord*.

RIVER I. → *fixer*. II. → *attacher*.

RIVERAIN, E Adjacent, attenant, avoisinant, circonvoisin, contigu, environnant, immédiat, joignant, limitrophe, proche, prochain, rapproché, voisin.

RIVET → *pointe, attache*

RIVIÈRE I. **Au pr. :** affluent, canal, collecteur, cours d'eau, émissaire, fleuve, gave, oued, ravine, ru, ruisseau, torrent, voie fluviale. II. **Loc.** *Rivière de diamants* → *collier*.

RIXE Affrontement, altercation, bagarre, bataille, batterie (vx), combat, coups et blessures, crêpage de chignons, crosses (fam.), dispute, échauffourée, lutte, mêlée, noise, pugilat, querelle.

ROBE I. **Au pr. :** aube, cafetan, chiton, déshabillé, djellaba, épitoge, fourreau, froc, gandoura, haïk, peignoir, péplum, rochet, sari, surplis, soutane, toilette, tunique. → *vêtement*. II. **Par ext. 1.** → *poil*. **2.** → *enveloppe*.

ROBINET Chantepleure, doisil, dousil, douzil, fausset, prise, vanne.

ROBINETTERIE **Par ext. :** sanitaire, tuyauterie.

ROBORATIF, IVE → *remontant*.

ROBOT Androïde, automate, engin cybernétique/à commande automatique, machine de Vaucanson.

ROBUSTE Costaud, dru, ferme, fort, fort comme un chêne/comme un Turc (fam.), grand, gros, herculéen, inébranlable, infatigable, malabar, musclé, puissant, râblé, résistant, solide, vigoureux, vivace.

ROC → *roche.*

ROCADE → *voie.*

ROCAILLEUX, EUSE I. Au pr. : caillouteux, graveleux, pierreux, rocheux. **II. Par ext.** → *rude.*

ROCAMBOLE I. → *plaisanterie.* **II.** → *bagatelle.*

ROCAMBOLESQUE Abracadabrant, bizarre, drôle, ébouriffant, étonnant, étrange, exceptionnel, exorbitant, extraordinaire, extravagant, fantastique, formidable, impensable, impossible, improbable, inconcevable, incroyable, inimaginable, insoutenable, invraisemblable, paradoxal, renversant.

ROCHE, ROCHER Bloc, caillasse, caillou, galet, minéral, moellon, parpaing, pavé, roc, sédiment. → *pierre.*

ROCHET Aube, froc, surplis.

ROCHEUX, EUSE → *rocailleux.*

ROCOCO I. Au pr. : rocaille. **II. Par ext. :** ancien, antique, baroque, caduc, chargé, de mauvais goût, démodé, désuet, lourd, passé, périmé, sans valeur, suranné, surchargé, toc (fam.), vieilli, vieillot, vieux.

RODER → *polir.*

RÔDER Aller à l'aventure/à l'aveuglette/au hasard/çà et là, se balader (fam.), battre l'estrade/le pavé, courir les champs/les rues, courir, déambuler, dévier de sa route/son chemin, divaguer, s'égarer, errer, flâner, marcher, se perdre, se promener, rouler sa bosse, traînasser, traîner, trimarder, vadrouiller, vagabonder, vaguer.

RÔDEUR, EUSE Chemineau, ribleur (vx), vagabond, → *malfaiteur.*

RODOMONT → *hâbleur.*

RODOMONTADE Blague, bluff, bravade, braverie, broderie, charlatanerie, conte, crânerie, craque, exagération, fanfaronnade, farce, forfanterie, galéjade, gasconnade, hâblerie, histoire marseillaise, jactance, mensonge, menterie (vx), vantardise, vanterie.

ROGATON I. → *reste.* **II.** → *rognure.*

ROGNER I. Au pr. → *retrancher.* **II. Fam.** → *murmurer.*

ROGNURE Balayure, bris, chute, copeau, débris, déchet, décombre, détritus, fragment, limaille, miette, morceau, rebut, recoupe, résidu, reste, rogaton, sciure, tesson.

ROGUE I. Abrupt, acariâtre, âcre, aigre, âpre, bourru, difficile, dur, hargneux, intraitable, massacrant,

porc-épic, quinteux, rébarbatif, rebours (vx), rêche, renfrogné, revêche, rude. **II.** → *arrogant.*

ROI I. Au pr. : autocrate, césar, chef, despote (péj.), dynaste, empereur, grand mogol, khan, majesté, monarque, potentat (péj.), prince, shah, seigneur, souverain, sultan, tyran (péj.). **II. Fig.** → *phénix.*

RÔLE I. Bordereau, catalogue, énumération, tableau. → *liste.* **II.** Emploi, figuration, figure, fonction, personnage, utilité. **III.** Attribution, charge, devoir, métier, mission, vocation.

ROMAINE I. Balance, fléau, peson. **II.** Chicon, laitue, salade, verdure.

ROMAN I. Au pr. : chronique, conte, fable, feuilleton, histoire, narration, nouvelle, récit. **II. Par ext. :** affabulation, bateau, bobard, bourde, cancan, chanson, colle, craque, farce, hâblerie, invention, invraisemblance, mensonge, racontar, ragot.

ROMANCE → *chant.*

ROMANCER Affabuler, amplifier, arranger, blaguer, broder, composer, conter, dire/faire/raconter des blagues/ contes / craques / galéjades / histoires, échafauder, exagérer, faire le malin, fanfaronner, forger, galéjer (fam.), hâbler, inventer, mentir, se vanter.

ROMANCIER, ÈRE Feuilletoniste. → *écrivain.*

ROMANESQUE I. Quelque chose. → *extraordinaire.* **II. Quelqu'un :** chevaleresque, émotif, hypersensible, imaginatif, impressionnable, romantique, rêveur, sensible, sensitif, sentimental.

ROMANICHEL, ELLE Baraquin (péj.), bohémien, boumian, fils du vent, gipsy, gitan, nomade, roma, romé, romano, sinte, tzigane, zing, zingaro.

ROMANTIQUE → *romanesque.*

ROMBIÈRE → *virago.*

ROMPRE I. V. tr. 1. Briser, broyer, casser, couper, déchirer, désunir, détruire, disloquer, disperser, faire éclater, fendre, forcer, fracasser, fractionner, fracturer, interrompre, morceler. **2.** Abolir, annuler, arrêter, barrer, défaire, dissoudre, empêcher, interrompre, suspendre, troubler. **3.** Se dégager de, dénoncer, dénouer, déroger à, manquer à. → *libérer (se).* **4.** → *habituer.* **5.** → *désobéir.* **II. V. intr. 1.** Abandonner, battre en retraite, caler, caner (fam.), céder, culer, décrocher, faire machine/ marche arrière, flancher, fléchir, foirer (fam.), lâcher pied, reculer, refluer, refouler, se rejeter, se replier, rétrograder. **2.** Casser, céder, claquer, craquer, crever, éclater, s'étoiler,

se fendre, péter (fam.), se rompre.
III. Loc. *Rompre des lances* → *lutter.*

ROMPU, E I. Quelqu'un. 1. Phys. : accablé, assommé, avachi, brisé, claqué, courbatu, courbaturé, crevé, échiné, écrasé, épuisé, éreinté, esquinté, excédé, exténué, fatigué, flapi, fourbu, harassé, las, mort, moulu, pompé, recru, rendu, roué de fatigue, scié, surentraîné, sur les dents, surmené, vanné, vaseux, vermoulu, vidé. **2. Par ext. :** abattu, abruti, accablé, assommé, blasé, brisé, cassé, dégoûté, démoralisé, déprimé, écœuré, ennuyé, excédé, importuné, lassé, saturé. **II. Quelque chose. 1.** Aplati, brisé, broyé, cassé, défoncé, déglingué, démoli, descellé, détruit, disloqué, ébouillé (fam.), éclaté, écrasé, en miettes, fracassé, morcelé. **2.** Brusque, convulsif, discontinu, haché, heurté, irrégulier, saccadé, sautillant, syncopé, trépidant.

RONCHONNER I. Bougonner, bourdonner, broncher, gémir, geindre, grognasser, grogner, grognonner, grommeler, gronder, marmonner, marmotter, maronner, maugréer, murmurer, se plaindre, protester, ragonner (fam.). **II.** Bisquer, écumer, endêver, enrager, être en colère/en fureur/en rogne (fam.), fumer (fam.), râler, rager, rogner, rognonner (fam.), se ronger les poings, rouspéter.

ROND n. **I. Au pr. :** cercle, cerne, circonférence, orbe, orbite. **II. Par ext. :** boule, cerceau, courbe, cylindre, disque, globe, rondelle, sphère, sphéroïde.

ROND, RONDE adj. **I. Au pr. :** circulaire, cylindrique, orbiculaire, sphérique. **II. Par ext. 1.** → *gras.* **2.** → *gros.* **III. Fig. 1.** → *franc.* **2.** → *ivre.*

ROND-DE-CUIR → *employé.*

RONDE → *visite.*

RONDE (À LA) Alentour, autour, aux alentours, aux quatre coins, dans l'entourage/le voisinage.

RONDEAU → *chant.*

RONDELET, ETTE I. Au pr. *Quelqu'un :* boulot, charnu, dodu, gras, grosset, rebondi, rondouillard (fam.), rondouillet (fam.). → *gros.* **II. Fig.** *Quelque chose :* appréciable, coquet. → *important.*

RONDELLE → *tranche.*

RONDEMENT I. Franchement, loyalement. **II.** Lestement, promptement. → *vite.*

RONDEUR I. Au pr. : convexité, rotondité. **II. Fig. 1.** Embonpoint. → *grosseur.* **2.** Bonhomie, bonne foi, cordialité, franchise, jovialité, loyauté, netteté, simplicité, sincérité.

RONDOUILLARD, E, RONDOUILLET, ETTE → *rondelet.*

ROND-POINT Carrefour, croisée des chemins, étoile, patte-d'oie, place, square.

RONFLANT, E I. → *sonore.* **II.** → *emphatique.*

RONFLEMENT → *bourdonnement.*

RONFLER I. Bourdonner, bruire, fredonner, froufrouter, murmurer, ronronner, vrombir. **II.** → *dormir.*

RONGER I. Au pr. : grignoter, dévorer, manger, mouliner, piquer. **II. Par ext. :** affouiller, altérer, brûler, consumer, corroder, dégrader, désagréger, détruire, diminuer, dissoudre, entamer, éroder, gangrener, miner, mordre, pourrir, ruiner. **III. Fig.** → *tourmenter.*

RONGEUR, EUSE Corrosif, insidieux, lancinant. → *mordant.*

RONRON → *bourdonnement.*

ROQUENTIN → *vieillard.*

ROQUET → *chien.*

ROSACE → *vitrail.*

ROSIÈRE → *vierge.*

ROSEAU I. Au pr. : arundo, canne, massette, phragmite. **II. Par ext. :** calame, chalumeau, mirliton, pipeau.

ROSSARD, E I. Cancre, clampin, cossard, fainéant, flemmard, indolent, lézard, momie, mou, négligent, nonchalant, paresseux, tire-au-cul (fam.), tire-au-flanc (fam.). **II.** → *méchant.*

ROSSE I. Nom → *cheval.* **II. Adj.** → *méchant.*

ROSSÉE → *roulée.*

ROSSERIE I. Le défaut : cruauté, dureté, hargne, jalousie, malice, malignité, malveillance, mauvaiseté, méchanceté, noirceur, perversité, scélératesse, vacherie (fam.). **II. L'acte :** calomnie, couleuvre, coup d'épingle, crasse, crosse, espièglerie, farce, gentillesse, médisance, mistoufle, noirceur, perfidie, saleté, saloperie, taquinerie, tour, tourment, vacherie. **III.** Épigramme, mot, pique, plaisanterie, pointe, saillie, trait.

ROSSIGNOL I. Pouillot, rougequeue. **II.** Clef, crochet, passepartout, pince. **III.** → *occasion.*

ROSSINANTE Haridelle, rosse, sardine (arg.), → *cheval.*

ROT → *renvoi.*

RÔT → *rôti.*

ROTATIF, IVE, ROTATOIRE Giratoire, tournant.

ROTATION → *tour.*

ROTER I. Au pr. : éructer, faire un rot, se soulager. **II. Loc. fam.** *En roter :* en baver, en voir de toutes les couleurs. → *souffrir.*

RÔTI n. Pièce de bœuf/porc/veau, rosbif, rôt.

RÔTI, E adj. Grillé, havi, rissolé, saisi, torréfié.

RÔTIE n. Canapé, frottée (pop.), rissolette, toast.

RÔTIR I. Au pr. : cuire, cuisiner, frire, griller, havir, rissoler. **II. Par ext.** : bronzer, brûler, chauffer.

RÔTISSERIE → *restaurant.*

ROTONDITÉ I. → *rondeur.* **II.** → *grosseur.*

ROTURE → *peuple.*

ROTURIER, ÈRE I. Nom → *paysan.* **II. Adj. 1.** Ordinaire, plébéien, populaire, prolétaire, simple. **2.** → *vulgaire.*

ROUBLARD, E I. Sens affaibli : adroit, astucieux, combinard, débrouillard, dégourdi, déluré, farceur, ficelle, fin, finaud, fine mouche, futé, habile, madré, malicieux, malin, matois, narquois, renard, roué, rusé, sac à malices, spirituel, trompeur, vieux routier. **II. Non favorable** → *mauvais.*

ROUCOULER I. Au pr. : caracouler. → *chanter.* **II. Fig.** : aimer, baratiner (fam.), batifoler, caqueter, conter fleurette, faire sa cour, flirter, jeter du grain (fam.), marivauder, papillonner.

ROUE Engrenage, moulinet, poulie, volant.

ROUE (FAIRE LA) Faire le beau, se pavaner, se rengorger. → *poser.*

ROUÉ, E I. → *fatigué.* **II.** → *malin.* **III.** → *rusé.* **IV.** → *débauché.*

ROUELLE → *tranche.*

ROUER → *battre.*

ROUERIE → *ruse.*

ROUGE I. Au pr. : amarante, andrinople, bordeaux, brique, capucine, carmin, carotte, cerise, cinabre, coquelicot, corail, corallin, cramoisi, cuivré, écarlate, écrevisse, érubescent, feu, fraise, garance, géranium, grenat, groseille, gueules (blason), incarnadin, incarnat, lie-de-vin, nacarat, orangé, ponceau, pourpre, purpuracé, purpurin, rosé, roux, rubis, safrané, sang, sanglant, tomate, vermeil, vermillon, vineux. **II. Par ext.** : coloré, congestionné, couperosé, empourpré, enfiévré, enflammé, enluminé, érubescent, flamboyant, incandescent, pourpré, rougeaud, rougeoyant, rubescent, rubicond, rutilant, sanguin, vultueux. **III. Nom. 1.** → *rougeur.* **2.** → *honte.*

ROUGEUR I. → *rouge.* **II.** Couperose, érubescence, érythème, feu, inflammation, rubéfaction. **III. Fam.** : fard, soleil.

ROUGIR I. V. intr. : devenir rouge, piquer un fard (fam.)/un soleil (fam.).

II. V. tr. : colorer, dorer, ensanglanter, rendre rouge.

ROUGISSANT, E Par ext. → *timide.*

ROUILLER (SE) Fig. : s'ankyloser, s'étioler. → *endormir (s').*

ROULADE → *vocalise.*

ROULAGE → *trafic.*

ROULANT, E I. Adj. 1. → *mouvant.* **2. Fam.** → *comique.* **II. Nom** : convoyeur, transporteur.

ROULEAU I. Bande, bobine. **II.** Brise-mottes, croskill, cylindre.

ROULÉE Bastonnade, correction, danse, déculottée, dégelée, dérouillée, fessée, fricassée, frottée, peignée, pile, plumée, rossée, rouste, secouée, tannée, tatouillé, torniole, tournée, trempe, tripotée, valse, volée.

ROULER I. V. tr. 1. Déplacer, pousser. → *tourner.* **2.** Charrier, emporter, entraîner, transporter. **3.** Enrober, envelopper. **4.** → *tromper.* **5.** → *vaincre.* **6. Loc.** Rouler dans sa tête : faire des projets, penser. → *projeter.* **II. V. intr. 1.** → *mouvoir (se).* **2.** → *tomber.* **3.** → *errer.* **4.** → *balancer.* **5.** Avoir pour objet/ sujet, pivoter/porter/tourner sur, se rapporter à, toucher à, traiter de.

ROULER (SE) I. Se secouer, se tourner, se vautrer. **II.** S'enrouler, se lover.

ROULIER → *voiturier.*

ROULIS Balancement, mouvement transversal, oscillation, secousse.

ROULOTTE Caravane, maison ambulante, remorque.

ROUPILLER → *dormir.*

ROUQUIN, E → *roux.*

ROUSCAILLER → *protester.*

ROUSPÉTER I. → *protester.* **II.** → *rager.*

ROUSSÂTRE, ROUSSEAU (vx) → *roux.*

ROUSSEUR (TACHE DE) Lentigo, lentille, tache de son.

ROUSSIN → *âne.*

ROUSSIR Brûler, cramer, devenir roux, griller, havir, rougir.

ROUSTE → *roulée.*

ROUTE I. Au pr. : autoroute, autostrade, chaussée, chemin, pavé, trimard (arg.). → *voie.* **II. Par ext.** : distance, itinéraire, parcours. → *trajet.*

ROUTIER I. Camionneur, chauffeur/ conducteur de poids lourds. → *voiturier.* **II.** → *bandit.* **III. Loc. Vieux routier** → *malin.*

ROUTINE I. Empirisme, pragmatisme, pratique, usage → *expérience.* **II.** Chemin battu (fam.), misonéisme, ornière, poncif, traditionalisme, traintrain, trantran. → *habitude.*

ROUTINIER, ÈRE Accoutumé, arriéré, coutumier, encroûté, habituel, rebattu.

ROUX, ROUSSE I. Quelqu'un : auburn, blond vénitien, poil de carotte (fam.), queue-de-vache (péj.), rouge, rouquemoute (arg.), rouquin, roussâtre (péj.), rousseau (vx). **II. Un cheval :** alezan, baillet.

ROYAL, E I. Au pr. : monarchique, régalien. **II. Par ext. 1.** → *parfait.* **2.** → *imposant.*

ROYALEMENT Généreusement, magnifiquement, richement, splendidement, superbement.

ROYALISTE Chouan, légitimiste, monarchiste, orléaniste, traditionaliste, ultra.

ROYAUME → *Etat.*

ROYAUTÉ I. Au pr. : couronne, dignité royale, monarchie, sceptre, trône. **II. Par ext. :** influence, souveraineté. → *supériorité.*

RUADE I. Au pr. : coup de pied, dégagement, saut. **II. Fig. :** attaque, contestation, protestation, réaction.

RUBAN I. Au pr. : bande, cordon, cordonnet, faveur, liséré, galon, ganse, passementerie. **II. Par ext. 1.** Bouffette, cadogan, catogan, chou, coque, suivez-moi-jeune-homme. **2.** Bavolet, bourdaloue, brassard, cocarde. **3.** Décoration, insigne, rosette.

RUBICOND, E → *rouge.*

RUBRIQUE I. → *article.* **II.** → *titre.*

RUDE I. Au pr. 1. Abrupt, agreste, arriéré, barbare, brut, fruste, grossier, heurté, impoli, inculte, rustaud, rustique, sauvage. **2.** Aigre, âpre, brutal, cruel, froid, lourd, pénible, rigoureux, sec. **3.** Difficile, malheureux, pénible, redoutable, scabreux, triste. **4.** Cru, fort, `raide, râpeux, rêche, vert. **5.** Caillouteux, inégal, raboteux, rocailleux. **II. Par ext. 1.** Anguleux, austère, bourru, brusque, cahoteux, désagréable, dur, farouche, hérissé, malgracieux, rébarbatif, revêche, rigide, sévère. **2.** Heurté, rauque, rugueux. **3.** Drôle, fier, grand, lourd, sacré. **4.** → *rigoureux.* **5.** → *difficile.* **6.** → *terrible.*

RUDESSE Apreté, aspérité, austérité, barbarie, brusquerie, brutalité, cruauté, dureté, grossièreté, implacabilité, impolitesse, inclémence, raideur, rigidité, rigueur, rugosité, rusticité, sécheresse, sévérité.

RUDIMENT I. Commencement, embryon, germe, linéament. → *principe.* **II.** Abc, élément, essentiel. → *abrégé.*

RUDIMENTAIRE → *simple.*

RUDOYER Abîmer, accommoder, arranger, bafouer, battre, bourrer, brimer, brusquer, brutaliser, critiquer, crosser, éreinter, étriller, faire un

mauvais parti, frapper, houspiller, lapider, malmener, maltraiter, mâtiner (fam.), molester, ravauder, secouer, tarabuster, traîner sur la claie, traiter mal/sévèrement, traiter de Turc à More, tyranniser, violenter, vilipender.

RUE I. Au pr. : allée, artère, avenue, boulevard, chaussée, cours, passage, promenade, quai, ruelle, venelle. **II. Par ext. 1.** Asphalte, pavé, ruisseau, trottoir. **2.** → *voie.* **III. Loc. A la rue :** dehors, sans abri/domicile/ ressources. → *ruiné.*

RUÉE Attaque, course, curée, débandade, descente, désordre, invasion, panique.

RUELLE I. → *rue.* **II.** → *salon.*

RUER I. Au pr. : décocher/envoyer/ lâcher/lancer une ruade, dégager, ginguer, lever le cul/le derrière, récalcitrer, regimber. **II. Loc. Ruer dans les brancards** → *protester.*

RUER (SE) Assaillir, bondir, charger, débouler, s'élancer, foncer, fondre, se jeter, piquer, se précipiter, sauter, tomber sur.

RUGIR → *crier.*

RUGOSITÉ Apreté, aspérité, cal, callosité, dureté, inégalité, irrégularité. → *rudesse.*

RUGUEUX, EUSE → *rude.*

RUINE I. Au sing. 1. Au pr. : anéantissement, chute, décadence, dégradation, délabrement, déliquescence, démolition, désagrégation, destruction, détérioration, disparition, écrasement, écroulement, effondrement, renversement. **2. Par ext. :** affaiblissement, banqueroute, culbute, débâcle, déchéance, déconfiture, dégringolade, dépérissement, déroute, ébranlement, étiolement, faillite, fin, liquidation, malheur, mort, naufrage, pauvreté, perte. **3.** Dégât, désastre, ravage. **4. Fig. Quelqu'un :** chef-d'œuvre en péril (fam.), déchet, épave, larve, loque, son et lumière (fam.). **II. Au pl. :** débris, décombres, démolition, éboulement, reste, témoin, trace, vestige.

RUINÉ, E Fam. I. A la côte, à sec, au pied de la côte, coulé, dans la dèche, décavé, fauché, lessivé, liquidé, nettoyé, noyé, panné, paumé, perdu, râpé, ratatiné, rétamé, sur la paille. **II.** Épuisé, fatigué, vidé.

RUINER I. Au pr. 1. On ruine quelque chose : abattre, affaiblir, altérer, anéantir, balayer, battre en brèche, amener/causer/provoquer la ruine, consumer, couler, dégrader, délabrer, démanteler, démantibuler (fam.), démolir, désoler, détériorer, détruire, dévaster, dévorer, dissoudre, engloutir, épuiser, esquinter, étioler, exténuer, foudroyer, gâcher, gâter, miner, perdre, ravager, renverser, ronger, saper, user. **2. On ruine quelqu'un :** décaver, dégraisser (fam.), dépouiller, écraser, égorger, étrangler, expédier (vx), faire perdre, gruger, manger, mettre sur la paille, nettoyer, perdre, plumer, presser, pressurer, ronger, sucer, vider. **II. Par ext.** → *infirmer*.

RUINER (SE) S'écrouler, s'effriter, s'enfoncer, *et les formes pronom. possibles des syn. de* RUINER.

RUINEUX, EUSE → *cher*.

RUISSEAU I. → *rivière*. **II.** → *rigole*.

RUISSELER → *couler*.

RUISSELLEMENT → *écoulement*.

RUMEUR I. Au pr. : bourdonnement, brouhaha, murmure. **II. Par ext. 1.** Confusion, éclat, tumulte, → *bruit*. **2.** Avis, jugement, opinion, potin, ragot, → *médisance*.

RUMINANT Bovidé, camélidé, cervidé, girafidé, ovidé, tragulidé.

RUMINER I. Au pr. : mâcher, régurgiter, remâcher. **II. Fig. :** repasser, repenser, ressasser, revenir sur, → *penser*.

RUPESTRE Pariétal.

RUPIN, E → *riche*.

RUPTURE I. Au pr. : bris, brisement, cassage, décalage, destruction, écart, fracture. **II. Fig. 1.** Annulation, arrêt, cessation, dénonciation, interruption, point mort, suspension. **2.** Brouille, brouillerie, désaccord, désagrégation, désunion, détérioration, discorde, dispute, dissension, dissentiment, dissidence, divergence, division, divorce, froid, mésentente, mésintelligence, nuage, orage, séparation, tension, zizanie.

RURAL Agreste, bucolique, campagnard, champêtre, pastoral, rustique. → *paysan*.

RUSE Adresse, art, artifice, astuce, attrape-nigaud, carotte (fam.), cautèle, chafouinerie, chausse-trappe, détour, diplomatie, échappatoire, embûche, faux-fuyant, feinte, ficelle, finasserie, finesse, fourberie, fraude, habileté, intrigue, invention, machiavélisme, machination, machine, malice, manœuvre, matoiserie, méandre, perfidie, piège, politique, retour (vén.), rets, roublardise, rouerie, rubrique (vx),

stratagème, stratégie, subterfuge, subtilité, tactique, trame, tromperie, truc (fam.).

RUSÉ, E Adroit, artificieux, astucieux, cauteleux, chafouin, diplomate, ficelle, fin, finasseur, finaud, fourbe, futé, habile, inventif, loup, machiavélique, madré, malicieux (vx), malin, matois, narquois, normand, perfide, politique, renard, retors, roublard, roué, subtil, tortueux, trompeur.

RUSH → *afflux*.

RUSTAUD, E Balourd, grossier, lourd, malotru, paysan, peigne-cul, rustique, rustre, sauvage → *impoli*.

RUSTICITÉ I. Non favorable : balourdise, brutalité, goujaterie, grossièreté, impolitesse, lourdeur, rustauderie, rustrerie. **II. Favorable :** dépouillement, frugalité, modération, pondération, sobriété, tempérance. → *simplicité*.

RUSTIQUE I. Au pr. 1. *Neutre :* agreste, bucolique, campagnard, champêtre, pastoral, rural → *simple*. **2. *Non favorable :*** abrupt, arriéré, balourd, barbare, bestial, brut, fruste, grossier, impoli, inculte, lourd, rustaud, rustre, sauvage. **II. Par ext. :** endurant, increvable (fam.), fort, nerveux, résistant, robuste, solide, tenace, vivace.

RUSTRE I. → *paysan*. **II.** → *rustique, impoli*.

RUT Amour, chaleur, chasse, désir, retour à l'espèce.

RUTILANT, E Ardent, brasillant, brillant, éclatant, étincelant, flamboyant → *rouge*.

RUTILER → *briller*.

RYTHME Accord, assonance, balancement, bercement, cadence, eurythmie, harmonie, mesure, mètre, mouvement, nombre, retour, son, tempo, temps, va-et-vient.

RYTHMÉ, E Assonancé, balancé, cadencé, équilibré, harmonieux, mesuré, rythmique, scandé.

RYTHMER I. Accorder, cadencer, donner du rythme, harmoniser, mesurer. **II.** Marquer/souligner le rythme, régler, scander, soumettre à un rythme.

RYTHMIQUE I. Nom fém. 1. Métrique, prosodie, scansion, versification. **2.** Chorégraphie, danse. **3.** Gymnique. **II. Adj. :** alternatif. → *rythmé*.

SABBAT → *tapage.*
SABIR → *langue.*
SABLE Arène, calcul, gravier, pierre, sablon.
SABLER → *boire.*
SABORDER → *couler.*
SABOT I. Chaussure, galoche, patin, socque. **II.** → *toupie.* **III.** → *saleté.*
SABOTER I. → *détériorer.* **II.** → *gâcher.*
SABOULER → *secouer, gâcher.*
SABRER I. → *effacer.* **II.** → *gâcher*
SAC I. → *pillage.* **II.** Bagage, besace, bissac, carnassière, gibecière, havresac, hotte, panetière, poche, sachet, sacoche. → *cabas.* **III.** Aumônière, bourse, réticule. **IV. Loc. Gens de sac et de corde** → *vaurien.*
SACCADE → *secousse.*
SACCADÉ Brusque, capricant, convulsif, discontinu, haché, heurté, hoquetant, inégal, intermittent, irrégulier, rompu, sautillant, spasmodique, sursautant, trépidant.
SACCAGE I. Bouleversement, désastre, destruction, dévastation, ravage, ruine. **II.** → *pillage.*
SACCAGER I. → *ravager.* **II.** → *renverser.*
SACERDOCE I. Ministère, ordre, prêtrise. **II. Par ext. :** apostolat, charge, dignité, fonction, mission, poste.
SACOCHE → *gibecière.*
SACRÉ, E I. Auguste, béni, consacré, divin, hiératique, intangible, inviolable, liturgique, sacro-saint, sanctifié, saint, tabou, vénérable. **II.** → *parfait.* **III.** → *détestable.*

SACRER I. Au pr. : bénir, consacrer, oindre. **II. Par ext.** → *couronner.* **III.** → *jurer.*
SACRIFICE I. Au pr. : hécatombe, holocauste, hostie, immolation, libation, lustration, messe, oblation, offrande, propitiation, taurobole. **II. Par ext. :** abandon, abnégation, désintéressement, dessaisissement, dévouement, don de soi, offre, renoncement, résignation.
SACRIFIER Dévouer, égorger, immoler, mettre à mort, offrir.
SACRIFIER (SE) Se dévouer, se donner, se faire hacher pour, payer de sa personne, s'oublier *et les formes pronom. possibles des syn. de* SACRIFIER.
SACRILÈGE → *profanation.*
SACRIPANT → *vaurien.*
SADIQUE → *vicieux.*
SADISME Barbarie, cruauté, méchanceté, perversité, vice.
SAGACE I. → *pénétrant.* **II.** → *intelligent.*
SAGACITÉ I. → *pénétration.* **II.** → *intelligence.*
SAGAIE → *trait.*
SAGE I. Nom : gourou, juste, mage, philosophe, savant. **II. Adj. 1.** → *prudent.* **2.** → *tranquille.* **3.** → *décent.*
SAGE-FEMME Accoucheuse, gynécologue, matrone.
SAGESSE I. Au pr. : bon sens, connaissance, discernement, philosophie, raison, sapience, sens commun, vérité. **II. Par ext. 1.** Circonspection, modération, prudence. **2.**

Chasteté, continence, honnêteté, pudeur, retenue, vertu. **3.** Calme, docilité, obéissance, sérénité, tranquillité.

SAIGNANT, E → *ensanglanté.*

SAIGNER I. → *tuer.* **II.** → *dépouiller* **III.** → *dépenser.*

SAILLANT, E → *remarquable.*

SAILLIE I. Au pr. : angle, arête, aspérité, avance, avancée, avancement, bec, bosse, bourrelet, console, corne, corniche, côte, coude, crête, dent, éminence, encorbellement, éperon, ergot, gibbosité, moulure, nervure, pointe, proéminence, protubérance, redan, relief, ressaut, tubercule. **II. Par ext. 1.** → *saut.* **2.** → *saccade.* **3.** → *caprice.* **4.** → *mot.* **5.** → *accouplement.*

SAILLIR I. V. intr. 1. Avancer, déborder, se détacher. → *dépasser.* **2.** → *jaillir.* **II. V. tr. :** couvrir, monter, sauter, servir. → *accoupler (s').*

SAIN, E I. Au pr. : hygiénique, naturel, pur, salubre, salutaire, tonique. **II. Par ext. 1.** → *valide.* **2.** → *profitable.* **III. Loc. Sain et sauf** → *sauf.*

SAINT, E I. Apôtre, béat, bienheureux, glorieux, élu, martyr, sauvé, vertueux. **II.** Auguste, vénérable. → *sacré.* **III. Loc. 1. Sainte nitouche** → *patelin.* **2. A la saint-glinglin :** aux calendes grecques, jamais.

SAINTETÉ I. Béatitude, gloire, salut, vertu. **II.** → *perfection.*

SAISI, E I. → *surpris.* **II.** → *ému.* **III.** → *rôti.*

SAISIE, SAISINE → *confiscation.*

SAISIR I. → *prendre.* **II.** → *percevoir.* **III.** → *entendre.* **IV.** → *émouvoir.*

SAISIR (SE) → *prendre.*

SAISISSEMENT → *émotion.*

SAISON → *époque.*

SALACE → *lascif.*

SALACITÉ → *lascivité.*

SALADE → *mélange.*

SALAIRE I. → *rétribution.* **II.** → *récompense.* **III.** → *punition.*

SALARIÉ, E → *travailleur.*

SALAUD → *malpropre, méchant.*

SALE I. → *malpropre.* **II.** → *obscène.*

SALÉ, E I. Au pr. : fort, relevé, saumâtre. **II. Fig. 1.** → *obscène.* **2.** Cher, exagéré, sévère.

SALETÉ I. Au pr. : boue, crasse, crotte, gâchis, immondices, impureté, macule, malpropreté, merde (grossier), mouton, ordure, poussière, rebut, salissure, saloperie, souillure, tache. **II. Par ext. :** cochonnerie, pacotille, patraque, rossignol, sabot, saloperie (grossier), toc. **III. Fig. 1.** → *méchanceté.* **2.** → *obscénité.*

SALIGAUD → *malpropre.*

SALIR I. Au pr. : abîmer, barbouiller, charbonner, contaminer, crotter, culotter, éclabousser, embouer (vx), encrasser, gâter, graisser, jaunir, mâchurer, maculer, noircir, poisser, polluer, souiller, tacher. **II. Fig. :** baver sur, calomnier, déparer, déshonorer, diffamer, entacher, flétrir, profaner, prostituer, ternir.

SALIVE Bave, crachat, eau à la bouche, écume, postillon.

SALLE I. Au pr. : antichambre, chambre, foyer, enceinte, galerie, hall. → *pièce.* **II. Fig.** → *public.*

SALMIGONDIS → *mélange.*

SALON I. Au pr. 1. Sing. → *pièce.* **2. Au pl. :** enfilade. **II. Par ext.** → *exposition.*

SALOPERIE I. → *saleté.* **II.** → *méchanceté.*

SALOPETTE → *cotte.*

SALTIMBANQUE I. Au pr. : acrobate, antipodiste, artiste, auguste, baladin, banquiste, baraquin, bateleur, bonimenteur, bouffon, charlatan, clown, danseur de corde, dompteur, dresseur, écuyer, équilibriste, farceur (vx), forain, funambule, hercule, jongleur, lutteur, monstre, nomade, opérateur (vx), paillasse, parodiste, pitre, tabarin, trapéziste. **II. Par ext. 1.** → *plaisant.* **2.** → *pantin.*

SALUBRE → *sain.*

SALUBRITÉ → *hygiène.*

SALUT I. Adieu, au revoir, bonjour, bonne nuit, bonsoir, coup de chapeau, courbette, hommage, inclination de tête, plongeon, poignée de main, révérence, salamalec, salutation, shake-hand. **II.** Bonheur, rachat, récompense, rédemption.

SALUTAIRE I. → *sain.* **II.** → *profitable.*

SALVE → *décharge.*

SANCTIFIER → *fêter.*

SANCTION I. → *confirmation.* **II.** → *punition.*

SANCTIONNER → *punir, confirmer.*

SANCTUAIRE → *église.*

SANDALE → *soulier.*

SANG Par ext. → *race.*

SANG-FROID I. Aplomb, assurance, audace, calme, détermination, fermeté, flegme, froideur, impassibilité, maîtrise, patience, tranquillité. **II. Loc. De sang-froid :** avec préméditation, délibérément, de sens rassis, en toute connaissance de cause, la tête froide, volontairement.

SANGLANT, E I. → *ensanglanté.* **II.** → *offensant.*

SANGLE I. → *courroie.* **II.** → *bande.*

SANGLER I. → *serrer.* **II.** → *cingler.*

SANGLIER Bête noire (vén.), cochon (vén.), laie, marcassin, phacochère, porc, quartanier, ragot, solitaire, tiers-an.

SANGLOT Hoquet, larme, pleur, soupir, spasme.

SANGLOTER → *pleurer.*

SANG-MÊLÉ → *métis.*

SANGUINAIRE I. → *violent.* **II.** → *barbare.*

SANGUINOLENT, E → *ensanglanté.*

SANS-CŒUR → *dur.*

SANS-FAÇON I. Adj. 1. → *franc.* **2.** → *simple.* **II. Adv.** → *simplement.*

SANS-GÊNE → *impoli.*

SANS-PATRIE Apatride, heimatlos, métèque (péj.), personne déplacée.

SANS-SOUCI → *insouciant.*

SANTÉ I. → *nature.* **II.** → *discours.*

SAOUL, SAOULE (vx) → *soûl.*

SAPAJOU → *magot.*

SAPE → *tranchée.*

SAPER → *miner, habiller*

SAPIDITÉ → *saveur.*

SARCASME → *raillerie.*

SARCASTIQUE → *sardonique.*

SARCLER → *racler, cultiver*

SARCOPHAGE I. → *tombe.* **II.** → *cercueil.*

SARDONIQUE Caustique, démoniaque, fouailleur, goguenard, moqueur, persifleur, railleur, ricaneur, sarcastique, sardonien, satanique.

SARRAU → *surtout.*

SATANIQUE → *diabolique.*

SATELLITE I. → *partisan.* **II.** → *allié.* **III. Vx** → *tueur.*

SATIÉTÉ Dégoût, nausée, réplétion, satisfaction, saturation.

SATIN → *soie.*

SATINÉ, E I. → *soyeux.* **II.** → *lustré.* **III.** → *lisse.*

SATINER → *lustrer.*

SATIRE Caricature, catilinaire, charge, critique, dérision, épigramme, factum, libelle, moquerie, pamphlet, philippique, plaisanterie, raillerie.

SATIRIQUE → *mordant.*

SATIRISER I. → *railler.* **II.** → *médire.*

SATISFACTION I. Compensation, pénitence, raison, réparation. **II.** → *plaisir.*

SATISFAIRE I. V. tr. : apaiser, calmer, combler, complaire, contenter, écouter, entendre, exaucer, observer, rassasier, soulager. **II. V. intr.** : accomplir, s'acquitter de, exécuter, fournir, obéir, observer, pourvoir, remplir, répondre à, suffire à.

SATISFAISANT, E Acceptable, convenable, correct, honnête, honorable, passable, suffisant.

SATISFAIT, E I. Neutre : apaisé, béat, calme, comblé, content, heureux, rassasié, rasséréné, rassuré, soulagé. **II. Non favorable** : avantageux, fat, fier, suffisant, vain, vainqueur.

SATURÉ, E → *rassasié.*

SATYRE I. → *faune.* **II.** → *lascif.*

SAUCER → *mouiller.*

SAUF, SAUVE adj. Indemne, intact, préservé, rescapé, sauvé, survivant, tiré d'affaire.

SAUF prép. → *excepté.*

SAUF-CONDUIT → *laissez-passer.*

SAUGRENU, E I. → *insensé.* **II.** → *faux.* **III.** → *étrange.*

SAUMÂTRE I. → *salé.* **II.** → *désagréable.*

SAUPOUDRER → *mêler.*

SAUT I. Au pr. : bond, bondissement, cabriole, culbute, gambade, sautillement, voltige. **II. Par ext. 1.** Cahot, ricochet, soubresaut, sursaut, tressaut. **2.** Cascade, chute, rapide. **3.** → *interruption.* **III. Loc. Faire le saut** → *résoudre (se).*

SAUTE → *changement.*

SAUTER I. V. tr. 1. → *franchir.* **2.** → *passer.* **3.** → *omettre.* **II. V. intr. 1.** Bondir, cabrioler, s'élancer, s'élever, fringuer, gambader, rebondir, sautiller, trépigner. **2.** → *éclater.* **III. Loc. 1. Faire sauter.** → *cuire, tuer, destituer.* **2. Se faire sauter** → *suicider (se).*

SAUTERIE → *bal.*

SAUTEUR, EUSE → *pantin.*

SAUTILLANT, E → *saccadé.*

SAUVAGE I. Nom : anthropophage, barbare, cannibale, homme des bois, primitif. **II. Adj. 1. Animaux** : fauve, haret (chat), inapprivoisé, marron. **2. Un lieu** : abandonné, agreste, à l'écart, champêtre, désert, inculte, inhabité, retiré. **3. Quelqu'un.** Au pr. : barbare, bestial, cruel, dur, féroce, inhumain, intraitable, méchant, ombrageux, redoutable, rude, violent. Par ext. : abrupt, âpre, brut, farouche, fier, fruste, grossier, inapprivoisable, incivilisé, inculte, indomptable, indompté, insociable, mal dégrossi/ embouché (fam.)/élevé, misanthrope, ours, solitaire, tudesque. **4.** Craintif, farouche, hagard, timide.

SAUVAGEON, ONNE → *sauvage.*

SAUVAGERIE I. Au pr. : barbarie, brutalité, cruauté, férocité. **II. Par ext.** : insociabilité, misanthropie, timidité.

SAUVÉ, E I. → *sauf.* **II.** → *saint.*

SAUVEGARDE I. → *garantie.* **II.** Auspices, égide, patronage, protection, soutien, tutelle, vigilance. **III.** Abri, appui, asile, bannière, bouclier, boulevard, défense, refuge, rempart.

SAUVE-QUI-PEUT Débandade, déroute, désarroi, panique. → *fuite.*

SAUVER I. Au pr. *1.* → *garantir.* *2.* → *éviter.* **II. Par ext.** → *excuser.*

SAUVER (SE) I. Au pr. *1.* → *enfuir (s').* *2.* → *partir.* **II. Fig.** → *rattraper (se).*

SAUVEUR I. Au pr. : défenseur, libérateur, protecteur, sauveteur. **II. Relig.** : messie, rédempteur. **III. Par ext.** : bienfaiteur, rempart.

SAVANT, E I. Adj. *1.* **Au pr.** : averti, avisé, cultivé, docte, éclairé, érudit, informé, instruit, lettré. *2.* **Par ext.** : calé, compétent, expert, fort, habile, maître dans, omniscient, versé. *3.* **Péj.** → *pédant.* *4.* **Fig. Quelque chose** : ardu, compliqué, difficile, recherché. **II. Nom.** *1.* **Favorable** : chercheur, clerc (vx), découvreur, érudit, expert, homme de cabinet (vx)/de science, lettré, philosophe, sage, scientifique, spécialiste. *2.* **Fam.** : abîme/puits d'érudition/de science, fort en thème. *3.* **Péj.** : diafoirus, scientiste. → *pédant.*

SAVANTASSE → *pédant.*

SAVATE I. → *soulier.* **II.** → *chausson.*

SAVATER, SAVETER Gâcher, gâter. → *abîmer.*

SAVETIER → *cordonnier.*

SAVEUR I. Au pr. : bouquet, fumet, goût, sapidité. **II. Par ext.** : agrément, charme, piment, piquant, sel.

SAVOIR n. Acquis, aptitude, bagage, capacité, compétence, connaissance, culture, culture générale, doctrine, érudition, expérience, gnose (relig.), humanisme, instruction, intelligence, lecture, lettres, lumières, notions, omniscience, sagesse, science.

SAVOIR v. tr. **I.** → *connaître.* **II.** → *pouvoir.* **III. Loc. Faire savoir** → *informer.*

SAVOIR-FAIRE → *habileté.*

SAVOIR-VIVRE Acquis, bienséance, civilité, convenance, courtoisie, délicatesse, doigté, éducation, égards, élégance, entregent, habileté, politesse, sociabilité, tact, urbanité, usage.

SAVONNER I. Au pr. → *nettoyer.* **II. Fig.** : gourmander, tancer. → *réprimander.*

SAVOURER I. Au pr. : boire, déguster, se délecter, goûter, se régaler, tâter. **II. Par ext.** : apprécier, se gargariser de. → *jouir.*

SAVOUREUX, EUSE → *bon.*

SAYNÈTE Charade, comédie, divertissement, entracte, intermède, lever de rideau, parade, pièce en un acte, proverbe, sketch.

SBIRE → *policier.*

SCABREUX, EUSE I. → *difficile.* **II.** → *grossier.*

SCANDALE I. Au pr. : barouf (fam.), bruit, désordre, éclat, esclandre, foin (fam.), pétard (fam.), tapage. **II.** Choc, émotion, étonnement, honte, indignation.

SCANDALISÉ, E → *outré.*

SCANDALISER (SE) → *offenser (s').*

SCANDER Accentuer, battre/marquer la mesure, cadencer, rythmer.

SCEAU → *marque.*

SCÉLÉRAT, E I. Au pr. : bandit, coquin, criminel, filou, fripon, homicide, infâme, larron, méchant, misérable, monstre, perfide. → *voleur.* **II. Par ext.** → *infidèle.*

SCELLER I. → *fixer.* **II.** → *affermir.*

SCÉNARIO → *intrigue.*

SCÈNE I. → *théâtre.* **II.** Séquence, tableau. **III.** → *spectacle.* **IV.** Algarade, altercation, avanie, carillon (fam. et vx), discussion, dispute, esclandre, réprimande, séance.

SCÉNIQUE → *dramatique.*

SCEPTICISME I. Au pr. : doute, incrédulité, pyrrhonisme. **II. Par ext.** *1.* **Philos.** : criticisme, nihilisme, positivisme, pragmatisme. *2.* Défiance, désintéressement, dilettantisme, méfiance.

SCEPTIQUE I. → *incrédule.* **II.** → *incroyant.*

SCEPTRE → *supériorité.*

SCHÉMA, SCHÈME → *ébauche.*

SCHISMATIQUE → *hérétique.*

SCHISME → *dissidence.*

SCHLAGUE Bâton, correction, fouet, knout, martinet, nerf de bœuf, verge.

SCIE I. Au pr. : égoïne, passe-partout, sciotte. **II.** Refrain, rengaine.

SCIEMMENT Délibérément, de propos délibéré, en toute connaissance de cause, exprès, intentionnellement, volontairement.

SCIENCE I. → *savoir.* **II.** → *art.*

SCIENTIFIQUE I. Nom → *savant.* **II. Adj.** : critique, méthodique, objectif, positif, rationnel, savant.

SCIER Couper, débiter, découper, fendre, tronçonner.

SCINDER Au pr. → *sectionner.*

SCINTILLER I. Au pr. : brasiller, briller, chatoyer, étinceler, flamboyer, luire, miroiter, rutiler. **II. Fig.** : clignoter, frissonner, palpiter.

SCION → *pousse.*

SCISSION Bipartition, dissidence, division, dissociation, fractionnement, morcellement, partage, partition, schisme, sécession, séparation.

SCLÉROSE → *paralysie.*

SCOLIASTE Annotateur, commentateur.

SCOLIE → *commentaire.*

SCORIE Déchet, laitier, mâchefer, porc. → *résidu.*

SCRIBE I. Au pr. : copiste, écrivain, greffier, logographe. **II. Par ext.** (péj.) : bureaucrate, gratteur, scribouillard, tabellion. → *employé.*

SCROFULE Bubon, écrouelles (vx), ganglion, tumeur. → *abcès.*

SCRUPULE I. → *hésitation.* **II.** → *soin.* **III.** → *exactitude.* **IV.** → *délicatesse.*

SCRUPULEUX, EUSE I. Au pr. : correct, délicat, exact, fidèle, honnête, juste, strict. → *consciencieux.* **II. Par ext. :** attentif, maniaque (péj.), méticuleux, minutieux, pointilleux, ponctuel, précis, soigneux, soucieux.

SCRUTER → *examiner.*

SCRUTIN → *vote.*

SCULPTER Buriner, ciseler, façonner, figurer, former, fouiller, graver, modeler, tailler.

SCULPTEUR Bustier, ciseleur, imagier (vx), modeleur, ornemaniste, statuaire.

SCULPTURAL, E I. Architectural, plastique. **II.** → *beau.*

SCULPTURE I. Bas-relief, décoration, glyptique, gravure, haut-relief, moulure, ornement, ronde-bosse. **II.** Buste, figurine, monument, statue, statuette, tête, torse.

SÉANCE I. Au pr. : assise, audience, débat, délibération, réunion, session, vacation. **II. Par ext. :** représentation, scène. → *spectacle.* **III. Fig. :** algarade, altercation, avanie, carillon (fam. et vx), discussion, dispute, esclandre, réprimande, scène.

SÉANT, ANTE adj. → *convenable.*

SÉANT n. → *derrière.*

SEC, SÈCHE I. Au pr. → *aride.* **II. Par ext.** → *maigre.* **III. Fig. 1.** → *dur.* **2.** → *rude.* **3.** → *pauvre.*

SÉCESSION Autonomie, dissidence, division, indépendance, partition, révolte, scission, séparation, séparatisme.

SÉCHER I. V. tr. 1. Au pr. : assécher, déshydrater, dessécher, drainer, éponger, essorer, essuyer, étancher, mettre à sec, tarir, vider. **2. Par ext. :** étuver. **3. Fig. :** faner, flétrir, racornir. **II. V. intr. 1. Au pr. :** dépérir, devenir sec, languir. **2. Arg. scol. :** coller, échouer, rester court.

SÉCHERESSE I. Au pr. : anhydrie, aridité, siccité. **II. Fig. :** austérité, brusquerie, dureté, froideur, insensibilité, pauvreté. → *rudesse.*

SECOND n. **I.** Cadet. **II.** Adjoint, aide, allié, alter ego, appui, assesseur, assistant, auxiliaire, bras droit, collaborateur, fondé de pouvoir, lieutenant.

SECOND, E adj. **I. Au pr. :** autre, deuxième. **II. Par ext. :** nouveau.

SECONDAIRE Accessoire, adventice, incident, inférieur, insignifiant, mineur, négligeable, subalterne, subsidiaire.

SECONDER → *aider.*

SECOUER I. Au pr. : agiter, ballotter, brimbaler, cahoter, ébranler, remuer. **II. Fig. 1.** Bousculer, harceler, houspiller, malmener, maltraiter, sabouler (fam. et vx), tourmenter. → *réprimander.* **2.** → *émouvoir.*

SECOURABLE Charitable, consolateur, fraternel, généreux, humain, miséricordieux, obligeant. → *bon.*

SECOURIR → *appuyer.*

SECOURS I. Au pr. : aide, assistance, confort (vx), concours, coup de main (fam.), facilité, grâce, moyen, protection, providence. **II. Fig. :** réconfort, renfort, rescousse, ressource, service, soutien. **III. Par ext. 1.** Allocation, attribution, aumône, bienfaisance, charité, don, entraide, palliatif, répartition, subside, subvention. **2.** → *défense.*

SECOUSSE A-coup, agitation, cahot, choc, commotion, convulsion, coup, ébranlement, heurt, mouvement, saccade, soubresaut, spasme, tremblement, trépidation, tressaut.

SECRET n. **I. Au pr. :** arcane, arrière-pensée, cabale, cachotterie, coulisse, dédale, dessous, dessous des cartes, détour, énigme, fond, mystère, pot-aux-roses (péj.), tréfonds. **II. Par ext. 1.** Méthode, moyen, recette, truc (fam.). **2.** Discrétion, retenue. **III. Loc. 1. En secret** → *secrètement.* **2. Dans le secret :** dans la confidence, de connivence.

SECRET, ÈTE adj. **I. Quelque chose :** abscons, anonyme, cabalistique, caché, clandestin, confidentiel, discret, dissimulé, ésotérique, furtif, hermétique, ignoré, illicite, inconnaissable, inconnu, inexplicable, insondable, intérieur, intime, invisible, irrévélé, latent, masqué, mystérieux, mystique, obscur, occulte, profond, retiré, sibyllin, sourd, souterrain, subreptice, ténébreux, voilé. **II. Quelqu'un. 1. Neutre :** caché, concentré, discret, énigmatique, impénétrable, incognito, insaisissable, mystérieux, réservé. **2. Non favorable :** cachottier (fam.), chafouin, dissimulé, en dessous (fam.), fuyant, insinuant, renfermé, sournois. → *hypocrite.*

SECRÉTAIRE I. Quelqu'un. 1. Au pr. : copiste, dactylo, dactylographe, employé, rédacteur, rond-de-cuir (péj.), scribe (péj.), scribouillard (péj.). **2. Par ext. :** adjoint, alter ego (fam.), bras droit (fam.), collaborateur. **II. Un meuble :** bahut, bonheur-du-jour, bureau, écritoire.

SECRÉTARIAT Administration, bureau, secrétairerie, services.

SECRÈTEMENT A la dérobée, à la sourdine, en cachette, en catimini, en dessous, en secret, en sourdine, en sous-main, en tapinois, furtivement, incognito, in-petto, sans tambour ni trompette (fam.), sous la table, sous le manteau, subrepticement.

SÉCRÉTER Dégoutter, distiller, élaborer, épancher, filtrer.

SECTAIRE Autoritaire, enragé, étroit, exalté, exclusif, fanatique, farouche, frénétique, furieux, intolérant, intraitable, intransigeant, irréductible, partial, partisan, rigide, rigoriste, sévère, violent.

SECTATEUR Adepte, adhérent, affidé, affilié, allié, ami, disciple, doctrinaire, fanatique (péj.), fidèle, militant, partisan, propagandiste, prosélyte, suppôt (péj.), zélateur.

SECTE Association, bande, brigue, cabale, camp, clan, coalition, église, faction, groupe, parti, phalange, rassemblement, religion, société secrète.

SECTION Cellule, coupure, division, fraction, groupe, paragraphe, partie, portion, rupture, scission, séparation, subdivision.

SECTIONNER Couper, désassembler, désunir, disjoindre, diviser, fendre, fractionner, morceler, partager, séparer, subdiviser.

SÉCULAIRE → *vieux*.

SÉCULIER, ÈRE I. → *terrestre.* **II.** Laïc, profane, temporel.

SÉCURITÉ I. Au pr. : abandon, abri, assurance, calme, confiance, repos, sérénité, sûreté, tranquillité. **II. Par ext. :** ordre, police.

SÉDATIF, IVE Adoucissant, analgésique, anesthésique, anodin, antalgique, antipyrétique, antispasmodique, apaisant, balsamique, calmant, consolant, hypnotique, lénifiant, lénitif, narcotique, parégorique, rafraîchissant, relaxant, reposant, vulnéraire.

SÉDENTAIRE I. Au pr. : assis, attaché, établi, fixe, immobile, inactif, permanent, stable, stationnaire. **II. Par ext.** (fam.) : casanier, cul-de-plomb, notaire, pantouflard, popote, pot-au-feu.

SÉDIMENT, SÉDIMENTATION Accroissement, accrue, allaise, alluvion, apport, atterrissement, boue, calcaire, concrétion, dépôt, formation, lais, laisse, lie, limon, lœss, précipité, relais, résidu, roche, tartre.

SÉDITIEUX, EUSE I. Au pr. : activiste, agitateur, anarchiste, comploteur, contestataire, émeutier, factieux, frondeur, insoumis, insubordonné, insurgé, militant, mutin, provocateur, rebelle, révolté, subversif, terroriste. **II. Par ext.** → *tumultueux.*

SÉDITION I. → *émeute.* **II.** → *révolte.*

SÉDUCTEUR, TRICE I. Nom : apprivoiseur, bourreau des cœurs, casanova, casse-cœur, charmeur, don juan, enjôleur, ensorceleur, fascinateur, galant, homme à bonnes fortunes/à femmes, larron d'honneur (vx), lovelace, magicien, suborneur, tombeau des cœurs, tombeur de femmes. **II. Adj.** → *séduisant.*

SÉDUIRE I. Non favorable. 1. Au pr. : acheter, affriander, allécher, amorcer, appâter, attirer dans ses filets, cajoler, capter, corrompre, débaucher, déshonorer, mettre à mal, perdre, suborner, tomber (vulg.). **2. Par ext. :** abuser, amuser, attraper, avoir (fam.), berner, blouser (fam.), bluffer, circonvenir, couillonner (fam.), décevoir, donner le change (fam.), dorer la pilule (fam.), éblouir, égarer, embabouiner (fam.), embobeliner (fam.), embobiner (fam.), emmitonner (fam.), en conter, en donner, endormir, en faire accroire/croire, engluer, en imposer, enjôler, entortiller (fam.), faire briller/chatoyer/miroiter, flatter, jobarder, mener en bateau, monter le coup, prendre au piège. → *tromper.* **II. Favorable ou neutre. 1.** Affrioler, aguicher, attacher, attirer, attraire, captiver, charmer, coiffer, donner/taper dans l'œil (fam.), ensorceler, entraîner, envoûter, fasciner, hypnotiser, magnétiser, plaire, tenter. **2.** Convaincre, entraîner, gagner, persuader.

SÉDUISANT, E Affriolant, agréable, aguichant, alléchant, amène, attachant, attirant, attrayant, beau, brillant, captivant, charmant, chatoyant, désirable, enchanteur, engageant, ensorcelant, fascinant, flatteur, gracieux, insinuant, joli, piquant, prenant, ravissant, sexy (fam.).

SEGMENT I. → *section.* **II.** → *ligne.*

SEGMENTER → *sectionner.*

SÉGRÉGATION → *séparation.*

SÉIDE I. → *fanatique.* **II.** → *partisan.*

SEIGNEUR I. Au pr. : châtelain, écuyer, gentilhomme, hobereau, maître, sire, suzerain. **II. Par ext. 1.** → *noble.* **2.** → *roi.* **3.** → *dieu.* **III. Loc. Jour du Seigneur :** dimanche, repos dominical, sabbat.

SEIN I. Au pr. : buste, giron, mamelle, poitrine. **II. Arg. ou fam. :** appas (vx), avantages, avant-scène, balcon, blague à tabac (péj.), counou, frérot, lolo, mandarine, néné, nichon, pare-choc, robert, rondeur, tétasse, tété, tétin, tétine, téton. **III. Par ext.**

1. Entrailles, flanc, utérus, ventre. **2.** Centre, cœur, fort, foyer, lieu géométrique, milieu, mitan, nœud, nombril, noyau, point. **IV. Loc. Au sein de :** au milieu de, dans, parmi.

SEING → *signature.*

SÉISME I. Au pr. : phénomène sismique, secousse, tremblement de terre. **II. Par ext. :** bouleversement, cataclysme, catastrophe, commotion, ébranlement, tornade, typhon.

SÉJOUR I. Au pr. : arrêt, pause, stage, villégiature. **II. Par ext. :** demeure, domicile, endroit, maison, résidence. → *habitation.* **III. Loc. Céleste séjour :** Ciel, Elysée, Enfers (myth.), Olympe, paradis.

SÉJOURNER I. Au pr. 1. Quelqu'un : s'arrêter, s'attarder, attendre, demeurer, s'éterniser, prendre racine (fam.), rester, stationner, tarder, villégiaturer. **2. Quelque chose :** croupir, stagner. **II. Par ext. :** camper, crécher (fam.), descendre, être domicilié, gîter (fam.), habiter, jucher, loger, nicher (fam.), occuper, résider, se tenir, vivre.

SEL I. → *piquant.* **II.** → *esprit.*

SÉLECT, E Agréable, beau, bien, chic, copurchic (fam.), de bon goût, délicat, distingué, élégant, smart (fam.), snob (péj.).

SÉLECTION I. De choses : assortiment, choix, collection, dessus du panier (fam.), éventail, réunion, tri, triage. **II. De gens :** aristocratie, crème, élite, fine fleur, gratin, happy few (angl.). **III. Littér. :** anthologie, digest, morceaux choisis, recueil.

SÉLECTIONNER Adopter, aimer mieux, choisir, coopter, se décider pour, désigner, distinguer, élire, embrasser, s'engager, faire choix, fixer son choix, jeter son dévolu, nommer, opter, préférer, prendre, trancher, trier sur le volet.

SELLE I. Bât, cacolet, harnachement. **II.** → *excrément.*

SELON Conformément à, dans, d'après, suivant.

SEMAILLES Emblavage, ensemencement, épandage, semis.

SEMBLABLE I. Adj. : analogue, approximatif, assimilé, assorti, commun, comparable, conforme, équivalent, homologue, identique, jumeau, kif-kif (fam.), la/le même, parallèle, pareil, ressemblant, similaire, symétrique, tel, tout comme. **II. Nom. 1. Quelqu'un :** congénère, égal, frère, parent, prochain. **2. Quelque chose :** pendant.

SEMBLANCE Air, allure, apparence, aspect, configuration, dehors, extérieur, face, figure, forme, jour, masque, perspective, physionomie, portrait,

profil, ressemblance, tour, tournure, visage.

SEMBLANT I. → *semblance.* **II. Loc. Faire semblant** → *simuler.*

SEMBLER Apparaître, s'avérer, avoir l'air/l'aspect, se montrer, s'offrir, paraître, passer pour, se présenter comme.

SEMÉ, E I. Au pr. : cultivé, emblavé, ensemencé. **II. Par ext. :** agrémenté, constellé, émaillé, orné, parsemé.

SEMENCE → *germe.*

SEMER I. Au pr. : cultiver, emblaver, ensemencer, épandre, jeter, répandre. **II. Par ext. 1.** Couvrir, étendre, joncher, orner, parsemer, revêtir, tapisser. **2.** Disperser, disséminer, propager. **III. Fig. :** abandonner, décamper (fam.), délaisser, détaler (fam.), lâcher, laisser, laisser tomber (fam.), partir, planter (fam.), planter là (fam.), quitter, se séparer de.

SEMI Demi, hémi, mi, moitié.

SÉMILLANT, E Actif, agile, alerte, allègre, animé, ardent, brillant, chaleureux, dégagé, délivré, dispos, éveillé, fougueux, frétillant, fringant, gaillard, galant, guilleret, ingambe, léger, leste, pétillant, pétulant, primesautier, prompt, rapide, vif, vivant.

SEMI-MENSUEL Bimensuel.

SÉMINAIRE I. Au pr. : alumnat, communauté, école, institut. **II. Par ext. 1.** Pépinière. **2.** Colloque, congrès, cours, groupe de recherche, réunion, symposium, table ronde.

SEMIS I. Emblavure. **II.** Ensemencement, semailles.

SEMONCE Admonestation, blâme, censure, critique, engueulade (fam.), improbation, mercuriale, objurgation, observation, plainte, remarque, remontrance, réprimande, reproche, réquisitoire, vitupération.

SEMPITERNEL, ELLE I. Favorable ou neutre : constant, continuel, durable, éternel, immémorial, immortel, immuable, impérissable, imprescriptible, inaltérable, incessant, indéfectible, indéfini, indestructible, infini, interminable, perdurable, pérenne, perpétuel. **II. Non favorable :** assommant, casse-pieds (fam.), contrariant, cramponnant, désagréable, embêtant (fam.), ennuyeux, fastidieux, fatigant, insupportable, mortel, pénible, pesant, rasant (fam.), rebutant, redondant, triste.

SÉNAT Assemblée, chambre, conseil, curie.

SÉNATEUR Pair, père conscrit.

SÉNESCENCE I. Neutre : abaissement, affaiblissement, sénilité, troisième âge, vieillesse, vieillissement. **II. Non favorable :** caducité, décadence, déchéance, déclin, décrépitude, gâtisme, radotage, retour à l'enfance, ruine.

SÉNILE Affaibli, âgé, bas, caduc, déchu, décrépit, en enfance, fatigué, gaga (fam.), gâteux, impotent, usé, vieux.

SENS I. Phys. 1. Au pr. : audition, faculté, goût, odorat, ouïe, tact, toucher, vue. **2. Par ext. :** amour, ardeur, chaleur, chair, concupiscence, instinct, jouissance, lascivité, libido, plaisir, sensualité, sybaritisme, volupté. **II.** Acception, caractère, clef, côté, esprit, face, lettre, portée, signification, signifié, valeur. **III.** Avis, gré, jugement, manière de penser/de voir, opinion, point de vue, sentiment. **IV.** Aptitude, compréhension, discernement, entendement, faculté, jugement, jugeote (fam.), mesure, raison, sagesse. **V.** But, chemin, côté, destination, direction, ligne, orientation, route. **VI. Loc. 1. Bon sens :** bon goût, entendement, juste milieu, philosophie, raison, sagesse, sens commun. **2. De sens rassis :** calme, délibéré, de sang-froid, la tête froide, pondéré, posé, sage.

SENSATION I. Au pr. : avant-goût, émoi, émotion, excitation, impression, intuition, perception, sens, sentiment. **II. Par ext. :** admiration, effet, étonnement, merveille, surprise.

SENSATIONNEL, ELLE I. Favorable ou neutre : admirable, beau, confondant, curieux, drôle, ébahissant, ébaubissant (vx), ébesillant (fam.), éblouissant, ébouriffant (fam.), écrasant, effarant, énorme, épatant, époustouflant, étourdissant, exceptionnel, excitant, extraordinaire, fantastique, faramineux, formidable, frappant, fumant (fam.), génial, gigantesque, grand, impressionnant, imprévu, inattendu, incomparable, inconcevable, incroyable, inédit, inhabituel, inopiné, inouï, insolite, inusité, magique, magnifique, merveilleux, miraculeux, mirifique, mirobolant, original, parfait, particulier, passionnant, phénoménal, prodigieux, pyramidal, rare, renversant, saisissant, sensas (fam.), singulier, spécial, splendide, stupéfiant, sublime, superbe, surprenant, troublant. **II. Non favorable :** abracadabrant, ahurissant, anormal, bizarre, déconcertant, épouvantable, invraisemblable, monstrueux.

SENSIBILITÉ I. Au pr. 1. Excitabilité, hyperesthésie (méd.), impression, réceptivité, sensation. **2.** Affectivité, amour, attendrissement, cœur, compassion, émotion, émotivité, humanité, pitié, sensiblerie (péj.), sentiment, sentimentalité, sympathie, tendresse. **II. Par ext. :** amabilité, attention, bon goût, courtoisie, délicatesse, discrétion, élégance, finesse, gentillesse, obligeance, soin, tact, tendresse.

SENSIBLE I. Quelque chose. 1. Au pr. : sensitif, sensoriel. **2. Par ext. :** apparent, appréciable, charnel, clair, contingent, distinct, évident, important, matériel, notable, palpable, perceptible, phénoménal, tangible, visible. **II. Quelqu'un. 1. Au pr. :** émotif, fin, hypersensible, impressionnable, romanesque, romantique, sensitif, sensitive, sentimental, tendre. **2.** Délicat, douillet, fragile, vulnérable. **3.** Accessible, aimable, aimant, altruiste, bon, charitable, compatissant, généreux, humain, réceptif, tendre. **4.** Braque, chatouilleux, nerveux, susceptible, vif.

SENSUALITÉ Bien-être, chair, concupiscence, contentement, délectation, délices, désir, ébats, érotisme, épicurisme, félicité, hédonisme, jouissance, lascivité, libertinage, libido, lubricité (péj.), luxure (péj.), plaisir, satisfaction, volupté.

SENSUEL, ELLE I. Favorable ou neutre : amoureux, charnel, concupiscent, épicurien, érotique, lascif, léger, leste, libertin, paillard, polisson, sybarite, voluptueux. **II. Non favorable :** animal, débauché, immodeste, impudique, impur, indécent, libidineux, licencieux, lubrique, luxurieux, obscène, salace.

SENTE → sentier.

SENTENCE I. Adage, aphorisme, apophtegme, axiome, devise, dicton, dit, esquisse, maxime, mot, parole, pensée, propos, proverbe, remarque, vérité. **II.** Arrêt, condamnation, décision, décret, jugement, ordalie (vx), ordonnance, verdict.

SENTENCIEUX, EUSE I. Au pr. : gnomique. **II. Par ext. :** affecté, cérémonieux, dogmatique, emphatique, grave, maniéré, pompeux, pompier (fam.), prudhommesque, révérencieux, solennel.

SENTEUR I. Favorable ou neutre : arôme, bouquet, effluve, émanation, exhalaison, fragrance, fumet, odeur, parfum, trace, vent (vén.). **II. Non favorable :** empyreume, fétidité, infection, mauvaise odeur, odeur fétide/infecte/repoussante, pestilence, puanteur, relent, remugle.

SENTIER Cavée, chemin, baie, layon, lé, passage, piste, raccourci, raidillon, sente, tortille.

SENTIMENT I. Au pr. : avant-goût, connaissance, émoi, émotion, impression, intuition, perception, sens, sensation. **II. Par ext. 1.** Avis, gré, idée, jugement, opinion, pensée, point de vue. **2.** Affection, affectivité, amour, attachement, cœur, disposition,

inclination, passion, tendance. →
sensibilité.

SENTIMENTAL, E → *sensible.*

**SENTIMENTALISME, SENTIMEN-
TALITÉ** → *sensibilité.*

SENTINE I. Au pr. : bourbier, charnier, cloaque, décharge, égout, margouillis, voirie. → *water-closet.* **II.
Par ext. 1.** → *abjection.* **2.** → *bas-
fond.*

SENTINELLE Épieur, factionnaire,
garde, gardien, guetteur, veilleur, vigie.

SENTIR I. Au pr. 1. *On sent
quelque chose :* éventer, flairer,
halener (vx ou vén.), humer, odorer
(vx), percevoir, renifler, respirer,
subodorer. **2.** *Quelque chose sent :*
embaumer, exhaler, fleurer, musser
(fam.), odorer. **3.** *Non favorable :*
empester, empoisonner, empuantir,
exhaler/répandre une odeur désagréable / fétide / nauséabonde / répugnante, puer. **4.** *Arg. :* chlinguer,
cocoter, cogner, fouetter, gazouiller,
prendre à la gorge, taper, trouilloter,
tuer les mouches. **II. Par ext. 1.**
Comprendre, connaître, découvrir,
deviner, discerner, pénétrer, pressentir, prévoir. **2.** Éprouver, recevoir,
ressentir.

SENTIR (SE) I. Se trouver. **II.**
*Les formes pronom. possibles des
syn. de* SENTIR.

SÉPARATION I. Au pr. 1. *De
quelque chose :* décollement, démarcation, démembrement, départ, désac-
couplement, désagrégation, désunion,
détachement, différence, disjonction,
dislocation, dispersion, distinction,
distraction, division, fragmentation,
morcellement, perte, rupture, sectionnement. **2.** *De quelqu'un ou d'un
groupe :* abandon, coupure, dissidence, divorce, éloignement, exil,
indépendance, ostracisme (péj.),
schisme, scission, sécession, séparatisme. **II. Par ext. 1.** Abîme, barrière,
borne, cloison, coupure, fossé, limite,
mur, palis, palissade. **2.** Différenciation, discrimination, isolation, isolement, ségrégation. **III. Loc.** *Séparation de corps* → *divorce.*

SÉPARATISME Apartheid, autonomie, dissidence, indépendance, particularisme, sécession.

SÉPARÉ, E Autre, cloisonné, clôturé,
compartimenté, contraire, différent,
dissemblable, distinct, divergent, divers, divisé, hérétique, hétérogène,
partagé, opposé, schismatique, sec-
tionné.

SÉPARÉMENT A part, de côté, l'un
après l'autre, un à un, un par un.

SÉPARER I. Au pr. : abstraire,
analyser, arracher, casser, classer,
cloisonner, couper, cribler, débrouiller,

décoller, décomposer, dégager, démarier, démêler, démembrer, dénouer,
déparier, départager, départir, déprendre, désaccoupler, désagréger,
désunir, détacher, différencier, discerner, discriminer, disjoindre, dissocier, dissoudre, distinguer, écarter,
éloigner, enlever, espacer, faire le
départ, fendre, fragmenter, isoler,
monder, morceler, ôter, partager,
ranger, rompre, scier, scinder, sectionner, trancher, trier. **II. Par ext. :**
brouiller, creuser un abîme, désunir,
éloigner, faire obstacle.

SÉPARER (SE) Abandonner, casser,
se désolidariser, divorcer, partir,
quitter, reprendre sa liberté, *et les
formes pronom. possibles des syn.
de* SÉPARER.

SEPTENTRIONAL, E Arctique, boréal, du nord, hyperboréen, nordique,
polaire.

SÉPULCRAL, E I. Par ext. :
ennuyeux, funèbre, lugubre, mélancolique, maussade, morne, morose,
obscur, sinistre, sombre. → *triste.*
II. Fig. : amorti, assourdi, caverneux,
étouffé, mat, sourd, voilé.

SÉPULCRE → *tombe.*

SÉPULTURE I. → *enterrement.*
II. → *tombe.*

SÉQUELLE → *suite.*

SÉQUENCE I. → *suite.* **II.** → *scène.*

SÉQUESTRE → *dépôt.*

SÉQUESTRER → *enfermer.*

SÉRAIL → *gynécée.*

SEREIN, E adj. → *tranquille.*

SEREIN n. → *vapeur.*

SÉRÉNADE I. → *concert.* **II.** →
tapage.

SÉRÉNITÉ → *tranquillité.*

SERF → *esclave.*

SERGENT DE VILLE → *agent.*

SÉRIE → *suite.*

SÉRIER → *ranger.*

SÉRIEUSEMENT Beaucoup, dangereusement, dur, gravement, tout
de bon, *et les adv. en -ment formés à
partir des syn. de* SÉRIEUX.

SÉRIEUX, EUSE adj. **I. Quelqu'un :** appliqué, austère, bon, calme,
digne, froid, grave, important, pondéré,
posé, raisonnable, rangé, rassis,
réfléchi, réservé, respectable, sage,
sévère, soigneux, solennel, solide,
sûr, valable. **II. Quelque chose.
1.** Convenable, positif, réel. **2.**
Critique, dangereux, désespéré, dramatique, grave, important, inquiétant.
3. → *vrai.*

SÉRIEUX n. Application, conviction,
gravité, pondération.

SERIN I. Au pr. : canari, passereau.
II. Fig. : niais, nigaud, sot. → *bête.*

SERINER Bourdonner, chanter, itérer (vx), rabâcher, radoter, rebattre les oreilles, redire, réitérer, répéter, ressasser.

SERMENT I. Caution, engagement, jurement, parole donnée, obligation, promesse, protestation, vœu. **II. Vx :** imprécation, juron.

SERMON I. Au pr. : capucinade (péj.), homélie, instruction, prédication, prône. **II. Par ext. 1.** Catéchisme, discours, exhortation, harangue, morale, propos. **2.** Chapitre, mercuriale, remontrance, réprimande, reproche, semonce.

SERMONNAIRE Apôtre, doctrinaire, missionnaire, orateur sacré, prêcheur, prédicant, prédicateur, prosélyte.

SERMONNER I. Au pr. : admonester, avertir, blâmer, catéchiser, chapitrer, condamner, corriger, critiquer, dire son fait, faire/infliger une réprimande et les syn. de RÉPRIMANDE, fustiger, gourmander, gronder, houspiller, moraliser, morigéner, quereller, redresser, relever, reprendre, réprimander, semoncer, tancer. **II. Arg. ou fam. :** arranger, attraper, chanter pouilles, crier, disputer, donner/passer une danse/un galop/un savon, donner sur les doigts/sur les ongles, emballer, engueuler, enguirlander, faire la fête/la guerre à, laver la tête, moucher, passer un savon, remettre à sa place/au pas, sabouler, savonner, secouer, secouer les puces, sonner les cloches, tirer les oreilles.

SERMONNEUR, EUSE Harangueur, gourmandeur, grondeur, moralisateur.

SERPE Ébranchoir, échardonnette, échardonnoir, fauchard, fauchette, faucille, gouet, hachette, serpette, vouge.

SERPENTER Se dérouler, glisser, s'insinuer, onduler, sinuer, tourner, virer, zigzaguer.

SERPENTIN, INE Anfractueux, courbe, flexueux, ondoyant, ondulé, onduleux, sinueux, tortueux.

SERPILLIÈRE Chiffon, toile, torchon, wassingue.

SERPOLET Farigoule, pouliot, thym bâtard/sauvage.

SERRE I. Forcerie, jardin d'hiver, orangerie. **II.** Ergot, griffe, main (vén.), ongle, patte.

SERRÉ, E I. → court. **II.** → logique. **III.** → avare.

SERRER I. Accoler, appuyer, comprimer, embrasser, empoigner, enlacer, entrelacer, épreindre (vx), étouffer, étrangler, étreindre, froisser, oppresser. → presser. **II.** Attacher, bander, bloquer, boucler, boudiner, brider, caler, coincer, comprimer, contracter, contraindre, corseter, crisper, emmail-loter, entourer, gêner, lacer, pincer, sangler. → rapprocher. **III.** Embrasser. → caresser. **IV.** → enfermer. **V.** → économiser. **VI. Loc. Serrer de près** → poursuivre.

SERRER (SE) Se blottir, se coller, s'entasser, se masser, se pelotonner, se tasser et les formes pronom. possibles des syn. de SERRER.

SERRURE Cadenas, fermeture, sûreté, verrou.

SERTIR Assembler, chatonner, emboîter, encadrer, encastrer, enchâsser, enchatonner, fixer, insérer, intercaler, monter.

SÉRUM Plasma, vaccin.

SERVAGE → servitude.

SERVANTE Bonne, bonne à tout faire, bonniche (péj.), camérière, camériste, cendrillon (fam.), chambrière, demoiselle, domestique, employée de maison, femme, femme de chambre/de charge/de ménage/de peine, femme/fille de ferme/de journée/de salle/de service, goton (péj.), gouge (vx et péj.), gouvernante, maritorne (péj.), ménagère (vx), odalisque (iron.), serveuse, soubrette, souillon (péj.), torchon (péj.).

SERVEUR, SERVEUSE I. Barmaid, barman, garçon. **II.** → serviteur. **III.** → servante.

SERVIABLE Aimable, attentionné, bienveillant, bon, brave, charitable, civil (vx), complaisant, déférent, empressé, galant, obligeant, officieux, poli, prévenant.

SERVICE I. Cérémonie, culte, funérailles, liturgie, messe, office. **II.** → servante. **III.** → serviteur. **IV.** Amabilité, aide, amitié, appui, assistance, avance, bénéfice, bien, bienfait, bon office, charité, complaisance, concours, conseil, contribution, coopération, coup de main/d'épaule/de pouce, dépannage, encouragement, entraide, faveur, grâce, intervention, main-forte, obligeance, office, participation, patronage, piston (fam.), plaisir, prêt, prêt d'honneur, protection, renfort, rescousse, secours, soin, soulagement, soutien, subside, subvention, utilité. **V.** Pièce, pourboire. **VI.** Administration, bureau, département, direction, office, organe, organisation, organisme, permanence, secrétariat. **VII. Loc. 1. Faire son service :** être appelé sous les drapeaux/incorporé, obligation militaire, période, régiment. **2. Être de service :** être de corvée/de faction/en fonctions/de garde/de quart/de surveillance.

SERVIETTE I. Essuie-mains, sortie de bain. **II.** Cartable, porte-documents, portefeuille.

SERVILE Ardélion (vx), bas, caudataire, complaisant, courtisan, flagorneur, flatteur, humble, lèche-bottes (fam.), lèche-cul (grossier), lécheur (fam.), obséquieux, patelin, pied-plat, plat, rampant, thuriféraire.

SERVILITÉ Bassesse, cabriole, complaisance, courbette, courtisanerie, flagornerie, flatterie, génuflexion, humilité, lèche (fam.), obséquiosité, patelinage, patelinerie, platitude, prosternation, reptation, servilisme, valetage.

SERVIR I. On sert quelqu'un ou à quelque chose. 1. Agir, aider, appuyer, assister, avantager, collaborer, concourir à, conforter, contribuer à, dépanner, donner, donner un coup de main/de piston (fam.)/de pouce, donner la main à, s'entraider, épauler, faciliter, faire pour, favoriser, jouer le jeu de, lancer, mettre dans la voie/le pied à l'étrier (fam.), obliger, offrir, partager, participer, patronner, permettre, pousser, prêter la main/main-forte, protéger, réconforter, rendre service, seconder, secourir, soulager, soutenir, subventionner, tendre la main à, venir à l'aide/à la rescousse/au secours. **2.** Se dévouer à, s'inféoder à, obéir, se soumettre à, suivre. **II. Quelque chose ou quelqu'un sert de :** équivaloir, relayer, remplacer, remplir la fonction/le rôle, représenter, se substituer à, tenir la place. **III. Vétér. :** couvrir, monter, saillir. **IV. Vén. :** mettre à mort, tirer, tuer.

SERVITEUR I. Au pr. : chasseur, chauffeur, cocher, cuisinier, domesticité, domestique, employé de maison, extra, factoton, factotum, fidèle (fam.), gagiste, gens (vx), grison (vx), homme de peine, jardinier, journalier, laquais, larbin (péj.), maison, maître d'hôtel, majordome, monde, personnel, portier, service, sommelier, valet, valet de chambre/de pied. **II. Fig. 1. Neutre :** avocat, ministre, prêtre, religieux. **2. Non favorable :** satellite, suppôt.

SERVITUDE I. Abaissement, allégeance, asservissement, assujettissement, contrainte, dépendance, esclavage, ilotisme, inféodation, infériorité, obédience, obéissance, obligation, servage, soumission, subordination, sujétion, tyrannie. **II.** Bagne, cage, carcan, chaîne, collier, entrave, fers, joug, lien.

SESSION Assise, audience, congrès, débat, délibération, réunion, séance, séminaire, symposium, vacation.

SEUIL I. Au pr. : bord, entrée, pas, passage. **II. Fig. :** adolescence, alpha, amorce, apparition, arrivée, aube, aurore, avènement, balbutiement, berceau, commencement, début,

déclenchement, départ, ébauche, embryon, enfance, esquisse, exorde, fleur, fondement, liminaire, matin, naissance, orée, origine, point initial, préambule, préface, préliminaires, premier pas, prémices, prémisse, primeur, principe, prologue, racine, rudiment, source, tête.

SEUL, E I. Au pr. : distinct, esseulé, indépendant, isolé, seulet (fam.), singulier, solitaire, un, unique. **II. Par ext. 1.** Abandonné, délaissé, dépareillé, dernier. **2.** Sec, simple. **3.** Célibataire, orphelin, veuf, veuve, vieille fille, vieux garçon. **4.** Désert, retiré, sauvage.

SEULEMENT I. Exclusivement, simplement, uniquement. **II.** Cependant, mais, malheureusement, néanmoins, toutefois.

SÈVE I. Au pr. : pleur. **II. Fig. :** activité, dynamisme, énergie, fermeté, force, puissance, robustesse, sang, verdeur, vie, vigueur.

SÉVÈRE I. Au pr. 1. Autoritaire, difficile, draconien, dur, étroit, exigeant, impitoyable, implacable, inexorable, inflexible, insensible, intransigeant, rigide, rigoureux, strict. **2.** Aigre, amer, âpre, austère, bourru, brutal, cinglant, cruel, froid, rabat-joie, raide, sourcilleux, triste, vache (fam.). **II. Par ext. (quelque chose). 1. Neutre :** aride, classique, dépouillé, fruste, simple, sobre. **2. Non favorable :** chaud, grave, salé (fam.).

SÉVÉRITÉ I. Au pr. : âpreté, austérité, autorité, dureté, étroitesse, exigence, inflexibilité, intransigeance, rigidité, rigueur. **II. Par ext. 1.** Apreté, austérité, brutalité, cruauté, froideur, gravité, insensibilité, raideur, tristesse, vacherie (fam.). **2.** Aridité, classicisme, dépouillement, simplicité, sobriété.

SÉVICES Blessure, brutalité, coup, coups et blessures, dol (vx), dommage, viol, violence.

SÉVIR I. Battre, châtier, condamner, corriger, faire payer, flétrir, frapper, infliger une peine/une sanction/punir, réprimer, sanctionner. **II. Arg. 1. Scol. :** coller, consigner, mettre en colle. **2. Milit. :** ficher/foutre/mettre dedans/la paille au cul. **III.** → agir.

SEVRER I. Au pr. : enlever, ôter, séparer. **II. Par ext. :** appauvrir, démunir, déposséder, dépouiller, déshériter, empêcher, frustrer, interdire, ravir, spolier, voler.

SEXE Organes de la reproduction/génitaux/sexuels, parties. **1. Mâle :** pénis, phallus, verge **2. Femelle :** vagin → vulve.

SEXUEL, ELLE Charnel, érotique, génital, physique, vénérien (méd.).

SEYANT, E Adapté, ad hoc, approprié, à propos, assorti, avantageux, beau, bien, bienséant, comme il faut, compatible, conforme, congru, convenable, convenant, correct, décent, de saison, digne, expédient, fait exprès, honnête, idoine, juste, opportun, pertinent, présentable, propice, proportionné, propre, raisonnable, satisfaisant, séant, sortable, topique, utile.

SIBÉRIEN, ENNE Boréal, froid, glacial, rigoureux.

SIBILANT, E → *sifflant.*

SIBYLLE Alcine, armide, circé, devineresse, prophétesse, pythie. → *magicienne.*

SIBYLLIN, E I. Au pr. : abscons, cabalistique, caché, énigmatique, ésotérique, hermétique, impénétrable, inspiré, mystérieux, obscur, prophétique, secret, visionnaire, voilé. **II. Par ext. :** abstrus, amphigourique, apocalyptique, brumeux, complexe, compliqué, confus, difficile, diffus, douteux, emberlificoté (fam.), embrouillé, entortillé, enveloppé, équivoque, filandreux, flou, fumeux, incompréhensible, inexplicable, inextricable, inintelligible, insaisissable, nébuleux, nuageux, touffu, trouble, vague, vaseux (fam.).

SICAIRE → *tueur.*

SICCITÉ Aridité, maigreur, pauvreté, sécheresse, stérilité.

SIDÉRAL, E Astral, astronomique, cosmographique.

SIDÉRÉ, E Abasourdi, abruti, accablé, anéanti, baba (fam.), choqué, coi, consterné, ébahi, ébaubi, éberlué, estomaqué (fam.), étonné, étourdi, foudroyé, hébété, immobile, interloqué, médusé, stupéfait, traumatisé.

SIDÉRURGIE Aciérie, forge, haut fourneau, métallurgie.

SIÈCLE Age, ans, cycle, durée, époque, ère, étape, jours, moment, période, saison, temps.

SIÈGE I. Au pr. : banc, banquette, berceuse, bergère, boudeuse, canapé, causeuse, chaire, chaise, coin-de-feu, divan, escabeau, escabelle, fauteuil, miséricorde, pliant, pouf, prie-Dieu, récamier, selle, sellette, sofa, stalle, strapontin, tabouret, trépied, trône, vis-à-vis. **II. Par ext. 1.** Blocus, encerclement, investissement. **2.** Administration centrale, direction, quartier général, résidence, secrétariat général. **3.** → *derrière.*

SIÉGER I. Demeurer, gésir (vx), gîter, habiter, résider. **II.** Occuper la place d'honneur, présider.

SIESTE Assoupissement, dodo (fam.), méridienne, repos, ronflette (fam.), roupillette (fam.), roupillon (fam.), somme, sommeil.

SIFFLANT Aigre, aigu, bruissant, chuintant, éclatant, perçant, sibilant, strident, striduleux.

SIFFLEMENT Bruissement, chuintement, cornement, sibilance, sifflet, stridulation.

SIFFLER Par ext. 1. Chanter, pépier. **2.** Conspuer, honnir, houspiller, huer. **3.** Seriner, siffloter. **4.** Appeler, héler, hucher. **5.** Corner, striduler.

SIFFLET Appeau, huchet, pipeau, serinette, signal.

SIGISBÉE → *cavalier.*

SIGNAL, AUX → *signe.*

SIGNALÉ, E Brillant, considérable, distingué, éclatant, émérite, épatant (fam.), étonnant, extraordinaire, formidable, frappant, glorieux, important, insigne, marquant, marqué, mémorable, notable, parfait, particulier, rare, remarquable, saillant, saisissant, supérieur.

SIGNALEMENT I. Fiche anthropométrique/signalétique, portrait-robot. **II.** Balisage, éclairage, sémaphore, signal, signalisation.

SIGNALER I. Au pr. : alerter, annoncer, avertir, citer, déceler, décrire, faire connaître/savoir, fixer, indiquer, marquer, mentionner, montrer, tracer le détail/le portrait. **II. Par ext. :** affirmer, apprendre, assurer, certifier, communiquer, confier, déclarer, découvrir, dénoncer, déposer, désigner, dévoiler, dire, énoncer, énumérer, enseigner, exposer, exprimer, faire état de, informer, manifester, nommer, notifier, porter à la connaissance, proclamer, publier, révéler, souligner, témoigner.

SIGNALER (SE) Différer, se distinguer, émerger, faire figure, se faire remarquer/voir, s'illustrer, se montrer, paraître, se particulariser, percer, se singulariser, *et les formes pronom. possibles des syn. de* SIGNALER.

SIGNATURE Contreseing, émargement, endos, endossement, griffe, monogramme, paraphe, seing (vx), souscription, visa.

SIGNE I. Annonce, augure, auspice, avant-coureur, avertissement, miracle, présage, prodige, promesse, pronostic. **II.** Alerte, appel, clignement/clin d'œil, geste, message, signal. **III.** Expression, manifestation, symptôme. **IV.** Attribut, caractère, caractéristique, idiosyncrasie, trait. **V.** Chiffre, emblème, figure, image, insigne, notation, représentation, symbole. **VI.** Critère, critérium, empreinte, indication, indice, marque, pas, piste, preuve, reste, stigmate, tache, témoignage, vestige. **VII.** Abréviation, cryptogramme, sigle.

SIGNER Accepter, apposer sa griffe/ sa signature, approuver, certifier, conclure, contresigner, émarger, marquer, parapher, souscrire, viser.

SIGNIFICATIF, IVE Caractéristique, clair, éloquent, expressif, formel, incontestable, manifeste, marquant, net, notoire, parlant, révélateur, signifiant, typique.

SIGNIFICATION → *sens*.

SIGNIFIER I. Dénoter, désigner, dire, énoncer, enseigner, expliquer, exposer, exprimer, extérioriser, faire connaître/entendre/savoir, figurer, manifester, marquer, montrer, peindre, préciser, rendre, rendre compte, représenter, signaler, spécifier, témoigner, tracer, traduire, vouloir dire. **II.** Annoncer, aviser, citer, communiquer, déclarer, dénoncer, informer, intimer, mander, notifier, ordonner, rendre compte, transmettre.

SILENCE I. Arrêt, calme, interruption, paix, pause, temps, tranquillité. **II.** Mutisme, mystère, réticence, secret. **III.** Chut, la ferme (fam.), motus, paix, ta bouche (fam.), ta gueule (grossier), vingt-deux (fam.).

SILENCIEUX, EUSE I. Quelqu'un. **1. Au pr. :** aphone, coi, court, muet. **2. Par ext. :** calme, discret, morne, placide, posé, réservé, réticent, sage, secret, taciturne, tranquille. **II. Un lieu :** endormi, feutré, mort, ouaté, reposant.

SILEX → *pierre*.

SILHOUETTE Allure, aspect, contour, forme, galbe, ligne, ombre, port, profil, tracé.

SILLAGE Houache (mar.), passage, vestige. → *trace*.

SILLON I. Au pr. : billon, raie, rayon, rigole. **II. Par ext. 1.** Fente, fissure, pli, rainure, ride, scissure, strie. **2.** → *sillage*.

SILLONNER I. Battre, circuler, courir, couvrir, naviguer, parcourir, traverser. **II.** Labourer, rayer, rider.

SILO Cluseau, dock, élévateur, fosse, grenier, magasin, réservoir.

SIMAGRÉE Affectation, agacerie, caprice, chichi, coquetterie, enfantillage, façon, grâces, grimace, hypocrisie, manière, mignardise, minauderie, mine, momerie, singerie.

SIMILAIRE Analogue, approchant, approximatif, assimilable, comparable, conforme, équivalent, homogène, pareil, ressemblant, semblable, synonyme.

SIMILITUDE Accord, affinité, analogie, association, communauté, concordance, conformité, convenance, contiguïté, corrélation, correspondance, équivalence, harmonie, homologie, homothétie, identité, lien, parenté, parité, relation, ressemblance, synonymie, voisinage. → *rapprochement*.

SIMOUN Chamsin, chergui, sirocco, tempête, vent chaud, vent de sable.

SIMPLE I. Quelqu'un. 1. Favorable ou neutre : aisé, à l'aise, bon bonhomme, brave, candide, confiant, droit, enfantin, facile, familier, franc, humble, ingénu, innocent, modeste, naïf, naturel, pur, réservé, sans façon. **2. Non favorable :** bonasse, brut, crédule, fada (fam.), faible, gille, grossier, idiot, inculte, jobard, niais, nicaise (vx), nice (vx), nicodème, pauvre d'esprit, primaire, primitif, rudimentaire, rustique, simple d'esprit, simpliste, sommaire, stupide, superstitieux. → *bête*. **II. Quelque chose. 1. Neutre :** abrégé, austère, court, dépouillé, élémentaire, incomplexe, indécomposable, indivisible, irréductible, ordinaire, seul, sévère, un, uni, unique. **2. Favorable :** agreste, beau, clair, classique, commode, compréhensible, dépouillé, facile, frugal, harmonieux, limpide, patriarcal, sobre, tempéré. **3. Non favorable :** insuffisant, nu, pauvre, sec, sommaire. **III. Nom masc. :** aromate, herbe médicinale, plante.

SIMPLEMENT A la bonne franquette, nûment, sans affectation/cérémonies / complications / façon / manières, tout de go, *et les adv. en -ment formés à partir des syn. de* SIMPLE.

SIMPLICITÉ I. Favorable ou neutre : abandon, bonhomie, candeur, confiance, droiture, élégance, facilité, familiarité, franchise, ingénuité, innocence, modestie, naïveté, naturel, pureté, simplesse. **II. Non favorable :** crédulité, jobarderie, niaiserie, superstition. → *bêtise*. **III. Par ext. 1. Neutre :** austérité, dépouillement, économie, humilité, sévérité, sobriété. **2. Favorable :** beauté, classicisme, harmonie.

SIMPLIFIER Abréger, axiomatiser, schématiser. → *réduire*.

SIMPLISTE → *simple*.

SIMULACRE I. Air, apparence, aspect, feinte, frime, imitation, mensonge, semblant. → *hypocrisie*. **II.** Fantôme, idole, image, ombre, représentation, spectre, vision. **III.** → *simulation*.

SIMULATION Affectation, artifice, cabotinage, cachotterie, chafouinerie, comédie, déguisement, dissimulation, duplicité, escobarderie, fausseté, faux-semblant, feinte, feintise, fiction, fourberie, grimace, hypocrisie, imposture, invention, leurre, mensonge, momerie, pantalonnade, papelardise, parade, patelinage, pharisaïsme, rouerie, ruse, singerie, sournoiserie, tartuferie, tromperie.

SIMULER Affecter, afficher, avoir l'air, bluffer, cabotiner, calquer, caricaturer, copier, crâner, démarquer, emprunter, faire semblant, feindre, imiter, jouer, mimer, parodier, pasticher, poser, prétendre, rechercher, reproduire, singer (péj.).

SIMULTANÉ, E Coexistant, commun, concomitant, synchrone.

SIMULTANÉITÉ Coexistence, coïncidence, concomitance, concours de circonstances, isochronie, isochronisme, rencontre, synchronie, synchronisme.

SIMULTANÉMENT A la fois, à l'unisson, conjointement, collectivement, coude à coude, d'accord, de concert, de conserve, de front, du même pas, en accord/bloc/chœur/commun / concordance / harmonie / même temps, ensemble.

SINAPISME Cataplasme, rigollot, topique, vésicatoire.

SINCÈRE I. Carré (fam.), catégorique, clair, cordial, entier, franc, loyal, net, ouvert, rond (fam.), sans façon, simple. **II.** Assuré, authentique, avéré, certain, conforme, droit, effectif, exact, existant, évident, fidèle, fondé, incontestable, juste, positif, pur, réel, sérieux, sûr, véridique, véritable, vrai.

SINCÉRITÉ Authenticité, bonne foi, conformité, cordialité, droiture, exactitude, fidélité, franchise, justesse, loyauté, netteté, ouverture, pureté, rondeur, sérieux, simplicité, sûreté, véracité, vérité.

SINÉCURE Charge, emploi, filon (fam.), fonction, fromage (fam.), situation de tout repos.

SINGE I. Au pr. : anthropoïde, guenon, primate, simien. **II. Par ext. 1.** Crapoussin, laideron, macaque, magot, monstre. **2.** Bouffon, clown, comédien, comique, gugusse, jocrisse, paillasse, rigolo, zig, zigomard, zigoto. **III. Fig.** (arg.) : bourgeois, directeur, employeur, maître, négrier (péj.), patron.

SINGER Affecter, calquer, caricaturer, compiler, contrefaire, copier, décalquer, démarquer, emprunter, imiter, jouer, mimer, parodier, pasticher, picorer, piller, pirater, plagier, reproduire, simuler.

SINGERIE Air, affectation, agacerie, apparence, artifice, aspect, baboue (vx), cabotinage, caricature, clownerie, comédie, contorsion, déguisement,

feinte, feintise, grimace, manière, mignardise, minauderie, mine, momerie, pantalonnade, papelardise, patelinage, pitrerie, rouerie, ruse, simulacre, simulation, tartuferie, tromperie. → *hypocrisie.*

SINGULARISER Caractériser, distinguer, faire remarquer, individualiser, particulariser.

SINGULARISER (SE) Se distinguer, différer, émerger, se faire remarquer/voir, faire figure, s'illustrer, se montrer, ne pas passer inaperçu, paraître, se particulariser, percer, se signaler.

SINGULARITÉ → *originalité.*

SINGULIER, ÈRE I. → *particulier.* **II.** → *extraordinaire*

SINISTRE adj. **I.** → *triste.* **II.** → *inquiétant.* **III.** → *mauvais.*

SINISTRE n. **I.** → *dommage.* **II.** → *incendie.*

SINUEUX, EUSE Anfractueux, courbe, flexueux, ondoyant, ondulant, ondulatoire, ondulé, onduleux, serpentin, tortueux.

SINUOSITÉ Anfractuosité, cingle, contour, coude, courbe, détour, méandre, onde, ondulation, pli, recoin, repli, retour.

SINUS Cavité, concavité, courbure, pli. → *sinuosité.*

SIROCCO → *simoun.*

SISMIQUE (phénomène) → *séisme.*

SIROP Béthique, capillaire, dépuratif, diacode, fortifiant, julep, looch, mélasse, pectoral.

SIRUPEUX, EUSE Collant, doucereux, doux, fade, gluant, mellifue, pâteux, poisseux, visqueux.

SITE I. Canton, coin, emplacement, endroit, lieu, localité, parage, place, position, situation, théâtre. **II.** Coup d'œil, étendue, panorama, paysage, perspective, point de vue, spectacle, tableau, vue.

SITUATION I. Au pr. 1. Assiette, coordonnées, disposition, emplacement, endroit, exposition, gisement, inclinaison, lieu, orientation, place, point, position, site. **2.** Affaires, circonstances, conjoncture, fortune, rang. **II. De quelqu'un. 1.** Condition, emploi, établissement, état, fonction, métier, occupation, poste. **2.** Attitude, engagement, idée, opinion, parti, posture, profession de foi, résolution.

SITUÉ, E Campé, établi, exposé, localisé, placé, posté, sis.

SITUER Appliquer, asseoir, camper, caser, classer, coucher, disposer, établir, exposer, ficher, fixer, fourrer (fam.), installer, localiser, loger, mettre, nicher, placer, planter, poser, poster, ranger.

SKETCH Comédie, pantomime, say-nète, scène.

SLOGAN Devise, formule.

SMOKING → *habit.*

SNOB Affecté, apprêté, distant, emprunté, faiseur, faux mondain.

SOBRE I. Abstème, abstinent, continent, frugal, modéré, pondéré, tempérant. **II.** Austère, classique, court, dépouillé, élémentaire, frugal, nu, ordinaire, simple, sommaire.

SOBRIÉTÉ I. Abstinence, continence, économie, frugalité, mesure, modération, pondération, sagesse, tempérance. **II.** → *retenue.*

SOBRIQUET → *surnom.*

SOCIABILITÉ Affabilité, agrément, amabilité, civilité, douceur de caractère, égalité d'humeur, facilité, politesse, urbanité.

SOCIABLE Accommodant, accort, affable, agréable, aimable, de bon caractère, civil, civilisé, facile, familier, liant, poli, praticable (vx), social, traitable.

SOCIALISME Collectivisme, communisme, coopératisme, dirigisme, égalitarisme, étatisation, étatisme, fouriérisme, maoïsme, marxisme, mutualisme, progressisme, saint-simonisme, social-démocratie, travaillisme, trotskisme.

SOCIALISTE Collectiviste, communiste, dirigiste, fouriériste, maoïste, marxiste, mutualiste, progressiste, saint-simonien, social-démocrate, soviet, soviétique, travailliste, trotskiste.

SOCIÉTAIRE Associé, collègue, compagnon, confrère, membre, pensionnaire.

SOCIÉTÉ I. Au pr. 1. Civilisation, collectivité, communauté, communion humaine, ensemble des hommes, humanité, monde. **2.** Académie, assemblée, association, cartel, cercle, club, compagnie, confrérie, congrégation, corps, Église, groupe, groupement, institut, parti, religion. **3.** Affaire, commandite, compagnie, coopération, entreprise, établissement, groupe, hanse (vx), holding, omnium, pool, raison sociale, trust. **II. Par ext. 1.** Constitution, corps social, culture, État, masse, nation, ordre public, peuple, structure sociale. **2.** Commerce, fréquentation, relations humaines, réunion. **3.** Aristocratie, caste, classe, entourage, gentry, gratin. **4.** Clan, tribu.

SOCLE Acrotère, base, piédestal, piédouche, plinthe, scabellon, support.

SŒUR Béguine, carmélite, congréganiste, dame, fille, mère, moniale,

nonnain, nonne, nonnette, novice. → *religieuse.*

SOFA, SOPHA Canapé, causeuse, chaise longue, cosy-corner, divan, fauteuil, lit, méridienne, ottomane, récamier, siège.

SOI-DISANT Apparent, faux, prétendu, prétendument, supposé.

SOIE I. Au pr. : organsin, grège. **II. Par ext. 1.** → *poil.* **2.** Bombasin, brocart, crêpe, faille, foulard, gros de Naples/de Tours, gros-grain, lampas, levantine, marceline, pékin, pongé, reps, satin, surah, taffetas, tussor.

SOIF I. Au pr. : altération, anadipsie, dipsomanie, pépie. **II. Fig. :** ambition, appel, appétence, appétit, aspiration, attente, attirance, attrait, avidité, besoin, caprice, convoitise, cupidité, curiosité, demande, démangeaison, desiderata, désir, envie, espérance, espoir, exigence, faim, fantaisie, force, goût, impatience, intérêt, penchant, prétention, prurit, quête, recherche, rêve, souhait, tentation, vanité, velléité, visée, vœu, volonté, vouloir.

SOIGNÉ, E I. Académique, étudié, léché, littéraire (péj.), poli, recherché. **II.** Consciencieux, coquet, délicat, élégant, entretenu, fini, minutieux, net, réussi, tenu.

SOIGNER I. Au pr. 1. Bichonner, câliner, chouchouter (fam.), choyer, couver, dorloter, panser (vx), pouponner. **2.** Médicamenter, panser, traiter. **3.** Châtier, ciseler, entretenir, fignoler, fouiller, lécher, limer, mitonner, peigner, perler, polir, raboter, raffiner, travailler. **II. Par ext. 1.** Complaire, cultiver, être aux petits soins, ménager, veiller au grain (fam. et péj.). **2.** Allaiter, cultiver, éduquer, élever, entretenir, former, instruire, nourrir.

SOIGNEUSEMENT Avec soin *et les syn. de* SOIN, bien, précieusement, *et les adv. en -ment formés à partir des syn. de* SOIGNEUX.

SOIGNEUX, EUSE Appliqué, attentif, consciencieux, curieux (vx), diligent, exact, ménager, méthodique, méticuleux, minutieux, ordonné, ponctuel, rangé, scrupuleux, sérieux, sévère, tâtillon.

SOIN I. Au sing. 1. Cure (vx), étude (vx), inquiétude, préoccupation, souci, veilles (vx). **2.** Attention, circonspection, diplomatie, économie, ménagement, précaution, prévoyance, prudence, réserve. **3.** Cœur, conscience, diligence, exactitude, honnêteté, minutie, rigueur, scrupule, sérieux, sévérité, sollicitude, superstition (péj.), zèle. **II. Au pl. 1.** Assiduité, cajolerie, douceur, égard, empressement, gâterie, hommage, ménagement, préve-

nance, service. **2.** Hygiène, toilette.
3. Charge, devoir, mission, occupation,
responsabilité, travail. **4.** Cure, médication, thérapeutique, traitement. **III.**
Loc. *Avec soin* → *soigneusement.*
SOIR Après-dîner, après-souper,
brune, coucher, crépuscule, déclin,
soirée, veillée, vêprée (vx).
SOIRÉE I. → *soir.* **II.** Bal, fête,
raout *ou* rout, réception, réunion.
SOL → *terre.*
SOLDAT I. Au pr. 1. Combattant,
conquérant, conscrit, guerrier, homme,
homme de troupe, légionnaire, mercenaire, militaire, recrue, reître (péj.),
soudard (péj.), spadassin (péj.),
territorial, troupier, vétéran. **2.** Artil-
leur, aviateur, cavalier, fantassin,
marin, parachutiste. **3.** Brancardier,
démineur, estafette, factionnaire,
garde, garde-voie, grenadier, guetteur, guide, jalonneur, ordonnance,
patrouilleur, pionnier, planton, pourvoyeur, sapeur, sentinelle, télégraphiste, tireur, voltigeur. **4. Vx :**
arbalétrier, archer, arquebusier, carabinier, grognard, mobile, morte-paye,
pertuisanier, piquier, réquisitionnaire.
5. *Étranger :* bachi-bouzouk, cipaye,
evzone, janissaire, mamelouk *ou*
mameluk, palikare, pandour, papalin,
tommy. **6. *Colonial :*** goumier, méha-
riste, spahi, tabor, tirailleur, zouave.
7. *Fam. ou arg. :* biffin, bleu, bleusaille, briscard, drille, griveton, pierrot,
pioupiou, poilu, tringlot, tourlourou,
troufion. **II. Par ext. 1.** Franc-
tireur, guérillero, maquisard, partisan,
résistant. **2.** Champion, défenseur,
serviteur.
SOLDATESQUE Troupes. → *soldat.*
SOLDE n. fém. Indemnité, paie, prêt,
rétribution, salaire.
SOLDE n. masc. → *reste.*
SOLDER I. Acquitter, apurer,
éteindre, liquider, payer, régler. **II.**
Brader, céder, se défaire de, écouler,
laisser, réaliser, sacrifier.
SOLÉCISME → *faute.*
SOLEIL I. Astre du jour, Phébus. **II.**
Hélianthe, tournesol.
SOLENNEL, ELLE I. → *imposant.*
II. → *officiel.*
SOLENNISER → *fêter.*
SOLENNITÉ I. → *gravité.* **II.** →
cérémonie.
SOLIDAIRE Associé, dépendant, engagé, joint, lié, responsable, uni.
SOLIDARITÉ Association, camaraderie, coopération, dépendance, entraide, esprit de corps, fraternité,
interdépendance, mutualité, réciprocité.
SOLIDE I. Nom masc. : corps,
matière, objet. **II. Adj. 1. Au pr. :**
consistant, dense, dur, durable, éternel, ferme, fort, incassable, indestructible, inusable, résistant, robuste.
2. Par ext. : affermi, assuré, certain,
enraciné, ferme, fixe, indéfectible,
inébranlable, infrangible, invariable,
positif, réel, sérieux, stable, substantiel, sûr. **3.** Bon, exact, fidèle, franc,
honnête, loyal, probe, régulier, sincère,
sûr, vrai. **4.** Irréfragable, irréfutable,
logique, mathématique. **5. *Quel-
qu'un :*** énergique, fort, increvable,
râblé, résistant, robuste, tenace,
vigoureux.
SOLIDIFIER Coaguler, concréter,
condenser, congeler, consolider, cristalliser, durcir, figer, geler, indurer,
raffermir, renforcer.
SOLIDITÉ I. Au pr. 1. Aplomb,
assiette, équilibre, stabilité. **2.** Compacité, consistance, coriacité, dureté,
fermeté, fixité, homogénéité, immuabilité, immutabilité, résistance, sûreté.
II. Fig. : assurance, autorité, caractère,
cœur, constance, courage, cran,
endurance, énergie, estomac (fam.),
force, inflexibilité, intransigeance, intrépidité, netteté, obstination, opiniâtreté, poigne (fam.), rectitude,
résolution, ressort, rigueur, sang-
froid, sévérité, ténacité, vigueur,
virilité, volonté.
SOLILOQUE Aparté, discours, monologue, radotage.
SOLITAIRE I. → *seul.* **II.** Abandonné, désert, désertique, désolé,
retiré, sauvage, vacant, vide. **III.**
Anachorète, ascète, ermite. **IV.** Bête,
noire (vén.), cochon (vén.), mâle,
porc, quartanier, ragot, sanglier, tiers-
an. **V.** Brillant, diamant, joyau, marquise, pierre, rose.
SOLITUDE I. Au pr. : abandon,
claustration, cloître, délaissement, déréliction, éloignement, exil, isolation,
isolement, quarantaine, retranchement,
séparation. **II. Par ext. 1.** Bled
(fam.), désert, retraite, thébaïde.
2. Méditation, recueillement, retraite,
tour d'ivoire. **3. Fam. :** cocon, coin,
coque, ombre, tanière.
SOLLICITATION I. Appel, insistance, invitation, tentation. **II.** Demande, démarche, instance, invocation, pétition, placet, pourvoi, prière,
requête, réquisition, supplication, supplique.
SOLLICITER I. Appeler, attirer,
convier, déterminer, engager, exciter,
faire signe, forcer, inviter, porter,
pousser, provoquer, tenter. **II.** Adresser une requête, *et les syn. de* RE-
QUÊTE, assiéger, briguer, demander,
désirer, dire, exprimer un désir/un
souhait, gueuser (péj.), implorer,
importuner, interpeller, interroger,
mendier (péj.), mendigoter (fam. et

péj.), pétitionner, postuler, présenter un placet/une requête/une supplique *et les syn. de* SUPPLIQUE, prier, quémander (péj.), quêter, rechercher, réclamer, se recommander de, requérir, revendiquer, sommer, souhaiter, supplier, vouloir.

SOLLICITUDE I. → *soin.* **II.** → *souci.*

SOLUTION I. → *résultat.* **II. Loc. Solution de continuité :** arrêt, cessation, coupure, discontinuation, discontinuité, halte, hiatus, intermède, intermission, intermittence, interruption, interstice, intervalle, lacune, pause, rémission, répit, rupture, saut, suspension. **III. Par ext. :** aboutissement, achèvement, bout, clef, coda, conclusion, dénouement, épilogue, fin, résolution, terme.

SOMBRE I. Au pr. : assombri, foncé, noir, obscur, opaque, ténébreux. **II. Par ext. 1. *Le temps :*** bas, brumeux, couvert, maussade, nuageux, orageux, voilé. **2.** → *triste.* **III. Fig. 1. *Quelque chose :*** funèbre, funeste, inquiétant, sépulcral, sinistre, tragique. **2. *Quelqu'un :*** amer, assombri, atrabilaire, bilieux, mélancolique, morne, morose, pessimiste, sinistre, taciturne, ténébreux.

SOMBRER I. Au pr. : s'abîmer, chavirer, disparaître, couler, s'enfoncer, s'engloutir, faire naufrage, s'immerger, se perdre, périr corps et biens, se saborder, sancir. **II. Fig. :** s'abandonner, s'absorber, se laisser aller/glisser, se jeter/se plonger dans, se livrer à, succomber à, se vautrer dans.

SOMMAIRE I. Adj. 1. Accourci, amoindri, bref, compendieux (vx), concis, condensé, contracté, court, cursif, diminué, écourté, laconique, lapidaire, limité, raccourci, réduit, restreint, résumé, succinct. **2.** → *simple.* **3.** → *rapide.* **II. Nom :** abrégé, abréviation, aide-mémoire, analyse, aperçu, argument, compendium, digest, éléments, épitomé, esquisse, extrait, manuel, notice, plan, précis, préface, promptuaire, raccourci, récapitulation, réduction, résumé, rudiment, schéma, somme, topo (fam.).

SOMMATION Assignation, avertissement, commandement, citation, injonction, interpellation, intimation, mise en demeure, ordre, ultimatum.

SOMME n. fém. **I.** Addition, chiffre, ensemble, fonds, masse, montant, quantité, total, volume. **II.** → *sommaire.* **III.** Bât, charge.

SOMME n. masc. **I.** → *sieste.* **II.** → *sommeil.*

SOMMEIL Assoupissement, demi-sommeil, dodo (fam.), dormition (relig. et méd.), repos, roupillon (fam.),

somme, somnolence, torpeur. → *sieste.*

SOMMEILLER S'assoupir, dormailler (fam.), dormir, s'endormir, être dans les bras de Morphée (fam.), faire la sieste/un somme, fermer l'œil, pioncer (fam.), reposer, ronfler (fam.), roupiller (fam.), somnoler.

SOMMER Assigner, avertir, citer, commander, contraindre, décréter, demander, enjoindre, exiger, forcer, imposer, interpeller, intimer, menacer, mettre en demeure, obliger, ordonner, prescrire, recommander, requérir, signifier.

SOMMET I. Aiguille, arête, ballon, calotte, cime, couronnement, crête, croupe, culmen, dent, dôme, extrémité, faîte, front, haut, hauteur, mamelon, pic, piton, point culminant, pointe, table, tête. **II.** Apogée, comble, pinacle, summum, zénith. **III.** Perfection, sommité (vx), suprématie.

SOMMITÉ I. → *sommet.* **II. Fig. 1.** Figure, grand, monsieur, notabilité, notable, personnage, personnalité, puissant, quelqu'un, vedette. **2. Fam. :** baron, bonze, gros bonnet, grosse légume, huile, huile lourde, important, légume, lumière, magnat, mandarin (péj.), manitou, pontife, satrape (péj.).

SOMNIFÈRE I. Au pr. : anesthésique, assoupissant, calmant, dormitif, hypnotique, narcotique, soporatif, soporeux, soporifère, soporifique. **II. Par ext. :** assommant, casse-pieds (fam.), embêtant, emmerdant (fam.), empoisonnant, endormant, ennuyant, ennuyeux, fastidieux, fatigant, insupportable, mortel, pénible, rasant, rasoir (fam.), rebutant, suant (fam.).

SOMNOLENCE → *sommeil.*

SOMNOLER S'assoupir, dormailler (fam.), dormir, s'endormir, être dans les bras de Morphée, faire la sieste/un somme, fermer l'œil, pioncer (fam.), reposer, ronfler, roupiller, sommeiller.

SOMPTUEUX, EUSE Beau, éclatant, fastueux, luxueux, majestueux, magnifique, opulent, plantureux, pompeux, princier, riche, solennel, splendide, superbe.

SOMPTUOSITÉ I. Au pr. : apparat, beauté, éclat, faste, luxe, majesté, magnificence, opulence, pompe, richesse, solennité, splendeur. **II. Par ext. :** abondance, confort, débauche, excès, profusion, surabondance.

SON Accent, accord, bruit, écho, inflexion, intonation, modulation, musique, note, timbre, ton, tonalité.

SON Balle, bran, issues.

SONDER I. Au pr. : creuser, descendre, explorer, mesurer, reconnaître, scruter, tâter. **II. Par ext. 1.** Analyser, apprécier, approfondir, ausculter, compulser, considérer, consulter, s'enquérir, éplucher, estimer, étudier, évaluer, examiner, inspecter, inventorier, palper, pénétrer, peser, prospecter, rechercher, reconnaître, scruter. *2.* Confesser, demander, interroger, pressentir, poser des questions, questionner, tâter, toucher.

SONGE I. → *rêve.* **II.** → *illusion.*

SONGE-CREUX Chimérique, déraisonnable, extravagant, halluciné, illuminé, imaginatif, obsédé, rêveur, utopiste, visionnaire.

SONGER I. → *rêver.* **II.** → *penser.* **III.** → *projeter.*

SONGERIE → *rêve.*

SONGEUR, EUSE Absent, absorbé, abstrait, contemplatif, méditatif, occupé, pensif, préoccupé, rêveur, soucieux.

SONNAILLES Bélière, campane, clarine, cloche, clochette, grelot.

SONNANT, E → *sonore.*

SONNÉ, E I. Assommé, étourdi, groggy, k.o. **II.** Cinglé. → *fou.*

SONNER I. Au pr. : bourdonner, carillonner, résonner, tinter, tintinnabuler (fam.). **II. Loc. 1. Sonner aux oreilles :** corner. **2. Sonner du cor :** appeler, corner, donner, forhuer, grailler, jouer. **III. Fig. :** proclamer, vanter.

SONNERIE I. Milit. : appel au drapeau / aux champs, boute-selle, breloque, chamade, charge, couvre-feu, diane, extinction des feux, générale, ralliement, rassemblement, retraite, réveil. **II. Vén. :** débucher, hallali, quête, ton. **III. Du téléphone, etc. :** appel, timbre.

SONNETTE I. Campane, clarine, cloche, clochette, sonnaille. **II.** Appel, avertisseur, drelin (fam.), grelot, timbre.

SONORE I. Au pr. 1. Carillonnant, résonnant, retentissant, sonnant. **2.** Ample, bruyant, éclatant, fort, haut, plein, ronflant, tonitruant, tonnant, vibrant. **II. Fig.** → *ampoulé.*

SONORITÉ Ampleur, creux, harmonie, résonance.

SOPHISME Aberration, confusion, défaut, erreur, paralogisme, vice de raisonnement.

SOPHISTE Casuiste, rhéteur.

SOPHISTIQUÉ I. Captieux, erronné, faux, frelaté, paralogique, spécieux, trompeur. **II.** Affecté, affété, alambiqué, amphigourique, choisi, emphatique, galant, maniéré, mignard, précieux, recherché.

SOPHISTIQUER → *altérer.*

SOPORATIF, SOPOREUX, SOPORIFÈRE, SOPORIFIQUE → *somnifère.*

SORBET Crème/dessert/fruits glacés, glace, rafraîchissement.

SORCELLERIE Alchimie, archimagie, cabale, charme, conjuration, diablerie, divination, enchantement, ensorcellement, envoûtement, évocation, fascination, hermétisme, horoscope, incantation, magie, maléfice, nécromancie, occultisme, philtre, pratiques magiques / occultes / secrètes, prestige, rite, sort, sortilège, thaumaturgie, théurgie, vaudou.

SORCIER Alchimiste, astrologue, devin, enchanteur, envoûteur, mage, magicien, nécromancien, nécromant, psychopompe, thaumaturge.

SORCIÈRE I. Alcine, armide, circé, diseuse de bonne aventure, fée, magicienne, sirène, tireuse de cartes. **II.** → *mégère.*

SORDIDE I. Cochon, crasseux, grossier, immonde, immoral, impur, inconvenant, indécent, infâme, maculé, malhonnête, malpropre, obscène, ordurier, répugnant, sale. → *dégoûtant.* **II.** → *avare.*

SORNETTES → *chansons.*

SORT I. Avenir, destin, destinée, fatalité, fatum, providence, vie. **II.** → *hasard.* **III.** → *état.* **IV.** → *vie.* **V.** → *magie.*

SORTABLE Par ext. : approprié, assorti, beau, bien, bienséant, bon, comme il faut, congru, convenable, convenant, correct, décent, de saison, digne, fait exprès, honnête, honorable, idoine, juste, opportun, mettable, pertinent, poli, présentable, propre, raisonnable, satisfaisant, séant, seyant.

SORTE I. Caste, catégorie, clan, classe, division, embranchement, espèce, état, famille, genre, groupe, ordre, race, rang, série. **II.** Condition, qualité, trempe. **III.** Façon, griffe, guise (vx), manière, style.

SORTI, E Frais émoulu de, issu de, natif de, né, originaire, venu de.

SORTIE I. Au pr. 1. Débouché, issue, porte. **2.** Balade, départ, échappée, escapade, évasion, promenade, tour. **3.** Échappement, écoulement, émergence, évacuation. **II. Par ext. 1.** → *dépense.* **2.** → *publication.* **3.** Admonestation, algarade, attaque, catilinaire (vx), dispute, engueulade (fam.), incartade (vx), invective, mercuriale, observation, récrimination, remarque, réprimande, reproche, scène, séance, semonce.

SORTILÈGE Charme, diablerie, enchantement, ensorcellement, envoûtement, évocation, incantation, jettatura, maléfice, mauvais sort, sort, sorcellerie. → *magie.*

SORTIR I. Au pr. 1. Abandonner, déboucher, débouquer, débucher, débusquer, s'échapper, s'enfuir, s'évader, partir, quitter. **2.** Apparaître, éclore, émerger, faire irruption, jaillir, mettre le nez dehors, percer, poindre, saillir, sourdre, surgir. **3.** Déborder, se dégager, s'écouler, s'exhaler, se répandre. **4.** S'absenter, débarrasser le plancher (fam.), décamper, déguerpir, déloger, s'éclipser, s'esquiver, évacuer. **II. Par ext. 1.** Arracher, ôter, vidanger, vider. **2.** Éditer, lancer, publier, tirer. → *paraître.* **3.** Débiter, proférer. → *dire.* **4.** Émaner, être issu, naître, provenir, résulter.

SOSIE Jumeau, ménechme, pendant, réplique.

SOT, SOTTE I. Au pr. 1. *Quelqu'un :* âne, béjaune, benêt, borné, buse, crétin, dadais (fam.), imbécile, idiot, inintelligent, malavisé, niais, poire, stupide.→ *bête.* **2. *Un comportement :*** absurde, déraisonnable, extravagant, fou, illogique, incohérent, incongru, inconséquent, inepte, irrationnel, insensé, loufoque, saugrenu. → *bête.* **II. Par ext. 1.** → *irrévérencieux.* **2.** Arrogant, avantageux, content de soi, dédaigneux, fanfaron, fat, fiérot, impertinent, infatué, orgueilleux, pécore, péronnelle, plastron, plat, plein de soi, poseur, prétentieux, rodomont, satisfait, suffisant, vain, vaniteux. **3.** Confondu, confus, déconcerté, déconfit, décontenancé, défait, déferré, démonté, dépaysé, dérouté, désarçonné, désemparé, désorienté, étonné, étourdi, inquiet, interdit, mis en boîte, pantois, penaud, quinaud, surpris, troublé.

SOTTISE I. Au pr. : absurdité, ânerie, balourdise, crétinerie, crétinisme, idiotie, imbécillité, nigauderie, stupidité. → *bêtise.* **II. Par ext. 1.** → *bagatelle.* **2.** Arrogance, autosatisfaction, dédain, fatuité, impertinence, infatuation, orgueil, plastronnade (fam.), pose, prétention, rodomontade, suffisance, vanité. **3.** → *injure.* **4.** → *maladresse.*

SOUBASSEMENT Appui, assiette, assise, base, embasement, fondement, piédestal, podium, socle, stylobate.

SOUBRESAUT I. Au pr. : convulsion, saccade, secousse, spasme, sursaut, trépidation. **II. Par ext. 1.** Bond, bondissement, cabriole, cahot, culbute, gambade, ricochet, saut, sautillement, sursaut, tressaillement, tressaut. **2.** Contraction, convulsion, frisson, haut-le-corps, spasme, tressaillement. **III. Fig. :** agitation, bouleversement, crise, remous, révolution, trouble.

SOUBRETTE I. Au pr. → *servante.* **II. Par ext. :** confidente, demoiselle de compagnie, lisette, suivante.

SOUCHE I. → *racine.* **II.** → *tige.* **III.** → *race.* **IV.** → *bête.*

SOUCI I. Attitude ou état : agitation, alarme, angoisse, anxiété, bile (fam.), cassement de tête, chagrin, contrariété, crainte, émoi, ennui, incertitude, inquiétude, martel (vx), obsession, peine, perplexité, poids, préoccupation, scrupule, soin (vx), sollicitude, tintouin (fam.), tourment, tracas. **II. Circonstance :** affaire, aria (fam.), désagrément, difficulté, embarras, embêtement (fam.), emmerdement (fam.), empoisonnement, tribulation.

SOUCIEUX, EUSE I. Neutre ou favorable : affairé, attentif, curieux de, jaloux de, occupé, pensif, préoccupé, scrupuleux, songeur. **II. Non favorable :** agité, alarmé, angoissé, anxieux, bileux (fam.), chagrin, contrarié, craintif, embarrassé, embêté (fam.), emmerdé (fam. ou grossier), empoisonné, ennuyé, inquiet, obsédé, peiné, perplexe, préoccupé, tourmenté, tracassé.

SOUDAIN adv. A l'instant, aussitôt, brusquement, dans l'instant, d'emblée, d'un seul coup/ mouvement, illico (fam.), immédiatement, incessamment, incontinent, instantanément, rapidement, sans retard, sans transition, séance tenante, soudainement, subitement, subito (fam.), sur-le-champ, tout à coup, tout de suite, tout d'un coup.

SOUDAIN, AINE adj. Brusque, brusqué, foudroyant, fulgurant, immédiat, imprévu, instantané, prompt, rapide, saisissant, subit.

SOUDARD Goujat, plumet (vx), reître, sabreur, spadassin, traîneur de sabre.

SOUDER → *joindre.*

SOUDOYER Acheter, arroser (fam.), corrompre, graisser la patte (fam.), payer, stipendier. → *séduire.*

SOUDURE I. Au pr. : assemblage, brasure, raccord, soudage. **II. Par ext.** → *joint.*

SOUFFLE I. Au pr. 1. → *haleine.* **2.** → *vent.* **II. Fig.** → *inspiration.*

SOUFFLÉ, E I. Au pr. : ballonné, bombé, bouclé (maçonnerie), bouffant, bouffi, boursouflé, cloqué, congestionné, dilaté, distendu, empâté, enflé, gondolé, gonflé, gros, hypertrophié, mafflu, météorisé, renflé, tuméfié, tumescent, turgescent, turgide, ventru, vultueux. **II. Par ext. :** académique, affecté, ampoulé, apprêté, cérémonieux, compliqué, creux, déclamatoire, démesuré, emphatique, grandiloquent, guindé, hyperbolique, pédantesque, pompeux, pompier (fam.), prétentieux, ronflant, sentencieux, solennel, sonore, vide.

SOUFFLER I. Au pr. : exhaler, expirer, haleter, respirer. **II. Par ext. 1.** Aspirer, balayer, escamoter, éteindre. **2.** Activer, animer, exciter, inspirer, insuffler. **3.** Jouer, sonner. **4.** S'approprier, dérober, enlever, ôter, ravir. → *prendre.* **5.** Chuchoter, dire, glisser, insinuer, murmurer, parler à l'oreille, suggérer. **6.** Aider, apprendre, remémorer, tricher. **7.** Enfler, gonfler, grossir.

SOUFFLET Baffe (fam.), beigne (fam.), beignet (fam.), calotte, claque, coup, emplâtre (fam.), gifle, giroflée (fam.), mandale (fam.), mornifle (fam.), pain (fam.), talmouse (fam.), taloche (fam.), tape, tarte (fam.), torgnole *ou* torniole (fam.).

SOUFFLETER Battre, calotter, claquer, confirmer (fam.), corriger, donner un soufflet *et les syn. de* SOUFFLET, gifler, mornifler (fam.), moucher (fam.), talocher (fam.), taper.

SOUFFRANCE I. Au pr. : douleur, élancement, indisposition, mal, maladie, malaise, rage, supplice, torture, tourment. → *blessure.* **II. Par ext. :** affliction, amertume, croix, déchirement, désespoir, désolation, épreuve, larme, passion. **III. Loc. *En souffrance :*** en carafe (fam.), en panne, en retard.

SOUFFRANT, E Abattu, alité, atteint, cacochyme, déprimé, dolent, égrotant, fatigué, fiévreux, incommodé, indisposé, malade, maladif, mal en point, mal fichu, pâle, pâlot, patraque, souffreteux.

SOUFFRETEUX, EUSE → *souffrant.*

SOUFFRIR I. V. intr. : languir, mourir (fig.), passer un mauvais quart d'heure (fam.), pâtir, peiner, sécher (fam.). **II. V. tr. 1.** Admettre, avaler (fam.), boire (fam.), digérer (fam.), endurer, éprouver, essuyer, laisser faire, permettre, ressentir, soutenir, subir, supporter, tolérer. **2.** → *pardonner.* **III. Loc. *Faire souffrir :*** affliger, endolorir, lanciner, martyriser, tourmenter, torturer.

SOUHAIT I. Favorable : aspiration, attente, demande, désir, envie, optation, vœu, volonté. **II. Non favorable :** ambition, appétit, caprice, convoitise.

SOUHAITER I. Favorable : appeler, aspirer à, attendre, avoir dans l'idée/en tête/envie/l'intention de, brûler de, demander, désirer, rechercher, réclamer, rêver, soupirer après, tenir à, viser, vouloir. **II. Non favorable :** ambitionner, appéter (vx), arrêter, convoiter, exiger, guigner, lorgner (fam.), loucher sur (fam.), prétendre à.

SOUILLER I. Au pr. : abîmer, barbouiller, charbonner, cochonner (fam.), contaminer, crotter, éclabousser, embouer (vx), encrasser, gâter, graisser, mâchurer, maculer, noircir, poisser, polluer, salir, tacher. **II. Fig. :** baver sur, calomnier, déparer, déshonorer, diffamer, entacher, flétrir, profaner, prostituer, ternir.

SOUILLON I. Adj. : cochon (fam.), crasseux, dégoûtant, désordonné, grossier, malpropre, peu soigné/soigneux, sale. **II. Nom masc. et fém.** (péj.) → *servante.*

SOUILLURE I. Au pr. : bavure, crasse, éclaboussure, immondice, macule (vx), malpropreté, ordure, pâté, saleté, salissure, tache. **II. Fig. :** crime, déshonneur, faute, flétrissure, impureté, tare. → *péché.*

SOÛL, SOÛLE I. Au pr. : assouvi, bourré, dégoûté, gavé, gorgé, le ventre plein, rassasié, repu, saoul (vx), saturé, sursaturé. **II. Par ext.** → *ivre.*

SOULAGEMENT I. Adoucissement, allégement, amélioration, apaisement, assouplissement, atténuation, bien, calme, consolation, détente, euphorie, rémission. **II.** Aide, appui, assistance, coup d'épaule/de main/de pouce, encouragement, entraide, main-forte, réconfort, rescousse, secours, soutien. **III.** → *remède.*

SOULAGER I. Au pr. : alléger, débarrasser, décharger, dégrever, délester, diminuer, exonérer, ôter. **II. Fig. :** adoucir, aider, amoindrir, apaiser, atténuer, calmer, débonder/dégonfler/déverser son cœur, décharger, délivrer, endormir, étourdir, mitiger, secourir, tempérer. → *consoler.*

SOÛLARD, SOÛLAUD, SOÛLAS (vx) → *ivrogne.*

SOÛLER (SE) I. Au pr. : s'aviner, avoir sa cocarde/son compte/son plumet/son pompon, boire, chopiner, se cuiter, s'enivrer, gobelotter, se griser, se piquer le nez, se pocharder, prendre la bourrique/une cuite/une mufflée/une ronflée. **II. Par ext. :** s'exalter, s'exciter.

SOULÈVEMENT I. Au pr. : boursoufflure, exhaussement, mouvement, surrection. **II. Par ext. 1.** Bondissement, saut, sursaut. **2.** → *nausée.* **3.** Action, agitation, chouannerie, désobéissance, dissidence, effervescence, émeute, faction, guerre civile, insoumission, insubordination, insurrection, jacquerie, lutte, mouvement, mutinerie, opposition, putsch, rébellion, résistance, révolte, révolution, sécession, sédition, violence.

SOULEVER I. Au pr. 1. Dresser, élever, enlever, hausser, hisser, lever, monter, redresser. **2.** Écarter, relever, remonter, retrousser, trousser. **II. Fig. 1.** Agiter, ameuter, déchaîner, ébranler, entraîner, exalter, exciter, provoquer, remuer, transporter. **2.**

Amener, appeler, apporter, attirer, causer, créer, déclencher, déterminer, donner/fournir lieu/occasion, engendrer, être la cause de, faire, motiver, occasionner, prêter à, procurer, produire, provoquer, susciter.

SOULEVER (SE) I. → *révolter (se)*. **II.** *Les formes pronom. possibles des syn. de* SOULEVER.

SOULIER I. Au pr. : bottine, brodequin, chaussure, escarpin, galoche, mocassin, richelieu, snow-boot. **II. Par ext. :** babouche, botte, chausson, cothurne, espadrille, mule, nu-pieds, pantoufle, patin, sabot, sandale, savate, socque, spartiate. **'III. Arg. ou fam. :** bateau, clape, clapette, croquenot, écrase-merde, godasse, godillot, grolle, péniche, pompe, ribouis, sorlot, tatane.

SOULIGNER I. Au pr. : accentuer, appuyer, border d'un trait, marquer, ponctuer, tirer un trait. **II. Par ext. :** désigner, faire ressortir, insister sur, mettre en évidence, montrer, noter, préciser, relever, signaler.

SOULTE I. Au pr. : compensation, complément, dédommagement. **II. Par ext.** → *garantie*.

SOUMETTRE I. Non favorable : accabler, asservir, assujettir, astreindre, brusquer, conquérir, contraindre, courber, dominer, dompter, enchaîner, imposer son autorité/son pouvoir, inféoder, maintenir/mettre sous l'autorité/la dépendance/le pouvoir/la puissance/la tutelle, maîtriser, mettre en esclavage, mettre la corde au cou (fam.), opprimer, plier, ramener à l'obéissance, ranger sous ses lois, réduire, réglementer, réprimer, subjuguer, subordonner, tenir en respect, tenir sous son autorité/sous sa dépendance/son pouvoir/sa puissance/sa tutelle, tenir en esclavage. **II. Neutre ou favorable. 1.** Apprivoiser, assouplir, attacher, captiver, charmer, conquérir, discipliner, pacifier, subjuguer. **2.** Avancer, donner, exposer, faire une offre/ouverture/proposition, offrir, présenter, proposer, soumissionner. **3.** → *montrer*.

SOUMETTRE (SE) I. Neutre ou favorable : accepter, acquiescer, consentir, se plier à. **II. Non favorable :** s'abaisser, abandonner le combat, s'accommoder, s'adapter, s'assujettir, céder, se conformer, courber la tête, déférer, en passer par, faire sa soumission, filer doux (fam.), fléchir, s'humilier, s'incliner, s'inféoder, se livrer, obéir, obtempérer, passer sous les fourches caudines, reconnaître l'autorité, se régler, se rendre, se résigner, suivre.

SOUMIS, E I. Neutre ou favorable. 1. *Un peuple :* pacifié.

2. Quelqu'un : attaché, complaisant, déférent, discipliné, docile, doux, fidèle, flexible, gouvernable, humble, malléable, maniable, obéissant, sage, souple. **II. Non favorable :** asservi, assujetti, conquis, humilié, inféodé, réduit, subordonné.

SOUMISSION I. Neutre ou favorable. 1. Acquiescement, allégeance, dépendance, discipline, docilité, fidélité, humilité, obédience, obéissance, pacification, résignation. **2.** Adjudication, entreprise, marché, offre, proposition. **II. Non favorable :** abaissement, asservissement, assujettissement, conquête, dépendance, esclavage, inféodation, joug, merci, réduction, servilité, servitude, subordination, sujétion, vassalité.

SOUPÇON I. Au pr. : apparence, conjecture, crainte, croyance, défiance, doute, méfiance, ombrage, suspicion. **II. Par ext. :** idée, nuage, pointe, très peu, un peu.

SOUPÇONNER Avoir idée de, conjecturer, croire, se défier de, deviner, se douter de, entrevoir, flairer, se méfier, penser, pressentir, redouter, supposer, suspecter.

SOUPÇONNEUX, EUSE Craintif, défiant, inquiet, jaloux, méfiant, ombrageux.

SOUPE → *bouillon*.

SOUPENTE Cagibi, combles, galetas, grenier, mansarde, réduit, souillarde.

SOUPER I. V. Intr. : dîner. → *manger*. **II. Nom :** dîner → *repas*.

SOUPESER → *peser*.

SOUPIR → *gémissement*.

SOUPIRANT, E I. → *amant*. **II.** → *prétendant*.

SOUPIRER I. → *respirer*. **II.** → *aspirer*.

SOUPLE I. Quelque chose : ductile, élastique, flexible, malléable, maniable, mou, pliable. **II. Quelqu'un. 1. Phys. :** agile, ailé, aisé, décontracté, dégagé, félin, léger, leste. → *dispos*. **2. Par ext. :** adroit, compréhensif, diplomate, docile, fin, liant, machiavélique (péj.), ondoyant, politique, subtil.

SOUPLESSE I. De quelque chose : ductilité, élasticité, flexibilité, malléabilité, maniabilité. **II. De quelqu'un. 1. Phys. :** agilité, aisance, décontraction, légèreté. **2. Par ext. :** adresse, compréhension, diplomatie, docilité, finesse, intrigue, machiavélisme (péj.), subtilité. → *politique*.

SOUQUENILLE Bleu, caban, cache-poussière, casaque, cotte, sarrau, surtout.

SOUQUER I. V. tr. : bloquer, serrer, visser. **II. V. intr. 1. Au pr. :** ramer. **2. Fig.** → *peiner*.

SOURCE I. Au pr. : fontaine, geyser, griffon, point d'eau, puits. **II. Fig. 1.** → *origine.* **2.** → *centre.*

SOURCILLER I. Ciller, froncer les sourcils, tiquer. **II. Loc. Sans sourciller :** sans barguigner/discuter/être troublé/faire ouf (fam.)/hésiter.

SOURCILLEUX, EUSE I. Braque, chatouilleux, délicat, hérissé, hypersensible, irritable, ombrageux, pointilleux, pointu, prompt, sensible, sensitif. **II.** → *triste.*

SOURD, E I. Au pr. : dur d'oreille. **II. Par ext. :** amorti, assourdi, caverneux, cotonneux, creux, doux, enroué, étouffé, indistinct, mat, mou, sépulcral, voilé. **III. Fig. 1. Quelqu'un :** impitoyable, inexorable, insensible. → *indifférent.* **2. Quelque chose :** caché, clandestin, hypocrite, ténébreux, souterrain, vague. → *secret.*

SOURDEMENT → *secrètement.*

SOURDRE → *sortir.*

SOURICIÈRE → *piège.*

SOURIRE n. → *rire.*

SOURIRE v. intr. **I.** → *rire.* **II.** → *plaire.*

SOURNOIS, E Affecté, artificieux, caché, cachottier, chafouin, déloyal, dissimulateur, dissimulé, double-jeu, doucereux, en dessous, faux, faux jeton, fourbe, insidieux, mensonger, mielleux, perfide, rusé, simulé, tartufe, trompeur. → *hypocrite.*

SOURNOISERIE I. Affectation, artifice. cabotinage, cachotterie, comédie, déguisement, dissimulation, duplicité, faux-semblant, feintise, fiction, grimace, invention, leurre, mensonge, momerie, pantalonnade, parade, ruse, simulation, singerie, tromperie. **II.** → *fausseté.* **III.** → *hypocrisie.*

SOU → *argent.*

SOUSCRIRE I. → *consentir.* **II.** → *payer.*

SOUS-ENTENDU I. Adj. : à double sens, allant de soi, implicite, tacite. **II. Nom :** allégorie, allusion, évocation, quiproquo, réserve, réticence.

SOUS-ESTIMER Abaisser, avilir, baisser, critiquer, débiner (péj.), déconsidérer, décréditer, décrier, dénigrer, déprécier, dépriser, détracter (vx), dévaloriser, dévaluer, diminuer, discréditer, méconnaître, méjuger, mépriser, mésestimer, rabaisser, rabattre, ravaler, sous-évaluer.

SOUS-JACENT, E I. Inférieur, subordonné. **II.** Supposé. → *secret.*

SOUS-MAIN (EN) → *secrètement.*

SOUS-MARIN Submersible.

SOUS-ŒUVRE Base, fondation, fondement, infrastructure, pied, soubassement, soutènement, soutien, substructure.

SOUS-ORDRE I. Adjoint, bras droit, collaborateur, subordonné. **II.** → *inférieur.*

SOUS-PRÉFECTURE Arrondissement, circonscription, district.

SOUS-SOL → *cave.*

SOUSTRACTION → *diminution.*

SOUSTRAIRE → *dérober, retrancher.*

SOUSTRAIRE (SE) Esquiver → *éviter.*

SOUS-VERGE → *sous-ordre.*

SOUTENABLE Acceptable, défendable, plausible, possible, supportable.

SOUTENEUR → *proxénète.*

SOUTENIR I. Au pr. : accoter, arc-bouter, appuyer, armer, consolider, contrebouter, étançonner, étayer, maintenir, porter, supporter, tenir. **II. Par ext. 1.** Conforter, fortifier, nourrir, réconforter, remonter, réparer, stimuler, sustenter. **2.** Aider, appuyer, assister, cautionner, défendre, donner/prêter la main/un coup d'épaule, encourager, épauler, épouser la cause, favoriser, financer, garantir, mettre le pied à l'étrier, prendre fait et cause, protéger, remonter le moral, seconder, secourir. **3.** Affirmer, argumenter, assurer, attester, certifier, discuter, disputer, écrire, enseigner, faire valoir, maintenir, prétendre, professer, répondre. **4.** Continuer, persévérer, persister, poursuivre. **III. Loc. 1. Soutenir le choc :** endurer, recevoir, résister, souffrir, subir, supporter, tenir. **2. Soutenir la comparaison :** défier, rivaliser.

SOUTENIR (SE) I. Se continuer, durer, se maintenir, subsister, surnager *et les formes pronom. possibles des syn. de* SOUTENIR. **II.** S'entraider.

SOUTENU, E I. Aidé, appuyé, épaulé, pistonné (fam.). **II.** Secondé. **III.** Assidu, constant, persévérant, persistant. **IV.** Accentué, continu, continuel. **V. Loc. Style soutenu. 1. Neutre ou favorable :** académique, cérémonieux, élevé, éloquent, héroïque, magnifique, noble, pindarique, relevé, sublime. **2. Non favorable :** affecté, ampoulé, apprêté, bouffi, boursouflé, compliqué, déclamatoire, démesuré, emphatique, enflé, grandiloquent, guindé, hyperbolique, pédantesque, pompeux, pompier (péj. et fam.), prétentieux, ronflant, sentencieux, solennel, sonore, soufflé.

SOUTERRAIN I. Nom : antre, basse-fosse, catacombe, cave, caveau, caverne, crypte, cul de basse-fosse, excavation, galerie, grotte, oubliette, sous-sol, terrier, tunnel. **II. Adj. :** caché, sombre, ténébreux. → *secret.*

SOUTIEN I. Au pr. : adossement, arc-boutant, base, charpente, colonne, épaulement, éperon, étai, étançon, levier, pilier, pivot, soutènement, support, tuteur. **II. Par ext. :** aide, appoint, appui, assistance, collaboration, concours, coopération, coup d'épaule, égide, encouragement, influence, intervention, main-forte, patronage, piston (fam.), planche de salut, protection, recommandation, réconfort, rescousse, sauvegarde, secours, service, support **III. Loc.** *Être le soutien de :* adepte, aide, appui, auxiliaire, bouclier, bras, champion, défenseur, étai, garant, partisan, patron, pilier, pivot, protecteur, second, souteneur (péj.), supporter, tenant.

SOUTIRER I. Au pr. → *transvaser.* **II. Fig. 1.** → *obtenir.* **2.** → *prendre.*

SOUVENANCE → *souvenir.*

SOUVENIR n. **I. Au sing. 1. Au pr. :** commémoration, mémoire, pensée, réminiscence, ressouvenance, souvenance. **2. Par ext. :** arrière-goût, impression, ombre, trace. **3.** Monument, plaque, tombeau, trophée. **4.** Relique, reste, témoin. **5.** → *cadeau.* **II. Au pl. :** annales, autobiographie, chronique, commentaire, confession, essai, journal, mémoires, mémorial, récit, révélations, voyages.

SOUVENIR (SE) adj. Évoquer, mémoriser, se rappeler, se recorder (vx), se remembrer (vx), se remémorer, se rementevoir (vx), remettre, retenir, revoir.

SOUVENT D'ordinaire, fréquemment, généralement, habituellement, journellement, la plupart du temps, maintes fois, plusieurs fois, souventefois (vx).

SOUVERAIN, E I. Adj. → *suprême.* **II. Nom** → *roi.*

SOUVERAINETÉ Autorité, domination, empire, pouvoir, puissance, suprématie, suzeraineté.

SOVIET I. → *comité.* **II.** → *communiste.*

SOYEUX, EUSE Doux, fin, lisse, moelleux, velouté, velouteux.

SPACIEUX, EUSE Ample, étendu, vaste. → *grand.*

SPADASSIN I. → *bretteur.* **II.** → *tueur.*

SPARTIATE Laconique, sobre. → *austère.*

SPASME → *convulsion.*

SPÉCIAL, E Caractéristique, distinct, distinctif, extraordinaire, individuel, original, particulier, propre à, remarquable, singulier.

SPÉCIALISTE Homme de l'art, médecin, savant, technicien, technocrate (péj.).

SPÉCIALITÉ I. Au pr. : branche, champ, département, division, domaine, fief, oignons (fam.), partie, sphère. **II.** → *remède.*

SPÉCIEUX, EUSE I. → *incertain.* **II.** → *trompeur.*

SPÉCIFIER Caractériser, déterminer, préciser. → *fixer.*

SPÉCIFIQUE I. Nom → *remède.* **II. Adj. :** caractéristique, distinct, net, précis, spécial, sui generis, typique.

SPÉCIMEN Échantillon, exemplaire, exemple, modèle, prototype.

SPECTACLE I. Au pr. 1. Aspect, féerie, panorama, scène, tableau, vue. **2.** Attraction, ballet, cinéma, comédie, danse, divertissement, exhibition, music-hall, numéro, représentation, revue, séance, séance récréative, show, soirée. **II. Par ext. 1.** Fantaisie, fantasmagorie, grand-guignol. **2.** → *montre.*

SPECTATEUR, TRICE Assistant, auditeur, auditoire, galerie, observateur, parterre, public, téléspectateur, témoin.

SPECTRE I. Au pr. : apparition, double, ectoplasme, esprit, fantôme, ombre, revenant, vision. **II. Fig. :** cauchemar, crainte, hallucination, hantise, idée fixe, manie, monomanie, obsession, peur, phantasme, phobie, psychose, souci.

SPÉCULATEUR, TRICE n. et adj. Accapareur, agioteur, boursicoteur (fam.), bricoleur, joueur, traficoteur (fam.), trafiquant, tripoteur (péj.).

SPÉCULATIF, IVE Abstrait, conceptuel, conjectural, contemplatif, discursif, hypothétique, métaphysique, philosophique, théorique.

SPÉCULATION I. Calcul, étude, projet, recherche. → *pensée.* **II.** → *théorie.* **III. Non favorable. 1.** Accaparement, agiotage, jeu, raréfaction, trafic, traficotage (fam.), tripotage (fam.). **2.** Imagination, rêverie. → *rêve.* **IV. Neutre :** affaires, bourse, boursicotage (fam.), commerce, entreprise, transaction.

SPEECH Allocution, baratin (fam.), causerie, compliment, conférence, éloge, laïus (fam.), toast. → *discours.*

SPHÈRE I. Boule, globe, mappemonde. **II.** Champ, cercle, domaine, étendue, limite, milieu, région, zone, monde (abusiv.)

SPHÉRIQUE → *rond.*

SPIRITUEL, ELLE I. Abstrait, allégorique, figuré, intellectuel, mental, moral, mystique, religieux, symbolique. **II.** Amusant, attique, brillant, comique, drôle, facétieux, fin, humoristique, ingénieux, intelligent, léger, malicieux, piquant, plaisant, satirique, vif.

SPIRITUEUX → *liqueur.*

SPLEEN Cafard (fam.), chagrin, ennui, hypocondrie, idées noires, mal du siècle, mélancolie, neurasthénie, nostalgie. → *tristesse.*

SPLENDEUR I. → *lumière.* **II.** → *lustre.* **III.** → *luxe.*

SPLENDIDE Brillant, éblouissant, étincelant, fastueux, glorieux, magnifique, merveilleux, somptueux, superbe. → *beau.*

SPOLIER Déposséder, dépouiller, désapproprier, déshériter, dessaisir, enlever, évincer, exproprier, frustrer, ôter, priver, soustraire. → *voler.*

SPONGIEUX, EUSE → *mou.*

SPONTANÉ, E I. Quelqu'un : cordial, direct, franc, libre, naïf, naturel, ouvert, primesautier, rapide, sincère, volontaire. **II. Quelque chose :** automatique, impulsif, inconscient, involontaire.

SPORADIQUE I. Dans l'espace : clairsemé, constellé, dispersé, disséminé, dissocié, divisé, écarté, écartelé, éparpillé, épars, séparé. **II. Dans le temps:** discontinu, intermittent, irrégulier, larvé, rémittent, saccadé, variable.

SPORT Amusement, culture physique, entraînement, exercice, jeu.

SPUMEUX, EUSE Baveux, bouillonnant, écumeux, mousseux.

SQUARE I. → *jardin.* **II.** → *place.*

SQUELETTE I. Au pr. : carcasse, charpente, momie, os, ossature, ossement. **II. Par ext. :** architecture, canevas. → *plan.*

SQUELETTIQUE Décharné, défait, désossé, émacié, étique, fluet, grêle, sec. → *maigre.*

STABILISER → *fixer.*

STABILITÉ I. Au pr. : aplomb, assiette, assise, équilibre. **II. Par ext. 1.** Certitude, consistance, constance, continuité, durabilité, fermeté, permanence, solidité. **2.** → *calme.*

STABLE I. Au pr. : affermi, ancré, assis, ferme, fixe, équilibré, immobile, immuable, inaltérable, permanent, persistant, régulier, sédentaire, solide, stationnaire, statique. **II. Par ext. :** arrêté, assuré, certain, constant, continu, défini, déterminé, durable, invariable, irrévocable, sûr.

STADE I. Carrière, piste, terrain, vélodrome. **II.** Degré, échelon, niveau, palier, partie, phase, période, terme.

STAFF Aggloméré, faux marbre, imitation, stuc.

STAGE I. Arrêt, moment, passage, période, station → *séjour.* **II.** Alumnat, apprentissage, formation, juvénat, noviciat, préparation.

STAGNANT, E I. Dormant, marécageux. **II.** Immobile, inactif, lent, mort, stationnaire.

STAGNATION I. Au pr. : arrêt, immobilisation, stase. **II. Par ext. 1.** Ankylose, atrophie, langueur, marasme. **2.** Crise, immobilisme, inertie, paralysie, piétinement.

STAGNER Croupir, macérer. → *séjourner.*

STALACTITE, STALAGMITE Concrétion, pétrification.

STALLE I. Banquette, gradin, miséricorde, place, siège. **II.** Box, loge.

STANCE Strophe. → *poème.*

STAND I. Pas de tir. **II.** → *magasin.*

STANDARDISATION → *rationalisation.*

STASE → *stagnation.*

STATION I. Arrêt, gare, halte, poste. **II.** Pause, stage. **III.** Attitude, position, posture. **IV. Loc. Station thermale :** bains, thermes.

STATIONNAIRE I. Casanier, sédentaire. **II.** Étale, fixe, immobile, invariable, stagnant. → *stable.*

STATIONNER S'arrêter, s'attarder, cesser, demeurer, camper, faire halte/relâche, se fixer, rester, séjourner, stopper.

STATIQUE → *stable.*

STATISTIQUE → *dénombrement.*

STATUAIRE Bustier, imagier (vx), modeleur, ornemaniste, sculpteur.

STATUE Bronze, figure, figurine, idole, image, marbre, monument, ronde-bosse, sculpture, simulacre.

STATUER Arrêter, établir, fixer, juger, ordonner. → *décider.*

STATUETTE Bilboquet, figurine, godenot, magot, marionnette, marmot (vx), marmouset, pagode, poupée, poussah, santon, tanagra.

STATURE Carrure, charpente, grandeur, hauteur, mesure, port, taille.

STATUT I. Arrêté, canon, charte, code, concordat, consigne, constitution, décret, discipline, édit, institution, loi, mandement, ordonnance, prescription, règle, règlement, réglementation. **II.** Accord, arbitrage, arrangement, convention, protocole. **III. Relig. :** canon, observance, règle.

STEAMBOAT, STEAMER → *bateau.*

STÈLE → *tombe.*

STEPPE Lande, pampa, plaine, prairie, veld.

STÉRÉOTYPÉ, E → *figé.*

STÉRÉOTYPER Clicher, reproduire.

STÉRILE I. Quelque chose : aride, désert, désolé, desséché, improductif, inculte, incultivable, infécond, infertile, ingrat, inutile, maigre, nul, pauvre, pouilleux, sec. **II. Vétér. :** bréhaigne, mule. **III. Par ext. :** inefficace, oiseux, vain.

STÉRILISATION I. → *assainissement.* **II.** → *castration.*

STÉRILISER I. Au pr. 1. Aseptiser, désinfecter, étuver, javelliser, pasteuriser, purifier. **2.** Bistourner, brétauder, castrer, chaponner, châtrer, couper, émasculer, hongrer, mutiler. **II. Par ext. :** appauvrir, assécher, dessécher, neutraliser. → *sécher.*

STÉRILITÉ I. Au pr. : agénésie, impuissance, infécondité. **II. Par ext. 1.** → *pauvreté.* **2.** → *sécheresse.*

STIGMATE → *cicatrice, trace.*

STIGMATISER → *flétrir, blâmer.*

STIMULANT I. .Nom → *fortifiant.* **II. Adj.** → *affriolant.*

STIMULER → *exciter.*

STIPE → *tige.*

STIPENDIER → *soudoyer.*

STIPULATION Accord, clause, condition, convention, engagement, pacte, traité.

STIPULER → *énoncer.*

STOCK → *réserve.*

STOÏCIEN, ENNE I. Stoïque, zénonique. **II.** Constant, ferme, inébranlable, insensible.

STOÏCISME I. Au pr. : zénonisme. **II. Par ext. 1.** → *constance.* **2.** → *austérité.*

STOÏQUE I. → *stoïcien.* **II.** → *austère.*

STOMACAL, E, STOMACHIQUE Gastrique.

STOPPER I. Arrêter, bloquer, freiner, immobiliser. **II.** Raccommoder, rentraire, réparer.

STORE → *rideau.*

STRANGULER → *étrangler.*

STRATAGÈME → *ruse.*

STRATÉGIE Par ext. : diplomatie, manœuvre, pomologie, ruse, tactique.

STRICT, E → *sévère.*

STRIDENT, E → *aigu.*

STRIE → *sillon.*

STROPHE → *stance.*

STRUCTURE Arrangement, construction, contexture, disposition, forme, groupement, ordonnance, ordre, organisation. → *composition.*

STUC Aggloméré, faux marbre, imitation, staff.

STUDIEUX, EUSE Accrocheur, appliqué, chercheur, fouilleur, laborieux, travailleur, zélé.

STUDIO Appartement, chambre, garçonnière, logement, meublé, pied-à-terre.

STUPÉFACTION I. Au pr. : ankylose, engourdissement, immobilisation, immobilité, insensibilité. **II. Par ext. 1.** Consternation, ébahissement, étonnement, saisissement, stupeur, surprise. **2.** Effroi, épouvante, horreur. → *peur.*

STUPÉFAIT, E Baba (fam.), confondu, consterné, déconcerté, désorienté, ébahi, ébaubi, ébouriffé (fam.), embarrassé, épaté (fam.), étonné, étourdi, frappé, frappé de stupeur, interdit, renversé, saisi, soufflé (fam.), stupéfié, stupide, surpris.

STUPÉFIANT, E → *surprenant.*

STUPÉFIÉ, E → *surpris.*

STUPÉFIER → *surprendre.*

STUPEUR → *stupéfaction.*

STUPIDE I. Neutre. 1. Engourdi. **2.** Ébahi, étonné, hébété. → *stupéfait.* **II. Non favorable :** balourd, butor, insensé, lourd, lourdaud, lourdingue (fam.), idiot, imbécile, niais, pesant, sot. → *bête.*

STUPIDITÉ I. Quelque chose : ânerie, balourdise, crétinerie. → *sottise.* **II. De quelqu'un :** absurdité, crétinisme, idiotie, ineptie. → *bêtise.*

STUPRE Concupiscence, corruption, érotisme, immodestie, impudicité, impureté, indécence, lascivité, libertinage, licence, lubricité, luxure, obscénité, salacité, sensualité. → *débauche.*

STYLE I. Au pr. : écriture, élocution, expression, langage, langue. **II. Par ext. 1.** Façon, facture, forme, genre, goût, griffe, main, manière, originalité, patte, pinceau, plume, signature, talent, ton, touche, tour. **2.** → *expression.* **3.** → *procédé.*

STYLER I. Acclimater, accoutumer, adapter, apprivoiser, endurcir, entraîner, façonner, faire à, familiariser, former, habituer, initier, mettre au courant/au fait de, plier à, rompre. **II.** Apprendre, catéchiser, dresser, éduquer, élever, endoctriner, enseigner, exercer, former, gouverner (vx), instituer (vx), instruire, préparer.

STYLET → *poignard.*

STYLISER Idéaliser, interpréter, schématiser, simplifier, transposer.

SUAIRE Drap, linceul, voile.

SUAVE → *doux.*

SUAVITÉ → *douceur.*

SUBALTERNE → *subordonné.*

SUBCONSCIENT Inconscient, intériorité, intimité, profondeurs.

SUBDIVISER Désunir, diviser, fractionner, morceler, partager, répartir, sectionner, séparer.

SUBDIVISION → *partie.*

SUBIR Accepter, endurer, éprouver, essuyer, expérimenter, recevoir, ressentir, sentir, souffrir, soutenir, supporter, tolérer.

SUBIT, E Brusque, brutal, foudroyant, fulgurant, immédiat, imprévu, instantané, prompt, rapide, soudain.

SUBITEMENT, SUBITO → *soudain.*

SUBJECTIF, IVE I. Au pr. : personnel. **II. Par ext. :** partial, particulier.

SUBJUGUER I. → *soumettre.* **II.** → *gagner.*

SUBLIMATION I. Distillation, vaporisation, volatilisation. **II.** Exaltation, purification.

SUBLIME I. → *élevé.* **II.** → *beau.*

SUBLIMITÉ Élévation, grandeur, noblesse, perfection, supériorité. → *beauté.*

SUBMERGER I. Au pr. : arroser, couvrir, engloutir, ensevelir, envahir, inonder, mouiller, noyer, occuper, recouvrir, se répandre. **II. Par ext.** → *déborder.*

SUBMERSIBLE Bathyscaphe, sous-marin.

SUBODORER I. Au pr. → *sentir.* **II. Par ext. :** deviner, se douter de, flairer, soupçonner. → *pressentir.*

SUBORDINATION I. Au pr. : asservissement, assujettissement, dépendance, esclavage, infériorité, joug, obédience, obéissance, servitude, sujétion, tutelle, vassalité. **II. Par ext.** → *hiérarchie.*

SUBORDONNÉ, E Domestique, esclave, humble, inférieur, porte-pipe (fam.), second, sous-fifre (fam.), sous-ordre, sous-verge (fam.), subalterne.

SUBORDONNER → *soumettre.*

SUBORNER → *séduire.*

SUBORNEUR Apprivoiseur, bourreau des cœurs, casanova, casse-cœur, charmeur, enjôleur, ensorceleur, fascinateur, galant, homme à bonnes fortunes/à femmes, larron d'honneur (vx), lovelace, séducteur, tombeau des cœurs, tombeur de femmes.

SUBREPTICE I. → *obreptice.* **II.** → *secret.*

SUBREPTICEMENT → *secrètement.*

SUBROGER Relever, remplacer, représenter, substituer.

SUBSÉQUEMMENT Après, ensuite, plus tard.

SUBSÉQUENT, E → *suivant.*

SUBSIDE I. → *impôt.* **II.** → *secours.*

SUBSIDIAIRE Auxiliaire, suffragant.

SUBSISTANCE Alimentation, approvisionnement, comestibles, denrée, entretien, intendance, nourriture, pain, pitance, ration, ravitaillement, victuailles, vie, vivres.

SUBSISTER Se conserver, continuer, durer, s'entretenir, être, exister, se maintenir, persister, rester, surnager, survivre, tenir, vivoter, vivre.

SUBSTANCE I. Au pr. : essence, être, nature, quintessence, réalité, soi, substrat, substratum. **II. Par ext. :** cause, contenu, corps, élément, essentiel, fond, fondement, matière, moelle, objet, origine, principe, suc, sujet. **III. Loc. En substance :** en gros, en résumé, en somme, finalement, sommairement, substantiellement.

SUBSTANTIEL, ELLE I. Au pr. : important, principal. **II. Par ext. :** consistant, mangeable, matériel, nourrissant, nutritif, riche, solide.

SUBSTANTIF → *nom.*

SUBSTITUTION → *remplacement.*

SUBTERFUGE Dérobade, échappatoire, escobarderie, faux-fuyant, fuite, pantalonnade, pirouette, volteface. → *ruse.*

SUBTIL, E I. → *menu.* **II.** → *délicat.*

SUBTILISÉ, E I. → *raffiné.* **II.** Les part. passés de VOLER et ses synonymes.

SUBTILISER → *voler.*

SUBTILITÉ I. Favorable ou neutre: adresse, délicatesse, finesse, raffinement. **II. Non favorable :** abstraction, argutie, artifice, byzantinisme, casuistique, cavillation, chicane, chinoiserie (fam.), entortillage, équivoque, escamotage.

SUBVENIR → *pourvoir.*

SUBVENTION I. → *impôt.* **II.** → *secours.*

SUBVERSIF, IVE → *révolutionnaire.*

SUBVERSION Bouleversement, contestation, indiscipline, mutinerie, renversement, révolution, sédition.

SUBVERTIR → *renverser.*

SUC → *substance.*

SUCCÉDANÉ Ersatz, produit de remplacement/de substitution.

SUCCÉDER Continuer, hériter, relayer, relever, remplacer, se substituer, suivre, supplanter, suppléer.

SUCCÉDER (SE) Alterner, se dérouler, s'enchaîner, et les formes pronom. possibles des syn. de SUCCÉDER.

SUCCÈS I. Au pr. : réussite, triomphe, victoire. **II. Par ext. 1.** Avantage, bonheur, bonne fortune, événement heureux, exploit, gain, gloire, honneur, issue heureuse, lauriers, performance, prospérité, prouesse, tour de force, trophée. **2.** Mode, vogue.

SUCCESSEUR Continuateur, dauphin, enfant, épigone, fils, héritier, queue (péj.), remplaçant.

SUCCESSIF, IVE Consécutif, constant, continu, ininterrompu, progressif, régulier.

SUCCESSION I. Au pr. : aubaine, douaire (vx), héritage, hoirie (vx ou jurid.), legs, mortaille (vx). **II. Par ext. 1.** Bien, domaine, héritage, patrimoine, propriété. **2.** Circuit, consécution, continuation, courant, cours, course, enchaînement, fil, filiation, ordre, série, suite. **3.** Alternance, alternative, cadence. **4.** Cascade, chapelet, cortège, défilé, déroulement, enchaînement, énumération, kyrielle, procession, théorie.

SUCCESSIVEMENT Alternativement, à tour de rôle, coup sur coup, l'un après l'autre, périodiquement, récursivement, rythmiquement, tour à tour.

SUCCINCT, E I. Au pr. : abrégé, accourci, bref, compendieux (vx), concis, condensé, contracté, coupé, court, dense, diminué, écourté, elliptique, haché, laconique, lapidaire, raccourci, ramassé, réduit, resserré, restreint, résumé, serré, simple, sommaire. **II. Par ext. :** éphémère, fragile, fugace, fugitif, intérimaire, momentané, passager, périssable, précaire, pressé, prompt, provisoire, rapide, temporaire, transitoire.

SUCCOMBER I. Au pr. 1. S'en aller, décéder, disparaître, s'endormir, s'éteindre, être emporté/enlevé/rappelé/ravi/tué, exhaler son âme, expirer, mourir, partir, passer, passer le pas/dans l'autre monde/de vie à trépas, périr, rendre l'âme/le dernier soupir/l'esprit/son dernier souffle, tomber au champ d'honneur, trépasser, trouver la mort, y rester. **2. Anim. ou péj. :** crever. **3. Poét. :** avoir vécu, descendre aux enfers/au tombeau/dans la tombe, s'endormir dans les bras de Dieu/du Seigneur/de la mort, fermer les paupières/les yeux, finir/terminer ses jours/sa vie, paraître devant Dieu, payer le tribut à la nature. **4. Fam. :** aller ad patres/chez les taupes, s'en aller/partir/sortir entre quatre planches/les pieds devant, avaler sa chique/son bulletin de naissance/son extrait de naissance, boire le bouillon d'onze heures, calancher, casser sa pipe, clamecer, clampser, claquer, crever, cronir, dégeler, déposer le bilan, éteindre sa lampe/son gaz, faire couic/le grand voyage/sa malle/son paquet/sa valise, lâcher la rampe/les pédales, laisser ses guêtres/ses housseaux, manger les mauves/les pissenlits par la racine, passer l'arme à gauche, perdre le goût du pain, ramasser ses outils. **II. Par ext. 1.** Abandonner, battre la chamade, capituler, céder, demander grâce/merci, déposer/jeter bas/mettre bas/poser/rendre les armes, flancher, hisser le drapeau blanc, lâcher pied/prise, livrer les clefs, mettre les pouces, ouvrir les portes, parlementer, se rendre. **2.** → *fléchir*.

SUCCULENT, E I. Au pr. : bon, délectable, délicat, excellent, exquis, fin, parfait, savoureux. **II. Par ext.** → *substantiel*.

SUCCURSALE Agence, annexe, bureau, comptoir, dépendance, dépôt, filiale.

SUCER I. Au pr. : aspirer, boire, lécher, suçoter, super, téter, tirer. **II. Par ext. :** absorber, attirer, exprimer, extraire, pomper. **III. Fig.** →· *ruiner*.

SUCRE I. Au pr. : cassonade, mélasse, saccharose, vesou. **II. Par ext. :** canard (fam.), saccharine, sucrerie. **III. Loc. Casser du sucre** → *médire*.

SUCRÉ, E I. Au pr. : adouci, doux, édulcoré, sirupeux. **II. Fig. 1.** Benoît, chafouin, douceâtre, doucereux, doux, emmiellé, fade, melliflue, mielleux, mièvre, papelard, patelin, paterne, patte-pelu, sournois. → *hypocrite*. **2. Fém. :** affectée, bêcheuse, chichiteuse, chipie, coquette, enjôleuse, gnangnan (fam.), grimacière, maniérée, mignarde, mijaurée, minaudière, pécore, perruche, pie-grièche, pimbêche.

SUCRERIE Bonbon, chatterie, confiserie, douceur, friandise, gourmandise, nanan (fam.).

SUD Antarctique, austral, méridional, midi.

SUER I. V. intr. 1. Au pr. : être en eau/en nage, moitir, se mouiller, transpirer. **2. Par ext. :** dégouliner, dégoutter, exsuder, ruisseler, suinter. **3. Fig. :** en baver (fam.), en roter (fam.), se claquer, se crever, s'échiner, s'épuiser, s'éreinter, s'esquinter, s'exténuer, se fatiguer, trimer. → *travailler*. **II. V. tr.** (fig.) → *exhaler*.

SUEUR I. Au pr. : buée, eau, écume, excrétion, humeur (vx), hydrorrhée (méd.), moiteur, suée (fam.), transpiration, vapeur. **II. Fig. :** corvée, fatigue, peine, souci, veille. → *travail*.

SUFFIRE Apaiser, contenter, être assez/suffisant, fournir, pourvoir, satisfaire.

SUFFISAMMENT Assez, à satiété.

SUFFISANCE I. → *capacité*. **II.** → *orgueil*.

SUFFISANT, E I. Assez bien, congru, convenable, correct, honnête, honorable, raisonnable, satisfaisant. **II.** → *orgueilleux*.

SUFFOCANT, E I. Au pr. : accablant, asphyxiant, chaud, étouffant, torride. **II. Fig. Neutre** → *étonnant*. **III. Non favorable :** agaçant, crispant, énervant, exaspérant, horripilant, irritant.

SUFFOQUER → *étouffer*.

SUFFRAGE I. Au pr. → *vote*. **II. Par ext.** → *approbation*.

SUGGÉRER → *inspirer*.

SUGGESTION I. → *avertissement*. **II.** → *inspiration*.

SUGGESTIONNER → *influer.*

SUICIDER (SE) Se détruire, se donner la mort, se défaire, faire hara-kiri, se faire sauter la cervelle, se faire sauter, mettre fin à ses jours, se saborder (fig.), se supprimer.

SUI GENERIS Distinct, original, particulier, personnel, spécial.

SUINTER Couler, dégouliner (fam.), s'échapper, s'écouler, s'égoutter, émaner, exsuder, fuir, goutter, perler, pleurer (fig.), ruisseler, sécréter, sourdre, suer, transsuder.

SUITE I. Au pr. 1. Appareil, cortège, cour, entourage, équipage, escorte, gens, maison, train. **2.** Continuation, continuité, cours, déroulement, développement, enchaînement, fil, filiation, liaison, prolongation, prolongement, reprise. **II. Par ext. 1.** Alternance, alternative, cascade, chaîne, chapelet, concaténation, défilé, enfilade, engrenage, énumération, file, gamme, kyrielle, liste, ordre, ribambelle, séquence, série, succession, tissu, trame. **2.** Aboutissement, conséquence, contrecoup, cortège, éclaboussure, effet, incidence, lendemain, rançon, reliquat, répercussion, résultat, ricochet, séquelle, séquence. **3.** Cohérence, cohésion. **4.** → *persévérance.* **III. Loc. 1. Tout de suite :** à l'instant, aussitôt, illico (fam.), immédiatement, incessamment, sans délai, sans plus attendre, sur-le-champ. **2. Dans/par la suite :** à/dans l'avenir, après cela, demain, depuis, désormais, dorénavant, ensuite, plus tard. **3.** A cause de, par suite de, en raison de, grâce à.

SUIVANT, E adj. Autre, futur, postérieur, successeur, ultérieur.

SUIVANT, E n. Acolyte, aide, confident, continuateur, disciple, inférieur, remplaçant, suiveur.

SUIVANT prép. Conformément à, dans, d'après, selon.

SUIVANTE Confidente, dame/demoiselle de compagnie/d'honneur, fille, fille d'honneur. → *servante.*

SUIVI, E I. Assidu, constant, continu, continuel, d'affilée, durable, éternel, immuable, incessant, indéfectible, infini, ininterrompu, interminable, invariable, opiniâtre, permanent, perpétuel, persistant, prolongé, sans arrêt/cesse/fin/répit/trêve, sempiternel, soutenu, successif. **II.** → *logique.*

SUIVRE I. Au pr. 1. Accompagner, emboîter le pas, escorter, marcher derrière, poursuivre, serrer, talonner. **2.** Côtoyer, descendre, emprunter, longer, parcourir, prendre, remonter. **II. Par ext. 1.** Espionner, filer, observer, pister, prendre en filature, surveiller. → *écouter.* **2.** Continuer, remplacer. → *succéder.* **3.** Courtiser, fréquenter, hanter, sortir avec. **4.** →

comprendre. **5.** Assister à, écouter, être présent, s'intéresser à, regarder, voir. **6.** → *abandonner (s').* **7.** → soumettre *(se).* **8.** → *résulter.* **9.** → subir. **10.** Adhérer, adopter, se décider pour, se déclarer pour, embrasser, épouser, prendre parti, se prononcer, se ranger, tenir pour.

SUJET n. **I.** Cause, lieu, matière, motif, objet, point, problème, propos, question, raison. **II.** Affabulation, article, canevas, champ, étoffe, fable, histoire, idée, intrigue, thème. **III.** Cobaye (fig.), malade, patient. → *homme.* **IV. Loc. 1. Bon sujet :** élève, enfant, petit. **2. Mauvais sujet** → *vaurien.*

SUJET, ETTE adj. **I.** Astreint, dépendant, enclin, exposé, porté à, susceptible. **II.** Gouverné, inférieur, soumis, tributaire.

SUJÉTION → *subordination.*

SUMMUM Apogée, comble, excès, faîte, fort, limite, maximum, période, pinacle, sommet, triomphe, zénith.

SUPER → *sucer.*

SUPERBE n. Amour-propre, arrogance, dédain, estime de soi, fatuité, fierté, gloriole, hauteur, importance, infatuation, jactance, mégalomanie, morgue, orgueil, ostentation, outrecuidance, pose, présomption, prétention, suffisance, supériorité, vanité.

SUPERBE adj. **I.** Altier, arrogant, avantageux, content de soi, crâneur, dédaigneux, faraud, fat, fier, flambard, glorieux, gobeur, hautain, important, infatué, m'as-tu-vu, orgueilleux, outrecuidant, paon, pénétré de soi, plastronneur, poseur, présomptueux, prétentieux, puant, satisfait de soi, sourcilleux, suffisant, vain, vaniteux. **II.** → *beau.*

SUPERCHERIE → *tromperie.*

SUPERFÉTATION → *superfluité.*

SUPERFÉTATOIRE → *superflu.*

SUPERFICIE I. → *surface.* **II.** → *aspect.*

SUPERFICIEL, ELLE → *léger.*

SUPERFIN → *parfait.*

SUPERFLU, E De trop, exagéré, excessif, explétif, oiseux, parasite, redondant, superfétatoire, surabondant. → *inutile.*

SUPERFLUITÉ Bavardage, cheville, délayage, double emploi, excès, longueur, luxe, pléonasme, redite, redondance, rembourrage, remplissage, surabondance, superfétation.

SUPÉRIEUR, E n. Chef, directeur, doyen, grand maître, général, maître, patron, prieur.

SUPÉRIEUR, E adj. **I. Quelqu'un. 1. Favorable ou neutre :** beau, bon, distingué, émérite, éminent, excellent, extraordinaire, génial, transcendant. **2. Non favorable :** arrogant,

condescendant, dédaigneux, fier. →
superbe. **II. Quelque chose.** *1.*
Au pr. : dominant, élevé, haut. *2.*
Par ext. **:** délectable, excellent,
extra, fameux, fin, formidable, sans
pareil, superfin, unique. **III. Une**
classe sociale : dirigeant, dominant,
possédant, prééminent, prépondérant.

SUPÉRIORITÉ I. Atout, avantage,
dessus, prééminence, préexcellence,
prépondérance, prépotence, primauté,
privilège, suprématie. **II.** Empire,
hégémonie, maîtrise, précellence,
royauté, sceptre. **III. De quel-**
qu'un. *1. Favorable :* distinction,
excellence, génie, mérite, transcendance. *2. Non favorable :* arrogance,
condescendance, dédain, fierté. →
superbe. **IV. De quelque chose :**
excellence, finesse, qualité.

SUPERLATIF, IVE Au plus haut
degré, extraordinaire, parfait. → *supé-*
rieur.

SUPERSTITIEUX, EUSE Crédule,
fétichiste, naïf, scrupuleux.

SUPERSTITION I. Au pr. : crédulité, fétichisme, naïveté. **II. Fig. :**
scrupule. → *soin.*

SUPPLANTER → *remplacer.*

SUPPLÉANT, E → *remplaçant.*

SUPPLÉER I. → *compléter.* **II.**
→ *remplacer.* **III.** → *pourvoir.*

SUPPLÉMENT Accessoire, à-côté,
addenda (fam.), additif, addition,
ajout, ajoutage, ajouture, appendice,
appoint, complément, excédent, extra,
préciput (jurid.), rabiot (fam.), rallonge, surcroît, surplus.

SUPPLÉMENTAIRE Accessoire, additionnel, adventice, ajouté, annexé,
complémentaire, de surcroît, en appoint / complément / excédent / ra-
biot/surplus, en plus, subsidiaire,
supplétif, surérogatoire.

SUPPLIANT, E Demandant, implo-
rant, larmoyant, mendiant, pressant,
priant.

SUPPLICATION I. Appel, demande,
démarche, imploration, instance, invitation, invocation, pétition, placet (vx),
pourvoi, quête (vx), requête, réquisition, réquisitoire, sollicitation, supplique. **II.** → *prière.*

SUPPLICE I. Affliction, calvaire,
châtiment, exécution, géhenne (vx),
martyre, mort, peine, persécution,
punition, question (vx), souffrance,
torture, tourment. **II.** → *inquiétude.*
III. Loc. *Mettre au supplice* →
tourmenter.

SUPPLICIER Exécuter, mettre à mort.
→ *tuer.*

SUPPLIER I. Adjurer, appeler,
conjurer, demander, implorer, insister,
presser, prier, réclamer, recommander,
requérir, solliciter. **II.** Convier, inviter.

SUPPLIQUE → *supplication.*

SUPPORT → *appui.*

SUPPORTABLE Buvable (fam.),
endurable, excusable, passable, sortable, suffisant, tolérable.

SUPPORTER I. → *soutenir.* **II.**
→ *souffrir.* **III.** → *comporter.*

SUPPOSÉ, E Admis, apocryphe
(péj.), attribué, censé, conjectural, cru,
douteux, faux, imaginaire, incertain,
présumé, prétendu, putatif.

SUPPOSER Admettre, conjecturer,
imaginer, inventer, penser, poser, présumer, présupposer.

SUPPOSITION Condition, conjecture, doute, hypothèse, induction,
préjugé, présomption.

SUPPÔT Agent, partisan, satellite.
→ *complice.*

SUPPRESSION Abandon, abolition,
abrogation, amputation, annulation,
cessation, coupure, dérogation, destruction, discontinuation, effacement,
empêchement, extinction, mutilation,
privation, retranchement.

SUPPRIMER I. → *détruire.* **II.**
→ *retrancher.* **III.** → *taire.* **IV.**
→ *étouffer.* **V.** → *tuer.*

SUPPRIMER (SE) → *suicider (se).*

SUPPUTER I. → *évaluer.* **II.** →
compter.

SUPRASENSIBLE Abstrait, immatériel, insensible.

SUPRÉMATIE → *supériorité.*

SUPRÊME I. Au pr. : dernier, final,
ultime. **II. Par ext. :** divin, grand,
parfait, puissant, superlatif. → *supé-*
rieur.

SUR, E → *aigre.*

SÛR, E I. Au pr. : assuré, authentique, avéré, certain, clair, constant,
couru (fam.), établi, évident, exact,
garanti, incontestable, indubitable,
positif. **II. Par ext. 1.** Abrité, caché,
gardé, imprenable, protégé, tranquille.
2. Confiant, convaincu, ferme. **3.**
Efficace, éprouvé, fidèle. **4.** Sain et
sauf.

SURABONDANCE I. → *abondance.*
II. → *superfluité.*

SURABONDANT, E I. → *abondant.*
II. → *superflu.*

SURANNÉ, E Ancien, antique, caduc,
démodé, désuet, fini, fossile, gothique, obsolète, passé, périmé, rococo,
sans valeur, usé, vieilli, vieillot, vieux.

SURBAISSER → *baisser.*

SURCHARGE I. → *surcroît.* **II.**
→ *superfluité.*

SURCHARGER Accabler, alourdir,
augmenter, charger, combler, écraser,
encombrer, excéder, grever, imposer,
obérer.

SURCLASSER → *surpasser.*

SURCROÎT Augmentation, excédent, supplément, surcharge, surplus.

SÛREMENT A coup sûr, assurément, certainement, certes, évidemment.

SURENCHÈRE → *enchère.*

SURÉROGATOIRE → *supplémentaire.*

SURESTIMER → *surfaire.*

SÛRETÉ I. Assurance, caution, certitude, gage, garantie. **II.** → *sécurité.* **III. Loc.** *En sûreté :* à l'abri, à couvert, en sécurité.

SUREXCITATION Bouleversement, énervement, irritation. → *agitation.*

SUREXCITER → *exciter.*

SURFACE I. Au pr. : aire, contenance, étendue, plan, superficie. **II. Par ext. 1.** Apparence, contenance, dehors, extérieur, face, parement, mine. **2.** Crédit, solvabilité.

SURFAIRE Amplifier, bluffer, charger, encenser, enfler, exagérer, exalter, faire mousser/valoir, forcer, grandir, grossir, hâbler, ne pas y aller de main morte, outrer, pousser, vanter.

SURFAIT, E Abusif, démesuré, exagéré, exorbitant, outré. → *excessif.*

SURFIL → *surjet.*

SURFIN, E → *parfait.*

SURGEON → *pousse.*

SURGIR I. → *sortir.* **II.** → *paraître.* **III.** → *naître.*

SURHAUSSER Augmenter, élever, exhausser, soulever, surélever.

SURHUMAIN, E → *surnaturel.*

SURJET Assemblage, couture, faufilage (fam.), faufilure, point, surfil.

SUR-LE-CHAMP A l'instant, aussitôt, d'abord, d'emblée, illico (fam.), immédiatement, incessamment, incontinent, instantanément, séance tenante, tout de suite.

SURMENÉ, E → *fatigué.*

SURMENER → *fatiguer.*

SURMONTER I. → *vaincre.* **II.** → *surpasser.*

SURMONTER (SE) Se dominer, être maître de soi, se maîtriser, se mater, se posséder, se vaincre.

SURNAGER → *flotter, subsister.*

SURNATUREL, ELLE adj. **I.** Religieux, sacré, spirituel. **II.** Extraordinaire, fantasmagorique, fantastique, féerique, immatériel, magique, merveilleux, métaphysique, miraculeux, parapsychique, prodigieux, sorcier, surhumain.

SURNATUREL n. **I.** Au-delà, grâce, religion, sacré. **II.** Fantasmagorie, fantastique, féerie, magie, merveilleux, mystère, prodige, sorcellerie.

SURNOM Nom de guerre/de plume/ de théâtre, pseudonyme, qualificatif, sobriquet.

SURNOMBRE → *excès.*

SURNOMMER Affubler, appeler, baptiser, qualifier.

SURPASSER Battre, damer le pion (fam.), dépasser, devancer, distancer, dominer, éclipser, l'emporter sur, enfoncer (fam.), être supérieur à, excéder, outrepasser, passer, prévaloir, primer, surclasser, surmonter.

SURPASSER (SE) Briller, être fort/ habile à/le meilleur, s'exalter, surclasser, triompher.

SURPLIS Rochet.

SURPLOMBER → *saillir.*

SURPLUS I. → *excès.* **II.** → *supplément.*

SURPLUS (AU) Après tout, au/de plus, au reste, aussi, d'ailleurs, en outre, mais.

SURPRENANT, E Abracadabrant, anormal, bizarre, brusque, curieux, déconcertant, drôle, épatant, étonnant, étourdissant, étrange, extraordinaire, formidable, grand, imprévu, inattendu, inconcevable, incroyable, inopiné, invraisemblable, magique, merveilleux, mirifique, phénoménal, prodigieux, rapide, renversant, saisissant.

SURPRENDRE I. Intercepter, obtenir, saisir. → *prendre.* **II.** Apercevoir, déceler, découvrir, pincer (fam.). → *voir.* **III.** → *attaquer.* **IV.** Consterner, ébahir, étonner, renverser, saisir, stupéfier. **V.** Abuser, attraper, circonvenir, confondre, décevoir, déconcerter, duper, embarrasser, induire en erreur, tromper.

SURPRIS, E Baba (fam.), confondu, consterné, déconcerté, désorienté, ébahi, ébaubi, ébouriffé (fam.), embarrassé, épaté (fam.), étonné, étourdi, frappé, frappé de stupeur, honteux, interdit, renversé, saisi, soufflé (fam.), stupéfait, stupéfié, stupide.

SURPRISE I. Favorable ou neutre. 1. Ébahissement, éblouissement, épatement (fam.), étonnement, saisissement. **2.** Coup de théâtre. **3.** → *don.* **II. Non favorable. 1.** Commotion, confusion, consternation, embarras. **2.** Embûche, embuscade, guet-apens. → *piège.*

SURPRISE-PARTIE I. → *bal.* **II.** → *pique-nique.*

SURSAUT I. → *saut.* **II.** → *tressaillement.*

SURSAUTER → *tressaillir.*

SURSEOIR → *retarder.*

SURSIS → *délai.*

SURTOUT adv. Éminemment, en particulier, notamment, par-dessus tout, particulièrement, plus que tout, principalement, singulièrement, spécialement.

SURTOUT n. Bleu, caban, cache-poussière, casaque, cotte, sarrau, souquenille.

SURVEILLANCE Aguet, attention, conduite, contrôle, épiement, espionnage, filature, garde, guet, inspection, patrouille, ronde, veille, vigilance.

SURVEILLANT, E I. Argousin (péj.), argus, commissaire, contrôleur, épieur, espion, garde, garde-chiourme (péj.), gardien, guetteur, inspecteur, maton (arg.), patrouilleur, veilleur, vigie. **II.** Maître, maître d'étude, maître d'internat, pion (fam.), répétiteur, sous-maître (vx).

SURVEILLER I. → *observer.* **II.** → *veiller.*

SURVENANCE → *arrivée.*

SURVENIR I. → *venir.* **II.** → *arriver.*

SURVIVANCE Conservation, continuation, permanence, persistance, regénérescence, rémanence, reste, réveil, souvenir, suite, survie, tradition.

SURVIVANT, E Indemne, miraculé, rescapé, sain et sauf, tiré d'affaires.

SURVIVRE → *subsister.*

SUSCEPTIBLE I. Au pr. : apte, bon, capable, idoine, passible, qualifié, sujet à. **II. Par ext.** : braque, chatouilleux, délicat, hérissé, hypersensible, irritable, ombrageux, pointilleux, pointu, prompt, sensible, sensitif.

SUSCITER Amener, appeler, apporter, attirer, causer, créer, déchaîner, déclencher, déterminer, donner/fournir lieu/occasion, engendrer, entraîner, être la cause de, faire, motiver, nécessiter, occasionner, porter, prêter à, procurer, produire. → *provoquer.*

SUSCRIPTION Adresse, libellé.

SUSDIT, E Susdénommé, susmentionné, susnommé.

SUSPECT, E I. Au pr. : apocryphe, douteux, équivoque, problématique. **II. Par ext. 1.** Borgne (fam.), interlope, louche, mal famé. **2.** Sentant le fagot (fam.)/le roussi (fam.), soupçonné, sujet à caution, véreux.

SUSPECTER → *soupçonner.*

SUSPENDRE I. → *pendre.* **II.** → *interrompre.* **III.** → *destituer.*

SUSPENDU, E (Fig.) **I. Quelque chose** : arrêté, censuré, fermé, interdit, interrompu, saisi, stoppé. **II. Quelqu'un. 1. Neutre** : en suspens, hésitant, incertain, irrésolu. **2. Non favorable** : chassé, crossé (fam.), destitué, révoqué, sanctionné.

SUSPENS (EN) En carafe (fam.), en panne, en souffrance. → *suspendu.*

SUSPENSION I. Abandon, arrêt, cessation, discontinuation, fermeture, interruption, moratoire, pause, repos, temps d'arrêt, vacances. → *délai.* **II.** Cardan, ressorts. **III.** Lampe, lustre. **IV. Loc.** *Suspension d'armes* : armistice, cessez-le-feu, trêve.

SUSPICION → *soupçon.*

SUSTENTER → *nourrir.*

SUSURRER → *murmurer.*

SUTURE I. → *joint.* **II.** → *transition.*

SUZERAIN → *seigneur.*

SVELTE I. Allongé, délicat, délié, effilé, élancé, étroit, filiforme, fin, fluet, fragile, fuselé, gracile, grêle, maigre, menu, mince, petit, souple, ténu. **II.** → *élégant.*

SYBARITE I. Favorable ou neutre : délicat, raffiné, sensuel, voluptueux. **II. Non favorable :** débauché, efféminé, jouisseur, mou, noceur, viveur.

SYCOPHANTE Accusateur, délateur, dénonciateur, espion, fourbe, mouchard, mouton (arg.), trompeur. → *hypocrite.*

SYLLABE Par ext. : mètre, pied, syntagme.

SYLLOGISME → *raisonnement.*

SYLPHE, SYLPHIDE Elfe. → *génie.*

SYLVAIN Dryade, faune. → *génie.*

SYLVE → *bois.*

SYLVESTRE Forestier.

SYLVICULTEUR Arboriculteur, forestier, pépiniériste.

SYMBOLE I. Apparence, attribut, chiffre, emblème, enveloppe, devise, drapeau, figure, image, insigne, marque, signe, type. **II.** Allégorie, allusion, anagogie, apologue, comparaison, métaphore, notation, représentation.

SYMBOLIQUE Allégorique, anagogique, emblématique, expressif, figuré, métaphorique, mystique, spirituel, typique.

SYMBOLISER Envelopper, expliquer, exprimer, figurer, incarner, matérialiser, personnifier, représenter.

SYMÉTRIE → *équilibre.*

SYMÉTRIQUE → *semblable.*

SYMPATHIE Accord, affection, affinité, amitié, attirance, attraction, bienveillance, conformité/convenance des goûts, cordialité, écho, estime, faible, fraternité, harmonie, inclination, penchant, pitié, popularité, sensibilité, tendance, tendresse, unisson.

SYMPATHIQUE → *aimable.*

SYMPATHISER → *entendre (s').*

SYMPHONIE I. Au pr. : concert, concerto, musique. **II. Par ext. :** chœur, entente, harmonie. → *union.*

SYMPTÔME Diagnostique, indice, manifestation, marque, présage, prodrome, signe, signe avant-coureur, signe prognostique, syndrome.

SYNALLAGMATIQUE Bilatéral, mutuel, réciproque.

SYNCHRONE Concordant, correspondant, simultané, synchronique.

SYNCHRONISME Coïncidence, concordance, correspondance, simultanéité, synchronie.

SYNCOPE I. → *évanouissement.* **II.** → *ellipse.*

SYNCRÉTISME → *union.*

SYNDIC Agent, arbitre, fondé de pouvoir, liquidateur, mandataire, représentant.

SYNDICAT Association, compagnonnage, coopération, corporation, fédération, groupement, mutualité, mutuelle, société, union.

SYNDROME → *symptôme.*

SYNODE → *consistoire.*

SYNONYME I. Nom : à peu près, approchant, équivalent, remplaçant, similitude, substitut. **II. Adj.** → *pareil.*

SYNTAXE Arrangement, construction, grammaire, règle, structure, système.

SYNTHÈSE I. Association, combinaison, composition, déduction, ensemble, formation, généralisation, jonction, reconstitution, réunion. **II.** Abrégé, conclusion, enseignement, morale, raccourci, reprise, résumé.

SYNTHÉTIQUE → *artificiel.*

SYNTHÉTISER I. → *réunir.* **II.** → *résumer.*

SYPHILIS → *vérole*

SYSTÉMATIQUE I. Au pr. *1.* Déductif, logique. *2.* Méthodique, ordonné, organisé, réglé, systématisé. **II. Par ext. :** doctrinaire, entêté, intolérant.

SYSTÈME I. Au pr. : corps de doctrine, doctrine, dogmatisme, dogme, explication, idéologie, opinion, pensée, philosophie, structure, théorie, thèse. **II. Par ext. *1.*** Manière, méthode, moyen, plan, procédé, tendance. *2.* Arcane, combinaison, combine, jeu. *3.* Constitution, gouvernement, politique, régime.

TABAC **I.** Brésil, caporal, gris, gros-cul (fam.), havane, herbe à Nicot (vx), herbe sainte (vx), maryland, nicotiane (vx), perlot (arg.), pétun, scaferlati, sumatra, virginie. **II. Loc. 1. *Passer à tabac*** → *tabasser*. **2. *Pot à tabac*** → *nain*.

TABAGIE → *cabaret*.

TABASSER Passer à tabac, rosser, rouer de coups. → *battre*.

TABATIÈRE Imposte, lucarne, œil-de-bœuf, ouverture. → *fenêtre*.

TABELLION Clerc, garde-notes (vx), greffier, notaire, officier ministériel/public, plumitif (péj.), scribe, scribouillard (péj.), secrétaire.

TABLE I. Bureau, comptoir, console, établi, étal, guéridon, pupitre, tablette. **II.** Menu. → *ordinaire*. **III.** → *surface*. **IV.** Abaque, index, répertoire. → *tableau*. **V.** → *sommet*. **VI. Loc. *Se mettre à table*. 1. *Au pr.* :** s'attabler, s'installer, se placer. **2. *Arg.* :** accuser, brûler, cafarder, capouner, cuistrer, déclarer à la police, dénoncer, désigner, dévoiler, donner, indiquer, livrer, moucharder, nommer, rapporter, révéler, trahir, vendre.

TABLE RONDE Carrefour, commission, conférence, débat, rencontre, réunion, séance de travail, symposium.

TABLEAU I. Cadre, croûte (péj.), navet (péj.), tableautin. **II.** Aquarelle, aquatinte, bois gravé, bosse, buste, chromo (péj.), croquis, décalcomanie, dessin, détrempe, eau-forte, effigie, enseigne, estampe, figure, forme, fresque, gouache, graphique, gravure, héliogravure, illustration, litho,

lithographie, médaillon, mine de plomb, miniature, pastel, peinture, plan, planche, photo, pochade, réplique, reproduction, sanguine, schéma, sépia, tête, tracé, trompe-l'œil, vignette, vue. **III.** Académie, allégorie, bataille, bambochade, bergerie, caricature, genre, intérieur, marine, maternité, nature morte, nu, panorama, paysage, portrait, sous-bois, verdure. **IV.** Aspect, féerie, panorama, scène, spectacle, vue. **V.** Bordereau, cadre, canon, catalogue, cédule, dénombrement, énumération, état, index, inventaire, kyrielle, liste, martyrologe, mémoire, ménologe, nomenclature, relevé, répertoire, rôle, série, suite, table.

TABLER → *espérer*.

TABLETTE Étagère, planchette, rayon, rayonnage → *table*.

TABLIER I. → *surtout*. **II.** → *blouse*. **III.** Écran; ligne, obstacle, protection, rideau.

TABOU → *sacré*.

TABOURET Escabeau, escabelle, sellette, siège.

TACHE I. Au pr. : bavure, crasse, éclaboussure, immondice, macule (vx), malpropreté, ordure, pâté, saleté, salissure. souillure. **II. Fig. :** crime, déshonneur, faute, flétrissure, honte, impureté, tare. → *péché*. **III. Par ext. :** balzane, madrure (vx), maillure, marque, moucheture, panachure, tacheture, tiqueture. **IV. Loc. *Faire tache d'huile*.** → *répandre (se)*.

TACHÉ, E Bariolé, bigarré, jaspé, madré, marbré, marqueté, moucheté, ocellé, piqueté, pommelé, rayé, tacheté, tavelé, tigré, tiqueté, truité, veiné, vergeté, zébré.

TÂCHE I. → *travail*. **II. Loc. Prendre à tâche** → *entreprendre*.

TACHER Abîmer, barbouiller, charbonner, contaminer, crotter, culotter, éclabousser, embouer (vx), encrasser, gâter, graisser, jaunir, mâchurer, maculer, noircir, poisser, polluer, salir, souiller.

TÂCHER Chercher à, s'efforcer à/ de, s'escrimer, essayer, s'évertuer à, faire l'impossible, s'ingénier à, tâtonner, tenter de.

TÂCHERON → *travailleur*.

TACHETÉ, E → *taché*.

TACHETER Marqueter, moucheter, piquer, piqueter. → *tacher*.

TACITE → *implicite*.

TACITURNE I. → *silencieux*. **II.** Amer, assombri, atrabilaire, bilieux, mélancolique, morne, morose, pessimiste, renfermé, sinistre, sombre, ténébreux.

TACT I. Au pr. : attouchement, contact, toucher. **II. Par ext. 1.** Bon goût, bon sens, juste milieu, philosophie, raison, sagesse. **2.** Acquis, bienséance, civilité, convenance, délicatesse, doigté, éducation, égards, élégance, entregent, habileté, politesse, savoir-vivre, usage.

TACTIQUE Par ext. : conduite, diplomatie, façon, ligne de conduite, manière, manœuvre, marche à suivre, menée, plan, politique, pomologie, procédé, stratégie. → *ruse*.

TAFIA Alcool, eau-de-vie, ratafia, rhum.

TAILLADE Balafre, cicatrice, coupure, entaille, entame, estafilade, incision, plaie. → *blessure*.

TAILLADER → *couper*.

TAILLANT → *tranchant*.

TAILLE I. Calibre, carrure, charpente, dimension, envergure, format, grandeur, grosseur, hauteur, importance, longueur, mesure, port, stature, tournure. **II.** Coupe, élagage, émondement, étêtage, pincement, ravalement, taillage. **III.** Cambrure, ceinture.

TAILLÉ, E (BIEN) I. Balancé (fam.), baraqué (fam.), bâti, charpenté, découplé, fait, proportionné, roulé (fam.). **II.** Balèze (fam.), costaud, fort.

TAILLER I. Appointer, chanfreiner, chantourner, charpenter, charpir, ciseler, cliver, découper, dégrossir, échancrer, équarrir, évider, rafraîchir, trancher. → *couper*. **II. Un arbre :** conduire, dégager, dégarnir, dresser, ébarber, ébourgeonner, ébrancher, écimer, éclaircir, élaguer, émonder, ergoter, étêter, étronçonner, ravaler, recéper.

III. → *affiler*. **IV. Loc. Tailler en pièces** → *vaincre*.

TAILLEUR Coupeur, couturier, culottier, essayeur, giletier, pompier (fam.).

TAILLIS Brout, buisson, cépée, gaulis, maquis, taille. → *bois*.

TAIRE Celer, déguiser, dissimuler, faire disparaître, garder le secret, omettre, passer sous silence, receler, supprimer. → *cacher*.

TAIRE (SE) Avaler sa salive (fam.), être discret, la boucler (fam.), la fermer (fam.), ne dire/ne souffler mot, ne pas piper (fam.), tenir sa langue.

TAIRE (FAIRE) Calmer, clouer le bec (fam.), empêcher de crier/parler/ pleurer, fermer la bouche, forcer/ réduire au silence, imposer silence, mettre un bouchon (fam.), rabattre le caquet (fam.).

TALENT Aisance, aptitude, art, bosse, brio, capacités, chic, disposition, dons, esprit, étoffe, facilités, faculté, fibre, génie, goût, habileté, inclination, industrie, instinct, mérite, moyens, penchant, prédisposition, propension, qualités, sentiment, tendance, vertu, virtuosité, vocation.

TALER → *meurtrir, harceler*.

TALISMAN Abraxas, amulette, brevet (vx), fétiche, gri-gri, mascotte, phylactère (vx), porte-bonheur, portechance, totem (par ext.).

TALMOUSE Baffe (fam.), beigne (fam.), beignet (fam.), calotte, claque, coup, emplâtre (fam.), gifle, giroflée (fam.), mandale (fam.), mornifle (fam.), pain (fam.), soufflet, tape, tarte (fam.), torgnole (fam.).

TALOCHE → *talmouse*.

TALOCHER Battre, calotter, claquer, confirmer (fam.), corriger, donner un soufflet *et les syn. de* SOUFFLET, gifler, mornifler (fam.), moucher (fam.), souffleter, taper.

TALONNER I. → *suivre*. **II.** → *poursuivre*. **III.** → *tourmenter*.

TALUS Ados, berge, cavalier, chaussée, glacis, levée, parapet, remblai.

TAMBOUILLE I. → *cuisine*. **II.** → *ragoût*.

TAMBOUR I. Batterie, caisse, caisse claire, tambourin, tam-tam, tarole, timbale. **II.** Barillet, cylindre, tour, tourniquet.

TAMBOURINER I. Au pr. : battre, battre du tambour. **II. Par ext. 1.** → *battre*. **2.** → *frapper*. **3.** → *répandre*.

TAMIS Blutoir, crible, passoire, sas, van.

TAMISÉ, E → *voilé*.

TAMISER I. Au pr. : bluter, cribler, épurer, filtrer, passer, passer au crible, purifier, sasser, séparer, trier, vanner. **II. Par ext.** : clarifier, contrôler. → *vérifier*.

TAMPONNER I. Choquer, cogner, emboutir, frapper, friser/froisser la tôle (fam.), heurter, percuter, télescoper. **II.** Calfater, étendre, frotter, oindre.

TAM-TAM I. → *tambour*. **II.** → *tapage*. **III.** → *publicité*.

TANCER I. Au pr. : admonester, avertir, blâmer, catéchiser, censurer, chapitrer, condamner, corriger, critiquer, désapprouver, désavouer, dire son fait, donner un avertissement/ un blâme/un coup de semonce, faire une réprimande/un reproche *et les syn. de* REPROCHE, flageller, flétrir, fustiger, gourmander, gronder, houspiller, improuver, incriminer, infliger une réprimande/un reproche *et les syn. de* REPROCHE, moraliser, morigéner, quereller, redresser, relever, reprendre, réprimander, réprouver, semoncer, sermonner, stigmatiser, trouver à redire, vitupérer. **II. Arg. ou fam.** : arranger, attraper, chanter pouilles, crier, disputer, donner une danse/un galop/un savon, donner sur les doigts/sur les ongles, emballer, engueuler, enguirlander, enlever, faire la fête/la guerre à, laver la tête, mettre au pas, moucher, remettre à sa place, sabouler, savonner, secouer, secouer les poux/les puces, sonner les cloches, tirer les oreilles.

TANDEM → *vélo*.

TANDIS QUE I. Au moment où, cependant que, comme, lorsque, pendant que, quand. **II.** Alors que, au lieu que.

TANGENT, ENTE A peine, à peu près, approchant, approximatif, juste voisin.

TANGIBLE Actuel, admis, assuré, authentique, certain, concret, démontré, effectif, établi, exact, fondé, historique, incontestable, incontesté, indiscutable, indubitable, juste, objectif, palpable, patent, positif, réalisé, reçu, sérieux, solide, véridique, véritable, visible, vrai. → *sensible*.

TANGUER → *balancer*.

TANIÈRE I. Aire, antre, bauge, breuil, caverne, fort, gîte, nid, refuge, repaire, ressui, retraite, soue, terrier, trou. **II.** Abri, asile, cache, cachette, lieu sûr, refuge, retraite.

TANK I. Citerne. **II.** Automitrailleuse, blindé, char, char d'assaut.

TANNANT, E → *ennuyeux*.

TANNER I. → *battre*. **II.** → *ennuyer*. **III.** Brunir, hâler.

TANNERIE Mégisserie, peausserie.

TANTIÈME Intérêt, marge, pourcentage, rapport, taux.

TANT POUR CENT I. → *tantième*. **II.** → *rabais*.

TANTINET (UN) → *peu*.

TAPAGE Bacchanal, barouf, baroufle, bastringue, boucan, bousin, brouhaha, bruit, cacophonie, carillon, chahut, charivari, cri, désordre, éclat, esclandre, foin, hourvari, pet, pétard, potin, raffut, ramadan, ramdam, sabbat, scandale, sérénade, tam-tam, tintamarre, tohu-bohu, train, vacarme.

TAPAGEUR, EUSE I. Au pr. : agité, assourdissant, braillard, bruyant, criard, éclatant, fatigant, gueulard (fam.), hurleur, indiscret, piaillard, ronflant, remuant, rugissant, sonore, tonitruant, tumultueux, turbulent, vif, violent, vociférant. **II. Fig.** → *voyant*.

TAPE I. → *coup*. **II.** → *talmouse*.

TAPER I. Au pr. 1. → *battre*. **2.** → *frapper*. **II. Par ext.** → *écrire*. **III. Fig.** → *quémander*.

TAPINOIS (EN) A la dérobée, à la sourdine, en cachette, en catimini, en dessous, en secret, en sourdine, en sous-main, furtivement, incognito, in petto, sans tambour ni trompette (fam.), secrètement, sournoisement, sous cape, sous le mateau, sous la table, subrepticement.

TAPIR (SE) S'abriter, s'accroupir, se blottir, se cacher, se clapir, se défiler (fam.), se dérober, disparaître, se dissimuler, s'éclipser, s'embusquer, éviter, fuir, se mettre à l'abri, se musser (fam.), se nicher, se pelotonner, se planquer (fam.), se retirer, se soustraire, se tenir à l'écart, se terrer.

TAPIS Carpette, chemin, descente de lit, moquette, natte, paillasson, revêtement, tapis-brosse, tapisserie, tenture.

TAPISSER Appliquer, cacher, coiffer, couvrir, enduire, enrober, ensevelir, envelopper, étendre, joncher, masquer, parsemer, paver, recouvrir, revêtir, tendre.

TAPISSERIE I. Broderie (par ext.), tapis, tenture, verdure. **II.** Aubusson, Beauvais, Bruxelles, Gobelins.

TAPOTER → *frapper*.

TAQUIN, E Asticoteur, blagueur, boute-en-train, chineur, enjoué, espiègle, facétieux, farceur, joueur, loustic, malicieux, moqueur, plaisantin, railleur, turlupin.

TAQUINER Agacer, asticoter, blaguer, chatouiller, chiner, exciter, faire enrager, inquiéter, jouer, lutiner, mécaniser (vx), picoter, plaisanter, tourmenter.

TAQUINERIE Agacerie, asticotage, chinage, espièglerie, facétie, farce, gaminerie, jeu, lutinerie, malice, moquerie, pique, raillerie, turlupinade. → *plaisanterie*.

TARABISCOTÉ, E I. Affecté, affété, choisi, emphatique, emprunté, galant, maniéré, mignard, précieux, recherché. **II.** Amphigourique, ampoulé, baroque, chargé, de mauvais goût, lourd, rococo, surchargé.

TARABUSTER I. → *tourmenter.* **II.** → *maltraiter.*

TARAUDER I. → *percer.* **II.** → *tourmenter.* **III.** → *battre.*

TARDER → *traîner.*

TARDIF, IVE → *lent.*

TARE → *imperfection, poids.*

TARER → *gâter, équilibrer.*

TARGUER (SE) I. Aimer à croire, s'applaudir, s'attribuer, se donner les gants (fam.), s'enorgueillir, se faire fort, se féliciter, se flatter, se glorifier, s'illusionner, se persuader, se prévaloir, tirer vanité, triompher. **II.** Compter, espérer, penser, prétendre. **III.** → *vanter (se).*

TARIF Barème, carte, menu, montant, prix, tableau, taxe.

TARIFER Établir/fixer le montant/le prix/le tarif, taxer.

TARIN (Arg.) → *nez.*

TARIR I. → *épuiser.* **II.** → *sécher.*

TARTE I. Au pr. : clafoutis, flan, gâteau, pâtisserie, tartelette. **II. Fig. 1.** → *talmouse.* **2.** → *bête.*

TARTINE I. Au pr. : beurrée, biscotte, rôtie, toast. **II. Fig. 1.** → *discours.* **2.** → *galimatias.* **3.** → *harangue.* **4.** → *tirade.*

TARTUFE Affecté, artificieux, baveux, bigot, cafard, cagot, caméléon, captieux, cauteleux, comédien, déloyal, dissimulé, double-jeu, escobar, fallacieux, faux, faux jeton, félon, flatteur, fourbe, grimacier, hypocrite, imposteur, insidieux, jésuite, judas, menteur, mielleux, papelard, patelin, patte-pelu (vx), pharisaïque, pharisien, sournois, spécieux, tortueux, trompeur, visqueux.

TARTUFERIE I. Le défaut : affectation, bigoterie, cafarderie, cagotisme, déloyauté, dissimulation, escobarderie, fausseté, félonie, flatterie, fourberie, hypocrisie, jésuitisme, papelardise, patelinage, pharisaïsme. **II. L'acte :** cabotinage, comédie, double-jeu, faux-semblant, feinte, fraude, grimace, jonglerie, mascarade, mensonge, momerie, pantalonnade, simagrée, singerie, tromperie.

TAS I. De choses : accumulation, agglomération, agrégat, alluvion, amas, amoncellement, assemblage, attirail, bataclan (fam.), bazar (péj.), bloc, collection, concentration, décombres, dépôt, empilement, encombrement, entassement, fatras, liasse, masse, meule, monceau, montagne, pile, rassemblement. **II. De personnes :** affluence, attroupement, concours, foule, multitude, presse, ramas (péj.), ramassis (péj.), rassemblement, réunion, tripotée (fam.).

TASSER → *presser.*

TÂTER I. Au pr. 1. → *toucher.* **2.** → *sonder.* **II. Fig. 1.** → *savourer.* **2.** → *expérimenter.*

TÂTER (SE) Atermoyer, attendre, balancer, barguigner, consulter (vx), délibérer, douter (vx), être embarrassé/ incertain/indécis/indéterminé/irrésolu/ perplexe/réticent, flotter, hésiter, marchander, osciller, reculer, résister, tatillonner, tâtonner, tergiverser.

TATILLON, ONNE Appliqué, attentif, consciencieux, difficile, exact, exigeant, formaliste, maniaque, méticuleux, minutieux, pointilleux, pointu, procédurier, scrupuleux, soigneux, vétilleux.

TATILLONNER → *tâter (se).*

TÂTONNEMENT Atermoiement, balancement, barguignage, désarroi, doute, embarras, flottement, fluctuation, hésitation, incertitude, indécision, indétermination, irrésolution, perplexité, résistance, réticence, scrupule, tergiversation, vacillation.

TÂTONNER I. → *toucher.* **II.** → *essayer.* **III.** → *tâter (se).*

TÂTONS (À) Aveuglément, à l'aveuglette.

TATOUILLE → *roulée.*

TAUDIS Bidonville, bauge, bouge, cambuse, galetas, masure, turne.

TAUTOLOGIE Battologie, cheville, datisme, périssologie, pléonasme, redondance, répétition.

TAUX Cours, intérêt, montant, pair, pourcentage, proportion, tant pour cent, taxe.

TAVELÉ, E → *taché.*

TAVERNE I. → *cabaret.* **II.** → *café.* **III.** → *restaurant.*

TAVERNIER → *cabaretier.*

TAXE I. Barème, cote, prix, tarif. → *taux.* **II.** Centimes additionnels, charge, contribution, corvée, cote, dîme, droit, fiscalité, gabelle, imposition, impôt, levée, péage, prestation, surtaxe, taille, tribut.

TAXER I. → *tarifer.* **II.** → *estimer.*

TAXER DE → *reprocher.*

TECHNICIEN Homme de l'art, ingénieur, spécialiste, technocrate.

TECHNIQUE I. → *méthode.* **II.** → *art.*

TÉGUMENT → *peau.*

TEINDRE I. Barbouiller (péj.), barioler, colorer, colorier, embellir, farder, imprégner, orner, peindre, peinturlurer, rajeunir, rehausser, relever, rénover. **II.** Brésiller, cocheniller, garancer, raciner, rocouer, safraner.

TEINT I. → *teinte.* **II.** → *mine.*

TEINTE I. Au pr. : carnation, coloration, coloris, couleur, demi-teinte, nuance, teint, ton, tonalité. **II. Fig. :** apparence, teinture, tour, tournure. → *aspect.*

TEINTURIER, ÈRE Dégraisseur, presseur, repasseur.

TEL, TELLE → *semblable.*

TÉLÉGRAMME Bleu, câble, câblogramme, dépêche, message, pli, pneu, pneumatique, radio, sans-fil.

TÉLÉGRAPHIER Câbler, envoyer un télégramme, *et les syn.* de TÉLÉGRAMME.

TÉLÉGRAPHIQUE Par ext. → *court.*

TÉLESCOPE → *lunette.*

TÉLESCOPER → *tamponner.*

TÉMÉRAIRE Audacieux, aventureux, casse-cou, dangereux, écervelé, entreprenant, étourdi, fautif, hasardé, hasardeux, imprévoyant, imprudent, inconsidéré, insensé, irréfléchi, léger, maladroit, malavisé, négligent, osé, présomptueux, risqué, risque-tout.

TÉMÉRITÉ I. Favorable ou neutre. 1. Quelqu'un : assurance, audace, bravoure, cœur, courage, décision, détermination, énergie, esprit d'entreprise, fermeté, fougue, hardiesse, impétuosité, intrépidité, résolution, vaillance. **2. Quelque chose :** innovation, nouveauté, originalité. **II. Non favorable. 1. Quelqu'un :** aplomb, arrogance, audace, culot (fam.), effronterie, folie, front, imprudence, impudence, insolence, légèreté, toupet. **2. Relatif aux mœurs :** immodestie, impudicité, inconvenance, indécence, indiscrétion, liberté, licence.

TÉMOIGNAGE I. Au pr. : affirmation, attestation, certificat, déposition. → *relation.* **II. Par ext. 1.** Hommage, manifestation, marque. → *démonstration.* **2.** Affirmation, argument, confirmation, constatation, conviction, critère, critérium, démonstration, établissement, gage, illustration (vx), justification, motif, pierre de touche. **3.** Charge, corps du délit, document, empreinte, fait, indice, marque, preuve, signe, trace. **4.** Épreuve judiciaire, jugement de Dieu, ordalie.

TÉMOIGNER I. Affirmer, alléguer, assurer, attester, certifier, confirmer, déclarer, démontrer, déposer, dire, exprimer, garantir, indiquer, jurer, maintenir, montrer, proclamer, produire, proférer, prononcer, protester, prouver, rapporter, rendre compte, rendre témoignage, renseigner, répondre de, soutenir, transmettre. **II.** → *révéler.*

TÉMOIN I. Au pr. 1. Assistant, auditeur, caution, déposant, garant, recors (vx). → *spectateur.* **2.** Parrain, second. **II. Par ext. 1.** → *souvenir.* **2.** → *témoignage.*

TEMPÉRAMENT I. Vx : équilibre, mesure, milieu, modération, moyenne. **II.** Diathèse, disposition, caractère, carcasse (fam.), cœur, complexion, composition, constitution, esprit, état, humeur, inclination, nature, naturel, pâte (fam.), penchant, personnalité, santé, trempe, vitalité. **III.** Adoucissement, atténuation, modification. **IV. Loc. A tempérament :** à crédit, à terme, par mensualité.

TEMPÉRANCE Abstinence, chasteté, continence, discrétion, économie, frugalité, sobriété → *retenue.*

TEMPÉRANT, E → *sobre.*

TEMPÉRATURE I. → *climat.* **II.** → *temps.*

TEMPÉRÉ, E I. → *modéré.* **II.** → *simple.*

TEMPÉRER Adoucir, affaiblir, amortir, apaiser, arrêter, assouplir, atténuer, attiédir, borner, calmer, contenir, corriger, diminuer, estomper, éteindre, freiner, lénifier, mesurer, mitiger, modérer, normaliser, pallier, ralentir, réchauffer, régler, réprimer, tamiser.

TEMPÊTE Bourrasque, coup de chien/de tabac (fam.)/de vent, cyclone, orage, ouragan, rafale, raz de marée, tornade, tourbillon, tourmente, trombe, typhon, vent.

TEMPÊTER Attaquer, crier, déblatérer, déclamer, fulminer, invectiver, pester, tonner. → *injurier.*

TEMPLE → *église.*

TEMPORAIRE Court, de courte durée, éphémère, fragile, fugitif, incertain, intérimaire, momentané, passager, précaire, provisoire, transitoire.

TEMPOREL, ELLE I. → *terrestre.* **II.** → *temporaire.*

TEMPORISER Ajourner, arrêter, arriérer (vx), atermoyer, attendre, décaler, différer, éloigner, faire traîner, prolonger, promener, proroger, ralentir, reculer, remettre, renvoyer, reporter, repousser, retarder, surseoir à, traîner.

TEMPS I. Date, durée, espace, étendue, heure, jour, minute, moment, période, saison, rythme. **II. 1.** Age, cycle, date, époque, ère, étape, génération, siècle. **2.** Aujourd'hui, demain, futur, hier, jadis, passé, présent. **III.** → *délai.* **IV.** Cas, chance, circonstance, conjoncture, événement, facilité, hasard, moment, occasion, opportunité, possibilité. **V.** Ambiance, atmosphère, ciel, circonstances/conditions atmosphériques/climatiques/météorologiques, climat, météo, phénomènes atmosphériques, régime. **VI. Loc. 1. Avec le temps :** à la fin, à la longue, finalement, le temps aidant, tôt ou tard. **2. De notre temps :** actuellement, à présent, aujourd'hui, de nos jours, en ce

moment, maintenant, présentement.
3. De temps en temps : parfois, quelquefois, rarement, de temps à autre. **4. De tout temps →** *toujours.* **5. En même temps :** à la fois, à l'unisson, collectivement, conjointement, coude à coude, d'accord, de concert, de conserve, de front, du même pas, en accord, en bloc, en chœur, en commun, en concordance, en harmonie, ensemble, simultanément. **6. La plupart du temps :** d'ordinaire, fréquemment, généralement, habituellement, journellement, maintes fois, plusieurs fois, souvent, souventefois (vx).

TENABLE → *supportable.*

TENACE I. → *résistant.* **II. →** *têtu.*

TÉNACITÉ Acharnement, assiduité, cramponnement (péj.), entêtement, esprit de suite, fermeté, obstination, opiniâtreté, persévérance, pertinacité, suite dans les idées.

TENAILLE, TENAILLES Croches, écrevisse, griffe, happe, moraille, mors, pinces, pinces russes, pincettes, tricoises.

TENAILLER Étreindre, faire souffrir, torturer, tourmenter.

TENANCIER I. → *fermier.* **II. →** *patron.*

TENANT, E Adepte, appui, champion, chevalier, défenseur, détenteur, partisan.

TENDANCE I. Au pr. : affinité, appétence, appétit, aptitude, attirance, attraction, complexion, direction, disposition, effort, élan, facilité, force, impulsion, inclination, instinct, mouvement, orientation, penchant, prédisposition, propension, pulsion, sens, tournure. **II. Par ext. :** école, famille, groupe, mouvement, nuance, opinion, parti, pensée, philosophie, théorie.

TENDANCIEUX, EUSE → *partial.*

TENDON Aponévrose, ligament, nerf.

TENDRE adj. **I. Quelqu'un 1. →** *sensible.* **2. →** *amoureux.* **3. →** *caressant.* **II. Quelque chose :** délicat, doux, fondant, fragile, frais, moelleux, mou.

TENDRE v. **I. →** *raidir.* **II. →** *trier.* **III. →** *présenter.* **IV. →** *aller.* **V. →** *viser.*

TENDREMENT Affectueusement, amoureusement, avec affection/ amour / piété / sollicitude / tendresse, chèrement, pieusement.

TENDRESSE I. Au sing. 1. Adoration, affection, amitié, amour, attachement, bonté, cœur, complaisance (vx), dévotion, dévouement, dilection (relig.), douceur, feu, flamme, idolâtrie, inclination, passion, prédilection, sentiment, zèle. **2. →** *sensibilité.* **3.** Attendrissement, effusion, épanchement,

manifestation. **II. Au pl. :** amabilité, cajoleries, câlineries, chatteries, égards, gentillesse, souvenir. **→** *caresse.*

TENDRON Au pr. I. → *pousse.* **II.** Adolescente, bambine, demoiselle, donzelle (péj.), fille, fillette, gazille (mérid.), gosse (fam.), gamine, jeune fille, jeunesse, jouvencelle, mignonne, minette, nymphe, nymphette, poulette, pucelle (vx), rosière, trottin, vierge.

TENDU, E I. Au pr. : dur, inflexible, raide, rigide. **II. Fig. 1. Phys. :** ardu, assujettissant, astreignant, contraignant, difficile, difficultueux, dur, éreintant, fatigant, ingrat, laborieux, tuant. **2. Moral :** affligeant, amer, angoissant, âpre, atroce, attristant, cruel, déplorable, désolant, douloureux, dur, embarrassant, ennuyeux, épineux, gênant, grave, irritant, lamentable, lourd, mauvais, mortel, navrant, pénible, pesant, poignant, rude, torturant, tourmenté, triste.

TÉNÈBRES I. Au pr. : noirceur, nuit, obscurité, ombre, opacité. **II. Fig. 1.** Barbarie, obscurantisme. **2.** Énigme, mystère. **→** *secret.*

TÉNÉBREUX, EUSE I. Au pr. : assombri, bas, brumeux, couvert, embrumé, épais, maussade, nébuleux, noir, nuageux, obscur, opaque, sombre, voilé. **II. Par ext. :** abscons, abstrus, amphigourique, apocalyptique, cabalistique, caché, complexe, compliqué, confus, difficile, diffus, douteux, emberlificoté (fam.), embrouillé, enchevêtré, énigmatique, en jus de boudin, entortillé, enveloppé, équivoque, ésotérique, filandreux, flou, fumeux, hermétique, impénétrable, incompréhensible, inexplicable, inextricable, inintelligible, insaisissable, louche, mystérieux, secret, sibyllin, touffu, trouble, vague, vaseux, voilé.

TENEUR I. Agencement, alliage, arrangement, assemblage, association, charpente, combinaison, composante, composition, constitution, construction, contexture, coupe, dessin, disposition, ensemble, formation, organisation, structure, synthèse, texture. **II.** Contenu, contexte, objet, sujet. **→** *texte.*

TENIR I. Au pr. : avoir, conserver, détenir, embrasser, étreindre, garder, occuper, posséder, retenir. **II. Par ext. 1.** Accrocher, amarrer, arrêter, assujettir, attacher, brider, clouer, coincer, comprimer, consigner, contenir, contraindre, empêcher, emprisonner, enchaîner, endiguer, fixer, freiner, immobiliser, maîtriser, modérer, ralentir, retenir, serrer la vis (fam.). **2.** Comporter, s'étaler, s'étendre, s'étirer, occuper, recouvrir, remplir. **3. →** *résister.* **4. →** *contenir.* **5. →** *subsister.* **6.** Accomplir, s'acquitter de, se conformer à, être fidèle à, exécuter, exercer, faire, garder, observer, pratiquer, remplir, rendre, respecter, satisfaire à, suivre. **III. Loc. 1. Tenir à :** adhérer à, aimer, coller à, découler de, dépendre de, être attaché à, résulter de, venir de, vouloir. **2. Tenir de :** s'apparenter à, approcher de, avoir des traits communs/un rapport à/avec, confiner à, correspondre, être la copie/l'image/ le portrait/la réplique de, participer de, procéder de, rappeler, se rapporter à, se rapprocher de, ressembler à, tirer sur. **3. Tenir pour :** compter pour, considérer, croire, estimer, juger, prendre, présumer, professer, regarder comme, réputer. **4. Tenir lieu →** remplacer.

TENSION I. Au pr. : allongement, ballonnement, distension. **II. Fig. :** brouille, brouillerie, désaccord, désunion, discord (vx), discordance, discorde, dispute, dissension, dissentiment, dissidence, divergence, division, froid, mésentente, mésintelligence, nuage, orage, pique, rupture, trouble, zizanie. **III. Loc. Tension d'esprit :** application, attention, concentration, contemplation, contention, diligence, étude, méditation, réflexion, soin.

TENTATION Aiguillon, appel, attrait, blandice, envie, sollicitation. **→** désir.

TENTATIVE Avance, démarche, effort, essai, recherche.

TENTE I. Abri, campement, chapiteau, guitoune, pavillon, tabernacle, wigwam. **II.** Banne, toile, velarium, velum. **III. Mar. :** marsouin, taud, taude, tendelet.

TENTER I. → tâcher. **II.** Affrioler, aguicher, attacher, attirer, attraire, captiver, charmer, coiffer, donner/ taper dans l'œil (fam.), ensorceler, entraîner, envoûter, fasciner, hypnotiser, magnétiser, plaire, séduire.

TENTURE Draperie, portière, rideau, tapis, tapisserie.

TÉNU, E Délicat, délié, filiforme, fin, fluet, fragile, gracile, grêle, impalpable, léger, menu, mièvre, mince, subtil. **→** petit.

TENUE I. Air, allure, attitude, comportement, contenance, démarche, extérieur, façon, figure, maintien, manière, mine, port, posture, présentation, prestance, tour, tournure. **II. →** vêtement. **III.** Bienséance, chasteté, congruité, convenance, correction, décence, dignité, discrétion, gravité, honnêteté, honneur, modestie, politesse, propreté, pudeur, pudicité, réserve, retenue, sagesse, tact, vertu.

TERGIVERSER Atermoyer, biaiser, composer, feinter, louvoyer, temporiser, user de procédés dilatoires. **→** tâter (se).

TERME I. Accomplissement, achèvement, borne, bout, but, conclusion, dénouement, fin, final, limite, mesure. **II.** Crédit, délai, échéance. **III.** Dénomination, expression, mot, particule, signe, tournure, unité, vocable. **IV.** Loyer, mensualité, trimestre. **V. Au pl. :** rapport, relation. **VI. Loc. Vente à terme →** tempérament.

TERMINAISON I. Accomplissement, achèvement, apothéose, compromis, conclusion, consommation, couronnement, règlement, solution. **II.** Bout, extrémité, fin, queue, tête. **III.** Assonance, clausule, coda, consonance, désinence, flexion, rime, suffixe, **IV. →** résultat.

TERMINER Accomplir, achever, arranger, arrêter, cesser, clore, clôturer, conclure, consommer, couper, couronner, dénouer, épuiser, expédier, fermer, fignoler, finir, interrompre, lécher, lever, liquider, mettre fin à, parachever, parfaire, polir, régler, trancher, user, vider.

TERMINER (SE) I. Aboutir, aller, s'arrêter, cesser, finir, mener, tomber dans. **II.** Se dénouer, se résoudre, se solutionner, trouver un terme, et les syn. de TERME.

TERNE I. Au pr. : amorti, assombri, blafard, blême, décoloré, délavé, embu, enfumé, éteint, fade, flétri, gris, incolore, mat, passé, sale, sombre, terni, vitreux. **II. Fig. :** anodin, effacé, falot, inexpressif, insignifiant, maussade, morne, morose, plat, quelconque.

TERNIR I. Au pr. : altérer, décolorer, défraîchir, éclipser, effacer, emboire, éteindre, faner, flétrir, obscurcir, ôter l'éclat, passer. **II. Par ext. →** tacher. **III. Fig. :** avilir, déprécier, diffamer, entacher, flétrir. **→** abaisser.

TERRAIN I. → terre. **II. →** lieu. **III. →** occasion.

TERRASSE Belvédère, esplanade, plate-forme, promenade, toit.

TERRASSER I. → abattre. **II. →** vaincre.

TERRE I. Au pr. 1. Glèbe, humus, limon, sol, terrain, terreau, terroir. **2.** Boule, globe, machine ronde, monde, notre planète. **3. →** champ. **II. Par ext. 1. →** univers. **2.** Bien, domaine, exploitation, fonds, propriété. **3.** Lieu, territoire. **→** pays. **III. Loc. Terre à terre :** bon vivant, cru, matérialiste, opportuniste, positif, pragmatique, réaliste, utilitaire.

TERRER (SE) → tapir (se).

TERRESTRE I. Au pr. : tellurien, tellurique, terraqué. **II. Fig. 1.** Mondain, séculier, temporel. **2.** Charnel, corporel, grossier (péj.), humain, matériel, mortel, physique.

TERREUR I. Affolement, affres, alarme, angoisse, appréhension, consternation, crainte, effroi, épouvante, épouvantement (vx), frayeur, horreur, inquiétude, lâcheté, panique, peur. **II.** Apache, assassin, bandit, bon à rien, brigand, chenapan, criminel, escarpe, forban, fripouille, gangster, hors-la-loi, malandrin, malfaiteur, pirate (fam.), sacripant, vaurien, voleur, voyou.

TERREUX, EUSE I. → malpropre. **II.** → pâle. **III. Loc. Cul-terreux** → paysan.

TERRIBLE I. Au pr. : abominable, affreux, apocalyptique, dantesque, dur, effrayant, effroyable, énorme, épouvantable, excessif, formidable, horrible, implacable, mauvais, monstrueux, redoutable, rude, terrifiant, terrifique, tragique. **II. Par ext. 1.** → violent. **2.** → turbulent. **3.** → extraordinaire.

TERRIBLEMENT Beaucoup, diablement, étrangement, extrêmement, très, et les adv. en -ment formés à partir des syn. de TERRIBLE.

TERRIER → tanière.

TERRIFIANT, E → terrible.

TERRIFIER → terroriser.

TERRITOIRE → pays.

TERROIR I. → terre. **II.** → pays.

TERRORISER Affoler, alarmer, angoisser, apeurer, atterrer, consterner, effarer, effaroucher, effrayer, épouvanter, faire fuir, faire peur, frapper de stupeur, halluciner, horrifier, inquiéter, pétrifier, remplir de terreur, et les syn. de TERREUR, stupéfier, terrifier.

TERRORISME Excès, intimidation, subversion, terreur.

TERRORISTE → révolutionnaire.

TERTRE → hauteur.

TEST → expérience.

TÊTE I. Au pr. : chef (vx), crâne, encéphale, face, faciès, figure, front, gueule, hure, mufle, museau. → visage. **II. Fam.** : balle, bille, binette, bobèche, bobine, bougie, bouille, bouillotte, boule, boussole, burette, cabèche, caboche, cafetière, caillou, caisson, calebasse, carafe, carafon, cassis, ciboulot, citron, citrouille, cocagne, coco, coloquinte, fiole, genou, gueule, hure, margoulette, mufle, museau, plafond, poire, pomme, portrait, terrine, tirelire, toiture, trogne, trombine, trompette, tronche. **III. Par ext. 1.** Autorité, cerveau, chef, état-major, leader → direction. **2.** Bon sens, esprit, intelligence, lucidité, mémoire, présence d'esprit, raison, sang-froid. **3.** Individu, unité, pièce. → homme. **4.** → sommet. **5.** → commencement. **6.** Bulbe, gousse, oignon. **IV. Loc. 1. Tête-à-tête :** conciliabule, conversation, dialogue, entretien, seul à seul. → rencontre. **2. Dans la tête** → idée. **3. Tête de linotte** → étourdi. **4. Tête de lit :** chevet, devant, haut. **5. Tête-à-queue :** dérapage, virevolte, volte-face.

TÉTER → sucer.

TÉTINE → pis.

TÉTON → sein.

TÊTU, E Absolu, accrocheur, acharné, aheurté (vx), buté, cabochard, entêté, entier, hutin (vx ou région.), insoumis, intraitable, obstiné, opiniâtre, récalcitrant, rétif, tenace, volontaire.

TEXTE Acte, citation, contenu, contexte, copie, énoncé, formule, fragment, leçon, libellé, livret, manuscrit, morceau, original, paroles, passage, recension, rédaction, rédigé, sujet, teneur, variante.

TEXTILE I. Filature, tissage. **II.** Étoffe. → tissu.

TEXTUEL, ELLE Authentique, exact, littéral, mot à mot.

THAUMATURGE → magicien.

THAUMATURGIQUE I. Religieux, sacré, spirituel, surnaturel. **II.** Extraordinaire, fantasmagorique, fantastique, féerique, immatériel, magique, merveilleux, métaphysique, miraculeux, parapsychique, prodigieux, sorcier, surhumain.

THÉÂTRAL, E I. Non favorable : affecté, ampoulé, apprêté, arrangé, cabot (fam.), cabotin (fam.), compassé, composé, concerté, emphatique, étudié, faux, forcé, maniéré, pompeux, précieux, recherché, sophistiqué. **II. Favorable ou neutre :** dramatique, émouvant, fastueux, grandiose, imposant, majestueux, poignant, scénique, spectaculaire, terrible, tragique.

THÉÂTRE I. Au pr. 1. Planches, plateau, scène, tréteaux. **2.** Bouiboui (péj. et vx), comédie (vx), salle. **II. Par ext. :** opéra, opéra-comique. **III. Fig. :** emplacement, endroit, scène. → lieu.

THÉBAÏDE → solitude.

THÉISME I. Au pr. : déisme. **II. Par ext. :** théogonie, théologie, théosophie.

THÈME I. Fond, idée, leitmotiv, matière, motif, objet, refrain, sujet, thème, trame. **II.** Traduction.

THÉOGONIE Croyance, culte, foi, mythologie, religion, théologie.

THÉOLOGAL, E → théologique.

THÉOLOGIE Apologétique, doctrine, études religieuses, théogonie.

THÉOLOGIEN, ENNE Casuiste, consulteur, docteur, gnostique, Père de l'Église, théologal.

THÉOLOGIQUE Casuistique, divin, métaphysique, religieux, théologal.

THÉORICIEN, ENNE Chercheur, doctrinaire, généraliste, penseur, philosophe, savant, spéculateur.

THÉORIE I. Abc, axiome, base, convention, définition, doctrine, dogme, donnée, élément, hypothèse, loi, maxime, morale, norme, opinion, philosophie, position, postulat, précepte, prémisse, principe, règle, religion, rudiment, système, utopie (péj.). **II.** Calcul, étude, projet, recherche, spéculation. **III.** → *méthode.* **IV.** Cortège, défilé, file, marche, procession, queue, suite, va-et-vient.

THÉORIQUE I. Neutre : abstrait, conceptuel, doctrinal, hypothétique, idéal, imaginaire, rationnel, scientifique, spéculatif, systématique. **II. Non favorable :** chimérique, fumeux, onirique, vaseux. → *imaginaire.*

THÉOSOPHIE Cabale, gnose, occultisme, religion, spiritisme.

THÉRAPEUTE → *médecin.*

THÉRAPEUTIQUE Cure, drogage, intervention, médication, régime, soins, traitement.

THERMAL Loc. *Station thermale :* bains (vx), eaux, station balnéaire.

THERMES → *bain.*

THÉSAURISATION I. → *économie.* **II.** → *avarice.*

THÉSAURISER Amasser, boursicoter, économiser, empiler, entasser, épargner, faire sa pelote, se faire un matelas, mettre de côté, placer, planquer (fam.).

THÉSAURISEUR, EUSE → *avare.*

THÈSE I. → *affirmation.* **II.** → *traité.* **III.** → *opinion.*

THORAX → *poitrine.*

THURIFÉRAIRE → *louangeur.*

TIARE → *couronne.*

TIC Bizarrerie, caprice, dada, démangeaison, épidémie, fantaisie, fièvre, frénésie, fureur, goût, grimace, habitude, maladie, manie, manière, marotte, monomanie, péché mignon, prurit, rage, rictus, toquade, turlutaine.

TICKET → *billet.*

TIÈDE I. Au pr. : attiédi, doux, modéré, moite, tépide. **II. Fig. :** apathique, calme, indifférent, mou, neutre, nonchalant, veule.

TIÉDEUR I. Au pr. : attiédissement, douceur, modération, moiteur, tépidité. **II. Fig. :** apathie, calme, dégagement (vx), désintéressement, détachement, flegme, froideur, impassibilité, indifférence, indolence, mollesse, neutralité, nonchalance, sérénité.

TIÉDIR I. Au pr. : attiédir, climatiser, dégourdir, modérer, réchauffer, refroidir. **II. Fig.** → *tempérer.*

TIERS, TIERCE Arbitre, inconnu, intermédiaire, étranger, intrus (péj.), médiateur, négociateur, témoin, tierce personne, troisième.

TIGE I. Bot. : branche, brin, chalumeau, chaume, gemmule, hampe, paille, pédicelle, pédicule, pédoncule, pétiole, plant, queue, rhizome, stipe, tigelle, tuyau. → *fût.* **II. Par ext. 1.** Baguette, bâton, verge. **2.** Arbre, aiguille, axe, barre, bielle, bras, broche, cheville, cylindre, tringle.

TIGRÉ, E Bigarré, fauve, jaune, moucheté, rayé, zébré. → *taché.*

TIMBALE I. → *tambour.* **II.** → *gobelet.*

TIMBRE I. → *cloche.* **II.** → *son.* **III.** → *marque.* **IV.** Vignette. **V.** → *réservoir.*

TIMBRÉ, E Fam. et par ext. : bizarre, braque, cinglé, dingo, dingue, fatigué, fêlé, follet, fou, frappé, jobard (arg.), loufoque, maboul, maniaque, marteau, piqué, siphonné, sonné, tapé, toc-toc, toqué.

TIMIDE I. Au pr. : effarouchable, effarouché, embarrassé, farouche, gauche, gêné, hésitant, honteux, humble, indécis, intimidé, mal à son aise, peureux, pusillanime, réservé, timoré. → *craintif.* **II. Fig. :** approximatif, confus, douteux, ébauché, imparfait, imprécis, incertain, indécis, indéfini, indéterminé, indistinct, flottant, flou, fumeux, nébuleux, nuageux, obscur, trouble, vague.

TIMIDITÉ Appréhension, confusion, crainte, effacement, effarouchement, embarras, émoi, gaucherie, fausse / mauvaise / sotte honte / pudeur, gêne, hésitation, honte, humilité, indécision, modestie, peur, pusillanimité, réserve, sauvagerie.

TIMON → *gouvernail.*

TIMONIER → *pilote.*

TIMORÉ, E → *timide.*

TINTAMARRE Bacchanal, barouf, baroufle, bastringue, boucan, bousin, brouhaha, bruit, cacophonie, carillon, chahut, charivari, cri, désordre, dissonance, éclat, esclandre, foin, hourvari, pet, pétard, potin, raffut, ramadan, ramdam, sabbat, scandale, sérénade, tam-tam, tapage, tohu-bohu, train, vacarme.

TINTER → *tintinnabuler.*

TINTINNABULER Bourdonner, carillonner, résonner, sonner.

TINTOUIN Agitation, peine, préoccupation, remue-ménage, souci, surmenage, travail. → *tracas.*

TIQUER I. → *tressaillir.* **II.** → *sourciller.*

TIQUETÉ, E → *taché.*

TIRADE Couplet, développement, discours, explication, monologie, morceau de bravoure, paraphrase, réplique, suite, tartine.

TIRAGE I. Collection, composition, édition, impression, publication, ré-impression, reproduction, republication. **II.** Accroc, anicroche, aria, bec, cahot, chardon, cheveu, chiendent, contrariété, danger, difficulté, embarras, empêchement, enclouure, ennui, épine, hic, histoire, incident, labeur, objection, obstacle, opposition, os, peine, pépin, problème, résistance, ronce, souci, tiraillement, tracas, traverse.

TIRAILLEMENT → *tirage.*

TIRAILLER I. → *tirer.* **II.** → *tourmenter.*

TIRE-AU-CUL, TIRE-AU-FLANC → *rossard.*

TIREBOUCHONNER → *tordre.*

TIREBOUCHONNER (SE) → *tordre (se).*

TIRÉ, E I. → *maigre.* **II.** → *fatigué.*

TIRELIRE I. Boîte à sous (fam.), cagnotte, caisse, crapaud, grenouille, tontine, tronc. **II. Fam. 1.** → *tête.* **2.** Bedaine, bedon, brioche, estomac, gésier, gidouille, œuf d'autruche, panse, tripes, ventre.

TIRER I. Au pr. 1. Attirer, faire aller, haler, remorquer, touer, traîner. **2.** Allonger, bander, détirer, distendre, étendre, étirer, raidir, tendre. **3.** Écarteler, tirailler. **4.** Dégager, délivrer, dépêtrer, enlever, éveiller, extraire, lever, ôter, produire, ramener, sauver, sortir. → *retirer.* **5.** Pomper, puiser, sucer, traire. **II. Par ext. 1.** Conclure, déduire, dégager, devoir à, emprunter, extraire, inférer, interpréter, prendre, puiser. **2.** → *quitter.* **3.** Extorquer, gagner, hériter, percevoir, recevoir, recueillir, retirer, soutirer. **4.** → *tracer.* **5.** → *imprimer.* **6.** Canarder, décharger, faire feu, faire partir, lâcher, mitrailler, tirailler. **III. Loc. Tirer sur** → *ressembler.*

TIRER (SE) I. S'échapper, s'enfuir, s'évader, se sauver, sortir. → *partir, et les formes pronom. possibles des syn. de* TIRER. **II. Loc. S'en tirer :** se débarbouiller (fam.), se débourber, se débrouiller, se démêler, se dépêtrer, en réchapper, s'en sortir. → *réussir.*

TIREUR, EUSE I. Haleur, remorqueur, tracteur. **II.** Mitrailleur, servant. **III. Loc. Tireuse de cartes :** cartomancienne, diseuse de bonne aventure, extralucide, voyante.

TISANE Apozème, bouillon, décoction, hydrolé, infusion, macéré, remède, solution.

TISON Braise, brandon.

TISONNER Activer, animer, fourgonner, gratter/ranimer / remuer / secouer les tisons, *et les syn. de* TISON.

TISONNIER Fourgon, pincettes, pique-feu, ringard.

TISSÉ, E I. Au pr. → *tissu.* **II. Fig. :** aménagé, arrangé, combiné, comploté, conspiré, machiné, manigancé, monté, noué, ourdi, préparé, tramé, tressé.

TISSER I. Au pr. : brocher, broder, fabriquer, tramer, tresser. **II. Fig. :** aménager, arranger, brasser, combiner, comploter, conspirer, machiner, manigancer, monter, nouer, ourdir, préparer, tramer, tresser.

TISSU I. Au pr. : cotonnade, drap, étoffe, lainage, soierie, tapisserie, toile, tricot. **II. Par ext. 1.** Cellule, membrane, réseau. **2.** Contexture, texture, tissure. **III. Fig. :** enchaînement, enchevêtrement, mélange. → *suite.*

TITAN I. Au pr. : colosse, cyclope, force de la nature, géant, goliath, hercule, malabar (fam.), mastodonte, monstre, surhomme. **II.** → *champion.*

TITANESQUE Babylonien, colossal, considérable, cyclopéen, démesuré, éléphantesque, énorme, étonnant, excessif, fantastique, formidable, géant, gigantesque, grand, immense, incommensurable, insondable, monstre, monstrueux, monumental, pélasgique, prodigieux, pyramidal.

TITILLER I. → *chatouiller.* **II.** → *agacer.*

TITRE I. Appellation, désignation, en-tête, frontispice, intitulé, manchette, rubrique. → *partie.* **II.** Caractère, fonction, nom, particularité, qualification, spécification. **III.** Acte, brevet, certificat, charte, commission, diplôme, document, instrument, lettres patentes, papier, parchemin, patente, pièce. **IV. Au pl. :** action, billet, bon, effet, obligation, reconnaissance, warrant.

TITUBANT, E Branlant, chancelant, faible, flageolant, hésitant, incertain, oscillant, trébuchant, vacillant.

TITUBER Balancer, basculer, branler, broncher, buter, chanceler, chavirer, chopper, faiblir, flageoler, fléchir, flotter, glisser, hésiter, lâcher pied, osciller, trébucher, trembler, vaciller.

TITULAIRE → *propriétaire.*

TITULARISATION Affectation, confirmation, homologation, installation, intégration, nomination, officialisation, prise en charge, validation.

TITULARISER Affecter, confirmer, désigner, homologuer, installer, intégrer, nommer, officialiser, prendre en charge, valider.

TOAST I. → *tartine.* **II.** → *discours,*

TOGE Costume, mante, manteau, robe.

TOHU-BOHU I. Par ext. : activité, affairement, affolement, agitation, alarme, animation, billebaude (vx), bouillonnement, branle-bas, bruit, chambardement (fam.), changement, désordre, effervescence, excitation, flux et reflux, grouillement, hâte, incohérence, mouvement, orage, précipitation, remous, remue-ménage, secousse, tempête, tourbillon, tourmente, trouble, tumulte, turbulence, va-et-vient. **II. Fam. :** bacchanal, barouf, baroufle, bastringue, boucan, bousin, brouhaha, carillon, chahut, charivari, cri, éclat, esclandre, foin, hourvari, pet, pétard, potin, raffut, ramadan, ramdam, sabbat, scandale, sérénade, tam-tam, tintamarre, train, vacarme.

TOILE I. Au sing. 1. → *tissu.* **2.** → *tableau.* **II. Au pl.** → *filet.*

TOILETTE I. Au sing. → *vêtement.* **II. Au pl.** → *water-closet.*

TOISER I. →*regarder.* **II.** →*mesurer.*

TOISON I. → *poil.* **II.** → *cheveux.*

TOIT I. Au pr. : chaume, comble, couverture, faîte, gouttières, terrasse, toiture. **II. Par ext. 1.** → *hangar.* **2.** → *habitation.*

TOLÉRABLE Buvable (fam.), endurable, excusable, passable, sortable, suffisant, supportable.

TOLÉRANCE Acquiescement, bonté, bénignité, compréhension, douceur, indulgence, largeur/ouverture d'esprit, libéralisme, non-violence, patience, respect, tolérantisme.

TOLÉRANT, E Bénin, bon, commode, compréhensif, doux, endurant (vx), humain, indulgent, large/ouvert d'esprit, libéral, non-violent, patient, résigné, respectueux.

TOLÉRÉ, E Accordé, admis, admissible, agréé, autorisé, consenti, dans les formes/les normes/l'ordre/les règles, enduré, légal, légitime, libre, licite, loisible, permis, possible, régulier, souffert, supporté.

TOLÉRER Accepter, accorder, acquiescer, admettre, agréer, approuver, autoriser, avaler (fam.), boire (fam.), concéder, consentir, digérer (fam.), dispenser, donner, endurer, habiliter, laisser, laisser faire, passer, permettre, souffrir, supporter.

TOLLÉ Blâme, bruit, chahut, charivari, clameur, cri, haro, huée, sifflet.

TOMBE, TOMBEAU Caveau, cénotaphe, cinéraire, cippe, columbarium, concession, dernier asile, dernière demeure, faîte, funérailles, hypogée, koubba, mastaba, mausolée, monument, monument funéraire, pierre, pierre tombale, sarcophage, sépulcre, sépulture, stèle, tertre, tumulus.

TOMBÉ, E Abaissé, affaibli, affaissé, amoindri, avili, bas, croulé, déchu, déclassé, dégénéré, dégradé, dégringolé, démoli, déposé, descendu, destitué, diminué, éboulé, écroulé, effondré, ptôsé (méd.), jeté à bas/à terre/au sol, maudit, mis au ban, oublié, pauvre, précipité, privé de, renversé, ruiné.

TOMBER I. Au pr. : s'abattre, s'affaler, s'allonger, s'aplatir (fam.), basculer, casser son verre de montre (fam.), se casser la figure/la gueule (fam.), choir, chuter, culbuter, débouler, dégringoler, descendre, dinguer (fam.), s'écrouler, s'effondrer, s'épater, s'étaler, faire une chute, se ficher (fam.)/flanquer/foutre (fam.)/mettre la gueule basse (fam.)/les quatre fers en l'air (fam.)/par terre, mesurer la terre (fam.), mordre la poussière, prendre/ramasser un billet de parterre (fam.)/une bûche (fam.)/un gadin (fam.)/une gamelle (fam.)/une pelle (fam.), trébucher, valdinguer. **II. Par ext. 1.** Pendre, retomber, traîner. **2.** Arriver, choir, pleuvoir. **3.** S'abaisser, s'abâtardir, s'affaiblir, s'amoindrir, s'avilir, baisser, déchoir, se déclasser, décliner, décroître, dégénérer, se dégrader, dégringoler, déroger, descendre, dévier, diminuer, s'encanailler, s'enfoncer, se laisser aller, rétrograder, rouler dans, vieillir. → *manquer.* **4.** → *échouer.* **5.** → *mourir.* **6.** → *terminer (se).* **7.** S'accomplir, advenir, arriver, avoir lieu, se dérouler, échoir, intervenir, s'offrir, s'opérer, se passer, se présenter, se produire, surgir, survenir, se tenir, se trouver. **III. Loc. 1. Tomber sur :** attaquer, charger, s'élancer, foncer, se jeter, se précipiter, rencontrer, trouver. **2. Tomber d'accord :** accéder, accepter, accorder, acquiescer, adhérer, admettre, adopter, applaudir, approuver, assentir (vx), autoriser, avoir pour agréable, céder, condescendre, consentir, dire amen, donner les mains (vx), se laisser faire, octroyer, opiner, permettre, se prêter, se soumettre, souscrire, vouloir bien. → *convenir.*

TOMBOLA Hasard, jeu, loterie, sweepstake, tirage.

TOME → *livre.*

TOM-POUCE I. → *nain.* **II.** → *parapluie.*

TON I. Au pr. : accent, accord, bruit, écho, inflexion, intonation, modulation, musique, note, son, timbre, tonalité. **II. Par ext. 1.** Façon, facture, forme, genre, goût, griffe, main, manière, patte, pinceau, plume, signature, style, touche, tour. **2.** → *expression.* **3.** → *procédé.* **4.** → *couleur.* **III. Loc. Bon ton** → *convenance.*

TONALITÉ → *ton.*

TONDRE I. Au pr. : couper, bretauder, dépouiller, écorcer, éplucher, gratter, ôter, peler, râper, raser, tailler. **II. Fig. 1.** → *dépouiller.* **2.** → *voler.*

TONIQUE Analeptique, cordial, corroborant, excitant, fortifiant, réconfortant, reconstituant, remontant, roboratif, stimulant.

TONITRUANT, E I. Carillonnant, résonnant, retentissant, sonnant, sonore. **II.** Ample, bruyant, éclatant, énorme, fort, haut, hurlant, plein, ronflant, tonnant, vibrant.

TONNANT, E → tonitruant.

TONNEAU Baril, barrique, botte, boucaut, bouge, caque, charge, demi-muid, feuillette, fût, foudre, muid, pièce, pipe, poinçon, quartaud, queue, tine, tinette, tonne, tonnelet, velte.

TONNELLE Abri, berceau, brandebourg, charmille, gloriette, kiosque, pavillon/salon de verdure, pergola.

TONNER I. Fig. → crier. **II.** → tempêter.

TONNERRE I. Par ext. : éclair, épart, feu du ciel/de Dieu/de Jupiter/de Zeus, foudre, fulguration, orage, tempête. **II. Loc. Du tonnerre. 1.** → extraordinaire. **2.** → terrible.

TOPER → tomber d'accord.

TOPIQUE I. Nom. 1. → remède **2.** Banalité, bateau, cliché, idée reçue lieu commun, poncif, truisme, vieille lune, vieillerie. **II. Adj.** → convenable.

TOPOGRAPHIE Arpentage, cadastre, cartographie, géodésie, géographie, nivellement, planimétrie, triangulation.

TOPOGRAPHIQUE Cadastral, géodésique, géographique, planimétrique.

TOQUADE I. Au pr. : accès, bizarrerie, bon plaisir, boutade, caprice, changement, chimère, coup de tête, envie, extravagance, fantaisie, folie, foucade, gré, humeur, impatience, incartade, inconséquence, inconstance, instabilité, légèreté, lubie, lune, marotte, mobilité, mouvement, quinte, saillie, saute d'humeur, singularité, variation, versatilité, volonté. **II. Par ext. 1.** Amour, amourette, béguin, escapade, frasque, fredaine, flirt, idylle, passade, pépin. **2.** Aliénation, délire, démence, égarement, folie, frénésie, furie, hantise, idée fixe, manie, monomanie, obsession.

TOQUE I. → bonnet. **II.** → coiffure.

TOQUÉ, E I. Au pr. : aliéné, bizarre, dément, déséquilibré, détraqué, fou, malade, maniaque, névrosé, paranoïaque, schizophrène. **II. Fam. :** bizarre, braque, cinglé, dingo, dingue, fatigué, fêlé, follet, frappé, jobard (arg.), loufoque, maboul, maniaque, marteau, piqué, siphonné, sonné, tapé, timbré, toc-toc.

TOQUER (SE) S'acoquiner, s'amouracher, avoir le béguin/une toquade pour, se coiffer, s'emballer, s'embé-

guiner, s'emberlucoquer, s'engouer, s'enjuponner, s'entêter, s'enthousiasmer, s'enticher, s'éprendre, s'infatuer, se passionner, prendre feu et flamme pour, se préoccuper, se rassoter (vx).

TORCHE I. Brandon, flambeau, luminaire, oupille, torchère. **II.** → torsade.

TORCHER I. Au pr. → nettoyer. **II. Fig. 1.** → tancer. **2.** Abîmer, bâcler, barbouiller, bousiller, cochonner, déparer, dissiper, enlaidir, gâcher, galvauder, gaspiller, gâter, liquider, manquer, massacrer, perdre, rater, saboter, saloper, saveter, torchonner.

TORCHÈRE Applique, bougeoir, bras, candélabre, chandelier, flambeau, girandole, luminaire, martinet, oupille, torche.

TORCHONNER → torcher.

TORDANT, E Amusant, bidonnant (fam.), bouffon, boyautant (fam.), cocasse, comique, crevant, désopilant, drolatique, drôle, exhilarant, farce, fou, gondolant (fam.), gonflant (fam.), hilarant, impayable, inénarrable, marrant (fam.), plaisant, ridicule, rigolo, risible, roulant (fam.), transpoil (fam.).

TORDRE I. Au pr. 1. Bistourner, boudiner, cordeler, entortiller, filer, tirebouchonner, tourner, tourniller, tortiller, tortillonner, tresser. **2.** Courber, déformer, distordre, fausser, forcer, gauchir. **II. Fig. 1.** → torcher. **2.** → manger.

TORDRE (SE) S'amuser, se bidonner (fam.), se boyauter (fam.), se dérider, se désopiler, se dilater la rate (fam.), se divertir, éclater de rire, s'égayer, s'en payer (fam.), s'esbaudir (vx), s'esclaffer, se fendre la pêche (fam.)/la pipe (fam.), glousser, se gondoler (fam.), se marrer (fam.), pleurer de rire, se poiler (fam.), pouffer, prendre du bon temps, se réjouir, rigoler (fam.), rioter (vx), rire, sourire, se tirebouchonner, se tordre.

TORDU, E I. Au pr. : cagneux, circonflexe, contourné, contracté, courbé, déjeté, difforme, entortillé, gauche, recroquevillé, retors, serré, tors, tortillé, tortu, tortué, tortueux, tourmenté, tourné, volubile, vrillé. **II. Fig. et fam. :** bizarre, braque, capricant, capricieux, changeant, difficile, excentrique, extravagant, fantaisiste, fantasque, fou, hypocrite, inconséquent, inconstant, instable, irréfléchi, lunatique, mal tourné, maniaque, mauvais caractère/coucheur, méchant, mobile, ondoyant, original, quinteux, sautillant, variable, versatile, vicieux.

TORGNOLE I. Au pr. : anguillade, bastonnade, botte, bourrade, calotte, charge, châtiment, chiquenaude, claque, correction, décharge, distribution, escourgée, fessée, gifle, gourmade, horion, pichenette, sanglade, soufflet, tape. **II. Fam. 1.** Abattage, baffe, bâfre, beigne, beignet, branlée, brossée, brûlée, châtaigne, contredanse, coquard, danse, déculottée, dérouillée, frottée, giboulée, giroflée, gnon, gourmade, marron, mornifle, pain, peignée, pile, pochade, raclée, ramponneau, ratatouille, rincée, rossée, roulée, rouste, tabac, tabassée, talmouse, taloche, tampon, tannée, taquet, tarte, tatouille, tournée, trempe, tripotée. **2.** Blessure, bleu, bosse, contusion, mauvais traitements, meurtrissure, violences, voies de fait.

TORNADE Bourrasque, coup de chien/de tabac (fam.)/de vent, cyclone, orage, ouragan, rafale, raz de marée, tempête, tourbillon, tourmente, trombe, typhon, vent.

TORPEUR Abattement, abrutissement, accablement, adynamie, affaiblissement, alanguissement, alourdissement, anéantissement, apathie, appesantissement, assoupissement, atonie, consomption, découragement, dépérissement, écrasement, engourdissement, ennui, épuisement, étisie, faiblesse, hébétude, inaction, inactivité, indolence, langueur, lenteur, léthargie, marasme, mollesse, morbidesse, nonchalance, paralysie, paresse, prostration, somnolence, stagnation, stupeur.

TORPILLER I. Au pr. → *couler.* **II. Fig.** : arrêter, briser, enterrer, escamoter, étouffer, faire avorter/échouer, mettre en sommeil, neutraliser, saborder, supprimer, tuer dans l'œuf.

TORRÉFIER → *rôtir.*

TORRENT → *rivière.*

TORRENTIEL, ELLE I. Au pr. : déchaîné, démonté, diluvien, torrentueux, violent. **II. Par ext.** → *abondant.*

TORRIDE Bouillant, brûlant, chaud, cuisant, desséchant, étouffant, excessif, incandescent, saharien, tropical.

TORS, TORSE → *tordu.*

TORSADE I. Chignon, coiffure, macaron, natte, rouleau, tresse. **II.** Hélice, rouleau, torche, torque.

TORSE Buste, poitrine, taille, thorax, tronc.

TORSION Bistournage, contorsion, contraction, courbure, distorsion, tortillement.

TORT I. Affront, atteinte, avanie, blessure, casse, coup, culpabilité, dam, dégât, dégradation, dépréciation, déprédation, désavantage, détérioration, détriment, dommage, endommagement, faute, grief (vx), injure, injustice, lésion, mal, manquement, offense, outrage, perte, préjudice, ravage, ribordage (mar.), sinistre. **II. Loc. Avoir tort** → *tromper (se).*

TORTILLAGE I. Au pr. : amphigouri, argot, baragouin, bigorne (vx), charabia, dialecte, discours embrouillé, embrouillamini, galimatias, javanais, langage inintelligible, logogriphe, patagon, pathos, patois, phébus, sabir. **II. Par ext.** : désordre, fatras, fouillis, imbroglio, méli-mélo.

TORTILLÉ, E → *tordu.*

TORTILLEMENT → *torsion.*

TORTILLER I. Au pr. → *tordre.* **II. Fig. 1.** → *manger.* **2.** → *hésiter.* **3.** → *tourner.*

TORTIONNAIRE Bourreau, bras séculier (vx), exécuteur, homme de main, meurtrier, sadique, sanguinaire, tueur.

TORTU, E, TORTUÉ, E → *tordu.*

TORTUEUX, EUSE I. Au pr. : anfractueux, courbe, flexueux, ondoyant, ondulant, ondulatoire, ondulé, onduleux, serpentin, sinueux. **II. Par ext. 1.** Artificieux, astucieux, cauteleux, diplomate, ficelle, finasseur, finaud, fourbe, futé, habile, loup, machiavélique, madré, malicieux (vx), malin, matois, normand, renard, retors, roublard, roué, rusé, subtil. **2.** → *hypocrite.*

TORTURANT, E Affligeant, amer, angoissant, attristant, crucifiant, cruel, cuisant, déchirant, difficile, douloureux, dur, éprouvant, funeste, intolérable, lamentable, lancinant, navrant, obsédant, pénible, pitoyable, térébrant, triste.

TORTURE I. Affliction, calvaire, châtiment, exécution, géhenne (vx), martyre, mort, peine, persécution, pilori, punition, question (vx), souffrance, supplice, tourment. **II.** → *inquiétude.* **III.** → *douleur.* **IV. Loc. Mettre à la torture.** → *tourmenter.*

TORTURER I. Au pr. : gêner (vx), questionner (vx), soumettre à la question (vx)/au supplice/à la torture, supplicier. **II. Par ext. 1.** → *tourmenter.* **2.** Défigurer, dénaturer, détourner, forcer, interpréter, violenter.

TÔT I. Au chant du coq, au lever du jour/du soleil, aux aurores (fam.), de bon matin, de bonne heure, dès l'aube, dès l'aurore, dès potron-minet. **II.** → *vite.*

TOTAL n. **I.** Addition, chiffre, ensemble, fonds, masse, montant, quantité, somme, volume. **II.** → *totalité.*

TOTAL, E adj. Absolu, complet, entier, exhaustif, franc, global, intact, intégral, parfait, plein, plénier, radical, sans réserve/restriction.

TOTALEMENT Absolument, à fond, au complet, bien, de fond en comble, des pieds à la tête, en bloc, en entier, exactement, fondamentalement, in extenso, intégralement, jusqu'au bout/ aux oreilles, par-dessus les oreilles/la tête, ras le bol (fam.), parfaitement, pleinement, tout à fait, tout au long.

TOTALISER Additionner, assembler, faire un tout, grouper, rassembler, réunir.

TOTALITAIRE Absolu, autocratique, autoritaire, dictatorial, fasciste, nazi, oppressif, raciste.

TOTALITÉ I. Ensemble, généralité, intégrité, masse, plénitude, réunion, total, tout, universalité. **II. Loc. En totalité** → *totalement*.

TOTEM I. Au pr. : ancêtre, emblème, figure, protecteur, représentant, représentation, signe, symbole. **II. Par ext.** : amulette, fétiche, gri-gri.

TOTON → *toupie*.

TOUCHANT, E Apitoyant, attendrissant, bouleversant, captivant, déchirant, dramatique, éloquent, émouvant, empoignant, excitant, frappant, impressionnant, larmoyant (péj.), navrant, pathétique, poétique, poignant, saisissant, tendre, tragique, troublant.

TOUCHE I. → *port*. **II.** → *expression*.

TOUCHER v. tr. **I. Au pr. 1.** Affleurer, attoucher, chatouiller, coudoyer, effleurer, heurter, manier, palper, tâter, tâtonner. **2.** Atteindre, attraper, faire balle/mouche, frapper, porter. **3.** Aborder, accoster, arriver, atterrer, atterrir, faire escale, gagner, prendre terre, relâcher. **4.** Avoisiner, confiner à, tenir à, voisiner. **II. Par ext. 1.** Émarger, encaisser, palper (fam.), percevoir, recevoir, recouvrer, recueillir, retirer. **2.** S'adresser, aller à, concerner, regarder. **3.** Affecter, attendrir, avoir prise, blesser, désarmer, émouvoir, impressionner, intéresser, persuader, porter. **4.** Rouler sur. → *traiter*. **5.** → *jouer*. **III. Loc. Toucher à. 1.** → *entamer*. **2.** → *entreprendre*.

TOUCHER n. → *tact*.

TOUER Charrier, haler, remorquer, traîner. → *tirer*.

TOUFFE I. Aigrette, bouquet, chignon, crêpe, crête, crinière, épi, flocon, houppe, huppe, mèche, pompon, pinceau, taroupe, tas, toupet, toupillon. **II.** Bouquet, breuil, broussaille, buisson. → *bois*.

TOUFFEUR Chaleur, étouffement, moiteur, tiédeur.

TOUFFU, E I. Au pr. : abondant, compact, comprimé, condensé, dense, dru, encombré, épais, exubérant, feuillu, fort, fourni, fourré, impénétrable, luxuriant, massif, pilé, plein, pressé, serré, tassé. **II. Fig.** → *ténébreux*.

TOUILLER Agiter, brasser, fatiguer, mélanger, mêler, remuer, tourner.

TOUJOURS I. Temporel : à perpétuité, assidûment, à toute heure, constamment, continuellement, continûment, de tout temps, en permanence, éternellement, généralement, habituellement, incessamment, indéfiniment, infiniment, invariablement, ordinairement, perpétuellement, sans arrêt/ cesse/fin/interruption/relâche, sans désemparer, sempiternellement, tous les jours. **II. Non temporel :** au moins, cependant, de toute façon, du moins, en tout cas, néanmoins, quelles que soient les circonstances, reste que.

TOUPET I. Au pr. → *touffe*. **II. Par ext.** → *confiance, hardiesse*.

TOUPIE Moine, sabot, toton.

TOUR n. fém. Beffroi, campanile, clocher, donjon, flèche, minaret, tourelle, tournelle (vx).

TOUR n. masc. **I. Au pr. 1.** Cabriole, course, giration, parcours, pirouette, révolution, rotation, roue, saut, tourbillonnement, tournoiement, virevolte, volte. **2.** Coude, circonvolution, détour, méandre, retour, sinuosité. **3.** Bordure, circonférence, circuit, contour, périmètre, périphérie, pourtour. **II. Par ext. 1.** Balade, circuit, course, croisière, déambulation, échappée, errance, excursion, flânerie, marche, promenade, randonnée, sortie, vadrouille (fam.), virée (fam.), voyage. **2.** Circumnavigation, croisière, navigation, périple. **3.** → *tournée*. **III. Fig. 1.** Acrobatie, attrape, clownerie, escamotage, jonglerie, prestidigitation. **2.** Coup de maître, exploit, succès. **3.** Artifice, combine, coup, crasse, malice, méchanceté, méfait, ruse, stratagème, truc, vacherie. **4.** Aspect, allure, expression, façon, forme, marche, style, tournure. **IV. Loc. 1. Tour à tour :** alternativement, à tour de rôle, tour à tour coup, l'un après l'autre, périodiquement, récursivement, rythmiquement, successivement. **2. Tour de main** → *habileté*.

TOURBE Basse pègre, canaille, écume, foule, lie, masse, multitude, pègre, peuple, plèbe, populace, populaire, populo, prolétariat, racaille, vulgaire. → *multitude*.

TOURBILLON I. → *remous*. **II.** → *rafale*. **III.** → *mouvement*.

TOURBILLONNANT, E I. Au pr. : tournant, tournoyant, virevoltant. **II. Par ext. :** agité, déchaîné, impétueux, remuant, secoué, torrentueux, troublé.

TOURBILLONNEMENT → *remous*.

TOURBILLONNER → *tourner*.

TOURISTE → *voyageur*.

TOURMENT I. Affliction, affres, agitation, alarme, amertume, angoisse, anxiété, bile (fam.), bourrèlement, cassement de tête, cauchemar, chagrin, contrariété, crainte, déchirement, désolation, émoi, ennui, fardeau, incertitude, inquiétude, malaise, martel (vx), martyre, obsession, peine, perplexité, poids, préoccupation, scrupule, soin (vx), sollicitude, souci, tintouin (fam.), tracas, tracasserie. **II.** → *supplice*. **III.** → *douleur*. **IV.** → *agitation*.

TOURMENTE I. Au pr. → *tempête*. **II.** → *trouble*.

TOURMENTÉ, E I. Quelqu'un : angoissé, anxieux, inquiet, perplexe, ravagé, soucieux. **II. Quelque chose. 1. Un site :** accidenté, bosselé, chaotique, dantesque, découpé, déformé, dentelé, désordonné, disproportionné, irrégulier, lunaire, montagneux, mouvementé, pittoresque, vallonné. **2. Le style** → *pénible*.

TOURMENTER I. Au pr. : bourreler (vx), crucifier, gêner (vx), martyriser, mettre au supplice, questionner (vx), soumettre à la question (vx), tenailler, torturer, travailler. **II. Par ext. 1. Quelqu'un tourmente quelqu'un :** agacer, assiéger, asticoter, brimer, chercher, chicaner, faire chanter/damner/danser, harceler, importuner, molester, poursuivre, talonner, taquiner, tarabuster, tirailler, vexer. **2. Quelque chose tourmente quelqu'un :** affliger, agiter, chagriner, chiffonner, dévorer, fâcher, hanter, inquiéter, marteler, obséder, préoccuper, presser, ronger, talonner, tarauder, tracasser, travailler, trotter, troubler, turlupiner.

TOURMENTER (SE) Se biler, se désespérer, se donner du mal/de la peine/du tintouin, s'en faire, se faire de la bile/des cheveux/des cheveux blancs/du mauvais sang/du mouron/des soucis, éprouver de l'inquiétude, *et les formes pronom. possibles des syn. de* TOURMENTER.

TOURNAILLER I. → *tourner*. **II.** → *errer*.

TOURNANT n. **I.** Angle, coude, courbe, courbure, méandre, retour, saillie, sinuosité, tour, virage. **II. Par ext.** → *détour*.

TOURNANT, E adj. Giratoire, rotatif, rotatoire.

TOURNÉ, E adj. → *aigre*.

TOURNÉE n. **I.** → *tour*. **II.** → *promenade*. **III.** → *voyage*. **IV.** → *torgnole*.

TOURNER I. Au pr. 1. Braquer. **2.** Contourner, détourner, dévier, obliquer. **3.** Bistourner, tordre, tortiller, tournailler. **4.** Retourner. → *rouler*. **5.** Girer, graviter, pirouetter, pivoter, toupiller, tourbillonner, tour-

nailler, tourniller, tournoyer, virer, virevolter, virevousser, virevouster. **II. Par ext. 1.** → *diriger*. **2.** Changer, convertir, influencer, influer, modifier, transformer. **3.** Adonner à, appliquer à, penser à. **4.** → *aigrir*. **5.** → *finir*. **6.** → *cinématographier*. **7.** → *transformer (se)*.

TOURNILLER I. → *tordre*. **II.** → *tourner*.

TOURNIS → *vertige*.

TOURNOI I. Carrousel, fantasia, joute. **II.** → *lutte*.

TOURNOYANT, E → *tourbillonnant*.

TOURNOYER I. → *tourner*. **II.** → *rôder*. **III.** → *biaiser*.

TOURNURE I. Air, allure, angle, apparence, aspect, cachet, caractère, configuration, côté, couleur, dehors, endroit, extérieur, face, faciès, figure, forme, jour, masque, perspective, physionomie, point de vue, profil, tour, train, visage, vue. **II.** → *port*. **III.** → *expression*. **IV.** → *marche*.

TOURTEREAU I. → *pigeon*. **II.** → *amant*.

TOURTERELLE → *pigeon*.

TOUSSER I. Au pr. : toussailler, toussoter. **II. Par ext. :** cracher, expectorer, graillonner.

TOUT n. **I.** → *totalité*. **II. Loc. Le tout** → *principal*.

TOUT, TOUTE adj. **I.** Complet, entier, intégral, plein. **II.** Chacun, chaque, quiconque. **III.** Ensemble, tous, tutti quanti.

TOUT À FAIT Bien, complètement, entièrement, exactement, extrêmement, pleinement, totalement, très. → *absolument*.

TOUT À L'HEURE I. A l'instant, aussitôt, sur-le-champ, sur l'heure, tout de suite. **II.** Dans un instant/un moment, plus tard.

TOUT DE BON → *sérieusement*.

TOUT DE GO → *simplement*.

TOUT DE SUITE → *tout à l'heure*.

TOUTEFOIS Cependant, mais, néanmoins, nonobstant (vx), pourtant, seulement.

TOUTE-PUISSANCE I. → *autorité*. **II.** → *pouvoir*.

TOUX Expectoration, rhume, tousserie, toussotement.

TOXINE, TOXIQUE → *poison*.

TRAC I. → *peur*. **II.** → *timidité*.

TRACAS I. Brimade, chicane, persécution, tracasserie, vexation. → *tourment*. **II.** Alarme, aria, contrariété, difficulté, embarras, ennui, fatigue, inquiétude, peine, préoccupation, tirage, trouble. → *tourment*. **III.** Agitation → *remue-ménage*.

TRACASSER → *tourmenter*.

TRACASSERIE I. → *tracas*. **II.** → *chicane*.

TRACASSIER, ÈRE Brouillon, chicaneur, chicanier, mauvais coucheur, mesquin, procédurier, processif, querelleur, tatillon, vétilleux.

TRACASSIN → *tourment.*

TRACE I. Au pr. : connaissance (vén.), empreinte, erre (vén.), foulées, fumées (vén.), fumet (vén.), pas, passée (vén.), pied (vén.), piste, vestige, voie (vén.). **II. Par ext. 1.** Cicatrice, indice, marque, ornière, ride, sceaux, signature, sillage, sillon, stigmate, témoignage, traînée. **2.** Impression. → *souvenir.*

TRACÉ → *trajet.*

TRACER I. Décrire, délinéer, dessiner, ébaucher, esquisser, retracer. → *représenter.* **II.** Jalonner, piquer, piqueter, pointiller, tirer. → *indiquer.*

TRACT Affiche, affichette, feuille, libelle, pamphlet, papier, papillon, prospectus, vignette.

TRACTATION I. Pourparler. → *négociation.* **II.** Marchandage. → *manœuvre.*

TRADITION I. → *légende.* **II.** → *habitude.*

TRADITIONALISTE Conservateur, intégriste, nationaliste, réactionnaire.

TRADITIONNEL, ELLE Accoutumé, classique, consacré, conventionnel, coutumier, de convention, fondé, habituel, héréditaire, hiératique, invétéré, légendaire, orthodoxe, proverbial, rituel, sacramental, sacro-saint, usuel.

TRADUCTEUR, TRICE I. Au pr. : drogman, interprète, translateur, truchement. **II. Par ext. :** exégète, paraphraseur, scoliaste.

TRADUCTION Adaptation, interprétation, thème, translation, transposition, version.

TRADUIRE I. Au pr. : déchiffrer, gloser, interpréter, rendre, transposer. **II. Par ext. 1.** Appeler, assigner, convoquer, mener, traîner. **2.** Laisser paraître, montrer. → *exprimer.* **3.** → *expliquer.*

TRAFIC I. Non favorable : agiotage, bricolage, carambouillage, carambouille, malversation, maquignonnage, marchandage, micmac, simonie (relig.), traite, tripotage. **II. Neutre. 1.** → *commerce.* **2.** Circulation, débit, écoulement, mouvement, roulage.

TRAFIQUANT, E Agioteur, boursicoteur, bricoleur, carambouilleur, combinard, commerçant/négociant marron, fricoteur, intermédiaire, maquignon, margoulin, mercanti, proxénète, spéculateur, trafiqueur, traitant (vx), tripoteur.

TRAFIQUER Agioter, boursicoter, brader, bricoler, brocanter, carambouiller, colporter, combiner, débiter, échanger, fourguer, fricoter, maqui-

gnonner, négocier, prostituer, spéculer sur, tripoter sur, vendre.

TRAGÉDIE, TRAGI-COMÉDIE → *drame.*

TRAGIQUE I. → *dramatique.* **II.** → *émouvant.*

TRAHIR I. → *tromper.* **II.** → *découvrir.*

TRAHISON I. Au pr. : défection, délation, dénonciation, désertion, forfaiture, haute trahison, prévarication. **II. Par ext. 1.** Adultère, cocuage, infidélité, inconstance, manquement. **2.** Bassesse, déloyauté, duperie, félonie, fourberie, lâcheté, perfidie, traîtrise, tromperie. → *hypocrisie.*

TRAIN I. → *marche.* **II.** Arroi, équipage. → *suite.* **III.** Chemin de fer, convoi, rail, rame, S.N.C.F., tortillard, voie ferrée. **IV.** → *tapage.*

TRAÎNANT, E → *monotone.*

TRAÎNARD, E I. Nom : feu rouge, lanterne, traîneur, traîne-savate. **II. Adj.** → *lent.*

TRAÎNASSER → *traîner.*

TRAÎNÉE → *trace.*

TRAÎNER I. Au pr. : amener, attirer, charrier, conduire, emmener, entraîner, mener, remorquer, tirer, touer, transporter, trimbaler, trôler. **II. Fig. 1.** Continuer, demeurer, durer, n'en plus finir, s'étendre, s'éterniser, se maintenir, se perpétuer, persévérer, se prolonger, résister, se soutenir, subsister, survivre, tenir, tirer en longueur, vivre. **2.** S'amuser, s'attarder, badauder, bader (mérid.), baguenauder (fam.), balocher (fam.), flâner, flânocher (fam.), folâtrer, galvauder, gober les mouches, lambiner, lanterner, lécher les vitrines (fam.), musarder, muser, se promener, traînasser, vadrouiller. **III. Par ext.** → *tomber.* **IV. Loc. 1. Faire traîner :** ajourner, allonger, arrêter, arriérer (vx), atermoyer, attendre, décaler, différer, éloigner, éterniser, faire languir, négliger, prolonger, promener, proroger, ralentir, reculer, remettre, renvoyer, reporter, repousser, retarder, surseoir à, tarder, temporiser. **2. Laisser traîner :** négliger. → *abandonner.*

TRAÎNER (SE) I. Aller, avancer, circuler, déambuler, errer, évoluer, marcher, prendre l'air, se promener, sortir. → *traîner.* **II.** Se couler, glisser, s'introduire, ramper. **III.** *Les formes pronom. possibles des syn. de* TRAÎNER.

TRAINTRAIN → *routine.*

TRAIRE → *tirer.*

TRAIT I. Carreau, dard, flèche, javeline, javelot, sagaie, sagette. **II.** Attelle, câble, harnais, lanière, longe. **III.** Barre, hachure, ligne,

rature, rayure, tiret. **IV.** → *marque.*
V. Au pl. : air, apparence, aspect,
attitude, caractère, contenance, expression, face, faciès, figure, manière,
masque, mimique, mine, physionomie,
physique, visage. **VI.** Apostrophe,
boutade, calembour, caricature, épigramme, insulte, interpellation, invective, lazzi, moquerie, mot d'esprit,
pamphlet, persiflage, plaisanterie, saillie. → *raillerie.* **VII.** Acte, action,
conduite, entreprise, fait, prouesse,
vaillance. → *exploit.* **VIII. Loc.**
Avoir trait : affinité, analogie,
concordance, connexion, connexité,
convenance, corrélation, correspondance, dépendance, harmonie, liaison,
lien, parenté, pertinence, proportion,
rapport, rapprochement, relation, ressemblance, similitude. → *tenir de.*

TRAITABLE Abordable, accommodant, aimable, apaisant, arrangeant,
bon caractère, civil, conciliable, conciliateur, coulant, diplomate, doux,
facile, familier, liant, praticable (vx),
sociable.

TRAITE I. → *trajet.* **II.** → *trafic.*

TRAITÉ I. Argument, argumentation,
cours, développement, discours, dis-
putation (vx), dissertation, essai,
étude, manuel, mémoire, monographie, notions, thèse. **II.** Accommodement, accord, alliance, arrangement, capitulation, cartel, charte,
collaboration, compromis, concordat,
connivence, contrat, convention, covenant, engagement, entente, forfait,
marché, pacte, promesse, protocole,
transaction, union. **III.** Acte, article,
clause, condition, disposition, règle,
résolution, stipulation.

TRAITEMENT I. Appointements,
cachet, commission, dotation, droits
d'auteur, émoluments, gages, gain,
honoraires, indemnité, jeton de présence, jour, journée, mensualité,
mois, paie, paye, paiement, prêt,
rétribution, salaire, semaine, solde,
vacation. → *rémunération.* **II.** Cure,
hygiène, médication, régime, remède,
soins, thérapeutique. **III.** → *accueil.*
IV. Conditionnement, manipulation,
opération, procédé, transformation.

TRAITER I. On traite quelqu'un.
1. Appeler, dénommer, désigner, nommer, qualifier, tenir pour. **2.** Accueillir,
admettre, convier, donner l'hospitalité,
fêter, héberger, honorer, inviter, recevoir, régaler. **3.** Agir/se comporter/
se conduire envers, mener, user de.
4. → *soigner.* **II. On traite quelque**
chose. 1. Aborder, agiter, développer,
discuter, disserter de, effleurer, épuiser,
étudier, examiner, exposer, glisser
sur, manier, raisonner, toucher à.
2. Arranger, arrêter, conclure, convenir
de, s'entendre, fixer, mener à bonne

fin, négocier, passer/signer un arran-
gement/une convention/un marché/
un traité, régler, résoudre, terminer.
3. Brasser. → *entreprendre.* **III.**
Quelque chose traite de : avoir
pour objet/sujet, pivoter, porter,
rouler, tourner sur, se rapporter à,
toucher à. **IV. V. intr.** : capituler,
composer, négocier, parlementer.

TRAITEUR → *restaurateur.*

TRAÎTRE I. → *infidèle.* **II.** →
trompeur.

TRAÎTRISE I. → *trahison.* **II.** →
tromperie.

TRAJET Chemin, cheminement, circuit, course, direction, distance,
espace, itinéraire, marche, parcours,
route, tour, tracé, traite, traversée,
trotte. → *voyage.*

TRAME I. → *suite.* **II.** → *intrigue.*
III. → *menée.*

TRAMER Aménager, arranger, brasser, combiner, comploter, conspirer,
machiner, manigancer, monter, nouer,
ourdir, préparer, tisser, tresser.

TRANCHANT n. Coupant, estramaçon, fil, morfil, taillant (vx), taille.

TRANCHANT, E adj. **I. Au pr. :** acéré,
affilé, affûté, aigu, aiguisé, coupant,
émorfilé, émoulu (vx), repassé, taillant.
II. Fig. 1. Absolu, aigre, âpre, autoritaire, bourru, brusque, cassant, coupant, dur, impérieux, incisif. **2.**
Affirmatif, inflexible, insolent, péremptoire, prompt, rude, sec, sévère.
3. Audacieux, décidé, dictatorial,
doctoral, dogmatique, décisif, intransigeant, pontifiant, sans réplique,
sentencieux.

TRANCHE I. Coupe, darne, lèche,
morceau, quartier, rond, rondelle,
rouelle. **II.** Part, partie, portion.
III. Ados, chant, côté.

TRANCHÉE I. Au pr. : cavité,
excavation, fosse, fossé, fouille,
rigole, sillon, trou. **II. Vx** → *colique.*
III. Milit. : abri, approche, boyau,
cheminement, douve, fortification,
parallèle, sape.

TRANCHER I. Au pr. 1. → *couper.*
2. Loc. Trancher la tête/le col (vx)/
le cou : décapiter, décoller, exécuter,
guillotiner. **II. Fig. 1.** Arbitrer, arrêter, choisir, conclure, convenir de,
décider, décréter, définir, délibérer de,
déterminer, se déterminer à, dire,
disposer, finir, fixer, juger, ordonner,
prononcer, régler, résoudre, solutionner, statuer, tirer au sort, vider. **2.**
Contraster, détonner, hurler, jurer,
s'opposer, ressortir. **3.** → *terminer.*

TRANQUILLE I. Au pr. : béat,
calme, coi, confiant, dormant, doux,
égal, gentil, immobile, mort, olympien,
pacifique, paisible, peinard, placide,
posé, rassis, rassuré, remis, sage,

serein, silencieux. **II. Par ext. :** assuré, certain, cousu (fam.), de tout repos, établi, évident, exact, gagné d'avance, garanti, indubitable, sûr.

TRANQUILLISER Adoucir, apaiser, apprivoiser, assurer, calmer, mettre en confiance, rasseoir, rasséréner, rassurer, remettre.

TRANQUILLITÉ I. Apaisement, ataraxie, calme, concorde, confiance, égalité, entente, harmonie, ordre, paix, patience, placidité, quiétude, repos, sagesse, sang-froid, sécurité, sérénité, trêve, union. **II.** Accalmie, bonace, calme plat, éclaircie, embellie, répit, silence.

TRANSACTION I. Au sing. 1. Accommodement, accord, amiable composition, amodiation, arbitrage, arrangement, composition, compromis, concession, conciliation, convention, cote mal taillée, entente, milieu, moyen terme. **2.** → *traité.* **II. Au pl. :** affaires, bourse, commerce, courtage, demande, échange, négoce, offre, trafic.

TRANSATLANTIQUE Bâtiment, long-courrier, navire, paquebot, steamer. → *bateau.*

TRANSBORDER → *transporter.*

TRANSCENDANCE I. Au pr. : abstraction, métaphysique. **II. Par ext.** → *supériorité.*

TRANSCENDANT, E I. Au pr. : abstrait, métaphysique. **II. Par ext. 1.** → *supérieur.* **2.** → *distingué.*

TRANSCENDANTAL, E I. → *transcendant.* **II.** → *difficile.*

TRANSCRIPTION Copie, double, duplicata, duplication, enregistrement, fac-similé, relevé, report, reproduction, translitération.

TRANSCRIRE I. Au pr. 1. *Jurid.* : enregistrer, expédier, grossoyer, inscrire. **2.** Calquer, copier, coucher par écrit, écrire, mentionner, noter, porter, prendre en note, recopier, relever, reporter, reproduire. **II. Par ext.** → *imiter.*

TRANSE I. Au sing. : crise, délire, émotion, exaltation, excitation, extase, ravissement, surexcitation, transport. **II. Au pl. :** affres, alarme, angoisse, anxiété, appréhension, crainte, effroi, émotion, épouvante, frayeur, inquiétude, mauvais sang, peur, souci, tintouin, tourment.

TRANSFÈREMENT → *transport.*

TRANSFÉRER → *transporter.*

TRANSFERT I. Cession, transmission, translation. → *vente.* **II.** → *transport.*

TRANSFIGURATION → *transformation.*

TRANSFIGURER → *transformer.*

TRANSFORMABLE → *transposable.*

TRANSFORMATION Adaptation, altération, amélioration, avatar, conversion, déguisement, développement, différenciation, élaboration, évolution, métamorphisme, métamorphose, métempsycose, modification, renouvellement, rénovation, révolution, transfiguration, transformisme, transition, transmutation, transsubstantiation, variation. → *changement.*

TRANSFORMER I. Neutre ou favorable : agrandir, augmenter, bouleverser, chambarder, chambouler, changer, commuer, convertir, corriger, innover, métamorphoser, modifier, muer, rectifier, refondre, réformer, remanier, renouveler, rénover, renverser, retourner, révolutionner, toucher à, tourner, transfigurer, transmuer, transposer. **II. Non favorable :** aggraver, altérer, contrefaire, défigurer, déformer, déguiser, dénaturer, diminuer, fausser, réduire, travestir, truquer.

TRANSFORMER (SE) I. Phys. : augmenter, diminuer, empirer, évoluer, grandir, passer, rapetisser, tourner, vieillir. **II. Moral :** s'améliorer, s'amender, se corriger, se modifier, se pervertir. **III.** *Les formes pronom. possibles des syn. de* TRANSFORMER.

TRANSFORMISME Darwinisme, évolutionnisme, lamarkisme, mutationnisme.

TRANSFUGE Apostat, déserteur, faux, fourbe, insoumis, judas, perfide, renégat, traître, trompeur.

TRANSFUSER → *transvaser.*

TRANSGRESSER Aller au-delà, contrevenir, désobéir, enfreindre, outrepasser, passer les bornes, passer outre, se rebeller, refuser, rompre, violer.

TRANSI, E I. Au pr. : engourdi, figé, frissonnant, gelé, glacé, grelottant, morfondu, mort, pénétré. **II. Par ext. 1.** Effrayé, épouvanté, halluciné, paralysé, pétrifié, rivé, saisi, stupéfié, terrifié. **2.** Alangui, amoureux, langoureux, languide, languissant, mourant, sentimental.

TRANSIGER I. Favorable ou neutre : s'accommoder, s'accorder, s'arranger, composer, couper la poire en deux (fam.), s'entendre, faire des concessions. **II. Non favorable :** capituler, céder, faiblir, négocier, pactiser, traiter.

TRANSIR I. Au pr. : engourdir, figer, geler, glacer, pénétrer, saisir, transpercer, traverser. **II. Par ext. :** clouer, ébahir, effrayer, épouvanter, étonner, méduser, paralyser, river, stupéfier, terrifier.

TRANSITER I. → *passer.* **II.** → *transporter.*

TRANSITION I. Au pr. : acheminement, accoutumance, degré, intermédiaire, liaison, palier, passage, préparation. **II. Par ext. :** évolution. → *changement.*

TRANSITOIRE Bref, court, de courte durée, éphémère, fragile, fugitif, fuyard, incertain, intérimaire, momentané, passager, précaire, provisoire, temporaire.

TRANSLATER Interpréter, reproduire. → *traduire.*

TRANSLATION **I.** → *transport.* **II.** → *traduction.*

TRANSLUCIDE Clair, cristallin, diaphane, hyalin, limpide, luminescent, opalescent, pellucide, transparent.

TRANSMETTRE I. Au pr. : céder, concéder, déléguer, donner, faire parvenir/tenir, fournir, laisser, léguer, négocier, renvoyer, rétrocéder, transférer. **II. Par ext. 1.** Apprendre, faire connaître/savoir, imprimer, infuser. **2.** Communiquer, conduire, inoculer, passer, propager, transporter.

TRANSMIGRATION → *émigration.*

TRANSMIS, E I. Contagieux, épidémique. **II.** Acquis, familial, héréditaire, traditionnel. **III.** *Les part. passés possibles des syn. de* TRANSMETTRE.

TRANSMISSIBILITÉ Caractère contagieux / héréditaire / transmissible, communicabilité, contagion, propagation. → *hérédité.*

TRANSMISSION I. Neutre : augmentation, communication, circulation, développement, diffusion, dissémination, expansion, extension, marche, mise en mouvement, multiplication, progrès, progression, propagation, rayonnement, reproduction. **II. Non favorable :** aggravation, contagion, contamination, épidémie, invasion, irradiation. → *hérédité.*

TRANSMUER → *transformer.*

TRANSMUTATION I. Altération, conversion, convertissement, métamorphose, modification, mutation, virement. → *changement.* **II.** → *transformation.*

TRANSPARENT, E I. Au pr. : cristallin, diaphane, hyalin, limpide, lumineux, net, opalescent, pellucide, perméable, translucide, vitreux. → *clair.* **II. Par ext. 1.** Accessible, compréhensible, concevable, concis, déchiffrable, distinct, évident, facile, intelligible, pénétrable, précis, simple, visible. → *clair.* **2.** → *pur.*

TRANSPERCER Blesser, creuser, crever, cribler, darder (vx), déchirer, embrocher, empaler, encorner, enferrer, enfiler, enfoncer, enfourcher, entamer, éventrer, excaver, forer, larder, ouvrir, pénétrer, percer, perforer, piquer, poinçonner, pointer, sonder, tarauder, traverser, tremper, trouer, vriller.

TRANSPIRER I. Au pr. : être en eau/en nage, exsuder, moitir, se mouiller, ruisseler de sueur, suer. **II. Par ext. :** couler, dégouliner, émaner, s'exhaler, goutter, perler, sécréter, sourdre, suinter, transsuder. **III. Fig. :** s'ébruiter, s'échapper, se déceler, s'éventer, filtrer, se manifester, se montrer, paraître, se répandre.

TRANSPLANTER → *transporter.*

TRANSPORT I. L'acte : camionnage, circulation, commerce, échange, expédition, exportation, factage, importation, manutention, messagerie, passage, port, trafic, traite, transbordement, transfert, transit, translation. → *voyage.* **II. Le mode. 1.** Air, aviation, avion, jet. **2.** → *bateau.* **3.** → *train.* **4.** Route. → *voiture.* **III.** Crise, délire, démonstration, émotion, enthousiasme, exaltation, excitation, extase, fièvre, flamme, fougue, manifestation, ravissement, surexcitation, transe.

TRANSPORTÉ, E I. Admirateur, admiratif, ardent, brûlant, chaud, délirant, dévot, dithyrambique, emballé, emporté, enflammé, enfiévré, enivré, enthousiaste, éperdu, exalté, excité, fana (fam.), fanatique, fervent, fou, inspiré, ivre, lyrique, passionné, soulevé. **II.** → *amoureux.* **III.** *Les part. passés possibles des syn. de* TRANSPORTER.

TRANSPORTER I. Au pr. : camionner, carrosser (vx), charrier, charroyer, colporter, conduire, déménager, déplacer, déranger, descendre, emporter, exporter, importer, livrer, manipuler, mener, négocier, passer, promener, remettre, renvoyer, reporter, traîner, transbahuter (fam.), transborder, transférer, transiter, translater, transmettre, transplanter, trimballer (fam.), véhiculer, voiturer. **II. Par ext. 1.** Déporter, envoyer, expédier. → *reléguer.* **2.** Agiter, animer, bouleverser, chambouler (fam.), chavirer, échauffer, électriser, emballer, émerveiller, enfiévrer, enflammer, engouer, enivrer, enlever, enthousiasmer, entraîner, exalter, exciter, faire s'extasier/se pâmer/se récrier d'admiration/d'aise, passionner, ravir, saisir, soulever.

TRANSPORTER (SE) I. Aller, se déplacer, se rendre. → *voyager.* **II.** *Les formes pronom. possibles des syn. de* TRANSPORTER.

TRANSPORTEUR I. → *voiturier.* **II.** → *messager.*

TRANSPOSABLE Conversible, convertible, convertissable, modifiable, transformable.

TRANSPOSER I. Alterner, changer, convertir, déplacer, intervertir, inverser, modifier, permuter, renverser l'ordre, transporter. **II.** → *traduire.*

TRANSPOSITION I. Alternance, changement, interversion, inversion, permutation, renversement. **II.** Anagramme, métathèse. **III.** Adaptation. → *traduction.*

TRANSVASER Décanter, faire couler, soutirer, transférer, transfuser, transvider, verser.

TRANSVERSAL, E De biais, détourné, fléchi, longitudinal, oblique, penché.

TRANTRAN, TRAINTRAIN → *routine.*

TRAPPE → *piège.*

TRAPU, E I. Au pr. : court, courtaud, massif, mastoc, râblé, râblu, ramassé. **II. Par ext. :** costaud, dru, ferme, fort, grand, gros, herculéen, inébranlable, malabar, musclé, puissant, résistant, robuste, solide, vigoureux. **III. Fig.** → *difficile.*

TRAQUENARD → *piège.*

TRAQUER → *poursuivre.*

TRAUMA I. → *blessure.* **II.** → *émotion.*

TRAUMATISER → *choquer.*

TRAUMATISME I. → *blessure.* **II.** → *émotion.*

TRAVAIL I. Au pr. 1. *L'acte :* action, activité, besogne, boulot (fam.), bricolage (fam. et péj.), bricole (fam. et péj.), business, corvée (péj.), emploi, entraînement, état, fonction, gagne-pain, labeur, industrie, métier, occupation, peine, profession, service, sueur, tâche, turbin (fam.), veilles. **2.** *Le résultat :* chef-d'œuvre, exécution, œuvre, opération, ouvrage. **II. Par ext. 1.** Cheminement, opération, sape. **2.** Cassement de tête, casse-tête, fatigue. → *difficulté.* **3.** Façon, facture, forme. **4.** Canevas, plan, programme. **5.** Devoir, étude, exercice, pensum. **6.** Accouchement, enfantement, gésine, mal d'enfant.

TRAVAILLÉ, E I. Académique, étudié, léché, littéraire (péj.), poli, recherché. **II.** Consciencieux, coquet, délicat, élégant, entretenu, fini, minutieux, net, réussi, soigné, tenu. **III.** *Les part. passés possibles des syn. de* TRAVAILLER.

TRAVAILLER I. Au pr. 1. *Travail manuel :* abattre du travail, *et les syn. de* TRAVAIL, besogner, bosser (fam.), boulonner (fam.), bricoler (péj.), buriner (fam.), chiner, en baver (péj.), gratter (fam.), marner (fam.), mettre la main à la pâte (fam.), s'occuper, œuvrer, pilonner (fam.), rendre, suer (péj.), tracer son sillon,

trimer, turbiner. **2.** *Travail intellectuel :* apprendre, bûcher (fam.), chiader (fam.), composer, écrire, étudier, s'instruire, piocher (fam.), plancher (fam.), potasser (fam.), préparer, produire. **II. Par ext. 1.** Se déformer, gondoler, onduler, rétrécir. **2.** Aigrir, bouillir, fermenter. **3.** Fabriquer, façonner, ouvrager, ouvrer. **4.** → *soigner.* **5.** → *tourmenter.* **6.** Fatiguer, peiner. → *user.*

TRAVAILLEUR, EUSE I. Nom : bras, compagnon, employé, journalier, main-d'œuvre, manœuvre, mercenaire (péj.), nègre (péj.), ouvrier, prolétaire, salarié, tâcheron, trimardeur (péj.). **II. Adj. :** acharné, actif, appliqué, assidu, bourreau de travail, bûcheur, consciencieux, courageux, diligent, laborieux, piocheur (fam.), studieux, zélé.

TRAVAUX FORCÉS → *bagne.*

TRAVERS I. Biais, côté, flanc. **II.** Défaut, défectuosité, démérite, difformité, faible, faiblesse, grossièreté, imperfection, infirmité, lacune, loup, malfaçon, tache, tare, vice. **III.** Bizarrerie, caprice, dada, démangeaison, épidémie, fantaisie, fièvre, frénésie, fureur, goût, grimace, habitude, maladie, manie, manière, marotte, monomanie, péché mignon/véniel, petit côté, petitesse, prurit, rage, rictus, ridicule, tic, toquade, turlutaine. **IV. Loc.** *De travers :* de guingois. → *tordu.*

TRAVERSE I. Raccourci. **II.** Achoppement, accroc, adversité, aléa, anicroche, aria, blocage, contrariété, contretemps, défense, difficulté, écueil, embarras, empêchement, encombre, ennui, entrave, frein, gêne, hourvari (vx), impasse, impedimenta, insuccès, interdiction, obstacle, obstruction, opposition, pierre d'achoppement, rémora (vx), résistance, restriction, tribulation.

TRAVERSÉE → *trajet.*

TRAVERSER I. Au pr. : franchir, parcourir, passer par. **II. Par ext. 1.** Filtrer, pénétrer, percer, transpercer. → *couler.* **2.** Couper, croiser. **III. Vx :** contrarier, gêner. → *empêcher.*

TRAVERSIN Coussin, oreiller, polochon.

TRAVESTI I. Déguisement, domino, masque. **II.** Bal masqué, mascarade, travestissement.

TRAVESTIR I. Au pr. : déguiser, masquer, voiler. **II. Par ext. :** altérer, cacher, celer, changer, défigurer, déformer, falsifier, fausser, métamorphoser, modifier, pallier, transformer.

TRAVESTISSEMENT → *travesti.*

TRÉBUCHER Achopper, broncher, buter, chanceler, chavirer, chopper, faire un faux pas, manquer pied, osciller, perdre l'équilibre, tituber, vaciller.

TRÉBUCHET I. → *piège.* **II.** → *balance.*

TREILLAGE → *clôture.*

TREILLE → *vigne.*

TREILLIS → *clôture.*

TREMBLANT, E I. Alarmé, apeuré, effrayé, ému, transi. **II.** Chancelant, flageolant, frissonnant, tremblotant, vacillant. **III.** Bredouillant, chevrotant.

TREMBLEMENT I. Agitation, chevrotement, claquement de dents, convulsion, frémissement, frisson, frissonnement, saccade, soubresaut, spasme, trémulation, trépidation, vibration. **II.** → *crainte.*

TREMBLER I. Au pr. 1. S'agiter, claquer des dents, frémir, frissonner, grelotter, palpiter, remuer, trembloter, trépider, vibrer. **2.** Chanceler, flageoler, tituber, vaciller. **3.** Chevroter, faire des trémolos. **II. Par ext. :** appréhender, avoir peur. → *craindre.*

TREMBLEUR, EUSE → *craintif.*

TREMBLOTER I. → *trembler.* **II.** → *vaciller.*

TRÉMOUSSER (SE) I. Au pr. : s'agiter, se dandiner, frétiller, gambiller, gigoter, remuer, sautiller, se tortiller. **II. Fig. :** se dépenser. → *démener (se).*

TREMPE I. Au pr. → *tempérament.* **II. Fig.** → *torgnole.*

TREMPÉ, E I. Dégouttant, imbibé, inondé, ruisselant. **II.** Aguerri, durci, énergique, fort, résistant.

TREMPER I. V. tr. 1. Au pr. → *mouiller.* **2. Fig.** → *fortifier.* **II. V. intr. :** baigner, infuser, macérer, mariner. **III. Loc. Tremper dans :** fricoter, se mouiller. → *participer à.*

TRÉPAS → *mort.*

TRÉPASSER → *mourir.*

TRÉPIDANT, E I. → *saccadé.* **II.** → *troublé.*

TRÉPIDATION → *tremblement.*

TRÉPIDER → *trembler.*

TRÉPIGNER Frapper du pied, s'impatienter, piaffer, piétiner, sauter.

TRÈS Absolument, assez (par ext.), beaucoup, bien, bigrement (fam.), diablement, drôlement, effroyablement, en diable, énormément, excessivement, extra-, extrêmement, follement, fort, fortement, furieusement, hautement, hyper-, infiniment, joliment, merveilleusement, parfaitement, prodigieusement, richement, rien (fam.), rudement, sérieusement, super-, terri-

blement, tout, tout plein, trop, ultra-, vachement (fam.).

TRÉSOR I. Au pr. : argent, eldorado, fortune, magot, pactole. → *richesse.* **II. Fig. 1.** Aigle, as, fleur, génie, idéal, modèle, nec plus ultra, parangon, perfection, perle, phénix, prodige, reine, roi. **2.** Appas, attraits, charmes.

TRESSAILLEMENT Agitation, frémissement, frisson, haut-le-corps, mouvement, secousse, soubresaut, sursaut, tremblement.

TRESSAILLIR S'agiter, avoir un haut-le-corps/un sursaut/un tressaillement, *et les syn. de* TRESSAILLEMENT, bondir, broncher, frémir, frissonner, sauter, soubresauter, sursauter, tiquer, tressauter.

TRESSAUTER → *tressaillir.*

TRESSE I. Au pr. : cadenette, couette, natte. **II. Par ext. 1.** Bourdalou, cordon, passementerie, soutache. **2. Mar. :** baderne, garcette.

TRESSER I. Au pr. : arranger, assembler, cordonner, entortiller, entrelacer, natter, nouer, tordre, tortiller. **II. Fig. 1.** Aménager, arranger, brasser, combiner, comploter, conspirer, machiner, manigancer, monter, nouer, ourdir, préparer, tramer. **2. Loc. Tresser des couronnes** → *louer.*

TRÉTEAUX → *théâtre.*

TRÊVE I. Armistice, cessation des hostilités, cessez-le-feu, interruption, suspension d'armes. **II.** Arrêt, discontinuation, moratoire, temps d'arrêt. → *délai.* **III.** Congé, délassement, détente. → *repos.*

TRIBU I. Au pr. : clan, ethnie, groupe, horde, peuplade, peuple, phratrie, race. **II. Par ext.** → *famille.*

TRIBULATION Accident, adversité, affliction, avanie, calamité, cataclysme, catastrophe, chagrin, coup/cruauté du sort, désastre, détresse, deuil, disgrâce, douleur, échec, épreuve, fatalité, fléau, inconvénient, infortune, mal, malchance, malédiction, malheur, mauvaise fortune/passe, méchef (vx), mélasse, mésaventure, misère, orage, peine, pépin (fam.), perte, revers, ruine, traverse.

TRIBUN Baratineur (péj.), cicéron, débateur, déclamateur (péj.), démagogue (péj.), discoureur (péj.), entraîneur de foules, foudre d'éloquence, harangueur (péj.), logographe (vx et péj.), orateur, parleur, rhéteur (péj.).

TRIBUNAL Aréopage, assises, chambre, comité, commission, conseil, cour d'appel/d'assises/de cassation/martiale, directoire, haute cour, instance, juridiction, jury, justice de paix, palais de justice, parquet, prétoire, saint-office, sanhédrin, siège.

TRIBUNE → *estrade.*

TRIBUT I. → *impôt.* **II.** → *récompense.*

TRIBUTAIRE I. Adj. : assujetti, débiteur, dépendant, imposable, obligé, redevable, soumis, sujet, vassal. **II. Nom** : affluent. → *rivière.*

TRICHER → *tromper.*

TRICHERIE → *tromperie.*

TRICHEUR, EUSE Dupeur, filou, fraudeur, fripon, maquignon, maquilleur, mauvais joueur, pipeur, trompeur, truqueur. → *voleur.*

TRICOT Bonneterie, cardigan, chandail, gilet, maillot, pull-over.

TRIER → *choisir.*

TRIMARDEUR I. → *travailleur.* **II.** → *vagabond.*

TRIMBALER I. → *porter.* **II.** → *traîner.*

TRIMER I. → *travailler.* **II.** → *marcher.*

TRINQUER I. Lever son verre à, porter une santé/un toast. → *boire.* **II.** Écoper, recevoir.

TRIOMPHE → *succès.*

TRIOMPHER I. Au pr. *On triomphe de quelque chose ou de quelqu'un :* abattre, accabler, anéantir, avoir, avoir l'avantage, battre, battre à plates coutures, conquérir, culbuter, déconfire, défaire, disperser, dominer, dompter, écharper, éclipser, écraser, l'emporter sur, enfoncer, entamer, gagner, maîtriser, mater, mettre dans sa poche/en déroute/en fuite, prédominer, prévaloir, primer, réduire, rosser, rouler, supplanter, surclasser, surmonter, surpasser, tailler en pièces, terrasser, vaincre. **II. Par ext. 1.** → *targuer (se).* **2.** → *réjouir (se).*

TRIPES I. Au pr. : boyaux, entrailles, fressure, gras-double, intestins, tripoux (région.). **II. Par ext.** → *bedaine.*

TRIPOT Bouge, brelan, maison de jeu. → *cabaret.*

TRIPOTAGE I. Agissements, brigue, combinaison, combine, complot, cuisine, détour, diablerie, intrigue, machination, manège, manigance, manœuvre, menée, micmac, trame. **II.** Canaillerie, concussion, déloyauté, déshonnêteté, escroquerie, forfaiture, friponnerie, immoralité, improbité, indélicatesse, indignité, laideur, malpropreté, malversation, mauvaise foi, méchanceté, tricherie, vol.

TRIPOTER I. Au pr. 1. Neutre : avoir en main/entre les mains, façonner, malaxer, manier, manipuler, manœuvrer, modeler, palper, pétrir, tâter, toucher, triturer. **2. Fam. ou péj. :** patiner (vx), patouiller, patrouiller, peloter, trifouiller, tripatouiller. **II. Fig.** → *trafiquer.*

TRIPOTEUR, EUSE → *trafiquant.*

TRIQUE Gourdin, matraque → *bâton.*

TRIQUER → *battre.*

TRISTE I. Quelqu'un : abattu, accablé, affecté, affligé, aigri, altéré, amer, angoissé, assombri, atrabilaire, attristé, austère, bileux, bilieux, bonnet de nuit (fam.), cafardeux (fam.), chagrin, chagriné, consterné, découragé, défait, désabusé, désenchanté, désespéré, désolé, endolori, éploré, éteignoir (fam.), funèbre, lugubre, malheureux, maussade, mélancolique, morne, morose, navré, neurasthénique, noir, nostalgique, peiné, rabat-joie (fam.), rembruni, saturnien, sépulcral, sévère, sinistre, sombre, soucieux, sourcilleux, taciturne, ténébreux, trouble-fête. **II. Un lieu :** obscur, sauvage, sinistre. **III. Quelque chose ou quelqu'un. 1. Péj. :** accablant, affligeant, affreux, attristant, calamiteux, catastrophique, cruel, déchirant, décourageant, déplorable, désolant, douloureux, dur, ennuyeux, funeste, grave, lamentable, mal, malheureux, mauvais, médiocre, méprisable, minable, misérable, moche, monotone, navrant, pauvre, pénible, piètre, piteux, pitoyable, regrettable, rude, terne, tragique, uniforme. **2. Favorable ou neutre :** attendrissant, bouleversant, dramatique, élégiaque, émouvant, larmoyant, romantique. **IV. Loc. C'est triste :** dommage, fâcheux, regrettable.

TRISTESSE I. De quelqu'un : abandon, abattement, accablement, affliction, aigreur, amertume, angoisse, atrabile, austérité, bile (fam.), bourdon (fam.), cafard (fam.), chagrin, consternation, découragement, dégoût, dépression, désabusement, désenchantement, désespoir, désolation, deuil, douleur, ennui, épreuve, idées noires/sombres, inquiétude, lassitude, mal, malheur, maussaderie, mélancolie, morosité, neurasthénie, nostalgie, nuage, papillons noirs (fam.), peine, serrement de cœur, sévérité, souci, souffrance, spleen, vague à l'âme. **II. De quelque chose :** abandon, désolation, grisaille, laideur, mocheté (fam.), monotonie, pauvreté, platitude, uniformité.

TRITURER I. Au pr. : aplatir, briser, broyer, concasser, croquer, déchiqueter, déchirer, écacher, écorcher, écrabouiller, écraser, mâcher, mastiquer, mettre/réduire en morceaux, mordre, pulvériser. **II. Par ext. 1. Non favorable :** maltraiter. → *détruire.* **2. Favorable ou neutre** → *chercher.*

TRIVIAL, E Banal, bas, béotien, bourgeois, brut, canaille, choquant, commun, connu, courant, éculé, effronté, épais, faubourien, gouailleur, gros, grossier, insignifiant, matériel, obscène, ordinaire, peuple, philistin, poissard, populacier, prosaïque, rebattu, réchauffé, ressassé, roturier, simple, usé, vil, vulgaire.

TROC → *change.*

TROGNE → *tête.*

TRÔLER → *traîner.*

TROMBE Bourrasque, cataracte, coup de chien/de tabac/de vent, déluge, rafale, tempête, tornade, tourbillon, typhon.

TROMBINE → *tête.*

TROMBLON → *fusil.*

TROMPER I. Au pr. : abuser, amuser, attraper, avoir (fam.), balancer (fam.), ballotter, berner, blouser (fam.), bluffer, bourrer le crâne (fam.)/le mou (fam.), carotter (fam.), charrier (fam.), circonvenir, couillonner (pop.), décevoir, déguiser, dissimuler, donner le change, dorer la pilule (fam.), duper, éblouir, égarer, embabouiner (fam.), emberlificoter (fam.), embobiner (fam.), embobeliner (fam.), emmitonner (fam.), empiler (fam.), en conter, en donner, endormir, enfiler (vulg.), engeigner (vx), engluer, en imposer, enjôler, entôler, entortiller (fam.), entuber (fam.), envelopper (fam.), escroquer, estamper, étriller, exploiter, faire aller/courir/galoper/marcher, faire briller/chatoyer/miroiter, faire prendre le change, faire une farce/une niche (fam.), feindre, ficher (fam.)/fourrer (fam.)/foutre dedans (vulg.), flatter, flouer, frauder, frustrer, gourer (vx), induire en erreur, jobarder (fam.), jouer, se jouer de, jouer la comédie, lanterner (fam.), leurrer, mener en bateau, mentir, mettre en défaut, monter un bateau/le coup, se moquer, mystifier, pigeonner (fam.), piper, posséder (fam.), prendre au piège, promener, refaire (fam.), repasser (vx), retarder, rouler, séduire, tendre un piège, tricher, truquer. **II. Par ext. 1.** Cocufier, coiffer (fam.), donner un coup de canif au contrat, en donner d'une (vx), en faire porter, faire cocu/cornard, faire porter les cornes à, faire des traits à (vx), trahir. **2.** → *voler.*

TROMPER (SE) Aberrer, s'abuser, avoir tort, broncher, confondre, s'échauder, errer, être échaudé/en défaut, faillir, faire fausse route, se fourvoyer, se gourer, s'illusionner, se laisser prendre, mécompter, méjuger, se méprendre, se mettre le doigt dans l'œil (fam.), prendre des vessies pour des lanternes (fam.), prendre le change, prendre pour *et les formes pronom. possibles des syn. de* TROMPER.

TROMPERIE I. Au pr. : altération, amusement (vx), artifice, attrape, attrape-couillon (fam.), attrape-lourdaud, attrape-nigaud, bluff, carottage (fam.), carotte (fam.), chiqué, dol, duperie, escroquerie, fable, falsification, farce, fausse apparence, fausseté, faux-semblant, feinte, fourbe, fourberie, fraude, gabegie (vx), illusion, imposture, infidélité, invention, leurre, matoiserie (vx), mauvais tour, mensonge, momerie, mystification, perfidie, piperie, semblant, supercherie, tour de passe-passe, trahison, traîtrise, tricherie, truquage. → *hypocrisie.* **II. Par ext.** → *adultère.*

TROMPETER Claironner, colporter, corner, crier sur les toits. → *publier.*

TROMPETTE I. Par ext. : buccin, bugle, clairon, cornet, trompe (vx). **II. Nom masc. :** trompettiste.

TROMPEUR, EUSE I. Le comportement ou le discours de quelqu'un : artificieux, captieux, décevant, déloyal, délusoire (jurid.), double, dupeur, fallacieux, farceur, faux, faux jeton (fam.), fourbe, fraudeur, fumiste (fam.), illusoire, imposteur, insidieux, mensonger, menteur, mystificateur, patelin, perfide, spécieux, traître, tricheur, truqueur. → *hypocrite.* **II. Quelque chose :** brillant, clinquant, toc.

TRONC I. → *tige.* **II.** → *torse.* **III.** → *lignée.* **IV.** → *tirelire.*

TRONÇON → *partie.*

TRONÇONNER → *couper.*

TRÔNE I. Siège. **II. Par ext. :** autorité, dynastie, maison, monarchie, puissance, règne, royauté, souveraineté.

TRÔNER Se camper, se carrer, se goberger (fam.), pontifier, se prélasser. → *triompher.*

TRONQUÉ, E Imparfait, incomplet *et les part. passés possibles des syn. de* TRONQUER.

TRONQUER Altérer, amoindrir, amputer, censurer, couper, déformer, dénaturer, écourter, estropier, fausser, massacrer, mutiler, raccourcir, réduire, rogner, supprimer.

TROP → *très.*

TROPHÉE I. Butin, dépouilles. **II.** Coupe, médaille, oscar, prix, récompense. **III.** → *succès.*

TROPICAL, E → *torride.*

TROQUER Échanger. → *changer.*

TROTTER I. Au pr. → *marcher.* **II. Fig.** → *préoccuper.*

TROTTIN Apprentie, cousette, couturière, midinette, modiste, ouvrière, petite main.

TROTTOIR Par ext. 1. Pavé, plateforme, quai. **2.** → *prostitution.*

TROU I. Au pr. : antre, brèche, caverne, cavité, coupure, creux, entonnoir, excavation, fente, fosse, grotte, hypogée, jouette, ouverture, pertuis, puits, souterrain, tranchée, trouée, vide. **II. Fig. 1.** → *village.* **2.** → *manque.* **3.** → *lacune.*

TROUBADOUR Barde, félibre, jongleur, ménestrel, minnesinger, musicien, poète, trouvère.

TROUBLANT, E I. Bouleversant, déconcertant, inquiétant. → *touchant.* **II.** Charmeur, enjôleur, ensorceleur, galant, séducteur, séduisant.

TROUBLE adj. I. Au pr. : boueux, bourbeux, fangeux, opaque, sombre, terne, vaseux. **II. Fig. 1.** Louche. → *suspect.* **2.** Complexe, compliqué, confus, embrouillé, fumeux, indébrouillable, inextricable, nébuleux, nuageux, obscur, ténébreux, vague.

TROUBLE n. I. Au pr. : anarchie, bouleversement, bruit, chaos, conflit, confusion, crise, désordre, désorganisation, orage, ouragan, méli-mélo (fam.), pêle-mêle, perturbation, remuement, remue-ménage, tempête, tourmente, tumulte → *tohu-bohu.* **II. Par ext. 1.** Aberration, aliénation, altération, atteinte, aveuglement, confusion, délire, dérangement, dérèglement, déséquilibre, égarement, folie, incommodité (vx), maladie, névrose, perturbation. **2.** Commotion, étourdissement, évanouissement, malaise, syncope, vapeur (vx), vertige. **3.** Ahurissement, effarement, enivrement, excitation. **4.** Attendrissement, bouleversement, ébranlement, embarras, émoi, émotion, indécision, perplexité. **5.** Affolement, agitation, désarroi, détresse, effervescence, effroi, fièvre, inquiétude. **6.** Brouille, brouillerie, dispute. → *mésintelligence.* **7. Au pl. :** convulsion, déchirement, émeute, guerre civile/intestine, insurrection, mouvement. → *révolte.*

TROUBLÉ, E I. Quelqu'un. 1. Favorable : attendri, charmé, chaviré, ému, éperdu, intimidé, rougissant, séduit, touché. **2. Neutre ou non favorable :** affolé, agité, ahuri, à l'envers, aveuglé, bouleversé, chamboulé (fam.), confus, détraqué, effarouché, égaré, fiévreux, hagard, hébété, inquiet, retourné, sens dessus dessous. **II. Quelque chose. 1. Au pr. :** altéré, brouillé. **2. Par ext. :** brouillon, confus, houleux, incertain, inquiétant, mouvementé, orageux, tourmenté, trépidant, tumultueux, turbulent.

TROUBLER I. Quelque chose : brouiller, corrompre, décomposer, déranger, dérégler, désorganiser, détraquer, détruire, embrouiller, empoisonner, gâter, gêner, interrompre, obscurcir, perturber, rabouiller, ren-

verser, rompre, subvertir, touiller. → *mélanger.* **II. Quelqu'un. 1. Favorable ou neutre :** éblouir, émouvoir, enivrer, enfiévrer, ensorceler, étonner, exciter, fasciner, impressionner, remuer, saisir, séduire. **2. Non favorable :** abasourdir, affliger, affoler, agiter, ahurir, alarmer, aliéner, aveugler, bousculer, chagriner, confondre, contrarier, déconcerter, démonter, désarçonner, désorienter, effarer, effaroucher, égarer, embarrasser, embrouiller, étonner (vx), incommoder, inquiéter, interdire, intimider, mettre sens dessus dessous, semer/soulever/susciter l'émotion/l'inquiétude/le trouble.

TROUBLER (SE) Barboter (fam.), s'embarbouiller, perdre contenance/la carte (fam.)/les pédales (fam.)/la tête *et les formes pronom. possibles des syn. de* TROUBLER.

TROUÉE Brèche, clairière, déchirure, échappée, excavation, faille, percée, ouverture. → *trou.*

TROUER → *transpercer.*

TROUILLE → *peur.*

TROUPE I. D'animaux : essaim, harde, harpail, meute, troupeau, volée. **II. D'hommes. 1. Milit. :** armée, bataillon, brigade, cohorte, colonne, commando, compagnie, corps, corps franc, détachement, échelon, équipe, escadron, escouade, forces, formation, goum, groupe, guérilla, légion, manipule, milice, parti, patrouille, peloton, phalange, piquet, régiment, section, soldatesque (péj.), tabor, unité. **2.** Attroupement, bande, caravane, cavalcade, cortège, ensemble, foule, gang (péj.), groupe, horde (péj.), multitude, rassemblement, tribu.

TROUPEAU I. Au pr. : cheptel, manade. **II. Par ext. 1.** → *troupe.* **2.** → *tourbe.*

TROUPIER → *soldat.*

TROUSSE I. Vx : assemblage, botte, faisceau, gerbe, trousseau. **II.** Aiguiller, étui, nécessaire, plumier, poche, portefeuille, sac, sacoche. **III. Loc. Aux/sur les trousses de :** aux chausses, au derrière, au train (fam.), dans le dos, sur le paletot (fam.), aux talons. → *poursuivre.*

TROUSSEAU Affaires, dot, effets, habits, linge, nécessaire, toilette, vêtements.

TROUSSER I. Accélérer, brusquer, dépêcher, expédier, hâter, liquider, précipiter. → *torcher.* **II.** Écarter, recoquiller, redresser, relever, remonter, replier, retrousser, soulever. → *lever.*

TROUVAILLE Astuce (fam.), création, découverte, idée, illumination, invention, nouveauté, rencontre, trait de génie/de lumière.

TROUVER I. Au pr. : apercevoir, atteindre, avoir, cueillir (fam.), déceler, découvrir, dégoter, dénicher, détecter, déterrer, joindre, mettre la main sur, obtenir, pêcher (fam.), rejoindre, rencontrer, surprendre, tomber sur, toucher. **II. Par ext. 1.** S'aviser de, déchiffrer, deviner, élucider, percer, résoudre, réussir, surmonter la difficulté. **2.** Concevoir, créer, forger, imaginer, innover, inventer. **3.** Considérer, croire, éprouver, estimer, penser, regarder comme, saisir, sentir, tenir pour. → *juger*. **III. Loc. 1. *Trouver bon*** → *approuver*. **2. *Trouver à dire* :** avoir à. → *blâmer*.

TROUVER (SE) I. Quelque chose ou quelqu'un : s'avérer, demeurer, être, exister, figurer, s'offrir, se rencontrer, reposer, se révéler, tomber, traîner *et les formes pronom. possibles des syn. de* TROUVER. **II. Quelqu'un. 1. *Au pr.* :** assister, être présent, siéger. **2. *Fig. (non favorable)*** → *tomber dans/entre.* **3. *Fig. (favorable) :*** baigner, flotter, nager, se prélasser, se vautrer. **4. *Fig. (neutre) :*** se considérer, se croire, s'estimer, se juger. **III. Quelque chose :** advenir, arriver, se produire, survenir.

TROUVÈRE → *troubadour*.

TRUAND, E I. Neutre : chemineau, clochard, cloche, coureur, galvaudeux, gueux, mendiant, mendigot, rôdeur, trimardeur, vagabond. **II. Non favorable :** affranchi, arsouille, aventurier, bandit, brigand, canaille, chenapan, coquin, crapule, débauché, dévoyé, drôle, fainéant, frappe, fripon, fripouille, galapiat, galopin, garnement, gens de sac et de corde, gibier de potence, gouape, gouspin (vx), gredin, libertin, malhonnête, maquereau, nervi, plat personnage, poisse, ribaud (vx), rossard, sacripant, saleté, sale/triste individu/personnage/type/coco (fam.), scélérat, vaurien, voyou. → *voleur*.

TRUC I. Favorable ou neutre : art, combinaison, démarche, dispositif, formule, manière, marche à suivre, méthode, mode, moyen, pratique, procédé, procédure, recette, rubrique (vx), secret, stratégie, système, tactique, technique, théorie, voie. **II. Non favorable :** artifice, astuce, attrape-nigaud, carotte (fam.), cautèle, chafouinerie, chausse-trappe, détour, diplomatie, échappatoire, embûche, faux-fuyant, feinte, ficelle, finasserie, finesse, fourberie, fraude, habileté, intrigue, invention, machiavélisme, machination, machine, malice, manœuvre, matoiserie, méandre, perfidie, piège, politique, retour (vén.), rets, roublardise, rouerie, rubrique (vx), ruse, stratagème, stratégie, subterfuge,

subtilité, tactique, tour, trame, tromperie. ¡

TRUCHEMENT I. → *traducteur*. **II.** → *intermédiaire*.

TRUCULENT, E I. Vx. 1. → *sauvage*. **2.** → *violent*. **II.** Amusant, bizarre, cocasse, comique, curieux, déconcertant, drolatique, drôle, étonnant, étrange, excentrique, extraordinaire, fantasque, hardi, haut en couleur, hors du commun, impayable, inédit, neuf, non-conformiste, nouveau, original, particulier, personnel, picaresque, pittoresque, singulier, spécial.

TRUFFE → *nez*.

TRUFFER Bonder, bourrer, charger, combler, emplir, encombrer, entrelarder, envahir, farcir, garnir, gonfler, insérer, larder, occuper, remplir, saturer, se répandre dans.

TRUISME → *vérité*.

TRUITÉ, E → *taché*.

TRUQUAGE → *tromperie*.

TRUQUER I. → *altérer*. **II.** → *tromper*.

TRUQUEUR, EUSE I. → *tricheur*. **II.** → *trompeur*.

TRUST Association, cartel (all.), coalition, comptoir, consortium, corner (angl.), entente, holding, monopole, pool, syndicat.

TRUSTER → *accumuler*.

TUANT, E Abrutissant, accablant, assommant, claquant (fam.), crevant (fam.), déprimant, échinant, écrasant, énervant, ennuyeux, épuisant, éreintant, esquintant, exténuant, fatigant, harassant, importun, lassant, pénible, suant, vannant.

TUBE I. Boyau, canal, canalisation, conduit, cylindre, pipe-line, tuyau. **II.** Canule, drain, éprouvette, pipette, siphon. **III.** Chapeau-claque, claque, gibus, haut-de-forme, huit-reflets.

TUBÉREUX, EUSE Bulbeux, charnu, gonflé, renflé.

TUBERCULEUX, EUSE Bacillaire, malade de la poitrine, phtisique, poitrinaire, pulmonaire, tubard (arg.).

TUBERCULOSE Bacillose, caverne, maladie de poitrine, maladie du poumon, phtisie.

TUBULAIRE Cylindrique, tubule, tubuleux.

TUBULURE → *conduit*.

TUÉ, E Au pr. : assassiné, décédé, disparu, exécuté, mort, tombé, tombé au champ d'honneur, trépassé *et les part. passés possibles des syn. de* TUER.

TUER I. Au pr. : abattre, achever, anéantir, assassiner, assommer, avoir (fam.), bousiller (fam.), brûler (au pr. et arg. au fig.), brûler la cervelle, buter (arg.), casser (arg.), casser la tête, causer la mort, crever (arg.), crever la paillasse (arg.), chouriner (arg.), couper la gorge, décapiter, décimer, décoller, se défaire de, démolir, dépêcher (fam.), descendre, détruire, donner le coup de grâce/la mort, écarteler, échiner (vx), écraser, égorger, égosiller (vx), empaler, empoisonner, emporter, envoyer ad patres/ dans l'autre monde/pour le compte, escofier (mérid. et fam.), estourbir (fam.), étendre mort/raide/raide mort/ sur le carreau, étouffer, étrangler, exécuter, expédier (arg.), exterminer, faire couler le sang, faire mourir *et les syn. de* MOURIR, faire la peau (fam.), faire périr, faire sauter la cervelle, faucher, foudroyer, fusiller, garrotter, guillotiner, immoler, juguler (vx), lapider, liquider, lyncher, massacrer, mettre à mort, moissonner, nettoyer, noyer, occire, ôter la vie, pendre, percer, poignarder, pourfendre, ratiboiser (fam.), refroidir (fam.), rompre le cou, sacrifier, saigner, servir (vén.), supplicier, supprimer, suriner (arg.), tordre le cou (fam.), trancher le cou/la gorge, trucider, verser le sang, zigouiller. **II. Fig. 1.** → *abattre.* **2.** → *détruire.* **3.** → *fatiguer.* **III. Loc. Tuer le temps :** occuper, passer.

TUER (SE) I. Au pr. 1. Se détruire, se donner la mort, se défaire, faire hara-kiri, se faire sauter la caisse (fam.)/le caisson (fam.)/la cervelle, se faire sauter (fam.), mettre fin à ses jours, se saborder, se suicider, se supprimer. **2.** Se casser le cou (fam.)/ la figure (fam.), être victime d'un accident, se rompre le cou, trouver la mort. **II. Fig. :** se crever (fam.), s'évertuer, se fatiguer *et les formes pronom. possibles des syn. de* TUER.

TUERIE I. Abattoir. **II.** → *carnage.*

TUEUR n. Assassin, brave, bravi, bravo, coupe-jarret, estafier, homme de main, meurtrier, satellite, sicaire, spadassin.

TUEUR, TUEUSE adj. Dangereux, fatal, homicide, meurtrier, mortel.

TUF I. Au pr. : tufeau, tuffeau. **II. Fig.** → *intérieur.*

TUILE I. Fig. → *accident.* **II.** → *malchance.*

TUMÉFACTION → *tumeur.*

TUMÉFIÉ, E, TUMESCENT, E Ballonné, bombé, bouffant, bouffi, boursouflé, cloqué, congestionné, dilaté, distendu, empâté, enflé, gondolé, gonflé, gros, hypertrophié, mafflu, météorisé, renflé, soufflé, turgescent, turgide, ventru, vultueux.

TUMEUR I. Au pr. : adénite, adénome, athérome, bubon, cancer, carcinome, épithéliome, épulide, exos-tose, fibrome, fongus, goitre, grenouillette, hématocèle, hématome, intumescence, kyste, lipome, loupe, molluscum, néoplasie, néoplasme, œdème, papillome, polype, ranule, sarcome, squirrhe, tanne, tubercule, tubérosité, tuméfaction. **II. Par ext. :** abcès, ampoule, anthrax, apostème, apostume, bosse, bouton, chalaze, chalazion, clou, écrouelles (vx), enflure, excroissance, fluxion, furoncle, glande, granulation, grosseur, humeurs froides (vx), induration, hypocrâne (vx), orgelet, panaris, phlegmon, pustule, scrofule (vx), tourniole. **III. Vétér. :** buture, capelet, éparvin, éponge, forme, jarde, javart, osselet, suros, vessigon.

TUMULTE I. → *tohu-bohu.* **II.** → *trouble.*

TUMULTUEUX, EUSE Agité, animé, brouillon, bruyant, confus, désordonné, houleux, incertain, inquiétant, mouvementé, orageux, séditieux, tapageur, tourmenté, trépidant, troublé, turbulent.

TUMULUS I. Au pr. : cairn, galgal, mound, tertre. **II.** → *tombe.*

TUNIQUE I. Angusticlave, chiton, dalmatique, éphod, laticlave. **II.** Kimono, robe. **III.** Broigne (vx), dolman, redingote, veste.

TUNNEL Corridor, passage, passage souterrain, percée, souterrain, trouée.

TURBULENCE Activité, agitation, animation, bruit, dissipation, espièglerie, excitation, impétuosité, mobilité, mouvement, nervosité, pétulance, remue-ménage, tapage, trouble, tumulte, vivacité.

TURBULENT, E I. Quelqu'un : actif, agile, agité, animé, bruyant, déluré, démoniaque, dissipé, dur, espiègle, éveillé, excité, fougueux, frétillant, fringant, guilleret, impétueux, ingambe, instable, leste, mobile, nerveux, pétulant, primesautier, prompt, rapide, remuant, sautillant, tapageur, vif, vivant. → *polisson.* **II. Quelque chose. 1.** → *troublé.* **2.** → *tumultueux.*

TURF I. Champ de courses, hippodrome, pelouse. **II.** Courses, sport hippique. **III. Loc. Faire le turf** (arg.) : racolage, tapin, trottoir.

TURGESCENT, E, TURGIDE → *tuméfié.*

TURLUPIN I. Nom : arlequin, baladin, bateleur, bouffe, bouffon, clown, comique, fagotin, farceur, gugusse, histrion, matassin, nain, paillasse, pantalon, pantin, pasquin, pitre, plaisantin, queue-rouge, saltimbanque, trivelin, zanni. **II. Adj. :** bouffon, burlesque, cocasse, comique, drôle, fantaisiste, folâtre, grotesque, ridicule, rigolo (fam.).

TURLUPINADE I. → *bouffonnerie.*
II. A-peu-près, calembour, contre-pèterie, coq-à-l'âne, équivoque, jeu de mots, mot d'esprit, plaisanterie.

TURLUPINER Agacer, asticoter (fam.), casser les pieds (fam.), chercher des crosses (fam.)/noise (fam.)/querelle (fam.), contrarier, courroucer, crisper, donner sur les nerfs, échauffer, échauffer la bile/les oreilles, embêter, emmerder (grossier), énerver, ennuyer, enquiquiner (fam.), exacerber, exaspérer, excéder, exciter, faire endêver/enrager/sortir de ses gonds, harceler, hérisser, horripiler, impatienter, importuner, indisposer, irriter, lanciner, lasser, marteler, mécontenter, mettre en colère/rogne (fam.), obséder, piquer, provoquer, taquiner, tarauder, tourmenter, tracasser, travailler, trotter, troubler.

TURLUTAINE → *toquade.*

TURPITUDE Abaissement, abjection, bassesse, boue, corruption, crapulerie, crime, débauche, dégradation, démérite, déportement, dépravation, dérèglement, déshonneur, désordre, dévergondage, dissolution, excès, fange, flétrissure, honte, ignominie, immoralité, impudicité, inconduite, indécence, indignité, infamie, intempérance, libertinage, licence, luxure, malhonnêteté, méchanceté, opprobre, ordure, relâchement, ribauderie, scandale, stupre, vice, vilenie.

TUTÉLAIRE Auxiliaire, bienfaisant, bienfaiteur, bon, défenseur, gardien, favorable, protecteur, providentiel, sauveur, secourable, serviable, utile.

TUTELLE I. Favorable ou neutre : administration, aide, appui, asssitance, auspice, autorité, bénédiction, conservation, couverture, défense, égide, garantie, garde, immunité, invocation, patronage, protection, sauvegarde, secours, soutien, support. **II. Non favorable :** assujettissement, contrainte, dépendance, direction, gêne, lisière, surveillance, vigilance.

TUTEUR, TUTRICE I. Ascendant, caution, comptable, garantie, gérant, parrain, représentant, responsable, soutien, surveillant. **II.** Appui, défenseur, gardien, patron, protecteur. **III.** Appui, armature, échalas, étai, perche, piquet, rame, soutien, tige.

TUYAU I. → *tube.* **II.** → *canal.* **III.** → *renseignement.*

TUYAUTAGE, TUYAUTERIE → *conduit.*

TYMPANISER → *vilipender.*

TYPE I. Quelque chose. 1. *Typogr. :* caractère, fonte, frappe, police. **2.** Archétype, canon, conception, échantillon, étalon, exemple, figure, formule, gabarit, idéal, idée, image, modèle, original, paradigme, parangon, personnification, prototype, représentant, symbole. **3.** Catégorie, classe, embranchement, espèce, famille, genre, ordre, race, sorte, variété. **4.** Acabit, farine, nature, sorte. **5.** Façon, griffe, manière, marque, mode, style. **6.** Apparence, aspect, attitude, caractère, comportement, conduite, dégaine (fam.), extérieur, façon, format, genre, ligne, morphologie, silhouette, tenue, touche (fam.), tournure. **II. Quelqu'un. 1.** Citoyen, habitant, homme, individu, monsieur, personnage, personne, quelqu'un, tête. **2.** *Péj. ou arg. :* bonhomme, bougre, chrétien, coco, croquant, diable, drôle, gaillard, gazier, gonze, guignol, hère, lascar, luron, mec, moineau, oiseau, paroissien, piaf, pierrot, pistolet, quidam, type, zèbre, zigomard, zigoto, zigue.

TYPHON Bourrasque, coup de chien/de tabac (fam.)/de vent, cyclone, orage, ouragan, rafale, raz de marée, tempête, tornade, tourbillon, tourmente, trombe, vent.

TYPIQUE Caractéristique, déterminant, distinctif, dominant, emblématique, essentiel, expressif, original, particulier, personnel, propre, saillant, significatif, spécifique, symbolique, symptomatique.

TYPOGRAPHE Composeur, compositeur, imposeur, imprimeur, metteur en pages, minerviste, ouvrier du livre, prote, typo.

TYRAN Autocrate, despote, dictateur, dominateur, maître, oppresseur, persécuteur, roi, roitelet, souverain absolu, tyranneau.

TYRANNIE I. Au pr. : absolutisme, autocratie, autoritarisme, caporalisme, césarisme, despotisme, dictature, fascisme, nazisme, totalitarisme. **II. Par ext. 1.** Arbitraire, assujettissement, barbarie, cruauté, domination, férocité, inhumanité, oppression, persécution, sauvagerie, vandalisme. **2.** Ascendant, autorité, dépendance, empiètement, empire, emprise, esclavage, influence, mainmise.

TYRANNIQUE → *absolu.*

TYRANNISER I. Au pr. : abuser, accabler, assujettir, avoir/jeter/mettre le grappin/la main sur, contraindre, courber, dominer, forcer, fouler aux pieds, opprimer, persécuter, réduire en esclavage, violenter. **II. Par ext. 1.** → *tourmenter.* **2.** → *conduire.*

TZIGANE Baraquin (péj.), bohémien, boumian, fils du vent, gipsy, gitan, nomade, roma, romanichel, romano, romé, sinte, zing, zingaro.

UKASE → *injonction.*

ULCÉRATION, ULCÈRE Chancre, exulcération, exutoire, lésion, lupus. → *abcès.*

ULCÉRER I. → *affliger.* **II.** → *choquer.*

ULTÉRIEUR, E → *suivant.*

ULTIMATUM → *injonction.*

ULTIME → *dernier.*

ULTRA n. et adj. Extrémiste, fanatique, intolérant, jacobin, jeune Turc, jusquauboutiste, maximaliste.

ULULER → *crier.*

UN, UNE Distinct, exclusif, indivis; isolé, rare, seul, simple, unique.

UN À UN L'un après l'autre, → *alternativement.*

UNANIME Absolu, collectif, commun, complet, entier, général, sans exception, total, universel.

UNANIMEMENT Absolument, à l'unanimité, collectivement, complètement, entièrement, généralement, sans exception, totalement, tous à la fois/ensemble, universellement.

UNI, E I. → *égal.* **II.** → *lisse.* **III.** → *simple.* **IV.** → *uniforme.*

UNIFORME I. Adj. : continu, droit, égal, pareil, plat, semblable, simple. → *monotone.* **II. Nom** → *vêtement.*

UNIFORMITÉ Égalité, monotonie. → *tristesse.*

UNION I. Au pr. 1. Fusion, symbiose, syncrétisme. **2.** → *liaison.* **3.** → *jonction.* **4.** → *alliance.* **5.** → *fédération.* **6.** → *syndicat.* **7.** → *mariage.* **II. Fig.** : accord, amitié, bons termes, camaraderie, communion, concert, concorde, conformité, ensemble, entente, fraternité, harmonie, intelligence, sympathie, unisson.

UNIQUE I. Exclusif, isolé, seul, spécial. **II.** → *un.* **III.** → *extraordinaire.*

UNIR I. Au pr. 1. Accoupler, agencer, agglutiner, agréger, allier, annexer, amalgamer, apparier, assembler, associer, assortir, attacher, confondre, conjoindre, conjuguer, coupler, enchaîner, enter, fondre, fusionner, joindre, lier, marier, mélanger, mêler, raccorder, rapprocher, rassembler, relier, réunir, saisir, souder. **2. Polit. :** allier, coaliser, confédérer, fédérer, liguer. **II. Par ext. 1.** Allier, fiancer. **2.** Aplanir, égaliser, polir, rendre uni.

UNISSON I. → *union.* **II. Loc. A l'unisson :** d'accord, ensemble, d'un même ton, d'une même voix.

UNITÉ I. → *harmonie.* **II.** → *troupe.*

UNIVERS Ciel, cosmos, création, espace, globe, macrocosme, monde, nature, sphère, terre, tout.

UNIVERSEL, ELLE I. → *commun.* **II.** Cosmique, œcuménique, mondial, planétaire. **III.** Bon à tout, factoton, polyvalent, à toutes mains.

UNIVERSITÉ Académie, alma mater. → *faculté.*

URANIEN, URANISTE I. homosexuel, inverti, pédéraste, sodomite actif/passif, travesti (par ext.). **II. Litt. :** corydon, ganymède, giton, mignon. **III. Arg. et péj. :** bilboquet, branleur, castor, chevalier de l'anneau/

de la bicyclette et les syn. de bicyclette/ confrérie / jaquette / manchette / pédale/sacoche/tasse/du valseur, chochotte, choute, contemplatif, fiotte, folle, girond, homo, jésus, lopaille, lope, lopette, pédale, pédé, pédoc, prout-prout, schbeb, tante, tantouse, tapette, tata, travailleur du chouette/ petit/prose, travelo, travioque, zomo, etc. **IV. Grossier :** emmanché, empaffé, empapaouté, emprosé, enculé, enculeur, endauffé, enfifré, enfoiré, entrouducuté, enviandé.

URBAIN, AINE I. Citadin. **II. Par ext. :** municipal. **III.** → *aimable.*

URBANISME → *logement.*

URBANITÉ → *amabilité.*

URGENT, ENTE → *pressant.*

URINAL I. Bourdalou. **II. Par ext. :** pissoir, pot de chambre, vase de nuit.

URINE Eau, pipi (enf.), pissat, pisse. **Arg. :** lance, lancequine.

URINER I. Faire pipi, lâcher/tomber de l'eau, se mouiller, pisser, pissoter. **Arg. :** changer son poisson d'eau, lancequiner, lissebroquer, tirer un bock/demi. **II. Uriner contre :** compisser.

URINOIR Édicule, latrines, pissoir, pissotière, tasse (arg.) vespasienne.

URNE → *vase.*

USAGE I. → *habitude.* **II.** Activité, application, consommation, destination, disposition, emploi, exercice, fonction, fonctionnement, jouissance, utilisation, utilité, service.

USAGÉ, E , USÉ, E I. Au pr. : abîmé, amorti, avachi, culotté, déchiré, décrépit, déformé, défraîchi, délavé, démodé, éculé, élimé, épuisé, éraillé, esquinté, fané, fatigué, fini, fripé, limé, lustré, miteux, mûr, passé, râpé, vieux. **II. Par ext.** → *banal.*

USER I. V. tr. 1. Au pr. et fig. : amoindrir, corroder, effriter, élimer, émousser, entamer, épointer, gâter, limer, miner, mordre, râper, roder, rogner, ruiner. → *abîmer.* **2.** → *consommer.* **II. V. intr. User de :**

appliquer, avoir recours, disposer de, employer, emprunter, exercer, faire usage de, jouer de, jouir de, manier, ménager, mettre, mettre en jeu/ en œuvre, porter, pratiquer, prendre, recourir à, se servir de, utiliser. **III. Loc. En user :** se comporter, se conduire, traiter.

USINE Aciérie, atelier, chaîne, cimenterie, distillerie, établissement, fabrique, filature, fonderie, forge, haut fourneau, industrie, manufacture, minoterie, papeterie, raffinerie, tréfilerie.

USITÉ, E Accoutumé, commun, consacré, constant, courant, coutumier, employé, familier, fréquent, ordinaire, traditionnel, usuel, utilisé.

USTENSILE → *instrument.*

USUEL, ELLE → *usité.*

USUFRUIT Fruit, jouissance, possession, produit, récolte, revenu.

USURE I. Agio, agiotage, gain, intérêt, placement, prêt, profit, trafic. → *avarice.* **II.** Amoindrissement, corrosion, dégradation, diminution, éraillement, érosion.

USURIER, IÈRE I. Agioteur, prêteur. **II. Par ext.** → *avare.*

USURPER I. V. intr. : anticiper sur, empiéter sur, enjamber (fam.), entreprendre sur, envahir. **II. V. tr. :** annexer, s'appliquer, s'approprier, s'arroger, s'attribuer, dérober, s'emparer, prendre, ravir, voler.

UTÉRIN, INE Consanguin, demi-frère/sœur.

UTÉRUS Matrice, sein (vx).

UTILE Bon, efficace, expédient, important, indispensable, fructueux, nécessaire, profitable, salutaire.

UTILISER I. → *profiter.* **II.** → *user de.*

UTILITAIRE I. → *réaliste.* **II.** → *commun.*

UTILITÉ → *profit.*

UTOPIE I. Billevesées, chimère, illusion, mirage, mythe, rêve, rêverie, roman. **II.** → *idéal.*

UTOPIQUE → *imaginaire.*

VACANCE Carence, disponibilité, interruption, suspension, vacuité, vide.

VACANCES Campos, congé, détente, permission, pont, relâche, repos, semaine anglaise, vacation, week-end.

VACANT, E Disponible, inoccupé, jacent (jurid.), libre, vague (terrain), vide.

VACARME Bacchanale, bazar, bordel (grossier), boucan, chabanais, chambard, fracas, pétard, tapage, train. → *bruit.*

VACATION I. → *rétribution.* **II.** → *vacances.*

VACCIN Immunisation, inoculation, piqûre, sérum.

VACCINER Immuniser, inoculer, piquer, préserver.

VACHE I. Au pr. : génisse, taure. **II. Fig. 1.** → *bête.* **2.** → *méchant.* **3.** → *policier.*

VACHER, VACHÈRE Bouvier, cowboy (vx et partic.), gardian, gardien, gaucho, manadier, toucheur de bœufs.

VACILLER I. → *chanceler.* **II. Lumière, yeux :** cligner, clignoter, luire, papilloter, scintiller, trembler, trembloter.

VACUITÉ → *vide.*

VADE-MECUM → *mémento.*

VA-ET-VIENT I. Bac, navette. **II.** Allée et venue, balancement, branle, course, navette, navigation, voyage.

VAGABOND, E I. Adj. → *errant.* **II. Nom :** bohémien, camp-volant, chemineau, clochard, cloche, coureur, flâneur, galvaudeux, malandrin, mendiant, nomade, rôdeur, trimardeur, truand, va-nu-pieds.

VAGABONDER → *errer.*

VAGIN → *sexe, vulve.*

VAGIR → *crier.*

VAGUE n. fém. Agitation, barre, flot, houle, lame, onde, moutons, ressac, rouleau.

VAGUE adj. **I.** → *vacant.* **II.** Abstrait, amphibologique, approximatif, changeant, confus, douteux, illimité, imparfait, imprécis, incertain, indécis, indéfini, indéterminé, indiscernable, indistinct, irrésolu, flottant, flou, fumeux, hésitant, nébuleux, nuageux, obscur, timide, trouble, vaporeux. **III. Loc. Terrain vague** → *inculte.* **IV. Nom. 1.** → *vide.* **2. Loc. Vague à l'âme** → *mélancolie.*

VAGUER Aller au hasard/et venir, divaguer, vagabonder.

VAILLANCE → *courage.*

VAILLANT, E → *courageux.*

VAIN, VAINE I. Absurde, chimérique, creux, fantaisiste, faux, fugace, hypothétique, illusoire, imaginaire, insaisissable, sans consistance/effet/fondement / importance / motif / réalité, vide. **II.** → *inutile.* **III.** → *stérile.* **IV.** → *orgueilleux.*

VAINCRE I. Au pr. : abattre, accabler, anéantir, avoir, battre, battre à plates coutures, conquérir, culbuter, déconfire, défaire, disperser, dominer, dompter, éclipser, l'emporter sur, écharper, écraser, enfoncer, entamer, gagner, maîtriser, mater, mettre dans sa poche/en déroute/en fuite, prévaloir, réduire, rosser, rouler, surclasser, surmonter, surpasser, tailler en pièces, terrasser, triompher de. **II. Fig. 1. Un obstacle :** franchir, négocier (fam.), passer, renverser, surmonter. **2. Des scrupules :** endormir, étouffer.

VAINCRE (SE) Se dominer, être maître de soi, se maîtriser, se mater, se posséder, se surmonter.

VAINQUEUR n. et adj. **I.** Champion, conquérant, dominateur, dompteur, gagnant, lauréat, triomphateur, victorieux. **II. Loc. Un air vainqueur :** avantageux, conquérant, prétentieux, suffisant.

VAISSEAU I. → récipient. **II.** → bateau.

VAL → vallée.

VALABLE I. Jurid. : légal, réglementaire, valide. **II. Par ext. :** acceptable, admissible, avantageux, bon, convenable, de mise, efficace, négociable, normal, passable, précieux, recevable, régulier, salutaire, sérieux.

VALET I. → serviteur. **II.** Porte-habit.

VALÉTUDINAIRE n. et adj. Cacochyme, égrotant, maladif, mal en point.

VALEUR I. → prix. **II.** → qualité. **III.** → courage. **IV.** → sens. **V. Loc. Mettre en valeur :** faire valoir. → rehausser.

VALEUREUX, EUSE → courageux.

VALIDE I. Quelqu'un : bien constitué/ portant, dispos, dru, fort, gaillard, robuste, sain, vert, vigoureux. **II. Quelque chose :** admis, approuvé, autorisé, bon, efficace, en cours, légal, réglementaire, régulier, valable.

VALLÉE Bassin, cavée, cluse, combe, cuvette, dépression, val, valleuse.

VALOIR I. V. intr. Un prix : coûter, revenir à, se vendre. **II. V. tr. 1.** → égaler. **2.** → procurer. **III. Loc. Faire valoir. 1.** Mettre en valeur. → exploiter. **2.** → rehausser. **3.** → vanter.

VALORISATION → hausse.

VALORISER → hausser.

VALSE → mouvement.

VAMPIRE → ogre.

VAMPIRISME → avidité.

VAN → tamis.

VANDALE n. et adj. Barbare, destructeur, dévastateur, iconoclaste.

VANDALISME → barbarie.

VANITÉ I. De quelque chose : chimère, erreur, fragilité, frivolité, fumée, futilité, illusion, inanité, inconsistance, inefficacité, insignifiance, inutilité, mensonge, néant, pompe, vapeur, vent, vide. **II. De quelqu'un :** bouffissure, boursouflure, complaisance, crânerie, enflure, fatuité, fierté, gloriole, importance, infatuation, jactance, ostentation, présomption, prétention, suffisance. → orgueil.

VANITEUX, EUSE → orgueilleux.

VANNE I. Barrage, bonde, déversoir. **II. Arg.** → blague.

VANNÉ, E → fatigué.

VANNER I. → tamiser. **II.** → nettoyer. **III.** → fatiguer.

VANTAIL Battant, panneau, volet.

VANTARD, E → hâbleur.

VANTARDISE → hâblerie.

VANTER Acclamer, applaudir, approuver, célébrer, complimenter, donner de la publicité à, encenser, exalter, faire mousser/valoir, féliciter, glorifier, louer, prôner, publier, recommander, rehausser.

VANTER (SE) S'applaudir de, s'attribuer, bluffer, se croire, se donner des gants, faire profession de, se faire mousser/valoir, se flatter, se mettre en valeur, se piquer/se targuer de, prétendre.

VANTERIE → hâblerie.

VA-NU-PIEDS I. → coquin. **II.** → misérable.

VAPEUR I. Nom masc. → bateau. **II. Nom fém. :** brume, buée, émanation, exhalaison, fumée, fumerolle, gaz, mofette, nuage, nuée, serein. **III.** → vanité. **IV. Nom fém. pl.** → vertige.

VAPOREUX, EUSE I. → flou. **II.** → vague.

VAPORISATION Atomisation, évaporation, pulvérisation, sublimation, volatilisation.

VAPORISER Atomiser, gazéifier, pulvériser.

VAPORISER (SE) S'atomiser, s'évaporer, se sublimer, se volatiliser.

VAQUER → occuper (s').

VARECH → algue.

VAREUSE → veste.

VARIABLE → changeant.

VARIATION I. Au pr. : alternance, alternative, bifurcation, changement, déviation, différence, écart, évolution, fluctuation, innovation, modification, mouvement, mutation, nutation, oscillation, retour, retournement, transformation, vicissitude. **II. Par ext.** → variété. **III. Fig.** → caprice.

VARIÉ, E Bariolé, bigarré, changeant, complexe, différent, disparate, divers, diversifié, hétéroclite, hétérogène, marbré, marqueté, mâtiné, mélangé, mêlé, modifié, moiré, multicolore, multiforme, multiple, nombreux, nuancé, ondoyant, panaché, rayé, taché, tigré, transformé.

VARIER v. tr. et intr. → changer.

VARIÉTÉ I. → *différence.* **II.** → *variation.* **III.** Bigarrure, classification, collection, diversité, forme, manière, modulation, mosaïque, variante.

VARIOLE I. Méd. : petite vérole. **II. Vétér. :** clavelée, picote, vaccine.

VASE n. fém. → *limon.*

VASE n. masc. **I.** → *récipient.* **II. Vase de nuit** → *bourdalou.*

VASELINE Graisse, onguent, paraffine, pommade.

VASEUX, EUSE I. Au pr. : boueux, bourbeux, fangeux, limoneux, marécageux, tourbeux, trouble. **II. Fig.** → *stupide.*

VASISTAS → *ouverture.*

VASSAL n. et adj. **I. Au pr. :** feudataire, homme lige, sujet, vavasseur. **II. Par ext. :** assujetti, inféodé, lié, soumis.

VASTE Abondant, ample, considérable, copieux, développé, élevé, épanoui, étendu, fort, généreux, grand, gras, gros, immense, incommensurable, large, long, plein, spacieux, volumineux.

VATICINATEUR → *devin.*

VATICINER → *prédire.*

VAUDEVILLE → *comédie.*

VAURIEN Arsouille, aventurier, bandit, bon à rien, brigand, canaille, chenapan, coquin, crapule, débauché, dévoyé, drôle, fainéant, frappe, fripon, fripouille, galapiat, galopin, garnement, homme de sac et de corde, gibier de potence, gouape, gouspin (vx), gredin, libertin, malhonnête, maquereau, nervi, plat personnage, poisse, ribaud (vx), rossard, sacripant, salaud (grossier), saleté, sale/triste individu/personnage/type/coco (fam.), saligaud (grossier), saloperie (grossier), scélérat, vermine, vicieux, voyou.

VAUTOUR Charognard, condor, griffon, gypaète, rapace.

VAUTRAIT → *vénerie.*

VAUTRER (SE) I. → *coucher (se).* **II.** → *abandonner (s').*

VEDETTE I. → *veilleur.* **II.** → *artiste.* **III.** → *bateau.*

VÉGÉTAL → *plante.*

VÉGÉTARIEN n. et adj. Frugivore, herbivore.

VÉGÉTATIF Pâle, lymphatique, mou.

VÉGÉTATION Flore, pousse, verdure.

VÉGÉTER → *vivoter.*

VÉHÉMENCE I. → *impétuosité.* **II.** → *éloquence.*

VÉHÉMENT, E I. → *impétueux.* **II.** → *violent.*

VÉHICULE → *voiture.*

VÉHICULER → *transporter.*

VEILLE I. Au pr. : éveil, insomnie. **II. Par ext. 1.** Garde, quart, veillée. **2.** Vigile. **III. Nom fém. pl. 1.** → *soin.* **2.** → *travail.*

VEILLER Appliquer son attention à, chaperonner, donner ses soins, garder, s'occuper de, présider à, protéger, surveiller. → *pourvoir à.*

VEILLEUR Épieur, factionnaire, garde, gardien, guet, guetteur, sentinelle, surveillant, vedette, vigie.

VEINE I. → *filon.* **II.** → *chance.* **III.** → *inspiration.*

VEINÉ, E Veineux. → *marqueté.*

VELLÉITAIRE n. et adj. → *mou.*

VELLÉITÉ → *volonté.*

VÉLO, VÉLOCIPÈDE Bécane, biclo (fam.), biclou (péj.), bicycle, bicyclette, clou (péj.), cycle, petite reine, tandem.

VÉLOCITÉ → *vitesse.*

VELOURS I. Panne, peluche. **II. Loc. Sur le velours** → *facile.*

VELOUTÉ, E I. → *moelleux.* **II.** → *soyeux.*

VELU, E → *poilu.*

VENAISON → *gibier.*

VÉNAL, E Corrompu, corruptible, mercenaire, vendable.

VENDANGEUR → *vigneron.*

VENDETTA → *vengeance.*

VENDEUR, EUSE Agent/attaché commercial, calicot (péj.), camelot, commerçant, commis-voyageur / commis / commise / demoiselle / fille / garçon de boutique/magasin/rayon, détaillant, exportateur, grossiste, marchand, placier, représentant, voyageur.

VENDRE I. Neutre : adjuger, aliéner, céder, débiter, se défaire de, détailler, donner, échanger, écouler, exporter, laisser, monnayer, placer, réaliser, sacrifier, se séparer de, solder. **II. Non favorable :** bazarder, brader, brocanter, cameloter, coller, laver, lessiver, liquider, mévendre, trafiquer. **III. Fig.** → *dénoncer.*

VENELLE → *rue.*

VÉNÉNEUX, EUSE Dangereux, délétère, empoisonné, létifère, nocif, non comestible, mauvais, toxique, vireux.

VÉNÉRABLE Aimé, ancien, apprécié, bon, considéré, digne, éminent, estimable, honoré, patriarcal, réputé, respectable, respecté, révéré, sacré, saint, vieux.

VÉNÉRATION Admiration, affection, amour, dévotion, estime, révérence.

VÉNÉRER Admirer, aimer, apprécier, considérer, estimer, être à la dévotion de, être dévoué à, honorer, respecter, révérer.

VÉNERIE Chasse à courre, équipage, meute, vautrait.

VENGEANCE Châtiment, colère, némésis, œil pour œil dent pour dent, punition, réparation, représaille, ressentiment, rétorsion, revanche, riposte, talion, vendetta, vindicte.

VENGER Châtier, corriger, frapper, laver, punir, redresser, réparer, réprimer, riposter, sévir, vider une querelle.

VENGEUR, VENGERESSE n. et adj. → *juge.*

VÉNIEL, ELLE → *insignifiant.*

VENIMEUX, EUSE I. Au pr. → *vénéneux.* **II. Fig.** → *malveillant.*

VENIN → *poison.*

VENIR I. Au pr. : aborder, s'abouler (fam.), aboutir, aller, s'amener (fam.), approcher, arriver, avancer, se déplacer, entrer, parvenir à, se pointer (fam.), radiner (fam.), rappliquer (fam.), sortir de, survenir, se transporter, tomber sur. **II.** → *sortir.* **III.** → *produire (se).* **IV.** → *pousser.* **V. Venir de :** dater, descendre, partir, procéder, provenir de, remonter à, sortir, tenir, tirer son origine de. **VI. Loc. 1. Venir à bout de** → *réussir.* **2. Venir au monde** → *naître.*

VENT I. Au pr. : agitation, alizé, aquilon, auster, autan, bise, blizzard, borée, bourrasque, brise, chergui, courant d'air, cyclone, fœhn, galerne, harmattan, mistral, mousson, noroît, notus, ouragan, pampero, rafale, simoun, sirocco, souffle, suroît, tempête, tourbillon, tramontane, typhon, zéphire, zéphyr. **II. Par ext.** → *odeur.* **2.** Débourrée (vulg.), flatuosité, gaz, incongruité, louffe (vulg.), louise (vulg.), perlouse (vulg.), pet, vanne (vulg.), vesse (vulg.). **III.** → *nouvelle.*

VENTE Adjudication, aliénation, braderie, brocante, chine, criée, débit, écoulement, exportation, liquidation, placement, porte à porte, regrat (vx), solde, trôle.

VENTILATION → *répartition.*

VENTRE I. → *abdomen.* **II.** → *bedaine.* **III.** → *utérus.*

VENTRIPOTENT, · E Bedonnant, bouffi, dodu, gidouillant, gidouillard, gros, obèse, pansu, patapouf, replet, rond, ventru.

VENTRU, E I. → *ventripotent.* **II.** → *gros.* **III.** → *renflé.*

VENUE Approche, arrivée, avènement, croissance, irruption.

VER I. Au pr. : ascaride *ou* ascaris, douve, filaire, lombric, oxyure, stongle, ténia, trichine, vermisseau. **II. Par ext. :** bombyx, chenille, larve, ver à soie.

VÉRACITÉ → *vérité.*

VÉRANDA Auvent, balcon, bungalow, varangue, verrière.

VERBAL, E Non écrit, oral, parlé.

VERBALISME → *bavardage.*

VERBE → *parole.*

VERBEUX, EUSE → *diffus.*

VERBIAGE I. → *bavardage.* **II.** → *faconde.*

VERBOSITÉ → *faconde.*

VERDÂTRE, VERDELET, ETTE → *vert.*

VERDEUR → *jeunesse.*

VERDICT → *jugement.*

VERDIR I. Verdoyer. **II. V. tr. :** colorer/peindre en vert.

VERDUNISATION Désinfection, épuration, javellisation, traitement des eaux.

VERDURE I. Au pr. : boulingrin, feuillage, feuille, frondaison, gazon, herbage, herbe, parterre, pâturage, pâture, plate-bande, prairie, pré, tapis de verdure. **II. Par ext. :** tapisserie.

VÉREUX, EUSE → *malhonnête.*

VERGE I. → *baguette.* **II.** → *sexe.* **Pop. :** biroute, bite, pine, queue, zob, etc.

VERGETÉ, E → *marqueté.*

VERGOGNE → *honte.*

VÉRIDICITÉ → *vérité.*

VÉRIDIQUE → *vrai.*

VÉRIFICATION Analyse, apurement, collation, collationnement, confirmation, confrontation, contre-épreuve, contrôle, épreuve, essai, examen, expertise, inspection, pointage, recensement, recension, récolement, reconnaissance, recoupement, révision, revue, surveillance, test.

VÉRIFIER Analyser, apurer, collationner, comparer, constater, contrôler, éprouver, essayer, étalonner, examiner, expérimenter, expertiser, inspecter, juger, justifier, prouver, récoler, repasser, revoir, s'assurer/se rendre compte de, tester, voir.

VÉRIFIER (SE) S'avérer, se confirmer, *et les formes pronom. possibles des syn. de* VÉRIFIER.

VÉRITABLE → *vrai.*

VÉRITÉ I. De quelque chose ou de quelqu'un : authenticité, certitude, droiture, évidence, exactitude, franchise, fidélité, justesse, lucidité, lumière, loyauté, nature, naturel, netteté, objectivité, réalité, sincérité, valeur, véracité, véridicité, vraisemblance. **II. Scient. :** axiome, postulat, principe, science, théorème. **III. Relig. :** conviction, croyance, dogme, Evangile, foi, mystère, oracle, orthodoxie, parole, prophétie, révélation, sagesse. **IV. Non favorable :** lapalissade, sophisme, truisme, vérité première.

VERMINE I. Au pr. : parasites, pouillerie, poux, puces, pucier, punaises, saleté, sanie. **II. Par ext. 1.** Canaille, gueuserie, populace, racaille. **2.** → *vaurien.*

VERNIR Cirer, enduire de vernis, faire briller/luire/reluire, glacer, laquer, lisser, lustrer, peindre, protéger, retaper (péj.), vernisser.

VERNIS I. Au pr. : enduit, laque, peinture laquée. **II. Fig. 1. Non favorable :** apparence, brillant, croûte, dehors, écorce, teinture. **2. Favorable :** éclat, éducation, manières, lustre, splendeur.

VERNISSÉ, E → *lustré.*

VERNISSER → *vernir.*

VÉROLE I. Vulg. : syphilis. **II. Petite vérole** → *variole.* **III. Par ext.** → *vermine.*

VERRAT Cochon, goret, porc mâle, pourceau, reproducteur.

VERRE 1. Carreau, cristal. **2.** → *gobelet.*

VERRERIE Par ext. 1. Verres. **2.** Verroterie.

VERRIÈRE → *vitrail.*

VERROUILLER I. → *fermer.* **II.** → *enfermer.*

VERS Mètre, poésie, rimes, rythme, verset.

VERS Dans la/en direction de, sur.

VERSANT Côte, déclin, déclivité, penchant, pente.

VERSATILE Capricieux, changeant, divers, fantaisiste, incertain, inconsistant, indécis, inégal, instable, irrégulier, irrésolu, lunatique, vacillant, volage. → *quinteux.*

VERSÉ DANS → *capable.*

VERSER I. Au pr. : déverser, entonner, épancher, instiller, mettre, transvaser, transvider, vider. **II. Par ext. 1.** Arroser. **2.** Donner, servir. **3.** Infuser, transfuser. **4.** Renverser, répandre. **III. Fig. 1.** → *payer.* **2.** → *culbuter.*

VERSIFICATEUR → *poète.*

VERSIFICATION Métrique, prosodie, technique poétique.

VERSION I. → *traduction.* **II.** → *relation.*

VERSO → *revers*

VERT, VERTE I. Au pr. : bouteille, céladon, émeraude, gazon, glauque, jade, olive, pers, pomme, prairie, sinople, tilleul, verdâtre, verdoyant. **II. Par ext. 1.** → *valide.* **2.** → *aigre.* **3.** → *pâle.* **4.** → *rude.*

VERTICAL, E → *perpendiculaire.*

VERTICALEMENT D'aplomb, debout, droit, *et les adv. en -ment formés avec les syn. de* VERTICAL.

VERTIGE I. Au pr. : déséquilibre, éblouissement, entêtement (vx), étourdissement, fumées, tournis (vét.), vapeurs, vertigo (vét.). **II. Fig. :** caprice, égarement, emballement, enivrement, folie, frisson, fumée, griserie, ivresse, trouble.

VERTIGINEUX, EUSE → *démesuré.*

VERTIGO I. → *vertige.* **II.** → *caprice.*

VERTU I. → *sainteté.* **II.** → *probité.* **III.** → *décence.* **IV.** → *prudence.* **V.** → *qualité.* **VI. Loc. En vertu de** → *conséquence (en).*

VERTUEUX, EUSE I. → *saint.* **II.** → *probe.* **III.** → *prudent.*

VERVE I. → *éloquence.* **II.** → *inspiration.*

VÉSANIE → *folie.*

VESPASIENNE → *urinoir.*

VESTE I. Au pr. : anorak, blazer, blouson, boléro, canadienne, dolman (milit.), hoqueton (vx et milit.), jaquette, pet-en-l'air, pourpoint (vx), saharienne, soubreveste (vx et milit.), tunique, vareuse, veston. **II. Fig.** → *insuccès.*

VESTIBULE Antichambre, entrée, galerie, hall, narthex, porche, prodromos, propylée.

VESTIGE Apparence, débris, décombres, marque, reste, ruine, trace.

VÊTEMENT I. Neutre : affaires, ajustement, atours, complet, costume, dessous, effets, ensemble, équipage, équipement, garde-robe, habillement, habit, livrée, mise, parure, robe, sousvêtement, survêtement, tailleur, tenue, toilette, trousseau, uniforme. **II. Non favorable :** accoutrement, affublement, cache-misère, décrochez-moiça, défroque, déguisement, fringues, friperie, frusques, guenille, haillon, hardes, harnachement, harnais, harnois, nippe, pelure, saint-frusquin, souquenille.

VÉTÉRAN n. et adj. **I.** → *ancien.* **II.** → *soldat.*

VÉTILLE → *bagatelle.*

VÉTILLER → *chicaner.*

VÉTILLEUX, EUSE Agaçant, chicaneur, discordant, disputeur, formaliste, maniaque, mesquin, méticuleux, minutieux, pointilleux, puéril, regardant, tatillon, vétillard.

VÊTIR I. Neutre : costumer, couvrir, endosser, enfiler, habiller, mettre, prendre, revêtir. **II. Non favorable :** accoutrer, affubler, caparaçonner, déguiser, fagoter, ficeler, fringuer, frusquer, harnacher, nipper.

VÉTO → *opposition.*

VÊTU, E Engoncé, enharnaché. → *vêtir.*

VÉTUSTÉ → *vieillesse.*

VEULE → *mou.*

VEUVAGE Solitude, viduité.

VEUVE I. Au pr. : douairière (péj.)
II. Fig. → *masturbation*

VEXER I. → *tourmenter.* **II.** → *aigrir.*

VEXER (SE) → *offenser (s').*

VIABLE → *vivant.*

VIADUC → *pont.*

VIANDE → *chair.*

VIATIQUE I. → *provision.* **II. Par ext. 1.** Extrême-onction, sacrement des malades/mourants, derniers sacrements. **2.** Secours, soutien.

VIBRANT, E → *sonore.*

VIBRATION I. → *oscillation.* **II.** → *tremblement.*

VIBRER → *trembler.*

VICE → *imperfection, mal, sadisme*

VICIER → *altérer*

VICIEUX, EUSE I. Au pr. : corrompu, dépravé, dissolu, immoral, mauvais, obscène, pervers, perverti, sadique, taré. **II. Par ext. 1.** → *indocile.* **2.** → *imparfait.*

VICISSITUDE → *variation.*

VICTIME Bouc émissaire, hostie, jouet, martyr, plastron, proie, souffre-douleur, tête de Turc.

VICTOIRE → *succès.*

VICTORIEUX, EUSE → *vainqueur.*

VICTUAILLES I. → *provision.* **II.** → *subsistances.*

VIDANGER → *vider.*

VIDE I. Adj. 1. D'un contenant privé de son contenu : abandonné, débarrassé, dégarni, démuni, désempli, à sec. **2. D'un lieu sans occupants, sans vie** : aride, dénudé, dépeuplé, dépouillé, dépourvu, désert, improductif, inculte, inhabité, inoccupé, libre, nu, sec, stérile, vacant, vague (terrain). **3.** Creux. **4. Fig.** : bête, bouffi, boursouflé, creux, enflé, futile, insignifiant, insipide, inutile, morne, nul, pauvre, plat, prétentieux, vague, vain. **II. Nom. 1.** Cosmos, espace. **2.** Néant, vacuité. **3.** → *excavation.* **4.** → *trou.* **5.** Blanc, espace, interruption, lacune, manque. **6. Fig.** → *vanité.*

VIDER I. Au pr. : assécher, désemplir, dessécher, enlever, évacuer, nettoyer, tarir, transvaser, transvider, vidanger. **II. Par ext.** : abandonner, débarrasser, déménager, évacuer, laisser la place, partir. **III. Fig. 1.** → *congédier.* **2.** → *fatiguer.* **3.** → *finir.*

VIDIMER Jurid. : conformer. → *comparer.*

VIDUITÉ Solitude, veuvage.

VIE I. Au pr. : destin, destinée, existence, jours, sort, temps. **II. Par ext. 1.** → *activité.* **2.** → *vivacité.* **3.** → *histoire.* **III. Fig.** → *discussion.* **IV. Loc. En vie** → *vivant.*

VIEILLARD I. Neutre : ancien, grand-père, homme âgé, patriarche, vieil homme, vieilles gens, vieux, vieux monsieur. **II. Non favorable** : baderne, barbon, birbe, fossile, géronte, grime, grison, peinard, pépé, roquentin (vx), vieille barbe, vieux birbe/bonze/chose/machin/truc.

VIEILLE I. Neutre : ancienne, femme âgée/d'âge canonique, grand-mère, veuve, vieille dame/femme. **II. Non favorable** : bonne femme, douairière, rombière.

VIEILLERIE I. Bric-à-brac. → *brocante.* **II.** → *lieu commun.* **III.** → *vieillesse.*

VIEILLESSE I. De quelqu'un. 1. Neutre : abaissement, affaiblissement, troisième âge, vieillissement. **2. Non favorable** : caducité, décadence, décrépitude, sénescence, sénilité, vieillerie (fam.). **II. De quelque chose** : abandon, ancienneté, antiquité, décrépitude, désuétude, obsolence, vétusté.

VIEILLIR I. V. intr. : dater, être démodé, n'être plus dans la course (fam.), passer de mode. **II. V. tr.** : désavantager.

VIEILLOT, OTTE I. → *vieux.* **II.** → *âgé.*

VIERGE I. Nom. 1. Au pr. : jeune fille, pucelle, rosière, vestale. **2.** Bonne Dame/Mère, Madone, Marie, Mère de Dieu, Notre-Dame, Pietà. **II. Adj. 1.** Puceau, pucelle. **2. Par ext.** : brut, innocent, intact, neuf, nouveau, sans tache. → *pur.*

VIEUX I. Nom. 1. → *vieillard.* **2.** → *vieille.* **II. Adj. 1. Neutre** → *âgé* et *ancien.* **2. Par ext. Non favorable** : antédiluvien, antique, archaïque, arriéré, caduc, décrépit, démodé, dépassé, désuet, fatigué, gothique, hors service, obsolète, révolu, rococo, sénile, suranné, usagé, usé, vétuste, vieillot.

VIF, VIVE I. Au pr. Quelqu'un. 1. Favorable : actif, agile, alerte, allègre, animé, ardent, brillant, chaleureux, dégagé, déluré, dispos, éveillé, fougueux, frétillant, fringant, gaillard, guilleret, ingambe, intelligent, léger, leste, mobile, ouvert, pétillant, pétulant, primesautier, prompt, rapide, sémillant, vivant. **2. Non favorable** : aigre, amer, brusque, emporté, excessif, injurieux, irritant, mordant, violent. **II. Par ext. 1. Quelque chose** : acide, aigre, aigu, âpre, criard, cru, cuisant, douloureux, exaspéré, excessif, expéditif, frais, froid, intense, pénétrant, perçant, piquant, vivace. **2. Le style** : animé, brillant, coloré, délié, éclatant, nerveux, pressé, sensible.

VIF-ARGENT → *mercure.*

VIGIE → *veilleur.*

VIGILANCE → *attention*.

VIGILANT, E → *attentif*.

VIGNE Clos, pampre, raisin, treille, vignoble.

VIGNERON, ONNE Vendangeur, viticulteur.

VIGNETTE → *image*.

VIGNOBLE → *vigne*.

VIGOUREUX, EUSE → *fort*.

VIGUEUR → *force*.

VIL, VILE Abject, affreux, avili, banal, bas, commun, corrompu, dépravé, déprécié, dernier, grossier, ignoble, impur, inculte, indigne, infâme, innommable, insignifiant, lâche, laid, méprisable, méprisé, mesquin, misérable, monstrueux, ordinaire, plat, rampant, ravalé, repoussant, rustre, sale, servile, vilain, vulgaire.

VILAIN, AINE I. Adj. 1. → *méchant*. **2.** → *laid*. **3.** → *avare*. **II. Nom** → *paysan*.

VILENIE I. → *bassesse*. **II.** → *méchanceté*. **III.** → *injure*.

VILIPENDER Abaisser, attaquer, avilir, bafouer, berner, conspuer, crier haro sur, critiquer, déconsidérer, décrier, dénigrer, déprécier, déshonorer, détracter, diffamer, dire pis que pendre, discréditer, disqualifier, flétrir, honnir, huer, injurier, insulter, mépriser, mettre plus bas que terre, rabaisser, ravaler, salir, siffler, souiller, traîner dans la boue/fange/aux gémonies, tympaniser (vx), vitupérer, vouer aux gémonies.

VILLA Bungalow, cabanon, chalet, chartreuse, cottage, folie, pavillon.

VILLAGE Agglomération, bled (péj.), bourg, bourgade, cité, commune, endroit, feux (vx), hameau, localité, ménil (vx), paroisse, pâté de maisons, patelin (fam.), petite ville, trou (péj.).

VILLAGEOIS, VILLAGEOISE n. et adj. → *paysan*.

VILLE → *village* et *agglomération*.

VILLE D'EAUX → *station*.

VILLÉGIATURE → *séjour*.

VIN I. Au pr. : cru, production, produit. **II. Fam. et péj. :** abondance, bibine, ginglet, mazout, piccolo, picrate, pinard, piquette, reginglard, rouquin, vinasse. **III. Par ext. :** chopine, litre, litron, quille.

VINDICATIF, IVE → *rancunier*.

VINDICTE → *vengeance*.

VINÉE → *cave*.

VIOL → *violence*.

VIOLATION Atteinte, contravention, dérogation, désobéissance, entorse, infraction, manquement, outrage, profanation, transgression, violement (vx).

VIOLENCE I. Au pr. : agressivité, animosité, ardeur, chaleur, colère,

déchaînement, démence, démesure, dureté, effort, énergie, exacerbation, fougue, frénésie, fureur, furie, impétuosité, intensité, irascibilité, puissance, véhémence, virulence, vivacité. **II. Par ext. Des actes de violence. 1.** Agitation, émeute, pogrom, révolte, révolution. **2.** Agression, attentat, brutalité, contrainte, coups et blessures, excès, mal, sévices. **3.** Défloraison, défloration, profanation, viol.

VIOLENT, ENTE I. Au pr. : agressif, ardent, brusque, brutal, cassant, coléreux, concentré, cruel, déchaîné, dément, démesuré, dur, énergique, enragé, exacerbé, excessif, extrême, farouche, fort, fougueux, frénétique, furieux, impétueux, injurieux, irascible, puissant, rude, tempétueux, terrible, tranchant, véhément, vif, vigoureux, virulent. **II. Par ext. 1.** Convulsif, fébrile. **2.** Fulgurant, épouvantable, terrible. **3.** Aigu, carabiné, cruel, cuisant, douloureux, intense, poignant, vivace.

VIOLENTER → *obliger*.

VIOLER I. Une règle : braver, contrevenir/déroger à, désobéir, enfreindre, fausser, manquer à, passer par-dessus, tourner, trahir, transgresser, vicier. **II. Quelqu'un, une réputation :** blesser, déflorer, forcer, outrager, polluer, porter atteinte à, profaner, prostituer, souiller, violenter. **III. Loc. 1. Violer sa foi/parole :** se parjurer. **2. Violer un secret :** trahir, vendre.

VIOLON I. Au pr. : alto, basse, basse de viole, crincrin (péj.), viole. **II.** → *violoniste*. **III.** → *prison*.

VIOLONISTE Ménétrier (vx), musicien, premier/second violon, soliste, violoneux (vx), virtuose.

VIPÈRE I. Au pr. : aspic, céraste, guivre, ophidien, péliade, reptile, vouivre. **II. Fig.** → *méchant*.

VIRAGE Coude, courbe, épingle à cheveux, lacet, tournant.

VIRAGO Dame de la halle, dragon, gendarme, grenadier, grognasse, harangère, harpie, maritorne, mégère, poissarde, pouffiasse, rombière, tricoteuse (vx).

VIRER, VIREVOLTER → *tourner*.

VIRGINAL, E → *pur*.

VIRGINITÉ I. Au pr. : hymen, pucelage. **II. Fig. :** fleur, ruban. **III. Par ext. :** blancheur, candeur, chasteté, innocence, intégrité, pureté, vertu.

VIRIL → *mâle*.

VIRTUOSE Aigle, as (fam.), maestro, maître, musicien, soliste.

VIRTUOSITÉ → *habileté*.

VIRULENCE → *violence*.

VIRULENT, E → *violent*.

VIRUS → *poison*.

VISA Approbation, attestation, autorisation, licence, passeport, sceau, validation.

VISAGE I. Au pr. 1. Face, faciès, figure, frimousse, masque, minois, tête, traits. **2. Fam. :** balle, bille, binette, bobine, bouille, fiole, gueule, hure, margoulette, mufle, museau, nez, poire, pomme, portrait, trogne, trombine, trompette, tronche. **3.** Effigie, mascaron, masque. **II. Par ext. 1.** Air, apparence, aspect, attitude, contenance, expression, maintien, mine, physionomie. **2.** Caractère, personnage, personnalité, type. **III. Fig. :** configuration, conformation, couleur, dehors, disposition, extérieur, forme, tournure.

VIS-À-VIS I. Adv. et loc. prép. : à l'opposite, en face, en regard, face à face, nez à nez. **II. Nom. 1. Quelqu'un :** voisin d'en face. **2.** Face à face, tête-à-tête.

VISCÈRE I. De l'homme : boyaux, entrailles, intestin, tripes (fam.). **II. Des animaux :** fressure, tripes.

VISÉE → *but*.

VISER I. Au pr. : ajuster, coucher en joue, mirer, pointer, regarder. **II. Par ext. 1.** Aviser, lorgner, regarder. **2.** Concerner. **III. Fig. :** ambitionner, chercher, désirer, poursuivre, prétendre à, rechercher, tâcher à, tendre à, vouloir. **IV.** → *examiner*. **V.** Apostiller, authentifier, valider.

VISIBLE I. Au pr. : apercevable, apparent, distinct, manifeste, observable, ostensible, net, perceptible, percevable, voyant. **II. Fig. :** clair, évident, facile, flagrant, manifeste, ostensible.

VISION I. Au pr. → *vue*. **II.** → *apparition*. **III.** Chimère, fantasme *ou* phantasme, hallucination, hantise, idée, illusion, image, intuition, mirage, obsession, pressentiment, représentation, rêve, rêverie. → *imagination*.

VISIONNAIRE n. et adj. **I.** → *voyant*. **II. Favorable :** anticipateur, génie, phare, prophète. **III. Non favorable :** chimérique, déraisonnable, extravagant, halluciné, illuminé, imaginatif, obsédé, rêveur, songe-creux, utopiste.

VISITE I. Au pr. 1. On visite quelqu'un : audience, démarche, entrevue, réception, rencontre, tête-à-tête, visitation (vx). **2. On visite quelque chose :** contrôle, examen, expertise, fouille, inspection, ronde, tournée. **3. Un pays :** excursion, tour, tournée, voyage. **4. De police :** descente, perquisition, transport. **5. Un bateau :** arraisonnement. **II. Par ext. 1.** → *consultation*. **2.** → *visiteur*.

VISITER → *examiner*.

VISITEUR I. Contrôleur, enquêteur, examinateur, explorateur, inspecteur, réceptionnaire, → *vendeur*. **II.** Hôte. **III.** Amateur, estivant, excursionniste, promeneur, spectateur, touriste, vacancier, villégiaturiste, voyageur.

VISQUEUX, EUSE I. Au pr. : adhérent, collant, épais, gluant, glutineux, gommeux, graisseux, gras, huileux, poisseux, sirupeux, tenace. **II. Par ext. :** chassieux, glaireux. **III. Fig.** → *abject*.

VISSER I. Au pr. : assujettir, attacher, fixer, immobiliser, joindre, river, sceller, serrer. **II. Fig. :** serrer la vis, tenir/traiter sévèrement.

VITAL, E → *principal*.

VITALITÉ → *vivacité*.

VITE I. Adj. 1. → *rapide*. **2.** → *dispos*. **II. Adv. :** à tombeau ouvert (fam.), à tout berzingue (fam.), à toute biture (fam.)/vitesse, au galop/trot, à la volée, en un/clin d'œil/tour de main/tournemain, bientôt, brusquement, dare-dare, en hâte, et que ça saute (fam.), à fond de train (fam.), hâtivement, précipitamment, prestement, presto, prestissimo, promptement, raide, rapidement, rondement, subito, tôt, vivement. **III. Loc. 1. A la va-vite :** à la va-comme-je-te-pousse, bâclé, expédié, liquidé, gâché, saboté, sabré, torché. **2. Au plus vite :** à l'instant, immédiatement, tout de suite.

VITESSE Agilité, célérité, diligence, hâte, précipitation, presse, prestesse, promptitude, rapidité, vélocité, vivacité.

VITICOLE Vinicole.

VITICULTEUR Vigneron.

VITRAIL Châssis, panneau, rosace, rose, verrière.

VITRE I. Au pr. : carreau, glace, verre. **II. Par ext. 1.** → *fenêtre*. **2.** Pare-brise. **3.** Devanture, étalage, montre, vitrine.

VITREUX, EUSE Blafard, blême, cadavérique, décoloré, éteint, livide, pâle, terne, terreux, voilé.

VITRINE → *étalage*.

VITUPÉRER I. V. tr. → *blâmer*. **II. V. intr. :** déblatérer, s'indigner.

VIVACE → *vivant*.

VIVACITÉ I. → *vitesse*. **II.** Activité, alacrité, allant, allégresse, animation, ardeur, brio, éclat, entrain, gaieté, légèreté, pétulance, vie, vigueur, violence, vitalité.

VIVANT, E I. Au pr. : animé, en vie, viable, vivace. **II. Par ext. :** actif, animé, bien allant, debout, énergique, existant, force de la nature, fort, ranimé, remuant, résistant, ressuscité, sain et sauf, sauvé, survivant, tenace, trempé, valide, vif, vigoureux. **III. Loc. *Bon vivant* :** boute-en-train, farceur, fourchette, gai luron, joyeux compagnon/drille.

VIVAT → *acclamation.*

VIVEMENT Ardemment, beaucoup, fortement, intensément, profondément. → *vite.*

VIVEUR → *débauché.*

VIVIFIANT, E I. Au pr. : aiguillonnant, cordial, excitant, fortifiant, généreux, nourrissant, ranimant, ravigotant (fam.), réconfortant, reconstituant, remontant, revigorant, roboratif, stimulant, tonique. **II. Fig. :** encourageant, exaltant.

VIVIFIER Activer, agir sur, aiguillonner, animer, créer, donner le souffle, donner/insuffler l'âme/la vie, encourager, exciter, faire aller, fortifier, imprégner, inspirer, nourrir, ranimer, réconforter, tonifier.

VIVOTER Aller doucement/son petit bonhomme de chemin/son petit train, subsister, végéter.

VIVRE I. V. intr. 1. *Neutre* : être animé/au monde, exister, durer, respirer. **2. *Péj.* :** croupir, s'endormir, se laisser aller, pourrir, végéter. **3.** → *habiter.* **4.** Se conduire. → *agir.* **5.** Se consacrer à, se dévouer, se donner à. **6.** Consommer, se nourrir de. **II. V. tr. 1.** Éprouver, expérimenter, faire l'épreuve/l'expérience de. **2. *Loc.*** *Vivre des jours heureux :* couler, passer du bon temps.

VIVRES I. → *provisions.* **II.** → *subsistance.*

VOCABLE → *mot.*

VOCABULAIRE I. → *dictionnaire.* **II. Par ext. :** correction, expression, langage, langue.

VOCALISE Entraînement, exercice, roulade, trilles, virtuosité.

VOCALISER → *chanter.*

VOCATION → *disposition.*

VOCIFÉRER v. tr. et intr. → *crier.*

VŒU I. → *serment.* **II.** → *souhait.* **III.** → *demande.*

VOGUE I. → *cours.* **II.** → *mode.*

VOIE I. Au pr. : artère, autoroute, autostrade, avenue, axe, ballast, boulevard, canal, chaussée, chemin, chenal, cours, draille, impasse, levée, passage, piste, promenade, réseau, rocade, route, rue, ruelle, sente, sentier, traboule. **II. Fig. :** brisées, canal, carrière, chemin, conduite, dessein, exemple, ligne, marche, sillage, sillon, trace. **III.** → *moyen.* **IV. 1. *Voie ferrée* :** ballast, ligne, rails, talus. **2. *Par ext.* :** chemin de fer, S.N.C.F., train.

VOILE Fig. → *manteau.*

VOILÉ, E I. → *sourd.* **II.** Affaibli, assourdi, atténué, caché, déguisé, dissimulé, invisible, masqué, mystérieux, obscur, secret, tamisé, travesti, terne. **III.** → *vitreux.*

VOILER → *cacher.*

VOIR I. Au pr. : apercevoir, aviser, considérer, contempler, découvrir, discerner, distinguer, dominer, embrasser, entrevoir, examiner, loucher sur (fam.), mater (fam.), observer, percevoir, regarder, remarquer, repérer, saisir du regard, surplomber, viser, visionner, zieuter (fam.). **II. Fig. 1. *Se représenter par la pensée* :** apercevoir, apprécier, comprendre, concevoir, connaître, considérer, constater, découvrir, discerner, distinguer, envisager, se figurer, imaginer, juger, observer, regarder, se représenter, trouver. **2.** Assister à, visiter. **3.** Avoir la vue sur, donner sur, être exposé à, planer sur. **4.** Contrôler, inspecter, inventorier, noter, remarquer, prendre garde à, surprendre, vérifier. **5.** Imaginer, prévoir, représenter. **6.** Écouter, examiner, jauger, réfléchir. **III. Loc. 1. *Faire voir* :** apprendre, faire apparaître, découvrir, démontrer, démontrer, dévoiler, étaler, exhiber, exposer, faire entrevoir/paraître, montrer, présenter, prouver, révéler. **2. *Voir le jour* →** *naître.*

VOIRE I. Vrai, vraiment. **II.** Aussi, même.

VOIRIE I. Voies publiques. **II.** Entretien, ponts et chaussées. **III.** Bourrier, champ d'épandage, décharge, dépotoir, immondices, ordures.

VOISIN n. et adj. → *proche.*

VOISINAGE → *proximité.*

VOITURE I. Génér. : attelage, équipage, moyen de transport, véhicule. **II. A cheval. 1. *De promenade ou de voyage* :** berline, berlingot, break, briska, boghei, cab, cabriolet, calèche, carrosse, chaise, char, coche, coucou, coupé, derby, diligence, dog-cart, dormeuse, drag, fiacre, landau, landaulet, litière, locatis, mail-coach, malle, maringote, milord, omnibus, patache, phaéton, sapin (fam.), sulky, tandem, tapecul, tapissière, téléga, tilbury, tonneau, traîneau, troïka, victoria, vinaigrette, vis-à-vis, wiski. **2. *De travail* :** binard, camion, carriole, char, chariot, charrette, chasse-marée, corbillard, éfourceau, fardier, guimbarde, haquet, limonière, tombereau, trinqueballe, truck. **3. *Milit.* :** ambulance, caisson, fourgon, fourragère, prolonge. **III. A moteur. 1. *Au pr.* :** auto, automobile, berline, conduite intérieure, coupé, familiale, limousine, roadster, torpédo. **2. *Utilitaire* :** ambulance, camionnette, commerciale, fourgon, fourgonnette, taxi. **3. *De**

gros tonnage : autobus, autocar, benne, bétaillère, camion, car, tracteur. **4. Fam.** : bagnole, chignole, clou, ferraille, guimbarde, tacot, tire. **IV. A bras. 1.** *De travail :* baladeuse, brouette, charrette à bras, jardinière, pousse-pousse. **2.** *D'enfant :* landau, poussette. **V.** **Chemin de fer :** benne, citerne, fourgon, plateau, wagon. **VI. De police :** car, panier à salade, voiture cellulaire.

VOITURER → *transporter.*

VOITURIER I. Camionneur, routier, transporteur. **II.** Charretier, cocher, roulier. **III. Fam. :** automédon.

VOIX I. Articulation, parole, phonation, son. **II.** → *bruit.* **III. Par ext. 1.** Accord, approbation, assentiment, suffrage, vote. **2.** *D'animaux :* aboiement, chant, cri, grondement, hurlement, plainte. **3.** *Chant humain :* baryton, basse, basse-taille, castrat, contralto, dessus, haute-contre, mezzo-soprano, sopraniste, soprano, taille (vx), ténor, ténorino. **IV. Fig. 1.** Appel, avertissement, impulsion, inspiration, manifestation divine/surnaturelle. **2.** Avis, jugement, opinion.

VOL Décollage, envol, essor, lévitation, trajet aérien, volée.

VOL Abus de confiance, appropriation, brigandage, cambriolage, carambouillage, carambouille, casse (arg.), détournement, effraction, enlèvement, entôlage, escroquerie, filouterie, fric-frac, friponnerie, grivèlerie, hold-up, indélicatesse, larcin, malversation, maraudage, maraude, pillage, rapine, resquille, soustraction, vol à l'étalage/à la gare/à la rendez-moi/à la roulotte/à la tire, volerie.

VOLAGE → *changeant.*

VOLATILE → *oiseau.*

VOLATILISATION → *vaporisation.*

VOLATILISER (SE) I. Au pr. → *vaporiser (se).* **II. Fig.** → *disparaître.*

VOLCANIQUE → *impétueux.*

VOLÉE I. Envol, essor. **II.** → *troupe.* **III.** → *rang.* **IV.** → *décharge.* **V.** Bastonnade, brossée, correction, danse, déculottée, dégelée, dérouillée, fessée, fricassée, frottée, peignée, pile, plumée, rossée, roulée, rouste, secouée, tannée, tatouille, torgnole, tournée, trempe, tripotée, valse. **VI. Loc.** *A la volée* → *vite.*

VOLER I. Aller en l'air. 1. Au pr. : s'élever, s'envoler, flotter, monter, planer, pointer, prendre son envol/essor, tournoyer, voleter, voltiger. **2. Par ext.** → *courir.* **3. Fig. :** s'émanciper. **II. Prendre à autrui. 1. Voc. courant :** s'approprier, attraper, brigander, cambrioler, déposséder, dépouiller, dérober, détour-

ner, détrousser, dévaliser, dilapider, distraire, s'emparer de, enlever, escamoter, escroquer, estamper, exploiter, extorquer, faire disparaître, filouter, flouer, friponner, frustrer, gripper (vx), griveler, gruger, marauder, piller, piper, prendre, rançonner, rapiner, ravir, rouler, soustraire, soutirer, spolier, subtiliser, tromper. **2. Fam. ou arg. :** acheter à la foire d'empoigne, alléger, arranger, barboter, buquer, butiner, cabasser, carotter, casser, chaparder, charrier, chauffer, chiper, choper, chouraver, délester, écorcher, empaumer, entôler, entuber, étouffer, étriller, faire un casse/main basse/sa main, faucher, grappiller, gratter, kidnapper, piquer, rafler, ratiboiser, repasser, rifler, soulager, tondre, voler à la gare/à la rendez-moi/à la roulette/à la tire.

VOLERIE → *vol.*

VOLET Contrevent, jalousie, persienne.

VOLETER → *voltiger.*

VOLEUR, VOLEUSE Aigrefin, bandit, bonneteur (vx), brigand, briseur, cambrioleur, canaille, carambouilleur, casseur, chenapan, chouraveur, cleptomane, concussionnaire, coquin, corsaire, coupeur de bourses (vx), crapule, déprédateur, détrousseur, escogriffe (vx), escroc, filou, flibustier, forban, fraudeur, fripon, fripouille, larron, laveur de chèques, leveur, maître chanteur, malfaiteur, maraudeur, monte-en-l'air, pègre, pick-pocket, pillard, piqueur, pirate, rat d'hôtel, spoliateur, tire-laine (vx), tricheur, tripoteur, vaurien, vide-gousset, voleur à l'étalage/à la gare/à la rendez-moi/à la roulotte/à la tire.

VOLIÈRE → *cage.*

VOLONTAIRE I. Favorable → *bénévole.* **II. Non favorable. 1.** → *têtu.* **2.** → *indocile.*

VOLONTAIREMENT A bon escient, à dessein, de propos délibéré, délibérément, exprès, intentionnellement, volontiers.

VOLONTÉ I. Au pr. 1. Caractère, courage, cran, décision, détermination, énergie, fermeté, force d'âme, initiative, obstination, opiniâtreté, résolution, ressort, ténacité, vouloir. **2.** *Ce qu'on veut :* désir, dessein, détermination, exigence, intention, résolution, souhait, vœu, volition. **3. Philos. :** libre-arbitre, liberté. **4. Non favorable :** parti pris, velléité. **II. Loc. 1.** *A volonté :* ad libitum, à discrétion, à gogo (fam.), à loisir, à satiété, en-veux-tu-en-voilà. **2.** *Bonne volonté* → *bienveillance.* **3.** *Mauvaise volonté* → *malveillance.* **4.** *Selon votre volonté :* caprice, choix, décret, désir, gré, guise, mode, plaisir, tête.

VOLONTIERS Aisément, bénévolement, de bon cœur/gré, de bonne grâce, facilement, gracieusement, habituellement, naturellement, ordinairement, par nature/habitude/tendance.

VOLTAIRIEN, ENNE Anticlérical, athée, caustique, jacobin, libéral, libre penseur, non-conformiste, républicain, sceptique.

VOLTE → *tour.*

VOLTE-FACE → *changement.*

VOLTIGER Aller et venir, flotter, papillonner, voler, voleter.

VOLUBILE I. → *tordu.* **II.** → *bavard.*

VOLUBILITÉ → *faconde.*

VOLUME I. → *livre.* **II.** Ampleur, calibre, capacité, contenance, cubage, densité, grosseur, mesure.

VOLUMINEUX, EUSE → *gros.*

VOLUPTÉ I. Au pr. : délectation, délices, épectase (fam.), jouissance, lascivité, pied (fam.), sybaritisme → *orgasme, plaisir, sensualité.* **II. Par ext.** : caresse, débauche, érotisme, mollesse.

VOLUPTUEUX, EUSE I. → *sensuel.* **II.** → *libertin.*

VOLUTE Arabesque, enroulement, serpentin.

VOMIR I. Au pr. 1. Voc. courant : chasser, cracher, dégorger, évacuer, expulser, regorger (vx), régurgiter, rejeter, rendre, restituer. **2. Arg. :** aller au renard, débagouler, dégobiller, dégueuler, mettre le cœur sur le carreau (vx), renarder, rendre gorge (vx). **II. Par ext.** : dire, exécrer, honnir, jeter, lancer, proférer, souffler.

VOMITIF, IVE Émétique, vomique, vomitoire.

VORACE Affamé, avide, dévorant, glouton, goinfre, goulu, gourmand, inassouvi, insatiable.

VORACITÉ Appétit, avidité, gloutonnerie, goinfrerie, gourmandise, insatiabilité.

VOTE Consultation, élection, plébiscite, référendum, scrutin, suffrage, votation, voix.

VOTER v. intr. et tr. → *opiner.*

VOUÉ, E Consacré, prédestiné, promis.

VOUER I. Au pr. Favorable : appliquer, attacher, consacrer, dédier, destiner, dévouer, donner, offrir, prédestiner, promettre, sacrifier. **II. Fig. Non favorable :** appeler sur, condamner, flétrir, honnir.

VOUER (SE) → *adonner (s').*

VOULOIR n. → *volonté.*

VOULOIR Ambitionner, appéter, arrêter, avoir dans l'idée/en tête/ envie/l'intention de, brûler de, commander, convoiter, décider, désirer, entendre, s'entêter, exiger, guigner, lorgner (fam.), loucher sur (fam.),

prétendre à, s'obstiner, s'opiniâtrer, réclamer, rêver, souhaiter, soupirer après, tenir à, viser.

VOÛTE Arc, arcade, arceau, arche, berceau, cintre, coupole, dais, dôme, voussure.

VOÛTÉ, E Bossu, cintré, convexe, courbe, rond.

VOÛTER (SE) → *courber (se).*

VOYAGE Balade, campagne, circuit, croisière, déplacement, excursion, exode, expédition, exploration, incursion, itinéraire, navigation, odyssée, passage, pèlerinage, pérégrination, périple, promenade, randonnée, raid, rallye, route, tour, tourisme, tournée, trajet, traversée, va-et-vient.

VOYAGER Aller et venir, se balader, bourlinguer, se déplacer, excursionner, faire un voyage *et les syn. de* VOYAGE, naviguer, pérégriner, se promener.

VOYAGEUR, EUSE n. et adj. **I. Au pr.** : excursionniste, explorateur, globe-trotter, nomade, passager, promeneur, touriste. **II. Par ext. :** étranger. **III. Loc. Voyageur de commerce :** ambulant, commis-voyageur, courtier, démarcheur, démonstrateur, itinérant, placier, représentant, V.R.P.

VOYANT, E I. Nom : cartomancienne, devin, divinateur, extralucide, fakir, halluciné, illuminé, inspiré, magicien, prophète, pythonisse, sibylle, visionnaire. **II. Adj. :** bariolé, coloré, criant, criard, éclatant, évident, manifeste, tapageur, tape-à-l'œil.

VOYOU I. → *gamin.* **II.** → *vaurien.*

VRAI, E I. Au pr. Quelqu'un ou quelque chose : assuré, authentique, avéré, certain, confirmé, conforme, démontré, droit, effectif, exact, existant, évident, fondé, franc, historique, incontestable, juste, logique, loyal, mathématique, net, objectif, orthodoxe, positif, pur, réel, sérieux, sincère, strict, sûr, véridique, véritable, vraisemblable. **II. Par ext. 1. Quelque chose** → *principal.* **2. Quelqu'un** → *fidèle.*

VRAIMENT Certainement, effectivement, en effet, réellement, sérieusement, véritablement, en vérité, à vrai dire, vrai, voire (vx).

VRAISEMBLABLE Apparent, crédible, croyable, plausible. → *vrai.*

VRAISEMBLANCE Apparence, crédibilité, présomption, probabilité.

VRILLE I. Attache, cirre, filament. **II.** Foret, mèche, percerette, tarière.

VRILLÉ, E → *tordu.*

VROMBIR Bourdonner, bruire, ronfler, rugir.

VUE I. Au pr. 1. Action de voir : œil, optique, regard, vision. **2. Façon de voir :** aspect, optique, ouverture, perspective, présentation, vision. **3. Ce qu'on voit :** apparence, apparition, coup d'œil, dessin, étendue, image, ouverture, panorama, paysage, perspective, point de vue, site, spectacle, tableau, vision. **II. Fig. 1.** → opinion. **2.** → but.

VULGAIRE I. Adj. : banal, bas, béotien, bourgeois, brut, canaille, commun, courant, effronté, épais, faubourien, gouailleur, gros, grossier, insignifiant, matériel, ordinaire, peuple, philistin, poissard, populacier, prosaïque, rebattu, roturier, simple, trivial, vil. **II. Nom** → peuple.

VULGARISER → répandre.

VULNÉRABLE → faible.

VULTUEUX, EUSE → bouffi.

VULVE I. Féminité, nature (vx), sexe ; parties honteuses, pudenda (vx). **II. Pop. et vulg. :** abricot, bijou, cas (vx), chagatte, chat, chatte, con, cramouille, fendasse, moule, etc.

VU QUE → parce que.

WAGON Benne, citerne, fourgon, plateau, plate-forme, tender, tombereau, truck, voiture, wagon-bar, wagon-citerne, wagon frigorifique, wagon-poste, wagon-restaurant, wagon-salon. → *wagon-lit*.

WAGON-LIT Pullmann, sleeping-car, wagon-couchette.

WALHALLA → *ciel*.

WARRANT Avance, caution, ducroire, gage, garantie, prêt → *dépôt*.

WASSINGUE Serpillière, toile à laver.

WATER-CLOSET I. Bouteilles (mar.), cabinet, chaise (vx), chaise/fauteuil percé (e) (vx), châlet de nécessité, commodités, édicule, feuillées (partic.), garde-robe (vx), latrines, lieux d'aisance, petit coin/endroit, où le roi va tout seul, quelque part, retiro, salle de repos (Canada français), sanitaires, sentine (péj.). toilettes, trône (fam.), vespasiennes, W.C. **II. Arg. :** chiottes, fil à plomb, goguenots, gogues, gras, tartisses, tartissoires → *urinoir.*

WATTMAN Conducteur machiniste, mécanicien.

WEEK-END Fin de semaine, semaine anglaise. → *vacances*.

WELLINGTONIA Séquoia.

WERGELD → *indemnité*.

WHARF Appontement, avant-port, jetée, quai.

WHIG Libéral.

WIGWAM → *cabane* et *case.*

WHISKY Bourbon, drink, scotch.

WISIGOTH → *sauvage.*

XÉNOPHILE adj. et n. **I. Au pr. :** ami des/généreux pour les/ouvert aux étrangers/aux idées/modes étrangères. **II. Par ext. :** anglomane, snob.

XÉNOPHILIE I. Au pr. : générosité, ouverture. **II. Par ext. :** affectation, anglomanie, cosmopolitisme, maniérisme, recherche, snobisme.

XÉNOPHOBE adj. et n. Chauvin, nationaliste, raciste.

XÉNOPHOBIE Chauvinisme, nationalisme, racisme.

XÉRÈS Amontillado, jerez, manzanilla, sherry.

XYSTE Galerie/piste couverte, gymnase.

YACHT → *bateau.*

YACHTING Navigation de plaisance.

YANKEE n. et adj. Américain, amerloc (arg.), Oncle Sam.

YATAGAN → *épée.*

YEUSE Chêne vert.

YEUX I. → *regard.* **II. Loc. 1. Les yeux fermés :** en confiance, de tout repos, tranquille, tranquillement. **2. Entre quatre-z-yeux** (fam.) → *tête-à-tête (en).*

YOGI Ascète, comtemplatif, fakir, sage.

YOLE → *bateau.*

YOURTE → *cabane* et *case.*

YOUYOU → *bateau.*

ZÈBRE I. Au pr. : âne sauvage, hémione, onagre. **II. Fig. :** bougre, coco, type. → *homme.*

ZÉBRÉ, E Bigarré, léopardé, marbré, rayé, taché, tigré, veiné, vergé.

ZÉBRURE → *raie.*

ZÉLATEUR, TRICE adj. et n. Adepte, apôtre, disciple, élogieux, émule, enthousiaste, fervent, glorificateur, laudateur, panégyriste, propagandiste, partisan, propagateur, prosélyte.

ZÈLE Abnégation, activité, apostolat, application, ardeur, assiduité, attachement, attention, bonne volonté, chaleur, civisme, cœur, courage, dévotion, dévouement, diligence, empressement, émulation, enthousiasme, fanatisme, ferveur, feu sacré, fidélité, flamme, foi, intrépidité, passion, persévérance, promptitude, prosélytisme, soin, travail, vigilance, vivacité.

ZÉLÉ, E Actif, appliqué, ardent, assidu, attaché, attentif, chaleureux, civique, courageux, dévoué, diligent, empressé, enflammé, enthousiaste, fanatique, fervent, fidèle, intrépide, passionné, persévérant, prompt, prosélytique, soigneux, travailleur, vigilant, vif.

ZELLIGE Azulejo, carreau, céramique, faïence.

ZÉNITH Fig. → *comble.*

ZÉPHYR ou **ZÉPHIRE** → *vent.*

ZÉRO Aucun, néant, nul, nullité, rien, vide.

ZEUGME Jonction, réunion, union.

ZÉZAYER Bléser, zozoter.

ZIEUTER → *bigler.*

ZIGOUILLER Liquider, faire son affaire à, trucider. → *tuer.*

ZIGZAG Crochet, dents de scie, détour, entrechat, lacet.

ZIGZAGUER Chanceler, faire des zigzags *et les syn. de* ZIGZAG. Louvoyer, tituber, tourner, vaciller.

ZIZANIE I. Au pr. → *ivraie.* **II. Fig.** → *mésintelligence.*

ZIZI Pop. → *sexe; verge; vulve.*

ZOÏLE Baveux, contempteur, critique, détracteur, envieux, injuste, jaloux, pouacre.

ZONE Aire, arrondissement, bande, ceinture, district, division, espace, faubourg, lieu, pays, quartier, région, secteur, sphère, territoire.

ZOUAVE I. Au pr. : chacal, fantassin/soldat colonial/de ligne. **II. Fig.** → *homme.* **III. Loc. *Faire le zouave :*** faire le bête *et les syn. de* BÊTE.

ZOZOTER Bléser, zézayer.

Imprimerie-Reliure Maison Mame, Tours
Dépôt légal : 8590 - 2ᵉ trimestre 1981
Imprimé en France